De mammoetjagers

De serie *De Aardkinderen* bestaat uit de volgende delen:

De stam van de holenbeer
De vallei van de paarden
De mammoetjagers
Het dal der beloften
Een vuurplaats in steen

Bezoek onze internetsite www.awbruna.nl voor informatie over al
onze boeken en softwareproducten

JEAN M. AUEL

De mammoetjagers

Deel 3 van De Aardkinderen

A.W. Bruna Uitgevers B.V., Utrecht

Oorspronkelijke titel
The Mammoth Hunters
© 1985 by Jean M. Auel
Vertaling
G. Snoey
© 2002 A.W. Bruna Uitgevers B.V., Utrecht
Omslagontwerp
Myosotis Reclame Studio

ISBN 90 229 8620 9
NUGI 301

Tweeëndertigste druk, maart 2002

Opgedragen aan
Marshall,
die een man werd om trots op te zijn,
en Beverly,
die hielp,
en met liefde voor
Christopher, Brian en Melissa.

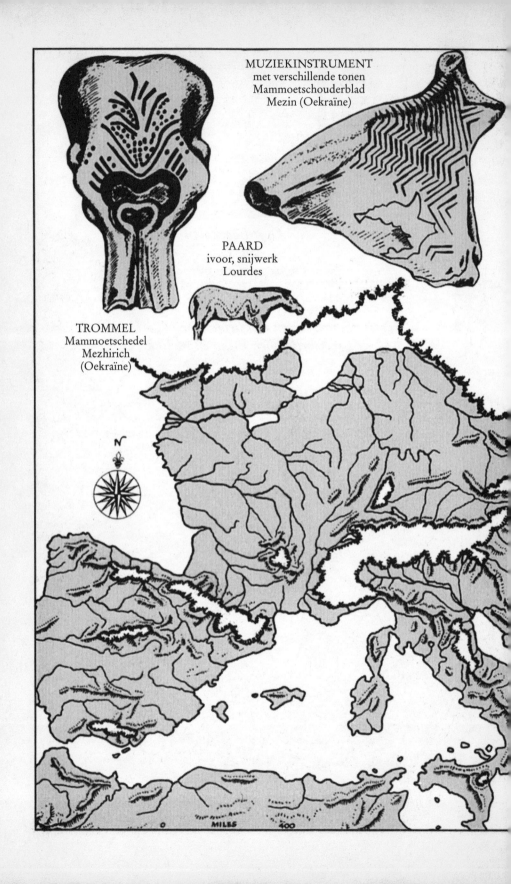

MUZIEKINSTRUMENT
met verschillende tonen
Mammoetschouderblad
Mezin (Oekraïne)

PAARD
ivoor, snijwerk
Lourdes

TROMMEL
Mammoetschedel
Mezhirich
(Oekraïne)

MILES   400

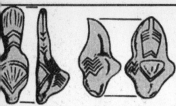

WEE VROUW-VOGELBEELDJES
ivoor, Mezin

MOEDERBEELDJE
ivoor
Kostienki
(Oekraïne)

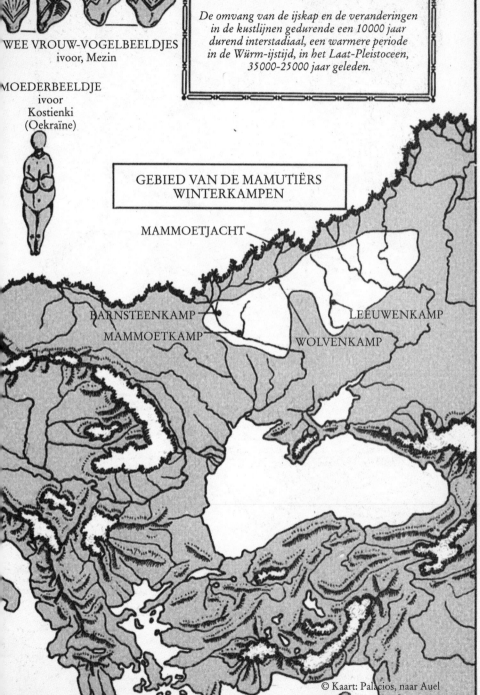

GEBIED VAN DE MAMUTIËRS
WINTERKAMPEN

MAMMOETJACHT

BARNSTEENKAMP   LEEUWENKAMP
MAMMOETKAMP   WOLVENKAMP

© Kaart: Palacios, naar Auel

Dankwoord

Ik had dit verhaal nooit kunnen vertellen zonder de boeken en het materiaal van de deskundigen die ter plekke voorwerpen hebben verzameld van onze prehistorische voorouders. Daarvoor ben ik hen buitengewoon dankbaar. Verschillende mensen ben ik bijzondere dank verschuldigd. Ik heb veel plezier gehad van de discussies, de correspondentie en de stukken, die niet alleen veel feiten bevatten, maar ook ideeën en theorieën. Ik moet echter wel duidelijk stellen dat degenen die me informatie verschaften en hulp boden in geen enkel opzicht verantwoordelijk zijn voor de standpunten of ideeën die in dit verhaal tot uitdrukking komen. Het is een verzonnen verhaal, ontsproten aan mijn fantasie. De personen, ideeën en cultuurbeschrijvingen zijn van mezelf.

In de eerste plaats mijn oprechte dank aan David Abrams, professor in de antropologie en bijzonder reisleider en aan Diane Kelly, student antropologie en deskundige op het gebied van menselijke relaties, die ons vergezelde op onze reizen naar de verschillende plaatsen en musea in Frankrijk, Oostenrijk, Tsjecho-Slowakije en Rusland, en alles voorbereidde en regelde.

Mijn dank en grote waardering voor dr. Jan Jelinek, directeur van het Antropologisch Instituut te Brno in Tsjecho-Slowakije, die zich de tijd gunde om me veel van de echte kunstvoorwerpen uit Oost-Europa te laten zien die staan afgebeeld in zijn boek, *The Pictorial Encyclopedia of the Evolution of Man*, verschenen bij The Hamlin Publishing Group Ltd. in Londen.

Ik ben dr. Lee Porter van de universiteit van de staat Washington dankbaar en het lot dat haar, met haar Amerikaans accent, in ons hotel in Kiev bracht. Ze was er om fossiele beenderen van de mammoet te bestuderen en een ontmoeting te hebben met nu juist de persoon die we zo graag wilden spreken, hetgeen ons echter nog niet gelukt was. Ondanks alle bureaucratie slaagde zij erin de ontmoeting te regelen.

Ik heb grote waardering voor de bijzondere moeite die dr. Ninel Kornietz voor ons deed. Ze was de Russische expert op het gebied van het Oekraïense Laat-Paleolithicum en betoonde zich buitengewoon vriendelijk, hoewel ze maar weinig tijd voor ons had. We bekeken samen met haar de kunstvoorwerpen in twee musea en ze schonk me het boek waar ik naar had gezocht over muziekinstrumenten die door de mensen in de ijstijd van mammoetbotten werden gemaakt en ze liet me de geluiden horen. Helaas was het boek in het Russisch geschreven.

Ik ben voor veel dingen dank verschuldigd aan dr. J. Lawrence Angel, curator van de afdeling Fysische Antropologie aan de Smithsonian Institution, voor het positieve, stimulerende commentaar op mijn boeken en de achtergrondinformatie over enige verschillen en overeenkomsten tussen de beenderen van de Neanderthaler en de moderne mens en vooral omdat ze me namen gaf van mensen die me verdere informatie en hulp konden geven.

Ik ben veel dank verschuldigd aan dr. Gloria Y'Edynak, een vroegere assistente van dr. Angel. Ze kent Russisch en ook de terminologie van de paleoantropologie. Ze zorgde voor een vertaler van het Russische boek over muziekinstrumenten, vervaardigd van mammoetbot, en corrigeerde de vertaling, waarbij ze de juiste technische termen invulde. Ik ben haar ook dankbaar voor haar vertaling van artikelen uit het Oekraïens, waarin moderne weefpatronen in de Oekraïne worden vergeleken met figuren die waren uitgesneden in voorwerpen uit de ijstijd.

Ik heb grote waardering voor Dorothy Yacek-Matulis, omdat ze, binnen een redelijke termijn en tegen een normaal tarief, een goed leesbare, bruikbare vertaling leverde van het Russische mammoetmuziekboek. Het materiaal bleek van onschatbare waarde.

Ook dank aan dr. Richard Klein, de schrijver van *Ice-Age Hunters of the Ukraïne*, verschenen bij de universiteit van Chicago, die zo vriendelijk was nadere stukken en inlichtingen te verschaffen over de vroegere bewoners van dat gebied.

Ik ben Alexander Marshack bijzonder erkentelijk. Hij verricht wetenschappelijk onderzoek voor het Peabody Museum of Archaeology and Ethnology van de Harvard-universiteit en hij schreef *The Roots of Civilization*, verschenen bij McGraw-Hill Book Co. Hij liet me delen in de resultaten van zijn microscopische studie over de Oekraïense laat-paleolitische kunst en kunstvoorwerpen, die worden behandeld in *Current Anthropology* en het materiaal voor zijn tot op heden nog niet verschenen boek over de mensen die in de ijstijd Oost-Europa bewoonden.

Verder heb ik de grootste waardering voor dr. Olga Soffer van de afdeling Antropologie aan de universiteit van Wisconsin en waarschijnlijk de grootste deskundige in de Verenigde Staten op het gebied van de bevolking van Rusland in de ijstijd. Ik ben haar dankbaar voor het lange, interessante en nuttige gesprek in de foyer van het Hilton-hotel en haar nog niet gepubliceerde gegevens over 'Patterns of Intensification as Seen From the Upper Paleolithic Central Russian Plain' en uit *Prehistoric Hunters and Gatherers: the Emergence of Social Complexity*, in druk bij Price and Brown, Academic Press.

Heel veel dank aan dr. Paul C. Paquet, een van de samenstellers van *Wolves of the World*, verschenen bij Noyes Publications, voor het feit dat hij zijn vakantie onderbrak om mijn telefoontje te beantwoorden met een lang gesprek over wolven en hun mogelijke gewenning aan andere omstandigheden.

Ik wil Jim Riggs nogmaals bedanken. Hij is antropoloog en instructeur bij overlevingscursussen onder primitieve omstandigheden. Ik blijf de informatie gebruiken die hij me gaf.

Ik ben veel dank verschuldigd aan drie mensen die in korte tijd een dik manuscript lazen en bruikbaar commentaar gaven vanuit het oogpunt van de lezer. Karen Auel, die het eerste concept las, er helemaal in opging en zei dat het een prachtig verhaal was; Doreen Gandy, dichteres en onderwijzeres, die in de drukte van het aflopende schooljaar het verhaal las zonder iets van haar normale scherpe inzicht te verliezen en Cathy Humble, die er weer in slaagde schrandere opmerkingen te maken.

Bijzondere dank aan Betty Prashker, mijn uitgever, wier visie ik waardeer en wier commentaar en suggesties zeer terecht waren.

Ik ben Judith Wilkes, mijn secretaresse, dankbaar. Ik ben zo langzamerhand afhankelijk van haar pienterheid en ze verlicht de druk van de almaar groeiende correspondentie, zodat ik kan schrijven.

En ook Ray Auel...

Indeling van het Leeuwenkamp

Toegangsruimte
– brandstofvoorraad, uitrustingsstukken, kleding om buiten te
  dragen

Eerste vuurplaats
– vuurplaats om te koken en ruimte voor bijeenkomsten

Tweede
– *Leeuwenvuurplaats*
  Talut (stamhoofd), Nezzie, Danug, Latie, Rugie, Rydag

Derde
– *Vossenvuurplaats*
  Wymez, Ranec

Vierde
– *Mammoetvuurplaats* – ruimte voor ceremoniën, bijeenkomsten,
  onderzoeken, gasten Mamut (Ayla, Jondalar)

Vijfde
– *Rendiervuurplaats*
  Manuv, Tronie, Tornec, Nuvie, Hartal

Zesde
– *Kraanvogelvuurplaats*
  Crozie, Fralie, Frebec, Crisavec, Tasher

Zevende
– *Oerosvuurplaats*
  Tulie (leidster), Barzec, Deegie, Druwez, Brinan, Tusie (Tarneg)

1

Bevend van angst klemde Ayla zich vast aan de grote man naast haar toen ze de vreemden zag naderen. Jondalar legde beschermend zijn arm om haar heen, maar ze bleef trillen.

Hij is zo groot! dacht Ayla, terwijl ze naar de man staarde die vooropliep. Zijn haar en zijn baard hadden de kleur van vuur. Ze had nog nooit iemand gezien die zo groot was. Bij hem vergeleken was zelfs Jondalar klein, hoewel de man die haar vasthield groter was dan de meeste mannen. De roodharige man die naar hen toe kwam was meer dan groot; hij was een reus, een beer van een vent. Hij had een dikke nek, zijn borst was zo breed als die van twee normale mannen en zijn indrukwekkende bicepsen waren bijna zo dik als de dijen van de meeste mannen.

Ayla wierp een blik op Jondalar en zag dat zijn gezicht geen angst uitdrukte, maar aan zijn glimlach kon ze zien dat hij op zijn hoede was. Het waren vreemden en op zijn lange reizen had hij geleerd voorzichtig te zijn.

'Ik herinner me niet jullie eerder te hebben ontmoet,' zei de grote man zonder inleiding. 'Uit welk kamp komen jullie?' Hij sprak de taal van Jondalar niet, merkte Ayla, maar een van de andere die hij haar had geleerd.

'Geen kamp,' zei Jondalar. 'Wij zijn geen Mamutiërs.' Hij liet Ayla los en deed een stap vooruit terwijl hij zijn handen uitstak met de palmen naar boven om te laten zien dat hij niets verborg en de begroeting vriendschappelijk was. 'Ik ben Jondalar van de Zelandoniërs.'

De handen werden niet geaccepteerd. 'Zelandoniërs? Dat is een vreemde... Wacht, waren er niet twee vreemde mannen bij de riviermensen die in het westen wonen? De naam komt me bekend voor.'

'Ja, mijn broer en ik hebben bij hen gewoond,' gaf Jondalar toe.

De man met de rode baard keek even peinzend voor zich uit en deed toen een onverwachte uitval naar Jondalar. Hij greep de grote blonde man vast in een omhelzing die zijn botten bijna deed kraken.

'Dan zijn we familie!' brulde hij en er kwam een brede glimlach op zijn gezicht. 'Tholie is de dochter van mijn neef!'

Jondalar glimlachte weer, hoewel hij nog wel wat uit zijn evenwicht was. 'Tholie! Een Mamutische vrouw die Tholie heette was getuige bij de verbintenis van mijn broer! Zij heeft me jullie taal geleerd.'

'Natuurlijk! Ik zei het al. We zijn familie.' Hij greep de handen die Jondalar vriendschappelijk had uitgestoken en die hij eerst had geweigerd. 'Ik ben Talut, stamhoofd van het Leeuwenkamp.'

Ayla zag dat iedereen glimlachte. Talut grijnsde naar haar en bekeek haar waarderend. 'Ik zie dat je nu niet samen met een broer reist,' zei hij tegen Jondalar.

Jondalar sloeg zijn arm weer om haar heen en ze zag even een pijnlijke trek om zijn mond voor hij antwoordde. 'Dit is Ayla.'

'Dat is een ongewone naam. Is ze er een van het riviervolk?'

Jondalar werd overdonderd door zijn bruuske manier van vragen, maar toen moest hij aan Tholie denken en inwendig lachen. De kleine, mollige vrouw die hij kende leek niet veel op de beer van een vent die op de oever van de rivier stond, maar ze waren uit hetzelfde hout gesneden. Ze hadden beiden die directe manier van benaderen, dezelfde ongedwongen – bijna unieke – openhartigheid. Hij wist niet wat hij moest zeggen. Het zou niet eenvoudig zijn om uit te leggen waar Ayla vandaan kwam.

'Nee, ze heeft in een dal gewoond, een paar dagen reizen vanhier.'

Talut weifelde. 'Ik heb nog nooit van een vrouw gehoord met die naam die hier in de buurt woont. Weet je zeker dat ze een Mamutische is?'

'Ik weet zeker van niet.'

'Bij welke mensen hoort ze dan? In deze streek wonen alleen mammoetjagers, zoals wij.'

'Ik heb geen familie,' zei Ayla, terwijl ze een beetje uitdagend haar kin naar voren stak.

Talut nam haar scherp op. Ze had de woorden in zijn taal gesproken, maar de klank van haar stem en de manier waarop ze de woorden uitsprak waren... vreemd. Niet onvriendelijk, maar vreemd. Jondalar sprak met een accent dat hij niet kende, maar het verschil met de wijze waarop zij sprak was niet alleen een accent. Taluts belangstelling was gewekt.

'Kom, dit is geen plaats om te praten,' zei Talut ten slotte. 'Nezzie zal de woede van de Moeder over me uitroepen als ik jullie niet uitnodig voor een bezoek. Gasten brengen altijd wat afleiding en we hebben al een tijdje geen bezoek gehad. Jullie zijn welkom in het Leeuwenkamp, Jondalar van de Zelandoniërs en Ayla Zonder Volk. Komen jullie mee?'

'Wat vind je, Ayla? Wil je erheen?' vroeg Jondalar, die overschakelde op Zelandonisch, zodat ze rustig kon antwoorden zonder angst beledigend te zijn. 'Wordt het geen tijd dat je mensen van je eigen soort ontmoet? Heeft Iza niet gezegd dat je dat moest doen? Dat je je eigen mensen moest opzoeken?' Hij wilde niet de schijn wekken dat hij het graag wou, maar nu hij al zo lang met niemand anders had gepraat, voelde hij er veel voor om die mensen te bezoeken.

'Ik weet het niet,' zei ze besluiteloos. 'Wat zullen ze van me denken? Hij wou weten waar ik vandaan kom. Ik hoor nergens meer bij. Wat moeten we doen als ze me niet mogen?'

'Ze zullen je wel mogen, Ayla, geloof me. Ik weet het zeker. Talut heeft je toch uitgenodigd? Het kon hem niet schelen dat je geen familie hebt. Bovendien zul je er nooit achter komen of ze je accepteren – of dat jij hen aardig vindt – als je hun de kans niet geeft. Dit is het soort mensen waar je bij had moeten opgroeien, weet je. We hoeven er niet lang te blijven. We kunnen op ieder moment vertrekken.'

'Kunnen we weggaan wanneer we willen?'

'Natuurlijk.'

Ayla keek naar de grond en probeerde een besluit te nemen. Ze wou wel mee, ze voelde zich aangetrokken tot deze mensen en wilde graag meer over hen te weten komen, maar een zekere angst gaf haar toch een onaangenaam gevoel in de maagstreek. Ze keek op en zag twee ruigharige steppepaarden grazen in het overvloedige gras op de vlakte bij de rivier en dat deed haar angst toenemen.

'Hoe moet het dan met Whinney? Wat moeten we met haar? Als ze haar willen doden? Ik zal nooit toestaan dat ze Whinney iets doen!'

Jondalar had niet aan Whinney gedacht. Wat zouden zij ervan vinden, vroeg hij zich af. 'Ik weet niet wat ze zullen doen, Ayla, maar ik geloof niet dat ze haar zullen doden als we uitleggen dat het een bijzonder dier is dat niet bedoeld is om als voedsel te dienen.' Hij herinnerde zich zijn verbazing en hoe hij in het begin respect had gehad voor Ayla's relatie met het paard. Het zou interessant zijn om hun reactie te zien. 'Ik heb een idee.'

Talut verstond niet wat Ayla en Jondalar tegen elkaar zeiden, maar hij begreep dat de vrouw weifelde en de man probeerde haar over te halen. Hij merkte ook dat ze met hetzelfde vreemde accent sprak, ook in zijn taal. Zijn taal, besefte het stamhoofd, niet de hare. Hij dacht na over het mysterie van de vrouw en hij voelde daarbij een zekere opwinding – hij genoot van het nieuwe en ongewone; het onverklaarbare was een uitdaging voor hem. Maar toen kreeg het mysterie een volkomen nieuwe dimensie. Ayla floot, luid en schel. Plotseling kwamen een lichtkleurige merrie en een veulen met een donkerbruine tint aangalopperen. Ze liepen regelrecht naar de vrouw en bleven rustig staan terwijl zij ze streelde! De grote man onderdrukte een huivering van ontzag. Zoiets had hij nog nooit gezien.

Was ze Mamut? Hij vroeg het zich met groeiende bezorgdheid af. Iemand met bijzondere macht? Velen van Hen die de Moeder Dienden beweerden dat ze de magische kracht bezaten om dieren te roepen en de jacht te leiden, maar hij had nog nooit iemand gezien die zo'n macht over dieren had dat ze kwamen wanneer ze een teken kregen. Ze had een heel bijzondere gave. Het was een beetje beangstigend – maar bedenk eens hoe een kamp kon profiteren van zo'n talent. Het jagen zou een stuk gemakkelijker zijn!

Toen Talut wat van de schrik was bekomen, bezorgde de jonge vrouw hem een nieuwe schok. Ze pakte de manen van de merrie, sprong op haar rug en ging schrijlings zitten. De mond van de grote man viel open van verbazing terwijl het paard met Ayla op haar rug langs de oever van de rivier galoppeerde. Met het veulen erachteraan renden ze de helling op naar de steppen die erachter lagen. Taluts verbazing werd gedeeld door de rest van de groep, vooral door een meisje van twaalf jaar. Ze liep ongemerkt naar het stamhoofd en leunde tegen hem aan alsof ze steun zocht.

'Hoe deed ze dat, Talut?' vroeg het meisje zachtjes, met een stem die verbazing en bewondering uitdrukte, maar ook een beetje afgunst. 'Dat kleine paard kwam zo dichtbij dat ik het bijna kon aanraken.'

Taluts trekken werden zachter. 'Dat zul je haar moeten vragen, Latie. Of misschien Jondalar,' zei hij, terwijl hij zich omdraaide naar de vreemde.

'Ik weet het zelf niet precies,' antwoordde hij. 'Ayla gaat op een speciale manier met dieren om. Ze heeft Whinney verzorgd sinds het een veulen was.'

'Whinney?'

'Zo ongeveer probeer ik de naam uit te spreken die ze de merrie gaf. Als zij het zegt, zou je geloven dat ze een paard was. Het veulen heet Renner. Ik heb een naam bedacht – omdat zij het vroeg. Dat is Zelandonisch voor iemand die snel loopt. Het betekent ook iemand die zich inspant om de beste te zijn. De eerste keer dat ik Ayla zag, hielp ze de merrie het veulen ter wereld brengen.'

'Dat moet een mooi gezicht geweest zijn! Ik had nooit gedacht dat een merrie op zo'n moment iemand in de buurt verdraagt,' zei een van de andere mannen.

De demonstratie van Ayla had de uitwerking waar Jondalar op had

gehoopt en hij vond dat de tijd rijp was om haar bezorgdheid ter sprake te brengen. 'Ik geloof dat ze wel graag jullie kamp wil bezoeken,
Talut, maar ze is bang dat jullie zullen denken dat de paarden gewone
paarden zijn, om op te jagen, en omdat ze niet bang voor mensen
zijn, zouden jullie ze te gemakkelijk kunnen doden.'
'Dat is waar. Je moet geweten hebben wat ik dacht, maar daar kon ik
niets aan doen.'
Talut zag dat Ayla weer in zicht kwam. Het leek wel een of ander
vreemd dier: half mens, half paard. Hij was blij dat hij ze niet onverwacht was tegengekomen. Dat zou afschrikwekkend zijn geweest. Hij
vroeg zich even af hoe het zou zijn om op een paard te rijden en of hij
er dan ook zo angstaanjagend zou uitzien. En toen begon hij luid te
lachen om het beeld van zichzelf, schrijlings zittend op het vrij kleine,
maar sterke steppepaard.
'Ik zou dat paard gemakkelijker kunnen dragen dan omgekeerd,' zei
hij.
Jondalar grinnikte. Het was niet zo moeilijk om Taluts gedachtegang
te volgen. Enkele anderen glimlachten of grinnikten en Jondalar begreep dat ze allemaal aan het rijden op een paard hadden gedacht. Dat
was niet zo vreemd. Toen hij Ayla voor het eerst op Whinneys rug zag
zitten, had hij dezelfde ervaring.

Ayla had de stomme verbazing gezien op de gezichten van het groepje
mensen en als Jondalar niet op haar had staan wachten, was ze regelrecht teruggereden naar haar vallei. Ze had genoeg van de afkeurende
blikken in haar jeugd wanneer ze iets deed dat niet gewaardeerd werd.
En later, toen ze alleen woonde, had ze zoveel vrijheid gekend dat ze
er geen behoefte aan had zich te onderwerpen aan kritiek wanneer ze
haar eigen zin deed. Ze zou tegen Jondalar zeggen dat hij die mensen
kon bezoeken als hij dat wilde, maar zij ging terug.
Maar toen ze terugkwam en Talut zag, die nog steeds stond te grinniken om het idee dat hij op een paard zou kunnen rijden, bedacht ze
zich. Lachen was haar dierbaar geworden. Het was haar niet toegestaan om te lachen toen ze in de Stam leefde; de anderen werden er
nerveus van en voelden zich niet op hun gemak. Alleen met Durc had
ze stiekem hardop gelachen. Kleintje en Whinney hadden haar leren
genieten van de lach, maar Jondalar was de eerste mens met wie ze
vrijuit kon lachen.
Ze keek naar de man die zo ontspannen met Talut lachte. Hij keek op
en glimlachte. De uitstraling van zijn ongelooflijk levendige, blauwe
ogen veroorzaakte diep in haar een warm tintelend gevoel van grote

liefde voor hem. Ze kon niet meer terug naar de vallei, niet zonder hem. Alleen al door de gedachte dat ze zonder hem zou moeten leven werd haar keel dichtgesnoerd en voelde ze brandende pijn van de tranen die ze wilde bedwingen.

Toen ze naar hem toe reed, zag ze dat Jondalar niet zo groot was als de roodharige man, maar hij was wel groter dan de drie andere mannen. Of nee, een van hen was een jongen, zag ze. En was dat niet een meisje? Ze merkte dat ze het groepje heimelijk bekeek, want ze wou hen niet aanstaren.

De bewegingen van haar lichaam deden Whinney stoppen. Ze zwaaide haar been omhoog en liet zich van het paard glijden. Toen Talut dichterbij kwam, werden de beide paarden onrustig, maar ze streelde Whinney en sloeg een arm om Renners hals. Ze had, net als zij, behoefte aan de vertrouwde zekerheid van elkaars aanwezigheid.

'Ayla Zonder Volk,' zei hij, zonder te weten of dat wel de juiste manier was om haar aan te spreken, hoewel, voor deze vrouw met haar bovennatuurlijke gave kon dat wel eens kloppen. 'Jondalar zegt dat je bang bent dat deze paarden iets overkomt als je ons bezoekt. Ik verzeker je: zolang Talut stamhoofd is van het Leeuwenkamp, overkomt die merrie en haar veulen niets. Ik zou het prettig vinden als je ons bezoekt en de paarden meebrengt.' Zijn glimlach ging over in gegrinnik. 'Anders zal niemand ons geloven!'

Ze was er nu veel geruster op en ze wist dat Jondalar er graag heen wilde. Ze had geen echt excuus meer om te weigeren en voelde zich aangetrokken door de rustige, vriendelijke lach van de reusachtige roodharige man.

'Goed, ik kom,' zei ze. Talut knikte glimlachend. Hij verbaasde zich over haar vreemd accent en had respect voor de wijze waarop ze met paarden omging. Wie was die Ayla Zonder Volk?

Ayla en Jondalar hadden hun kamp aan de oever van de snelstromende rivier opgeslagen en ze hadden die morgen, voor ze de groep van het Leeuwenkamp ontmoetten, besloten dat het tijd werd om terug te gaan. De steppen ten oosten van de vallei, waar Ayla drie jaar alleen had gewoond, waren toegankelijker en de jonge vrouw had zelden de moeite genomen om de moeilijke omweg te nemen uit het dal naar het westen, zodat ze dit gebied nauwelijks kende.

Jondalar had haar overgehaald om het gebied in het westen te verkennen en daardoor te wennen aan het reizen. Hij wou haar meenemen naar zijn stam, maar die woonde ver weg in het westen. Ze voelde er niets voor om haar veilige vallei te verlaten en zag ertegen op om bij vreemde mensen te gaan wonen in een onbekend gebied. Hoewel hij ernaar verlangde om na vele jaren reizen terug te gaan, had hij zich verzoend met de gedachte de winter nog met haar in de vallei door te brengen. Het zou een lange tocht worden naar huis – ze zouden waarschijnlijk wel een jaar onderweg zijn – en het was in ieder geval beter om er in het voorjaar aan te beginnen. Hij was ervan overtuigd dat hij haar tegen die tijd kon overhalen om mee te gaan. Hij wou ook niet aan een andere mogelijkheid denken.

In het begin van het warme jaargetijde, dat nu ten einde liep, had Ayla hem gevonden. Hij was zwaar toegetakeld en bijna dood. Ze kende het drama dat hem was overkomen. Ze werden verliefd terwijl ze hem verpleegde, hoewel het een hele tijd had geduurd voor ze de hindernissen hadden overwonnen die voortkwamen uit hun totaal verschillende achtergrond. Ze moesten nog altijd wennen aan elkaars manier van doen en elkaars stemmingen.

Ayla en Jondalar waren klaar met het opbreken van hun kamp en tot verbazing van de wachtende mensen, die belangstellend toekeken, pakten ze hun voorraad en uitrusting op het paard in plaats van in draagstellen of proviandtassen die zijzelf zouden dragen. Hoewel ze vaak samen op het sterke paard hadden gereden, dacht Ayla dat Whinney en haar veulen minder nerveus zouden zijn als ze haar zagen. Ze liepen samen naast het groepje mensen. Jondalar had Renner aan een lang touw dat aan een halster zat, die hij zelf had bedacht en gemaakt. Whinney volgde Ayla zo te zien uit vrije wil.

Ze volgden verscheidene kilometers de loop van de rivier door een breed dal dat tussen de hogere grasvlakten lag. Op de hellingen in de nabijheid stond het gras tot borsthoogte. De zware, rijpe zaadpluimen bogen als gouden golven op het koude ritme van de ijzige wind die bij vlagen van de enorme gletsjers in het noorden kwam. Op de open steppen stonden een paar kromme knoestige dennen en berken langs stroompjes. Hun wortels zochten het vocht dat weer werd afgestaan aan de sterk drogende wind. Dicht bij de rivier waren het riet en het cypergras nog groen, hoewel een koude wind de kale takken die van hun bladeren waren beroofd, deed zwiepen.

Latie bleef wat achter en keek af en toe naar de paarden en de vrouw, tot ze om een bocht in de rivier een aantal mensen zagen. Toen rende ze vooruit om de eerste te zijn die het nieuws over de bezoekers kon vertellen. Op haar geschreeuw draaiden de mensen zich om en stonden hen aan te gapen.

Er kwamen nog meer mensen uit een ruimte die in Ayla's ogen een groot gat in de oever leek, misschien een soort grot, maar heel anders dan ze ooit had gezien. Het leek wel of hij uit de helling tegenover de rivier was gegroeid, maar de ruwe vorm van rotsblokken of aarden wallen ontbrak. Op het dak van plaggen groeide gras, maar de ingang was te vlak, te regelmatig en deed heel onnatuurlijk aan. Het was een volkomen symmetrische poort.

Het bouwsel maakte een diepe indruk op haar. Het was geen grot en dit waren geen mensen van de Stam! Ze leken niet op Iza, de enige moeder die ze zich kon herinneren, of op Creb of Brun, die klein en gespierd waren, met grote ogen onder hun zware wenkbrauwen en lage voorhoofd. Hun kaak, zonder kin, stak vooruit. Deze mensen leken op haar. Ze zagen eruit als het volk waar ze geboren was. Haar moeder, haar echte moeder, moest eruit hebben gezien als een van deze vrouwen. Dit waren de Anderen! Hier woonden ze! Toen dit tot haar doordrong, voelde ze opwinding, maar ook een zekere angst.

De vreemdelingen met hun nog vreemdere paarden werden onder een doodse stilte ontvangen bij hun aankomst in het permanente winterverblijf van het Leeuwenkamp. Vervolgens leek het wel of ze allemaal tegelijk begonnen te praten.

'Talut! Wat heb je nu meegebracht?' 'Waar heb je die paarden vandaan? Wat heb je ermee gedaan?' vroeg iemand aan Ayla. 'Hoe heb je ze zo mak gekregen?' 'Uit welk kamp komen ze, Talut?'

De drukke groep mensen drong naar voren, verlangend om de mensen te zien en de paarden aan te raken. Ayla werd erdoor overweldigd en raakte in de war. Ze was niet gewend aan zoveel mensen, en zeker niet als ze allemaal tegelijk praatten. Whinney stapte opzij. Ze had het hoofd omhoog, bewoog haar oren snel heen en weer en boog haar hals. Ze probeerde haar angstige veulen te beschermen en de mensen te ontwijken die steeds dichterbij kwamen.

Jondalar zag Ayla's verwarring en de angst van de paarden, maar hij kon het Talut en de anderen niet duidelijk maken. De merrie zweette en draaide met een zwiepende staart in het rond. Opeens verdroeg ze het niet langer. Ze ging op haar achterbenen staan, hinnikte angstig en deed een uitval met haar hoeven, zodat de mensen terugweken.

Alle aandacht van Ayla was gericht op de angstige Whinney. Ze riep met een zachte, kalmerende stem haar naam en gebruikte de gebaren waar ze het contact mee legde voor Jondalar haar had leren spreken.

'Talut! Niemand moet de paarden aanraken, tenzij Ayla het toestaat! Zij alleen kan ze in bedwang houden. Ze zijn mak, maar de merrie kan gevaarlijk zijn als ze geprikkeld wordt of het gevoel krijgt dat haar veulen bedreigd wordt. Dan zou ze iemand kunnen verwonden,' zei Jondalar.

'Achteruit! Jullie hebben het gehoord,' schreeuwde Talut, met een bulderende stem die iedereen deed zwijgen. Toen de mensen en de paarden tot rust waren gekomen, ging Talut op een normale toon verder. 'De vrouw is Ayla. Ik heb haar beloofd dat de paarden met rust gelaten zouden worden als ze ons bezochten. Dat heb ik beloofd als hoofd van het Leeuwenkamp. Dit is Jondalar en hij is familie, een broer van de man die Tholie als getuige had bij zijn verbintenis.' Vervolgens voegde hij er met een zelfvoldane grijns aan toe: 'Talut heeft een paar gasten meegebracht!'

Er werd instemmend geknikt. De mensen bleven met ongeveinsde nieuwsgierigheid staan kijken, maar op veilige afstand van de paardenhoeven. Ook als de vreemden op dat moment waren weggegaan, had hun bezoek voor de eerstkomende jaren voldoende gespreksstof opgeleverd. Er was op de Zomerbijeenkomsten gepraat over twee vreemdelingen die in de streek waren en bij de riviermensen in het zuidwesten woonden. De Mamutiërs dreven handel met de Sharamudiërs en omdat Tholie, die familie was, een rivierman had gekozen, had het Leeuwenkamp nog meer belangstelling. Maar ze hadden nooit verwacht dat een van die vreemdelingen hun kamp zou bezoeken en zeker niet met een vrouw die de een of andere geheimzinnige macht over paarden had.

'Voel je je wel goed?' vroeg Jondalar aan Ayla.

'Ze lieten Whinney schrikken en Renner ook. Praten mensen altijd allemaal tegelijk, zoals zij? Vrouwen en mannen tegelijk? Dat is verwarrend en ze praten zo luid. Hoe weet je dan wat ze zeggen? Misschien hadden we beter terug kunnen gaan naar de vallei.' Ze had haar armen om de hals van de merrie en leunde tegen haar aan. Zo gaven ze elkaar wat steun.

Jondalar begreep dat Ayla bijna net zo van streek was als de paarden. Het opdringen van de mensen en al dat lawaai hadden haar geschokt. Ze was het niet gewend. Misschien moesten ze maar niet te lang blijven. Misschien was het beter om met twee of drie mensen tegelijk te beginnen, tot ze weer wat vertrouwd was geraakt met haar soort mensen; maar hij vroeg zich wel af wat hij moest doen als het niet echt lukte. Enfin, ze waren hier nu en hij zou maar rustig afwachten.

'Soms zijn mensen druk en praten ze allemaal tegelijk, maar meestal praat er maar één tegelijk. En ik denk dat ze nu wel voorzichtig met de paarden zullen zijn, Ayla,' zei hij, terwijl ze de manden losmaakte die aan weerszijden van het dier op een draagstel waren gebonden dat ze van stroken leer had gemaakt.

Terwijl ze daarmee bezig was, nam Jondalar Talut even ter zijde en vertelde hem rustig dat de paarden en Ayla een beetje nerveus waren en wat tijd nodig hadden om aan iedereen te wennen. Het zou beter zijn als ze een poosje met rust gelaten konden worden.

Talut begreep het en begaf zich onder de mensen van het kamp om met iedereen te praten. Ze verspreidden zich en gingen weer aan hun werk, dat bestond uit eten klaarmaken en het bewerken van huiden en gereedschap, zodat ze konden kijken zonder dat het al te erg opviel. Zij waren ook uit hun doen. Vreemden trokken hun belangstelling, maar een vrouw met zo'n fascinerende toverkracht kon wel eens iets onverwachts doen.

Er bleven alleen een paar kinderen met gretige belangstelling staan kijken hoe de man en de vrouw alles uitpakten, maar dat vond Ayla niet erg. Ze had in geen jaren kinderen gezien, niet meer sinds ze de Stam had verlaten, en ze bekeek hen net zo nieuwsgierig als ze haar bekeken. Ze haalde het draagstel eraf en de halster van Renner. Toen aaide ze Whinney en streelde haar, daarna Renner. Nadat ze het veulen eens lekker had gekrauwd en liefdevol had omhelsd, keek ze op en zag dat Latie begerig naar het dier stond te kijken.

'Wil je paard aanraken?' vroeg Ayla.

'Mag dat?'

'Kom. Geef hand. Ik voordoen.' Ze pakte Laties hand en hield die tegen de ruige wintervacht van het jonge paard. Renner draaide briesend zijn hoofd naar het meisje om haar te besnuffelen.

De dankbare glimlach van het meisje deed haar goed. 'Hij vindt me aardig!'

'Hij vindt krauwen ook lekker. Kijk, zo,' zei Ayla en ze liet het kind zien waar het veulen graag gekrauwd werd.

Renner vond al die aandacht verrukkelijk en dat liet hij merken. Latie was buiten zichzelf van blijdschap. Het veulen had haar meteen al aangetrokken. Ayla draaide ze de rug toe om Jondalar te helpen en ze merkte niet dat er nog een kind naderbij kwam. Toen ze zich weer omdraaide, moest ze naar adem happen en voelde het bloed uit haar gezicht wegstromen.

'Mag Rydag het paard ook strelen?' vroeg Latie. 'Hij kan niet praten, maar ik weet zeker dat hij het graag wil.' De mensen reageerden altijd verbaasd op Rydag, daar was Latie wel aan gewend.

'Jondalar!' riep Ayla zachtjes, met een hese stem. 'Dat kind, dat kon mijn zoon wel zijn. Hij lijkt op Durc!'

Hij draaide zich om en keek stomverbaasd. Het kind was half mens, half dier.

Voor de meeste mensen waren platkoppen dieren. Het waren de wezens waar Ayla altijd over sprak als ze het over de Stam had. Zulke kinderen werden door velen beschouwd als 'gruwels'. Hij was geschokt toen hij voor het eerst hoorde dat Ayla zo'n kind ter wereld had gebracht. De moeder van zo'n kind was meestal een paria, verstoten uit vrees dat ze de kwade dierlijke geest weer zou oproepen en er de oorzaak van zou zijn dat andere vrouwen zulke gruwels baarden. Sommigen wilden niet eens aannemen dat ze bestonden en het was volkomen onverwacht dat er hier een bij de mensen woonde. Dat was een schok. Waar kwam die jongen vandaan?

Ayla en het kind stonden elkaar aan te staren en vergaten hun omgeving. Hij is mager voor iemand die voor een deel tot de Stam behoort, dacht Ayla. Gewoonlijk zijn ze gespierd en hebben ze zware botten. Ook Durc was niet zo mager. Het geoefende oog van de medicijnvrouw vertelde Ayla dat hij ziekelijk was. Ze dacht dat het een geboorteafwijking was aan de sterke spier in de borst, die klopte en het bloed in beweging hield. Maar die feiten nam ze in zich op zonder erbij na te denken. Ze bekeek zijn gezicht en zijn hoofd nauwkeuriger om de gelijkenis en de verschillen tussen dit kind en haar zoon te zien. Zijn grote bruine, intelligente ogen leken op die van Durc, ook die vroegwijze uitdrukking – ze voelde opeens een brok in haar keel – maar ze zag ook pijn en het lijden was niet alleen lichamelijk. Maar dat had Durc nooit gekend. Ze werd vervuld van medelijden. Dit kind had niet zulke dikke wenkbrauwen, vond ze, nadat ze hem goed had bekeken. Durc was pas drie jaar oud geweest toen ze wegging, maar zijn wenkbrauwen waren goed ontwikkeld. Durcs ogen en vooruitstekende wenkbrauwbogen hoorden echt bij de Stam, maar zijn voorhoofd leek op dat van dit kind. Het was niet afgeplat, zoals bij de mensen van de Stam, maar hoog en gewelfd, zoals het hare.

Haar gedachten dwaalden af. Durc zou nu zes zijn, herinnerde ze zich, oud genoeg om met de mannen mee te gaan wanneer ze oefenden met de jachtwapens. Maar Brun zal hem leren jagen, Broud niet. Ze voelde woede opkomen als ze aan Broud dacht. Ze zou nooit vergeten hoe de zoon van Bruns gezellin zijn haat tegenover haar had gekoesterd tot hij, zonder gewetenswroeging, haar baby kon wegnemen en haar uit de Stam kon verdrijven. Ze sloot haar ogen omdat de pijn van de herinnering door haar ziel sneed. Ze kon niet geloven dat ze haar zoon nooit meer zou zien.

Ze opende haar ogen om naar Rydag te kijken en haalde diep adem.

Ik vraag me af hoe oud deze jongen is. Hij is klein, maar hij moet ongeveer zo oud zijn als Durc, dacht ze toen ze de twee weer met elkaar vergeleek. Rydag had een lichte huid en donker krulhaar, maar het was lichter en zachter dan het ruige bruine haar van de meeste mensen van de Stam. Het grootste verschil tussen dit kind en haar zoon, merkte Ayla op, waren de kin en de hals. Haar zoon had een lange hals, zoals zij – hij verslikte zich soms, wat de andere kleintjes van de Stam nooit deden – en een terugwijkende maar goedgevormde kin. Deze jongen had echter de korte nek van de Stam en een vooruitstekende onderkaak. Toen herinnerde ze zich dat Latie had gezegd dat hij niet kon praten.

Opeens begreep ze in een flits wat voor leven het moest zijn voor dit kind. Het was al heel wat voor een meisje van vijf jaar, dat haar familie had verloren bij een aardbeving en werd gevonden door een Stam die niet in staat was om behoorlijk te spreken, om de gebarentaal te leren die zij gebruikten. Het was nog iets heel anders om bij sprekende mensen te wonen en niet te kunnen praten. Ze herinnerde zich nog haar teleurstelling omdat ze eerst geen contact kon krijgen met de mensen die haar opnamen, maar ook dat het nog veel moeilijker was geweest om Jondalar iets duidelijk te maken voor ze weer had leren spreken. Hoe zou het zijn gegaan als ze het niet had kunnen leren?

Ze maakte een gebaar naar de jongen, een eenvoudige groet, een van de gebaren die ze lang geleden had geleerd.

Even lichtte er iets op in zijn ogen, maar toen schudde hij zijn hoofd en keek onzeker. Hij had nooit geleerd om op de manier van de Stam te spreken, met gebaren, begreep ze, maar er moest toch iets zijn blijven hangen van de herinnering aan de Stam. Hij had een moment het gebaar herkend, dat wist ze zeker.

'Mag Rydag het paardje strelen?' vroeg Latie weer.

'Ja,' zei Ayla en ze pakte zijn hand vast. Hij is zo tenger en zwak, dacht ze, en toen begreep ze het. Hij kon niet rennen zoals andere kinderen. Hij kon niet meedoen met de normale ruwe spelletjes en het stoeien. Hij kon slechts toekijken en hunkeren.

Ayla tilde de jongen op en zette hem op Whinneys rug met een tedere uitdrukking op haar gezicht die Jondalar nog niet eerder had gezien. Ze gaf het paard een teken dat het moest volgen en liep langzaam om het kamp heen. De gesprekken werden even onderbroken omdat iedereen naar Rydag wilde kijken die op het paard zat. Hoewel ze er wel over hadden gepraat, had niet een van hen ooit iemand een paard zien berijden, behalve Talut en de mensen die ze bij de rivier hadden ontmoet. Niemand had ooit aan zoiets gedacht.

Een dikke, moederlijke vrouw kwam tevoorschijn uit het vreemde onderkomen en toen ze Rydag op het paard zag zitten, die haar bijna tegen haar hoofd schopte, was haar eerste reactie hem snel te hulp te komen. Maar toen ze dichterbij kwam, werd ze zich bewust van de stille triomf in het schouwspel.

Het gezicht van het kind straalde van verwondering en verrukking. Hoe vaak had hij begerig zitten kijken omdat zijn zwakte en anderszijn hem verhinderden te doen wat andere kinderen deden? Hoe vaak had hij ernaar verlangd dat hij iets kon doen waarom hij bewonderd of benijd zou worden? En nu hij op de rug van het paard zat, stonden alle kinderen van het kamp en alle volwassenen voor het eerst met afgunstige blikken naar hem te kijken.

De vrouw die naar buiten was gekomen zag het en vroeg zich af hoe deze vreemde de jongen zo snel had begrepen. Hem zo gemakkelijk had geaccepteerd. Ze zag hoe Ayla naar Rydag keek en begreep dat het waar was.

Ayla zag hoe de vrouw haar opnam en vervolgens tegen haar glimlachte. Ze glimlachte terug en bleef bij haar staan.

'Je hebt Rydag heel gelukkig gemaakt,' zei de vrouw die haar armen uitstak naar de jongen die door Ayla van het paard werd getild.

'Het is niets,' zei Ayla.

De vrouw knikte. 'Ik heet Nezzie,' zei ze.

'Ze noemen me Ayla.'

De twee vrouwen bekeken elkaar aandachtig, niet vijandig, maar ze onderzochten de basis voor een toekomstige vriendschappelijke relatie.

Er schoten allerlei vragen door Ayla's hoofd over Rydag, maar ze aarzelde omdat ze niet wist of het wel gepast was om ze te stellen. Was Nezzie de moeder van de jongen? Zo ja, hoe kwam het dan dat ze een kind van gemengde afkomst had gebaard? Ayla werd weer onzeker over een vraag die haar had beziggehouden sinds de geboorte van Durc. Hoe begon het leven? Een vrouw wist pas dat het er was als haar lichaam veranderde omdat de baby groeide. Hoe kwam het in een vrouw?

Creb en Iza geloofden dat er een nieuw leven begon wanneer een vrouw de totemgeesten van een man in zich opnam. Jondalar dacht dat de Grote Aardmoeder de geesten van een man en een vrouw samensmolt en ze in de vrouw deed wanneer ze zwanger werd. Maar Ayla had zelf een mening gevormd. Toen ze merkte dat haar zoon een aantal van haar eigenschappen had en een aantal van de Stam, besefte ze dat er geen leven in haar begon te groeien voor Broud in haar was binnengedrongen.

Ze huiverde bij de herinnering, maar ze kon het niet vergeten omdat het zo pijnlijk was en ze was gaan geloven dat het iets te maken had met het feit dat een man zijn lid naar binnen stak op de plaats waar de baby's uit komen en dat zo het leven in een vrouw begon. Jondalar had het een vreemde gedachte gevonden toen ze het hem vertelde en hij had geprobeerd haar te overtuigen dat het de Moeder was die het leven schiep. Ze geloofde hem niet helemaal, maar nu begon ze te twijfelen. Ayla was opgegroeid bij de Stam. Ze was een van hen, hoewel ze er anders uitzag. Ze had er een hekel aan gehad toen Broud het deed, maar hij liet alleen zijn rechten gelden. Maar hoe kon een man van de Stam Nezzie verkracht hebben?

Haar gedachtegang werd onderbroken door de beroering die de komst van een groepje jagers teweegbracht. Toen een van de mannen dichterbij kwam en de kap van zijn hoofd schoof, staarde zowel Ayla als Jondalar hem verbaasd aan. De man was bruin! Hij had een donkerbruine huid.

Hij had zwart haar, stevige weerbarstige krullen, die een wollige hoofdbedekking vormden, als de vacht van een zwarte moeflon. Zijn ogen waren ook zwart en ze schitterden vrolijk als hij glimlachte en zijn glanzende witte tanden liet zien. Zijn roze tong stak af bij zijn donkere huid. Hij wist dat hij veel opzien baarde wanneer vreemden hem voor het eerst zagen en daar genoot hij van.

Verder was het een heel gewone man van normale grootte, nauwelijks groter dan Ayla, met een normaal postuur. Maar hij was zeer levendig, beheerst in zijn bewegingen en zijn zelfvertrouwen maakte de indruk dat hij wist wat hij wou en geen tijd zou verliezen om het te bereiken. Zijn ogen fonkelden nog sterker toen hij Ayla zag.

Jondalar herkende in die blik een zekere aantrekkingskracht. Hij fronste zijn voorhoofd, maar noch de blonde vrouw noch de man met de bruine huid merkten dat. Zij was geboeid door het nieuwe van de ongewone gelaatskleur van de man en staarde hem aan met de onbeschaamde verwondering van een kind. Hij voelde zich tot haar aangetrokken, niet alleen door haar kinderlijke onschuld maar ook door haar schoonheid.

Opeens besefte Ayla dat ze hem aanstaarde en ze kreeg een vuurrode kleur terwijl ze haar ogen neersloeg. Van Jondalar had ze geleerd dat het heel gewoon was wanneer een man en een vrouw elkaar recht in de ogen keken, maar voor de mensen van de Stam was het niet alleen onbeleefd maar ook beledigend om iemand aan te staren, vooral voor een vrouw. Het was haar opvoeding die haar zo in verlegenheid bracht, de gewoonten van de Stam die haar telkens weer door Creb en Iza waren ingeprent opdat men haar gemakkelijker zou accepteren.

Maar de belangstelling van de donkere man werd alleen maar groter toen hij duidelijk zag dat ze verlegen werd. Hij was vaak het middelpunt van de bijzondere aandacht van vrouwen. De eerste verrassing bij zijn verschijnen scheen nieuwsgierigheid op te roepen. Of hij ook in andere opzichten anders was. Hij vroeg zich op de Zomerbijeenkomsten soms af of iedere vrouw moest ontdekken of hij inderdaad net zo'n man was als alle andere. Niet dat hij er bezwaar tegen had, maar hij vond Ayla's reactie net zo interessant als zij zijn huidskleur vond. Hij was het niet gewend om een opvallend mooie, volwassen vrouw bescheiden te zien blozen als een meisje.

'Ranec, heb je al kennisgemaakt met onze gasten?' riep Talut, die naar hen toe kwam.

'Nog niet, maar ik wacht vol ongeduld.'

Bij het geluid van zijn stem keek Ayla op en zag een paar diepzwarte ogen, vol verlangen, met een mysterieus temperament. Ze drongen door tot haar binnenste en raakten een snaar die alleen Jondalar eerder had laten trillen. Haar lichaam reageerde met een onverwachte tinteling die haar lichtjes deed hijgen en haar blauwgrijze ogen werden groter. De man boog naar voren en wilde haar handen vastpakken, maar voor de gebruikelijke kennismaking kon volgen, stapte de grote vreemdeling tussen hen in en stak met een stuurse uitdrukking op zijn gezicht zijn beide handen uit.

'Ik ben Jondalar van de Zelandoniërs,' zei hij. 'De vrouw met wie ik reis is Ayla.'

Er zat Jondalar iets dwars. Ayla wist het. Het had iets te maken met de donkere man. Ze had geleerd de betekenis te begrijpen van een houding en een gelaatsuitdrukking en ze had Jondalar nauwlettend geobserveerd, als leidraad voor haar eigen gedrag. Maar de taal van het lichaam van mensen die afhankelijk waren van woorden was veel minder efficiënt dan die van de mensen van de Stam, die beweging en gebaar gebruikten om te communiceren. Daarom vertrouwde ze haar waarnemingen niet. Deze mensen leken gemakkelijker maar ook moeilijker te begrijpen, zoals bleek uit deze plotselinge verandering in Jondalars houding. Ze wist dat hij boos was, maar ze begreep niet waarom.

De man nam Jondalars beide handen in de zijne en schudde ze krachtig. 'Ik ben Ranec, mijn vriend, de beste, of enige beeldhouwer van het Leeuwenkamp van de Mamutiërs,' zei hij met een glimlach vol zelfspot en hij voegde eraan toe: 'Als je met zulk mooi gezelschap reist, kun je verwachten dat ze de aandacht trekt.'

Nu was het Jondalars beurt om verlegen te zijn. De vriendelijke openhartigheid van Ranec gaf hem het gevoel dat hij een sukkel was en met de bekende smart moest hij weer aan zijn broer denken. Thonolan had datzelfde vriendelijke zelfvertrouwen en hij had altijd de eerste stappen gedaan wanneer ze op hun Tocht mensen ontmoetten.

Jondalar raakte van zijn stuk wanneer hij iets doms deed – dat was altijd al zo geweest – en hij hield er niet van om op de verkeerde manier een relatie met nieuwe mensen aan te knopen. Nu had hij, op z'n best, slechte manieren getoond.

Maar zijn plotselinge woede had hem verrast en daardoor had hij zijn zelfbeheersing verloren. De stekende pijn van de jaloezie was voor hem een nieuwe gewaarwording, of tenminste een die hij al zo lang niet had ervaren dat hij het niet verwachtte. Hij zou de eerste zijn om het te ontkennen, maar de grote knappe man met het onbewust charisma, die zo bedreven en gevoelig in bed was, was er meer aan gewend dat vrouwen jaloers waren om zijn attenties.

Waarom zou hij zich druk maken om het feit dat er een man naar Ayla keek? dacht Jondalar. Ranec had gelijk, dat kon hij verwachten omdat ze zo mooi was. En ze had het recht om zelf een keuze te maken. Dat hij de eerste man van haar soort was die ze had ontmoet betekende nog niet dat hij de enige was die ze aantrekkelijk mocht vinden. Ayla zag dat hij tegen Ranec glimlachte, maar het viel haar op dat de spanning in zijn schouders nog niet was verdwenen.

'Ranec praat er altijd luchtig over hoewel het niet zijn gewoonte is om zijn andere vaardigheden te verbergen,' zei Talut, terwijl hij hun voorging naar de ongewone grot, die wel gemaakt leek van grond uit de rivieroever. 'Hij en Wymez zijn in dat opzicht hetzelfde, anders dan vele anderen. Wymez geeft niet graag toe dat hij een bekwaam gereedschapsmaker is, net zomin als de zoon van zijn vuurplaats over zijn werk wil praten. Ranec is de beste vakman van de Mamutiërs.'

'Hebben jullie een bekwame gereedschapmaker? Een steenklopper?' vroeg Jondalar aangenaam verrast. Zijn opwelling van jaloezie was verdwenen bij de gedachte dat hij iemand zou ontmoeten die ook verstand had van zijn vak.

'Ja, en hij is ook de beste. Het Leeuwenkamp is bekend. We hebben de beste steenklover, de beste gereedschapmaker en de oudste Mamut, verklaarde het stamhoofd.

'En een stamhoofd dat groot genoeg is om ervoor te zorgen dat ze het allemaal met hem eens zijn, of ze het menen of niet,' zei Ranec met een laconieke grijns.

Talut grijnsde ook, omdat hij wel wist dat Ranec geneigd was de lof over zijn werk met een grapje af te wimpelen. Maar dat weerhield Talut er niet van om door te gaan met zijn opschepperij. Hij was trots op zijn kamp en aarzelde niet dat iedereen te laten horen.

Ayla zag hoe prettig de twee mannen met elkaar omgingen – de oudere was een reus met vuurrood haar, de andere donker en gedrongen – en ze voelde de grote verbondenheid en trouw hoewel ze zo verschillend waren als twee mannen maar konden zijn. Ze waren beiden mammoetjagers en leden van het Leeuwenkamp van de Mamutiërs.

Ze liepen naar de poort die Ayla eerder was opgevallen. Hij leek uit te komen op een heuveltje, of misschien een hele reeks, verborgen in de helling tegenover de brede rivier. Ayla had er mensen zien binnengaan en naar buiten komen. Ze begreep dat het een grot of een onderkomen of iets dergelijks moest zijn en het leek wel helemaal gemaakt van slib; samengeperst, maar wel met gras begroeid, vooral op de grond en aan de zijkanten. Het paste zo goed bij de achtergrond dat de woning, behalve de ingang, moeilijk te onderscheiden was van de omgeving.

Toen ze het wat nauwkeuriger bekeek, zag ze dat de ronde top van het heuveltje een bewaarplaats was voor verscheidene merkwaardige uitrustingsstukken en andere voorwerpen. Toen zag ze vlak boven de ingang iets heel bijzonders en haar adem stokte.

Het was de schedel van een holenleeuw!

2

Ayla zat weggedoken in een nauwe spleet van een steile rotswand te kijken naar de enorme klauw van een holenleeuw die haar probeerde te bereiken. Ze gilde van pijn en angst toen hij haar blote dij vond en er vier diepe krassen in trok. De Geest van de Grote Holenleeuw had haar uitgekozen en haar dit teken gegeven om te laten zien dat hij haar totem was. Dat had Creb gezegd over de toets die veel verder was gegaan dan zelfs een man moest doorstaan, terwijl zij toen een meisje was van amper vijf jaar. Als ze het gevoel kreeg dat de grond onder haar voeten trilde, werd ze nog misselijk.

Ze schudde haar hoofd om de levendige herinnering te verjagen.

'Wat scheelt eraan, Ayla?' vroeg Jondalar, die haar verwarring wel zag. 'Ik zag die schedel,' zei ze en ze wees op de versiering boven de deur, 'en toen moest ik denken aan het moment dat ik gekozen werd. De holenleeuw is mijn totem!'

'We zijn in het Leeuwenkamp,' zei Talut trots, hoewel hij dat al eerder had verteld. Hij verstond hen niet als ze Jondalars taal spraken, maar hij zag dat ze belangstelling hadden voor de talisman van het kamp.

'De holenleeuw betekent veel voor Ayla,' legde Jondalar uit. 'Ze zegt dat de geest van de grote kat haar leidt en beschermt.'

'Dan moet je je hier thuis voelen,' zei Talut met een stralende glimlach omdat hij het prettig vond.

Ze zag Nezzie, die Rydag droeg en moest weer aan haar zoon denken. 'Ik denk van wel,' zei ze.

Voor ze naar binnen gingen, bleef de jonge vrouw staan om de toegangspoort te bekijken en ze glimlachte toen ze zag hoe ze hem zo mooi symmetrisch hadden gekregen. Het was eenvoudig, maar zij zou er niet op gekomen zijn. Twee grote slagtanden van de mammoet, van hetzelfde dier, of tenminste dieren van dezelfde grootte, stonden stevig verankerd in de grond met de punten naar elkaar toe en boven waren ze verbonden door een koker, gemaakt van het holle bot uit de poot van een mammoet.

Een zwaar gordijn, gemaakt van de huid van een mammoet, sloot de opening af, maar die was hoog genoeg, zodat zelfs Talut zonder bukken naar binnen kon toen hij het kleed opzij trok. De poort gaf toegang tot een grote ruimte, een soort voorportaal, waar aan de andere kant weer een symmetrische poort van mammoettanden stond met een gordijn van leer. Ze stapten een ronde ruimte in met dikke wanden die in een boog naar een laag koepelvormig plafond liepen. Terwijl ze erdoorheen liepen, bekeek Ayla de wanden. Die leken te bestaan uit mammoetbotten waar bovenkleding aan hing en rekken met voorraden. Talut trok het tweede gordijn opzij, stapte erdoor en hield het open voor de gasten.

Ayla liep verder over de licht aflopende vloer. Toen bleef ze verbaasd staan, overweldigd door de vele indrukken van alle vreemde dingen die ze zag, zoals allerlei onbekende voorwerpen en felle kleuren. Er was veel bij waar ze niets van begreep en ze beperkte zich tot het bekijken van de minder moeilijke dingen.

In de ruimte waar ze zich bevonden was ongeveer in het midden een grote vuurplaats. Er hing een groot stuk vlees, aan een lange paal geregen, boven het vuur. De beide uiteinden steunden in een gleuf die uitgesneden was in het kniegewricht van een mammoetkalf dat gedeeltelijk was ingegraven. Van de vertakking van een hertengewei was een soort as gemaakt waar een jongen aan stond te draaien. Het was een van de kinderen die naar haar en Whinney hadden staan kijken. Ayla herkende hem en glimlachte. Hij grijnsde terug.

Toen haar ogen begonnen te wennen aan het flauwe licht, was ze verbaasd over de ruimte en hoe netjes en gezellig het er was. Deze vuurplaats was pas de eerste van een reeks verspreid over het midden van een langgerekt verblijf met een lengte van bijna dertig meter en een breedte van zes meter.

Zeven vuren telde Ayla terwijl ze ongemerkt haar vingers tegen haar been drukte en zich de telwoorden herinnerde die Jondalar haar had geleerd.

Ze merkte dat het binnen warm was. De vuren verwarmden het half onderaardse verblijf beter dan de grotten die zij kende. Het was eigenlijk erg warm en verderop zag ze verscheidene mensen die heel dun gekleed waren.

Maar het werd achterin niet donkerder. Het plafond was bijna overal even hoog, een meter of vier en boven elke vuurplaats was een opening zodat de rook kon ontsnappen en er ook licht naar binnen viel. De spanten van mammoetbeenderen hingen vol kleding, uitrustingsstukken en voedsel, maar het middengedeelte was gemaakt van een groot aantal rendiergeweien die in elkaar verstrengeld zaten.

Opeens werd Ayla zich bewust van een geur die haar deed watertanden. Dat is mammoetvlees! dacht ze. Ze had het kostelijke, malse mammoetvlees niet meer geproefd sinds ze de grot van de Stam had verlaten. Ze rook nog meer heerlijke geuren. Sommige waren bekend, andere niet, maar alles bij elkaar bezorgden ze haar wel een hongerig gevoel.

Toen ze via een doorgang langs vlakke treden naar beneden werden geleid, kwamen ze in het midden van het langgerekte verblijf bij verschillende vuurplaatsen. Langs de wanden zag ze brede banken met stapels vachten erop. Er zaten mensen op te rusten of te praten. Ze voelde dat ze naar haar keken toen ze erlangs liep. Ze zag nog meer poorten van mammoetslagtanden en ze vroeg zich af waar ze voor dienden, maar ze durfde het niet te vragen.

Het is net een grot, dacht ze, een grote gezellige grot. Maar de poorten van slagtanden en de grote mammoetbotten die dienstdeden als posten, steunbalken en wanden, deden haar wel begrijpen dat het geen grot was die iemand toevallig had ontdekt. Ze hadden hem zelf gebouwd!

De eerste ruimte, waar het vlees geroosterd werd, was groter dan de andere. En de vierde ook, waar Talut hen nu heen bracht. Er stonden verscheidene slaapbanken langs de wanden, maar ze werden blijkbaar niet gebruikt omdat er geen vachten op lagen, zodat ze kon zien hoe ze waren gemaakt.

Toen ze de vloer hadden uitgegraven, bleven er ruime stukken over, iets lager dan de begane grond. Die waren langs beide kanten gestut door strategisch geplaatste mammoetbotten. Er waren nog meer beenderen boven de platforms geplaatst en de gaten waren opgevuld met gevlochten gras om de zachtleren bedden hoger te maken en te steunen. De bedzakken waren opgevuld met mammoetwol en ander donzig materiaal. Met verscheidene lagen vachten erop waren de platforms warme, geriefelijke bedden of rustbanken.

Jondalar vroeg zich af of de vuurplaats, waar ze heen gebracht waren, onbewoond was. Het leek zo, maar ondanks de vele lege plaatsen hing er toch een gezellige sfeer. Er gloeiden kooltjes in de vuurplaats en op een paar banken lagen stapels huiden en vachten terwijl er gedroogde kruiden op de rekken hingen.

'Gasten logeren gewoonlijk in de Vuurplaats van de Mammoet,' legde Talut uit, 'tenminste, als Mamut geen bezwaar maakt. Ik zal het vragen.'

'Natuurlijk mogen ze blijven, Talut.'

De stem kwam van een van de lege banken. Jondalar draaide zich om en bleef kijken toen er iets bewoog op een van de stapels vachten. Er schitterden twee ogen in een gezicht dat hoog op de rechterwang getekend was door getatoeëerde strepen, die wegzonken in de rimpels en plooien die bij een ongelooflijk hoge leeftijd passen. Wat hij had aangezien voor de wintervacht van een dier bleek een witte baard te zijn. Twee lange dunne schenen maakten zich los uit een kleermakerszit en vielen over de rand van het verhoogde platform.

'Kijk niet zo verbaasd, man van de Zelandoniërs. De vrouw wist dat ik hier zat,' zei de oude man met een krachtige stem die weinig liet blijken van zijn hoge leeftijd.

'Is dat zo, Ayla?' vroeg Jondalar. Maar ze scheen hem niet te horen. Ayla en de oude man leken wel gehypnotiseerd en staarden elkaar aan alsof ze in elkaars ziel wilden kijken. Toen liet de jonge vrouw zich voor de oude Mamut op de grond vallen, kruiste haar benen en boog haar hoofd.

Jondalar stond voor een raadsel en was totaal van zijn stuk. Ze gebruikte de gebarentaal van het volk van de Stam, waar ze hem over had verteld. De houding waarin ze zat was die van eerbied en respect die een vrouw van de Stam aannam als ze toestemming vroeg om zich te uiten. De enige keer dat hij haar eerder in die houding had gezien was toen ze hem iets heel belangrijks probeerde te vertellen, iets dat ze niet op een andere wijze kon meedelen; toen de woorden die hij haar had geleerd niet toereikend waren om haar gevoelens te uiten. Hij vroeg zich af hoe iets duidelijker kon worden uitgedrukt in een taal waarin meer gebaren en bewegingen werden gebruikt dan woorden, maar zijn verbazing zou nog groter zijn geweest als hij wist hoe die mensen met elkaar communiceerden.

Maar hij wou dat ze dat hier niet had gedaan. Hij kreeg een kleur toen hij haar zo, in het bijzijn van anderen, platkopgebaren zag maken en hij wou vlug naar haar toe lopen om te zeggen dat ze moest gaan staan voor iemand anders haar zag. Trouwens, de houding stond hem niet aan. Alsof ze hem de eerbied en trouw betoonde die verschuldigd was aan Doni, de Grote Aardmoeder. Hij had het beschouwd als iets persoonlijks, iets tussen hen beiden. Niet iets dat je anderen liet zien. Het was nog tot daaraan toe als ze het bij hem deed, wanneer ze alleen waren, maar hij wou dat deze mensen een goede indruk van haar kregen. Hij wou dat ze haar aardig vonden. Hij wilde niet dat ze haar achtergrond kenden.

Mamut wierp hem een scherpe blik toe en keek toen weer naar Ayla. Hij liet zijn blik even onderzoekend op haar rusten, toen boog hij voorover en tikte haar op de schouder.

Ayla keek op en zag een paar wijze, vriendelijke ogen in een gezicht dat doorgroefd was met fijne rimpels en zachte plooien. De tatoeëring onder zijn rechteroog gaf haar even de indruk dat het oog ontbrak in de donkere oogkas en ze dacht een moment dat het Creb was. Maar de oude heilige man van de Stam, die haar, samen met Iza, had grootgebracht en voor haar had gezorgd, was dood en Iza ook. Wie was deze man dan die zulke sterke gevoelens in haar had opgewekt? Waarom zat ze aan zijn voeten als een vrouw van de Stam? En hoe had hij het juiste antwoord van de Stam geweten?

'Sta op, mijn kind. We praten later wel,' zei Mamut. 'Je moet eerst rusten en eten. Daar staan bedden – slaapplaatsen,' legde hij uit, op de banken wijzend alsof hij wist dat het haar gezegd moest worden. 'Daar liggen extra vachten en beddengoed.'

Ayla stond gracieus op. De oude man die haar gadesloeg, zag in de beweging jaren van oefening en hij voegde die informatie bij wat hij al wist van de jonge vrouw. Na hun korte ontmoeting wist hij al meer over Jondalar en Ayla dan ieder ander in het kamp. Maar hij had ook het voordeel dat hij meer wist over Ayla's afkomst dan wie ook in het kamp.

Het mammoetvlees was net zo smakelijk en mals als Ayla zich herinnerde, maar toen het middagmaal werd opgediend werd het even moeilijk voor haar. Ze wist niet hoe het gebruik was. Bij zekere gelegenheden, meestal de meer formele, aten de vrouwen van de Stam gescheiden van de mannen. Gewoonlijk echter zaten ze in familiegroepjes bij elkaar. Maar ook dan werden de mannen eerst bediend.

Ayla wist niet dat de Mamutiërs hun gasten vereerden door ze het eerste en het beste stuk aan te bieden en dat het gebruik voorschreef, uit eerbied voor de Moeder, dat een vrouw de eerste hap nam. Ayla bleef wat achter Jondalar toen het eten werd binnengebracht en probeerde onopvallend naar de anderen te kijken. Er werd even onrustig geschuifeld toen iedereen stond te wachten tot zij begon en zij probeerde achter de anderen te blijven.

Een paar leden van het kamp begonnen in de gaten te krijgen wat er aan de hand was en maakten er, ondeugend grijnzend, een spelletje van. Maar Ayla vond het niet grappig. Ze begreep dat ze iets verkeerds deed en het hielp haar niet als ze Jondalar in de gaten hield. Hij probeerde haar ook naar voren te duwen.

Mamut kwam haar te hulp. Hij nam haar bij de arm en leidde haar naar de grote benen schaal met dikke plakken mammoetvlees.

'Er wordt van je verwacht dat jij begint, Ayla,' legde hij uit.

'Maar ik ben een vrouw,' protesteerde ze.

'Daarom verwacht men dat jij begint. Dat is ons offer aan de Moeder en het is beter als een vrouw het in haar plaats accepteert. Neem het beste stuk, niet voor jezelf, maar om Mut te eren,' legde de oude man uit.

Ze keek hem aan, eerst verbaasd en toen dankbaar. Ze pakte een bord, een licht gebogen stuk ivoor dat van een slagtand was geslagen en heel ernstig zocht ze nauwkeurig het beste stuk uit. Jondalar glimlachte haar goedkeurend toe en toen drongen de anderen naar voren om zich te bedienen. Toen ze het op had, zette Ayla het bord op de grond zoals ze anderen had zien doen.

'Ik vroeg me af of je ons zo pas een nieuwe dans liet zien,' zei iemand vlak achter haar.

Ayla draaide zich om en zag de zwarte ogen van de man met de bruine huid. Ze verstond het woord 'dans' niet, maar hij glimlachte vriendelijk. Ze glimlachte terug.

'Heeft iemand je ooit verteld hoe mooi je bent als je glimlacht?' vroeg hij.

'Mooi? Ik?' Ze lachte en schudde ongelovig haar hoofd.

Jondalar had eens bijna dezelfde woorden tegen haar gezegd, maar Ayla vond zichzelf niet mooi.

Lang geleden, toen ze voor het eerst ongesteld werd, was ze langer en magerder dan de mensen die haar hadden grootgebracht. Ze zag er zo anders uit, met haar hoge voorhoofd en dat vreemde bot onder haar mond, waarvan Jondalar zei dat het een kin was, dat ze zichzelf altijd groot en lelijk had gevonden.

Ranec bekeek haar met grote belangstelling. Ze lachte met een kinderlijke ongedwongenheid, alsof ze echt dacht dat hij iets grappigs had gezegd. Dat was geen gebruikelijke reactie wanneer hij tegen een vrouw zei dat ze knap was. Een verlegen glimlach misschien, of een uitnodigend lachje, maar in Ayla's blauwgrijze ogen lag geen slinksheid en in de manier waarop ze haar hoofd achteroverwierp of haar lange haren opzij streek zat geen enkele terughoudendheid of verlegenheid.

Haar bewegingen hadden eerder de natuurlijke, soepele gratie van een dier, een paard misschien, of een leeuw. Ze had een uitstraling, eigenschappen die hij niet precies kon omschrijven, maar er zaten elementen in van absolute onbevangenheid en eerlijkheid en toch een groot mysterie. Ze leek onschuldig als een baby, open voor alles, maar ze was een echte vrouw, een grote, overweldigend mooie vrouw, die niet bereid was met zich te laten sollen.

Hij bekeek haar belangstellend en nieuwsgierig. Haar dikke lange haar had een natuurlijke slag en een warme gouden glans, als een veld rijp koren dat buigt in de wind; ze had grote ogen en haar wimpers waren iets donkerder dan haar haar. Hij bekeek de zuivere, elegante lijnen van haar gezicht en de gespierde gratie van haar lichaam met de kennersblik van een beeldhouwer. Toen zijn ogen over haar volle borsten en uitnodigende heupen gleden, kregen ze een uitdrukking die haar deed schrikken.

Ze bloosde en wendde haar blik af. Hoewel Jondalar haar had verteld dat het niet onfatsoenlijk was, wist ze niet of ze het wel prettig vond als iemand haar zo recht in de ogen keek. Het gaf haar een weerloos en kwetsbaar gevoel. Ze zag Jondalars rug toen ze in zijn richting keek, maar zijn houding zei haar meer dan woorden konden doen. Hij was boos. Waarom was hij boos? Had ze iets gedaan dat zijn boosheid opwekte?

'Talut! Ranec! Barzec! Kijk eens wie daar komen!' riep een stem.

Iedereen draaide zich om en keek. Er kwam een aantal mensen over de top van de heuvel. Nezzie en Talut gingen de heuvel op terwijl een jonge man zich losmaakte uit de groep en naar hen toe rende. Ze ontmoetten elkaar halverwege met een hartelijke omhelzing. Ranec haastte zich om ook een van de aankomenden tegemoet te gaan en hoewel de begroeting wat rustiger was, drukte hij met warme genegenheid een oudere man tegen zich aan.

Ayla keek met een vreemd, leeg gevoel toe hoe de overige mensen de gasten alleen lieten in hun ijver om de thuiskomende familie en vrienden te begroeten en allen praatten en lachten tegelijk. Zij was Ayla Zonder Volk. Ze had geen plaats om heen te gaan, geen thuis, geen stam om haar te verwelkomen met omhelzingen en kussen. Iza en Creb, die van haar hadden gehouden, waren dood en zij was dood voor degenen van wie ze hield.

Oeba, de dochter van Iza, was als een zuster voor haar geweest; ze hadden een liefdesband, al waren ze geen verwanten. Maar Oeba zou zich nu voor haar afsluiten als ze Ayla zag; ze zou haar ogen niet geloven en haar niet willen zien. Broud had de doodvloek over haar uitgesproken. Daarom was ze dood.

En Durc, haar zoon, zou hij het zich nog herinneren? Ze was al drie jaar weg en Durc was pas drie toen ze vertrok. Ze had hem moeten achterlaten bij de Stam van Brun. Zelfs als ze hem had kunnen ontvoeren, waren ze nog maar samen geweest. Als haar iets was overkomen, was hij alleen achtergebleven. Het was het beste om hem achter te laten bij de Stam. Oeba hield van hem en zou voor hem zorgen. Ze hielden allemaal van hem – behalve Broud. Maar Brun zou hem beschermen en hem leren jagen. En hij zou sterk en dapper worden en net zo goed met een slinger om kunnen gaan als zij en een snelle loper worden en...

Opeens zag ze dat een lid van het kamp de helling niet was op gerend. Rydag stond bij de ingang, met een hand op een slagtand, met wijd-open ogen te kijken naar de groep blij lachende mensen die de heuvel af kwam. Toen zag ze hen, zoals hij hen moest zien, met de armen om elkaar heen, kinderen aan de hand terwijl andere kinderen eromheen huppelden en ook om een hand vroegen. Hij ademde te snel, dacht ze, omdat hij zich te druk maakte. Ze ging naar hem toe en zag Jon-dalar dezelfde kant op lopen. 'Ik wou hem meenemen naar de ande-ren,' zei hij. Hij had het kind ook zien staan en ze hadden hetzelfde gedacht.

'Ja, doe dat,' zei ze. 'Whinney en Renner kunnen wel weer onrustig worden met al die nieuwe mensen om hen heen. Ik blijf wel bij ze.'

Ayla zag hoe de grote blonde man het kind met het donkere haar op-tilde en op zijn schouders zette. Hij liep met grote passen de heuvel op naar de mensen van het Leeuwenkamp. De jongeman, die bijna net zo groot was als Jondalar, die Talut en Nezzie zo hartelijk hadden verwelkomd, stak zijn armen uit naar de jongen en begroette hem met grote vreugde, dat was duidelijk te zien. Toen zette hij Rydag op zijn schouders voor de weg naar beneden, naar huis. Ze houden van hem, dacht ze en ze herinnerde zich dat ze ook van haar hadden ge-houden, ondanks het feit dat ze anders was.

Jondalar zag dat ze naar hem keek en glimlachte. Ze kreeg zo'n warm gevoel voor de zorgzame, gevoelige man en ze had er last van toen ze eraan dacht dat ze enkele ogenblikken geleden nog medelijden met zichzelf had gehad. Ze was niet meer alleen. Ze had Jondalar. Ze hield van de klank van zijn naam en haar gedachten waren vervuld van hem en haar gevoel voor hem.

Jondalar. De eerste van de Anderen die ze ooit had gezien voorzover ze zich kon herinneren; de eerste met een gezicht dat op het hare leek; blauwe ogen als de hare – alleen blauwer, zijn ogen waren zo blauw dat het bijna niet te geloven was dat ze echt waren.

Jondalar. De eerste man die ze ontmoette die groter was dan zij; de eerste die ooit samen met haar had gelachen, en de eerste die ooit tra-nen huilde van verdriet, om de broer die hij had verloren.

Jondalar. De man die gebracht was als een geschenk van haar totem naar de vallei waar ze was gaan wonen nadat ze de Stam had verlaten en moe was geworden van het zoeken naar de Anderen.

Jondalar. Die haar weer had leren spreken, met woorden, niet alleen de gebarentaal van de Stam. Jondalar, wiens gevoelige handen een stuk gereedschap konden maken, of een jong paard konden krauwen, of een kind konden optillen en het op zijn rug zetten. Jondalar, die haar de vreugden van haar lichaam leerde kennen – en van het zijne, die haar liefhad en van wie ze meer hield dan ze ooit had gedacht van iemand te kunnen houden.

Ze liep naar de rivier en ging een bocht om, waar Renner met een lang touw was vastgebonden aan een boom. Ze veegde met de rug van haar hand over haar vochtige ogen, overstelpt door de emoties die nog zo nieuw voor haar waren. Ze pakte haar amulet, een leren zakje dat aan een riempje om haar hals hing. Ze voelde de voorwerpen die erin zaten en dacht aan haar totem.

De Geest van de Holenleeuw. Creb zei altijd dat het moeilijk was om te leven met een krachtige totem. Hij had gelijk. De toets is altijd moeilijk geweest, maar het was de moeite waard. Deze vrouw is dankbaar voor de bescherming en de geschenken van haar krachtige totem. De geschenken voor haar innerlijk, de dingen die ze leerde en de geschenken van hen voor wie ze zorgde, zoals Whinney en Renner en Kleintje en vooral Jondalar.

Whinney kwam naar haar toe toen ze bij het veulen stond en brieste zachtjes bij wijze van groet. Ze legde haar hoofd op de hals van de merrie en leunde tegen haar aan. Ze was moe en voelde zich uitgeput. Ze was niet gewend aan zoveel mensen, al dat gedoe. Mensen die een taal spraken waren zo druk. Ze had hoofdpijn, haar slapen klopten en haar nek en schouders deden pijn. Whinney leunde ook tegen haar aan en Renner, die zich bij hen voegde, duwde ook van zijn kant tot ze voelde dat ze tussen hen in geklemd zat, maar ze vond het niet erg.

'Genoeg!' zei ze ten slotte en sloeg het veulen op de flank. 'Je wordt te groot, Renner, om me zo tussen jullie in te nemen. Moet je eens zien! Kijk eens hoe groot je bent. Je bent bijna net zo groot als je moeder!' Ze krabde hem, roste en streelde Whinney en voelde opgedroogd zweet. 'Het is voor jullie zeker ook moeilijk? Ik zal jullie eens goed afwrijven en daarna borstelen met de kaardenbol. Maar er komen nu meer mensen, dus waarschijnlijk krijgen jullie ook meer aandacht. Het zal wel meevallen als ze eenmaal aan jullie gewend zijn.'

Het viel Ayla niet op dat ze in haar eigen taaltje was overgegaan. Dat had ze ontwikkeld in de loop van de tijd dat ze alleen was geweest met geen ander gezelschap dan dieren. Het was voor een deel opgebouwd uit gebaren van de Stam en gedeeltelijk uit vervormingen van een paar woorden die de Stam gebruikte, imitaties van diergeluiden en de woordjes zonder betekenis die zij en haar zoon hadden gebruikt. Een ander had de gebaren waarschijnlijk niet opgemerkt en gevonden dat ze een serie heel vreemde geluiden maakte: geknor en gegrom en telkens dezelfde lettergrepen. Het zou waarschijnlijk niet als een taal worden beschouwd.

'Misschien wil Jondalar Renner ook wel rossen.' Opeens zweeg ze omdat er een zorgwekkende gedachte bij haar opkwam. Ze pakte haar amulet weer en probeerde haar gedachten te ordenen. Grote Holenleeuw, Jondalar is nu ook je uitverkorene. Hij draagt de littekens op zijn been, net als ik. Ze bracht haar gedachten over in de oude taal zonder woorden, waarbij ze alleen haar handen gebruikte; de passende taal voor contact met de wereld van de geesten.

'Grote Geest van de Holenleeuw, de man die gekozen is weet niets van totems. Die man weet niets van toetsen, kent de proeven niet van een krachtige totem en ook de geschenken en het leren niet. Zelfs de vrouw die ze kent vond ze moeilijk. Deze vrouw zou de Geest van de Holenleeuw nederig willen vragen... willen smeken... voor die man...' Ayla wachtte even. Ze wist niet precies wat ze zou vragen. Ze wilde de geest niet vragen om Jondalar niet op de proef te stellen – ze wilde niet dat hij de voordelen zou verspelen die zulke proeven hem zeker zouden opleveren – en ze wou het hem ook niet te gemakkelijk maken. Omdat zij grote beproevingen had doorstaan en unieke vaardigheden en inzichten had verworven, was ze gaan geloven dat de voordelen in verhouding stonden tot de zwaarte van de toets. Ze vatte haar gedachten samen en ging verder.

'Deze vrouw zou de Geest van de Grote Holenleeuw nederig willen vragen om die man die gekozen is de waarde van zijn krachtige totem te laten leren kennen; te weten dat de toets noodzakelijk is, hoe moeilijk het ook lijkt.' Eindelijk was ze klaar en liet ze haar handen zakken.

'Ayla?'

Ze draaide zich om en zag Latie staan. 'Ja.'

'Je was zeker... bezig. Ik wou je niet storen.'

'Ik ben klaar.'

'Talut wou graag dat je komt en de paarden meebrengt. Hij heeft iedereen al verteld dat ze niets moeten doen als jij niet zegt dat het mag. Ze mogen ze niet laten schrikken of nerveus maken. Ik geloof dat hij wel een paar mensen zenuwachtig heeft gemaakt.'

'Ik kom,' zei Ayla en ze glimlachte. 'Wil jij paardrijden op de terugweg?' vroeg ze.

Laties gezicht toonde een brede grijns. Als ze zo lachte, leek ze op Talut, dacht Ayla. 'Zou dat kunnen? Echt?'

'Misschien mensen niet nerveus als ze jou op Whinney zien. Kom, hier groot rotsblok. Kun je gemakkelijker opkomen.'

Toen Ayla de bocht om kwam, gevolgd door een volwassen merrie met een meisje op de rug en een dartel veulen erachter, verstomden alle gesprekken. Degenen die het eerder hadden gezien genoten van de verbaasde en ongelovige uitdrukking op de gezichten van degenen die het voor het eerst zagen, hoewel ze er zelf ook nog respect voor hadden.

'Kijk eens, Tulie. Wat heb ik je gezegd!' zei Talut tegen een vrouw met donker haar die bijna net zo groot was als hij, maar hij had een ande-re kleur haar. Ze stak boven Barzec uit, de man van de laatste vuur-plaats, die naast haar stond met zijn arm om haar middel. Dicht bij hen stonden de twee jongens van die vuurplaats, dertien en acht jaar oud en hun zusje van zes dat Ayla eerder had ontmoet.

Toen ze het woonverblijf hadden bereikt, tilde Ayla Latie van het paard, streelde Whinney die haar neusgaten weer open had nu ze weer nerveus de geur van vreemde mensen opsnoof. Het meisje rende naar een slungelachtige jongen, met rood haar, van een jaar of veertien. Hij was bijna net zo groot als Talut en leek sprekend op hem, maar hij was nog niet zo breed.

'Kom mee naar Ayla,' zei Latie en ze trok hem naar de vrouw met de paarden. Hij liet zich meetrekken. Jondalar was omgelopen om Ren-ner te kalmeren.

'Dit is mijn broer, Danug,' legde Latie uit. 'Hij is een hele tijd weg ge-weest, maar nu hij alles weet over het opgraven van vuursteen is hij van plan thuis te blijven. Nietwaar, Danug?'

'Ik weet er niet alles van, Latie,' zei hij, een beetje verlegen.

Ayla glimlachte. 'Ik begroet je,' zei ze en stak haar handen uit. Dat bracht hem in nog grotere verwarring. Hij was de zoon van de Leeu-wenvuurplaats. Hij had de gast eerst moeten begroeten, maar hij was onder de indruk van de mooie vreemde die zo'n macht over dieren had. Hij pakte haar uitgestoken handen en mompelde een groet. Whinney koos dat moment om te snuiven en opzij te springen Hij liet vlug haar handen los, omdat hij het gevoel kreeg dat het paard het om de een of andere reden niet goedvond.

'Whinney zou je sneller leren kennen als je haar streelde en ze je geur kon opsnuiven,' zei Jondalar, die merkte dat de jongeman zich niet op zijn gemak voelde. Het was een moeilijke leeftijd: geen kind meer, maar nog geen man. 'Heb je geleerd vuursteen te bewerken?' vroeg hij, om een praatje te maken en de jongen wat gerust te stellen, terwijl hij hem liet zien hoe hij het paard moest aaien.

'Ik bewerk vuursteen. Wymez heeft het me al geleerd toen ik nog klein was,' zei de jongeman trots.

'Hij is de beste, maar hij wou dat ik nog een paar andere technieken zou leren en ook hoe je de ruwe steen moet beoordelen.' Nu het gesprek overging op meer bekende onderwerpen, kwam het natuurlijke enthousiasme van Danug weer boven.

Jondalars ogen begonnen uit oprechte belangstelling te schitteren. 'Ik bewerk ook vuursteen en ik heb het ook geleerd van een man die de beste was. Toen ik ongeveer zo oud was als jij, woonde ik bij hem, in de buurt van een vindplaats van vuursteen. Ik zou de man wel eens willen ontmoeten die het jou heeft geleerd.'

'Daar kan ik wel voor zorgen, want ik ben de zoon van zijn vuurplaats – en de eerste, maar niet de enige gebruiker van zijn gereedschap.'

Jondalar draaide zich om toen hij de stem van Ranec hoorde en hij zag dat het hele kamp om hen heen stond. Naast de man met de bruine huid stond de man die hij zo hartelijk had begroet. Jondalar zag geen gelijkenis, zij het dan dat ze ongeveer even groot waren. De oudere man had sluik bruin haar dat begon te grijzen, gewone blauwe ogen en er was geen enkele gelijkenis met de duidelijk exotische trekken van Ranec. De Moeder moet de geest van een andere man hebben gekozen voor het kind van zijn vuurplaats, dacht Jondalar. Maar waarom had Zij er dan een gekozen met zo'n ongewone kleur?

'Wymez, van de Vossenvuurplaats van het Leeuwenkamp, Meester van de Mamutiërs op het gebied van vuursteen,' zei Ranec overdreven vormelijk. 'Dit zijn onze gasten, Jondalar van de Zelandoniërs, nóg een van jouw slag, naar het lijkt.' Jondalar voelde een ondertoon van... Was het humor? Of spot? Hij wist het niet. 'En zijn knappe reisgezelschap, Ayla. Een vrouw zonder volk, maar heel bekoorlijk en mysterieus.' Hij glimlachte en Ayla werd weer getroffen door het contrast tussen zijn donkere huid en de witte tanden. Aan het vonkje in zijn ogen was te zien dat het hem niet was ontgaan.

'Dag,' zei Wymez eenvoudig en ondubbelzinnig, zonder uit te weiden of iets te suggereren, zoals Ranec had gedaan. 'Ben je steenbewerker?'

'Ja, ik ben steenklopper,' antwoordde Jondalar.

'Ik heb uitstekende stenen meegebracht. Ze komen pas uit de grond en zijn nog niet uitgedroogd.'

'Ik heb een stenen hamer en een goede drevel in mijn rugzak,' zei Jondalar, die meteen geïnteresseerd was. 'Gebruik je ook een drevel?'

Ranec wierp een gepijnigde blik op Ayla toen het gesprek snel overging op hun gemeenschappelijke vaardigheid. 'Ik had kunnen weten dat dit zou gebeuren,' zei hij. 'Weet je wat het ergste is als je bij de vuurplaats van een meester-gereedschapmaker woont? Niet dat je altijd steensplinters in je vachten hebt, maar dat je altijd verhalen over steen in je oren krijgt. En toen ook Danug belangstelling begon te tonen, heb ik niets anders meer gehoord dan... steen, steen, steen.' Zijn warme glimlach verzachtte de klacht en blijkbaar had iedereen die eerder gehoord, want men schonk er geen aandacht aan, behalve Danug.

'Ik wist niet dat je er zo'n last van had,' zei de jongeman.

'Dat is ook niet zo,' zei Wymez. 'Je merkt toch wel dat Ranec indruk probeert te maken op een knappe vrouw?'

'Eigenlijk ben ik je dankbaar, Danug. Ik geloof dat hij hoopte van mij een steenbewerker te maken, tot jij kwam,' zei Ranec, om de ongerustheid van Danug weg te nemen.

'Maar pas toen ik begon te beseffen dat jouw belangstelling alleen naar mijn gereedschap uitging om er ivoor mee te bewerken en dat begon algauw toen we hier kwamen,' zei Wymez. Hij glimlachte en voegde eraan toe: 'Als je een hekel hebt aan steensplinters in je bed, probeer het dan eens met ivoorstof in je eten.'

De twee totaal verschillende mannen glimlachten tegen elkaar en Ayla begreep opgelucht dat ze elkaar op een vriendschappelijke manier plaagden en dat het maar een grapje was. Ze zag ook dat, ondanks hun verschillende huidskleur en de exotische trekken van Ranec, hun glimlach dezelfde was en hun bewegingen ook overeenkomst vertoonden.

Plotseling hoorden ze geschreeuw uit het lange huis komen. 'Houd je erbuiten, oude vrouw! Dit is iets tussen Fralie en mij.' Het was een mannenstem, van de man van de zesde vuurplaats, naast de laatste. Ayla herinnerde zich dat ze hem had gezien.

'Ik weet niet waarom ze jou heeft gekozen, Frebec! Ik had het nooit toegestaan!' krijste een vrouw terug naar de man. Opeens kwam er een oudere vrouw door de poort naar buiten. Ze trok een huilende jonge vrouw mee. Er kwamen twee jongens verbijsterd achteraan, een van een jaar of zeven en de andere was een hummeltje van twee dat in zijn blote kont liep met de duim in de mond.

'Het is allemaal jouw schuld. Ze luistert te veel naar jou. Waarom bemoei je je er steeds mee?'

Ze keken allemaal een andere kant op – ze hadden het al zo vaak gehoord. Maar Ayla keek stomverbaasd. In de Stam zou geen enkele vrouw zo tekeergaan tegen een man.

'Frebec en Crozie zijn weer bezig. Let er maar niet op,' zei Tronie. Het was de vrouw van de vijfde vuurplaats – de Rendiervuurplaats, herinnerde Ayla zich. Het was de volgende naast de Mammoetvuurplaats, waar zij en Jondalar logeerden. De vrouw had een baby aan de borst. Ayla had de jonge moeder eerder ontmoet en ze voelde zich tot haar aangetrokken. Tornec, haar levensgezel, tilde het meisje van drie op, dat zich aan haar moeder vastklemde en nog niet kon accepteren dat de baby de plaats aan de borst van haar moeder had ingenomen. Het was een leuk jong stel. Ze hielden van elkaar en Ayla was blij dat zij naast hen woonde en niet naast degenen die zo'n ruzie maakten. Manuv, die bij hen woonde, was onder het eten een praatje met haar komen maken en had verteld dat hij de man van de vuurplaats was geweest toen Tornec nog jong was. Hij was de zoon van een neef van Mamut. Hij zei dat hij vaak zijn tijd doorbracht bij de vierde vuurplaats en dat vond ze prettig. Ze had altijd een bijzondere genegenheid gehad voor oudere mensen. Ze was minder gelukkig met de vuurplaats aan de andere kant, de derde. Daar woonde Ranec – hij had hem de Vossenvuurplaats genoemd. Ze had geen hekel aan hem, maar Jondalar reageerde zo vreemd op hem. Het was wel een kleinere vuurplaats, met maar twee mannen en hij nam weinig ruimte in in het lange huis, zodat ze zich wat dichter bij Nezzie, Talut en Rydag voelde, die bij de tweede vuurplaats woonden. Ze vond de andere kinderen van Taluts Leeuwenvuurplaats ook aardig. Latie en Rugie, de jongste dochter van Nezzie, die bijna even oud was als Rydag. Ze had Danug nu ook ontmoet en ze mocht hem wel.

Talut naderde met de grote vrouw. Barzec en de kinderen waren bij hen en Ayla nam aan dat ze familie waren.

'Ayla, ik wou je kennis laten maken met mijn zuster Tulie van de Oerosvuurplaats. Ze is leidster van de vrouwen in het Leeuwenkamp.'

'Dag,' zei de vrouw en ze stak heel formeel haar beide handen uit. 'Uit naam van Mut heet ik je welkom.' Als zuster van het stamhoofd was ze zijns gelijke en ze was zich bewust van haar verantwoordelijkheid.

'Ik begroet je, Tulie,' antwoordde Ayla en ze probeerde niet verbaasd te kijken.

Toen Jondalar voor het eerst weer kon staan, was het een schokkende ervaring om te zien dat hij langer was dan zij, maar het was een nog veel grotere verrassing om een vrouw te ontmoeten die langer was. In de Stam had Ayla altijd boven iedereen uitgestoken. Maar de leidster was niet alleen lang, ze was ook gespierd en Ayla kreeg de indruk dat ze sterk was. Alleen haar broer was nog groter. Uit haar hele houding sprak de onmiskenbare zelfverzekerdheid van een vrouw, moeder en leidster die volledig overtuigd is van zichzelf en baas is over haar eigen leven. Dat kwam misschien wel door haar lengte en omvang.

Tulie verbaasde zich over het vreemde accent van de gast, maar er was een ander probleem dat haar meer bezighield en met de openhartigheid die haar volk eigen was aarzelde ze niet erover te beginnen.

'Ik wist niet dat de Mammoetvuurplaats bezet zou zijn toen ik Branag uitnodigde om met ons mee te gaan. Hij en Deegie gaan deze zomer een verbintenis aan. Hij blijft maar een paar dagen en ik weet dat ze had gehoopt die tijd samen door te kunnen brengen, zonder haar broers en zuster. Omdat je een gast bent, wil ze het niet vragen, maar Deegie zou graag met Branag in de Mammoetvuurplaats willen logeren als je er geen bezwaar tegen hebt.'

'Is grote vuurplaats. Veel bedden. Ik heb geen bezwaar,' zei Ayla, die het vervelend vond dat ze het aan haar vroeg. Het was haar huis niet.

Terwijl ze stonden te praten, kwam er een jonge vrouw uit het huis, gevolgd door een jonge man. Ayla moest nog eens goed kijken. Ze was van Ayla's leeftijd, stevig en iets groter! Ze had kastanjebruin haar en een vriendelijk gezicht, dat door velen wel knap gevonden zou worden en het was duidelijk dat de jonge man haar heel aantrekkelijk vond. Maar Ayla schonk niet veel aandacht aan haar lichamelijke verschijning, ze keek vol bewondering naar de kleding van de jonge vrouw.

Ze droeg beenkappen en een leren tuniek in een kleur die goed bij haar haar paste – een lange, overvloedig versierde tuniek in roodoker, die aan de voorkant open was en met een riem werd dichtgehouden. Rood was voor de Stam een heilige kleur. Iza's gewijde zakje was het enige voorwerp dat Ayla bezat dat rood was geverfd. Er zaten speciale wortels in die werden gebruikt om drank te bereiden bij bijzondere riten. Ze had het zorgvuldig weggeborgen in haar medicijntas, waar ze verschillende gedroogde kruiden in bewaarde die werden gebruikt om hun geheimzinnige geneeskracht. Een hele tuniek van rood leer? Het was bijna niet te geloven.

'Wat is dat mooi!' zei Ayla, nog voor ze behoorlijk kennis hadden gemaakt.

'Vind je haar mooi? Hij is voor mijn feest, als we verbonden worden. Ik heb hem van Branags moeder gekregen en ik moest hem gewoon aandoen om aan iedereen te laten zien.'

'Ik heb nog nooit zoiets gezien!' zei Ayla en ze keek haar ogen uit.

De jonge vrouw was opgetogen. 'Jij bent toch Ayla, nietwaar? Ik heet Deegie en dit is Branag. Hij moet over een paar dagen terug,' zei ze en er klonk teleurstelling in haar stem. 'Maar na de komende zomer zullen we samen zijn. We gaan bij mijn broer, Tarneg, wonen. Hij woont nu bij de familie van zijn vrouw, maar hij wil een nieuw kamp stichten en heeft erop aangedrongen dat ik een levensgezel kies zodat hij een leidster heeft.'

Ayla zag dat Tulie haar dochter glimlachend toeknikte en ze herinnerde zich het verzoek. 'Vuurplaats heeft veel ruimte, veel lege bedden, Deegie. Je logeert met Branag in de Mammoetvuurplaats? Hij is ook gast... als Mamut niet erg vindt. Is vuurplaats van Mamut.'

'Natuurlijk kunnen jij en Branag blijven, Deegie,' zei de oude man, 'maar denk erom, jullie zullen waarschijnlijk niet veel slaap krijgen.' Deegie glimlachte afwachtend terwijl Mamut vervolgde: 'Met de gasten en Danug die een heel jaar weg is geweest, jouw Verbintenisfeest en de resultaten van Wymez op zijn handelsreis. Ik denk dat er voldoende reden is om vanavond in de Mammoetvuurplaats bij elkaar te komen en de verhalen te vertellen.'

Ze glimlachten allemaal. Ze hadden die mededeling wel verwacht, maar dat deed niets af aan hun hooggespannen verwachtingen. Ze wisten dat een bijeenkomst in de Mammoetvuurplaats betekende dat de ervaringen werden uitgewisseld, verhalen werden verteld met misschien nog ander vermaak en ze verheugden zich al op de avond. Ze waren benieuwd naar de verhalen over andere kampen en wilden ook wel weer luisteren naar de verhalen die ze al kenden. Ze waren net zo geïnteresseerd in de reacties van de vreemden op de belevenissen van de leden van hun eigen kamp als in de verhalen die zij te vertellen hadden.

Jondalar wist ook wel wat zo'n samenkomst betekende en hij maakte zich zorgen. Zou Ayla haar hele geschiedenis vertellen? Zouden ze daarna nog zo welkom zijn in het Leeuwenkamp? Hij speelde met de gedachte om een poging te doen haar te waarschuwen, maar hij wist dat ze alleen maar boos en verdrietig zou worden. Ze leek in veel opzichten op de Mamutiërs: openhartig en eerlijk in het uiten van haar gevoelens. Het zou trouwens niet helpen. Ze wist niet hoe ze moest liegen. In het gunstigste geval zou ze ervan afzien om haar mond open te doen. Hij kon alleen maar afwachten – en er het beste van hopen.

3

Die middag besteedde Ayla aan het wrijven en roskammen van Whinney met een zacht stuk leer en de gedroogde ronde kop van een kaardenbol. Het was net zo ontspannend voor haar als voor het paard. Jondalar hield haar gezelschap en gebruikte een kaardenbol om de kriebelende plaatsen van Renner te krauwen terwijl hij de ruige wintervacht van het veulen gladstreek, hoewel het jonge dier liever speelde dan dat het stil bleef staan. Renners warme, zachte ondervacht was al veel dikker geworden en dat herinnerde de man eraan hoe snel de koude kon komen. Het zette hem aan het denken. Waar zouden ze de winter doorbrengen? Hij wist nog steeds niet wat Ayla van de Mamutiërs vond, maar de paarden en de mensen van het kamp begonnen tenminste aan elkaar te wennen.

Ayla zag ook wel dat de spanningen minder groot werden, maar waar moesten de paarden 's nachts blijven als zij binnen was? Ze waren gewend om een grot met haar te delen. Jondalar bleef haar verzekeren dat het niets hinderde, paarden waren gewend om buiten te blijven. Ze besloot ten slotte om Renner bij de ingang vast te zetten. Dan wist ze dat Whinney, zonder haar veulen, niet ver zou afdwalen en dat de merrie haar wakker zou maken wanneer er gevaar dreigde.

De wind werd koud bij het vallen van de avond en er hing sneeuw in de lucht toen Ayla en Jondalar naar binnen gingen. De Mammoet-vuurplaats in het midden van de halfonderaardse woonruimte was lekker warm toen de mensen binnenkwamen. Velen hadden nog wat koude resten van de maaltijd meegenomen: witte aardnootjes, wilde wortelen, bessen en plakken mammoetvlees. Ze aten de groente en de vruchten met de vingers of een paar stokjes die ze als tang gebruikten, maar Ayla zag dat iedereen, behalve de kleine kinderen, voor het vlees een eetmes gebruikte. Het boeide haar om te zien hoe iemand een grote plak tussen de tanden hield en er dan met een snelle opwaartse beweging van het mes een stukje afsneed – zonder de neus te raken. Grote bruine waterzakken – de bewerkte waterdichte blazen en magen van verschillende dieren – werden doorgegeven en de mensen dronken er met volle teugen uit. Talut bood haar ook iets te drinken aan. Het gistte en het rook niet zo lekker. De smaak was enigszins zoet, maar het brandde haar op de tong. Bij het tweede aanbod bedankte ze. Ze vond het niet lekker, hoewel Jondalar ervan leek te genieten.

De mensen zochten pratend en lachend een plaatsje op de platforms of op de vachten en matten op de vloer. Ayla zat naar een gesprek te luisteren toen het lawaai merkbaar minder werd. Ze draaide zich om en zag de oude Mamut rustig achter de vuurplaats staan waarin een vuurtje brandde. Toen alle gesprekken verstomden en hij ieders aandacht had, pakte hij een kleine fakkel en hield die boven de vlammen tot hij brandde. Terwijl iedereen vol verwachting de adem inhield, bracht hij de vlam naar een stenen lampje dat in een nis achter hem stond. De droge pit van korstmos sputterde in het mammoetvet, begon te branden en verlichtte een ivoren beeldje van een corpulente, rijk begiftigde vrouw, dat achter de lamp stond.

Ayla kreeg een gevoel van herkenning, hoewel ze nog nooit zo'n beeldje had gezien. Dat is wat Jondalar een donii noemt, dacht ze. Hij zegt dat het de geest van de Grote Aardmoeder bevat. Of misschien een deel ervan. Het lijkt te klein om hem helemaal te bevatten. Maar hoe groot is een geest dan?

Haar gedachten dwaalden terug naar een andere ceremonie, bij welke gelegenheid ze de zwarte steen had gekregen die ze in het amuletzakje om haar hals droeg. Het stukje zwart mangaandioxide bevatte een deel van de geest van iedereen in de hele Stam, niet alleen haar eigen groep. Ze had de steen gekregen toen ze medicijnvrouw werd en er in ruil een deel van haar eigen geest voor gegeven. Het betekende dat, wanneer ze iemands leven redde, die persoon niet verplicht was haar er iets voor te geven dat in waarde overeenkwam. Dat was al gedaan.

Ze voelde zich nog altijd bezwaard wanneer ze eraan dacht dat de geesten niet waren teruggegeven toen ze de doodvloek had gekregen. Creb had ze wel teruggenomen van Iza toen de oude medicijnvrouw stierf, zodat ze niet met haar naar de wereld van de geesten zouden gaan. Maar niemand had ze van Ayla weggenomen. Als ze een stukje van de geest van ieder lid van de Stam had, had Broud die dan ook doodverklaard?

Ben ik dood? vroeg ze zich af, zoals ze al zo vaak had gedaan. Ze dacht van niet. Ze had geleerd dat de kracht van de doodvloek zat in het geloof en dat je net zo goed kon sterven wanneer degenen van wie je hield niet langer erkenden dat je bestond en je geen plaats meer had om naartoe te gaan. Maar waarom was ze dan niet gestorven? Wat had haar ervan weerhouden het op te geven? En, wat belangrijker was, wat zou er met de Stam gebeuren als ze werkelijk stierf? Zou haar dood schade toebrengen aan degenen van wie ze hield? Misschien aan de hele Stam? Het leren zakje woog zwaar onder het gewicht van de verantwoordelijkheid, alsof ze het lot van de hele Stam om haar nek had hangen.

Ayla werd uit haar gepeins gehaald door een ritmisch geluid. Met een stuk van een gewei, dat de vorm van een hamer had, sloeg Mamut op de schedel van een mammoet, die beschilderd was met geometrische figuren en symbolen. Ayla dacht dat ze behalve het ritme nog iets anders hoorde en ze keek en luisterde aandachtig. Het geluid werd versterkt door de schedelholte, maar het was meer dan alleen de resonantie van het instrument. Toen de oude medicijnman op de verschillende afgetekende delen van de benen trommel speelde veranderde de toonhoogte met zulke ingewikkelde en verfijnde variaties dat het leek alsof Mamut de oude mammoetschedel liet spreken.

De oude man zette met een lage stem een lied in mineur in. Uit verschillende hoeken vielen stemmen in, terwijl het geluid van de trommel en zijn stem zich vermengden tot een ingewikkeld geluidspatroon. Ze pasten zich aan bij de ingezette toonaard, maar maakten wel variaties. Het ritme van de trommel werd aan de andere kant van de ruimte overgenomen door een gelijksoortig geluid. Ayla keek en zag dat Deegie ook op een schedel speelde. Toen begon Tornec met een stuk gewei op een mammoetbot te tikken. Het was een schouderblad, bedekt met evenwijdige lijnen van rode verf. De zwaar resonerende klanken van de schedels en de hogere tonen van het schouderblad vulden de ruimte met een prachtig, spookachtig geluid. Ayla voelde haar lichaam trillen en ze zag dat anderen begonnen te bewegen op het ritme. Opeens hield het op. Het was of er nog meer zou komen, maar het laatste geluid stierf weg. Het was ook geen formele plechtigheid. De mensen zouden gewoon bij elkaar komen voor een gezellige avond en wat met elkaar praten.

Tulie begon en maakte bekend dat er overeenstemming was bereikt en dat Deegie en Branag de volgende zomer een verbintenis zouden aangaan. Er klonken instemmende woorden en men wenste de jonge mensen geluk, hoewel iedereen het wel had verwacht. Het jonge paar straalde van blijdschap. Toen vroeg Talut Wymez om te vertellen over zijn handelsreis en ze hoorden dat hij zout, barnsteen en vuursteen had geruild. Verscheidene mensen stelden vragen of gaven commentaar terwijl Jondalar belangstellend luisterde, maar Ayla begreep niet alles en besloot hem er later naar te vragen. Daarna vroeg Talut naar Danugs vorderingen en dat bracht de jongeman in verlegenheid.

'Hij heeft aanleg en hij is erg handig. Nog een paar jaar ervaring en dan is hij een uitstekend vakman. Ze vonden het jammer dat hij wegging. Hij heeft veel geleerd en dat jaar was de moeite waard,' zei Wymez. De groep liet weer instemming horen. Toen werd de korte stilte benut om met elkaar te praten, tot Talut zich tot Jondalar wendde, wat enige opwinding veroorzaakte.

'Vertel ons eens, man van de Zelandoniërs, hoe het is gekomen dat jullie hier zo zitten in de woning van het Leeuwenkamp van de Mamutiërs,' zei hij.

Jondalar nam een teug uit een van de kleine bruine waterzakken met de geurige drank en keek naar de mensen die nieuwsgierig zaten te wachten. Toen glimlachte hij naar Ayla. Dit heeft hij eerder gedaan! dacht ze, een beetje verbaasd. Ze begreep dat het nu zijn beurt was om zijn verhaal te vertellen. Ze ging er rustig bij zitten om ook te luisteren.

'Het is een lang verhaal,' begon hij. De mensen knikten. Ze wilden het graag horen. 'Mijn volk woont hier ver vandaan, heel ver naar het westen. Nog verder dan de bron van de Grote Moederrivier, die uitmondt in de Zwarte Zee. Wij wonen ook bij een rivier, net als jullie, maar onze rivier stroomt naar de Grote Wateren in het westen.

De Zelandoniërs zijn een nobel volk. Net als jullie zijn we kinderen van de Aarde; degene die jullie Mut noemen, noemen wij Doni. Zij is de Grote Aardmoeder. We jagen en drijven handel. Soms maken we lange Tochten. Mijn broer en ik besloten zo'n Tocht te maken.' Heel even sloot Jondalar de ogen en hij kreeg rimpels in zijn voorhoofd. 'Thonolan... mijn broer... lachte veel en hij hield van avontuur. Hij was een lieveling van de Moeder.'

Het verdriet was te echt. Iedereen begreep dat dit geen aanstellerij was om er een mooi verhaal van te maken. Ze begrepen de oorzaak, ook zonder dat hij het zei. Zij hadden ook een uitdrukking over de Moeder, die degenen van wie ze veel hield vroeg wegnam. Jondalar was niet van plan geweest om zijn gevoelens zo te laten blijken. De smart overviel hem en bracht hem min of meer van zijn stuk. Maar voor een dergelijk verlies hebben alle mensen overal begrip. Zijn ongewilde gevoelsuiting wekte hun sympathie en de warmte die ze voor hem voelden overtrof de nieuwsgierigheid en beleefdheid die ze gewoonlijk toonden aan vreemden die geen bedreiging vormden.

Hij haalde diep adem en probeerde de draad van zijn verhaal weer op te pakken. 'De Tocht was aanvankelijk die van Thonolan. Ik was van plan maar een stukje met hem mee te gaan, niet verder dan de woonplaats van wat familieleden, maar toen besloot ik bij hem te blijven.

We staken een kleine gletsjer over die de bron van de Donau is – de Grote Moederrivier – en zeiden dat we haar tot het eind zouden volgen. Niemand geloofde dat we het zouden halen. Ik wist niet of het zou lukken, maar we gingen steeds verder. We staken veel zijrivieren over en ontmoetten veel mensen. Op een keer, het was in de eerste zomer, onderbraken we de Tocht even om te jagen en toen we het vlees droogden waren we plotseling omringd door mannen die hun speren op ons gericht hielden...'

Jondalar kwam weer op dreef en hij boeide het kamp met het verhaal over zijn avonturen. Hij was een goed verteller en had er slag van de spanning op te voeren. Er werd geknikt en instemmend gemompeld. Er klonken zelfs aanmoedigingen en opgewonden kreten. Zelfs als ze luisteren, zijn mensen die met woorden spreken niet stil, dacht Ayla.

Ze werd net zo geboeid als de anderen, maar ze kon het niet laten af en toe naar de mensen te kijken die naar hem luisterden. Volwassenen hadden jonge kinderen op schoot terwijl de oudere kinderen bij elkaar zaten en met glinsterende ogen naar de inspirerende vreemde keken. Danug in het bijzonder. Hij leek gefascineerd en ging helemaal op in Jondalars verhaal.

'... Thonolan ging de kloof in en voelde zich veilig nu de leeuwin weg was. Toen hoorden we een leeuw brullen...'

'Wat gebeurde er toen?' vroeg Danug.

'Ayla zal jullie de rest moeten vertellen. Ik herinner me niet veel van wat er daarna is gebeurd.'

Alle ogen werden op haar gericht. Ayla was stomverbaasd. Dat had ze niet verwacht, ze had nog nooit tegen zoveel mensen gepraat. Jondalar glimlachte haar toe. Hij was plotseling op het idee gekomen dat de beste manier om haar te leren wennen aan het praten tegen de mensen was het haar te laten doen. Het zou niet de laatste keer zijn dat er van haar werd verwacht verslag te doen van een ervaring en met haar macht over de paarden nog vers in hun geheugen zou het verhaal over de leeuw geloofwaardiger klinken. Het was een opwindend verhaal, dat wist hij, en het zou het mysterie rondom haar persoon vergroten – en misschien hoefde ze niet over haar afkomst te praten wanneer ze hen met dit verhaal tevredenstelde.

'Wat gebeurde er toen, Ayla?' vroeg Danug, die nog helemaal in het verhaal zat. Rugie was een beetje verlegen en terughoudend geweest tegenover haar grote broer die zo lang weg was geweest, maar nu ze terugdacht aan vorige keren dat ze in de kring zaten en er verhalen werden verteld, besloot ze op zijn schoot te gaan zitten. Hij verwelkomde haar met een afwezige glimlach en sloeg een arm om haar heen, maar hij bleef vol verwachting naar Ayla kijken.

Ayla keek om zich heen en zag de ogen die op haar waren gericht. Ze probeerde te beginnen, maar ze had een droge mond en het zweet stond in haar handen.

'Ja, wat is er gebeurd?' herhaalde Latie. Ze zat bij Danug, met Rydag op schoot.

De grote bruine ogen van de jongen schitterden van opwinding. Hij opende ook zijn mond om iets te vragen, maar niemand begreep het geluid dat hij maakte – behalve Ayla. Niet het woord zelf, maar wel de bedoeling. Ze had vroeger soortgelijke geluiden gehoord en ze had ook geleerd ze te gebruiken. De mensen van de Stam waren niet stom, maar ze hadden een beperkt vermogen tot articuleren. In plaats daarvan communiceerden ze met een rijke, veelomvattende gebarentaal en ze gebruikten alleen woorden om ergens de nadruk op te leggen. Ze begreep dat het kind haar vroeg door te gaan met het verhaal en dat de woorden voor hem die betekenis hadden.

'Ik was samen met Whinney,' begon Ayla. De manier waarop ze de naam van de merrie uitsprak was altijd een nabootsing geweest van het zachte hinniken van een paard. De mensen om haar heen beseften niet dat ze de naam van het dier noemde. Ze dachten dat het de bedoeling was het verhaal nog wat op te smukken. Ze glimlachten, gaven blijk van instemming en moedigden haar aan om in dezelfde geest door te gaan.

'Ze kreeg spoedig klein paard. Heel dik,' zei Ayla, terwijl ze haar handen voor haar buik hield om aan te duiden dat het paard drachtig was. Ze glimlachten begrijpend. 'Iedere dag rijden. Whinney moet naar buiten. Niet ver, niet snel. Altijd naar het oosten, gemakkelijk naar het oosten. Te gemakkelijk, niets nieuws. Op een dag naar het westen, niet naar oosten. Nieuwe omgeving bekijken.' Ayla ging door en richtte haar woorden tot Rydag.

Jondalar had haar Mamutisch geleerd en ook de andere talen die hij kende, maar ze sprak het niet zo vloeiend als zijn taal, die ze het eerst had leren spreken. Ze had een vreemde manier van spreken, het was moeilijk uit te leggen hoe precies, en ze moest naar de woorden zoeken. Ze werd er verlegen van. Maar als ze aan de jongen dacht, die zich helemaal niet verstaanbaar kon maken, moest ze het proberen. Omdat hij het had gevraagd.

'Ik hoor leeuw.' Ze wist niet precies waarom ze het deed, maar ze liet het woord 'leeuw' volgen door een dreigend gegrom, dat echt klonk alsof er een echte leeuw was. Misschien was het de hoopvolle blik van

Rydag, of de manier waarop hij zijn hoofd draaide om goed te kunnen luisteren, of omdat ze er een instinct voor had. Ze hoorde mensen naar lucht happen van angst, gevolgd door nerveus gegrinnik en goedkeurend gemompel. Ze had een groot talent om diergeluiden na te bootsen. Het gaf extra spanning aan haar verhaal. Jondalar glimlachte ook en knikte goedkeurend.

'Ik hoor man schreeuwen.' Ze keek naar Jondalar en haar ogen toonden weer verdriet. 'Ik blijf staan, wat te doen? Whinney is dik van kleintje.' Ze maakte de briesende geluidjes van een veulen en werd beloond met een stralende glimlach van Latie. 'Ik bezorgd over paard, maar man gilt. Ik hoor leeuw weer. Ik luister.' Op de een of andere manier lukte het haar het geluid van een leeuw speels te doen klinken. 'Het is Kleintje. Ik ga kloof in. Ik weet dat paard niets overkomt.'

Ayla zag verbaasde blikken. Het woord dat ze had gebruikt was onbekend, hoewel Rydag het had kunnen weten wanneer hij onder andere omstandigheden was opgegroeid. Ze had Jondalar verteld dat de Stam het gebruikte voor een jong.

'Kleintje is leeuw,' zei ze, toen ze probeerde het uit te leggen. 'Kleintje is leeuw die ik ken, Kleintje is... als zoon. Ik ga kloof in, jaag leeuw weg. Ik vind een man dood. Andere man Jondalar, heel zwaar gewond. Whinney brengt terug naar vallei.'

'Ha!' riep een spottende stem. Ayla keek op en zag dat het Frebec was, de man die eerder die dag ruzie had gehad met de oudere vrouw. 'Probeer je me te vertellen dat je tegen een leeuw hebt gezegd dat hij bij een gewonde man vandaan moet gaan?'

'Niet een leeuw. Kleintje,' zei Ayla.

'Wat is dat dan... Waar heb je het over?'

'Kleintje is woord van Stam. Betekent kind, jong. Naam die ik leeuw geef toen hij bij me woont. Kleintje is leeuw die ik ken. Paard kent ook. Niet bang.' Ayla raakte in de war. Er was iets verkeerd gegaan, maar ze wist niet wat.

'Heb je samen met een leeuw gewoond? Dat geloof ik niet,' zei hij met een spotlach.

'Geloof je dat niet?' vroeg Jondalar en zijn stem klonk boos. De man beschuldigde Ayla van een leugen, maar hij wist maar al te goed dat ze de waarheid sprak. 'Ayla liegt niet,' zei hij en stond op om de leren riem om zijn broek los te maken. Hij liet hem aan één kant zakken en toonde zijn lies en dij, waar diepe littekens op zaten. 'Die leeuw heeft me aangevallen en Ayla heeft me niet alleen uit zijn klauwen gered, maar ze is ook een heel knappe genezer. Zonder haar was ik mijn broer gevolgd naar de andere wereld. Ik zal je nog wat anders vertellen. Ik heb haar op de rug van die leeuw zien rijden, net zoals ze op het paard rijdt. Wil je mij een leugenaar noemen?'

'Een gast van het Leeuwenkamp wordt geen leugenaar genoemd,' zei Tulie en keek dreigend naar Frebec in een poging een mogelijk vervelende situatie te bezweren. 'Ik geloof dat het duidelijk is dat je erg was toegetakeld en we hebben goed kunnen zien hoe de vrouw... Ayla... het paard berijdt. Ik zie geen reden om aan jullie woorden te twijfelen.'

Er viel een gespannen stilte. Ayla keek verward van de een naar de ander. Het woord 'leugenaar' kende ze niet en ze begreep niet waarom Frebec zei dat hij haar niet geloofde. Ayla was opgegroeid bij mensen die communiceerden met gebaren. Behalve gebaren kende de Stam ook de uitdrukking van houding en gelaat om bedoelingen wat af te zwakken en nuances aan te brengen. Het was onmogelijk om met het hele lichaam te liegen. Je kon er op z'n hoogst van afzien om iets mee te delen en zelfs dat werd opgemerkt, maar het was toegestaan uit het oogpunt van privacy. Ayla wist niet hoe ze moest liegen. Dat had ze nooit geleerd.

Maar ze begreep wel dat er iets niet goed was. Ze voelde de ergernis en vijandigheid net zo duidelijk als wanneer ze het hadden uitgeschreeuwd. Ze begreep ook dat ze hun best deden om het niet te laten merken. Talut zag Ayla naar de man met de donkere huid kijken en toen haar blik afwenden. Toen hij Ranec zag, kreeg hij een idee om de spanning te breken en weer verder te gaan met de verhalen.

'Dat was een goed verhaal, Jondalar,' bromde Talut, met een strenge blik naar Frebec. 'Het zijn altijd spannende verhalen over lange Tochten. Willen jullie nog een verhaal horen over een lange Tocht?'

'Ja, graag.'

Er werd weer geglimlacht nu de mensen kalmeerden. Het was een geliefd verhaal voor de groep en er was niet vaak een gelegenheid om ernaar te luisteren met mensen die het nog nooit hadden gehoord.

'Het is het verhaal van Ranec...' begon Talut.

Ayla keek vol verwachting naar Ranec. 'Ik zou wel willen weten hoe man met bruine huid in Leeuwenkamp komt wonen,' zei ze.

Ranec glimlachte naar haar, maar hij wendde zich tot de man van zijn vuurplaats. 'Het is mijn verhaal, maar jij moet het vertellen, Wymez,' zei hij.

Jondalar was weer gaan zitten en was er helemaal niet van overtuigd dat hij het eens was met de wending die het gesprek had genomen – of misschien met Ayla's belangstelling voor Ranec – hoewel het beter was dan de bijna openlijke vijandigheid, en het interesseerde hem eigenlijk ook wel.

Wymez ging er gemakkelijk bij zitten, knikte naar Ayla, glimlachte tegen Jondalar en begon. 'Wij hebben meer gemeen dan ons gevoel voor steen, jongeman. Ik heb in mijn jeugd ook een lange Tocht gemaakt. Ik ben naar het zuiden gereisd. Eerst naar het oosten, voorbij de Zwarte Zee, helemaal naar de kust van een veel grotere zee en toen naar het zuiden. Die Zuidelijke Zee heeft vele namen, want er wonen veel mensen langs de kust. Ik ben langs de oostkust gereisd en toen naar het westen, langs de zuidkust, door gebieden met veel bos. Het was er veel warmer en er viel meer regen dan hier.

Ik zal niet proberen jullie alles te vertellen wat ik heb meegemaakt. Ik wil ook wat bewaren voor een volgende keer. Ik zal jullie het verhaal van Ranec vertellen. Toen ik naar het westen reisde, ontmoette ik veel mensen en logeerde soms bij hen. Daar leerde ik nieuwe dingen, maar dan werd ik weer onrustig en reisde verder. Ik wou zien hoe ver ik naar het westen kon.

Na verscheidene jaren kwam ik op een plaats, niet ver van jullie Grote Water, denk ik, Jondalar, maar aan de overkant van de smalle doorgang naar de Zuidelijke Zee. Daar zag ik mensen met een huid zo donker dat hij zwart leek en ik ontmoette er een vrouw. Een vrouw die me aantrok. Misschien was het aanvankelijk omdat ze anders was – haar exotische kleren, haar huidskleur, haar donkere schitterende ogen. Haar glimlach was onweerstaanbaar... en de manier waarop ze danste en hoe ze bewoog – ze was de opwindendste vrouw die ik ooit heb gezien.'

Wymez praatte openhartig, zonder te overdrijven, maar het verhaal was zo boeiend dat hij geen moeite hoefde te doen om indruk te maken. Toch veranderde de houding van de gedrongen man merkbaar toen hij het over die vrouw had.

'Toen ze ermee instemde een verbintenis met me aan te gaan, besloot ik daar bij haar te blijven. Ik had altijd al belangstelling voor het bewerken van steen, als kind al, en ik leerde hoe zij speerpunten maakten. Ze hakten de steen aan beide kanten af, begrijp je wel?' Hij richtte zich met zijn vraag tot Jondalar.

'Ja, tweezijdig, net als bij een bijl.'

'Maar de punten waren niet zo ruw en dik. Ze hadden een goede techniek. Ik liet ze ook het een en ander zien en nam graag hun manieren over, vooral toen de Moeder haar zegende met een kind, een jongen. Ze vroeg me een naam te bedenken, zoals het gebruik was. Ik koos de naam Ranec.'

Dat verklaart alles, dacht Ayla. Zijn moeder had een donkere huid.

'Waarom besloot je terug te komen?' vroeg Jondalar.

'Een paar jaar na de geboorte van Ranec begonnen de moeilijkheden. De mensen met de donkere huid, tussen wie ik woonde, hadden zich daar gevestigd vanuit het zuiden en er waren volken uit naburige kampen die de jachtgronden niet wilden delen. Er waren ook verschillen in gewoonten. Ik had hen bijna zover dat ze er gezamenlijk over zouden praten, maar toen besloten wat jonge heethoofden van beide partijen om het uit te vechten. Het eerste slachtoffer vroeg om nieuwe slacht-offers, uit wraak, en vervolgens werden de kampen aangevallen.

We bouwden een goede verdediging op, maar zij waren groter in aan-tal. Het ging zo enige tijd door, maar er bleven doden vallen, de een na de ander. Na een poosje begon de aanblik van iemand met een lichte huid angst en haat op te roepen. Hoewel ik een van hen was, begonnen ze me te wantrouwen, en Ranec ook. Zijn huid was lichter dan die van de anderen en zijn trekken waren ook anders. Ik praatte met de moeder van Ranec en we besloten weg te gaan. Het was triest om de familie en veel vrienden achter te laten, maar het was niet lan-ger veilig om te blijven. Een paar heethoofden probeerden ons zelfs te beletten om weg te gaan, maar met hulp van anderen zijn we er 's nachts heimelijk vandoor gegaan.

We reisden noordwaarts, naar de zeestraat. Ik kende daar een paar mensen die bootjes maakten om het open water over te steken. We werden gewaarschuwd dat het niet het geschikte jaargetijde was en het was onder gunstiger omstandigheden al een moeilijke oversteek. Maar ik vond dat we moesten gaan en besloot het te wagen. Het was een verkeerde beslissing,' zei Wymez en het kostte hem moeite zich goed te houden. 'De boot sloeg om. Alleen Ranec en ik haalden de overkant en we hadden anders niets bij ons dan een bundeltje met on-ze bezittingen.' Hij wachtte even voor hij doorging met zijn verhaal. 'We waren nog ver van huis en het duurde een hele tijd, maar we kwa-men ten slotte hier aan, tijdens een Zomerbijeenkomst.'

'Hoe lang was je weg geweest?' vroeg Jondalar.

'Tien jaar,' zei Wymez en hij glimlachte. 'We veroorzaakten een hele opschudding. Niemand had verwacht me ooit weer te zien, zeker niet met Ranec. Ik was tien jaar weg geweest. Nezzie herkende me niet eens en mijn jongere zusje was nog maar een meisje toen ik wegging. Zij en Talut hadden juist hun verbintenis gesloten en waren bezig het Leeuwenkamp in te richten, samen met Tulie en haar beide vrienden met hun kinderen. Ze nodigden me uit bij hen te komen wonen. Nezzie nam Ranec aan als kind, hoewel hij de zoon van mijn vuur-plaats bleef. Ze verzorgde hem alsof hij haar eigen kind was, ook na de geboorte van Danug.'

Toen hij ophield met praten, duurde het even voor men besefte dat hij klaar was. Iedereen wilde nog meer horen. Hoewel de meesten al veel over zijn belevenissen hadden gehoord, scheen hij altijd weer nieuwe verhalen te hebben of hij gaf een andere wending aan een oud verhaal.

'Ik geloof dat Nezzie de moeder van iedereen zou willen zijn, als dat kon,' zei Tulie toen ze terugdacht aan de tijd van zijn thuiskomst. 'Ik had Deegie toen aan de borst en Nezzie kon er maar niet genoeg van krijgen om met haar te spelen.'

'Ze doet voor mij meer dan me bemoederen!' zei Talut met een schalkse glimlach en een tikje op haar brede achterste. Hij had weer een waterzak met sterkedrank gepakt en gaf hem door nadat hij een teug had genomen.

'Talut! Ik zal meer doen dan je bemoederen, goed?' Ze probeerde te doen of ze boos was, maar ze moest een glimlach onderdrukken.

'Is dat beloofd?' kaatste hij terug.

'Je weet best wat ik bedoel, Talut,' zei Tulie en negeerde de vrij duide-lijke toespelingen tussen haar broer en zijn vrouw. 'Ze kon Rydag ook niet aan zijn lot overlaten, maar hij is zo ziekelijk dat hij dan mis-schien beter af was geweest.'

Ayla keek naar het kind. De opmerking van Tulie had hem gehin-derd. Haar woorden waren niet onvriendelijk bedoeld, maar Ayla be-greep dat hij het niet prettig vond dat er over hem werd gepraat alsof hij er niet bij was. Hij kon er echter niets aan doen. Hij kon haar niet vertellen wat hij voelde en zonder erbij na te denken nam ze aan dat hij geen gevoel had omdat hij het niet kon uiten.

Ayla wilde ook naar het kind vragen, maar ze had het idee dat het misschien onbeleefd was. Jondalar deed het voor haar omdat hij ook zijn eigen nieuwsgierigheid wou bevredigen.

'Nezzie, zou je ons iets over Rydag willen vertellen? Ik denk dat het Ayla bijzonder zal interesseren – en mij ook.'

Nezzie boog voorover en nam het kind over van Latie. Ze nam het op haar schoot en dacht even na.

'We waren op jacht naar megaceros, je weet wel, de reuzenherten met de grote geweien,' begon ze, 'en we waren van plan een afgesloten ruimte te maken om ze in te drijven. Dat is de beste manier om ze te vangen. Toen zag ik voor het eerst de vrouw die zich in de buurt van ons jagerskamp verborg. Ik vond het vreemd. Je ziet zelden platkop-vrouwen en nooit alleen.'

Ayla boog voorover en luisterde met volle aandacht.

'Toen ze zag dat ik naar haar keek, liep ze niet weg, alleen toen ik probeerde dichterbij te komen. Toen zag ik dat ze zwanger was. Ik dacht dat ze wel honger kon hebben, dus liet ik wat voedsel achter in de buurt van de plaats waar ze zich verschool. De volgende morgen was het weg, dus liet ik nog wat achter toen we het kamp opbraken.

Ik meende haar de volgende dag een paar keer te zien, maar ik wist het niet zeker. Toen ik die avond Rugie verzorgde, zag ik haar weer. Ik stond op en probeerde bij haar te komen. Ze liep weer weg, maar aan haar bewegingen meende ik te zien dat ze pijn had en ik begreep dat ze weeën had. Ik wist niet wat ik moest doen. Ik wou helpen, maar ze liep steeds weg en het begon donker te worden. Ik vertelde het aan Talut en die verzamelde wat mensen om haar te volgen.'

'Dat ging ook vreemd,' voegde Talut op zijn beurt toe aan het verhaal van Nezzie. 'Ik dacht dat we haar moesten omsingelen om haar te vangen, maar toen ik een schreeuw gaf om haar tot staan te brengen, ging ze gewoon op de grond zitten wachten. Ze scheen niet bang voor me te zijn en toen ik haar wenkte om te komen, stond ze op en kwam achter me aan alsof ze begreep wat ze moest doen en wist dat ik haar geen kwaad zou doen.'

'Ik begrijp niet hoe ze nog kon lopen,' vervolgde Nezzie. 'Ze had zo'n pijn. Ze begreep meteen dat ik haar wou helpen, maar ik weet niet of ze er veel aan had. Ik wist niet eens of ze het wel zou halen tot de geboorte van haar kind. Maar ze gaf geen kik. Eindelijk, tegen de morgen, werd haar zoon geboren. Ik was verbaasd toen ik zag dat hij er een was van gemengde geesten. Je kon zien dat hij anders was, zo klein als hij was.

De vrouw was zo zwak dat ik dacht dat ze de kracht zou krijgen om te leven als ik haar liet zien dat haar zoon leefde en ze scheen hem graag te willen zien. Maar ik vermoed dat ze te zwak was. Ze had waarschijnlijk te veel bloed verloren. Het leek wel of ze het gewoon opgaf. Ze stierf voor de zon opkwam.

Iedereen zei dat ik hem bij zijn moeder moest achterlaten om te sterven, maar ik gaf Rugie toch de borst en ik had veel melk. Het was niet zo'n probleem om hem ook de borst te geven.' Ze sloeg beschermend een arm om hem heen. 'Ik weet dat hij zwak is. Misschien had ik hem daar moeten laten, maar ik houd van Rydag net zoveel als van een eigen kind en ik heb er geen spijt van dat ik hem heb gehouden.'

Rydag keek met zijn grote, glanzende bruine ogen op naar Nezzie, sloeg zijn magere armen om haar hals en legde zijn hoofd tegen haar borst. Nezzie wiegde hem terwijl ze hem stevig vasthield.

'Sommigen zeggen dat hij een dier is omdat hij niet kan praten, maar ik weet dat hij me begrijpt. En hij is ook geen "gruwel",' zei ze, met een boze blik naar Frebec. 'Alleen de Moeder weet waarom de geesten die hem maakten werden gemengd.'

Ayla vocht tegen haar tranen. Ze wist niet hoe deze mensen op tranen reageerden; haar vochtige ogen hadden de mensen van de Stam altijd geïrriteerd. Als ze naar de vrouw en het kind keek, werd ze overweldigd door herinneringen. Wat verlangde ze ernaar haar zoon vast te houden en ze dacht met verdriet terug aan Iza, die haar had aangenomen en verzorgd terwijl ze voor de Stam net zo anders was als Rydag voor het Leeuwenkamp. Maar het liefst zou ze Nezzie willen uitleggen hoe het haar had getroffen en hoe dankbaar ze was voor Rydag... en zichzelf. Ze kon het niet uitleggen, maar Ayla had het gevoel dat ze op de een of andere manier iets terugdeed voor Iza als ze iets voor Nezzie kon doen.

'Nezzie, hij begrijpt,' zei Ayla zacht. 'Hij is geen dier, geen platkop. Hij is kind van Stam en kind van Anderen.'

'Ik weet wel dat hij geen dier is, Ayla,' zei Nezzie, 'maar wat is Stam?'

'Mensen als moeder van Rydag. Jullie zeggen platkop; zij zeggen Stam,' legde Ayla uit.

'Wat bedoel je, "zij zeggen Stam"? Ze kunnen niet praten,' bracht Tulie in het midden.

'Zeggen niet veel woorden. Maar ze praten. Ze praten met handen.'

'Hoe weet je dat?' vroeg Frebec. 'Hoe kom je aan die wijsheid?'

Jondalar hield zijn adem in en wachtte op haar antwoord.

'Ik woonde vroeger bij Stam. Ik praatte als Stam. Niet met woorden. Tot Jondalar kwam,' zei Ayla. 'De Stam was mijn volk.'

Er viel een doodse stilte toen de betekenis van haar woorden duidelijk werd.

'Je bedoelt dat je bij platkoppen hebt gewoond! Je hebt bij die smerige beesten gewoond!' riep Frebec vol walging uit. Hij sprong op en trok zich terug. 'Geen wonder dat ze niet goed kan praten. Als ze bij hen heeft gewoond, is ze net zo slecht als zij. Het zijn beesten, allemaal, ook dat product van pervers seksueel gedrag dat jij daar hebt, Nezzie.'

Het kamp was in rep en roer. Frebec was te ver gegaan, ook al zou iemand het met hem eens zijn. Hij had de grenzen van de beleefdheid tegenover gasten overschreden en hij had zelfs de vrouw van het stamhoofd beledigd. Maar het had hem al lang dwarsgezeten dat hij bij een kamp hoorde dat 'een gruwel van gemengde afkomst' had aangenomen en hij was nog nijdig over de hatelijke opmerkingen van Fralies moeder bij de laatste ruzie van een eindeloze reeks. Hij wou zijn ergernis op iemand afreageren.

Talut nam het bulderend op voor Nezzie en Ayla. Tulie haastte zich om de eer van het kamp te verdedigen. Crozie, die boosaardig zat te grijnzen, nam beurtelings Frebec flink onder handen en blafte Fralie af. De anderen gaven luidkeels hun mening. Ayla keek van de een naar de ander en ze wou haar handen wel voor haar oren houden om het lawaai niet te horen.

Plotseling schreeuwde Talut om stilte. Luid genoeg om iedereen verschrikt te doen zwijgen. Toen klonk Mamuts trommel. Het geluid werkte kalmerend.

'Ik geloof dat we voor iemand anders nog iets wil zeggen, moeten luisteren naar wat Ayla te zeggen heeft,' zei Talut toen de trommel zweeg.

De mensen bogen oplettend voorover. Ayla wist niet of ze nog iets wilde zeggen tegen deze drukke, ruwe mensen, maar ze had het gevoel dat ze geen keus had. Toen dacht ze, terwijl ze haar kin naar voren stak: als ze het wilden horen zou ze het vertellen, maar morgenochtend ging ze weg.

'Ik niet... Ik herinner me niet mijn eerste jaren,' begon Ayla, 'alleen aardbeving en holenleeuw die littekens op mijn been maakt. Iza vertelt me ze vindt me bij rivier... Wat is woord, Mamut? Niet wakker?'

'Bewusteloos.'

'Iza vindt me bij rivier bewusteloos. Ik ben ongeveer zo oud als Rydag, jonger. Misschien vijf jaar. Ik ben gewond aan been door klauw holenleeuw. Iza is... medicijnvrouw. Zij geneest mijn been. Creb... Creb is Mog-ur... zoals Mamut... heilige man... kent geestenwereld. Creb leert me spreken op manier van Stam. Iza en Creb... allemaal Stam... ze zorgen voor me. Ik ben niet Stam, maar ze zorgen voor me.'

Ayla spande zich in om zich alles te herinneren wat Jondalar haar over hun taal had verteld. Ze had het niet leuk gevonden dat Frebec zei dat ze niet goed kon praten. Wat hij verder had gezegd, kon haar niet zoveel schelen. Ze wierp een blik op Jondalar. Hij fronste zijn voorhoofd. Hij wou haar waarschuwen. Ze wist niet precies de reden van zijn bezorgdheid, maar misschien was het niet noodzakelijk om alles te vertellen.

'Ik groei op bij Stam, maar vertrek... om Anderen te zoeken, zoals ik. Ik ben...' Ze wachtte om het juiste telwoord te bedenken. 'Toen veertien jaar. Iza vertelt me dat Anderen in het noorden wonen. Ik zoek lang, vind niemand. Dan vind ik vallei en blijf, om klaar te maken voor winter. Ik dood paard, voor vlees, zie dan klein paard, haar baby. Ik heb geen mensen. Jong paard is als baby. Ik zorg voor jong paard. Later vind ik jonge leeuw, gewond. Neem leeuw ook, maar hij wordt groot, gaat weg, vindt gezellin. Ik woon drie jaar alleen in vallei. Dan komt Jondalar.'

Hier hield Ayla op. Niemand zei iets. Haar toelichting, zo eenvoudig verteld, zonder opsmuk, kon alleen maar waar zijn, al was het moeilijk te geloven. Ze riep meer vragen op dan ze beantwoordde. Kon ze echt zijn opgenomen en grootgebracht door platkoppen? Konden ze echt praten, of tenminste communiceren? Konden ze wel zo humaan zijn, zo menselijk? En zij dan? Als ze door hen was opgevoed, was ze dan als andere mensen?

In de stilte die volgde keek Ayla naar Nezzie en de jongen en ze herinnerde zich een voorval uit haar vroege jeugd bij de Stam. Creb had haar leren communiceren met handgebaren, maar er was een gebaar dat ze zelf had geleerd. Dat werd dikwijls tegenover baby's gemaakt en kinderen gebruikten het altijd bij de vrouwen die voor hen zorgden. Ze herinnerde zich hoe Iza zich voelde toen zij voor het eerst tegenover haar dat gebaar maakte.

Ayla boog zich naar Rydag en zei: 'Ik wil je woord laten zien. Woord dat je met handen zegt.'

Hij ging rechtop zitten en uit zijn ogen bleek belangstelling en opwinding. Hij had het verstaan, zoals elk woord dat werd gezegd en het verhaal over gebaren had vage prikkels opgewekt. Terwijl iedereen toekeek, maakte ze een gebaar, een gerichte beweging met haar handen. Hij deed een poging om haar na te doen, maar hij fronste zijn wenkbrauwen en kwam er niet uit. Toen kwam uit zijn onderbewustzijn plotseling de herinnering boven. Het was aan zijn gezicht te zien. Hij corrigeerde zichzelf terwijl Ayla hem glimlachend toeknikte. Toen wendde hij zich tot Nezzie en maakte het gebaar opnieuw. Ze keek Ayla aan.

'Hij zegt "moeder" tegen je,' legde Ayla uit.

'Moeder?' zei Nezzie. Toen kneep ze haar ogen dicht om haar tranen te bedwingen terwijl ze het kind, dat ze van zijn geboorte af had verzorgd, tegen zich aan drukte. 'Talut! Zag je dat? Rydag heeft me "moeder" genoemd. Ik had nooit gedacht dat ik nog zou meemaken dat Rydag me "moeder" noemde.'

4

Er hing een bedrukte stemming onder de mensen van het kamp. Ze wisten niet wat ze ervan moesten zeggen of denken. Wie waren die vreemden die zo plotseling in hun midden waren verschenen? De man die beweerde van ergens ver weg in het westen te komen was gemakkelijker te geloven dan de vrouw die zei dat ze drie jaar in een vallei in de buurt had gewoond en daarvoor bij een troep platkoppen, wat nog verbazingwekkender was. Het verhaal van de vrouw bedreigde een heel bouwsel van rustige zekerheden. Toch was het moeilijk om aan haar woorden te twijfelen.

Nezzie had Rydag met betraande ogen naar bed gebracht nadat hij zijn eerste woord met een gebaar had geuit. Allen beschouwden het als een teken dat er geen verhalen meer kwamen en ze gingen naar hun eigen vuurplaatsen. Ayla maakte van de gelegenheid gebruik om weg te glippen. Ze trok haar tuniek van bont, met capuchon, over haar hoofd en ging naar buiten.

Whinney merkte dat zij het was en hinnikte zacht. Ayla zocht haar weg in het donker en vond het paard, omdat ze op het geluid afging. 'Is alles goed, Whinney? Voel je je wel op je gemak? En Renner? Waarschijnlijk net zomin als ik,' zei ze, gedeeltelijk in gedachten en in het taaltje dat ze gebruikte als ze bij de paarden was. Whinney gooide het hoofd omhoog en sprong voorzichtig in het rond. Toen legde ze haar hoofd op de schouder van de vrouw terwijl Ayla haar armen om de ruige hals sloeg en haar voorhoofd tegen het paard drukte dat zo lang haar enig gezelschap was geweest. Renner kwam erbij en ze genoten even met hun drieën van het moment na alle ongewone ervaringen van die dag.

Nadat Ayla zich had overtuigd dat het goed was met de paarden, liep ze naar de oever van de rivier. Ze voelde zich prettig buiten, ver van de mensen, en haalde diep adem. De nachtlucht was koud en droog. Haar haren knetterden van de statische elektriciteit toen ze haar bonten capuchon terugschoof en omhoogkeek.

De nieuwe maan was uitgeweken voor de grote metgezel, die hem toch overtrof. Hij had zijn oog gesloten, dat anders op de verre diepten scheen, waar draaiende lichtjes verwachtingen wekten met beloften over onbegrensde vrijheid, maar alleen kosmische leegte boden. Hoge, dunne wolken verhulden de kleinere lichtjes, maar de andere kregen een schemerige stralenkrans, waardoor de pikzwarte hemel zacht en dichtbij leek.

Ayla was onrustig. Allerlei tegenstrijdige gevoelens trokken aan haar. Dit waren de Anderen, die ze had gezocht. Het soort waar ze door haar geboorte bij hoorde. Ze had bij dit soort mensen moeten opgroeien, rustig thuis, zoals het voor de aardbeving was geweest. In plaats daarvan was ze opgegroeid bij de Stam. Ze kende de gebruiken van de Stam, maar de manieren van haar eigen mensen waren haar vreemd. Als het niet voor de Stam was geweest, had ze helemaal niet willen opgroeien. Ze kon niet terug naar de Stam, maar ze had ook niet het gevoel dat ze hier thuis hoorde.

Deze mensen waren zo druk en onberekenbaar. Iza zou hebben gezegd dat ze geen manieren hadden. Zoals die Frebec, die voor zijn beurt sprak, zonder toestemming te vragen. Toen begonnen ze allemaal te praten en te schreeuwen. Ze dacht dat Talut de leider was, maar hij moest ook schreeuwen om zich verstaanbaar te maken. Brun hoefde nooit te schreeuwen. De enige keer dat ze hem ooit had horen schreeuwen, was toen hij iemand waarschuwde die gevaar liep. Iedereen in de Stam had een zekere achting voor de leider; Brun hoefde maar een teken te geven en dan had hij onmiddellijk ieders aandacht. Ze hield er ook niet van hoe deze mensen praatten over de Stam en het over platkoppen en beesten hadden. Begrepen ze dan niet dat het ook mensen waren? Misschien een beetje anders, maar toch mensen. Nezzie wist het. Wat de anderen ook zeiden, zij wist dat Rydags moeder een vrouw was en het kind dat ze baarde was gewoon een baby. Hij was wel van gemengde afkomst, zoals mijn zoon en het meisje van Oda, op de Samenkomst van de Stam. Hoe kon Rydags moeder zo'n kind van gemengde geesten hebben gekregen?

Geesten! Zijn het echt wel geesten die baby's maken? Komt de geest van een man in die van een vrouw om een baby te verwekken, zoals de Stam gelooft? Vermengt de Grote Moeder de geesten van een man en een vrouw om ze dan in een vrouw te brengen, zoals Jondalar en deze mensen geloven?

Waarom ben ik de enige die gelooft dat het een man is, niet een geest, die een baby verwekt in een vrouw? Een man, die het met zijn lid doet... zijn mannelijkheid, zoals Jondalar het noemt. Waarom zouden mannen en vrouwen anders zo bij elkaar komen als ze doen?

Toen Iza me vertelde over haar medicijnen, zei ze dat sommige haar totem versterkten en zoveel jaren hadden voorkomen dat ze een baby kreeg. Misschien was dat zo, maar ik nam ze niet in toen ik alleen woonde en er kwamen geen baby's zomaar vanzelf. Pas toen Jondalar kwam, dacht ik eraan om weer naar die plant met de gouden draden en de saliewortels te zoeken...

Nadat Jondalar me had laten merken dat het geen pijn hoefde te doen... en me liet voelen hoe heerlijk het kon zijn voor een man en een vrouw samen...

Ik vraag me af wat er zou gebeuren als ik ophield met het innemen van Iza's geheime middel. Zou ik dan een baby krijgen? Zou ik dan een baby krijgen van Jondalar? Als hij zijn mannelijkheid stak in de plaats waar de baby's uit komen.

De gedachte deed haar blozen en ze voelde haar tepels kriebelen. Vandaag is het te laat, dacht ze. Ik heb vanmorgen het middel ingenomen. Maar als ik morgen nu eens gewone thee dronk? Zou ik dan een baby krijgen van Jondalar? We hoeven toch niet te wachten? We zouden het vannacht kunnen proberen...

Ze glimlachte. Je hoeft hem alleen maar zover te brengen dat hij je streelt en kust en dan... Ze huiverde als ze eraan dacht en sloot haar ogen om haar lichaam al te laten genieten van het gevoel dat hij kon opwekken.

'Ayla?' brulde een stem.

Ze schrok van het geluid, want ze had Jondalar niet horen naderen en de toon paste niet bij de gevoelens die ze had. De warmte in haar hart werd verdreven. Er zat hem iets dwars. Dat was al zo sinds ze waren aangekomen. Ze wou dat ze kon ontdekken wat het was.

'Ja.'

'Wat moet je daar buiten?' snauwde hij.

Wat had ze gedaan? 'Ik geniet van de avond en ik denk aan jou,' antwoordde ze en ze probeerde het daarmee te verklaren.

Dat antwoord had Jondalar niet verwacht, hoewel hij ook niet wist wat hij dan wel verwachtte. Hij had geworsteld met de ergernis die hem parten speelde sinds de man met de donkere huid was verschenen. Ayla leek hem heel interessant te vinden en Ranec keek voortdurend naar haar. Jondalar had geprobeerd zijn boosheid te verbergen en zichzelf ervan te overtuigen dat het onzin was om er iets achter te zoeken. Ze moest meer vrienden hebben. Het feit dat hij de eerste was, betekende nog niet dat hij de enige man was die ze zou willen leren kennen.

Toch had Jondalar een kleur van woede gekregen toen Ayla naar Ranecs afkomst informeerde. Waarom wou ze meer over de boeiende vreemdeling weten als ze geen belangstelling voor hem had? De grote man onderdrukte de drang om haar mee te sleuren, daarvandaan, en het hinderde hem dat hij dat gevoel had. Ze had het recht om haar vrienden zelf te kiezen en het waren maar vrienden. Ze hadden alleen maar samen gepraat en naar elkaar gekeken.

Toen ze alleen naar buiten ging en Jondalar zag hoe de donkere ogen van Ranec haar volgden, had hij vlug zijn tuniek gepakt en was haar achternagegaan. Hij zag haar bij de rivier staan en om de een of andere onverklaarbare reden meende hij zeker te weten dat ze aan Ranec stond te denken. Haar antwoord verraste hem in eerste instantie, toen kalmeerde hij en begon te glimlachen.

'Ik had kunnen weten dat ik een eerlijk antwoord kreeg. "Genieten van de avond" – je bent bewonderenswaardig, Ayla.'

Ze lachte terug. Ze wist niet precies wat ze had gedaan, maar er was iets dat hem deed glimlachen en zijn stem weer blij deed klinken. Het warme gevoel kwam terug en ze liep naar hem toe. Ook in de duisternis, waarin ze alleen elkaars gezicht konden zien bij het licht van de sterren, voelde Jondalar haar stemming aan door de manier waarop ze zich bewoog en hij reageerde erop. Het volgende moment had hij haar in zijn armen, met zijn mond op de hare en waren alle twijfel en zorgen uit haar gedachten verdwenen. Ze zou overal heen gaan, bij alle mensen wonen en allerlei vreemde gebruiken leren, zolang ze Jondalar had.

Even later keek ze hem aan. 'Herinner je je nog dat ik je vroeg wat jouw teken was? Hoe ik je moest laten merken dat ik wil dat je me streelt en je mannelijkheid in me wil hebben?'

'Ja, dat weet ik nog,' zei hij heel laconiek.

'Je zei dat ik je moest kussen, of het gewoon moest vragen. Ik vraag het je nu. Kun je je mannelijkheid zover krijgen?'

Ze was zo serieus en zo openhartig en zo aantrekkelijk. Hij boog zijn hoofd om haar weer te kussen en hield haar zo dicht tegen zich aan dat ze het blauw van zijn ogen bijna kon zien en de liefde die ze uitstraalden. 'Ayla, je bent mijn mooie, vreemde vrouw. Weet je wel hoeveel ik van je houd?'

Maar terwijl hij haar vasthield, kreeg hij schuldgevoel. Als hij zoveel van haar hield, waarom raakte hij dan zo in verlegenheid door de dingen die ze deed? Toen die Frebec zich walgend van haar afkeerde, had hij wel willen sterven van schaamte, omdat hij haar had meegebracht en ze verband konden leggen tussen hem en haar. Onmiddellijk daarna kreeg hij een hekel aan zichzelf. Hoe kon hij zich schamen voor de vrouw die hij liefhad?

De donkere man, Ranec, schaamde zich niet. De manier waarop hij naar haar keek, hoe hij met zijn donkere, schitterende ogen en glimmend witte tanden en zijn verleidelijke lachje indruk op haar probeerde te maken. Als Jondalar eraan dacht, kon hij nog woedend worden. Hij had de grootste moeite om zich te beheersen en niet fel naar hem uit te halen. Telkens als hij eraan dacht, kreeg hij die opwelling weer. Hij hield zoveel van haar dat hij de gedachte niet kon verdragen dat ze een ander zou willen, misschien iemand die niet door haar in verlegenheid zou raken. Hij hield meer van haar dan hij ooit voor mogelijk had gehouden. Maar hoe kon hij zich dan schamen voor de vrouw die hij liefhad?

Jondalar kuste haar weer, inniger, en drukte haar zo stijf tegen zich aan dat het haar pijn deed. Hij kuste haar hals en nek met een bijna waanzinnige hartstocht. 'Weet je wat het betekent als je nog nooit van een vrouw hebt gehouden en je merkt dan eindelijk dat je verliefd kunt worden? Ayla, voel je niet hoeveel ik van je houd?'

Hij was zo vurig, zo heet, dat ze een angstig gevoel kreeg, niet voor haar maar voor hem. Ze hield meer van hem dan ze ooit onder woorden kon brengen, maar deze liefde die hij voor haar voelde was anders. Die was niet sterker, maar legde wel een claim op haar en was meer vasthoudend. Alsof hij bang was te verliezen wat hij eindelijk had verkregen. Totems, vooral krachtige totems, hadden het vermogen om zulke angsten te herkennen en te toetsen. Ze wou een middel vinden om zijn stroom van krachtige emoties af te leiden.

'Ik voel hoe heet je bent,' zei ze met een lachje. Maar wat ze hoopte gebeurde niet. Zijn reacties werden niet zachtaardiger. Integendeel, hij kuste haar onstuimig en knelde zijn armen om haar heen tot ze dacht dat haar ribben kraakten. Hij tastte onder haar tuniek, zocht haar borsten en probeerde het koord om haar broek los te maken.

Zo kende ze hem niet, met zo'n dringende behoefte smachtend en smekend in een vurig verlangen. Gewoonlijk was hij heel teder en bezorgd om haar verlangens. Hij kende haar lichaam beter dan zij het zelf kende en hij genoot van zijn kennis en vaardigheid. Maar deze keer waren zijn behoeften sterker. Nu ze dat begreep, gaf ze zich aan hem over en ging helemaal op in de krachtige uiting van zijn liefde. Ze was net zo klaar voor hem als hij voor haar was. Ze maakte het koord los en liet haar kleren op de grond glijden. Toen hielp ze hem met de zijne.

Voor ze het wist, lag ze op de harde grond aan de oever van de rivier. Ze ving nog een glimp op van de wazige sterren voor ze haar ogen sloot. Hij lag op haar, met zijn mond op de hare gedrukt en hij stak zijn tong zoekend in haar mond alsof hij daar hoopte te vinden wat hij zo begerig zocht met zijn warme, stijve lid. Ze opende zich voor hem, haar mond en haar dijen. Toen zocht ze zijn lid en leidde het binnen in haar uitnodigende, vochtige vagina. Ze hapte naar adem toen hij binnendrong en hoorde een bijna verstikt gekreun. Toen voelde ze hoe zijn lid haar vulde, terwijl ze zich aan hem vastklemde. Ondanks zijn opwinding vond hij het een wonder dat ze zo goed bij elkaar pasten, dat ze voldoende ruimte had voor zijn lid. Hij voelde hoe haar warme vagina het volledig omsloot. Heel even deed hij moeite zich te beheersen, zoals hij gewend was, maar toen liet hij zich gaan. Hij bleef stoten tot hij met een niet te beschrijven huivering het heerlijke hoogtepunt bereikte en haar naam schreeuwde.

'Ayla! O, mijn Ayla, mijn Ayla. Ik heb je lief!'

'Jondalar, Jondalar, Jondalar...'

Hij kwam klaar met een paar laatste bewegingen en begroef kreunend zijn gezicht in haar hals. Hij bleef stil op haar liggen. Ze voelde een steen in haar rug steken, maar ze schonk er geen aandacht aan.

Na enige tijd stond hij op en keek naar haar. Hij fronste bezorgd zijn voorhoofd. 'Het spijt me,' zei hij.

'Waarom?'

'Het ging te snel en jij bent niet klaargekomen. Ik heb jou niet laten genieten.'

'Ik was klaar, Jondalar. Ik heb genoten. Heb ik je niet gevraagd? Ik geniet van jouw genot. Ik geniet van je liefde, van wat je voor me voelt.'

'Maar je hebt niet het gevoel gehad dat ik kreeg.'

'Dat hoefde niet. Ik had een ander gevoel, ander genot. Is dat andere beslist nodig?' vroeg ze.

'Nee, ik denk het niet,' zei hij peinzend. Toen kuste hij haar en hij nam er alle tijd voor. 'En deze nacht is nog niet om. Kom maar overeind. Het is koud hier. Laten we een warm bed opzoeken. Deegie en Branag hebben hun gordijnen al gesloten. Ze zien elkaar tot de volgende zomer niet en zullen wel begerig zijn.'

Ayla glimlachte. 'Maar niet zo begerig als jij was.' Ze kon het niet zien, maar ze dacht dat hij bloosde. 'Ik houd van je, Jondalar. Van alles wat je doet. Ook van je begeer...' Ze schudde haar hoofd. 'Nee, dat is niet goed, dat is het verkeerde woord.'

'Het woord dat je zoekt is "begeerte", denk ik.'

'Ik houd ook van je begeerte. Ja, dat is goed. Ik ken jouw woorden tenminste beter dan Mamutisch.' Ze wachtte even. 'Frebec zei dat ik niet goed praatte. Jondalar, zou ik ooit goed leren praten?'

'Ik spreek ook niet zo goed Mamutisch. Het is mijn moedertaal niet.

Frebec vindt het gewoon leuk om ruzie te maken,' zei Jondalar, om haar weer wat moed in te spreken. 'Waarom moet er in elke Grot, ieder kamp en elke groep een ruziemaker zijn? Laat hem links liggen, dat doen de anderen ook. Je praat heel goed. Ik verbaas me erover hoe gemakkelijk jij talen leert. Het zal niet lang duren of je spreekt beter Mamutisch dan ik.'

'Ik moet wel leren spreken met woorden. Ik heb nu niets anders,' zei ze zacht. 'Ik ken niemand meer die de taal gebruikt waarmee ik ben opgegroeid.' Ze sloot even haar ogen, toen er een somber gevoel van leegte over haar kwam.

Ze schudde het van zich af en begon zich weer aan te kleden, maar halverwege hield ze op. 'Wacht,' zei ze, terwijl ze alles weer uittrok. 'Lang geleden, toen ik voor het eerst ongesteld werd, vertelde Iza me alles wat een vrouw van de Stam moest weten over mannen en vrouwen, al betwijfelde ze of ik ooit een levensgezel zou vinden. De Anderen denken er misschien anders over. Ook de tekens tussen mannen en vrouwen zijn niet overal dezelfde, maar de eerste nacht dat ik in een huis van de Anderen slaap, geloof ik dat ik me goed moet wassen, na onze vrijpartij.'

'Wat bedoel je?'

'Ik ga me wassen in de rivier.'

'Ayla! Het is koud en donker. Dat kon wel eens gevaarlijk zijn.'

'Ik ga niet ver. Ik blijf gewoon aan de kant,' zei ze. Ze gooide haar tuniek neer en trok haar onderkleding over haar hoofd.

Het water was koud. Jondalar stond op de oever te kijken en had zich juist nat genoeg gemaakt om te weten hoe koud het was. Haar gevoel voor de plechtige gebeurtenis deed hem denken aan het zuiveringsritueel bij de Eerste Riten en hij kwam tot de conclusie dat een kleine wasbeurt hem ook geen kwaad zou doen. Ze huiverde toen ze eruit kwam. Hij nam haar in zijn armen om haar warm te maken. Hij droogde haar af met de ruige bizonvacht van zijn tuniek en hielp haar weer in haar kleren. Ze had een heerlijk fris en tintelend gevoel toen ze naar het huis terugliepen. De meeste mensen maakten zich gereed voor de nacht toen ze binnenkwamen. De vuren werden gedoofd en men praatte niet meer zo luid. De eerste vuurplaats was leeg, hoewel het stuk geroosterd mammoetvlees er nog hing. Toen ze door de Leeuwenvuurplaats gingen, stond Nezzie op en hield hen staande.

'Ik wou je nog even bedanken, Ayla,' zei ze en ze keek naar een van de bedden langs de wand. Ayla volgde haar blik en zag drie gestalten uitgestrekt op een breed bed. Latie en Rugie deelden het met Rydag. Danug lag op een ander bed en Talut steunde in zijn volle lengte op een elleboog. Hij wachtte op Nezzie en glimlachte naar Ayla als derde in het complot. Ze knikte en glimlachte terug, niet goed wetend hoe ze moest reageren.

Ze liepen door naar de volgende vuurplaats, terwijl Nezzie naast de roodharige reus kroop. Ze probeerden het zo zacht mogelijk te doen om niemand te storen. Ayla voelde dat er iemand naar haar keek en in een donkere nis in de wand zag ze twee glinsterende ogen die hen volgden. Ze voelde Jondalars schouders verstijven en keek snel voor zich. Ze meende dat ze zacht hoorde grinniken, maar toen dacht ze dat het gesnurk moest zijn uit het bed tegen de andere wand.

Om een van de bedden van de grote vierde vuurplaats hing een zwaar leren gordijn dat de ruimte afsloot van de doorgang, hoewel de geluiden en bewegingen haar niet ontgingen. Het viel Ayla op dat de meeste slaapplaatsen in het huis hetzelfde soort gordijnen hadden die boven aan spanten van mammoetbot waren bevestigd, of aan posten aan de zijkant, maar ze waren niet allemaal gesloten. De gordijnen van Mamuts bed, aan de overkant, waren open. Hij lag in bed, maar ze wist dat hij niet sliep.

Jondalar hield een takje bij een gloeiend kooltje in het vuur en bracht het, met zijn hand eromheen, naar het hoofdeind van hun slaap- plaats. Daar lag in een nis een dikke platte steen die de vorm had van een schotel. De uitholling was voor de helft met vet gevuld. Hij stak een pit aan van gevlochten kattenstaartpluizen en zag dat achter de stenen lamp een beeldje van de Moeder stond. Hij maakte vervolgens de riemen los die het gordijn om hun bed omhooghielden en toen het zakte, wenkte hij haar.

Ze gleed naar binnen en klom op het bed waarop een hoge stapel zachte vachten lag. Ze zat midden op het bed, dat werd afgesloten door het gordijn en verlicht door het flakkerende lampje en voelde zich geborgen en veilig. Het was een eigen plekje voor hen alleen. Ze moest denken aan de kleine grot, die ze had gevonden toen ze nog een meisje was, waar ze heen ging als ze alleen wou zijn.

'Ze zijn wel handig, Jondalar. Dit zou ik nooit hebben bedacht.' Jon- dalar ging naast haar liggen en hij had schik in haar enthousiasme. 'Vind je het prettig met het gordijn dicht?'

'O, ja. Het geeft het gevoel dat je alleen bent, ook al weet je dat er overal mensen om je heen zijn. Ja, ik vind het fijn.' Ze had een stra- lende glimlach.

Hij trok haar naar zich toe en gaf haar een kus. 'Je bent zo mooi als je glimlacht, Ayla.'

Ze keek naar zijn gezicht, waar de liefde afstraalde; naar zijn onweerstaanbare ogen die nu, bij het lamplicht, violet waren in plaats van het heldere blauw overdag; naar zijn lange blonde haren die losjes uitgespreid lagen op de vacht; naar zijn krachtige kin en hoge voorhoofd, zo anders dan de onderkaak en het wijkende voorhoofd van de mannen van de Stam.

'Waarom scheer je je baard af?' vroeg ze terwijl ze over de stoppels op zijn kaak streek.

'Dat weet ik niet. Ik denk dat het gewoonte is. 's Zomers is het frisser en het kriebelt niet zo. 's Winters laat ik hem meestal groeien. Dat is warmer als ik buiten ben. Heb je liever dat ik hem niet scheer?'

Ze fronste verbaasd haar wenkbrauwen. 'Daar kan ik niet over beslissen. Dat moet een man zelf weten, of hij zich wil scheren of niet. Ik vroeg het alleen omdat ik nog nooit een man had gezien die zich scheert voor ik jou ontmoette. Waarom vraag je wat ik ervan vind?'

'Ik vraag het omdat ik jou een plezier wil doen. Als je een baard mooi vindt, laat ik hem staan.'

'Het doet er niet toe. Je baard is niet belangrijk. Jij bent belangrijk. Jij geeft me geniet... Nee,' ze schudde boos haar hoofd. 'Jij geeft me genieten... genot... Jij laat me genieten,' verbeterde ze.

Hij grijnsde om haar pogingen. 'Ik wil je graag laten genieten.' Hij trok haar weer naar zich toe en kuste haar. Ze nestelde zich naast hem, op haar zij. Hij draaide zich om en keek haar aan. 'Net als de eerste keer,' zei hij. 'Er is zelfs een donii om ons te beschermen.' Hij keek naar de nis met het verlichte ivoren beeldje van een moederfiguur.

'Het is de eerste keer... in een huis van de Anderen,' zei ze en ze sloot haar ogen, vooruitlopend op het plechtige moment.

Hij nam haar hoofd in zijn handen en kuste haar oogleden. Toen keek hij even naar de vrouw die hij mooier vond dan elke vrouw die hij ooit had gekend. Ze had iets exotisch. Haar jukbeenderen waren hoger dan bij de Zelandonische vrouwen. Haar ogen stonden verder van elkaar. Ze had dichte wimpers, donkerder dan haar volle haar, dat de goudkleur had van het gras in de herfst. Ze had een stevige onderkaak met een iets puntige kin.

In de holte van haar keel zat een klein litteken. Hij kuste het en voelde dat ze huiverde van genot. Hij ging rechtop zitten en keek weer naar haar. Toen kuste hij het puntje van haar mooie rechte neus en haar mondhoek, met de volle lippen, die krulden tot een vluchtige glimlach.

Hij voelde hoe gespannen ze was. Als een kolibrie, onbeweeglijk, maar trillend van opwinding. Ze hield haar ogen gesloten en bleef stil liggen wachten. Hij bekeek haar en genoot van het ogenblik. Toen kuste hij haar op de mond, opende de zijne, zocht toegang met zijn tong en voelde dat ze hem binnenliet. Deze keer niet dat gejaagde duwen, maar hij zocht rustig en ontmoette de hare.

Hij ging rechtop zitten en zag dat ze haar ogen open had en glimlachte. Hij trok zijn tuniek uit en hielp haar met de hare. Toen ze rustig weer ging liggen, boog hij over haar heen, nam een stevige tepel in zijn mond en sabbelde eraan. Ze hapte naar adem omdat ze een schok van opwinding kreeg. Ze voelde een warme, vochtige tinteling tussen haar benen en vroeg zich af waarom Jondalars mond om haar tepel haar een opwindend gevoel gaf op een plaats die hij niet eens had aangeraakt. Hij wreef met zijn neus over haar borst en hapte er zachtjes in tot ze hem tegen zijn mond drukte en toen begon hij echt te zuigen. Ze kreunde van genot. Hij zocht de andere borst en streelde de volle ronding en de gezwollen tepel. Haar ademhaling ging al sneller. Hij liet haar borst los en begon haar hals te kussen. Hij vond haar oor en sabbelde op een oorlelletje. Hij streelde met beide handen haar armen en haar borsten. De huiveringen deden haar trillen.

Hij kuste haar mond en liet zijn warme tong langzaam over haar kin glijden, over haar keel, tussen haar borsten door naar haar navel. Zijn lid was alweer stijf en duwde voortdurend tegen de weerstand van de sluiting. Hij maakte haar riem eerst los en trok de lange broek naar beneden. Toen begon hij bij haar navel en ging verder naar beneden. Hij voelde zacht haar en zijn tong vond het begin van haar warme spleet. Hij voelde haar omhoogwippen toen hij een knobbeltje bereikte. Toen hij even ophield, gaf ze een kreetje van teleurstelling.

Hij maakte zijn broeksluiting los en gaf zijn gespannen lid de vrijheid toen hij zijn broek uittrok. Ayla ging zitten, nam het in haar hand en liet die over de volle lengte naar voren en terugglijden. Ze voelde de warmte, de zachte huid en de stijfheid. Hij was blij dat ze niet schrok van de grootte, zoals met zoveel anderen het geval was geweest die het voor het eerst zagen en ook later nog wel. Ze boog voorover en hij voelde haar warme mond eromheen. Hij voelde dat ze op en neer bewoog en hij was blij dat hij al een keer was klaargekomen, anders had hij zich nu niet kunnen beheersen.

'Ayla, deze keer wil ik jou laten genieten,' zei hij terwijl hij haar van zich af duwde.

Ze keek hem aan en hij zag dat haar pupillen groter waren geworden, donker en glanzend. Ze kuste hem en toen knikte ze. Hij pakte haar bij de schouders, drukte haar achterover op de vachten en kuste weer haar mond en keel wat haar deed huiveren van genot. Hij sloot zijn handen om haar borsten, duwde ze tegen elkaar en ging met zijn tong van de ene gevoelige tepel naar de andere en ertussenin. Toen vond zijn tong haar navel weer en hij draaide er in een steeds grotere kring omheen tot hij het zachte haar op haar venusheuvel vond.

Hij ging verder, tussen haar dijen, duwde ze van elkaar, drukte met zijn vingers haar schaamlippen open en genoot van een warme streling met de tong. Ze sidderde, kwam half overeind en hij kreeg ook een schok door een opbruisend gevoel. Hij vond het heerlijk om haar te laten genieten en haar reacties te voelen. Het was vergelijkbaar met het voorzichtig loswerken van een dun laagje van een stuk vuursteen zonder het te breken. Dat vereiste ook grote vaardigheid. Het gaf hem een bijzonder gevoel van blijdschap omdat hij wist dat hij de eerste was die haar dit genot schonk. Ze had alleen brute kracht en pijn gevoeld voor hij bij haar de Gave van het Genot had opgewekt die de Grote Aardmoeder aan haar kinderen schonk.

Hij betastte haar heel teder, wist haar gevoelige plekjes te vinden en plaagde ze met zijn tong en zijn vaardige vingers, die hij in haar vagina stak. Ze drukte zich tegen hem aan, schreeuwde het uit en draaide met haar hoofd. Hij voelde hoe heet ze was. Hij vond het harde knobbeltje en begon het te strelen terwijl ze sneller begon te ademen. Zijn stijve lid stootte begerig tegen haar aan. Toen gaf ze een schreeuw. Hij voelde dat ze nat werd en ze greep naar zijn lid.

'Jondalar... ahhh... Jondalar!'

Ze was buiten zichzelf en vergat alles om zich heen, behalve hem. Ze wou hem hebben, diep in haar. Hij ging op haar liggen. Ze hielp hem en leidde hem. Toen gleed hij naar binnen en voelde een golf opstijgen die hem naar dat onbeschrijflijke hoogtepunt zou voeren. Het gevoel nam iets af en hij stootte, waarbij ze hem helemaal omvatte.

Hij trok terug en duwde hem er weer in, telkens weer. Hij wou hem eruit trekken om nog even te wachten. Hij wou dat het eeuwig duurde, maar hij kon niet langer wachten. Met iedere krachtige stoot voelde hij het moment naderen. In het flakkerende licht glommen hun lichamen van het zweet terwijl ze probeerden het juiste moment te vinden en snel het hoogtepunt naderden in het ritme van het leven.

Snel ademend spanden ze zich in om elkaar bij elke stoot te ontmoeten, een en al begeerte en concentratie. Toen kwam het, bijna onverwacht. Ze werden er bijna door overvallen in een siddering van genot. Ze hielden elkaar nog even vast alsof ze probeerden samen één te worden en toen lieten ze los.

Ze bewogen zich niet en probeerden weer op adem te komen. De lamp sputterde, werd zwakker, vlamde weer op en ging toen uit. Na een poosje liet Jondalar zich van haar af glijden en kwam naast haar liggen. Hij verkeerde in een schemerige toestand, tussen waken en slapen. Maar Ayla was nog klaarwakker en lag, voor het eerst sinds jaren, met wijdopen ogen in het donker te luisteren naar geluiden van mensen. Ze hoorde in het dichtstbijzijnde bed een man en een vrouw zachtjes mompelen en van iets verder weg kwam de enigszins krakende ademhaling van de medicijnman. Hij sliep. In de volgende vuurplaats hoorde ze een man snurken en uit de tweede vuurplaats kwam het niet mis te verstane ritmisch gegrom van Talut en de kreten van Nezzie. Ze waren aan het vrijen. Aan de andere kant huilde een baby. Er maakte iemand kalmerende geluidjes, tot het huilen plotseling ophield. Ayla glimlachte. Er was geen twijfel aan, het kind kreeg de borst. Van verder weg klonken gedempte stemmen die vergeefs probeerden een woede-uitbarsting te vermijden. Toen werd het stil en hoorde ze alleen nog iemand kuchen.

De nachten waren altijd het ergst geweest gedurende de eenzame jaren in de vallei. Overdag vond ze altijd wel iets om bezig te zijn, maar 's nachts drukte de grote leegte van de grot zwaar op haar. In het begin kon ze zelfs slecht slapen omdat ze alleen het geluid van haar eigen ademhaling hoorde. Bij de Stam was er 's nachts altijd wel iemand om haar heen – de ergste straf die kon worden opgelegd was te worden buitengesloten – genegeerd, verbannen, de doodvloek.

Ze wist maar al te goed wat dat betekende. Het was inderdaad een vreselijke straf. Nu besefte ze het nog beter. Nu ze in het donker lag en de geluiden van mensen hoorde. Met de warmte van Jondalar naast zich voelde ze zich voor het eerst thuis bij deze mensen die ze de Anderen noemde.

'Jondalar,' zei ze zachtjes.

'Mm-mm.'

'Slaap je?'

'Nog niet,' mompelde hij.

'Het zijn aardige mensen. Je had gelijk, het was goed dat ik ben gekomen en hen heb leren kennen.'

Hij was klaarwakker. Hij had gehoopt dat ze haar geen vrees meer zouden inboezemen wanneer ze eenmaal haar eigen soort mensen ontmoette en ze niet meer zo vreemd voor haar waren. Hij was al vele jaren onderweg. De Tocht terug naar huis zou lang en moeilijk zijn. Ze moest wel met hem mee willen. Maar haar vallei was haar thuis geworden. Die bood haar alles om te overleven en ze had zich daar aangepast. De dieren hadden de plaats ingenomen van de mensen die ze miste. Ayla wou niet weg, ze had liever dat Jondalar daar bleef.

'Dat wist ik wel, Ayla,' zei hij vriendelijk en overtuigend. 'Als je hen eerst maar leert kennen.'

'Nezzie doet me aan Iza denken. Hoe zou Rydags moeder zwanger van hem zijn geworden?'

'Wie weet waarom de Moeder haar een kind gaf van gemengde geesten? De wegen van de Moeder zijn altijd mysterieus.'

Ayla zweeg even. 'Ik geloof niet dat de Moeder haar gemengde geesten gaf. Ik denk dat ze een man van de Anderen heeft gekend.'

Jondalar fronste de wenkbrauwen. 'Ik weet dat jij denkt dat mannen iets te maken hebben met het begin van een nieuw leven, maar hoe zou een platkopvrouw een man leren kennen?'

'Dat weet ik niet, want vrouwen van de Stam reizen niet alleen en ze blijven uit de buurt van de Anderen. De mannen dulden geen Anderen bij de vrouwen. Zij menen dat baby's worden verwekt door de geest van de totem van een man en ze willen niet dat de geest van een man van de Anderen te dicht in de buurt komt. En de vrouwen zijn bang van hen. Op Stambijeenkomsten zijn er altijd weer nieuwe verhalen van mensen die zijn lastiggevallen of beledigd door de Anderen, vooral de vrouwen.

Maar Rydags moeder was niet bang voor de Anderen. Nezzie zei dat ze hen twee dagen had gevolgd en bij Talut was gekomen toen hij haar wenkte. Elke andere vrouw van de Stam was hard weggelopen. Ze moet er een hebben gekend, een die haar goed behandelde, of haar tenminste geen pijn deed, omdat ze niet bang was voor Talut. Hoe kwam ze anders op het idee dat ze hulp kon krijgen van Anderen toen ze die nodig had?'

'Misschien gewoon omdat ze zag dat Nezzie een baby verzorgde,' veronderstelde Jondalar.

'Misschien. Maar dat verklaart niet waarom ze alleen was. De enige reden die ik kan bedenken is dat ze vervloekt was en verdreven uit haar Stam. Stamvrouwen worden niet vaak vervloekt. Het ligt niet in hun aard om het zich op de hals te halen. Misschien had het iets te maken met een man van de Anderen...'

Ayla wachtte weer even en voegde er toen peinzend aan toe: 'Rydags moeder moet heel erg naar haar baby hebben verlangd. Er was veel moed voor nodig om naar de Anderen te gaan, ook als ze een man heeft gekend. Pas toen ze de baby zag en vond dat hij mismaakt was, gaf ze het op. De Stam houdt ook niet van kinderen van gemengde afkomst.'

'Hoe weet je zo zeker dat ze een man heeft gekend?'

'Ze kwam naar de Anderen om haar baby te krijgen, wat betekent dat ze geen mensen van de Stam had om haar te helpen en ze had reden om aan te nemen dat Nezzie en Talut dat wel zouden doen. Misschien zou ze hem later ontmoeten, maar ik ben er zeker van dat ze een man heeft gekend die gemeenschap met haar had... of haar misschien alleen maar verkrachtte. Ze kreeg een kind van gemengde afkomst, Jondalar.'

'Waarom geloof jij dat een man een kind verwekt?'

'Dat kun je zien, Jondalar, als je erover nadenkt. Neem de jongen, die vandaag thuiskwam. Danug. Hij lijkt sprekend op Talut. Hij is alleen jonger. Ik denk dat Talut hem heeft verwekt toen hij met Nezzie gemeenschap had.'

'Betekent dat dat ze weer een kind krijgen omdat ze vannacht vrijen?' vroeg Jondalar. Er wordt zo vaak gevreeën. Het is een Geschenk van de Grote Aardmoeder en we doen Haar eer aan als we vaak gemeenschap hebben. Maar dat betekent niet dat vrouwen altijd een kind krijgen. Ayla, als een man de Gaven van de Moeder waardeert, Haar eert, dan kan Ze het verkiezen zijn geest te mengen met die van de vrouw. Als het zijn geest is, kan het kind op hem lijken, zoals Danug op Talut lijkt, maar de Moeder beslist.'

Ayla fronste haar voorhoofd in het donker. Dat was een vraag die ze nog niet had opgelost. 'Ik weet niet waarom een vrouw niet altijd een kind krijgt. Misschien zijn er meer keren gemeenschap voor nodig om een baby te verwekken, of alleen op bepaalde momenten. Misschien gebeurt het alleen als de totemgeest van de man zo sterk is dat hij die van de vrouw kan overwinnen, of misschien kiest de Moeder wel. Maar Zij kiest de man en maakt zijn mannelijkheid sterker. Kun jij uitleggen hoe Ze kiest? Weet jij hoe de geesten worden gemengd? Kunnen ze niet in het lichaam van de vrouw worden gemengd, tijdens het vrijen?'

'Daar heb ik nog nooit van gehoord,' zei Jondalar, 'maar ik neem aan dat het zou kunnen.' Nu fronste hij het voorhoofd. Hij zweeg een poosje. Ayla dacht dat hij in slaap was gevallen, maar toen hij zei: 'Ayla, als het waar is wat jij denkt, zouden we telkens wanneer we gemeenschap hebben een baby kunnen verwekken.'

'Dat denk ik, ja,' zei Ayla, die verrukt was van de gedachte.

'Dan moeten we het niet meer doen,' zei Jondalar opeens, die rechtop ging zitten.

'Waarom niet? Ik wil een baby van je hebben, Jondalar.' Ayla's teleurstelling was duidelijk te horen.

Jondalar ging op zijn zij liggen en hij hield haar vast. 'Dat wil ik ook, maar niet nu. Het is een lange Tocht terug naar huis. Die kan wel een jaar duren, of langer. Het kan gevaarlijk zijn om zo ver te reizen als je zwanger bent.'

'Kunnen we dan niet gewoon teruggaan naar mijn vallei?' vroeg ze.

Jondalar was bang dat ze nooit meer weg zouden gaan als ze eerst naar haar vallei terugkeerden om rustig een kind te krijgen.

'Ayla, ik geloof niet dat dat een goed idee zou zijn. Als het zover is, moet je niet alleen zijn. Ik zou niet weten hoe ik je moest helpen. Dan heb je vrouwen nodig. Een vrouw kan sterven bij de bevalling,' zei hij met een door angst verstikte stem. Het was nog niet zo lang geleden dat hij het had meegemaakt.

Dat was zo, besefte Ayla. Het had haar bijna het leven gekost toen ze haar zoon baarde. Zonder Iza had ze het niet overleefd. Dit was niet het goede moment om zwanger te worden, zelfs niet van Jondalar.

'Ja, je hebt gelijk,' zei ze en ze voelde het als een verpletterende teleur-stelling. 'Het kan moeilijk zijn... Ik... Ik zou vrouwen in de buurt moeten hebben,' gaf ze toe.

Hij bleef weer een hele tijd stil. 'Ayla,' zei hij, en zijn stem trilde van emotie, 'misschien... misschien kunnen we beter niet bij elkaar sla-pen... als... Maar het is een eer voor de Moeder als we Haar Gave de-len!'

Hoe kon ze hem in vertrouwen nemen en zeggen dat ze wel konden vrijen? Iza had haar gewaarschuwd dat ze nooit iets over het geheime middel moest vertellen en zeker niet aan een man.

'Ik geloof niet dat je je zorgen hoeft te maken,' zei ze. 'Ik weet niet ze-ker of het de man is die de kinderen verwekt en als de Grote Moeder kiest, kan ze dat op ieder moment doen, nietwaar?'

'Ja, en dat baart me zorgen. Maar als we Haar Gave negeren, kan dat Haar woede oproepen. Ze verwacht dat we Haar vereren.'

'Jondalar, als Ze kiest, kiest Ze. Als het zover is, kunnen we een besluit nemen. Ik zou niet willen dat je Haar beledigt.'

'Ja, je hebt gelijk, Ayla,' zei hij, enigszins opgelucht.

Ayla besloot met een gevoel van spijt dat ze het geheime middel om zwangerschap te voorkomen zou blijven innemen, maar ze droomde die nacht dat ze baby's had, een paar met lang blond haar en andere die op Rydag en haar zoon Durc leken. Het liep tegen de morgen toen ze een droom kreeg in een andere dimensie, dreigend en uit een andere wereld.

In die droom had ze twee zoons, broers die niemand zou herkennen als broers. De ene was groot en blond, als Jondalar. De andere was ou-der en ze wist dat het Durc was, hoewel zijn gezicht vaag bleef. De twee broers naderden elkaar uit tegengestelde richting op een lege, verlaten grasvlakte, waar de wind overheen raasde. Ze voelde een hevige angst. Er ging iets verschrikkelijks gebeuren. Iets dat ze moest voorkomen. Toen drong het tot haar door, met een schok van angst, dat een van haar zoons de ander wou doden. Terwijl ze dichter bij elkaar kwamen, probeerde zij hen te bereiken, maar een dikke, kleverige muur hield haar gevangen. Ze stonden bijna tegenover elkaar, met de armen omhoog om elkaar te slaan. Ze gilde.

'Ayla! Ayla! Wat is er?' vroeg Jondalar, die haar wakker schudde.

Opeens stond Mamut naast hem. 'Word wakker, mijn kind. Word wakker!' zei hij. 'Het is maar een symbool, een boodschap. Word wakker, Ayla!'

'Maar er zal er een sterven!' zei ze huilend, nog vol emoties van de droom.

'Het is anders dan je denkt, Ayla,' zei Mamut. 'Het hoeft niet te betekenen dat een... broer zal sterven. Je moet leren de ware betekenis van je dromen te ontdekken. Je hebt het talent ervoor. Het is sterk genoeg, maar je mist de oefening nog.'

Ayla zag alles nu weer helder en ze zag twee bezorgde gezichten van twee grote mannen; het ene was jong en knap en het andere oud en wijs. Jondalar hield een stuk brandend hout uit de haard omhoog en het licht hielp haar wakker te worden. Ze ging rechtop zitten en probeerde te glimlachen.

'Gaat het nu weer?' vroeg Mamut.

'Ja. Ja. Het spijt me dat ik je heb wakker gemaakt,' zei Ayla, die terugviel in het Zelandonisch en vergat dat de oude man die taal niet verstond.

'We praten later wel,' zei hij vriendelijk glimlachend en ging weer naar bed.

Ayla zag dat het gordijn van het andere bed weer naar beneden viel toen zij en Jondalar gingen liggen en ze schaamde zich een beetje omdat ze zo'n opschudding had veroorzaakt. Ze nestelde zich tegen Jondalar aan en legde haar hoofd in zijn oksel, dankbaar voor zijn warmte en voor het feit dat hij er was. Ze sliep bijna toen ze opeens haar ogen weer opsloeg.

'Jondalar,' zei ze fluisterend. 'Hoe wist Mamut dat ik over mijn zoons droomde en dat de een de ander ging doden?' Maar de grote blonde man sliep al.

5

Ayla schrok wakker en bleef stil liggen luisteren. Ze hoorde luid gejammer. Er scheen iemand veel pijn te hebben. Ze duwde bezorgd het gordijn opzij en keek. Crozie, de oude vrouw van de zesde vuurplaats, stond smekend wanhopig met haar armen wijd uitgespreid in een houding die bedoeld was om sympathie te wekken.

'Hij wou me in de borst steken! Hij wou me doden! Hij wou mijn eigen dochter tegen me opzetten!' Crozie gilde alsof ze vermoord werd en sloeg haar handen voor haar borst. Er bleven verscheidene mensen staan kijken.

'Ik geef hem mijn eigen vlees. Uit mijn eigen lichaam...'

'Geven! Je hebt me niets gegeven!' schreeuwde Frebec. 'Ik heb je de Bruidsprijs voor Fralie betaald.'

'Het was de moeite! Ik had veel meer voor haar kunnen krijgen,' snauwde Crozie en haar klacht was al net zo overdreven als haar gejammer van pijn was geweest. 'Ze is met twee kinderen bij je gekomen. Een bewijs van de gunst van de Moeder. Jij hebt haar waarde verminderd met het schijntje dat je gaf. En ook de waarde van haar kinderen. En moet je haar zien! Ze is alweer gezegend. Ik was zo goed haar aan jou te geven, uit de goedheid van mijn hart...'

'En omdat niemand anders Crozie wou hebben, zelfs niet met haar dochter, die al twee keer met een kind was gezegend,' voegde iemand eraan toe. De stem klonk van dichtbij.

Ayla keek om te zien wie dat had gezegd. De jonge vrouw die de vorige dag de prachtige rode tuniek had gedragen, glimlachte naar haar.

'Als je had willen uitslapen, kun je dat wel vergeten,' zei Deegie. 'Ze beginnen vandaag al vroeg.'

'Nee. Ik sta op,' zei Ayla. Ze keek om zich heen. Het bed was leeg en behalve de twee vrouwen was er niemand. 'Jondalar op.' Ze pakte haar kleren en begon zich aan te kleden. 'Ik word wakker, denk vrouw pijn heeft.'

'Niemand heeft pijn. Tenminste niet dat ik weet. Maar ik heb medelijden met Fralie,' zei Deegie. 'Het valt niet mee om daartussen te moeten zitten.'

Ayla schudde haar hoofd. 'Waarom schreeuwen ze zo?'

'Ik weet niet waarom ze steeds ruziemaken. Ik denk dat ze allebei om de genegenheid van Fralie vechten. Crozie wordt oud en verdraagt niet dat Frebec haar invloed ondermijnt, maar Frebec is koppig. Hij had niet veel voor die tijd en hij wil zijn nieuwe positie niet prijsgeven. Fralie heeft hem aanzien gebracht, ondanks haar lage Bruidsprijs.' De gast was kennelijk geïnteresseerd en Deegie ging op een bed zitten terwijl Ayla zich kleedde. Ze wou er graag meer over vertellen.

'Maar ik denk niet dat ze hem de bons zal geven. Ik geloof dat ze wel om hem geeft, ondanks het feit dat hij soms zo onbeschoft kan zijn. Het was niet eenvoudig om een andere man te vinden – een die haar moeder erbij wou nemen. Iedereen had gezien hoe het de eerste keer ging en niemand wou Crozie op de koop toe nemen. Die oude vrouw kan wel schreeuwen dat ze haar dochter heeft weggegeven, maar zij is degene die de waarde van Fralie deed dalen. Ik zou het verschrikkelijk vinden als er van twee kanten zo aan me werd getrokken. Maar ik mag niet klagen. Ook als ik naar een bestaand kamp zou gaan, in plaats van een nieuw te stichten met mijn broer, zou Tulie welkom zijn.'

'Je moeder gaat met je mee?' vroeg Ayla verbaasd. Ze begreep dat een vrouw naar de stam van haar man ging, maar dat ze haar moeder meenam was nieuw voor haar.

'Ik zou het graag willen, maar ik geloof niet dat ze het doet. Ik denk dat ze liever hier blijft. Ik neem het haar niet kwalijk. Het is beter om zelf leidster in je eigen kamp te zijn dan de moeder van een in een ander kamp. Maar ik zal haar wel missen.'

Ayla luisterde geboeid. Ze begreep de helft niet van wat Deegie zei en van de andere helft was ze ook niet zeker.

'Het is niet leuk om moeder te verlaten en volk,' zei Ayla. 'Maar je hebt spoedig levensgezel?'

'O, ja. Volgende zomer. Op de Zomerbijeenkomst. Moeder heeft uiteindelijk alles geregeld. Ze vroeg zo'n hoge Bruidsprijs dat ik bang was dat ze die nooit zouden geven, maar ze werden het eens. Maar het valt niet mee om nog zo lang te wachten. Als Branag maar niet zo gauw weg hoefde. Maar ze wachten op hem. Hij heeft beloofd dat hij meteen terug zou gaan...'

De twee vrouwen liepen samen gezellig naar de uitgang van het lange huis. Deegie kletste maar en Ayla luisterde gretig.

Het was koel in de hal, maar Ayla merkte pas goed hoe de temperatuur was gedaald toen het gordijn in de toegangspoort opzij werd getrokken en ze de koude luchtstroom voelde. De koude wind streek door haar haar en rukte aan de zware mammoethuid die de ingang afsloot. Een windvlaag deed hem bol staan. Er was die nacht wat sneeuw gevallen. Een krachtige wervelwind voerde de vlokjes mee naar hoeken en gaten en vervolgens werden ze weer over de open vlakte geblazen. De ijskristallen prikten Ayla in het gezicht.

Toch was het binnen warm, warmer dan in een grot. Ze had haar tuniek met bont alleen maar aangetrokken omdat ze naar buiten ging. Als ze binnen was gebleven, had ze geen extra kleding nodig gehad. Ze hoorde Whinney hinniken. Het paard en het veulen, dat nog aan de lijn stond, waren zo ver mogelijk van de mensen met hun activiteiten gaan staan. Ayla wilde naar ze toe. Ze nam met een glimlach afscheid van Deegie. De jonge vrouw glimlachte terug en ging Branag zoeken.

De merrie keek opgelucht toen Ayla naderbij kwam. Ze hinnikte en gooide haar hoofd omhoog om haar te begroeten. De vrouw deed Renners halster af en liep met ze naar de rivier, de bocht om. Whinney en Renner werden rustiger toen ze het kamp niet meer zagen en na wat wederzijdse uitingen van genegenheid gingen ze rustig grazen van het koude droge gras.

Voor ze teruggingen, bleef Ayla bij een bosje staan. Ze maakte de riem van haar broek los, maar ze wist nog steeds niet hoe ze hem het best droog kon houden als ze plaste. Dat probleem had ze al sinds ze die kleren droeg. Ze had hem in de zomer gemaakt naar het model van Jondalars broek. Die had ze net zo gemaakt als de broek die de leeuw stuk had getrokken. Maar ze had hem pas aangedaan toen ze aan hun ontdekkingsreis begonnen. Jondalar vond het mooi dat ze dezelfde kleren droegen, mooier dan de gemakkelijke leren omslag van de vrouwen van de Stam. Daarom had ze die achtergelaten. Maar ze had nog niet ontdekt hoe ze met dat noodzakelijke kledingstuk moest omgaan en ze wou het hem niet vragen. Hoe zou hij een vrouw daarmee kunnen helpen?

Ze had de nauwsluitende broek uit, wat betekende dat ze ook haar schoeisel uit moest doen – de hoge mocassins die over haar broekspijpen sloten. Ze spreidde haar benen en boog voorover zoals ze gewend was. Terwijl ze op één been stond om de broek weer aan te trekken, zag ze de rustig stromende rivier en veranderde van gedachten. Ze trok haar tuniek over haar hoofd, deed haar amulet af en liep naar het water. Ze wou zich helemaal reinigen en genoot altijd van een bad in de ochtend.

Ze was van plan geweest haar mond te spoelen en haar handen en gezicht bij de rivier te wassen – ze wist ook niet hoe deze mensen zich
schoonhielden. Als het niet anders kon, wanneer de houtstapel onder
de sneeuw lag en de brandstof schaars werd, of als er een koude wind
op de grot stond en het zo hard vroor dat het zelfs moeilijk werd om
wat ijs los te breken voor drinkwater, waste ze zich desnoods niet,
maar ze vond het prettiger om schoon te zijn. Daar kwam nog bij dat
ze na haar eerste nacht in de grot – of het huis – van de Anderen, de
gedachte niet van zich af kon zetten dat ze zich grondig moest reinigen.

Ze keek over het water. In het midden stroomde de rivier snel maar
aan de kant vormden zich dunne, witte laagjes ijs over de plasjes en
rustige zijstroompjes.

Achter een uitloper van de oever, met hier en daar wat verbleekt dor
gras, lag een rustige plas. Op de modderige landtong stond een eenzame berk, nauwelijks groter dan een struik.

Ayla liep naar de plas en stapte het water in, waarbij ze het dunne
ijslaagje stuktrapte. Het ijskoude water deed haar huiveren en ze
hapte naar adem. Ze hield zich vast aan een kale tak van het berkje
om haar evenwicht te bewaren. Haar blote huid werd gegeseld door
een ijskoude windvlaag en ze kreeg kippenvel. Haar haar werd haar
in het gezicht geslagen. Ze klappertandde en ging verder het water
in. Toen ze bijna tot aan haar middel in het water stond, sloeg ze er
met haar handen in zodat het tegen haar gezicht spatte. Ze hield
even haar adem in, deed nog een stapje en verdween tot haar nek in
het water.

Ondanks alle huiveringen en het happen naar lucht was ze wel gewend aan koud water en ze bedacht dat het gauw genoeg onmogelijk
werd om in de rivier te baden. Toen ze eruit stapte, streek ze met haar
handen het water van haar lichaam en kleedde zich snel aan. In plaats
van de bijtende kou voelde ze een tintelende warmte toen ze de helling op liep. Ze voelde zich herboren en sterker en ze glimlachte omdat een bleek zonnetje de bewolkte lucht even opvrolijkte.

Toen ze het kamp naderde, bleef ze staan aan de rand van een platgetrapt stuk grond waar verscheidene groepjes mensen bezig waren met
allerlei karweitjes.

Jondalar stond met Wymez en Danug te praten en ze hoefde niet te
twijfelen aan het gespreksonderwerp van de drie steenkloppers. Niet
ver van hen af maakten vier mensen de koorden los waarmee de huid
van een hert op een rechthoekig raam was gespannen, gemaakt van
mammoetribben die met riemen aan elkaar waren gebonden. De

huid was nu zacht, buigzaam en bijna wit leer geworden. Dicht bij hen was Deegie druk in de weer om een tweede huid te bewerken en hem op een soortgelijk raam te spannen. Ze gebruikte de stompe punt van een ander stuk rib. Ayla kende het bewerken van de gedroogde huid om het leer soepel te maken, maar het spannen op ramen van mammoetbotten was nieuw voor haar. Ze vond het interessant en nam de bijzonderheden goed in zich op.

Er werd een aantal sneetjes aangebracht langs de rand van de huid en dan werd er een koord door elk spleetje gestoken, aan het raam bevestigd en strak getrokken om de huid te spannen. Het raam werd tegen het huis gezet en kon worden omgedraaid om de andere kant te bewerken. Deegie leunde met haar volle gewicht op het stuk rib. Ze duwde de stompe punt in de geprepareerde huid tot het leek of ze er dwars doorheen zou steken, maar het sterke buigzame leer gaf mee zonder stuk te gaan.

Een paar anderen waren bezig met werk dat Ayla niet kende, maar de overigen gooiden de resten van mammoetskeletten in putten die waren gegraven. Overal lagen botten en stukken ivoor. Ze keek op toen ze iemand hoorde roepen en ze zag Talut en Danug naar het kamp komen met een lange ivoren slagtand over de schouders. De schedel zat er nog aan vast. De meeste botten kwamen niet van dieren die ze hadden gedood. Ze vonden wel eens iets op de steppen, maar het meeste kwam van de stapels beenderen die in scherpe bochten van de rivier bleven liggen, waar het woeste water de overblijfselen van dieren die bij eerdere overstromingen waren meegesleurd had achtergelaten.

Toen zag Ayla niet ver van haar nog iemand die naar het kamp stond te kijken. Ze glimlachte terwijl ze naar Rydag liep, maar ze schrok toen ze hem ook zag glimlachen. Mensen van de Stam glimlachten niet. Als iemand zijn tanden liet zien had dat, volgens de gebruiken van de Stam, gewoonlijk een vijandige bedoeling of toonde buitengewone opwinding en angst. Daarom leek zijn grijns haar even misplaatst. Maar de jongen was niet bij de Stam opgegroeid en hij had de vriendelijke betekenis van deze uiting geleerd.

'Goedemorgen, Rydag,' zei Ayla en ze maakte tegelijkertijd het begroetingsgebaar van de Stam, met de kleine variatie die tegenover een kind werd gebruikt. Ayla zag bij haar handgebaar weer dat vleugje herkenning. Hij herinnert het zich! dacht ze. Hij ziet er iets bekends aan, ik weet het zeker. Hij kent de gebaren, hij moet er alleen aan worden herinnerd. Niet zoals ik. Ik moest ze leren.

Ze herinnerde zich de verbijstering van Creb en Iza toen ze ontdekten hoe moeilijk het voor haar was, in vergelijking met de kinderen van de Stam, om iets te onthouden. Ze had de grootste moeite gehad om iets te leren en te onthouden, terwijl de kinderen van de Stam het maar één keer hoefden te zien. Sommigen dachten dat Ayla vrij dom was, maar toen ze groter werd had ze zichzelf geleerd om alles snel te onthouden, opdat ze hun geduld niet zouden verliezen.

Maar Jondalar had versteld gestaan over haar vaardigheid. Ze had een buitengewoon goed geheugen en dat vergrootte haar vermogen tot leren. Hij stond er verbaasd van hoe snel ze een andere taal leerde, bijna moeiteloos naar het scheen. Maar het was niet eenvoudig geweest om die vaardigheid te verwerven en hoewel ze had geleerd om snel iets te onthouden, had ze nooit helemaal begrepen hoe het geheugen van de mensen van de Stam werkte. Dat kon niemand van de Anderen; dat was een fundamenteel verschil tussen de beide soorten.

Met zelfs meer hersenen dan degenen die later kwamen waren de mensen van de Stam niet zoveel dommer, maar het was een ander soort intelligentie. Ze leerden uit het geheugen, dat in sommige opzichten te vergelijken was met een instinct, maar meer bewust. Bij de geboorte lag alles wat de voorouders wisten in de hersenen opgeslagen. Ze hoefden de kennis en vaardigheden die nodig waren om te overleven niet te leren, hun herinnering was voldoende. Als kind hoefden ze maar te worden herinnerd aan wat ze al wisten om vertrouwd te raken met het proces. Als volwassenen wisten ze hoe ze konden putten uit hun opgeslagen herinneringen.

Ze herinnerden zich alles gemakkelijk, maar nieuwe dingen leerden ze met de grootste moeite. Als ze eenmaal iets nieuws hadden geleerd – of een nieuwe vinding begrepen, of een nieuwe opvatting accepteerden – vergaten ze het niet meer en gaven het door aan hun kinderen. Maar ze leerden en veranderden langzaam. Iza had uiteindelijk het verschil ontdekt, al had ze het nooit begrepen, toen ze Ayla de vaardigheden van een medicijnvrouw leerde. Het vreemde meisje kon lang niet zo goed onthouden als de anderen, maar ze leerde veel sneller.

Rydag zei iets. Ayla begreep hem niet meteen. Toen herkende ze het. Het was haar naam! Haar naam die werd gezegd op de manier die haar vroeger bekend was, de manier waarop sommigen in de Stam hem uitspraken.

Dit kind was evenmin in staat om goed te articuleren; hij kon zijn stem gebruiken, maar hij kon de belangrijke klanken niet vormen die noodzakelijk waren om de taal van de mensen te spreken bij wie hij woonde. Het waren dezelfde klanken waar Ayla moeite mee had gehad door gebrek aan oefening. Dat kwam door de beperking in het stemmechanisme van de mensen van de Stam en hun voorouders, die ertoe had geleid dat ze een rijke, allesomvattende gebarentaal hadden ontwikkeld, aangevuld met houdingen, om de gedachten van hun niet minder rijke cultuur uit te drukken. Rydag verstond de Anderen, de mensen in zijn omgeving; hij verstond hun taal. Hij kon zich alleen niet verstaanbaar maken.

Toen maakte de jongen het gebaar dat hij de vorige avond naar Nezzie had gemaakt; hij noemde Ayla 'moeder'. Ayla voelde haar hart sneller kloppen. De laatste die dat gebaar voor haar had gemaakt was haar zoon geweest en Rydag leek zoveel op Durc dat ze een ogenblik haar zoon in hem zag. Ze wou dat hij Durc was en ze stond te popelen om hem op te tillen en in haar armen te nemen en zijn naam te noemen. Ze sloot haar ogen en onderdrukte met moeite haar verlangen. Ze beefde van spanning.

Toen ze haar ogen weer opende, keek Rydag haar aan met een verlangende blik, alsof hij haar begreep en wist dat zij hem begreep. Hoe graag ze het ook wou, Rydag was Durc niet. Hij was net zomin Durc als zij Deegie was. Hij was Rydag en niemand anders. Ze beheerste zich weer en zuchtte diep.

'Zou je meer woorden willen? Meer gebaren, Rydag?' vroeg ze.

Hij knikte nadrukkelijk.

'Je herinnert je "moeder" van gisteravond...'

Als antwoord maakte hij het gebaar weer dat zo'n indruk op Nezzie had gemaakt... en op haar.

'Ken je dit?' vroeg Ayla en maakte het begroetingsgebaar. Ze zag hem worstelen met de kennis die hij bijna beheerste. 'Het is groeten. Het betekent "goedemorgen" of "hallo". Dit is het gebaar wanneer een oudere tegen een kind praat', en ze toonde het gebaar weer met de variatie die ze had gebruikt.

Hij fronste zijn wenkbrauwen, maakte vervolgens het gebaar en glimlachte tegen haar met zijn angstaanjagende grijns. Hij maakte beide gebaren, dacht even na en maakte nog een derde. Hij keek haar vragend aan omdat hij er niet zeker van was dat het echt iets was.

'Ja, dat is goed, Rydag! Ik ben vrouw, zoals moeder, en zo groet je moeder. Je weet het nog!'

Nezzie zag Ayla bij de jongen staan. Hij had haar een paar keer veel zorg gegeven als hij niet voorzichtig was en te veel probeerde te doen, dus hield ze hem altijd in de gaten en lette op wat hij deed. Ze zou wel naar de jonge vrouw en het kind willen gaan en proberen te begrijpen wat ze deden. Ayla zag haar, merkte dat ze nieuwsgierig en bezorgd was en wenkte haar.

'Ik laat Rydag taal van Stam zien – volk van moeder,' legde Ayla uit, 'zoals woord gisteravond.'

Rydag maakte, heel aandachtig, voor Nezzie een gebaar. Hij grijnsde en liet zijn lange tanden zien.

'Wat betekent dat?' vroeg ze en keek naar Ayla.

'Rydag zegt "goedemorgen moeder,"' legde de jonge vrouw uit.

'Goedemorgen, moeder?' Nezzie maakte een gebaar dat enigszins leek op dat van Rydag. 'Betekent dat "goedemorgen, moeder"?'

'Nee. Ga hier zitten. Ik zal laten zien. Dit,' Ayla maakte het gebaar, 'betekent "goedemorgen, moeder." Jij moet zo doen.' Ayla bracht een andere variatie aan in het handgebaar. 'Om te zeggen "goedemorgen, kind." En dit,' Ayla ging door met nog een andere variatie, 'om te zeggen "goedemorgen, mijn zoon." Begrijp je?'

Ayla deed alle variaties nog eens voor terwijl Nezzie oplettend toekeek. De vrouw kreeg wat zelfvertrouwen en probeerde het nog een keer. Hoewel het nog niet helemaal goed was, was het zowel Ayla als Rydag duidelijk dat het gebaar dat ze probeerde te maken betekende "goedemorgen, mijn zoon."

De jongen, die tegen haar schouder leunde, sloeg zijn magere armen om haar hals. Nezzie omhelsde hem en kneep haar ogen stijf dicht om de tranen te bedwingen. Ook Rydags ogen werden vochtig, wat Ayla verbaasde.

Van alle leden van Bruns Stam was zij de enige geweest die tranen in de ogen kreeg van emotie, hoewel hun gevoelens net zo sterk waren. Haar zoon kon zijn stem net zo goed gebruiken als zij; hij kon dus leren praten – haar hart brak als ze er weer aandacht hoe hij naar haar had geroepen toen ze werd gedwongen weg te gaan – maar Durc kon geen tranen storten om zijn verdriet uit te drukken. Zoals zijn Stammoeder kon Rydag niet spreken, maar als er liefde uit zijn ogen staalde, waren ze nat van tranen.

'Ik heb nog nooit tegen hem kunnen praten met de zekerheid dat hij me verstond,' zei Nezzie.

'Wil je meer gebaren?' vroeg Ayla vriendelijk.

De vrouw knikte. Ze had de jongen nog in haar armen en durfde niet meer te praten omdat ze bang was dat ze zich dan niet langer kon beheersen. Ayla ging door met nog wat gebaren en variaties. Nezzie en Rydag letten goed op en probeerden ze te begrijpen. En daarna weer andere. Nezzies dochters, Latie en Rugie, en de jongste kinderen van Tulie, Brinan en zijn zusje Tusie, die bijna even oud waren als Rugie en Rydag, kwamen om te zien wat er gebeurde. Toen kwam Crisavec, de zoon van Fralie die zeven jaar was, er ook bij. Weldra gingen ze allemaal op in wat een prachtig nieuw spel leek: praten met de handen. Maar Rydag blonk erin uit en dat was anders dan bij de meeste spelletjes die de kinderen van het kamp deden. Ayla kon het hem niet snel genoeg leren. Ze hoefde het hem maar één keer te laten zien en het duurde niet lang of hij deed de variaties er zelf bij, zoals de nuances en de kleine verschillen in betekenis. Ze had het gevoel dat hij lang niet dom was. Hij zat vol ideeën en het wachten was op slechts een gelegenheid, dan kwamen ze naar buiten en was er geen houden meer aan.

Het was des te spannender omdat de kinderen van zijn leeftijd ook meededen. Voor het eerst kon Rydag zich volledig uiten en hij kon er niet genoeg van krijgen. De kinderen bij wie hij opgroeide hadden er geen moeite mee en accepteerden gemakkelijk zijn vaardigheid om op deze manier vloeiend te 'spreken'. Voor die tijd communiceerden ze ook wel met hem. Ze wisten dat hij anders was, maar zij hadden het vooroordeel nog niet van de volwassenen die aannamen dat hij daardoor ook minder verstand had. En Latie had, zoals oudere zusters vaak doen, zijn 'gebrabbel' voor de volwassenen van het kamp vertaald.

Tegen de tijd dat ze genoeg hadden geleerd en het nieuwe spel serieus gingen toepassen, merkte Ayla dat Rydag hen corrigeerde en ze kwamen bij hem voor bevestiging van de betekenis van de gebaren. Hij had een nieuwe plaats gevonden onder zijn makkers.

Ayla zat nog naast Nezzie en keek toe hoe ze zwijgend gebaren maakten naar elkaar. Ze glimlachte toen ze zich voorstelde hoe Iza het zou hebben gevonden dat kinderen van de Anderen spraken als de Stam en erbij schreeuwden en lachten. Ayla dacht dat de oude medicijnvrouw het, hoe dan ook, zou hebben begrepen.

'Je hebt gelijk. Dat is zijn manier om te spreken,' zei Nezzie. 'Ik heb hem nog nooit zo vlug iets zien leren. Ik wist niet dat platk... Hoe noem jij ze?'

'Stam. Zij zeggen Stam. Het betekent... familie... volk... mensen. De Stam van de Holenbeer, mensen die Grote Holenbeer eren; jullie zeggen Mamutiërs, mammoetjagers die de Moeder eren,' antwoordde Ayla.

'Stam... Ik wist niet dat ze zo konden praten, ik wist niet dat iemand met zijn handen zoveel kon zeggen... Ik heb Rydag nog nooit zo gelukkig gezien.' De vrouw aarzelde en Ayla voelde dat ze nog iets wilde zeggen. Ze wachtte rustig om haar de gelegenheid te geven er even over na te denken. 'Het verbaast me dat je hem zo snel hebt geaccepteerd,' vervolgde Nezzie. 'Sommige mensen laten hun afkeuring blijken omdat hij van gemengde afkomst is en de meeste mensen staan wat vreemd tegenover hem. Maar het lijkt wel of jij hem kent.'

Ayla wachtte even met haar antwoord, intussen de oudere vrouw goed opnemend. Ze wist niet of ze het zou zeggen. Toen nam ze de beslissing en zei: 'Ik heb iemand gekend zoals hij... Het was mijn zoon. Mijn zoon Durc.'

'Je zoon!' Er klonk verbazing in Nezzies stem, maar Ayla hoorde helemaal geen afkeer, zoals in de woorden van Frebec, toen die het de vorige avond over platkoppen en Rydag had. 'Heb jij een zoon gehad van gemengde afkomst? Waar is hij? Wat is er met hem gebeurd?'

Ayla's gezicht vertrok van smart. Ze had de gedachten aan haar zoon verdrongen toen ze alleen in haar vallei woonde, maar nu ze Rydag zag kwamen ze weer boven.

Nezzie was net zo openhartig en direct als de rest van haar volk en haar vragen waren spontaan gekomen, maar ze was wel gevoelig. 'Het spijt me, Ayla. Ik had moeten begrijpen...'

'Het hindert niet, Nezzie,' zei Ayla, die haar ogen dichtkneep om haar tranen te onderdrukken. 'Ik weet vragen komen als ik praat over zoon. Het... doet pijn... als ik aan Durc denk.'

'Je hoeft er niet over te praten.'

'Soms moet praten over Durc.' Ayla wachtte even en toen stortte ze haar hart uit. 'Durc is bij Stam. Toen ze stierf, Iza... mijn moeder, zoals jij met Rydag... zei, ik gaan naar noorden. Mijn volk zoeken. Niet Stam. De Anderen. Durc is toen baby. Ik ging niet. Later, Durc is drie jaar, Broud dwong me te gaan. Ik weet niet waar Anderen wonen, ik weet niet waarheen, ik kan Durc niet meenemen. Ik geef aan Oeba... zuster. Zij houdt van Durc, zorgt voor hem. Haar zoon nu.'

Ayla zweeg, maar Nezzie wist niet wat ze moest zeggen. Ze had meer willen vragen, maar ze wilde niet aandringen omdat het voor de jonge vrouw duidelijk zo'n pijnlijke zaak was om over een zoon te praten van wie ze hield, maar die ze had moeten achterlaten. Ayla vervolgde uit eigen beweging: 'Drie jaar sinds ik Durc zag. Hij is nu zes jaar. Zoals Rydag?'

Nezzie knikte. 'Het is nog geen zeven jaar geleden dat Rydag werd geboren.'

Ayla zweeg. Ze leek in gedachten verzonken. Toen zei ze: 'Durc lijkt op Rydag, maar ook niet. Durc lijkt op Stam met ogen, op mij met mond.' Ze glimlachte. 'Moest andersom zijn. Durc maakt woorden.

Durc zou kunnen praten, maar Stam niet. Beter dat Rydag spreekt, maar hij kan niet. Durc is sterk.' Ayla staarde voor zich uit. 'Hij loopt snel. Hij is goede loper, eens renner, zoals Jondalar zegt.' Haar ogen stonden verdrietig toen ze naar Nezzie keek. 'Rydag zwak. Van geboorte. Zwak in...?' Ze legde haar hand op haar borst, ze wist het woord niet.

'Hij heeft soms moeite met ademhalen,' zei Nezzie.

'Probleem is niet ademhalen. Probleem is bloed... Nee... niet bloed... da-dump,' zei ze en ze hield een vuist tegen haar borst. Het zat haar dwars dat ze het woord niet wist.

'Het hart. Dat zegt Mamut ook. Hij heeft een zwak hart. Hoe wist jij dat?'

'Iza was medicijnvrouw, genezer. Beste medicijnvrouw van Stam. Ze leerde het mij als dochter. Ik ben medicijnvrouw.'

Jondalar had gezegd dat Ayla een genezer was, herinnerde Nezzie zich. Ze was verbaasd te horen dat platkoppen zelfs aan genezen dachten, maar ze had immers ook niet geweten dat ze konden praten. En ze was lang genoeg met Rydag omgegaan om te weten dat hij niet het stomme dier was waar zoveel mensen hem voor hielden, al kon hij dan niet spreken. Al was ze dan geen Mamut, dat was nog geen reden waarom Ayla niet iets zou kunnen weten over genezen.

De twee vrouwen keken op omdat er een schaduw over hen heen viel. 'Mamut wil weten of je met hem wilt komen praten, Ayla,' zei Danug. Ze waren beiden zo verdiept in het gesprek dat ze de jongeman niet hadden zien komen. 'Rydag is druk bezig met het nieuwe spel met de handen,' vervolgde hij. 'Latie zegt dat ik je moet vragen of je mij ook wat van die gebaren wilt leren.'

'Ja. Ja. Ik leer jou. Ik leer iedereen.'

'Ik wil er ook meer van leren,' zei Nezzie toen ze opstonden.

'In de morgen?' vroeg Ayla.

'Ja, morgenochtend. Maar je hebt nog niets gegeten. Morgen kun je beter eerst iets eten,' zei Nezzie. 'Kom maar, dan maak ik wat voor je klaar en voor Mamut ook.'

'Ik heb honger,' zei Ayla.

'Ik ook,' voegde Danug eraan toe.

'Wanneer heb jij geen honger? Ik denk dat jij en Talut wel een mammoet op kunnen,' zei Nezzie en ze keek trots naar haar grote zoon.

Toen de twee vrouwen met Danug naar huis liepen, schenen de anderen dat als een wenk te zien om te gaan eten en ze volgden het voorbeeld. De bovenkleding die buiten werd gedragen werd in de hal aan haken gehangen. Het werd een ochtendmaal als iedere dag, met een paar mensen die op hun eigen vuur kookten en anderen die bij de grote eerste vuurplaats bleven met een paar kleine vuren eromheen. Sommigen aten koud mammoetvlees dat nog over was, anderen namen vlees of vis met wortels of groente in een soep gekookt, die werd gebonden met grof gemalen wilde graansoorten, geplukt op de steppen. Maar of ze nu apart kookten of niet, de meesten kwamen uiteindelijk naar de gemeenschappelijke ruimte om warme thee te drinken voor ze weer naar buiten gingen.

Ayla zat naast Mamut en volgde de activiteiten met grote belangstelling. Ze was nog steeds verbaasd over het lawaai van al die lachende en pratende mensen, maar ze begon er al aan te wennen. Ze was nog meer verbaasd over het gemak waarmee de vrouwen zich tussen de mannen bewogen. Er was geen strenge rangorde, ook niet voor het koken of het opdienen van het eten. Iedereen leek zichzelf te bedienen, behalve de jongste kinderen, die door mannen en vrouwen werden geholpen.

Jondalar kwam naar hen toe en ging behoedzaam op de grasmat zitten, naast Ayla. Hij had een waterdichte, maar wel wat slappe, van varkensgras gevlochten kom in zijn handen, gevuld met hete muntthee.

'Jij vroeg op vanmorgen,' zei Ayla.

'Ik wou je niet storen. Je sliep nog zo lekker.'

'Ik werd wakker toen ik dacht iemand pijn had, maar Deegie vertelt me oude vrouw... Crozie... praat altijd luid tegen Frebec.'

'Ze hadden zo'n ruzie dat ik ze zelfs buiten kon horen,' zei Jondalar. 'Frebec zal wel lastig zijn, maar ik ben er nog niet zo zeker van dat hij alleen schuld heeft. Die oude vrouw krijst nog erger dan een Vlaamse gaai. Hoe zou iemand met haar kunnen leven?'

'Ik dacht iemand pijn heeft,' zei Ayla peinzend.

Jondalar keek haar verbaasd aan. Hij geloofde niet dat ze herhaalde dat ze in de onjuiste veronderstelling had verkeerd dat iemand lichamelijke pijn leed.

'Je hebt gelijk, Ayla,' zei Mamut. 'Oude wonden die nog altijd pijn doen.'

'Deegie heeft medelijden met Fralie.' Ayla wendde zich tot Mamut omdat ze hem gemakkelijker iets durfde te vragen, terwijl ze over het algemeen haar onwetendheid niet wilde laten blijken. 'Wat is "Bruidsprijs"? Deegie zei dat Tulie hoge "Bruidsprijs" voor haar had gevraagd.'

Mamut wachtte even voor hij antwoordde en dacht eerst goed na omdat hij wou dat ze hem goed begreep. Ayla keek afwachtend naar de oude man met de witte haren. 'Ik zou je een eenvoudig antwoord kunnen geven, Ayla, maar het is meer dan het lijkt. Ik heb er vele jaren over nagedacht. Het is niet eenvoudig te begrijpen en uit te leggen, ook niet als je iemand bent naar wie de anderen met hun vragen komen.' Hij sloot zijn ogen en concentreerde zich. 'Je begrijpt status, nietwaar?' begon hij.

'Ja,' zei Ayla. 'In de Stam heeft leider de hoogste status, dan gekozen jager, dan andere jagers. Mog-ur heeft ook hoge status, maar is anders. Hij is man... van geestenwereld.'

'En de vrouwen?'

'Vrouwen hebben status van levensgezel, maar medicijnvrouw heeft eigen status.'

De antwoorden verbaasden Jondalar. Ondanks alles wat hij van haar over de platkoppen had gehoord, kon hij moeilijk geloven dat ze zo'n ingewikkeld stelsel van rangen begrepen.

'Dat dacht ik al,' zei Mamut rustig en hij ging verder met zijn uitleg. 'Wij vereren de Moeder, de maakster en voedster van alle leven. Mensen, dieren, planten, water, bomen, stenen, aarde. Ze heeft alles geschapen. Wanneer wij de geest van de mammoet, of de geest van het hert of de bizon, toestemming vragen om op ze te jagen, weten we dat de geest van de Moeder ze het leven gaf. Haar geest geeft een andere mammoet, of hert of bizon om de dieren te vervangen die Zij ons als voedsel schenkt.'

'Wij zeggen dat het een Geschenk van de Moeder is,' zei Jondalar. Hij luisterde geboeid en probeerde te ontdekken in hoeverre de gebruiken van de Mamutiërs overeenkwamen met die van de Zelandoniërs.

'Mut, de Moeder, heeft vrouwen gekozen om ons te laten zien dat Zij de geest van het leven in Zich heeft, om nieuw leven te scheppen en degenen te vervangen die Zij heeft teruggeroepen,' vervolgde de oude heilige man.

'De kinderen horen hierover als ze opgroeien, uit legenden, verhalen en liederen, maar die tijd heb jij gehad, Ayla. We horen de verhalen ook graag als we ouder worden, maar je moet de strekking begrijpen die erachter zit en dan begrijp je ook de reden van veel van onze gebruiken. Bij ons hangt de status af van iemands moeder en de Bruidsprijs is de manier om die waarde uit te drukken.'

Ayla knikte, hevig geïnteresseerd. Jondalar had ook geprobeerd om over de Moeder te vertellen, maar zoals Mamut het deed leek het redelijk en veel gemakkelijker te begrijpen.

'Wanneer mannen en vrouwen besluiten een verbintenis aan te gaan, geven de man en zijn kamp veel geschenken aan de moeder van de vrouw en haar kamp. De moeder, of de leidster van het kamp, bepaalt de prijs – zegt hoeveel geschenken worden gevraagd voor de dochter. Soms mag een vrouw zelf haar prijs bepalen, maar het hangt niet alleen af van wat zij bedenkt. Geen enkele vrouw wil onder de waarde gaan, maar de prijs mag niet zo hoog worden dat de man van haar keuze en het kamp het niet kunnen opbrengen of het niet willen betalen.'

'Waarom wordt er betaald voor een vrouw?' vroeg Jondalar. 'Wordt ze daardoor geen handelswaar, zoals zout, of vuursteen, of barnsteen?'

'De waarde van een vrouw is veel groter. De Bruidsprijs is wat een man betaalt voor het voorrecht met een vrouw te mogen leven. Een goede Bruidsprijs komt iedereen ten goede. Hij schenkt de vrouw een hoge status en toont iedereen hoe hoog ze wordt gewaardeerd door de man die haar wil hebben en door haar eigen kamp. Het is een eer voor zijn kamp en het stelt hen in de gelegenheid te laten zien hoe goed het hun gaat omdat ze de prijs kunnen betalen. Het geeft eer aan het kamp van de vrouw, achting en respect, en ook iets ter compensatie voor het verlies als ze weggaat, zoals sommige vrouwen doen die naar een nieuw kamp gaan of in het kamp van de man gaan wonen. Maar het belangrijkste is dat zij in de gelegenheid komen om een goede Bruidsprijs te betalen wanneer een van hun mannen een vrouw zoekt, zodat zij dan hun rijkdom kunnen tonen.

Kinderen krijgen de status van hun moeder, dus is een hoge Bruidsprijs ook in hun voordeel. Hoewel de Bruidsprijs in geschenken wordt betaald en een deel voor het jonge paar bestemd is om zich te installeren, is de echte waarde de status, de hoge achting die haar eigen kamp voor de vrouw heeft en ook al de andere kampen en de waarde die ze haar metgezel en kinderen verleent.'

Ayla vond het nog vreemd, maar Jondalar knikte en begon het te begrijpen. De bijzondere details waren niet gelijk, maar in grote lijnen was er niet zoveel verschil met de familiebetrekkingen en waarden bij zijn eigen volk. 'Hoe weet men de waarde van een vrouw? Om een goede Bruidsprijs vast te stellen?' vroeg de Zelandoniër.

'De Bruidsprijs hangt van veel dingen af. Een man zal altijd proberen een vrouw te vinden met de hoogste status die hij zich kan veroorloven omdat hij de status van zijn gezellin aanneemt als hij zijn moeder verlaat. Die levensgezellin is of wordt een moeder. Een vrouw die haar moederschap heeft bewezen, heeft een hogere waarde, dus vrouwen met kinderen zijn zeer gewenst. Mannen zullen vaak proberen de waarde van hun toekomstige gezellin op te drijven omdat het in hun voordeel is; twee mannen die wedijveren om een vrouw van hoge waarde, zouden hun middelen kunnen samenvoegen – als ze het eens kunnen worden en zij ermee instemt – en haar Bruidsprijs nog kunnen verhogen.

Soms verbindt een man zich met twee vrouwen, vooral zusters die niet van elkaar gescheiden willen worden. Dan krijgt hij de status van de vrouw met de hoogste rang en staat in hoog aanzien. Dat geeft een zekere toegevoegde status. Hij toont dat hij in staat is twee vrouwen en hun toekomstige kinderen te onderhouden. Meisjestweelingen worden beschouwd als een bijzondere zegen, die worden zelden gescheiden.'

'Toen mijn broer een vrouw vond onder de Sharamudiërs, raakte hij verwant met een vrouw die Tholie heette. Zij was een Mamutische. Ze heeft me eens verteld dat ze "gestolen" was, hoewel ze er wel mee had ingestemd,' zei Jondalar.

'We drijven handel met de Sharamudiërs, maar onze gebruiken zijn niet dezelfde. Tholie was een vrouw met een hoge status. Als we haar kwijtraakten aan anderen, betekende het dat we iemand afstonden die niet alleen zelf een hoge waarde had – en dat ze een hoge Bruidsprijs betaalden – maar ook dat ze de waarde zou meenemen die ze door haar moeder had en aan haar levensgezel en kinderen zou geven, een waarde die uiteindelijk aan alle Mamutiërs ten goede zou zijn gekomen. Er was geen mogelijkheid om dat te compenseren. Dat was een verlies voor ons, alsof haar waarde van ons werd gestolen. Maar Tholie was verliefd en besloot een verbintenis aan te gaan met de jonge Sharamudiër. Om eruit te komen besloten we haar toe te staan zich te laten "stelen".'

'Deegie zei, Fralies moeder maakte Bruidsprijs laag,' zei Ayla.

De oude man ging verzitten. Hij begreep waar haar vraag hem heen zou voeren en het zou niet gemakkelijk zijn een antwoord te geven. De meeste mensen begrepen hun gebruiken intuïtief en konden niet zo'n duidelijke uitleg geven als Mamut. Velen in zijn positie zouden hebben geaarzeld om overtuigingen toe te lichten die normaal in verhalen werden verhuld, uit vrees dat zo'n openhartige en gedetailleerde uiteenzetting van cultuurwaarden ze zou beroven van hun geheimzinnige kracht. Ook hij voelde zich niet op zijn gemak, maar hij had al een aantal conclusies getrokken en beslissingen genomen ten aanzien van Ayla. Hij wilde dat ze hun ideeën en gebruiken zo snel mogelijk begreep.

'Een moeder kan bij elk kind intrekken,' zei hij. 'Als ze dat doet – en gewoonlijk zal ze daarmee wachten tot ze oud is – zal het in de meeste gevallen een dochter zijn die in hetzelfde kamp woont. Haar gezel gaat gewoonlijk met haar mee, maar hij kan ook teruggaan naar het kamp van zijn moeder of bij een zuster gaan wonen als hij dat wil. Een man voelt vaak nauwere banden met de kinderen van zijn gezellin, van zijn vuurplaats, omdat hij bij hen woont en hen opvoedt, maar de kinderen van zijn zuster zijn zijn erfgenamen en ze zijn verantwoordelijk voor hem. Gewoonlijk zijn de ouderen welkom, maar helaas niet altijd. Fralie is het enige kind dat Crozie nog heeft, dus waar haar dochter heen gaat, daar gaat zij ook heen. Crozie heeft geen gemakkelijk leven gehad en ze is er in de loop der jaren niet vriendelijker op geworden. Ze klampt zich vast aan haar dochter en er zijn niet veel mannen die een vuurplaats met haar willen delen. Na de dood van Fralies eerste man moest ze de Bruidsprijs van haar dochter steeds weer verlagen en dat vergroot haar verbittering.'

Ayla knikte begrijpend en zei met een bezorgde blik: 'Iza vertelde me van oude vrouw, woonde in Bruns Stam voor ik werd gevonden. Ze kwam van andere Stam. Gezel dood, geen kinderen. Geen waarde, geen status, maar heeft altijd eten, altijd plaats bij vuur. Als Crozie niet heeft Fralie, waar zij gaat?'

Mamut dacht even na over die vraag. Hij wou Ayla een volkomen eerlijk antwoord geven. 'Crozie zou dan een probleem hebben, Ayla. Gewoonlijk wordt iemand die geen familie heeft aangenomen door een andere vuurplaats, maar zij is zo twistziek. Er zijn er niet veel die haar zouden opnemen. Ze zou waarschijnlijk voldoende te eten vinden en een poosje de nacht kunnen doorbrengen in een kamp, maar na enige tijd zouden ze haar wegsturen, precies zoals hun kamp hen heeft weggestuurd toen Fralies eerste man was gestorven.'

De oude medicijnman vervolgde grijnzend, 'Frebec is ook niet zo'n aangenaam mens. De status van zijn moeder was erg laag, ze presteerde niet veel en had weinig aan te bieden, behalve een goede smaak voor sterkedrank. Zodoende had hij niets om mee te beginnen. Zijn kamp wou Crozie niet hebben en vond het niet erg als hij wegging. Ze weigerden iets te betalen. Daarom was Fralies Bruidsprijs zo laag. Nezzie heeft ervoor gezorgd dat ze hier zijn. Ze bewerkte Talut om een goed woordje voor hen te doen, dus werden ze opgenomen. Sommigen hebben daar spijt van.'

Ayla knikte vol begrip. Het maakte de situatie wat duidelijker.

'Mamut, wat...'

'Nuvie! Nuvie! O, Moeder! Ze stikt!' gilde een vrouw.

Verscheidene mensen stonden om een meisje van drie dat hoestte en rochelde en naar adem hapte. Er was iemand die het kind op de rug sloeg, maar dat hielp niet. Anderen stonden eromheen en probeerden raad te geven, maar ze waren allemaal radeloos toen ze zagen hoe het kind blauw werd en naar adem hapte.

6

Ayla drong tussen de mensen door en bereikte het kind dat al bewusteloos raakte. Ze pakte het meisje op, ging zitten en legde het op haar
schoot. Toen stak ze haar vinger in de mond om te zien of ze iets kon
vinden. Toen dat niets opleverde ging Ayla staan, draaide het meisje om
en hield haar vast, met een arm om haar middel, zo dat haar hoofd en
armen naar beneden hingen. Ze sloeg haar hard tussen de schouderbladen. Toen sloeg ze haar armen om de slappe peuter en gaf een ruk.
Iedereen hield de adem in en keek naar de vrouw die scheen te weten
wat ze deed in de strijd op leven en dood om het obstakel uit de keel
van het meisje te verwijderen. Het kind ademde niet meer, maar het
hart werkte nog. Ayla legde haar neer en knielde naast haar. Ze zag
een kledingstuk, de tuniek van het kind, en propte het onder de nek
van het meisje om het hoofd achterover te houden en de mond open.
Toen drukte de vrouw haar mond op die van het meisje en terwijl ze
haar neusje dichtkneep, ademde ze zo krachtig in als ze kon, zodat ze
een grote zuigkracht opwekte. Dat hield ze vol tot ze zelf bijna buiten
adem raakte.
Toen voelde ze opeens, met een gedempt geluid, een voorwerp haar
mond in vliegen en bijna vastraken in haar eigen keel. Ayla hief haar
hoofd op en spuwde een stuk kraakbeen met vlees eraan uit. Ze haalde diep adem, gooide haar haar achterover en terwijl ze de mond van
het kind weer met haar eigen mond bedekte, blies ze haar levengeven-
de adem in de stilliggende longen. Het borstkasje kwam omhoog. Ze
deed het nog een paar keer.
Opeens begon het kind weer te hoesten en toen haalde het zelf diep
adem.
Ayla hielp Nuvie weer overeind toen ze begon te ademen en zag toen
Tronie pas, die snikte van opluchting toen ze zag dat haar dochtertje
nog leefde.

Ayla trok haar tuniek over haar hoofd, gooide de capuchon naar beneden en keek langs de rij vuurplaatsen. Bij de laatste, de Oerosvuur-

plaats, zag ze Deegie staan, die haar volle, kastanjebruine haar borstelde en het opbond terwijl ze met iemand praatte die op een bed zat. Ze stak een glad gepolijste ivoren speld, uit de slagtand van een mammoet, in haar haar, zwaaide naar Ayla en beduidde haar 'wacht even, ik ga met je mee.' Tronie zat op een bed van de vuurplaats naast de Mammoetvuurplaats en gaf Hartal de borst. Ze glimlachte naar Ayla en wenkte haar. Ayla liep naar de Rendiervuurplaats, ging naast haar zitten en boog zich over de baby om hem te knuffelen en te kietelen. Hij hield even op met zuigen, kirde en trappelde met zijn voetjes. Toen zocht hij de borst van zijn moeder weer.

'Hij kent je al, Ayla,' zei Tronie.

'Hartal is tevreden, gezonde baby. Groeit snel. Waar is Nuvie?'

'Manuv heeft haar al mee naar buiten genomen. Hij helpt zo flink. Ik ben blij dat hij bij ons is komen wonen. Tornec heeft een zuster waar hij had kunnen blijven. De ouden en de jongen schijnen altijd goed met elkaar te kunnen opschieten, maar Manuv besteedt bijna al zijn tijd aan die kleine en hij kan haar niets weigeren. Vooral nu het niet veel scheelde of we hadden haar moeten missen.' De jonge moeder hield de baby over haar schouder om hem op de rug te kloppen. Toen wendde ze zich weer tot Ayla. 'Ik heb echt nog niet de kans gehad om met je te praten en je te zeggen hoe dankbaar we allemaal zijn... Ik was zo bang dat ze...Ik heb er nog nachtmerries van. Ik wist niet wat ik moest doen. Ik had niet geweten wat te doen als jij er niet was geweest.' Ze zweeg even en ze kreeg tranen in haar ogen.

'Tronie niets zeggen. Ik ben medicijnvrouw, is niet nodig te danken. Is mijn... Ik weet woord niet. Ik heb kennis... Is nodig voor mij. Ik ben medicijnvrouw.'

Ayla zag Deegie door de Kraanvogelvuurplaats komen en het viel haar op dat Fralie naar haar keek. Ze had kringen onder de ogen en leek buitengewoon vermoeid. Ayla had haar goed opgenomen en vond dat haar zwangerschap wel zover was gevorderd dat ze geen last meer behoorde te hebben van ochtendmisselijkheid, maar Fralie braakte nog regelmatig en niet alleen in de ochtend. Ayla wilde haar wel beter onderzoeken, maar Frebec kreeg een woedeaanval als ze erover begon. Hij beweerde dat het feit dat ze iemand van de verstikkingsdood had gered nog niet betekende dat ze verstand van genezen had. Daar was hij niet van overtuigd, ook al zei ze dat en hij wou niet dat de een of andere vreemde vrouw Fralie verkeerde adviezen gaf. Dat gaf Crozie weer aanleiding om ruzie met hem te maken. Ten slotte zei Fralie maar, om een eind aan het gekibbel te maken, dat ze zich goed voelde en Ayla niet nodig had.

Ayla lachte de in het nauw gedreven vrouw bemoedigend toe, pakte een lege waterzak en liep met Deegie naar de ingang. Toen ze door de Mammoetvuurplaats liepen en de Vossenvuurplaats binnenstapten, keek Ranec op en volgde hen met zijn ogen terwijl ze passeerden. Ayla had het stellige gevoel dat hij haar helemaal volgde, door de Leeuwenvuurplaats en de kookruimte tot ze bij de binnenpoort was en ze moest een opwelling onderdrukken om om te kijken.

Toen ze het buitenste gordijn opzij duwden, knipperde Ayla met de ogen tegen het onverwacht scherpe licht van de stralende zon in een strakblauwe hemel. Het was een van die zachte, warme herfstdagen die als een zeldzaam geschenk de herinnering levend houden gedurende het volgende jaargetijde wanneer krachtige winden, razende stormen en bijtende kou dagelijkse kost zijn. Ayla glimlachte dankbaar en herinnerde zich opeens, hoewel ze er in geen jaren aan had gedacht, dat Oeba op zo'n dag als deze was geboren, de eerste herfst nadat de Stam van Brun haar had gevonden.

De behuizing en de vlakke ruimte ervoor waren ongeveer halverwege een helling – op het westen – uitgegraven. De uitgang bood een ruim uitzicht en Ayla bleef even staan. De snelstromende rivier schitterde en bruiste en gaf een ruisende ondertoon aan het samenspel van zonlicht en water. Aan de overkant zag Ayla, in een lichte nevel, een bijna net zo steile helling. De snelle, brede rivier had in de wijde open steppen een geul uitgeslepen die werd geflankeerd door afbrokkelende aarden wallen.

Van de afgeplatte ronding van het plateau liepen door de voortreffelijke lössbodem diepe geulen naar het rivierdal. Ze waren gevormd door regen, smeltende sneeuw en in de lente door het smeltwater van de grote gletsjers in het noorden. Er staken hier en daar een paar rechte, eenzame lariksen en dennen boven de scheefgegroeide kale struiken uit. Stroomafwaarts stonden langs de oever de pluimen van de kattenstaart tussen het riet en cypergras. Stroomopwaarts werd het uitzicht belemmerd door een bocht in de rivier, maar ze zag Whinney en Renner grazen van het droge gras dat de rest van het kale, verlaten landschap bedekte.

Er vielen stukjes modder op Ayla's voeten. Ze keek geschrokken omhoog in de helderblauwe ogen van Jondalar. Talut stond naast hem en zijn gezicht vertoonde een brede grijns. Ze zag tot haar verbazing nog een aantal mensen boven op het huis.

'Kom boven, Ayla. Ik help je wel,' zei Jondalar.

'Nu niet. Straks. Ik kom net buiten. Waarom ben je daar boven?'

'We leggen de kano's over de rookgaten,' legde Talut uit.

'Wat?'

'Kom mee, dan zal ik het je uitleggen,' zei Deegie. 'Ik moet heel nodig plassen.'

De twee jonge vrouwen liepen samen naar de dichtstbijzijnde geul. In de steile wand waren ruwe treden gemaakt die naar een aantal platte schouderbladen van mammoets leidden. Daar waren gaten in gehakt, boven een dieper gedeelte van de geul. Ayla ging op een van de schouderbladen staan, maakte de riem van haar broek los, liet hem zakken en ging op haar hurken, naast Deegie, boven een gat zitten. Ze vroeg zich af waarom ze zelf die houding niet had bedacht toen ze zo'n moeite met haar kleren had. Het leek zo simpel en voor de hand liggend nadat ze het Deegie een keer had zien doen. De inhoud van de manden die 's nachts werden gebruikt, werd ook in de geul gegooid, bij het andere afval. In het voorjaar werd alles weer weggespoeld.

Ze daalden langs een brede geul af naar de rivier. In het midden kabbelde een stroompje, waarvan de bron, verder naar het noorden, al was bevroren. In het voorjaar veranderde het beekje weer in een woeste stroom. De bovenste stukken van een paar mammoetschedels waren bij de oever ondersteboven op een stapel gelegd, bij wat ruwe lepels met lange steel die van botten waren gemaakt.

De twee vrouwen vulden de schedels met water dat ze uit de rivier schepten en met een zak die Ayla had meegenomen besprenkelden ze de verdorde bloembladen van de oorspronkelijk lichtblauwe ceanothus, die zo rijk zijn aan saponine. Ze wreven ze met hun natte handen tot een schuimend korrelig wasmiddel, dat een lekkere geur achterliet op schone handen en gezichten. Ayla brak een takje af en gebruikte het voor haar tanden, een gewoonte die ze van Jondalar had overgenomen.

'Wat is een kano?' vroeg Ayla toen ze terugliepen, met de maag van een bizon vol vers water tussen hen in.

'Die gebruiken we om de rivier over te steken als ze niet te ruw is. Je begint met een komvormig geraamte van botten en hout, waar misschien twee of drie mensen in kunnen en dan bekleed je het met een huid, meestal van een oeros, met het haar naar buiten en goed ingevet. Geweien van reuzenherten zijn na enige oefening goed te gebruiken als peddels... om vooruit te komen,' legde Deegie uit.

'Waarom kano's boven op huis?'

'Daar leggen we ze altijd als we ze niet gebruiken, maar in de winter leggen we ze over de rookgaten, zodat er geen regen en sneeuw naar binnen komt. Ze waren bezig om ze vast te binden, dan waaien ze niet weg. Maar er moet wel ruimte blijven voor de rook om te ontsnappen en ze moeten van binnenuit bewogen kunnen worden om de sneeuw eraf te schudden.'

Onder het lopen bedacht Ayla hoe blij ze was dat ze Deegie kende. Oeba was een zuster geweest en ze hield veel van haar, maar Oeba was jonger en Iza's echte dochter; dat verschil was er altijd geweest. Ayla had nooit iemand van haar eigen leeftijd gehad die alles scheen te begrijpen wat ze zei en met wie ze zoveel gemeen had. Ze zetten de zware zak met water neer om even te rusten.

'Ayla, laat me eens zien hoe je met gebaren "ik houd van jou" kunt zeggen. Dan kan ik het tegen Branag zeggen als ik hem weer zie,' zei Deegie.

'Daar heeft de Stam geen gebaar voor,' zei Ayla.

'Houden ze dan niet van elkaar? Ik dacht dat ze het hadden omdat ze zo op mensen lijken wanneer jij over hen praat.'

'Ja, ze houden van elkaar, maar ze zijn rustig... Nee, dat is niet juiste woord.'

'Ik denk dat "fijngevoelig" het woord is dat je zoekt,' zei Deegie.

'Fijngevoelig... in het uiten van gevoelens. Een moeder kan tegen kind zeggen "je maakt me gelukkig",' antwoordde Ayla en ze liet Deegie het juiste gebaar zien, 'maar vrouw zal niet zo open zijn... Nee, duidelijk?' ze vroeg zich af of ze de juiste woorden had gekozen en wachtte tot Deegie knikte voor ze verderging, 'duidelijk in gevoelens tegenover man.'

Het interesseerde Deegie in hoge mate. 'Wat moet ze dan doen? Toen ik merkte dat Branag op Zomerbijeenkomsten naar me keek zoals ik naar hem had gekeken, moest ik hem duidelijk maken wat ik voor hem voelde. Als ik het hem niet had kunnen zeggen, weet ik niet wat ik had moeten doen.'

'Een vrouw van de Stam zegt niet, ze laat zien. Vrouw doet dingen voor man die ze liefheeft, kookt eten dat hij lekker vindt, zet 's ochtends lekkere thee als hij wakker wordt. Maakt kleren op speciale manier – zachte huid met bontvoering of warme voetomhulsels met bont erin. Nog beter als vrouw weet wat hij wil voor hij vraagt. Veel aandacht toont voor gewoonte en stemming, hem kent en verzorgt.'

Deegie knikte. 'Dat is een goede manier om iemand duidelijk te maken dat je van hem houdt. Het is prettig om bijzondere dingen voor elkaar te doen. Maar hoe weet een vrouw dat hij van haar houdt? Wat doet een man voor een vrouw?'

'Een keer liep Goov groot gevaar om sneeuwluipaard te doden die Ovra bang maakte omdat hij om de grot sloop. Ze wist dat hij het voor haar deed, ook al gaf hij de huid aan Creb en maakte Iza een bontomslag voor mij,' legde Ayla uit.

'Dat is fijngevoelig! Ik weet niet of ik het had begrepen,' zei Deegie lachend. 'Hoe weet je dat hij het voor haar deed?'

'Ovra heeft het me later verteld. Ik wist het toen niet. Ik was jong. Leerde nog. Handgebaren niet hele taal van de Stam. Veel meer wordt gezegd met gezicht, ogen en lichaam. Manier van lopen, hoofd omdraaien, schouderspieren spannen. Als je betekenis weet, zegt het meer dan woorden. Kost veel tijd om taal van Stam te leren.'

'Ik sta verbaasd hoe snel je Mamutisch hebt geleerd! Ik merk het wel. Het gaat elke dag beter. Ik wou dat ik jouw aanleg voor talen had.'

'Het gaat nog niet goed. Veel woorden weet ik niet, maar ik denk in de taal van de Stam als ik woorden zeg. Ik luister naar woorden en kijk naar gezicht, voel hoe woorden klinken en zie hoe lichaam beweegt... en probeer te onthouden. Als ik Rydag en andere handgebaren laat zien, leer ik ook. Ik leer meer van jouw taal. Ik moet leren, Deegie,' voegde Ayla eraan toe met een heftigheid die getuigde van haar grote ijver.

'De handgebaren zijn voor jou niet zomaar een spelletje, zoals voor ons. Het lijkt me leuk om naar de Zomerbijeenkomst te gaan en met elkaar te kunnen praten zonder dat de anderen het begrijpen.'

'Ik ben blij dat iedereen het leuk vindt en meer wil leren. Voor Rydag. Hij heeft nu plezier. Maar voor hem is het geen spel.'

'Nee, dat geloof ik ook niet.' Ze pakten de waterzak weer op en toen zei Deegie terwijl ze Ayla aankeek: 'Ik begreep eerst niet waarom Nezzie hem wilde houden. Maar toen begon ik aan hem te wennen en hem aardig te vinden. Nu is hij gewoon een van ons en ik zou hem missen als hij er niet was, maar het is nooit bij me opgekomen dat hij zou willen praten. Ik heb er nooit aan gedacht dat hij daar ooit over piekerde.'

Jondalar stond bij de ingang van het huis naar de twee naderende vrouwen te kijken die zo druk in gesprek waren en hij was blij dat Ayla het zo goed met iedereen kon vinden. Als hij erover nadacht, was het toch verbazingwekkend dat, van alle mensen die ze hadden kunnen ontmoeten, deze groep een kind van gemengde geesten had en dat ze haar daarom veel gemakkelijker accepteerden dan anders misschien het geval was geweest. Maar hij had het wel gedacht. Ayla had niet geaarzeld om iedereen over haar achtergrond te vertellen.

Enfin, ze had tenminste niets over haar zoon verteld, zover hij wist. Het was nog tot daaraan toe, voor iemand als Nezzie, om zich te ontfermen over een wees, maar het was heel wat anders om een vrouw gastvrijheid te verlenen wier geest zich had vermengd met die van een platkop, zodat ze een gruwel had gebaard. De vrees was altijd aanwezig dat het weer kon gebeuren en als ze de verkeerde geesten aantrok, konden die zich ook over andere vrouwen in de buurt verspreiden.

Opeens kreeg de grote knappe man een kleur. Ayla ziet haar zoon niet als een gruwel, bedacht hij en schaamte overviel hem. Hij was vol walging ineengekrompen toen ze hem de eerste keer over haar zoon had verteld en ze was woedend geworden. Hij had haar nog nooit zo kwaad gezien, maar haar zoon was haar zoon en ze schaamde zich beslist niet voor hem. Ze had gelijk. Dat heeft Doni me in een droom gezegd. Platkoppen... de Stam... het zijn ook kinderen van de Moeder. Kijk maar naar Rydag. Hij is veel intelligenter dan ik ooit van zo iemand had verwacht. Hij is een beetje anders, maar het is een mens en hij is heel aardig. Hij had wat tijd bij de jongen doorgebracht en had ontdekt hoe intelligent en verstandig hij was. Hij had ook een zekere droge humor, vooral wanneer zijn zwakheid en anders-zijn ter sprake kwamen.

Jondalar had de genegenheid in Rydags ogen gezien wanneer hij naar Ayla keek. Ze had hem verteld dat jongens van zijn leeftijd in de Stam al bijna volwassen waren, maar misschien maakte zijn zwakheid hem ook wel ouder dan hij was.

Ze heeft gelijk. Ik weet dat ze gelijk heeft als ze over hen praat. Alleen, als ze er niet over praatte, zou het zo'n stuk gemakkelijker zijn. Als ze het niet had verteld, had zelfs niemand het geweten...

Ze beschouwt hen als haar volk. Jondalar wees zichzelf terecht en hij voelde dat hij weer een kleur kreeg omdat hij zich kwaad maakte over zijn eigen gedachten. Hoe zou jij het vinden als iemand zei dat je niet moest praten over de mensen die je hebben grootgebracht en voor je hebben gezorgd? Als zij zich er niet voor schaamt, waarom jij dan wel? Het was heel behoorlijk gegaan. Frebec is nu eenmaal een ruziezoeker. Maar zij weet niet hoe de mensen zich tegen je kunnen keren en tegen iedereen die bij je hoort.

Misschien is het ook maar het beste dat ze het niet weet. Misschien gebeurt het niet. Ze heeft de mensen in het kamp al zover dat ze praten als platkoppen, mij ook.

Toen Jondalar zag hoe graag bijna iedereen wilde leren hoe de Stam communiceerde, was hij ook bij de lessen gaan zitten, die spontaan werden gegeven telkens wanneer iemand er meer van wilde weten. Hij merkte dat hij schik kreeg in het nieuwe spel, door bijvoorbeeld op afstand tekens over te seinen, stiekem grapjes te maken zoals iets tegen iemand zeggen en achter zijn rug met gebaren iets anders uitdrukken. Hij stond verbaasd over de rijkdom en de mogelijkheden van de taal zonder woorden.

'Jondalar, wat ben je rood. Waar stond je aan te denken? vroeg Deegie plagend toen ze de poort hadden bereikt.

De vraag overviel hem en herinnerde hem aan zijn gevoel van schaamte en in zijn verlegenheid kreeg hij een hoogrode kleur. 'Ik heb zeker te dicht bij het vuur gezeten,' mompelde hij en hij wendde zijn gezicht af.

Waarom spreekt Jondalar onwaarheid? vroeg Ayla zich af toen ze zag dat hij rimpels in zijn voorhoofd had en zijn blauwe ogen zorgelijk stonden voor hij ze afwendde. Hij is niet rood van het vuur. Hij is rood door zijn gevoel. Net als ik denk dat ik hem begin te kennen, doet hij iets dat ik niet begrijp. Ik let op hem, probeer hem aandacht te geven. Alles lijkt heel goed en dan opeens is hij boos, zonder reden. Ik zie dat hij boos is, maar ik begrijp niet waarom. Het is net als met die spelletjes, wanneer ze met woorden heel iets anders zeggen dan met de gebaren. Precies zoals hij tegen Ranec vriendelijke woorden zegt, maar ik aan hem zie dat hij kwaad is. Waarom heeft hij zo'n hekel aan Ranec? Nu zegt hij weer dat hij het warm heeft gekregen van het vuur, maar er is iets anders dat hem dwarszit. Wat doe ik verkeerd? Waarom begrijp ik hem niet? Zal ik het ooit leren?

Ze gingen samen naar binnen en liepen bijna tegen Talut aan, die naar buiten kwam.

'Ik ben je aan het zoeken, Jondalar,' zei het stamhoofd. 'Zo'n mooie dag wil ik niet onbenut voorbij laten gaan. Wymez heeft op weg naar huis een kudde bizons gezien. Na het eten gaan we op jacht. Zou je mee willen?'

'Ja, graag!' zei Jondalar met een brede grijns.

'Ik heb Mamut gevraagd of het goed weer blijft en waar de kudde nu ongeveer kan zijn. Hij zegt dat de voortekens goed zijn en dat de kudde niet ver weg is. Hij zei nog iets, maar dat begreep ik niet. Hij zei "de weg naar buiten is ook de weg naar binnen." Begrijp jij daar iets van?'

'Nee, maar dat is niets bijzonders. Degenen Die de Moeder Dienen zeggen vaak dingen die ik niet begrijp.' Jondalar glimlachte. 'Ze spreken met een schaduw op hun tong.'

'Soms vraag ik me af of ze zelf wel weten wat ze bedoelen,' zei Talut.

'Als we gaan jagen, wil ik je iets laten zien dat we misschien kunnen gebruiken.' Jondalar nam hen mee naar hun slaapplaats in de Mammoetvuurplaats. Hij pakte een handvol lichtgewicht speren en een toestel dat Talut niet kende. 'Ik heb dat bedacht in de vallei van Ayla en sindsdien hebben we ermee gejaagd.'

Ayla stond erbij te kijken en voelde zich buitengewoon gespannen. Ze zou dolgraag mee willen, maar ze wist niet hoe deze mensen dachten over vrouwen die op jacht gaan. Het jagen had haar in het verleden veel verdriet bezorgd. De vrouwen van de Stam mochten niet jagen. Ze mochten ook geen wapens aanraken, maar ondanks dat verbod had ze zichzelf geleerd om een slinger te gebruiken en ze was zwaar gestraft toen ze het merkten. Toen ze dat had doorstaan, mocht ze af en toe wel eens jagen om de krachtige totem die haar had beschermd te bevredigen, maar voor Broud was het een reden te meer geweest om haar te haten en uiteindelijk had het bijgedragen tot haar verbanning.

Maar het jagen met de slinger had haar kansen vergroot toen ze alleen in de vallei woonde en het had haar de prikkel en aanmoediging gegeven om haar vaardigheid verder te ontwikkelen. Ayla had zich in leven kunnen houden dankzij de vaardigheden die ze als vrouw van de Stam had geleerd en haar intelligentie en moed gaven haar het vermogen om voor zichzelf te zorgen. Maar de jacht was voor haar meer gaan betekenen dan een mogelijkheid om staande te blijven, het had haar onafhankelijk en vrij gemaakt en dat wou ze niet zo maar opgeven.

'Ayla, waarom pak jij je speerwerper ook niet?' vroeg Jondalar en toen wendde hij zich weer tot Talut. 'Ik heb meer kracht, maar Ayla mikt beter dan ik. Zij kan je beter laten zien hoe het werkt, denk ik. Trouwens als je een demonstratie wilt zien in richten, moet je haar met een slinger bezig zien. Ik denk dat ze daar voordeel van heeft bij dit apparaat, omdat ze zo goed is met de slinger.'

Ayla slaakte een zucht van verlichting nu de spanning was gebroken en ze haalde haar speerwerper met de speren terwijl Jondalar met Talut stond te praten. Het was nog altijd een raadsel hoe gemakkelijk deze man van de Anderen had geaccepteerd dat ze graag op jacht ging, dat ze het goed deed en hoe vanzelfsprekend hij het vond om haar te prijzen.

Hij scheen aan te nemen dat Talut en het Leeuwenkamp het ook zouden accepteren dat ze op jacht ging. Ze keek tersluiks naar Deegie en vroeg zich af wat een vrouw ervan dacht.

'Je moet het moeder laten weten als je een nieuw wapen gaat proberen, Talut. Je weet dat ze het ook graag wil zien,' zei Deegie. 'Ik zal mijn speren ook maar gaan halen. En een tent; misschien moeten we wel overnachten.'

Na het ontbijt liep Talut naar Wymez en hurkte bij een hoekje met losse grond bij een van de kleinere vuren in de kookplaats. Er viel voldoende licht door het rookgat. Er stond een stuk gereedschap in de grond, gemaakt van een bot van een hert. Het had de vorm van een mes of een taps toelopende dolk, met een vlakke, stompe kant die van het kniegewricht tot de punt liep. Talut pakte het vast bij de gewrichtsknobbel en streek met de platte kant de grond vlak. Toen draaide hij het om en begon met de punt lijnen te trekken. Er kwamen verscheidene mensen omheen staan.

'Wymez zei dat hij de bizons niet ver van de drie grote rotsformaties in het noordoosten heeft gezien, bij het riviertje dat stroomopwaarts in de grote rivier uitkomt,' begon het stamhoofd terwijl hij met het mes een ruwe schets van het gebied tekende. De kaart die Talut tekende was meer schematisch dan een benadering van een visuele reproductie. Het was niet nodig om de plaats nauwkeurig uit te beelden. De mensen van het Leeuwenkamp kenden hun omgeving en zijn tekening was slechts bedoeld als geheugensteuntje om ze te herinneren aan een plaats die ze kenden. Hij bestond uit punten en lijnen die herkenningspunten of gedachten aanduidden die werden begrepen.

Op zijn kaart stond niet de loop van het water; ze kenden het land niet in vogelvlucht. Hij tekende zigzaglijnen in visgraatmotief om de rivier aan te geven en verbond ze aan beide zijden voor een zijrivier. Op de begane grond, in hun open vlakte, waren rivieren watermassa's die zich soms samenvoegden.

Ze wisten waar de rivieren vandaan kwamen en waar ze heen gingen en dat men rivieren kon volgen naar een zekere bestemming, maar dat gold ook voor andere herkenningspunten en een rotsformatie veranderde niet zo snel. Een gebied dat zo dicht bij een gletsjer lag, was onderhevig aan de veranderingen van de seizoenen door de lage breedtegraad. Het landschap onderging voortdurend ingrijpende veranderingen door het ijs en de altijd bevroren ondergrond. Met uitzondering van de grootste rivieren kon de loop van het water van het ene jaargetijde op het andere net zo gemakkelijk door de overstromingen worden gewijzigd als de winterse ijslagen bij invallende dooi in moerassen veranderden. Het beeld dat de mammoetjagers zich van hun omgeving vormden was dat van een samenhangend geheel waarin de rivieren slechts onderdelen waren. Talut had er ook geen idee van om de lijnen op schaal te tekenen en de lengte van een rivier aan te geven in kilometers of uren gaans. Zulke afstandsmaten hadden niet veel waarde. Ze gaven de afstanden niet aan door te zeggen hoe ver iets was, maar hoeveel tijd het kostte om er te komen en dat werd weer aangeduid met een aantal streepjes die de dagen aangaven of andere tekens voor de benodigde tijd. Dan nog kon een plaats voor de een verder weg liggen dan voor de ander, of eenzelfde plaats kon in het ene jaargetijde verder weg zijn dan in het andere omdat het meer tijd kostte om er te komen. De afstand die door het hele kamp werd afgelegd werd gemeten naar de tijd die de langzaamsten nodig hadden. Voor de leden van het Leeuwenkamp was Taluts kaart volkomen duidelijk, maar Ayla, die geboeid had toegekeken, begreep er niets van.

'Wymez, zeg eens waar ze waren,' zei Talut.

'Aan de zuidkant van de zijrivier,' antwoordde Wymez en hij trok er met het mes nog een paar lijnen bij. 'Het is daar rotsachtig, met steile wanden, maar het rivierdal is vrij breed.'

'Als ze stroomopwaarts blijven gaan, zijn er aan die kant niet veel ontsnappingsmogelijkheden,' zei Tulie.

'Mamut, wat denk je?' vroeg Talut. 'Je zei dat ze nog niet veel verder zijn getrokken.'

De oude medicijnman pakte het tekenmes en wachtte even met gesloten ogen. 'Tussen de tweede en de laatste heuvel komt er een zijrivier bij,' zei hij terwijl hij tekende. 'Die weg zullen ze wel volgen omdat ze denken dat ze er daar uit kunnen.'

'Die plaats ken ik,' zei Talut. 'Als je stroomopwaarts gaat, wordt het rivierdal nauwer en het loopt dood op een steile rotswand. Dat is een goede plaats om ze in te jagen. Hoeveel zijn er?'

Wymez pakte het mes en zette een aantal streepjes aan de kant, aarzelde even en deed er nog een bij. 'Zoveel heb ik er gezien, dat kan ik met zekerheid zeggen,' zei hij en hij stak het benen mes in de grond.

Tulie pakte het en deed er nog drie streepjes bij. 'Die zag ik erachteraan komen, los van de groep. Een leek nog heel jong, of misschien was hij zwak.'

Danug pakte het mes en zette er nog een streep bij. 'Ik denk dat het een tweeling was. Ik zag er nog een die achterbleef. Heb jij er ook twee gezien, Deegie?'

'Ik herinner het me niet.'

'Zij had alleen maar oog voor Branag,' zei Wymez vriendelijk lachend.

'Die plaats ligt ongeveer een halve dag hiervandaan, nietwaar?' vroeg Talut.

Wymez knikte. 'Een halve dag, als je flink doorstapt.'

'Dan moeten we meteen vertrekken.' Het stamhoofd dacht even na. 'Het is al een tijdje geleden dat ik daar ben geweest. Ik zou wel eens willen weten hoe het erbij ligt. Ik vraag me af...'

'Als er iemand is die snel voor ons uit gaat om het gebied te verkennen, dan kan die ons verslag uitbrengen,' zei Tulie, die vermoedde wat haar broer dacht.

'Het is een heel eind om hard te lopen...' zei Talut en hij keek naar Danug. De lange jongen wou iets zeggen, maar Ayla was hem voor.

'Het is voor paard niet ver. Paard loopt snel. Ik kan op Whinney gaan... maar ik weet de plaats niet,' zei ze.

Talut keek eerst even verbaasd, maar toen glimlachte hij. 'Ik zou je een kaart kunnen geven! Zo een als deze,' zei hij en wees naar de tekening op de grond. Hij keek om zich heen en zag bij de brandstofvoorraad een scherf ivoor liggen. Hij pakte zijn scherpe vuurstenen mes. 'Kijk, je gaat naar het noorden tot je bij de grote rivier komt.' Hij kraste zigzaglijnen om water aan te geven. 'Je moet eerst over een kleinere. Daar moet je niet in de war raken.'

Ayla fronste haar wenkbrauwen. 'Ik begrijp kaart niet,' zei ze. 'Ik heb nog nooit kaart gezien.'

Talut keek teleurgesteld en gooide de scherf weer op de hoop.

'Zou er niet iemand met haar mee kunnen gaan?' stelde Jondalar voor. 'Het paard kan er twee dragen. Ik heb wel samen met haar gereden.'

Talut lachte weer. 'Dat is een goed idee! Wie wil er mee?'

'Ik ga wel! Ik weet de weg,' riep iemand en er volgde snel een tweede. 'Ik weet de weg. Ik kom er net vandaan.' Latie en Danug hadden allebei geroepen en verscheidene anderen leken ook wel bereid.

Talut keek van de een naar de ander, toen trok hij zijn schouders omhoog, stak beide handen uit en keek naar Ayla. 'Jij mag kiezen.'

Ayla keek naar de jongeman, die bijna net zo groot was als Jondalar, met hetzelfde rode haar als Talut en een beginnende baardgroei. Toen keek ze naar het lange, slanke meisje, dat nog geen vrouw was, al scheelde het niet veel, met haar donkerblonde haar dat iets lichter was dan dat van Nezzie. In de ogen van beiden lag een uitdrukking van vurige hoop. Ze wist niet wie ze moest kiezen. Danug was bijna een man. Ze vond dat ze hem moest nemen, maar Latie had iets dat Ayla aan haarzelf herinnerde en ze wist nog hoe verlangend het meisje had gekeken toen ze de paarden voor het eerst zag.

'Ik denk Whinney gaat sneller met niet te veel gewicht. Danug is man,' zei Ayla en ze glimlachte vriendelijk naar hem. 'Ik denk deze keer Latie beter.'

Danug knikte. Hij keek verward, trok zich terug en probeerde de emoties de baas te worden die hem totaal onverwacht overvielen. Het was een grote teleurstelling voor hem dat Latie was gekozen, maar hij was helemaal ondersteboven van Ayla's glimlach toen ze hem een man noemde. Het bloed steeg naar zijn wangen en zijn hart klopte sneller. Hij kreeg ook een vreemd gevoel in zijn mannelijke organen.

Latie rende weg om de warme, lichtgewicht rendierhuiden aan te trekken die ze droeg als ze reisde en pakte haar proviandtas. Nezzie deed er eten in en vulde de waterzak, zodat ze al buiten stond, gereed voor vertrek, voor Ayla zich had verkleed. Ze keek toe hoe Jondalar Ayla hielp bij het vastmaken van de manden aan Whinneys draagstel. Ayla deed in de ene mand het eten voor onderweg dat ze van Nezzie kreeg, samen met de waterzak op haar andere spullen en Laties proviandtas in de andere. Toen pakte ze Whinney bij de manen en met een sprong zat ze op haar rug. Jondalar hielp het meisje opstijgen. Latie zat voor Ayla en vanaf de rug van het paard keek ze naar de mensen van haar kamp. Haar ogen straalden van blijdschap.

Danug kwam wat verlegen dichterbij en gaf Latie de scherf ivoor. 'Hier, ik heb de kaart afgemaakt waar Talut aan was begonnen. Dan kunnen jullie het gemakkelijker vinden,' zei hij.

'O, Danug. Dank je wel!' zei Latie en ze trok hem naar zich toe voor een omhelzing.

'Ja. Bedankt, Danug,' zei Ayla met een glimlach die zijn hart sneller deed kloppen.

Zijn gezicht werd bijna zo rood als zijn haar. Toen de vrouw en het meisje de helling op reden, wuifde hij hen na.

Jondalar had een arm om de nek van het jonge paard, dat het hoofd omhoogstak en probeerde mee te gaan. Zijn andere arm legde hij om de schouder van de jongeman. 'Dat was heel aardig van je. Ik weet dat je graag mee wou. Maar ik weet zeker dat je een andere keer wel op het paard kunt rijden.' Danug knikte alleen maar. Hij dacht op dat moment niet direct aan paardrijden.

Toen ze op de steppen kwamen, liet Ayla het paard met een lichte druk en bewegingen van haar lichaam voelen dat ze sneller wou, in noordelijke richting. De grond vervaagde onder de snelle hoeven en Latie kon nauwelijks geloven dat ze op de rug van een paard over de steppen rende. Toen ze vertrokken, had ze opgetogen geglimlacht en dat was nog wel zo, maar af en toe sloot ze haar ogen en boog voorover om de wind in haar gezicht te voelen. Ze was heel blij en had nooit gedroomd dat iets zo opwindend kon zijn.

De rest van de jagers volgde kort na hun vertrek. Iedereen die ertoe in staat was en wilde ging mee. Van de Leeuwenvuurplaats gingen drie jagers mee. Latie was nog jong en mocht pas sinds kort met Talut en Danug mee. Ze wou altijd graag, net als haar moeder toen die jonger was, maar Nezzie ging niet zo vaak meer mee op jacht. Ze bleef thuis om op Rugie, Rydag en andere kinderen te passen. Sinds ze Rydag had, was ze niet vaak meer gaan jagen.

De Vossenvuurplaats telde maar twee mannen, Wymez en Ranec, en ze jaagden beiden, maar van de Mammoetvuurplaats was er niemand, behalve de gasten, Ayla en Jondalar. Mamut was te oud. Hij jaagde niet.

Manuv bleef thuis, hoewel hij graag mee zou gaan, maar hij kon niet snel genoeg meekomen. Tronie bleef bij Nuvie en Hartal. Een enkele keer, bij een drijfjacht, als zelfs de kinderen konden helpen, ging ze wel mee. Tornec was de enige jager van de Rendiervuurplaats, net als Frebec de enige was van de Kraanvogelvuurplaats. Fralie en Crozie bleven in het kamp, bij de twee jongens, Crisavec en Tasher.

Tulie vond bijna altijd wel een mogelijkheid om mee te gaan, ook toen ze kleine kinderen had en de Oerosvuurplaats was goed vertegenwoordigd. Behalve de leidster gingen Barzec, Deegie en Druwez mee. Brinan deed zijn best om toestemming van zijn moeder te krijgen, maar hij werd bij Nezzie achtergelaten, samen met zijn zusje Tusie en hij werd gesust met de mededeling dat hij spoedig groot genoeg was.

De jagers liepen gezamenlijk de helling op en Talut zette er flink de pas in toen ze op het vlakke grasland waren.

'Ik vind eigenlijk ook dat de dag te mooi is om hem niet te benutten,' zei Nezzie. Ze zette haar kom neer en praatte tegen de groep die om het buitenvuur was gaan zitten nadat de jagers waren vertrokken. Ze dronken thee en waren bijna klaar met het ontbijt. 'Het graan is rijp en droog en ik wou nog een dag aan het werk om zoveel mogelijk binnen te halen. Als we in de richting van dat dennenbos gaan, bij de kleine rivier, kunnen we meteen de rijpe dennenappels verzamelen als er tijd voor is. Wie gaat er mee?'

'Ik weet niet of Fralie wel zo ver kan lopen,' zei Crozie.

'O, moeder,' zei Fralie. 'Een wandeling zal me goed doen en als het weer straks omslaat, moeten we allemaal het grootste deel van de tijd binnenblijven. Dat komt gauw genoeg. Ik wil graag mee, Nezzie.'

'Dan kan ik beter meegaan. Al help ik je alleen maar met de kinderen,' zei Crozie, op een toon alsof ze zich opofferde, hoewel het idee er eens uit te zijn haar goed toeleek.

Tronie kwam er eerlijk voor uit. 'Wat een goed idee, Nezzie! Ik kan Hartal wel in de rugtas doen en dan kan ik Nuvie dragen als ze moe wordt. Een dag buiten vind ik het mooiste wat er is.'

'Ik draag Nuvie wel. Jij hoeft er geen twee te dragen,' zei Manuv. 'Maar ik denk dat ik dennenappels ga zoeken. Dan laat ik het graan aan jullie over.'

'Ik denk dat ik ook meega, Nezzie,' zei Mamut. 'Misschien vindt Rydag het niet erg om een oude man gezelschap te houden en mogelijk kan hij me nog wat van Ayla's gebaren leren, omdat hij er zo goed in is.'

'Jij bent heel goed in gebaren, Mamut,' seinde Rydag. 'Je leert de gebaren snel. Misschien kun je mij leren.'

'Misschien kunnen we van elkaar leren,' seinde Mamut terug.

Nezzie glimlachte. De oude man had het kind van gemengde geesten nooit anders behandeld dan de andere kinderen van het kamp, behalve dan dat hij extra rekening hield met zijn zwakheid en hij had haar vaak geholpen met Rydag. Er scheen een speciale band tussen hen te bestaan en ze vermoedde dat Mamut meeging om de jongen bezig te houden terwijl de anderen aan het werk waren. Ze wist dat hij er ook voor kon zorgen dat niemand onwillekeurig druk op Rydag uitoefende om sneller te lopen dan hij kon. Mamut kon wat langzamer aan doen en het op zijn leeftijd gooien als hij zag dat de jongen zich te veel inspande. Dat had hij al eens eerder gedaan.

Toen iedereen buiten klaarstond, met manden, waterdichte leren kleden, waterzakken en eten voor het middagmaal, stak Mamut voor de ingang een ivoren beeldje van een vrouw in de grond. Hij sprak een paar woorden die hij alleen zelf begreep en maakte suggestieve gebaren. Iedereen ging weg, het huis zou leeg zijn en hij riep de Geest van Mut, de Grote Moeder, aan om de woning tijdens hun afwezigheid te bewaken en te beschermen.

Niemand zou het verbod overtreden om naar binnen te gaan. Dat bleek uit het beeld van de Moeder voor de ingang. Ook wanneer iemand in grote verlegenheid verkeerde, zou hij de gevolgen niet willen riskeren. In uiterste nood – wanneer iemand gewond was of in een sneeuwstorm terecht was gekomen en onderdak zocht – zou men onmiddellijk maatregelen nemen om een mogelijk boze en wraakzuchtige beschermer gunstig te stemmen. Er zou zo spoedig mogelijk een schadeloosstelling worden gegeven door de persoon, de familie of het kamp, met een grotere waarde dan alles wat was gebruikt. Er zouden geschenken worden gegeven aan de leden van de Mammoetvuurplaats om de Geest van de Grote Moeder tevreden te stellen met smeekbeden en beloften voor de toekomst of activiteiten ter compensatie. Wat Mamut deed, was doeltreffender dan welke afsluiting ook.

Toen Mamut klaar was, hees Nezzie een draagmand op haar rug en trok de riem over haar hoofd. Ze tilde Rydag op en zette hem op haar brede heup om hem de helling op te dragen. Rugie, Tusie en Brinan stuurde ze vooruit, de steppen op. De anderen volgden haar en spoedig liep de andere helft van het kamp over de open grasvlakte op weg naar het graan dat gezaaid was en hun door de Grote Aardmoeder werd aangeboden. Dit werk, dat een bijdrage leverde aan hun levensonderhoud, werd niet minder gewaardeerd dan dat van de jagers, maar het was meer dan alleen werk. De gezelligheid van het samenzijn gaf plezier in het werk.

Ayla en Latie gingen spattend door een ondiepe rivier, maar Ayla hield het paard wat in toen ze door de volgende, wat bredere stroom moesten.

'Moeten we deze rivier volgen?' vroeg Ayla.

'Ik geloof het niet,' zei Latie en ze raadpleegde de figuren op het stuk ivoor. 'Nee, kijk maar. Dit was de kleine die we overstaken. Deze steken we ook over, en dan moeten we de volgende stroomopwaarts volgen.'

'Lijkt hier niet diep. Is een goede plaats om over te steken?'

Latie keek de rivier langs. 'Een stukje verder is een betere plaats. Daar hoeven we alleen onze laarzen uit te doen en onze broekspijpen op te rollen.'

Ze gingen verder stroomopwaarts, maar toen ze de brede, ondiepe oversteekplaats bereikten, waar het water schuimend om de rotsen stroomde, stopte Ayla niet. Ze stuurde Whinney het water in en liet het paard zelf haar weg zoeken. Aan de overkant ging het paard weer over in galop en Latie glunderde.

'We zijn niet eens nat geworden!' riep het meisje. 'Maar een paar spatjes.'

Toen ze bij de volgende rivier kwamen en naar het oosten afsloegen, vertraagde Ayla het tempo een poosje om Whinney wat rust te gunnen. Ook de langzame gang van het paard was nog wel sneller dan een mens kon lopen, of lang kon volhouden, zodat ze snel opschoten. Het landschap veranderde toen ze verder kwamen. Het werd ruiger en geleidelijk aan meer geaccidenteerd. Toen Ayla stilhield en op een rivier wees die van de andere kant kwam, was Latie verbaasd. Ze had niet verwacht de zijrivier zo gauw te zien, maar Ayla wel, want die zag het aan de stroming in het water. Van de plaats waar ze stonden waren drie grote granieten rotsformaties te zien, een getande barrière aan de overkant en nog twee aan hun kant, stroomopwaarts in een hoek.

Ze volgden hun tak van de rivier en zagen dat die afboog naar de rotsformaties. Toen ze bij de eerste kwamen, zagen ze dat de rivier ertussendoor stroomde. Na het passeren van de rotsen zagen ze op geringe afstand verscheidene ruigharige donkere bizons grazen van het nog groene gras en riet aan de waterkant. Ze wees ernaar en fluisterde in Laties oor: 'Niet luid praten. Kijk.'

'Daar zijn ze!' zei Latie met gedempte stem en ze probeerde haar opwinding te onderdrukken.

Ayla draaide haar hoofd om en stak een natte vinger omhoog om de windrichting te bepalen. 'De wind komt hierheen. Goed. Ik wil ze niet storen voor we klaar zijn voor de jacht. Bizons kennen paarden. Op Whinney komen we dichterbij, maar niet te veel.'

Ayla leidde het paard om verder stroomopwaarts te kijken, waarbij ze zorgvuldig de dieren ontweek en toen ze tevreden was, ging ze langs dezelfde weg terug. Een grote oude koe, die lag te herkauwen, stak de kop omhoog en keek naar hen. De punt van de linkerhoren was afgebroken. De vrouw liet Whinney zo langzaam lopen dat haar bewegingen natuurlijker werden en de ruiters hielden de adem in. De merrie bleef even staan en liet haar hoofd zakken om wat grassprietjes te eten. Paarden graasden niet als ze nerveus waren en deze handeling scheen de bizon gerust te stellen. Ze begon zelf ook weer te grazen. Ayla draaide zo snel mogelijk om de kleine kudde heen en liet Whinney toen stroomafwaarts galopperen. Bij de herkenningspunten die ze op de heenreis hadden gezien, bogen ze af naar het zuiden. Bij het oversteken van de volgende rivier stopten ze even om te drinken en gingen toen verder naar het zuiden.

De groep jagers was net over het eerste riviertje toen Jondalar voelde dat Renner aan zijn halster rukte, in de richting van een naderende stofwolk. Hij stootte Talut aan en wees. Het stamhoofd keek in die richting en zag Latie en Ayla op Whinney naderbij komen. De jagers hoefden niet lang te wachten voor het paard met de berijdsters steigerend tot stilstand kwam. Latie straalde. Haar ogen schitterden en ze had een blos van opwinding op de wangen toen Talut haar eraf hielp. Toen sloeg Ayla haar been omhoog en liet zich van het paard glijden terwijl ze allemaal om haar heen kwamen staan.

'Konden jullie ze niet vinden?' vroeg Talut en hij drukte de bezorgdheid uit die iedereen voelde. Een ander uitte die bijna op hetzelfde moment, maar op een duidelijk andere toon.

'Jullie hebben ze ook niet gevonden. Ik dacht al dat het niets zou helpen op een paard vooruit te draven,' zei Frebec spottend.

Latie werd boos en antwoordde hem verbaasd: 'Wat bedoel je met "jullie hebben ze ook niet gevonden"? We hebben de plaats gevonden en we hebben de bizons ook gezien!'

'Wou je beweren dat jullie daar al zijn geweest?' vroeg hij en hij schudde ongelovig zijn hoofd.

'Waar zijn de bizons nu?' vroeg Wymez aan de dochter van zijn zuster zonder verder aandacht te besteden aan Frebec en zijn hatelijke opmerking.

Latie stapte naar de draagmand aan Whinneys zijde en haalde het stuk ivoor met de tekening eruit. Toen trok ze het vuurstenen mes uit de schede aan haar zij, ging op de grond zitten en kraste er nog een paar tekens bij.

'De zuidelijke zijtak gaat hier tussen twee rotsformaties door,' zei ze. Wymez en Talut gingen naast haar zitten en knikten instemmend, terwijl Ayla en een paar anderen meekeken. 'De bizons liepen achter de rotsen, waar het dal breder wordt en langs de rivier nog wat voedsel groeit. Ik heb vier jongen gezien...' 'Ze trok onder het vertellen vier korte evenwijdige streepjes.

'Ik denk vijf,' verbeterde Ayla.

Latie keek Ayla aan en knikte. Ze zette er nog een streepje bij. 'Je had gelijk, Danug, over die tweelingen. Er zijn jongen en zeven koeien...' Ze keek weer naar Ayla om te zien of zij het ermee eens was. De vrouw knikte bevestigend en Latie tekende er nog zeven evenwijdige lijnen bij, iets langer dan de eerste. 'Maar vier met jongen, geloof ik.' Ze dacht even na. 'Verderop waren er meer.'

'Vijf jonge stieren,' voegde Ayla eraan toe, 'en twee of drie andere. Niet zeker, misschien meer. Hebben we niet gezien.'

Latie trok vijf lijnen die iets groter waren, apart van de eerste, en toen nog drie kleinere tussen de twee groepjes. Ze kraste een klein dwarsstreepje om aan te geven dat ze klaar was. Dat was het totale aantal bizons dat ze hadden gezien. Haar streepjes waren door de lijnen gegaan die eerder in het ivoor waren gekrast, maar dat hinderde niet. Die hadden hun dienst gedaan.

Talut nam het stuk ivoor over van Latie en bekeek het aandachtig. Toen keek hij naar Ayla. 'Je hebt niet toevallig opgemerkt in welke richting ze gingen, of wel?'

'Stroomopwaarts, denk ik. We trokken voorzichtig om de kudde heen. Niet storen. Andere kant geen sporen, niet gegraasd,' zei Ayla.

Talut knikte en wachtte even. Hij zat kennelijk na te denken. 'Je zei dat jullie om ze heen zijn getrokken. Ben je ver stroomopwaarts gegaan?'

'Ja.'

'Zover ik me herinner wordt het dal smaller, tot het eindigt met hoge rotsen in de rivier. En daar is geen doorgang, klopt dat?'

'Ja... maar misschien doorgang.'

'Een doorgang?'

'Voor hoge rotsen steile wand, bomen, dicht kreupelhout met doorns. Maar bij de rotsen ligt droog rivierbed. Als steil pad. Is doorgang, denk ik,' zei ze.

Talut fronste zijn wenkbrauwen, keek naar Wymez en Tulie en begon luid te lachen.

'De weg eruit is ook de weg erin! Dat zei Mamut!'

Wymez keek even verbaasd, maar toen begon hij begrijpend te grijnzen. Tulie keek van de een naar de ander. Toen begon ze het te begrijpen.

'Natuurlijk! We kunnen er langs die weg in gaan en een hinderlaag opzetten om ze in te jagen. Dan gaan we langs de andere weg om ze heen en drijven ze erin,' zei Tulie en ze legde het de anderen uit. 'Er zal iemand op moeten passen dat ze ons niet in de gaten krijgen en teruggaan, stroomafwaarts, terwijl wij aan het bouwen zijn.'

'Dat lijkt me een goed karweitje voor Danug en Latie,' zei Talut.

'Ik denk dat Druwez ze wel kan helpen,' voegde Barzec eraan toe, 'en als jullie vinden dat er meer hulp nodig is, ga ik ook wel mee.'

'Goed!' zei Talut. 'Waarom zou je niet met hen meegaan, stroomopwaarts. Ik weet een kortere weg om achter in het dal te komen. Die nemen we hier. Jullie houden ze ingesloten en zodra we de val klaar hebben, komen we terug om mee te helpen ze erin te drijven.'

7

De droge rivierbedding bestond uit een strook opgedroogde modder en stenen, tussen steile beboste heuvels, met kreupelhout langs de oever. Hij liep naar een smal dal met een snelstromende rivier, die zich met een reeks stroomversnellingen en lage watervallen langs de opdringende rotsen wrong. Ayla was naar beneden geweest en kwam terug voor de paarden. Whinney en Renner waren gewend aan het steile pad naar haar grot in de vallei en ze vonden zonder veel moeite hun weg naar beneden.

Ze nam Whinney het draagstel voor de manden af zodat ze vrij kon grazen. Jondalar was er niet voor om Renner de halster af te doen, omdat ze dan weinig macht over hem hadden en hij was nu groot genoeg om onhandelbaar te worden als hij het in zijn hoofd kreeg. Omdat hij evengoed wel kon grazen, stemde ze ermee in hoewel ze hem liever volledige vrijheid gaf. Ze besefte daardoor wel het verschil tussen Renner en zijn moeder. Whinney was altijd gekomen als zij dat wou, maar Ayla had ook veel tijd aan het paard besteed – ze had niemand anders gehad. Renner had Whinney en hij had minder contact met haar. Misschien moest zij, of Jondalar, meer tijd aan hem besteden en proberen hem wat te leren, dacht ze.

Het werk aan de versperring vorderde al aardig toen Ayla kwam helpen. Deze werd gemaakt van allerlei materiaal dat ze konden vinden, keien, botten, bomen en takken. Het werd opgestapeld en samengepakt. De rijk gevarieerde fauna op de koude vlakten vernieuwde zich voortdurend en de oude skeletten die her en der verspreid lagen werden vaak door snelstromende rivieren meegesleurd en opgehoopt. Een kort onderzoek stroomafwaarts had een berg beenderen opgeleverd en de jagers sleepten grote botten van poten en ribben naar de plaats waar werd gebouwd, bij de droge rivierbedding die ze afsloten. De versperring moest stevig genoeg zijn om de kudde op te vangen, maar was niet bedoeld als blijvend. Hij werd maar één keer gebruikt en zou de lente waarschijnlijk niet overleven, wanneer de rivier zou aanzwellen tot een woeste stroom.

Ayla keek hoe Talut met een reusachtige stenen bijl zwaaide alsof het een stuk speelgoed was. Hij had zijn hemd uitgetrokken en zweette enorm terwijl hij zich een weg kapte door een groep kaarsrechte jonge bomen. Hij velde ze met twee of drie slagen. Tornec en Frebec, die ze wegsleepten, konden hem niet bijhouden. Tulie wees waar ze moesten liggen. Ze had een bijl die bijna net zo groot was als die van haar broer en ging er net zo gemakkelijk mee om. Ze hakte de bomen in tweeën of verbrijzelde een bot om het passend te maken. Er waren niet veel mannen die de kracht bezaten van de leidster.

'Talut!' riep Deegie. Ze droeg het voorste stuk van een hele slagtand van een mammoet, die meer dan vier meter lang was. Wymez en Ranec ondersteunden het midden en het eind. 'We hebben wat mammoetbotten gevonden. Wil je deze in stukken hakken?'

De roodharige reus grijnsde. 'Deze oude kolos moet een lang leven hebben gehad!' zei hij en hij ging met gespreide benen over de tand staan toen ze hem neerlegden.

Taluts enorme spieren spanden zich toen hij de bijl, met de afmetingen van een moker, ophief en de lucht trilde onder de slagen terwijl de splinters en scherven alle kanten op vlogen. Ayla werd alleen al geboeid als ze zag hoe de sterke man het zware stuk gereedschap zo knap en gemakkelijk hanteerde. Maar de prestatie was voor Jondalar nog verbazingwekkender. Ayla was er meer aan gewend om mannen sterke staaltjes van spierkracht te zien leveren. Hoewel zij veel groter was, waren de mannen van de Stam zwaarder gespierd en buitengewoon krachtig gebouwd. Ook de vrouwen waren uitgesproken sterk en toen Ayla groter werd verwachtte men van haar dat ze de taken verrichtte van een vrouw van de Stam, zodat zij ook buitengewoon sterke spieren kreeg in verhouding tot haar dunne botten.

Talut legde de bijl neer, hees het achterste stuk van de slagtand op zijn schouder en bracht het naar de afsluiting. Ayla pakte de reusachtige bijl, hoewel ze wist dat ze hem niet kon hanteren. Ook Jondalar vond hem te zwaar om er goed mee te kunnen werken. Dit stuk gereedschap was alleen geschikt voor het grote stamhoofd. Ze hesen samen de andere helft van de tand op hun schouders en volgden Talut.

Jondalar en Wymez bleven om de onhandelbare stukken ivoor tussen de keien te klemmen; dat vormde een stevige barrière tegen iedere aanstormende bizon. Ayla ging samen met Deegie en Ranec meer botten halen. Jondalar draaide zich om en keek hen na. Hij moest een paar keer slikken toen hij zag dat de donkere man naast Ayla ging lopen en een opmerking maakte waar zij en Deegie om moesten lachen. Talut en Wymez zagen beiden de hoogrode kleur op het gezicht van hun knappe jonge gast en wierpen elkaar een betekenisvolle blik toe, maar ze zeiden niets.

Het laatste onderdeel van de versperring was het hek. Aan de ene kant van de opening in de hindernis werd een stevige jonge boom geplaatst. De takken waren verwijderd. Hij werd in een gat gezet met een berg stenen eromheen en werd met riemen vastgebonden aan de zware slagtanden. Het hek zelf werd gemaakt van botten, takken en mammoetribben, stevig vastgemaakt aan dwarsstukken van bomen die op maat waren gehakt. Enige mensen hielden het hek op zijn plaats terwijl anderen zorgden dat het draaibaar in leren banden kwam te hangen. Bij het andere eind werden keien en zware botten opgestapeld die voor het hek konden worden geschoven zodra het dicht was.

Toen alles klaar was, was het middag en stond de zon nog vrij hoog. Omdat iedereen meehielp, had het opvallend weinig tijd gekost om de val te bouwen. Ze gingen om Talut heen zitten en aten van het gedroogde voedsel dat ze hadden meegenomen. De verdere plannen werden besproken.

'Het moeilijkste zal zijn om ze door het hek te krijgen,' zei Talut. 'Als we er een in hebben, zullen de andere wel volgen. Maar als ze het hek passeren en in deze kleine ruimte rondlopen, gaan ze naar de waterkant. De rivier is hier vrij woest en sommige halen het niet, maar daar hebben wij niets aan. Dan zijn we ze kwijt. We kunnen dan alleen nog hopen op een verdronken karkas ergens stroomafwaarts.'

'Dan moeten we ze tegenhouden,' zei Tulie. 'Zorgen dat ze niet voorbij de val komen.'

'Hoe?' vroeg Deegie.

'We zouden nog een versperring kunnen bouwen,' stelde Frebec voor. 'Hoe weet je bizons gaan niet in water als ze bij die versperring komen?' vroeg Ayla.

Frebec bekeek haar uit de hoogte, maar Talut was hem voor en zei: 'Dat is een goede vraag, Ayla. Bovendien, er ligt hier niet veel materiaal meer om versperringen te bouwen.'

Frebec wierp haar een woedende blik toe. Hij had het gevoel dat ze hem belachelijk had gemaakt.

'Alles wat we kunnen bouwen om die weg te blokkeren, zou kunnen helpen, maar ik geloof dat daar iemand moet staan om ze erin te drijven. Dat kon wel eens een gevaarlijke plaats worden,' vervolgde Talut.

'Daar ga ik wel staan. Het is een goede plaats om de speerwerper te gebruiken waar ik je over vertelde,' zei Jondalar en hij liet het vreemde toestel zien. 'Je kunt er niet alleen verder mee komen, maar de worp krijgt ook meer kracht dan met de hand. Als je goed mikt, is een speer op korte afstand dodelijk.'

'Is dat zo?' vroeg Talut en hij keek Jondalar aan met hernieuwde belangstelling. 'We moeten er later maar eens verder over praten, maar goed, als je wilt kun je daar gaan staan. Ik denk dat ik erbij kom.'

'En ik ook,' zei Ranec.

Jondalar wierp een fronsende blik op de donkere man. Hij wist niet of hij daar wel zo graag wilde staan met de man die zo duidelijk geïnteresseerd was in Ayla.

'Ik blijf hier ook,' zei Tulie. 'Maar in plaats van nog een versperring kunnen we beter voor ieder van ons afzonderlijke steenhopen maken om achter te staan.'

'Of om achter weg te rennen,' merkte Ranec geestig op. 'Hoe kom je op het idee dat ze niet achter ons aan komen?'

'Nu we besloten hebben wat we doen als ze hier zijn, moeten we bespreken hoe we ze hier krijgen,' zei Talut, die naar de stand van de zon keek. 'Het is een heel eind om achter ze te komen. Misschien wordt het te laat.'

Ayla had heel aandachtig geluisterd. Ze herinnerde zich hoe de mannen van de Stam plannen voor de jacht bespraken en vooral toen ze met haar slinger begon te jagen had ze vaak mee willen gaan. Deze keer hoorde ze bij de jagers. Ze had gemerkt dat Talut eerder naar haar had geluisterd en herinnerde zich hoe vlot ze haar aanbod hadden geaccepteerd om op verkenning te gaan. Dat gaf haar moed om weer een voorstel te doen.

'Whinney kan goed opdrijven,' zei ze. 'Ik dreef vaak kudden op met Whinney. Kan om de bizons heen, vind Barzec en de anderen, drijf bizons snel hierheen. Jullie wachten en drijven ze in val.'

Talut keek naar Ayla, toen naar de jagers en weer naar Ayla. 'Weet je zeker dat je dat kunt?'

'Ja.'

'Hoe moet je om ze heen komen?' vroeg Tulie. 'Ze hebben nu waarschijnlijk wel gemerkt dat we hier zijn, en de enige reden dat ze er nog zijn is dat Barzec en de jongelui ze opgesloten houden. Wie weet hoe lang ze ze nog kunnen tegenhouden? Zou je ze niet de verkeerde kant op drijven wanneer je ze van deze kant nadert?'

'Ik denk niet. Paard stoort bizons niet veel. Maar ik trek rond als jullie willen. Paard gaat sneller dan jullie kunnen lopen,' zei Ayla.

'Ze heeft gelijk. Dat kan niemand ontkennen. Ayla kan er op het paard sneller omheen dan wij,' zei Talut. Toen dacht hij even diep na. 'Ik geloof dat we haar moeten laten gaan, Tulie. Is het echt zo belangrijk of deze jacht slaagt? Het helpt altijd iets, vooral als het een lange, strenge winter wordt, en we zouden wat meer afwisseling hebben, maar we hebben echt voldoende voorraad. We zouden geen gebrek lijden als dit niet lukt.'

'Dat is waar, maar we hebben er veel werk voor gedaan.'

'Het zou niet de eerste keer zijn dat we er hard voor hadden gewerkt en met lege handen thuiskwamen.' Talut wachtte weer even. 'Het ergste wat er kan gebeuren is dat we de kudde verspelen, maar als het goed gaat kunnen we ons voor donker tegoed doen aan bizon en zijn we morgenochtend op de terugweg.'

Tulie knikte. 'Goed, Talut. We proberen het op jouw manier.'

'Je bedoelt Ayla's manier. Ga je gang, Ayla. Kijk maar eens of je de bizons hier kunt brengen.'

Ayla glimlachte en ze floot Whinney. De merrie hinnikte en galoppeerde naar haar toe, gevolgd door Renner. 'Jondalar, houd Renner hier,' zei ze en ze rende naar het paard.

'Vergeet je speer en de werper niet,' riep hij.

Ze bleef staan om ze uit de houder te halen en toen sprong ze op de rug van het paard en reed weg. Jondalar had even zijn handen vol aan het jonge paard, dat niet vastgehouden wilde worden en liever zijn moeder volgde op een leuke rit. Hoe dan ook, Jondalar had geen tijd om de blik van Ranec te zien die Ayla nakeek.

De vrouw, die zonder zadel reed, ging snel door het rivierdal langs de woeste stroom die door een nauwe gang kronkelde, aan beide kanten ingesloten door steile heuvels. Kaal kreupelhout, omzoomd door droog gras, groeide tegen de hellingen en stond ineengedoken op de winderige rotsen, zodat de onherbergzame aanblik van het landschap iets werd verzacht, maar onder de door de wind aangevoerde lösslaag die de spleten vulde, lag de stenen ondergrond. Waar dit kale gesteente tevoorschijn kwam, was het graniet te zien dat tekenend was voor het karakter van deze streek, beheerst door hoge heuvels die tot de kale rotspieken van de opvallende formaties reikten.

Ayla vertraagde het tempo toen ze het gebied naderde waar ze eerder die dag de bizons had gezien, maar ze waren weg. Ze hadden zeker iets gemerkt of iets gehoord van het werken aan de versperring en waren een andere richting ingeslagen. Ze zag de dieren weer net toen ze de schaduw in reed die door de middagzon achter een van de rotsformaties viel en vlak achter de kleine kudde zag ze Barzec staan bij iets dat op een hoopje stenen leek.

Het groene gras tussen de dunne kale bomen bij het water had de bizons de smalle vallei in gelokt, maar als ze eenmaal de rotsen die de rivier flankeerden, waren gepasseerd, was er geen andere weg. Barzec en de jongere jagers hadden gezien hoe de bizons zich langs de rivier verspreidden en af en toe bleven staan om te grazen, maar ze kwamen langzaam het dal uit. Ze hadden ze teruggedreven, maar dat hielp maar even. Omdat ze werden samengedreven, zouden ze de volgende keer met grotere vastberadenheid het dal willen verlaten. Vastberadenheid en frustratie konden leiden tot een stormloop. Ze waren er met hun vieren heen gestuurd om de dieren te beletten weg te gaan, maar ze wisten dat ze een stormloop niet konden keren. Ze konden ze niet blijven opdrijven. Dat kostte te veel inspanning en Barzec wou ze ook niet in paniek de andere kant op laten draven voor de val klaar was. In de stapel stenen bij Barzec stond een stevige tak met een kledingstuk dat flapperde in de wind. Toen zag ze nog meer steenhopen, met staande takken of botten, vrij dicht bij elkaar, tussen de rotsen en het water. Aan elk hing een kledingstuk, een slaapvacht of een tentdoek. Ze hadden ook de boompjes en struiken gebruikt. Overal hing iets en het bewoog in de wind.

De bizons keken onrustig naar deze vreemde verschijningen en wisten niet precies hoe bedreigend ze waren. Ze wilden niet langs dezelfde weg terug, maar ze wilden ook niet vooruit. Een enkele keer liep een bizon naar een van die dingen, maar hij trok zich terug zodra het klapperde. Ze waren ingesloten en bleven uiteindelijk precies waar Barzec ze wilde hebben. Ayla was onder de indruk van het slimme plan.

Ze stuurde Whinney dicht langs de rotsen en probeerde langzaam om de bizons heen te trekken en het wankele evenwicht niet te verstoren. Ze zag de oude koe met de gebroken horen naar voren stappen. Ze vond het niet prettig om belemmerd te worden in haar bewegingen en leek klaar om uit te breken.

Barzec zag Ayla, keek naar de andere jagers en toen weer bezorgd naar haar. Na al hun inspanningen wou hij niet dat zij de bizons de verkeerde kant op zou drijven. Latie ging naast hem staan en ze praatten zachtjes met elkaar, terwijl hij de vrouw en het paard in de gaten hield. Hij had zich zorgen gemaakt over de tijd die het zou kosten om bij hen te komen.

'Waar zijn de anderen?' vroeg Barzec.

'Die wachten,' zei Ayla.

'Waar wachten ze op? Wij kunnen die bizons hier niet eeuwig vasthouden!'

'Ze wachten tot wij de bizons opdrijven.'

'Hoe kunnen wij ze opdrijven? We hebben te weinig mensen. Ze zullen uitbreken. Ik weet niet of we ze nog lang hier kunnen houden, maar het lijkt me nog moeilijker om ze op te drijven. Dan zouden ze wel eens in paniek kunnen raken.'

'Whinney drijft ze wel op,' zei Ayla.

'Gaat het paard ze opdrijven!?'

'Ze heeft eerder opgedreven. Maar beter als jullie meehelpen.'

Danug en Druwez, die zich verspreid hadden om de kudde in de gaten te houden en stenen te gooien wanneer een dier te dichtbij kwam en zich niets aantrok van de flapperende wachtposten, kwamen luisteren wat er werd besproken. Ze waren niet minder verbaasd dan Barzec, maar omdat hun aandacht even verslapte, zagen de dieren hun kans schoon en dat maakte een eind aan hun gesprek.

Ayla zag nog net een reusachtige jonge stier wegspringen, gevolgd door verscheidene andere dieren. Als de ingesloten kudde losbrak, waren ze in een ogenblik allemaal verdwenen. Ze stuurde Whinney eromheen, liet haar speer en werper vallen en ging erachteraan, terwijl ze onderweg een klapperende tuniek van een tak rukte. Ze renden tot vlak voor het dier. Ayla boog voorover en zwaaide met de tuniek. De bizon maakte een zijsprong in een poging haar te ontwijken, maar Whinney draaide weer mee, terwijl Ayla de jonge stier het leer in het gezicht sloeg. Toen hij weer van richting veranderde, liep hij het smalle dal weer in en ontmoette de dieren die hem hadden gevolgd. Whinney en Ayla zaten met de flapperende tuniek vlak achter hem.

Er brak nog een dier uit, maar het lukte Ayla dat ook tegen te houden. Whinney leek te weten welke bizon het vervolgens wou proberen, bijna nog voor het gebeurde, maar met de onbewuste tekens van de vrouw en het instinct van het paard sneden ze de ruigharige dieren telkens de weg af. In het begin had Ayla Whinney onbewust getraind. De eerste keer dat ze op het paard reed ging alles instinctief, zonder bewust te sturen of te dwingen. Het was heel geleidelijk gegaan, terwijl het wederzijds begrip groeide door de druk van haar benen of kleine verschuivingen van haar lichaam. Hoewel ze uiteindelijk opzettelijke bewegingen ging maken, bleef er altijd een element van subtiele wisselwerking tussen de vrouw en het paard bestaan en ze vormden vaak een eenheid alsof ze dezelfde gedachten hadden.

Op het moment dat Ayla wegreed begrepen de anderen de situatie en renden weg om de kudde tegen te houden. Ayla had met Whinney al eerder een kudde opgedreven, maar zonder hulp had ze de bizons niet terug kunnen drijven. De grote gebochelde beesten waren veel moeilijker in bedwang te houden dan ze zich had voorgesteld. Ze waren toen al ingesloten en ze had nog nooit geprobeerd dieren in een richting te drijven die ze niet op wilden. Het leek wel of ze instinctief het gevaar voelden van de val die op hen wachtte.

Danug schoot Ayla te hulp om de dieren te doen omkeren die als eerste wegsprongen, maar ze concentreerde zich zo volledig op de jonge stier dat ze hem eerst nauwelijks zag. Latie zag dat een van de tweelingkalveren uitbrak en ze sprong naar voren om het de weg te versperren, terwijl Barzec en Druwez met stenen en een klapperende vacht een koe voor hun rekening namen. Uiteindelijk werd, dankzij hun volhardende inspanning, de stormloop in goede banen geleid. Een paar waren erin geslaagd om uit te breken, maar de meeste bizons draafden stroomopwaarts langs het riviertje.

Ze haalden opgelucht adem toen de kleine kudde eenmaal voorbij de granieten rotsen was, maar ze moesten ze wel in beweging houden. Ayla stopte even en liet zich van het paard glijden om haar speer en werper op te rapen en toen sprong ze weer op Whinneys rug.

Talut had net een slok uit zijn waterzak gedronken toen hij een zwak gerommel meende te horen, als het rollen van de donder. Hij draaide zijn hoofd naar de rivier en luisterde even, hoewel hij niet verwachtte zo snel al iets te horen. Hij betwijfelde trouwens of hij de dieren ooit zou horen. Hij legde zijn oor tegen de grond.

'Daar komen ze!' schreeuwde hij en hij sprong overeind.

Iedereen haastte zich om de speren te pakken en rende naar de afgesproken plaatsen. Frebec, Wymez, Tornec en Deegie verspreidden zich over de steile helling aan de ene kant. Ze stonden klaar om achter de kudde aan te snellen en het hek te sluiten en dicht te houden. Tulie stond het dichtst bij het geopende hek aan de andere kant, klaar om het dicht te smijten zodra de bizons binnen de omheining waren.

In de ruimte tussen de versperring en de woelige rivier stond Ranec op een paar pas afstand van Tulie. Jondalar stond nog iets verder weg, bijna aan de waterkant. Talut koos een plekje, iets voor de gast en stond op de vochtige oever. Elk had een stuk leer of een kledingstuk om daarmee naar de aanstormende dieren te klapperen, in de hoop dat ze zouden uitwijken, maar ze hielden ook een speer in de hand, lichtjes in balans. Even later grepen ze hem stevig vast en hielden hem gereed – behalve Jondalar.

Het smalle houten toestel dat hij in zijn rechterhand hield, had ongeveer de lengte van zijn onderarm en er zat een groef in. Aan het achtereind zat een haak om de speer tegen te houden en aan de voorkant zaten twee leren lussen voor zijn vingers. Hij hield de speerwerper horizontaal en de lichte speer met de vlijmscherpe benen punt rustte met het stompe eind, waar veren op zaten, tegen de haak. Hij stak twee vingers door de lussen en hield de speer op zijn plaats. Hij trok met zijn linkerhand een tweede speer uit het leren tasje voor het geval hij nog een worp moest doen.

Ze wachtten af. Er werd niet gesproken en in de stilte hoorden ze alle geluiden veel sterker. De vogels zongen en de wind deed de dorre takken ritselen. Het water spatte klaterend tegen de rotsen. De vliegen gonsden. Het gedreun van de hoeven werd luider.

Toen hoorden ze het brullen, grommen en snuiven boven het naderend gerommel en de menselijke stemmen uit. Iedereen keek in spanning naar de bocht stroomafwaarts om de eerste bizon te zien komen, maar het bleef niet bij een. Opeens kwam de hele kudde de bocht om en de enorme ruigharige donkerbruine dieren, met de lange zwarte, levensgevaarlijke horens, kwamen in paniek aanstormen. De jagers zetten zich schrap in afwachting van de bestorming. Voorop liep de reusachtige jonge stier die zich nog bijna in veiligheid had gebracht voor de lange drijfjacht begon. Hij zag de omheining, draaide af naar het water – en vond de jagers op zijn weg.

Ayla, die de kleine kudde dicht op de hielen zat, had haar speerwerper tijdens het opdrijven losjes in de hand gehouden. Nu ze de laatste bocht naderde hield ze hem gereed, niet wetend wat haar te wachten stond. Ze zag de stier uitwijken... en op Jondalar afstormen. Andere bizons volgden.

Talut rende op het dier af en flapperde met een tuniek, maar de bizon had genoeg flapperende dingen gezien en liet zich niet afschrikken. Zonder een moment na te denken boog Ayla voorover en stuurde Whinney op volle snelheid vooruit. Het paard sprong om de andere bizons heen naar de grote stier en Ayla slingerde haar speer op het moment dat Jondalar de zijne wierp. Op hetzelfde ogenblik gooide iemand een derde speer.

De merrie passeerde de jagers met kletterende hoeven en spatte Talut nat toen ze door het water ging. Ayla bracht haar tot stilstand en ging snel terug. Het was al voorbij. De grote bizon lag op de grond. De andere dieren, die achter hem kwamen, werden rustiger en liepen de omheining in omdat ze geen andere weg zagen. Toen de eerste door de opening was, volgden de andere na enige aandrang. Toen de laatste achterblijver was gepasseerd, duwde Tulie het hek dicht en Tornec en Deegie rolden er een kei tegenaan. Wymez en Frebec bonden het stevig vast, terwijl Tulie nog een tweede kei naast de eerste schoof.

Ayla, die nog niet van de schrik bekomen was, liet zich van Whinney glijden. Jondalar zat met Talut en Ranec op zijn knieën bij de stier.

'Jondalars speer heeft hem in de hals geraakt, dwars door zijn keel. Ik denk dat die dodelijk was, maar jouw speer kan het ook hebben gedaan, Ayla. Ik zag je niet eens aankomen,' zei Talut, die nog onder de indruk was van haar prestatie. 'Jouw speer ging er diep in, precies tussen zijn ribben.'

'Maar het was gevaarlijk wat je deed, Ayla. Je had gewond kunnen raken,' zei Jondalar. Zijn stem klonk boos, maar dat was een reactie op de schrik toen hij besefte wat ze had gedaan. Toen keek hij Talut aan en wees op de derde speer. 'Van wie is deze? Hij is goed geworpen, diep in de borst. Die had hem ook tot staan gebracht.'

'Dat is de speer van Ranec,' zei Talut.

Jondalar draaide zich om naar de man met de donkere huid en ze namen elkaar scherp op. Ze mochten dan verschillend zijn en een slechte verhouding hebben door hun rivaliteit, maar ze waren in de eerste plaats mensen die samen in een prachtige, maar harde en ongerepte wereld leefden en wisten dat ze elkaar nodig hadden om te overleven.

'Ik ben je dank verschuldigd,' zei Jondalar. 'Als mijn speer had gemist, had ik mijn leven aan jou te danken gehad.'

'Alleen wanneer Ayla ook had gemist. Die bizon is drie keer gedood. Hij had geen kans tegen jou. Jij bent blijkbaar voorbestemd om te blijven leven. Je bent een geluksvogel, vriend. De Moeder moet je goed gezind zijn. Heb je in alles zoveel geluk?' vroeg Ranec en hij keek naar Ayla met een blik vol bewondering en meer dan dat.

In tegenstelling tot Talut had Ranec haar wel zien komen. Zonder zich te bekommeren om het gevaar van de lange, puntige horens leek ze met haar wapperende haren en ogen vol angst en woede op een wrekende geestverschijning, of op een moeder die haar jong verdedigt. Het scheen haar niet te hinderen dat zij en het paard gemakkelijk doorboord konden worden. Ze leek bijna een Geest van de Moeder, die net zo gemakkelijk de bizon in bedwang hield als het paard. Zoiets had Ranec nog nooit gezien. Ze had alles wat hij altijd had gewenst: ze was mooi, sterk, onbevreesd, zorgzaam en beschermend. Ze was een echte vrouw.

Jondalar zag hoe Ranec naar haar keek en zijn maag draaide om. Hoe kon dat Ayla ontgaan? Ze moest er wel op reageren. Jondalar was nog nooit bang geweest een vrouw te verliezen, maar ondanks het feit dat hij vaak had gemerkt dat hij voor vrouwen aantrekkelijk was, had hij nooit goed begrepen waarom en hij had er ook nooit op vertrouwd. Hij vreesde dat hij Ayla aan de opwindende donkere man zou verliezen en hij wist niet wat hij eraan moest doen. Hij klemde zijn tanden op elkaar en wendde zich af met diepe rimpels in zijn voorhoofd van woede en ergernis. Hij probeerde zijn gevoelens te verbergen.

Hij had mannen en vrouwen zien reageren zoals hij nu deed en hij had medelijden gevoeld en ook een zekere minachting. Ze gedroegen zich als kinderen, zonder ervaring en levenswijsheid. Hij meende dat hij daaroverheen was. Ranec had zijn leven willen redden en hij was ook een man. Hij kon hem toch niet kwalijk nemen dat hij Ayla aantrekkelijk vond? Had zij niet het recht zelf een keuze te maken? Hij haatte zichzelf om die gevoelens, maar hij kon er niets aan doen. Jondalar rukte zijn speer uit de bizon en liep weg.

De slachting was al begonnen. De jagers stonden veilig achter de versperring en wierpen hun speren naar de loeiende en brullende dieren, die in paniek binnen de omheining rondliepen. Ayla klom erop en vond een geschikt plekje om te blijven zitten. Ze zag Ranec met kracht een goedgerichte speer werpen. Een enorme koe wankelde en zakte op de knieën. Druwez gooide er ook een naar dezelfde bizon en uit een andere richting – ze wist niet precies wie hem wierp – kwam er nog een. Het gebochelde, ruigharige dier stortte neer en de zware gebogen kop viel op de knieën. Ze zag wel dat hun speerwerpers hier geen zin hadden. Hun methode om de speer met de hand te werpen was hier net zo doeltreffend.

Opeens deed een stier een aanval op de omheining en hij stortte zich er met zijn volle gewicht op. Het hout kraakte, riemen raakten los en palen schoten van hun plaats.

Ayla voelde de omheining schudden en ze sprong eraf, maar het ging door. De bizon was met zijn horens vastgeraakt! Het hele bouwsel werd heen en weer geschud door zijn pogingen om uit te breken. Ayla dacht dat alles stukging.

Talut klom op het wankele hek en met een slag van zijn enorme bijl verbrijzelde hij de schedel van het kolossale beest. De hersenen kwamen eruit en het bloed spatte in zijn gezicht. De bizon zakte in elkaar, en omdat zijn horens nog vastzaten, trok hij het beschadigde hek en Talut mee naar beneden.

Het grote stamhoofd stapte behendig van het vallende bouwsel toen het de grond raakte, deed nog een paar passen en deelde nog zo'n verpletterende slag uit aan de laatste bizon die er nog stond. Het hek had zijn werk gedaan.

'Nu begint het werk,' zei Deegie en ze wees op de ruimte die werd ingesloten door de tijdelijke omheining. Overal verspreid lagen de dieren als bergen donkerbruine wol. Ze liep naar de eerste, trok haar vlijmscherp vuurstenen mes uit de schede, ging wijdbeens boven de kop staan en sneed de hals open. Het helderrode bloed spoot eruit, begon langzamer te stromen en stolde tot een donkere massa rond de bek en de neus. Het zakte langzaam in de grond in een groter wordende kring en kleurde de bruine aarde zwart.

'Talut!' riep Deegie, toen ze bij de volgende ruige berg kwam. De lange speer die uit de zijde stak, trilde nog. 'Kom even en help deze uit zijn lijden, maar probeer deze keer wel iets van de hersenen te redden. Ik wil ze gebruiken.' Talut gaf het dier snel de genadeslag.

Toen kwam het bloederige karwei van het verwijderen van de ingewanden, het villen en slachten. Ayla liep naar Deegie toe en hielp haar een grote koe om te rollen, zodat het zachte onderlichaam blootkwam. Jondalar liep op hen af, maar Ranec stond er dichterbij en was er het eerst. Jondalar bleef even staan kijken en vroeg zich af of ze hulp nodig hadden of dat hij als vierde alleen maar in de weg stond.

Ze begonnen bij de anus en sneden de buik open tot de keel. De uier, die vol melk zat, werd weggesneden. Ayla pakte de ene kant en Ranec de andere om de borstkas open te trekken. Ze braken hem open en toen kroop Deegie bijna helemaal in de nog warme holte om de inwendige organen eruit te trekken, zoals maag, darmen, hart en lever. Het gebeurde snel om te voorkomen dat gassen uit de ingewanden, die spoedig het karkas deden opzwellen, het vlees bedierven. Vervolgens begonnen ze aan de huid.

Het was duidelijk dat ze geen hulp nodig hadden. Jondalar zag Latie en Danug worstelen met de borstkas van een kleiner dier. Hij duwde Latie zachtjes opzij en trok hem met een krachtige, nijdige ruk met beide handen open. Maar slachten was zwaar werk en tegen de tijd dat ze aan de huid toe waren hadden de inspanningen de scherpste kantjes van zijn woede doen verdwijnen.

Ayla stond niet vreemd tegenover het werk; ze had het zo vaak alleen gedaan. De huid werd eerder afgestroopt dan losgesneden. Als deze eenmaal los was van de poten, was hij gemakkelijker van het vlees te krijgen en het was doelmatiger en schoner om hem los te trekken. Waar gewrichtsbanden zaten en snijden gemakkelijker ging, gebruikten ze een speciaal vuurstenen mes met een benen handvat en twee snijkanten, maar aan het eind was het stomp en rond, om niet door de huid te steken. Ayla was zo gewend aan het werken met gereedschap zonder handvat dat ze een mes met heft maar onhandig vond, hoewel ze nu al wist dat ze er meer kracht mee kon zetten en het beter in de hand lag als ze er eenmaal aan gewend was.

De pezen van de poten en de rug werden uitgesneden. Ze waren voor veel dingen te gebruiken, van naaigaren tot strikken. Van de huid werd leer gemaakt, of bont. Van het lange ruige haar maakte men touw of koorden in verschillende dikte en netten om te vissen en vo- gels te vangen en kleine dieren, als ze er waren. De hersenen werden bewaard en ook een aantal hoeven om ze met botten en het schraapsel van de huid tot lijm te koken. De reusachtige horens, met een span- wijdte van wel twee meter, werden gebroken. De stevige einden, on- geveer eenderde van de lengte, konden worden gebruikt als hefboom, kapstok, drevel, wig of dolk. Wanneer uit de rest het binnenste werd verwijderd, konden de taps toelopende buizen dienstdoen om het vuur aan te blazen of als trechters om zakken met vloeistof, zaad of poeder te vullen of te legen. Een middenstuk met bodem kon worden gebruikt als drinkkom. Van de smalle ringen werden gespen, armban- den en afsluitringen gemaakt.

De neuzen en tongen van de bizons werden bewaard als een delicates- se, samen met de lever. Vervolgens werden de karkassen in zeven stuk- ken gehakt: twee achterbouten, twee voorstukken, twee middenstuk- ken en de enorme nek. De ingewanden, magen en blazen werden ge- wassen en in de huiden gerold. Later werden ze met lucht gevuld om te zorgen dat ze niet krompen en dan werden ze gebruikt bij het ko- ken of om er vet of vloeistoffen in te bewaren. Ze deden ook wel dienst als drijvers voor de visnetten. Alles van het dier werd gebruikt, maar niet ieder deel van elk dier werd meegenomen, alleen het beste en meest bruikbare en niet meer dan kon worden gedragen.

Jondalar had Renner halverwege het steile pad gebracht en hem stevig vastgezet aan een boom om hem op veilige afstand te houden. Maar dat stond het jonge paard helemaal niet aan. Whinney had hem met- een opgezocht toen de bizons waren gevangen en Ayla haar liet gaan. Jondalar ging hem halen toen hij klaar was bij Latie en Danug, met de eerste bizon, maar Renner was schichtig met al die dode dieren in de buurt. Whinney vond het ook niet prettig, maar ze was er beter aan gewend. Ayla zag ze aankomen en merkte dat Barzec en Druwez weer stroomafwaarts liepen. Het schoot haar te binnen dat hun rugzakken waren blijven staan in de haast om de bizons tegen te houden en ze in de val te drijven. Ze ging hen achterna.

'Barzec, gaan jullie terug voor de rugzakken?' vroeg ze.

Hij glimlachte. 'Ja. En voor de extra kleren. We zijn zo haastig wegge- gaan – niet dat het me spijt, hoor. Als jij ze niet op tijd had tegenge- houden, waren we ze beslist kwijtgeraakt. Dat was knap wat je met het paard deed. Als ik het zelf niet had gezien, zou ik het niet geloven. Maar ik ben er niet gerust op om daar alles te laten liggen. Al die dode bizons trekken veel vleeseters aan. Toen we daar de wacht hielden, heb ik wolvensporen gezien en ze leken vers. Wolven vinden het lekker om op leer te kauwen als ze het vinden. Veelvraten ook wel, maar die worden er agressief van. Wolven doen het omdat ze het leuk vinden.'

'Ik kan met paard de zakken en kleren halen,' zei Ayla.

'Daar heb ik niet aan gedacht! Als alles achter de rug is, ligt er eten in overvloed voor ze, maar ik wil niets laten liggen dat ik niet wil missen.'

'Je weet toch nog wel dat we de zakken hebben verstopt?' vroeg Druwez. 'Ze vindt ze nooit.'

'Dat is waar,' zei Barzec. 'Ik denk dat we er zelf heen moeten.'

'Weet Druwez ze te vinden?' vroeg Ayla.

De jongen keek Ayla aan en knikte.

Ayla glimlachte. 'Wil je met me mee op paard?'

De jongen lachte met een brede grijns. 'Kan dat?'

Ze keek om naar Jondalar en wenkte hem om met de paarden te komen. Hij kwam snel terug.

'Ik neem Druwez mee om de zakken en spullen te halen die ze hebben laten liggen toen we aan de drijfjacht begonnen,' zei Ayla en ze sprak Zelandonisch. 'Renner kan ook wel mee. Een flink eind draven zal hem goed doen. Paarden houden niet van dode beesten. Voor Whinney was het in het begin ook moeilijk. Goed dat je hem zijn halster niet hebt afgedaan, maar we moeten er toch eens over nadenken hoe we hem het een en ander kunnen leren.'

Jondalar lachte. 'Dat is een goed idee, maar hoe doe je dat?'

Ayla dacht na. 'Ik weet het niet. Whinney doet allerlei dingen voor me omdat ze het wil, omdat we goede vrienden zijn, maar met Renner weet ik het niet. Hij mag jou wel, Jondalar. Misschien dat hij het voor jou doet. Ik denk dat we het samen maar moeten proberen.'

'Dat wil ik wel,' zei hij. 'Ik hoop nog eens zover te komen dat ik hem kan berijden zoals jij met Whinney.'

'Dat zou ik ook graag willen, Jondalar,' zei ze en ze herinnerde zich het warme gevoel van liefde dat ze al had gehad toen ze hoopte dat de grote blonde man van de Anderen iets voor Whinneys veulen zou gaan voelen en dat hij daardoor misschien bij haar in de vallei zou blijven. Daarom had ze hem gevraagd het veulen een naam te geven.

Barzec had staan wachten terwijl de twee vreemdelingen met elkaar praatten in de taal die hij niet verstond en hij werd al wat ongeduldig. Eindelijk zei hij, 'Nou, als jij de spullen haalt, ga ik weer helpen bij de bizons.'

'Wacht even. Ik help Druwez op het paard en dan ga ik met je mee,' zei Jondalar.

Ze hielpen hem samen opstijgen en keken hoe ze wegreden.

De schaduwen werden al langer toen ze terugreden en ze haastten zich om nog mee te helpen. Later, toen ze aan de oever van het riviertje de ingewanden waste, dacht Ayla terug aan het villen en slachten van dieren met de vrouwen van de Stam. Opeens drong het tot haar door dat dit de eerste keer was dat ze had gejaagd als volwaardig lid van een groep jagers.

Toen ze nog jong was wou ze al mee, hoewel ze wist dat de vrouwen niet mochten jagen. Maar de mannen stonden in zo'n hoog aanzien om hun dapperheid en ze deden zulke spannende verhalen dat ze dagdromen kreeg waarin ze zelf op jacht ging, vooral wanneer ze wou ontsnappen uit onaangename of moeilijke situaties. Dat onschuldige begin leidde tot omstandigheden die veel moeilijker waren dan ze ooit voor mogelijk had gehouden. Toen haar werd toegestaan om met de slinger te jagen, had ze vaak stilletjes opgelet wanneer de mannen hun strategie voor de jacht bespraken, hoewel die voor haar verboden bleef. De mannen van de Stam deden bijna niets anders dan jagen – behalve dan praten over de jacht, wapens maken voor de jacht en bezig zijn met jachtrituelen. De vrouwen van de Stam vilden en slachtten de dieren, prepareerden de huiden voor kleding en beddengoed, maakten het eten klaar en vervaardigden voorraadmanden, touw, matten en verschillende voorwerpen voor het huishouden. Verder verzamelden ze planten voor voedsel, medicijnen en ander gebruik.

Bruns Stam telde bijna hetzelfde aantal mensen als het Leeuwenkamp, maar de jagers doodden per keer zelden meer dan een of twee dieren. Dientengevolge moesten ze vaak op jacht. In deze tijd van het jaar trokken de jagers van de Stam er bijna iedere dag op uit om een zo groot mogelijke voorraad aan te leggen voor de naderende winter. Dit was de eerste keer, sinds ze was aangekomen, dat er door het Leeuwenkamp werd gejaagd en niemand scheen zich zorgen te maken. Ayla hield even op om naar de mannen en vrouwen te kijken die een hele kudde vilden en slachtten. Ze werkten met twee of drie mensen samen aan een dier en zo vorderde het werk veel sneller dan Ayla had gedacht. Het deed haar denken aan de verschillen tussen hen en de Stam.

De Mamutische vrouwen gingen ook op jacht; dat betekende dat er meer jagers waren, dacht Ayla. Het was waar dat er negen mannen en maar vier vrouwen waren – vrouwen met kinderen gingen zelden mee op jacht –, maar het maakte verschil. Ze konden met meer jagers doelmatiger jagen, zoals ze samen ook sneller konden slachten. Dat was duidelijk, maar ze had het gevoel dat dat niet het enige was. Ze miste nog een belangrijk punt, een fundamenteel verschil. De Mamutiërs hadden ook een andere denkwijze. Ze waren niet zo star, zo gebonden aan regels, over wat correct was en altijd al zo was gedaan. Hier was een vervaging van rollen, het gedrag van mannen en vrouwen was niet zo strikt geregeld. Het leek meer af te hangen van persoonlijke voorkeur en hoe het het best functioneerde.

Jondalar had haar verteld dat het bij zijn volk voor niemand verboden was om te jagen en hoewel het jagen belangrijk was en de meeste mensen het deden, tenminste als ze nog jong waren, werd het van niemand geëist. De Mamutiërs hadden kennelijk soortgelijke gebruiken. Hij had geprobeerd uit te leggen dat mensen andere vaardigheden konden hebben die gelijkwaardig waren en hij had zichzelf als voorbeeld genoemd. Toen hij had geleerd stenen te kloppen en een reputatie had verworven als goed vakman, kon hij gereedschappen en werkstukken ruilen voor alles wat hij nodig had. Hij hoefde helemaal niet te jagen, tenzij hij het zelf wilde.

Maar Ayla begreep het nog niet helemaal. Wat voor ceremonie hielden ze dan als een jongen man werd wanneer het er niet toe deed of een man jaagde of niet? De mannen van de Stam zouden zich niet kunnen handhaven wanneer ze niet geloofden in de noodzaak om te jagen. Een jongen werd geen man voor hij zijn eerste jachtbuit had gemaakt. Toen moest ze aan Creb denken. Die had nog nooit gejaagd. Hij kon niet jagen. Hij miste een oog en een arm en hij liep mank. Hij was de grootste Mog-ur, de grootste heilige van de Stam, maar hij had nooit een dier gedood en was nooit tot man verklaard. Voor zijn eigen gevoel wás hij ook geen man, maar ze wist dat hij het wel was.

Hoewel het al donker begon te worden toen het werk klaar was, aarzelde niet één van de jagers, die onder de bloedspatten zaten, om de kleren uit te trekken en naar het riviertje te gaan. De vrouwen wasten zich een eindje stroomopwaarts, maar ze konden elkaar wel zien. De opgerolde huiden en in stukken gehakte karkassen waren op een hoop gelegd, met verscheidene vuren eromheen om de viervoetige roofdieren en aaseters op een afstand te houden. Drijfhout, dode takken en het hout dat voor de omheining was gebruikt lagen ernaast. Boven een van de vuren werd een groot stuk vlees aan het spit geroosterd en er werden verscheidene lage tenten omheen gezet.

De temperatuur daalde snel bij het vallen van de duisternis. Ayla was blij met de kleren die ze van Tulie en Deegie had geleend, al pasten ze slecht bij elkaar en zaten ze ook niet zo goed, maar haar eigen kleren had ze gewassen om de bloedvlekken te verwijderen en die hingen nu bij een vuur te drogen, naast de andere. Ze bleef even bij de paarden staan om zich ervan te overtuigen dat ze rustig waren. Whinney bleef nog juist binnen de lichtkring van het vuur waarboven het vlees werd geroosterd, maar wel zo ver mogelijk uit de buurt van de karkassen die klaarlagen om naar huis te worden gebracht en de hoop afval buiten de kring van vuren. Daar klonk af en toe gegrom en gekef.

Nadat de jagers zich tegoed hadden gedaan aan het bizonvlees, dat aan de buitenkant bruin en knapperig was en bij het bot halfrauw, stookten ze het vuur op en gingen eromheen zitten praten terwijl ze af en toe een teugje namen van de hete kruidenthee.

'Jullie hadden moeten zien hoe ze die kudde terugdreef,' zei Barzec. 'Ik weet niet of we ze nog veel langer hadden kunnen keren. Ze werden steeds onrustiger en toen die stier eenmaal uitbrak, hadden we ze zeker niet kunnen houden.'

'Ik vind dat we Ayla moeten bedanken voor het succes van deze jacht,' zei Talut.

Ayla bloosde onder het ongewone compliment, maar dat was maar ten dele uit verlegenheid. Het feit dat uit die lof bleek dat ze werd geaccepteerd en haar kwaliteiten werden gewaardeerd, gaf haar een warm gevoel. Ze had daar haar hele leven naar verlangd.

'En bedenk eens hoe erover zal worden gepraat op de Zomerbijeenkomst!' voegde Talut eraan toe.

Het bleef even stil. Talut pakte een droge tak, een stuk dat zo lang op de grond had gelegen dat de schors er als een oude, verweerde huid los omheen hing. Hij brak hem op zijn knie in tweeën en stak de beide stukken in het vuur. De gezichten van de mensen, die dicht bij elkaar om het vuur zaten, werden verlicht door de opstijgende vonken.

'We hebben niet altijd zo'n goede jacht. Herinneren jullie je nog die keer dat we bijna de witte bizon pakten?' vroeg Tulie. 'Wat zonde dat die ontsnapte.'

'Die moet bevoorrecht zijn geweest. Ik twijfelde er niet aan dat we hem hadden. Heb je wel eens een witte bizon gezien?' vroeg Barzec aan Jondalar.

'Ik heb erover gehoord en ik heb wel eens een huid gezien,' antwoordde Jondalar. 'Onder de Zelandoniërs worden witte dieren voor heilig gehouden.'

'De vossen en konijnen ook?' vroeg Deegie.

'Ja, maar niet in die mate. Ook sneeuwhoenders als ze wit zijn. Wij geloven dat ze door Doni zijn aangeraakt. Dus de dieren die wit geboren zijn en het hele jaar wit blijven, zijn heiliger,' legde Jondalar uit.

'De witte hebben voor ons ook een bijzondere betekenis. Daarom heeft de Kraanvogelvuurplaats zo'n hoge status... tenminste meestal,' zei Tulie en ze keek met enige minachting naar Frebec. 'De grote kraanvogel uit het noorden is wit en vogels zijn de speciale boodschappers van Mut. Een witte mammoet heeft bijzondere krachten.'

'Ik zal nooit de jacht op de witte mammoet vergeten,' zei Talut. Sommigen keken vol verwachting en daarom vervolgde hij: 'Iedereen raakte opgewonden toen de verkenner zei dat hij haar had gezien. Het is de hoogste eer die de Moeder ons kan geven, een witte mammoetkoe, en omdat het de eerste jacht van een Zomerbijeenkomst was zou het iedereen geluk brengen als we haar te pakken kregen,' legde hij de gasten uit.

'Alle jagers die mee wilden moesten beproevingen ondergaan, zoals vasten en reiniging van zonden, om zeker te zijn dat we werden gekozen en de Mammoetvuurplaats legde ons verboden op, ook voor daarna, maar we wilden allemaal gekozen worden. Ik was nog jong, niet veel ouder dan Danug, maar wel groot, net als hij. Misschien werd ik daarom gekozen en ik was een van degenen die haar met een speer raakte. Net als bij de bizon die op jou afkwam, Jondalar, wist niemand wie de dodelijke speer had geworpen. Ik denk dat de Moeder niet wilde dat een persoon, of een kamp, te veel eer kreeg. De witte mammoet was van iedereen. Zo was het ook beter. Geen jaloezie of haat.'

'Ik heb wel eens gehoord van een soort witte beren die ver in het noorden leven,' zei Frebec, die ook wou deelnemen aan het gesprek. Misschien dat geen enkele persoon, of een kamp, de eer kon opeisen de witte mammoet alleen te hebben gedood, maar dat sloot niet alle jaloezie of haat uit. Iedereen die was gekozen om mee te gaan verwierf met die ene jacht meer status dan Frebec op grond van zijn geboorte had meegekregen.

'Daar heb ik ook van gehoord,' zei Danug. 'Toen ik bij de vuursteengroeve logeerde, kwamen daar ook bezoekers om vuursteen te ruilen. Een vrouw kon heel goed verhalen vertellen. Ze vertelde over de Moeder van de wereld en de paddestoelmannen die 's nachts de zon volgen en over allerlei vreemde dieren. Ze vertelde ook over de witte beer. Ze leven op het ijs, zei ze, en eten alleen dieren uit de zee, maar ze moeten goedaardig zijn, zoals de grote holenbeer, die geen vlees eet. Anders dan de bruine beer. Die is gevaarlijk.' Danug merkte de getergde blik van Frebec niet op. Het was niet zijn bedoeling hem in de rede te vallen. Hij vond het gewoon leuk om ook iets te zeggen.

'Mannen van Stam kwamen een keer terug van jacht en vertelden van witte neushoorn,' zei Ayla. Frebec voelde zich nog gegriefd en dat bleek uit zijn norse blik.

'Ja, de witte zijn zeldzaam,' zei Ranec, 'maar de zwarte zijn ook heel bijzonder.' Hij zat iets verder van het vuur en zijn gezicht was nauwelijks te zien, behalve zijn witte tanden en de guitige schittering in zijn ogen.

'Ja hoor, jij bent heel bijzonder en ervan bezeten om op de Zomerbijeenkomst iedere vrouw die dat wil, te laten zien hoe bijzonder je bent,' merkte Deegie op.

Ranec lachte. 'Deegie, kan ik er wat aan doen als Moeders eigen kinderen zo nieuwsgierig zijn? Je zou toch niet willen dat ik iemand teleurstel? Maar ik had het niet over mezelf. Ik dacht aan zwarte katten.'

'Zwarte katten?' vroeg Deegie.

'Wymez, ik heb nog een vage herinnering aan een grote zwarte kat,' zei hij en hij wendde zich tot de man met wie hij een vuurplaats deelde. 'Weet jij er nog iets van?'

'Dat moet een diepe indruk op je hebben gemaakt. Ik had niet gedacht dat je het je nog zou herinneren,' zei Wymez. 'Je was nog heel klein, maar je moeder gaf een gil. Je was wat afgedwaald en juist toen ze naar je keek zag ze die grote zwarte kat, als een sneeuwluipaard, maar dan zwart. Hij sprong uit een boom. Ik vermoed dat ze dacht dat hij op jou afging, maar hij schrok van haar gil of het is zijn bedoeling niet geweest. Hij liep gewoon door, maar ze rende naar je toe en het heeft lang geduurd voor ze je weer uit het oog verloor.'

'Waren er veel van zulke zwarte waar jullie waren?' vroeg Talut.

'Niet zoveel, maar er waren er wel. Ze bleven in de bossen en het waren nachtjagers, dus zag je ze zelden.'

'Ze waren zeker net zo zeldzaam als de witte hier? Bizons zijn donker en sommige mammoets ook, maar ze zijn niet echt zwart. Zwart is bijzonder. Hoeveel zwarte dieren zijn er?' vroeg Ranec.

'Vandaag, toen ik met Druwez ging, zagen we zwarte wolf,' zei Ayla. 'Nog nooit zwarte wolf gezien.'

'Was hij echt zwart? Of gewoon donker?' vroeg Ranec zeer geïnteresseerd.

'Zwart. Lichter op de buik, maar zwart. Eenzame wolf, denk ik,' voegde Ayla eraan toe. 'Ik zag geen andere sporen. In de troep zou... lage status hebben. Misschien weggegaan, zoekt andere eenzame wolf, nieuwe troep maken.'

'Lage status? Hoe weet jij dat allemaal over wolven?' vroeg Frebec met enige spot in zijn stem, alsof hij haar niet geloofde. Maar hij was toch duidelijk geïnteresseerd.

'In het begin jaagde ik alleen op vleeseters. Alleen met slinger. Ik heb ze lang van dichtbij bekeken. Ik leerde van wolven. Eens zag ik witte wolf in troep. Andere wolven mochten haar niet. Ze ging weg. Andere wolven hielden niet van verkeerde kleur.'

'Het was een zwarte wolf,' zei Druwez, die Ayla wilde verdedigen, vooral na de fijne rit op het paard. 'Ik heb hem ook gezien. Eerst was ik er niet zeker van, maar het was een wolf en hij was zwart. En ik geloof dat hij alleen was.'

'Nu we het toch over wolven hebben, we moesten vannacht maar wacht houden. Als er een zwarte wolf in de buurt is, is dat een reden te meer,' zei Talut. 'We kunnen elkaar aflossen, maar er moet de hele nacht gewaakt worden.'

'We moesten maar wat gaan rusten,' voegde Tulie eraan toe en ze ging staan. 'Morgen krijgen we een hele reis.'

'Ik waak eerst wel,' zei Jondalar. 'Als ik moe word, maak ik iemand wakker.'

'Je kunt mij wel wekken,' zei Talut. Jondalar knikte.

'Ik waak ook,' zei Ayla.

'Waarom houd je niet samen met Jondalar de wacht? Dat is een goed idee en je kunt elkaar wakker houden.'

8

'Het is vannacht koud geweest. Dit vlees is bijna bevroren,' zei Dee-
gie, die een achterbout op een draagschild bond.
'Goed zo,' zei Tulie, 'maar er is meer dan we kunnen dragen. We zul-
len wat achter moeten laten.'
'Kunnen we het niet afdekken met stenen uit de omheining?' vroeg
Latie.
'Dat kan en het zal ongetwijfeld moeten, Latie. Dat is een goed idee,'
zei Tulie, die een vracht voor zichzelf klaarzette die zo groot was dat
Ayla zich afvroeg hoe zelfs zij hem kon dragen, hoe sterk ze ook was.
'Maar misschien komen we voor de lente niet terug als het weer omslaat. Het was beter als het wat dichter bij huis was. Daar komen niet
zoveel dieren en we konden het beter in de gaten houden. Maar hier,
in de vrije natuur, zal een holenleeuw, maar een veelvraat ook, die het
vlees beslist wil hebben wel een middel vinden om erbij te komen.'
Kunnen we er geen water overheen gooien, om het onder ijs te bewaren? Daar kunnen de dieren niet bij komen. Het is moeilijk om een
bevroren steenhoop open te breken, zelfs met een pikhouweel,' zei
Deegie.
'Dan blijven de dieren er wel af, ja. Maar wat denk je van de zon,
Deegie?' vroeg Tornec. 'Je weet niet of het koud blijft. Het is nog te
vroeg in de tijd.'
Ayla stond te luisteren en zag de stapel met stukken bizon kleiner worden terwijl ieder zoveel opbond als hij kon dragen. Ze was niet gewend
aan zo'n overvloed dat men kon kiezen en alleen het beste pakte. Er was
bij de Stam altijd meer dan genoeg voedsel en er waren voldoende huiden voor kleding, beddengoed en andere dingen, maar er ging weinig
verloren. Ze wist niet hoeveel er achter moest blijven, maar er was al zoveel op de afvalhoop gegooid dat ze er niet aan moest denken nog meer
achter te laten en het was duidelijk dat de anderen dat ook niet wilden.
Ze zag Danug de bijl van Tulie pakken en hij hanteerde hem net zo
gemakkelijk als de vrouw terwijl hij een blok hout kloofde en het op
het laatste vuur gooide dat nog brandde. Ze liep naar hem toe.

'Danug,' vroeg ze zachtjes, 'zou je me willen helpen?'

'Hmm... eh... ja,' stamelde hij verlegen en hij voelde dat hij een kleur kreeg. Ze had zo'n zachte warme stem, met zo'n exotisch accent. De vraag overviel hem. Hij had haar niet zien komen en hij raakte helemaal in de war nu hij zo dicht bij de mooie vrouw stond.

'Ik heb... twee palen nodig,' zei Ayla en ze stak twee vingers op. 'Jonge bomen stroomafwaarts. Jij voor mij hakken?'

'O... zeker. Ik hak wel een paar bomen voor je om.'

Toen ze samen naar de bocht in het riviertje liepen, voelde Danug zich veel rustiger, maar hij bleef wel naar het blonde haar kijken van de vrouw die schuin voor hem liep. Ze zocht twee jonge, rechte elzen van ongeveer gelijke dikte uit, en toen Danug ze had gekapt, liet ze hem meteen de takken en toppen eraf hakken zodat ze even lang waren. Inmiddels was de grootste verlegenheid van de jongeman wel verdwenen.

'Wat ga je ermee doen?' vroeg Danug.

'Dat zal ik je laten zien,' zei ze en ze riep Whinney met een luid, bevelend fluitje. De merrie galoppeerde naar haar toe. Ayla had haar het tuig al aangedaan en de manden opgebonden voor het vertrek. Hoewel Danug het maar een vreemd gezicht vond, een leren dekkleed over het paard en een paar manden die met riemen elk aan een kant hingen, merkte hij dat het het dier niets scheen te hinderen en dat het er niet langzamer om liep.

'Hoe heb je haar zover gekregen?' vroeg Danug.

'Wat?'

'Dat ze komt wanneer je fluit.'

Ayla dacht diep na. 'Dat weet ik niet, Danug. Tot Kleintje kwam, was ik met Whinney alleen in de vallei. Ze was de enige vriendin die ik had. Ze groeide bij me op en we hebben elkaar... geleerd.'

'Is het waar dat je met haar kunt praten?'

'We hebben elkaar geleerd, Danug. Whinney praat niet als jij. Ik heb haar tekens geleerd en zij leerde de mijne.'

'Je bedoelt zoals de gebaren van Rydag.'

'Zo ongeveer. Dieren, mensen hebben allemaal tekens. Jij ook, Danug. Jij zegt woorden. Tekens zeggen meer. Je praat terwijl je niet weet dat je praat.'

Danug fronste zijn wenkbrauwen. Hij betwijfelde of hij de loop van het gesprek wel zo leuk vond. 'Ik begrijp het niet,' zei hij en hij wendde zijn blik af.

'Nu praten we,' vervolgde Ayla. 'Woorden zeggen het niet, maar tekens zeggen... jij wilt paardrijden. Klopt?'

'O... ah... ja, dat zou ik wel willen.'

'Dan... jij paardrijden.'

'Meen je het? Kan ik echt op het paard rijden? Zoals Latie en Druwez?'

Ayla glimlachte. 'Kom hier. Heb grote steen nodig om eerste keer op te helpen.'

Ayla streelde Whinney en praatte tegen haar in dat aparte taaltje dat tussen hen was ontstaan: een combinatie van gebaren van de Stam en woorden, klanken zonder betekenis die ze voor haar zoon had bedacht en die voor hen wel iets gingen betekenen en diergeluiden, die ze uitstekend nabootste. Ze zei tegen Whinney dat Danug wou rijden en dat ze het spannend moest maken, maar niet gevaarlijk. De jongeman had een paar gebaren van de Stam geleerd, die Ayla aan Rydag en het kamp had geleerd en tot zijn verbazing begreep hij de betekenis van een paar gebaren die ze bij het paard gebruikte, maar dat boezemde hem nog meer ontzag in. Ze praatte echt tegen het paard, maar dan zoals Mamut, wanneer hij de geesten aanriep. Ze gebruikte een geheimzinnige taal die alleen door ingewijden werd begrepen, maar die wel de gewenste uitwerking had.

Of het paard alles begreep of niet, ze begreep uit Ayla's handelingen dat er iets bijzonders van haar werd verwacht toen de vrouw de lange jongeman op haar rug hielp. Voor Whinney leek hij wel op de man die ze had leren kennen en vertrouwen. Zijn lange benen hingen slap naar beneden en ze voelde niets van richting aangeven of dwang.

'Houd de manen vast,' zei Ayla. 'Als je vooruit wilt, vooroverhangen. Als je langzaam wilt, of stoppen, rechtop zitten.'

'Bedoel je dat je niet meegaat?' vroeg Danug, met enige angst in zijn stem.

'Mij niet nodig,' zei ze en ze gaf een tikje op Whinneys flank.

Whinney stoof meteen weg. Danug sloeg achterover, greep de manen om zich naar voren te trekken, sloeg zijn armen om haar hals en hield zich krampachtig vast. Maar als Ayla vooroverhing, betekende het dat ze sneller moest. Het sterke paard ging met grote snelheid langs het rivierdal naar beneden. Ze begon de weg al te kennen, sprong over houtblokken en struiken en ontweek scherpe rotsen en een enkele boom.

Eerst was Danug zo verlamd van schrik dat hij zijn ogen stijf dichtkneep en bleef hangen. Maar toen het tot hem doordrong dat hij er niet af was gevallen, hoewel hij de krachtige spieren van de merrie voelde en hij bij elke stap opveerde, opende hij voorzichtig zijn ogen. Zijn hart bonsde van opwinding toen hij de wazige beelden van bomen, struiken en de grond voorbij zag flitsen. Hij bleef zich stevig vasthouden, maar hij hief zijn hoofd op en keek om zich heen.

Hij kon bijna niet geloven dat hij al zo ver was. De grote rotspartijen langs de rivier lagen vlak voor hem! Hij hoorde ver achter zich een schelle fluittoon en voelde meteen dat het paard van tempo veranderde. Whinney draafde om de rotsen heen, zonder veel snelheid te minderen, en ging in een grote boog terug. Hoewel Danug zich nog stevig vasthield, was hij niet zo bang meer. Hij wou zien waar ze heen gingen en hij ging iets meer rechtop zitten, wat Whinney opvatte als een teken om wat langzamer te gaan.

De grijns op Danugs gezicht toen het paard naderde deed Ayla aan Talut denken, vooral wanneer hij met zichzelf ingenomen was. Ze zag de man in de jongen. Whinney kwam steigerend tot stilstand en Ayla leidde haar naar de steen zodat Danug kon afstappen. Hij was zo verrukt dat hij bijna geen woord kon uitbrengen, maar hij bleef glimlachen. Hij had er nooit aan gedacht nog eens hard op een paard te rijden, dat lag buiten zijn voorstellingsvermogen en de ervaring had zijn stoutste verwachtingen overtroffen. Hij zou het nooit vergeten.

Zijn grijns deed Ayla glimlachen telkens als ze naar hem keek. Ze bevestigde de palen aan Whinneys draagstel en toen ze bij de anderen kwamen liep hij nog te grijnzen.

'Wat scheelt jou?' vroeg Latie. 'Waarom lach je zo?'

'Ik heb op het paard gereden,' antwoordde Danug. Latie knikte en lachte.

Bijna alles wat kon worden meegenomen was op draagschilden gebonden of in huiden gepakt, om als hangmatten aan stevige palen op de schouders van twee mensen te worden gedragen. Er bleven nog wat bouten en opgerolde huiden over, maar niet zoveel als Ayla had verwacht. Net als bij het jagen en het slachten kon nu ook weer meer worden meegenomen omdat iedereen samenwerkte.

Het was verscheidene mensen opgevallen dat Ayla geen vracht klaarmaakte om naar huis te dragen en ze vroegen zich af waar ze was, maar toen Jondalar haar zag terugkomen met Whinney, die de palen sleepte, wist hij wat ze van plan was. Ze legde de palen zo dat de dikke einden gekruist over de draagmanden lagen en aan het draagstel konden worden bevestigd. De dunne einden staken uit achter het paard en rustten lichtjes op de grond. Vervolgens spande ze een stuk tentleer tussen de palen en gebruikte nog wat takken als steun. De mensen kwamen kijken, maar ze begrepen de bedoeling pas toen Ayla de rest van de stukken bizon naar de slee begon te brengen. Ze vulde de manden ook en deed het laatste op een schild om dat zelf te dragen. Toen ze klaar was, was er tot ieders verbazing niets meer over van de stapel. Tulie keek naar Ayla en het paard met de slee en de manden en ze was duidelijk onder de indruk. 'Ik heb nog nooit aan een paard gedacht om een vracht te vervoeren,' zei ze. 'Eigenlijk is het tot nu toe nooit bij me opgekomen om een paard voor iets anders dan voedsel te gebruiken.'

Talut wierp grond op het vuur en porde er nog even in om zich ervan te overtuigen dat het uit was. Toen hees hij zijn zware draagschild omhoog, trok zijn proviandtas over de linkerschouder, pakte zijn speer en ging op weg. De rest van de jagers volgde hem. Toen Jondalar de Mamutiërs voor het eerst zag, had hij zich afgevraagd waarom ze hun tassen zo maakten dat ze maar over één schouder konden worden gedragen. Toen hij zijn draagstel vastmaakte zodat het prettig op zijn rug zat en zijn proviandtas omhing, begreep hij het opeens. Het stelde hen in staat om draagschilden op hun rug te dragen. Ze moeten vaak grote hoeveelheden dragen, dacht hij.

Whinney stapte achter Ayla aan met haar hoofd dicht bij de schouder van de vrouw. Jondalar liep naast haar en hield Renner bij de halster. Talut hield even in en kwam vlak voor hen lopen. Ze wisselden af en toe een paar woorden onder het lopen. Terwijl men voortsjokte onder de zware vracht, zag Ayla wel dat ze nu en dan naar haar en het paard keken.

Na enige tijd begon Talut een ritmisch wijsje te neuriën. Spoedig begon hij op de maat van hun stappen te zingen:

Hus-na, dus-na, tiesh-na, kiesh-na.
Pec-na, sec-na, ha-na-nya.
Hus-na, dus-na, tiesh-na, kiesh-na.
Pec-na, sec-na, ha-na-nya!

De rest van de groep viel in en herhaalde de lettergrepen op dezelfde melodie. Toen keek Talut met een ondeugende grijns naar Deegie en zong op hetzelfde wijsje en in hetzelfde ritme andere woorden:

Wat verlangt de knappe Deegie?
Branag, Branag in mijn bed.
Waar gaat knappe Deegie heen?
Naar het lege bed, alleen.

Deegie bloosde, maar ze glimlachte terwijl iedereen veelbetekenend grinnikte. Toen Talut de eerste vraag herhaalde, vielen de anderen in met het antwoord, en na de tweede zongen ze het antwoord weer. Vervolgens zongen ze samen met Talut het refrein:

Hus-na, dus-na, tiesh-na, kiesh-na,
Pec-na, sec-na, ha-na-nya!

Ze herhaalden het verscheidene keren en toen verzon Talut een andere tekst:

Hoe komt Wymez door de winter?
Maakt gereedschap en plezier.
Hoe komt Wymez door de zomer?
Haalt zijn schade in met vier!

Iedereen lachte, behalve Ranec. Die brulde. Toen de tekst door de groep werd herhaald kreeg Wymez, die zich niet zo gemakkelijk gaf, een kleur. Het was algemeen bekend dat de gereedschapmaker de gewoonte had om op de Zomerbijeenkomsten compensatie te zoeken voor zijn vrijgezellenbestaan in de winter.

Jondalar genoot net zoveel van de grappen en plagerijen als de anderen. Bij zijn eigen volk ging het net zo. Maar in het begin begreep Ayla de situatie, of de humor, niet zo goed, temeer niet omdat ze Deegies verlegenheid zag. Later zag ze dat er vrolijk werd gelachen en dat de spotliedjes gemoedelijk werden ontvangen. Ze begon de humor ervan in te zien en het lachen werkte aanstekelijk. Ze moest zelf ook lachen om het versje over Wymez.

Toen het rustig werd, begon Talut weer aan het refrein met de ritmische lettergrepen. Iedereen deed weer mee, maar het ging wel sneller:

Hus-na, dus-na, tiesh-na, kiesh-na,
Pec-na, sec-na, ha-na-nya!

Talut keek naar Ayla en begon met een zelfvoldane grijns:

Wie wil Ayla's warme aandacht?
Ze willen beiden op haar vacht.
Zwart of wit, wat zal het worden?
Zo wordt er op haar keus gewacht.

Ayla vond het leuk dat ze ook grappen over haar maakten, en hoewel ze de betekenis niet helemaal begreep, bloosde ze omdat het over haar ging. Ze dacht aan het gesprek van de vorige avond en begreep dat het zwart en wit op Ranec en Jondalar sloeg. Ranecs uitgelaten gelach bevestigde haar vermoeden, maar Jondalars geforceerde glimlach baarde haar zorgen. Hij kon de grappen niet meer waarderen.

Barzec pikte het refrein weer op en zelfs Ayla's ongeoefende oor hoorde duidelijk de zuivere toon en het timbre van zijn stem. Hij glimlachte ook naar Ayla en liet merken wie het onderwerp van zijn spotliedje zou zijn:

Hoe zal Ayla kunnen kiezen?
Zwart is zeldzaam, net als wit.
Welke minnaar moet ze kiezen?
Nu ze tussen twee vuren zit?

Barzec keek naar Tulie toen iedereen zijn liedje herhaalde en ze beloonde hem met een blik vol tederheid en liefde. Jondalar keek echter met gefronste wenkbrauwen en kon zelfs de schijn niet meer ophouden dat hij plezier had nu hij het onderwerp van de plagerij was geworden. Hij vond het geen leuk idee om Ayla met iemand te moeten delen en zeker niet met de charmante beeldhouwer.

Vervolgens zette Ranec het refrein in en de rest zong spoedig mee:

Pec-na, sec-na, ha-na-nya!

Hij keek eerst niemand aan om de spanning erin te houden. Toen lachte hij zijn tanden bloot en keek snel naar Talut, die met het plaagliedje was begonnen. Iedereen lachte bij voorbaat en wachtte tot Ranec iets had bedacht op degene die de anderen in verlegenheid had gebracht.

Wie is zo wijs en groot en sterk?
En leidt het Leeuwenkamp met moed?
Wie heeft de grootste bijl bij het werk?
De vriend van elke vrouw, Talut!

Het grote stamhoofd brulde om de insinuatie, terwijl de anderen de tekst nog een keer zongen en toen begon hij weer met het refrein. Het ritmische gezang gaf het tempo aan bij de terugreis naar het Leeuwenkamp en het verlichtte de last bij het dragen van de jachtbuit.

Nezzie kwam naar buiten en liet het kleed achter zich vallen. Haar blik dwaalde over de rivier. De zon stond laag in het westen en zou spoedig achter een grote wolkenbank aan de horizon verdwijnen. Ze zocht de helling af, al wist ze zelf niet waarom. Ze verwachtte de jagers nog niet terug; ze waren de vorige dag pas vertrokken en zouden ten minste twee nachten wegblijven. Ze meende toch iets te zien. Bewoog daar iets, aan het eind van het pad dat naar de steppen liep?

'Dat is Talut!' schreeuwde ze toen ze de bekende gestalte in de verte zag. Ze stak haar hoofd weer naar binnen en riep, 'Ze zijn terug! Talut en de anderen zijn terug!' Toen rende ze de heuvel op om ze tegemoet te gaan.

Iedereen kwam vlug naar buiten om de jagers te begroeten. Ze hielpen door de zware vracht van de mensen over te nemen die niet alleen hadden gejaagd, maar ook de buit naar huis moesten dragen. Wat het meest de aandacht trok was het paard, dat een vracht sleepte die veel groter was dan de mensen konden dragen. Ze kwamen verbaasd om Ayla heen staan toen ze nog meer uit de manden tilde. Het vlees en de andere stukken van de bizons werden meteen naar binnen gebracht, naar de bergruimte.

Toen iedereen binnen was, verzorgde Ayla de paarden en ze maakte Whinneys draagstel en Renners halster los. De vrouw vond het toch vervelend om ze iedere avond alleen te laten en naar binnen te gaan, al schenen ze er niet onder te lijden dat ze de nachten buiten doorbrachten. Zolang het weer redelijk goed bleef, was het niet zo erg. Een beetje kou hinderde niet, maar in deze tijd van het jaar kon het plotseling omslaan. Hoe moest het als het noodweer werd? Waar moesten de paarden dan heen?

Ze keek bezorgd naar de lucht. Er trokken wolkenflarden in schitterende kleuren over haar heen. De zon was nog niet zo lang onder en had een prachtig palet felle kleuren achtergelaten. Ze bleef staan kijken tot de tinten vervaagden en het heldere blauw grijs werd.

Toen ze naar binnen ging, hoorde Ayla dat ze het over haar en het paard hadden. Ze stond nog voor het binnengordijn dat toegang gaf tot de kookruimte. De mensen zaten bij elkaar te eten en te praten en ze rustten uit, maar het gesprek stokte toen zij binnenkwam. Nezzie gaf haar een bord en ze praatten weer door. Ayla wilde wat pakken, maar toen keek ze om zich heen. Waar was het bizonvlees dat ze hadden meegebracht? Ze zag het nergens. Ze begreep dat het was opgeborgen, maar waar?

Ayla duwde de zware mammoethuid opzij en keek eerst of ze de paarden zag. Toen ze zich ervan had overtuigd dat ze er waren, zocht ze Deegie. Het was nog vroeg, maar Deegie had beloofd dat ze haar met de nieuwe bizonhuiden zou laten zien hoe de Mamutiërs huiden looiden en bewerkten. Ayla was bijzonder geïnteresseerd in de manier waarop ze het leer rood kleurden, zoals Deegies tuniek. Jondalar had gezegd dat voor hem wit heilig was, maar voor Ayla was rood de heilige kleur, omdat het bij de Stam zo was. Bij de ceremonie van het naamgeven werd een kleurpasta van rode oker met vet gebruikt, bij voorkeur vet van de holenbeer; het eerste wat in een amuletzakje ging was een stukje rode oker en dat werd gegeven als de totem van die persoon werd bekendgemaakt. Van de geboorte tot de dood werd rode oker bij veel rituelen gebruikt, ook bij de begrafenis. Het kleine tasje met de wortels van de heilige drank was het enige rode voorwerp dat Ayla bezat en na haar amulet was het haar grootste schat.

Nezzie kwam naar buiten en had een groot stuk leer bij zich dat door het vele gebruik onder de vlekken zat. Ze zag Ayla en Deegie staan. 'O, Deegie, ik was op zoek naar iemand die me kan helpen,' zei ze. 'Ik dacht: kom, laat ik eens een grote pan stoofpot maken voor ons allemaal. De jacht op de bizons was zo'n succes dat Talut zei dat we het moeten vieren met een feestmaal. Wil je dit vuur aanleggen voor het koken? Ik heb gloeiende kolen bij de grote vuurplaats gebracht en het draagstel erop gezet. Er staat buiten een zak gedroogde mammoet-mest om bij de kolen te doen en ik zal Danug en Latie om water sturen.'

'Als jij stoofpot maakt, help ik je altijd, Nezzie.'

'Kan ik helpen?' vroeg Ayla.

'En ik?' vroeg Jondalar. Hij was juist op weg naar Ayla om met haar te praten en hoorde wat er ging gebeuren.

'Jullie kunnen me helpen om eten te halen,' zei Nezzie, terwijl ze zich omdraaide en weer naar binnen ging.

Ze volgden haar naar een van de poorten van mammoetslagtanden die langs de wanden in het huis stonden. Ze trok een vrij zwaar kleed van mammoethuid opzij, dat niet was kaalgesneden. Aan de buiten-kant zat de dubbele laag rossig haar met een donsachtige onderlaag en een langharige bovenlaag. Er hing een tweede kleed achter en toen dat opzij werd getrokken, voelden ze een koude luchtstroom. In de half-duistere ruimte zagen ze een grote kuil ter grootte van een kamertje. Deze lag ongeveer een meter beneden de begane grond, met aarden wanden, uitgegraven uit de heuvel. Hij lag bijna vol met bevroren schijven vlees, hompen en kleinere karkassen.

'De bergplaats!' zei Jondalar, die de zware kleden ophield terwijl Nez-zie naar beneden ging. 'Wij bewaren ook bevroren vlees voor de win-ter, maar dat ligt niet zo mooi dichtbij. Onze andere bergplaatsen lig-gen onder de overhangende rotsen of voor in een paar grotten. Maar het valt niet mee om het vlees daar bevroren te houden.'

'In de koude tijd houdt de Stam het vlees bevroren in bergplaats on-der berg stenen,' zei Ayla, die nu ook begreep wat er met het bizon-vlees was gebeurd dat ze hadden meegebracht.

Nezzie en Jondalar keken verbaasd. Ze hadden nooit gedacht dat de mensen van de Stam een vleesvoorraad aanlegden voor de winter en ze verwonderden zich er telkens over als Ayla handelingen noemde die zo modern en menselijk leken. Maar Jondalars opmerkingen over zijn woonomgeving hadden Ayla weer verbaasd. Zij had aangenomen dat de Anderen allemaal hetzelfde soort woningen hadden en het was niet tot haar doorgedrongen dat dit soort onderkomens voor hem net zo vreemd waren als voor haar.

'Wij hebben hier niet veel stenen bij de hand om er bergplaatsen van te maken,' zei Talut met zijn dreunende stem. Ze zagen de reus met zijn rode baard naar hen toe komen. Hij nam een van de zware kleden over van Jondalar. 'Deegie zei dat je hebt besloten stoofpot te maken,

Nezzie,' zei hij met een waarderende grijns. 'Ik dacht dat ik je maar eens moest helpen.'

'Die man ruikt het eten al voor er gekookt wordt!' zei Nezzie grinnikend terwijl ze in de kuil rondsnuffelde.

Jondalar had grote belangstelling voor de bergruimten. 'Hoe blijft het vlees zo goed bevroren? In huis is het warm,' zei Jondalar.

's Winters is de grond keihard bevroren, maar 's zomers ontdooit hij wel zo ver dat je erin kunt graven. Bij het maken van een woning graven we diep genoeg om tot de grond te komen die altijd bevroren blijft. Dat worden de bergplaatsen. Daar blijft het voedsel ook 's zomers koud, hoewel het niet altijd bevroren blijft. In de herfst, zodra het buiten koud wordt, bevriest de grond weer. Dan bevriest het vlees in de kuilen en gaan we de wintervoorraad aanleggen. De mammoethuid houdt de warmte binnen en de kou buiten,' legde Talut uit, 'net als voor de mammoet,' voegde hij er grijnzend aan toe.

'Hier, Talut, pak aan,' zei Nezzie en ze hield een hardbevroren roodbruine homp vlees met een gelig laagje vet omhoog.

'Ik pak het wel,' bood Ayla aan en ze reikte naar het vlees.

Talut pakte Nezzies handen vast en hoewel ze beslist geen klein vrouwtje was, tilde de sterke man haar uit de kuil alsof ze een kind was. 'Je bent koud. Ik zal je moeten opwarmen,' zei hij. Hij sloeg zijn armen om haar heen, tilde haar op en wreef zijn neus tegen haar hals. 'Houd op, Talut. Zet me neer!' mopperde ze, hoewel ze een kleur kreeg van plezier. 'Ik moet aan het werk, dit is geen geschikt moment...'

'Zeg maar wanneer het wel het geschikte moment is, dan zet ik je neer.'

'We hebben gasten,' protesteerde ze, maar ze sloeg haar armen om zijn hals en fluisterde hem iets in het oor.

'Dat is beloofd!' brulde de reusachtige man. Hij zette haar voorzichtig op de grond en gaf haar een klapje op haar brede achterste, terwijl de vrouw, die wat van de wijs was gebracht, haar kleren rechttrok en probeerde haar waardigheid terug te vinden.

Jondalar grijnsde naar Ayla en legde zijn arm om haar middel.

Ayla dacht weer even dat ze een spelletje speelden door het ene te zeggen en iets anders te doen. Maar deze keer begreep ze de humor en de grote liefde die tussen Talut en Nezzie bestond. Opeens besefte ze dat ze ook liefde toonden zonder al te duidelijk te zijn, zoals de Stam deed, door iets te zeggen dat een andere betekenis had. Met dat nieuwe inzicht begon ze het beter te begrijpen en werden veel problemen die haar hadden beziggehouden opgelost. Daardoor begreep ze de humor ook beter.

'Die Talut!' zei Nezzie en ze probeerde haar stem streng te doen klinken, maar haar tevreden glimlach was daarmee in strijd.

'Als je niets anders te doen hebt, kun je helpen om de wortels te halen, Talut.' Tegen de jonge vrouw zei ze: 'Ik zal je laten zien waar we die bewaren, Ayla. De Moeder is dit jaar erg gul geweest. Het was een goede zomer en we hebben er veel opgegraven.'

Ze liepen om een slaapplaats heen naar een andere poort met een kleed ervoor. 'Wortels en vruchten bewaren we wat hoger,' zei Talut en hij trok weer een kleed open en liet hun manden vol knobbelige, bruine, zetmeelrijke aardnoten zien; lichtgele wilde worteltjes; de sappige onderste stukjes van kattenstaart en lisdodde, en andere producten, die hoger stonden opgeslagen, aan de rand van een kuil. 'Ze blijven langer goed als ze koel bewaard worden, maar als ze bevriezen worden ze zacht. We bewaren ook huiden in de bergplaatsen tot iemand eraan toe is om ze te bewerken en wat botten om gereedschap te maken en een beetje ivoor voor Ranec. Hij zegt dat het beter te bewerken is als het bevroren is. Extra ivoor en botten voor de vuren worden in de hal bewaard en in de putten buiten.'

'Dat doet me eraan denken dat ik een knieschijf van een mammoet nodig heb voor de stoofpot. Dat maakt hem krachtiger en geuriger,' zei Nezzie terwijl ze een grote mand met groenten vulde. 'Waar heb ik nou die gedroogde uien gelaten?'

'Ik heb altijd gemeend dat stenen wanden noodzakelijk waren om een winter te overleven, als bescherming tegen de wind en de buien,' zei Jondalar bewonderend. 'Wij maken onderkomens in grotten, tegen de wanden. Maar jullie hebben geen grotten. Jullie hebben ook geen bomen, voor hout om na te bouwen. Jullie hebben alles gedaan met mammoeten!'

'Daarom is de verblijfplaats van de mammoet heilig. We jagen ook op andere dieren, maar ons leven hangt af van de mammoet,' zei Talut.

'Toen ik bij Brecie en het Wilgenkamp in het zuiden was, heb ik zo'n behuizing als hier niet gezien.'

'Ken jij Brecie ook?' onderbrak Talut.

'Brecie heeft, samen met een paar mensen uit haar kamp, mijn broer en mij uit het drijfzand getrokken.'

'Zij en mijn zuster zijn oude vriendinnen,' zei Talut, 'en zijn verwant door Tulies eerste man. We zijn samen opgegroeid. Ze noemen de plaats waar ze 's zomers wonen hun Wilgenkamp. Zomerverblijven zijn lichter gebouwd, niet zoals dit. Het Leeuwenkamp is een plaats om te overwinteren. De mensen van het Wilgenkamp gaan vaak naar de Zwarte Zee, voor vis en schaaldieren. En zout voor de ruilhandel. Wat deden jullie daar?'

'Thonolan en ik staken de delta van de Grote Moederrivier over. Ze redde ons het leven...'

'Dat moet je later eens vertellen. Iedereen zal graag iets over Brecie willen horen,' zei Talut.

Het viel Jondalar op dat de meeste van zijn verhalen ook over Thonolan gingen. Hij moest over zijn broer praten, of hij het wilde of niet. Het viel niet mee, maar hij zou eraan moeten wennen, als hij tenminste wou praten.

Ze liepen door de Mammoetvuurplaats, die, met uitzondering van de doorgang in het midden, zoals alle vuurplaatsen, werd afgebakend door mammoetbotten en leren kleden. Talut zag Jondalars speerwerper.

'Dat was een goede demonstratie die jullie gaven,' zei het stamhoofd. 'Die bizon kon geen stap meer doen.'

'Je kunt er veel meer mee doen dan jullie hebben gezien,' zei Jondalar en hij pakte het toestel op. 'Je kunt er een speer harder en verder mee werpen.'

'O ja? Misschien kun je het ons nog eens laten zien,' zei Talut.

'Dat is een goed idee, maar dan moeten we naar de steppen gaan. Daar kun je beter zien hoe ver we kunnen werpen. Ik denk dat je verbaasd zult staan,' zei Jondalar, en tegen Ayla zei hij: 'Waarom neem jij de jouwe ook niet mee?'

Buiten zag Talut zijn zuster naar de rivier lopen en hij riep dat ze Jondalars nieuwe manier om een speer te werpen gingen bekijken. Ze gingen de helling op, en tegen de tijd dat ze op de open vlakte kwamen hadden de meeste kampbewoners zich bij hen gevoegd.

'Hoe ver kun jij een speer werpen, Talut?' vroeg Jondalar toen ze een geschikte plek voor de demonstratie hadden bereikt. 'Kun je dat laten zien?'

'Natuurlijk, maar waarom?'

'Omdat ik je wil laten zien dat ik verder kan gooien,' zei Jondalar.

Zijn bewering werd gevolgd door algemeen gelach. 'Je had beter iemand anders uit kunnen zoeken als tegenstander. Ik weet wel dat je groot bent en ongetwijfeld ook sterk, maar niemand kan een speer verder gooien dan Talut,' zei Barzec. 'Waarom laat je het hem niet even zien, Talut? Geef hem een eerlijke kans om te zien waar hij aan begint. Dan kan hij daarna wedijveren met iemand die ongeveer even ver komt. Ik kan hem wel partij geven. Danug misschien ook wel.'

'Nee,' zei Jondalar, met een schittering in zijn ogen. Dit ging een wedstrijd worden. 'Als Talut van jullie de beste is, dan is alleen Talut goed genoeg. Ik zou best een weddenschap aan willen gaan dat ik de speer verder kan werpen... alleen, ik heb niets om mee te wedden. Eigenlijk zou ik om dit,' en hij hield het platte, smalle houten voorwerp omhoog, 'willen wedden dat Ayla een speer verder, sneller en nauwkeuriger kan werpen dan Talut.'

Er ging een verbaasd geroezemoes door de verzamelde kampbewoners als reactie op Jondalars bewering. Tulie keek naar Ayla en Jondalar. Ze waren te ontspannen, te zelfbewust. Ze moesten toch inzien dat ze geen partij waren voor haar broer? Ze betwijfelde zelfs of ze wel tegen haar op konden. Ze was bijna net zo groot als de blonde man en misschien sterker, hoewel zijn langere armen mogelijk in zijn voordeel waren. Wat wisten zij meer dan de anderen? Ze stapte naar voren.

'Ik zal je iets geven om om te wedden,' zei ze. 'Als je wint, geef ik je het recht van mij iets redelijks te eisen en als het binnen mijn mogelijkheden ligt, zal ik het inwilligen.'

'En als ik verlies?'

'Dan geldt voor jou hetzelfde.'

'Tulie, weet je zeker dat je onder die voorwaarden wilt wedden?' vroeg Barzec zijn gezellin met een bezorgde blik. Met zulke onzekere afspraken zette je veel op het spel en werd er altijd meer gevraagd dan een gebruikelijke beloning. Niet zozeer omdat de winnaar ongewoon hoge eisen stelde, hoewel dat soms gebeurde, maar vooral omdat de verliezer de zekerheid moest hebben dat de winnaar tevreden was en geen verdere eisen zou stellen. Wie wist wat die vreemdeling zou vragen?

'Om een vrije inzet? Ja,' antwoordde ze. Maar ze zei niet dat ze zich niet kon voorstellen dat ze verloor, omdat ze dan de beschikking zouden krijgen over een waardevol nieuw wapen, als het tenminste werkelijk deed wat hij zei. Als hij verloor, kon ze van hem iets eisen. 'Wat zeg je ervan, Jondalar?' Tulie was sluw, maar Jondalar glimlachte. Hij had al vaker onder zulke voorwaarden gewed; ze brachten altijd spanning in het spel en grote belangstelling van de toeschouwers. Hij wou hen deelgenoot maken van het geheim van zijn ontdekking. Hij wou wel eens zien hoe ze het accepteerden en hoe het werkte bij een gezamenlijke jachtpartij. Dat werd de volgende stap bij het testen van zijn nieuwe jachtwapen. Na een beetje experimenteren en oefening kon iedereen ermee omgaan. Dat was het mooie ervan. Maar er was tijd en oefening voor nodig om de nieuwe techniek te leren die groot enthousiasme eiste. De weddenschap zou dat oproepen... en hij zou ook nog een inzet van Tulie tegoed hebben. Daar was geen twijfel aan.

'Aangenomen!' zei Jondalar.

Ayla had de onderhandelingen gevolgd. Ze begreep dat wedden niet helemaal, behalve dat het te maken had met een wedstrijd. Maar ze begreep wel dat er meer aan de hand was dan op het eerste gezicht leek.

'Laten we hier een paar doelen zetten om op te mikken, met een paar waarnemers,' zei Barzec, die de leiding van de wedstrijd op zich nam. 'Druwez, haal even met Danug een paar lange botten voor palen,' zei hij tegen de middelste zoon van de Oerosvuurplaats. Hij glimlachte toen hij de twee jongens de helling af zag rennen. Danug stak, net als Talut, een eind boven de andere jongen uit, hoewel ze maar een jaar verschilden, maar Druwez was dertien en begon Barzecs postuur te krijgen, wat gedrongen maar wel gespierd.

Barzec was ervan overtuigd dat die jongen en de kleine Tusie kinderen van zijn geest waren, net zoals Deegie en Tarneg ongetwijfeld van Darnevs geest waren. Van Brinan was hij niet zeker. Hij was acht jaar, maar het bleef moeilijk te zeggen. Mut kan een andere geest hebben gekozen, niet een van de twee mannen van de Oerosvuurplaats. Hij leek op Tulie en had het rode haar van haar broer, maar Brinan was toch anders. Zo had Darnev het ook gevoeld. Barzec kreeg een brok in de keel nu hij zich er weer zo duidelijk van bewust werd dat zijn makker er niet meer was. Het was niet meer hetzelfde zonder Darnev, dacht Barzec. Na twee jaar had hij er nog net zoveel verdriet van als Tulie.

Tegen de tijd dat de palen van mammoetbot waren uitgezet om de lijn aan te geven waarlangs zou worden geworpen, begon de dag een feestelijk tintje te krijgen. Er waren rode vossenstaarten aan de palen gebonden en over de toppen hingen manden in frisse kleuren, die waren gevlochten van grassen. Van paal tot paal werden bossen lang gras gebonden om een breed pad te markeren. De kinderen renden op en neer over de baan en trapten het gras plat, zodat de baan nog duidelijker werd aangegeven. Anderen haalden hun speren op en toen kwam iemand op het idee om een oude matras vol te proppen met gras en droge mammoetmest. Met houtskool werden er figuren op getekend en zo werd het een verplaatsbaar doelwit.

Tijdens de voorbereidingen, die steeds uitgebreider werden, ging Ayla een ontbijt klaarmaken voor Jondalar, Mamut en zichzelf. Weldra was de hele Leeuwenvuurplaats bezig zodat Nezzie aan de stoofpot kon beginnen. Talut bood voor het feestmaal wat van zijn sterkedrank aan en dat gaf iedereen het gevoel dat het een bijzondere gelegenheid was, omdat hij zijn drank alleen voor den dag haalde voor gasten en feestelijke gelegenheden. En Ranec kondigde aan dat hij een speciale schotel zou klaarmaken, wat Ayla verbaasde, omdat ze niet wist dat hij kookte, en dat het alle anderen wel aanstond. Tornec en Deegie zeiden dat als er een feest kwam, zij ook iets zouden doen. Ayla begreep het woord niet goed, maar het werd met nog groter enthousiasme begroet dan Ranecs aanbod.

Tegen de tijd dat het ontbijt was afgelopen en alles was opgeruimd, was het huis leeg. Ayla was de laatste die wegging. Ze liet het kleed van de buitenste poort achter zich dichtvallen en zag dat er al een deel van de morgen om was. De paarden waren al wat dichterbij gekomen en Whinney stak briesend het hoofd omhoog bij wijze van begroeting. De speren waren nog op de steppe, maar ze had haar slinger meegenomen en hield hem in de hand, met een zakje ronde stenen die ze in een grindbed bij de bocht van de rivier had gevonden. Ze had geen riem om haar zware tuniek om de slinger tussen te stoppen en ook geen gemakkelijke plooi in een omslag om de projectielen in mee te nemen. De tuniek die ze droeg zat heel ruim.

Het hele kamp voelde zich betrokken bij de wedstrijd en stond al op de helling te wachten. Ze wilde er ook net heen gaan, toen ze Rydag geduldig zag wachten tot iemand hem zou opmerken en naar boven zou dragen, maar degenen die dat meestal deden – Talut, Danug of Jondalar – waren al op de steppen.

Ayla glimlachte tegen het kind en ging hem halen. Toen kreeg ze een idee. Ze draaide zich om en floot Whinney. De merrie en de jonge hengst galoppeerden samen naar haar toe en leken blij haar te zien. Ayla besefte dat ze de laatste tijd niet veel aandacht aan ze besteedde. Er waren zoveel mensen die haar in beslag namen. Ze nam het besluit iedere morgen even te gaan rijden, tenminste zolang het weer goed bleef. Toen tilde ze Rydag op en zette hem op de rug van de merrie opdat Whinney hem de steile helling op kon dragen.

'Houd je aan haar manen vast, zodat je niet achterover kunt vallen,' waarschuwde ze.

Hij knikte, greep het dikke haar op de nek van het hooikleurige paard vast en slaakte een zucht van geluk.

De spanning was voelbaar toen Ayla bij de baan voor het speerwerpen kwam. Ze begreep dat, ondanks het feestelijke gebeuren, de wedstrijd een serieuze zaak was geworden. Door de weddenschap was het meer geworden dan een demonstratie. Ze liet Rydag op Whinneys rug zitten, zodat hij alles goed kon zien en ging rustig naast de beide paarden staan om ze kalm te houden. Ze voelden zich al beter thuis bij deze mensen, maar de merrie voelde de spanning, dat wist Ayla, en Renner voelde altijd de stemming van zijn moeder aan.

De mensen liepen vol verwachting rond en sommigen gooiden zomaar een speer langs de platgetrapte baan. Er was geen tijd afgesproken voor de wedstrijd, maar het leek wel of iemand een teken had gegeven en iedereen het juiste moment wist om ruim baan te maken en rustig aan de kant te gaan staan. Talut en Jondalar stonden tussen de twee palen en keken de baan af. Tulie stond naast hen. Hoewel Jondalar oorspronkelijk had gezegd dat hij wilde wedden dat ook Ayla verder kon werpen dan Talut, leek dat zo onwaarschijnlijk dat die opmerking duidelijk was genegeerd en ze ging met grote belangstelling aan de zijlijn staan kijken.

De speren van Talut waren dikker en langer dan die van de anderen, alsof zijn sterke spieren iets met gewicht en massa moesten hebben om goed te kunnen slingeren, maar Ayla herinnerde zich dat de speren van de mannen van de Stam nog zwaarder en dikker waren, al waren ze niet zo lang. Ayla zag nog meer verschillen. Anders dan de speren van de Stam, die werden gemaakt om te stoten, waren deze speren, evenals die van haar en van Jondalar, gemaakt om door de lucht te gooien en er zaten veren aan. Het Leeuwenkamp scheen de voorkeur te geven aan drie veren aan het eind van de schacht, terwijl Jondalar er twee had gebruikt. De speren die ze voor zichzelf had gemaakt toen ze alleen in de vallei woonde, hadden scherpe, in het vuur geharde punten, zoals ze ze in de Stam had gezien. Jondalar had van een puntig geslepen bot speerpunten gemaakt en ze aan de schachten bevestigd. De mammoetjagers schenen de voorkeur te geven aan een speer met een vuurstenen punt.

Ze was zo verdiept in het bekijken van de speren die de verschillende mensen vasthielden dat ze bijna de eerste worp van Talut miste. Hij was een paar stappen achteruitgegaan en toen liet hij hem in een vliegende start met een krachtige worp los. De speer snorde langs de toeschouwers en landde met een flinke schok. De bewonderaars lieten er geen twijfel over bestaan wat ze van de prestatie van hun stamhoofd vonden. Ook Jondalar was verrast. Hij had gedacht dat Talut ver zou werpen, maar de grote man had zijn verwachtingen overtroffen. Geen wonder dat de mensen aan zijn bewering twijfelden.

Jondalar mat de afstand in stappen om enig idee te hebben hoe ver hij moest werpen en ging terug naar de streep. Hij hield de speerwerper horizontaal, legde het achtereind van de schacht in de groef die over de volle lengte van de werper liep en zette het gat in de speer tegen de kleine uitstekende haak aan het eind van de werper. Hij stak twee vingers in de leren riemen aan de voorkant, zodat hij de speer kon vasthouden en de speerwerper goed in balans lag. Hij keek naar Taluts speer, die in de grond stond, spande de riem en bracht het toestel om hoog. Omdat er nog meer dan een halve meter bij zijn armlengte kwam, werd de kracht van de worp door de hefboomwerking extra vergroot. Zijn speer floot langs de toeschouwers en tot hun grote verbazing kwam hij een heel eind verder dan die van hun stamhoofd. Hij kwam vlak neer en gleed een eindje door over de grond. Jondalar wierp met de werper wel twee keer zo ver als zonder en hoewel hij Taluts afstand zeker niet had verdubbeld, was hij toch een flink stuk verder gekomen.

Voor de kampbewoners van de schrik waren bekomen en het verschil tussen de beide worpen was gemeten, snorde er opeens nog een speer langs de baan. Tulie keek geschrokken achterom en zag Ayla op de streep staan, met de speerwerper nog in de hand. Ze keek nog net op tijd om de speer te zien landen. Hoewel Ayla niet helemaal zo ver kwam als Jondalar, had de jonge vrouw Taluts worp ook overtroffen en aan Tulies gezicht was te zien dat ze het amper kon geloven.

9

'Ik heb verloren en ben je iets schuldig, Jondalar,' stelde Tulie vast. 'Ik geef toe dat ik je geen enkele kans gaf om Talut te verslaan, maar ik had nooit kunnen geloven dat de vrouw het kon. Ik zou die... eh... dinges wel eens willen zien.'

'De speerwerper. Ik weet niet hoe ik hem anders moet noemen. Ik kreeg het idee door Ayla, toen ik haar op een dag bezig zag met haar slinger. Ik bleef erover nadenken hoe ik een speer zo ver, snel en zuiver zou kunnen gooien als zij een steen met haar slinger werpt. Toen begon ik erover te denken hoe dat moest,' zei Jondalar.

'Je hebt al eens eerder over haar vaardigheid gepraat. Is ze echt zo goed?' vroeg Tulie.

Jondalar glimlachte. 'Ayla, waarom haal je je slinger niet om het Tulie te laten zien?'

Ayla fronste haar wenkbrauwen. Ze was niet gewend om demonstraties te geven. Ze had haar vaardigheid in het geheim ontwikkeld en toen haar, met tegenzin, werd toegestaan om te jagen, ging ze er altijd alleen op uit. Het zou voor de Stam en voor haar niet prettig zijn geweest als ze zagen dat zij een jachtwapen gebruikte. Jondalar was de eerste geweest die met haar had gejaagd en haar zelfaangeleerde bekwaamheid had gezien. Ze keek even naar de glimlachende man. Hij was ontspannen en zelfverzekerd. Ze bespeurde geen teken dat haar waarschuwde om te weigeren.

Ze knikte en ging haar slinger met de zak stenen bij Rydag halen. Ze had ze hem gegeven toen ze het besluit nam de speer te werpen. De jongen lachte naar haar vanaf Whinneys rug. Hij was verrukt over de opschudding die zij teweeg had gebracht.

Ze keek om zich heen en zocht een doel. Ze zag de mammoetribben staan en mikte daar eerst op. Het bijna muzikale geluid van stenen op bot liet er geen twijfel over bestaan dat ze de palen had geraakt, maar dat was te gemakkelijk. Ze keek om zich heen en probeerde iets anders te vinden. Ze was gewend om op vogels en kleine dieren te jagen en niet om stenen naar voorwerpen te gooien.

Jondalar wist dat ze veel meer kon dan palen raken en toen hij zich een middag herinnerde van de zomer die pas voorbij was, veranderde zijn glimlach in een grijns. Hij schopte een paar kluiten gedroogde modder los. 'Ayla,' riep hij.

Ze draaide zich om, keek langs de baan en zag hem staan, met gespreide benen, de handen in de zij en op iedere schouder een kluit grond. Ze fronste de wenkbrauwen. Hij had al eens eerder zoiets gedaan, met twee stenen en ze hield er niet van hem zoveel risico te zien nemen. Stenen uit een slinger konden dodelijk zijn. Maar als ze erover nadacht moest ze toegeven dat het gevaarlijker leek dan het in werkelijkheid was. Twee niet-bewegende voorwerpen moesten een makkelijk doel voor haar zijn. Zo'n schot had ze in geen jaren gemist. Waarom zou ze nu missen? Alleen omdat toevallig een man de voorwerpen op zijn schouders had – de man van wie ze hield?

Ze sloot de ogen, haalde diep adem en knikte weer. Ze pakte twee stenen uit de zak die aan haar voeten stond, bracht de uiteinden van de leren riem bij elkaar en legde een van de stenen in het versleten zakje in het midden terwijl ze de andere steen klaarhield. Alles leek rustig, maar de spanning was te snijden.

Ayla concentreerde zich op de man met de kluiten modder op zijn schouders. Toen ze in beweging kwam, drong het hele kamp naar voren. Met de soepele gratie en de subtiele bewegingen van een geoefend jager die geleerd had haar bedoelingen zo weinig mogelijk te laten blijken verzamelde de jonge vrouw al haar krachten en liet het eerste projectiel schieten.

Nog voor de eerste steen zijn doel had bereikt, legde ze de tweede klaar. De harde kluit op Jondalars rechterschouder spatte uit elkaar door de inslag van de harde steen. Voor iemand zich ervan bewust was dat ze weer had geworpen volgde de tweede steen. Die verpulverde de kluit grijsbruine löss op zijn linkerschouder tot een stofwolk. Het ging zo snel dat sommige toeschouwers het gevoel hadden dat ze het hadden gemist of dat het een soort truc was.

Het was ook een truc, maar wel met zoveel kundigheid uitgevoerd dat slechts weinigen het haar na konden doen. Niemand had Ayla geleerd een slinger te gebruiken. Ze had het geleerd door stiekem naar de mannen van Bruns Stam te kijken, met vallen en opstaan en oefening. Ze had haar snelvuurtechniek met de twee stenen ontwikkeld als een middel tot zelfverdediging toen haar eerste schot een keer miste en ze ternauwernood aan een aanvallende lynx ontkwam. Ze wist niet dat de meeste mensen zouden hebben gezegd dat het onmogelijk was; er was nooit iemand geweest om het te zeggen.

Hoewel ze het niet besefte, was het twijfelachtig of ze ooit iemand zou ontmoeten die het ook zo goed kon en dat kon haar ook niet schelen. Het had haar belangstelling niet om te wedijveren met een ander en te zien wie de beste was. Dat deed ze alleen met zichzelf; haar enige verlangen was zich verder te bekwamen. Ze kende haar mogelijkheden, en als ze een nieuwe techniek bedacht, zoals de worp met twee stenen of jagen te paard, probeerde ze het op verschillende manieren tot ze er een vond die leek te lukken en dan oefende ze tot ze het kon.

Bij elke menselijke activiteit kunnen door concentratie, oefening en een sterke wil een paar mensen zo bedreven worden dat ze boven alle anderen uitsteken. Ayla was zo'n deskundige met de slinger.

Het bleef even stil tot de mensen weer rustig konden ademhalen; toen klonk er verbaasd gemompel en Ranec begon met zijn handen op zijn dijen te slaan. Spoedig applaudisseerde het hele kamp op dezelfde wijze. Ayla begreep niet goed wat het betekende en keek naar Jondalar. Hij straalde verrukt en ze begon te begrijpen dat het applaus een blijk van goedkeuring was.

Tulie applaudisseerde ook, maar op een iets minder enthousiaste manier dan sommige anderen. Ze wou niet laten merken hoe ze onder de indruk was, hoewel Jondalar zeker wist dat ze dat wel was.

'Als jullie dit al wat vonden, moet je nu eens opletten!' zei hij. Hij pakte nog twee harde kluiten van de grond. Hij zag Ayla naar hem kijken en klaarstaan met twee stenen. Hij gooide de twee kluiten tegelijk de lucht in. Ayla schoot er een uit elkaar en verpulverde de andere tot een stofwolk. Hij gooide er nog twee omhoog en ze deed ze uit elkaar spatten nog voor ze de grond raakten.

Taluts ogen schitterden van opwinding. 'Ze is geweldig!' zei hij.

'Gooi jij er eens twee omhoog,' zei Jondalar tegen hem. Toen hij zag dat Ayla keek, pakte hij zelf ook nog twee kluiten en hield ze omhoog om ze te laten zien. Ze tastte in de zak en pakte vier stenen, twee in elke hand. Er was een buitengewone coördinatie voor nodig om vier stenen te laden en weg te werpen voor de vier kluiten weer op de grond vielen, maar om het voldoende nauwkeurig te doen en ze te raken, was een uitdaging die haar vaardigheid zeker op de proef stelde. Jondalar hoorde dat Barzec en Manuv een weddenschap afsloten; Manuv wedde op Ayla. Nadat ze Nuvies leven had gered was hij ervan overtuigd dat ze alles kon.

Jondalar wierp de kluiten met zijn sterke rechterhand omhoog, de een na de ander, terwijl Talut nog twee droge kluiten modder de lucht in gooide, zo hoog als hij kon.

De eerste twee, een van Jondalar en een van Talut, werden kort na elkaar geraakt. Het regende stof na de botsing, maar het kostte extra tijd om de volgende twee stenen in de andere hand te pakken. Jondalars tweede kluit begon al te vallen, die van Talut bereikte het hoogste punt voor Ayla de slinger klaar had. Ze mikte op het laagste doel dat steeds sneller begon te vallen en toen vloog er een steen uit de slinger. Ze zag dat het raak was, maar ze wachtte te lang voor ze het losse eind van de slinger weer pakte. Nu zou ze zich moeten haasten.

Met een soepele beweging deed Ayla de laatste steen in de slinger en toen sloeg ze hem eruit, sneller dan iemand kon geloven. Hij verpletterde de laatste kluit vlak voor deze de grond raakte.

De kampbewoners barstten los in goedkeurend geschreeuw, felicitaties en dijengeklets.

'Dat was wél een demonstratie, Ayla,' zei Tulie en ze was vol lof. 'Ik geloof niet dat ik ooit zoiets heb gezien.'

'Dank je,' antwoordde Ayla die een kleur van blijdschap kreeg door de reactie van de leidster en ook als gevolg van haar succes. Er kwamen meer mensen om haar heen staan en ze kreeg veel complimentjes. Ze glimlachte verlegen en zocht Jondalar, omdat ze zich niet op haar gemak voelde onder al die belangstelling. Hij stond met Wymez en Talut te praten, die Rugie op zijn schouders had en Latie stond naast hem. Hij zag wel dat ze naar hem keek en hij glimlachte, maar hij praatte verder.

'Ayla, hoe heb je ooit geleerd om zo met een slinger om te gaan?' vroeg Deegie.

'En waar? Wie heeft het je geleerd?' vroeg Crozie.

'Dat zou ik ook wel willen leren,' voegde Danug er verlegen aan toe. De lange jongeman stond achter de anderen en keek vol bewondering naar Ayla. De eerste keer dat hij haar zag had Ayla bij Danug een kinderlijke opwinding veroorzaakt. Hij vond haar de mooiste vrouw die hij ooit had gezien en dacht dat Jondalar, die hij bewonderde, veel geluk had gehad.

Maar na zijn rit op het paard en haar demonstratie was zijn ontluikende belangstelling plotseling veranderd in een regelrechte verliefdheid.

Ayla schonk hem een onzekere glimlach.

'Misschien wil je het ons leren wanneer jij en Jondalar ons de speerwerpers laten zien,' stelde Tulie voor.

'Ja. Het kan me niet zoveel schelen om zo met een slinger te kunnen werpen, maar die speerwerper lijkt me echt interessant, als je er tenminste zuiver mee kunt richten,' voegde Tornec eraan toe.

Ayla verdedigde het toestel. De vragen en al die mensen maakten haar nerveus. 'Speerwerper is zuiver... als hand zuiver is,' zei ze en ze bedacht hoe ijverig zij en Jondalar ermee hadden geoefend. Niets ging zomaar vanzelf.

'Zo gaat het altijd. De hand en het oog maken de kunstenaar, Ayla,' zei Ranec en hij pakte haar hand en keek haar in de ogen. 'Weet je wel hoe mooi en hoe gracieus je was? Je bent een kunstenaar met de slinger.'

De donkere ogen hielden de hare vast en dwongen haar de sterke aantrekkingskracht te zien. Ze wekten bij de vrouw in haar een reactie die zo oud is als het leven zelf. Maar haar gevoel waarschuwde haar; dit was niet de juiste man. Dit was niet de man die ze liefhad. Het gevoel dat Ranec opriep was niet te verloochenen, maar het was anders.

Ze wendde met moeite haar blik af en deed haar uiterste best om Jondalar te vinden... en ze zag hem. Hij stond naar hen te staren en in zijn helderblauwe ogen gloeide het vuur. Zijn blik was tegelijkertijd ijskoud en verdrietig.

Ayla trok haar hand los en liep weg. Het was te veel. Al die vragende mensen en de emoties die ze niet in de hand kon houden, die haar overweldigden. Haar maag kromp ineen en haar hart bonsde in haar keel; ze moest weg. Ze zag Whinney staan, Rydag nog steeds op haar rug en zonder erbij na te denken rende ze naar het paard terwijl ze de zak met stenen omhooggooide met de hand die de slinger nog vasthad.

Ze sprong op de rug van de merrie en sloeg beschermend een arm om de jongen heen toen ze vooroverboog. Door de druk en de onverklaarbare communicatie tussen paard en vrouw voelde Whinney dat ze snel weg wilde en met een snelle sprong begon ze aan een wilde galop over de open vlakte. Renner volgde en hield zijn moeder zonder moeite bij.

De mensen van het Leeuwenkamp stonden perplex. De meesten hadden geen idee waarom Ayla naar het paard was gerend en er waren er maar een paar die haar ooit hard hadden zien rijden. Het was opzienbarend en ontzagwekkend om de jonge vrouw, met de blonde haren wapperend in de wind, op de rug van de galopperende merrie te zien zitten en menigeen had graag met Rydag willen ruilen. Nezzie maakte zich even bezorgd over hem, maar ze wist wel dat Ayla goed op hem paste en dat stelde haar gerust.

De jongen wist niet waar hij deze zeldzame traktatie aan te danken had, maar zijn ogen schitterden van blijdschap. Hoewel zijn hart van opwinding wel wat sneller klopte was hij niet bang met Ayla's arm om zich heen. Hij genoot ademloos van het rennen in de wind.

Dankzij het vertrouwde gevoel van het paard verdween voor Ayla de spanning nu ze wegvluchtte van de plaats die haar zoveel narigheid bezorgde. Toen ze rustiger werd, voelde ze Rydags hart tegen haar arm kloppen met een vreemd, vaag rommelend geluid en ze maakte zich zorgen. Ze vroeg zich af of het wel verstandig was dat ze hem had meegenomen, maar ze voelde wel dat de hartslag niet normaal was, hoewel ook niet buitengewoon gespannen.

Ze hield het paard in en ging met een wijde boog terug. Toen ze de baan naderden, passeerden ze een paar sneeuwhoenders. Hun gespikkelde zomerkleed was nog niet helemaal wit en ze verstopten zich in het hoge gras. Bij het passeren van de paarden vlogen ze op. Uit gewoonte maakte Ayla haar slinger gereed. Ze zag dat Rydag twee stenen in zijn hand had uit de zak die voor hem stond. Ze pakte ze en terwijl ze Whinney met haar dijen stuurde, schoot ze eerst de ene laagvliegende dikke vogel neer en toen de andere.

Ze liet Whinney stoppen en liet zich met Rydag in haar armen van de merrie glijden. Ze zette hem op de grond en haalde de vogels op. Ze draaide ze de nek om en bond hun bevederde poten aan elkaar met een paar taaie grassprieten. Sneeuwhoenders trokken niet naar het zuiden, hoewel ze snel en ver konden vliegen. Ze doorstonden het koude seizoen met een dik pak witte veren. Het was een uitstekende schutkleur. Het hield hun lichaam lekker warm en gaf hun poten sneeuwschoenen. Ze aten zaden en twijgjes en bij een sneeuwstorm krabden ze kleine holen uit en wachtten tot de bui voorbij was.

Ayla zette Rydag weer op Whinneys rug. 'Wil jij de sneeuwhoenders vasthouden?' gebaarde ze.

'Mag het?' seinde hij terug en zijn blijdschap maakte meer duidelijk dan zijn handgebaren. Hij had nog nooit zomaar voor zijn plezier hardgelopen; nu had hij voor de eerste keer gevoeld hoe dat was. Hij had nog nooit gejaagd en kende het gevoel niet dat voortkwam uit de oefening van intelligentie en vaardigheid bij het jagen op voedsel voor hem en zijn volk. Hij was nooit zover gekomen en hij zou nooit verder komen.

Ayla glimlachte en ze legde de vogels over de schoften van het paard voor Rydag neer. Toen draaide ze zich om en liep in de richting van de baan. Whinney volgde. Ayla had geen haast om terug te gaan. Ze was nog altijd in de war door Jondalars boze blik. Waarom wordt hij zo boos? Het ene moment glimlachte hij naar haar, zo blij... toen iedereen naar haar toe kwam. Maar toen Ranec... Ze bloosde als ze weer aan die donkere ogen en die overdreven vriendelijke stem dacht. Anderen! dacht ze en ze schudde haar hoofd alsof ze die gedachte wilde verdrijven. Ik begrijp die Anderen niet!

Ze voelde de wind in haar rug en haar lange haren sloegen haar in het gezicht. Ze streek ze geërgerd opzij. Ze had er al verscheidene keren over gedacht om het weer in vlechten te dragen, zoals ze het had toen ze alleen in de vallei woonde, maar Jondalar vond het mooier als het loshing, dus liet ze het zo. Het was soms lastig. Toen merkte ze met een zekere ergernis dat ze haar slinger nog in de hand droeg omdat ze er geen plaats voor had, geen geschikte riem om hem tussen te steken. Met deze kleren kon ze zelfs haar medicijnzakje niet dragen. Dat had altijd aan de riem gehangen die haar omslag dichthield. Maar Jondalar vond deze kleren mooier.

Ze wou haar haar weer uit haar ogen strijken en toen zag ze de slinger weer. Ze bleef staan, streek haar haren naar achteren en bond de soepele leren slinger om haar hoofd. Ze stopte het losse eind ertussen en glimlachte tevreden. Het leek te helpen. Het haar hing nog los op haar rug, maar dankzij de slinger hing het niet meer voor haar ogen en haar hoofd leek haar een goede plaats om de slinger te dragen.

De meeste mensen hadden aangenomen dat Ayla's sprong op het paard en de snelle rit die eindigde met het doden van de sneeuwhoenders een onderdeel van haar demonstratie met de slinger waren. Ze liet het maar zo, maar ze ontweek zowel Jondalar als Ranec.

Jondalar wist dat ze uit haar doen was toen ze zich omdraaide en wegrende en hij wist dat het zijn schuld was. Het speet hem en hij verweet het zichzelf, maar het was voor hem een probleem om zijn vreemde, gemengde gevoelens de baas te worden en hij wist niet hoe hij het haar moest vertellen. Ranec besefte de omvang van Ayla's zorgen niet. Hij wist wel dat hij een bepaald gevoel bij haar opwekte en hij vermoedde dat het had bijgedragen tot haar onbeheerste vlucht naar het paard, maar hij vond haar reactie naïef en charmant. Hij voelde zich nog sterker tot haar aangetrokken en vroeg zich alleen af hoe sterk haar gevoelens voor de lange blonde man waren.

Toen ze terugkwam, renden de kinderen nog heen en weer over de baan. Nezzie kwam Rydag halen en ze nam de vogels ook mee. Ayla liet de paarden lopen. Ze gingen weg en begonnen te grazen. Ayla bleef bij een groepje mensen staan kijken die na een klein verschil van mening besloten een wedstrijd te houden met de speerwerper, een activiteit die hun ervaring ver te boven ging. Ze maakten er een spelletje van. Ze begreep de wedstrijden in de noodzakelijke vaardigheden, zoals hardlopen of speerwerpen met de hand, maar niet de activiteiten die als vermaak dienden, waarbij het testen of verbeteren van vaardigheden bijzaak was.

Er werden verscheidene hoepels uit het huis gehaald. Ze hadden ongeveer de omvang van een dij en waren gemaakt van repen natte huid, vervolgens gevlochten, gedroogd en stevig omwonden met stug gras. Er hoorden ook puntige speren met veren bij. Lichte speren, zonder benen of vuurstenen punten.

De hoepels werden over de grond gerold en er werd met speren op gegooid. Wanneer iemand een hoepel tot stilstand bracht door een speer door het gat te gooien klonk er goedkeurend geschreeuw en dijengeklets. Het spel, waarbij ook werd gewed, veroorzaakte grote opwinding en Ayla keek geboeid toe. Zowel mannen als vrouwen speelden, maar ze wisselden elkaar af met het rollen van de hoepels en het speerwerpen, alsof ze tegen elkaar speelden.

Ten slotte kwam er een eind aan het spel en verscheidenen ging terug naar huis. Deegie was er ook bij. Ze had een kleur van opwinding. Ayla liep met haar mee.

'Deze dag lijkt een feestdag te worden,' zei Deegie. 'Wedstrijden, spelletjes en het ziet ernaar uit dat we een feestmaal krijgen. Nezzies stoofpot, de drank van Talut en Ranecs schotel. Wat ga je met de sneeuwhoenders doen?'

'Ik heb speciale manier om ze klaar te maken. Vind je dat ik het moet doen?'

'Waarom niet? Als we nog een speciale schotel krijgen, zou dat een extra bijdrage zijn aan het feestmaal.'

Voor ze naar binnen gingen, waren de voorbereidingen voor het feestmaal al goed te ruiken. De heerlijke geur deed hen watertanden. Dat kwam vooral door Nezzies stoofpot. Die hing rustig te sudderen in de grote kookhuid. Latie en Brinan bleven erbij, hoewel iedereen min of meer betrokken leek bij het bereiden van de maaltijd. Ayla had belangstelling getoond bij de voorbereiding voor de stoofpot en ze had gezien hoe Nezzie en Deegie hem boven het vuur hingen.

In een grote kuil, die bij een stookplaats was gegraven, werden gloeiende kolen op de as gelegd die daar nog lag van vorige gelegenheden. Er kwam een laagje gedroogde mammoetmest op de kolen en daarboven hing een groot dik stuk mammoethuid, gevuld met water. De gloeiende kolen onder de mest verwarmden het water, maar tegen de tijd dat de mest vlamvatte, was er al genoeg van verbrand, zodat de huid er niet meer op lag, maar aan het draagstel hing. De vloeistof, die langzaam door de huid drong, voorkwam dat het leer begon te branden, hoewel het kookpunt wel werd bereikt. Als alle brandstof onder de kookhuid was opgebrand, werd de stoofpot aan de kook gehouden met stenen uit de rivier, die gloeiendheet werden gehouden in de stookplaats. Dat was een karweitje voor een paar kinderen.

Ayla plukte de sneeuwhoenders en vilde ze met een vuurstenen mesje. Er zat geen handvat aan, maar de rug was stomp om te voorkomen dat je je sneed. Vanaf de punt liep een inkeping. Het werd vastgehouden tussen duim en wijsvinger, met de middelvinger op de inkeping om het gemakkelijker te sturen. Het was geen mes voor het zware werk, alleen geschikt om vlees of leer te snijden en Ayla had het hier pas leren gebruiken. Maar ze vond het heel handig.

Ze had haar sneeuwhoenders altijd klaargemaakt in een kuil met stenen eromheen, waar een vuur in brandde, dat doofde voor de vogels erin werden gelegd en afgedekt. Maar in deze omgeving was het niet gemakkelijk om grote stenen te vinden, dus besloot ze de vuurkuil van de stoofpot te gebruiken. Het was niet de geschikte tijd van het jaar voor de kruiden die ze graag gebruikte, zoals het klein hoefblad, brandnetels en meelganzenvoet. Er waren nu ook geen eieren, anders had ze ze daarmee willen vullen, maar sommige kruiden uit haar medicijnzak konden, bij matig gebruik, net zo goed dienstdoen bij het koken als voor genezing en het hooi, dat ze gebruikte om de vogels in te pakken, had ook een fijne geur. Als het klaar was, was het misschien niet helemaal Crebs lievelingskost, maar de sneeuwhoenders zouden goed smaken, dacht ze.

Toen ze de vogels had schoongemaakt, ging ze naar binnen en ze zag Nezzie bij de eerste vuurplaats, die een vuur aanlegde in de grote stookplaats.

'Ik zou graag sneeuwhoenders klaarmaken in kuil, zoals jij stoofpot maakt. Kan ik kolen pakken?' vroeg Ayla.

'Natuurlijk. Heb je verder nog iets nodig?'

'Ik heb gedroogde kruiden. Ik heb graag verse in vogels. Verkeerde tijd.'

'Je zou kunnen kijken in de bergplaats. Daar liggen nog wat andere groenten die je misschien kunt gebruiken en we hebben ook nog wat zout,' bood Nezzie aan.

Zout, dacht Ayla. Ze had geen zout meer gebruikt sinds ze de Stam had verlaten. 'Ja, zou graag zout hebben. Misschien groente. Zal kijken. Waar vind ik gloeiende kolen?'

'Ik zal je er een paar geven zodra dit vuur goed brandt.'

Ayla keek eerst doelloos toe hoe Nezzie het vuur aanlegde, zonder er veel aandacht aan te besteden, maar toen vielen haar een paar dingen op. Ze wist dat ze niet veel bomen hadden, al had ze er niet zo over nagedacht. Ze gebruikten botten als brandstof en die wilden niet zo goed branden.

Nezzie blies in het vuur om het brandende te houden. Ze had wat gloeiende as uit een andere stookplaats gehaald en daarmee wat pluizen uit de zaaddozen, die aan het brandhout zaten aangestoken. Ze deed er wat gedroogde mest bij om het vuur heter en groter te maken. Om het brandende te houden gebruikte ze een hendel die de jonge vrouw nog niet eerder had gezien. Ayla hoorde een geluid dat leek op het fluiten van de wind en ze zag dat er wat as werd weggeblazen en het vuur feller ging branden. Opeens begreep Ayla wat haar al had gehinderd vanaf het moment dat ze het Leeuwenkamp binnen was gekomen, al had ze er niet veel aandacht aan besteed. Het was de geur van de rook.

Zij had af en toe ook wat gedroogde mest gestookt en was aan die scherpe, sterke lucht wel gewend, maar ze had in de eerste plaats plantaardig materiaal als brandstof gebruikt; ze was gewend aan de rook van brandend hout. Het Leeuwenkamp gebruikte dierlijke brandstof. De lucht van brandende botten was anders, een geur die je deed denken aan geroosterd vlees dat te lang boven het vuur had gehangen. In combinatie met de gedroogde mest, die ze ook in grote hoeveelheden gebruikten, werd het hele kamp doordrongen van een aparte, scherpe geur. Het was geen nare lucht, maar vreemd en ze voelde zich er niet behaaglijk bij. Nu ze wist waar het van kwam, gaf dat toch een zekere opluchting.

Ayla glimlachte toen ze Nezzie meer botten op het vuur zag doen en de hendel zag afstellen zodat het vuur feller ging branden.

'Hoe doe je dat?' vroeg ze. 'Het vuur zo heet maken?'

'Vuur moet ook ademen en de wind is de adem voor het vuur. De Moeder heeft ons dat geleerd toen ze de vrouwen de verzorgers van het vuur maakte. Je kunt het zien als je je adem aan het vuur geeft, als je erin blaast, dan gaat het vuur feller branden. Wij graven een gang van onder de stookplaats naar buiten om de wind erin te brengen. De gang wordt bekleed met de ingewanden van een dier. Dan doen we er been overheen voor de grond er weer op komt. De gang van deze stookplaats gaat die kant op, onder de grasmatten, zie je wel?'

Ayla keek waar Nezzie wees en knikte.

'Hij komt hieruit,' vervolgde de vrouw en ze liet haar de holle horen van een bizon zien die uit een opening aan de zijkant van de vuurkuil stak, die lager lag dan de vloer. 'Maar je hebt niet altijd evenveel wind nodig. Het hangt ervan af hoe hard het buiten waait en hoeveel vuur je wilt hebben. Je kunt de wind hier tegenhouden,' zei Nezzie en ze liet haar de hendel zien die aan de schuif van dun schouderbladbeen zat.

Het was gemakkelijk te begrijpen, maar het was knap bedacht, een waar technisch kunststukje en onmisbaar om te overleven. Zonder die uitvinding hadden de mammoetjagers niet op de subarctische steppen kunnen wonen, behalve in een paar geïsoleerde locaties, ondanks de overvloed aan wild. In het gunstigste geval waren het seizoengasten geweest. In een gebied dat vrijwel boomloos was, met de strengste winters die men alleen kende wanneer de gletsjers opdrongen, stelde de stookplaats met extra luchtaanvoer hen in staat om beenderen te stoken, de enige brandstof die in voldoende hoeveelheid aanwezig was om er het hele jaar te kunnen wonen.

Toen Nezzie het vuur aan had, keek Ayla in de bergplaats om te zien of ze iets geschikts kon vinden om de sneeuwhoenders op te vullen. Ze kwam in de verleiding om een paar gedroogde embryo's uit vogeleieren te gebruiken, maar die moesten ongetwijfeld geweekt worden en ze wist niet hoeveel tijd dat kostte. Ze dacht aan wilde wortels of de boontjes van de hokjespeul, maar ze zag ervan af.

Haar oog viel op de gevlochten mand waar de brij van graan en groente nog in zat die ze die morgen had gekookt. Die was weggezet voor het geval iemand nog wat wilde hebben en was dik en stijf geworden. Ze proefde ervan. Bij gebrek aan zout hadden de mensen graag een apart kruidensmaakje en ze had de brij op smaak gebracht met salie en munt, aangevuld met bitterkruid, uien en wilde wortelen, bij het mengsel van rogge- en gerstekorrels.

Met wat zout en zaden van de zonnebloem die ze in een bergplaats had gezien en de gedroogde bessen... en misschien klein hoefblad en rozenbottels uit haar medicijnzakje kon het wel eens een interessante vulling voor de sneeuwhoenders worden, vond ze. Ayla maakte de vogels klaar en vulde ze, verpakte ze in versgesneden hooi, stopte ze in een kuil met wat beenderkooltjes en bedekte ze met as. Toen ging ze kijken wat de anderen deden.

Er was grote activiteit bij de ingang van het huis en de meesten hadden zich daar verzameld. Toen ze dichterbij kwam, zag ze dat er flinke hopen aren met graankorrels lagen. Er stonden een paar mensen te dorsen. Ze trapten en sloegen, en gebruikten vlegels om de graankorrels van het stro te scheiden. Anderen verwijderden het kaf door de korrels in de wind omhoog te gooien met wijde, ondiepe wanmanden, gemaakt van wilgentenen, zodat de lichte schilletjes werden weggeblazen. Ranec deed de korrels in een vijzel die van een uitgehold stuk voetbeen van een mammoet was gemaakt. Hij pakte een slagtand die kruislings was gespleten en als stamper werd gebruikt. Hij begon de korrels fijn te stampen.

Weldra trok Barzec zijn bonttuniek uit en ging tegenover hem staan. Ze tilden de zware tand om de beurt op, zodat ze afwisselend het werk deden. Tornec begon in zijn handen te klappen om het ritme aan te geven en Manuv nam het over met een steeds terugkerend refrein:

Aai-yah woe-woe, Ranec stampt het graan yah!
Aai-yah woe-woe, Ranec stampt het graan neh!
Deegie viel met een andere tekst in voor de tussenliggende slagen.
Neh neh neh neh, Barzec maakt het lichter yah!
Neh neh neh neh, Barzec maakt het lichter yah!

Algauw waren er meer die in hun handen klapten of op hun dijen sloegen en de mannen zongen met Manuv mee terwijl de vrouwen zich bij Deegie aansloten. Ayla voelde het krachtige ritme aan en neuriede mee. Ze wist niet of ze mee wou zingen, maar ze genoot er wel van.

Na een poosje ging Wymez, die zijn tuniek had uitgetrokken, vlak naast Ranec staan en loste hem af zonder een slag te missen. Manuv volgde snel met het veranderen van het refrein en bij de volgende slag zong hij een nieuwe regel:

Nah nah weye, Wymez pakt de stamper yoh!

Toen Barzec moe leek te worden, nam Druwez het van hem over en Deegie veranderde haar regel. Ook Frebec kreeg een beurt.

Toen hielden ze op om het resultaat te bekijken en goten het gemalen graan in een mand van gevlochten blad van de kattenstaart en schudden het erdoor om het te zeven. Vervolgens werd er weer graan in de benen vijzel gedaan, maar deze keer pakten Tulie en Deegie de stamper van mammoettand en Manuv maakte een liedje voor hen beiden. Maar hij zong de regel voor de vrouwen met een heel hoge stem zodat iedereen begon te lachen. Nezzie nam het over van Tulie en Ayla ging, als bij ingeving, naast Deegie staan, waarop men glimlachte en knikte. Deegie stampte de tand neer en liet los. Nezzie pakte hem en tilde hem op terwijl Ayla op Deegies plaats ging staan. Ayla hoorde een 'Yah!' toen de stamper weer omlaag was en ze greep de dikke, enigszins gebogen ivoren tand. Hij was zwaarder dan ze had verwacht, maar ze tilde hem op en hoorde Manuv zingen:

Aai-yah wa-wa, Ayla is hier welkom nah!

Ze liet de tand bijna vallen. Dat had ze niet verwacht, dat spontane, vriendelijke gebaar en toen het hele kamp bij de volgende slag meezong, vrouwen zowel als mannen, was ze geroerd. Ze moest haar tranen onderdrukken. Het was voor haar meer dan een simpele boodschap van warmte en vriendschap; ze accepteerden haar. Ze had de Anderen gevonden en ze was welkom.

Tronie nam de plaats van Nezzie in en even later kwam Fralie naar voren, maar Ayla schudde het hoofd en de zwangere vrouw stapte terug en legde zich er graag bij neer. Ayla was blij dat ze dat deed, maar het bevestigde wel haar vermoeden dat Fralie zich niet goed voelde. Ze gingen door met stampen tot Nezzie ze liet ophouden om de massa in de zeef te storten en de vijzel opnieuw te vullen.

Deze keer stapte Jondalar naar voren voor zijn beurt bij het vervelende, zware werk om het wilde graan met de hand fijn te stampen, al werd het dan gemakkelijker gemaakt door gezamenlijke inspanning en plezier. Maar hij fronste zijn wenkbrauwen toen Ranec ook naar voren kwam. Plotseling werd de vriendschappelijke sfeer gedrukt door een subtiele vijandige onderstroom, die voortkwam uit de spanning tussen de donkere man en de blonde gast.

Iedereen voelde het aan toen de twee mannen, die om beurten de zware slagtand pakten, het tempo begonnen op te voeren. Toen het steeds sneller ging, hield men op met zingen, maar er waren er een paar die met de voeten begonnen te stampen en het klappen ging steeds luider en sneller. Ongemerkt voerden Jondalar en Ranec niet alleen de snelheid maar ook de kracht op en in plaats van samenwerking werd het een wedstrijd in kracht en uithoudingsvermogen. De stamper werd zo hard neergesmeten dat hij omhoogsprong voor de ander, die hem vastgreep en weer neersmeet.

De zweetdruppels stonden op hun voorhoofd en liepen langs hun gezicht in hun ogen. Hun tunieken werden nat van het zweet, terwijl ze elkaar bleven opjagen en de grote, zware stamper steeds sneller en krachtiger in de vijzel smeten, eerst de een, dan de ander, telkens weer. Ze ademden zwaar en begonnen tekenen van vermoeidheid te tonen, maar ze weigerden het op te geven. Geen van beiden wilde zwichten voor de ander. Het leek erop dat ze liever stierven.

Ayla raakte helemaal uit haar doen. Het ging te hard. Ze keek naar Talut met paniek in de ogen. Talut knikte naar Danug en ze liepen samen naar de koppige mannen, die vastbesloten leken om door te gaan tot ze er dood bij neervielen.

'Het wordt tijd om een ander een beurt te gunnen!' bulderde Talut terwijl hij Jondalar opzij schoof en de stamper greep. Danug pakte hem voor Ranec weg toen hij terugketste.

De beide mannen waren zo versuft van uitputting dat ze nauwelijks schenen te weten dat de krachtmeting voorbij was toen ze, happend naar adem, wankelend naar hun plaatsen gingen. Ayla wilde hun wel te hulp snellen, maar ze werd tegengehouden door besluiteloosheid. Ze wist dat zij op de een of andere manier de oorzaak was van hun worsteling en het deed er niet toe naar wie ze het eerst zou gaan, de ander zou zijn gezicht verliezen. De mensen van het kamp maakten zich ook zorgen, maar ze weigerden hulp aan te bieden. Ze waren bang dat wanneer ze hun bezorgdheid lieten blijken, dit zou bevestigen dat de krachtmeting tussen de beide mannen meer was dan een spel en een rivaliteit zou aanwakkeren die niemand erg serieus wou nemen.

Terwijl Jondalar en Ranec weer wat op verhaal kwamen, ging de aandacht weer naar Talut en Danug, die nog steeds bezig waren het graan fijn te stampen en er een wedstrijd van maakten. Een vriendschappelijke wedstrijd weliswaar, maar zeker niet minder spannend. Talut grijnsde tegen de jonge uitgave van zichzelf terwijl hij de ivoren stamper omlaagsmeet. Danug glimlachte niet en beukte hem neer met grimmige vastberadenheid.

'Goed zo, Danug!' riep Tornec.

'Hij heeft geen kans,' wierp Barzec tegen.

'Danug is jonger,' zei Deegie. 'Talut zal het eerst opgeven.'

'Hij heeft niet het uithoudingsvermogen van Talut,' zei Frebec, die het er niet mee eens was.

'Hij heeft de kracht nog niet van Talut, maar Danug heeft het uithoudingsvermogen,' zei Ranec. Hij was eindelijk weer zover op adem gekomen dat hij ook zijn commentaar kon leveren. Hoewel hij nog niet geheel hersteld was van de inspanningen, zag hij de wedstrijd van die twee als een middel om de dodelijke ernst van zijn krachtmeting met Jondalar wat af te zwakken.

'Kom op, Danug!' schreeuwde Druwez.

'Je kunt het!' voegde Latie eraan toe, die werd meegesleept in het enthousiasme en eigenlijk niet wist of ze voor Danug of voor Talut schreeuwde.

Plotseling barstte de tand onder een harde slag van Danug.

'Zo is het wel genoeg!' foeterde Nezzie. 'Jullie hoeven niet zo hard te beuken dat de vijzel breekt. Nu moeten we een nieuwe hebben en ik vind dat jij die moet maken, Talut...'

'Ik vind dat je gelijk hebt!' zei Talut, die straalde van pret. 'Dat was een goede wedstrijd, Danug. Je bent sterk geworden in de tijd dat je weg was. Heb je die jongen gezien, Nezzie?'

'Moet je dit eens zien!' zei Nezzie, die de inhoud van de vijzel bekeek. 'Dit graan is tot poeder geslagen. Jullie hoefden het alleen maar te pletten. Ik was van plan het te drogen en te bewaren. Dit kun je niet drogen en bewaren.'

'Wat voor soort graan is het? Ik zal het aan Wymez vragen. Ik geloof dat het volk van mijn moeder iets maakte van graan dat tot poeder was gestampt,' zei Ranec. 'Ik wil er wel wat van hebben als niemand anders het kan gebruiken.'

'Het meeste is tarwe, maar er zit ook wat rogge en haver door. Tulie heeft al genoeg voor de broodjes van gemalen graan die iedereen zo lekker vindt. Ze moeten alleen nog worden gebakken. Talut had nog wat graan nodig om het met zetmeel van de kattenstaart te mengen voor zijn sterkedrank. Maar je kunt alles krijgen als je het hebben wilt. Je hebt ervoor gewerkt.'

'Talut heeft er ook voor gewerkt. Als hij wat wil hebben, kan hij het krijgen,' zei Ranec.

'Gebruik zoveel je wilt, Ranec. Ik neem wel wat overblijft,' zei Talut. 'Het zetmeel van de kattenstaart dat ik heb geweekt begint al te gisten. Ik weet niet wat er gebeurt als ik dit erbij doe, maar het is misschien wel interessant om het eens te proberen.'

Ayla keek naar Jondalar en Ranec om te zien hoe het met hen ging. Toen ze zag dat Jondalar zijn zweterige tuniek uittrok en water over zich heen gooide waarna hij naar binnen ging, wist ze dat hij geen nadelige gevolgen van de krachtmeting had ondervonden. Toen vond ze het een beetje dwaas dat ze zich zo bezorgd over hem had gemaakt. Het was ten slotte een gezonde, sterke man en een beetje inspanning zou hem niets hinderen, en Ranec ook niet. Maar ze ontweek hen allebei. Ze was beduusd van hun optreden en ze had tijd nodig om na te denken.

Tronie kwam naar buiten en ze leek problemen te hebben. Ze droeg Hartal op de ene heup en een platte benen schaal met manden en eetgerei op de andere. Ayla liep snel naar haar toe.

'Kan ik helpen? Hartal vasthouden?' vroeg ze.

'O, als je wilt?' zei de jonge moeder en ze gaf Ayla de baby. 'Iedereen heeft vandaag gekookt en lekker eten klaargemaakt en ik wou ook iets doen voor het feestmaal, maar ik werd steeds afgeleid. En toen werd Hartal wakker. Ik heb hem gevoed, maar hij wil niet meer slapen.'

Tronie vond een plekje voor haar spullen bij de stookplaats.

Ayla hield de baby vast en keek hoe Tronie de gepelde zonnebloemzaden uit een van de manden in de ondiepe benen schaal deed. Met een stuk knokkel – Ayla dacht dat het van een neushoorn was – stampte Tronie de zaden tot een papje. Nadat ze nog een paar hoopjes zaad had fijngestampt, vulde ze een andere mand met water. Ze pakte twee rechte botjes en haalde er een paar gloeiendhete stenen mee uit het vuur. Ze gooide de stenen in het water en dat veroorzaakte veel gesis en een wolk van stoom. Ze haalde de afgekoelde eruit en deed er weer hete in tot het water kookte. Toen deed ze de brij van zonnebloemzaad erbij. Ayla keek belangstellend toe.

Door het koken kwam de olie uit de zaden. Tronie schepte die eraf met een grote lepel en goot deze in een ander bakje dat van berkenbast was gemaakt. Toen ze er zoveel mogelijk had afgeschept, deed ze er allerlei geplette wilde granen bij en zwart zaad van de meelganzenvoet. De berkenbasten bakjes werden opzij gezet om af te koelen tot de zonnebloemolie was gestold. Bij het water met het graan deed ze kruiden en ze pakte nog wat gloeiende stenen om het aan de kook te houden. Ze liet Ayla van de zonnebloemolie proeven en die vond het lekker.

'Het is heerlijk op de platte broodjes van Tulie,' zei Tronie. 'Daarom wou ik het maken. Toen ik kokend water had, dacht ik dat ik net zo goed iets kon klaarmaken voor het ontbijt van morgen. Niemand voelt er veel voor om 's morgens na het feest te gaan koken, maar de kinderen willen in ieder geval wel wat eten. Bedankt voor de hulp met Hartal.'

'Geen dank. Graag gedaan. Ik al zo lang geen baby in de armen,' zei Ayla en dat was ook zo. Ze bekeek Hartal nog eens goed en vergeleek hem in gedachten met de baby's van de Stam. Hartal had geen wenkbrauwbogen, maar bij baby's van de Stam waren die ook nog niet volledig ontwikkeld. Hij had een hoger voorhoofd en zijn hoofdje was ronder, maar als ze nog zo klein waren was er echt niet zoveel verschil, vond ze, behalve dan dat Hartal giechelde en kirde. De baby's van de Stam maakten niet zoveel geluiden.

De baby werd een beetje onrustig toen zijn moeder wegging om het eetgerei af te wassen. Ayla liet hem op haar knie dansen en draaide hem om zodat ze hem kon aankijken. Ze praatte tegen hem en ze keek of hij reageerde. Dat vond hij wel even leuk, maar niet zo lang. Toen hij weer wilde gaan huilen, floot Ayla naar hem. Dat geluid was een verrassing en hij hield op met huilen om te luisteren. Ze floot nog een keer en deed het geluid van een vogel na.

Ayla had hele middagen geoefend in het fluiten zoals de vogels doen, toen ze alleen in haar vallei woonde. Ze was zo bedreven geworden in het nabootsen van vogelgeluiden, dat in de vallei bepaalde soorten op haar gefluit afkwamen. Die soorten kwamen niet alleen voor in de vallei.

Terwijl ze floot om de baby bezig te houden, streken er een paar vogels bij haar neer en ze begonnen wat graankorrels en zaden op te pikken die uit de manden van Tronie waren gevallen. Ayla zag ze wel. Ze floot nog een keer en stak een vinger uit. Nadat hij zijn schuchterheid had overwonnen, wipte een moedige vink op haar vinger. Ze floot zachtjes om het kleine diertje te lokken en gerust te stellen en hield de vogel vlak voor de baby. Hij giechelde opgetogen en stak een mollig knuistje uit waarop de vink wegvloog.

Ayla hoorde, tot haar verbazing, applaus. Ze keek op om te zien waar het geluid van het dijengeklets vandaan kwam en zag dat de meeste mensen uit het Leeuwenkamp glimlachend naar haar keken.

'Hoe doe je dat, Ayla? Ik weet dat sommige mensen een vogel of een ander dier kunnen nabootsen, maar jij doet het zo goed dat ze het niet in de gaten hebben,' zei Tronie. 'Ik heb nog nooit iemand ontmoet die zo'n macht over dieren heeft.'

Ayla bloosde alsof ze haar hadden betrapt bij iets... dat niet goed was, of raar. Ondanks het feit dat iedereen instemmend glimlachte, voelde ze zich niet op haar gemak. Ze wist niet hoe ze de vraag van Tronie moest beantwoorden. Ze wist niet hoe ze moest uitleggen dat je een zee van tijd hebt om het fluiten van een vogel te leren wanneer je helemaal alleen bent. Als er niemand is om mee te praten kan een paard, of zelfs een leeuw, goed gezelschap zijn. Als je niet weet of er nog een mens zoals jij op de wereld is, zoek je contact met iets levends, wat het ook is.

10

In het begin van de middag bleef het een poos rustig in het Leeuwenkamp. Hoewel de hoofdmaaltijd omstreeks het middaguur werd gebruikt hadden de meesten die overgeslagen, of ze hadden wat restanten van het ontbijt genomen, in afwachting van het feestmaal, dat
heerlijk beloofde te worden, vooral omdat het zo onverwacht kwam.
De mensen namen er hun gemak van. Sommigen deden een dutje,
anderen keken af en toe naar het eten of zaten rustig te praten, maar
ze keken allemaal uit naar een bijzondere avond.

Binnen zaten Ayla en Tronie naar Deegie te luisteren, die alles vertelde over haar bezoek aan het kamp van Branag en de voorbereidingen
voor hun verbintenisfeest. Ayla luisterde eerst met belangstelling,
maar toen de twee jonge Mamutische vrouwen over verwanten en
vriendinnen begonnen te praten, die ze toch niet kende, stond ze op
en zei dat ze naar de sneeuwhoenders moest kijken. De verhalen van
Deegie over Branag en haar aanstaande verbintenis deden Ayla denken aan haar relatie met Jondalar. Hij had gezegd dat hij van haar
hield, maar hij had nooit voorgesteld zich aan haar te binden en dat
verbaasde haar wel.

Ze liep naar de kuil waar haar vogels hingen en ze controleerde of het
vuur nog heet genoeg was. Toen zag ze Jondalar bij Wymez en Danug
zitten. Ze zaten wat apart, op een plekje waar ze gewoonlijk werkten
en waar niet veel mensen kwamen. Ze begreep waar ze het over hadden en anders kon ze het wel raden. De grond lag bezaaid met brokken vuursteen en scherpe splinters en er lagen verscheidene stukken
bruikbaar materiaal bij de drie gereedschapmakers. Ze vroeg zich vaak
af hoe ze zoveel tijd konden besteden aan het praten over vuursteen.
Ze moesten toch zo langzamerhand alles wel hebben gezegd wat erover te zeggen was.

Hoewel ze niet deskundig was, had Ayla zelf haar stenen gereedschap
gemaakt, tot Jondalar kwam en ze kon zich er uitstekend mee redden.
Toen ze nog jong was, had ze vaak staan kijken bij Droeg, de gereedschapmaker van de Stam en ze had veel geleerd met het navolgen van

zijn techniek. Maar toen ze Jondalar de eerste keer bezig zag, begreep Ayla meteen dat hij het veel beter kon en hoewel hij ongeveer dezelfde aanleg voor het vak had en er misschien ook niet zoveel verschil in vaardigheid was, was het gereedschap dat hij maakte veel beter dan dat van de Stam. Ze was benieuwd naar de werkwijze van Wymez en had hem al eens willen vragen of ze mocht kijken. Ze vond dit een goed moment.

Jondalar had haar al gezien toen ze naar buiten kwam, maar hij probeerde het niet te laten merken. Hij wist dat ze hem ontweek na haar demonstratie op de steppen met de slinger en hij wou zich niet opdringen als ze hem niet om zich heen wilde hebben. Toen ze in hun richting kwam, begon zijn hart sneller te kloppen en hij was bang dat ze van gedachten zou veranderen of dat het alleen maar zo leek dat ze naar hen toe kwam.

'Als ik niet stoor, zou ik graag kijken bij gereedschap maken,' zei Ayla.

'Natuurlijk. Ga zitten,' zei Wymez vriendelijk glimlachend.

Het was duidelijk te zien dat Jondalar zich ontspande. De frons tussen zijn wenkbrauwen trok weg en zijn kaakspieren werden minder strak. Danug probeerde iets te zeggen toen ze naast hem ging zitten, maar haar aanwezigheid maakte hem sprakeloos. Jondalar herkende zijn bewonderende blik en onderdrukte een toegeeflijke glimlach. Hij mocht de jongeman erg graag en hij wist dat kalverliefde geen bedreiging voor hem was. Hij kon het zich veroorloven om zich een beetje de wijze oudere broer te voelen.

'Wordt jouw techniek algemeen toegepast, Jondalar?' vroeg Wymez, die blijkbaar het gesprek voortzette dat Ayla had onderbroken.

'Min of meer. De meeste mensen kloppen lagen los van een voorbewerkte knol om er gereedschap van te maken – beitels, messen, krabbers of punten voor kleine speren.'

'En grotere speren dan? Jagen jullie ook op mammoets?'

'Soms,' zei Jondalar. 'We leggen ons er niet op toe, zoals jullie. De punten voor grotere speren worden van been gemaakt – ik gebruik graag de voorpoot van een hert. Met een beitel kap ik het ruwe model uit en dan ga ik door tot hij vrijkomt. Dan wordt hij glad gemaakt met een krabber. Met nat zandsteen kun je er een scherpe punt aan slijpen.'

Ayla, die hem had geholpen bij het maken van benen speerpunten, was onder de indruk van hun uitwerking. Ze waren lang en dodelijk, en drongen diep door wanneer de speren met kracht werden geworpen, vooral met de speerwerper. Ze waren veel lichter dan de punten die zij had gebruikt, die het model hadden van de zware speren van de

Stam. Jondalars speren waren helemaal bedoeld om te werpen, niet om te stoten.

'Een benen punt gaat er diep in,' zei Wymez. 'Als je een vitale plaats raakt, betekent het een snelle dood, maar er komt niet veel bloed. Het is moeilijker om bij een mammoet of een neushoorn een vitale plaats te raken. De vacht is dik en de huid ook. Als je hem tussen de ribben raakt, moet de speer nog door een dikke laag vet en spieren. Het oog is een goed doelwit, maar het is klein en altijd in beweging. Je kunt een mammoet met een speer in zijn keel doden, maar dat is gevaarlijk. Dan moet je er te dichtbij komen. Een vuurstenen speerpunt heeft scherpe zijkanten. Hij snijdt gemakkelijker door een taaie huid heen en er komt een bloedende wond die het dier verzwakt. Als je ze kunt laten bloeden, is de buik of de blaas de beste plaats om op te mikken. Het werkt niet zo snel, maar het is veel veiliger.'

Ayla luisterde geboeid. Het maken van gereedschap was ook al interessant, maar ze had nog nooit op een mammoet gejaagd.

'Je hebt gelijk,' zei Jondalar, 'maar hoe krijg je een grote speerpunt recht? Welke techniek je ook gebruikt om een laag los te kloppen, hij is altijd gebogen. Dat is de structuur van het steen. Je kunt geen speer werpen met een kromme punt. Dan verlies je de nauwkeurigheid, hij dringt niet ver genoeg door en je verliest waarschijnlijk de helft van de kracht. Daarom zijn de vuurstenen punten klein. Tegen de tijd dat je genoeg van de onderkant hebt gekapt om een rechte punt te krijgen, is er niet veel lengte meer over.'

Wymez glimlachte en knikte instemmend. 'Dat is waar, Jondalar. Maar ik zal je wat laten zien.' De oudere man pakte een zware bundel die van een huid was gemaakt en opende hem. Hij haalde er een enorme bijl uit, wel zo groot als een moker, gemaakt van een hele vuursteenknol. Het ene uiteinde was rond en de andere kant had een vrij dik snijvlak, dat in een punt eindigde. 'Zoiets heb je zeker wel eens gemaakt?'

Jondalar glimlachte. 'Ja, ik heb wel bijlen gemaakt, maar niet zulke grote. Die moet voor Talut zijn.'

'Ja, ik was van plan om deze aan een lang bot te zetten voor Talut – of misschien voor Danug,' zei Wymez met een glimlach naar de jongeman. 'Deze worden gebruikt om mammoetbotten te breken of slagtanden door te hakken. Je moet wel sterk zijn om hem te kunnen hanteren. Talut gaat ermee om of het een stok is. Ik denk dat Danug dat nu ook wel kan.'

'Dat kan hij. Hij hakt palen voor me,' zei Ayla en keek vol waardering naar Danug, wat hem verlegen deed glimlachen en een kleur bezorg-

de. Zij had ook wel bijlen gemaakt en gebruikt, maar niet zulke grote.
'Hoe maak jij een bijl?' vervolgde Wymez.
'Ik breek meestal eerst een dikke laag los met de klopsteen en werk hem dan aan twee kanten bij voor een snijvlak en een punt.'
'Het volk van Ranecs moeder, de Aterians, maken speerpunten die aan twee kanten geklopt zijn.'
'Aan twee kanten? Aan twee kanten geklopt als een bijl? Om hem redelijk recht te krijgen zul je met een dikke laag moeten beginnen, geen dunne. Is dat niet te lomp voor een speerpunt?'
'Wel wat dik en zwaar, maar beslist een verbetering wanneer je het vergelijkt met een bijl. En heel geschikt voor de dieren waar ze op jagen. Maar het is waar: om een mammoet of een neushoorn te doorboren heb je een vuurstenen punt nodig die lang en recht is, sterk en dun. Hoe zou jij dat doen?'
'Tweezijdig. Dat is de enige manier. Met zo'n dikke laag zou ik er aan beide kanten dunne schilfers af kloppen,' zei Jondalar nadenkend, en hij probeerde zich voor te stellen hoe hij zo'n wapen zou maken, 'maar dat vereist een enorme beheersing van materiaal en gereedschap.'
'Precies. Het probleem is de beheersing en de kwaliteit van het steen.'
'Ja. Die moet vers zijn. Dalanar, de man die het me heeft geleerd, woont bij een kalkrots waar vuursteen in zit. Misschien lukt het met zijn stenen. Maar het blijft moeilijk. We hebben een paar mooie bijlen gemaakt, maar ik zou niet weten hoe je op die manier een behoorlijke speerpunt kunt maken.'
Wymez had nog een pak met mooi zacht leer eromheen. Hij maakte het voorzichtig open en liet een aantal zorgvuldig bewerkte speerpunten zien.
Jondalar was verrast. Hij keek Wymez aan en toen Danug, die met een trotse glimlach naar zijn meester keek. Toen pakte hij een van de punten. Hij draaide hem voorzichtig tussen zijn vingertoppen en streelde bijna het prachtig bewerkte gesteente.
De vuursteen voelde glad aan. Hij was glad, bijna olieachtig, en had een glans die schitterde in het zonlicht. De punt had de vorm van een wilgenblad, met een bijna volmaakte symmetrie in alle richtingen en hij besloeg de volle lengte van zijn hand tot de vingertoppen. Van het spitse eind liep hij in het midden uit tot een breedte van wel vier vingers en dan liep hij weer spits toe. Toen Jondalar hem van opzij bekeek, zag hij dat hij inderdaad volkomen recht was, zonder kromming, met een middenstuk ter dikte van zijn pink.
Hij streek vakkundig over de randen. Heel scherp, een beetje getand

door de littekens die de vele kleine splinters hadden achtergelaten. Hij liet zijn vingertoppen over het oppervlak glijden en voelde de ribbeltjes die waren achtergebleven na het verwijderen van de vele dunne scherfjes om de punt zo'n mooie, onberispelijke vorm te geven.

'Dit is te mooi om als wapen te gebruiken,' zei Jondalar. 'Dit is een kunstwerk.'

'Die wordt niet als wapen gebruikt,' zei Wymez, die zich gevleid voelde door de lof van een vakgenoot. 'Ik heb hem als model gemaakt om de techniek te laten zien.'

Ayla bekeek met grote belangstelling het prachtig bewerkte gereedschap dat in het zachte leer op de grond lag en ze durfde er niet aan te komen. Ze had nog nooit zulke prachtige speerpunten gezien. Er waren verschillende maten en soorten bij. Behalve de bladvormige waren er ook asymmetrische, die aan één kant taps toeliepen voor een spitse schacht. Ze konden in een handvat worden bevestigd en als mes worden gebruikt. Andere waren meer symmetrisch gehouden met een spits in het midden en dàt konden zowel speerpunten als messen zijn.

'Zou je ze graag beter willen bekijken?' vroeg Wymez.

Haar ogen fonkelden vol ontzag toen ze ze een voor een in de handen nam. Ze behandelde ze of het edelstenen waren en dat waren het ook bijna.

'Vuursteen is... soepel... Het leeft,' zei Ayla. 'Nooit zulke vuursteen gezien.'

Wymez glimlachte. 'Je hebt het geheim ontdekt, Ayla. Dat biedt de mogelijkheid om zulke punten te maken.'

'Hebben jullie dit soort vuursteen in de buurt?' vroeg Jondalar ongelovig. 'Dit heb ik nog nooit gezien.'

'Nee, ik ben bang van niet. O, we kunnen wel een goede kwaliteit vuursteen krijgen. In het noorden is een groot kamp, bij een goede vuursteengroeve. Daar is Danug geweest. Maar deze steen heeft een speciale behandeling gehad... met vuur.'

'Met vuur!?' riep Jondalar uit.

'Ja. Met vuur. Deze steen verandert bij verhitting. Daardoor voelt hij zo soepel aan...' Wymez keek naar Ayla, 'zo levend... Door verhitting krijgt de steen bijzondere eigenschappen.' Al pratende pakte hij een knol waaraan duidelijk te zien was dat hij in het vuur had gelegen. Hij was zwartgebrand en de buitenste kalklaag had een veel donkerder kleur toen hij hem openbrak. 'De eerste keer was het een ongelukje. Er viel een stuk vuursteen in een stookplaats, in een groot heet vuur. Weten jullie hoe heet het vuur moet zijn om botten te verbranden?'

Ayla knikte. Jondalar trok zijn schouders op, daar had hij niet zo'n aandacht aan besteed, maar omdat Ayla het scheen te weten wou hij het graag geloven.

'Ik wou de knol eruit rollen, maar Nezzie vond hem heel geschikt om de vetdruppels op te vangen uit het vlees dat ze aan het roosteren was. Het bleek dat de vetdruppels begonnen te branden en zo werd een goede ivoren schaal vernield. Ik heb een nieuwe voor haar gemaakt toen bleek dat het een geluk bij een ongeluk was. Maar ik had de steen bijna weggegooid. Hij was helemaal zwartgebrand, zoals deze en ik beschouwde hem als waardeloos tot ik een keer gebrek aan materiaal had. Toen ik hem openbrak dacht ik dat hij niet meer te gebruiken was. Kijk maar, dan kun je zien waarom,' zei Wymez en hij gaf hun elk een stuk.

'De vuursteen is donkerder en voelt inderdaad wat vettig aan,' zei Jondalar.

'Toen ik aan het experimenteren was met speerpunten zoals de Aterians ze maken en probeerde hun techniek te verbeteren, gebeurde het. Omdat ik alleen maar nieuwe ideeën uitprobeerde, deed het er niet toe dat de steen niet volmaakt was. Maar zodra ik ermee begon te werken merkte ik het verschil. Dat was kort nadat ik hier was teruggekomen. Ranec was nog een jongen. Sinds die tijd heb ik de techniek steeds verder verbeterd.'

'Waar zit het verschil in?' vroeg Jondalar.

'Probeer maar, Jondalar, dan zul je het zien.'

Jondalar pakte zijn klopsteen, een ovale steen die door het gebruik al heel wat blutsen en groeven had. Maar hij lag prettig in de hand en Jondalar begon stukken van de kalklaag af te slaan voor hij de steen ging bewerken.

'Wanneer vuursteen voor de bewerking goed wordt verhit,' vervolgde Wymez terwijl Jondalar bezig was, 'heb je het materiaal veel beter in je macht. Dan kun je er heel kleine scherven af slaan, veel kleiner, dunner en langer. Je kunt de steen bijna elke gewenste vorm geven.'

Wymez sloeg een oude leren lap om zijn linkerhand om die te beschermen tegen de scherpe randen, zette vervolgens een ander stuk vuursteen, dat hij kortgeleden uit een van de verbrande knollen had geslagen, in de juiste stand en liet zien hoe het moest. Met zijn rechterhand pakte hij een taps toelopend stuk bot. Hij drukte het spitse eind van het bot tegen de zijkant van de steen en met een krachtige beweging verwijderde hij een lange, dunne scherf. Hij hield hem omhoog. Jondalar nam hem over, probeerde het toen zelf en was duidelijk verrast en tevreden over het resultaat.

'Dit moet ik Dalanar laten zien! Dit is ongelooflijk! Hij heeft zijn techniek al zo vaak verbeterd – hij heeft van nature gevoel voor het werken met steen, zoals jij, Wymez. Maar deze steen kun je bijna schaven. En dat bereik je met verhitten?'

Wymez knikte. 'Ik zou niet willen zeggen dat je het kunt schaven. Het blijft staan en dat is niet zo gemakkelijk te schaven als been, maar als je weet hoe je steen moet bewerken, wordt het na verhitting een stuk gemakkelijker.'

'Ik vraag me af wat er gebeurt als je met de klopsteen en een stuk bot of gewei op de vuursteen slaat. Heb je dat al eens geprobeerd? Dan kun je platte bladen maken die veel langer en dunner zijn.'

Ayla vond dat ook Jondalar van nature gevoel had voor het bewerken van steen. Bovendien voelde ze achter zijn enthousiasme en het spontane verlangen om deze prachtige ontdekking aan Dalanar mee te delen een vurige wens om naar huis te gaan.

Toen ze in de vallei was, had ze met aarzeling aan een ontmoeting met de Anderen gedacht. Ze dacht dat Jondalar alleen maar weg wilde om bij andere mensen te zijn. Ze had nooit goed beseft hoe graag hij weer naar huis wou. Het kwam als een openbaring, ze zag het plotseling in; ze begreep dat hij ergens anders nooit echt gelukkig kon zijn.

Hoewel ze haar zoon en de mensen van wie ze hield vreselijk miste, had Ayla nooit heimwee gehad, zoals Jondalar, naar een vertrouwde omgeving waar je de mensen en de gebruiken kende. Toen ze de Stam verliet wist ze dat ze nooit terug kon. Voor hen was ze dood. Als ze haar zagen, zouden ze denken dat ze een boze geest was. En nu wist ze dat ze niet meer bij hen zou gaan wonen, ook niet als het zou kunnen. Hoewel ze nog maar kort in het Leeuwenkamp was, voelde ze zich er al beter thuis dan in al de jaren dat ze bij de Stam had gewoond. Iza had gelijk gehad. Ze behoorde oorspronkelijk niet tot de Stam. Ze was bij de Anderen geboren.

In gedachten verzonken had Ayla een deel van het gesprek gemist. Ze hoorde Jondalar haar naam noemen.

'... Ik denk dat haar techniek veel van die van hen heeft. Daar heeft ze het geleerd. Ik heb een paar van hun werktuigen gezien, maar ik had ze nog nooit zien maken voor Ayla het me voordeed. Ze hebben wel enige vaardigheid, maar het is een hele stap om van een knol een drevel te maken en dat is het verschil tussen een zwaar stuk gereedschap en een licht, dun blad.'

Wymez knikte glimlachend. 'Als we nu ook nog eens een manier konden vinden om een blad recht te maken. Hoe je het ook doet, de snijkant blijft nooit zo scherp na de bewerking.'

'Daar heb ik over nagedacht,' zei Danug, die ook een bijdrage aan het gesprek leverde. 'Als je nu een groef in een bot of een stuk van een gewei snijdt en je perst er kleine bladen in? Klein genoeg om bijna recht te zijn?'

Jondalar dacht er even over na. 'Hoe wou je ze zo klein maken?'

'Zou je niet met een kleine knol kunnen beginnen?' stelde Danug aarzelend voor. 'Als je met een kleine knol begint, zijn de bladen ook kleiner.'

'Dat zou misschien lukken, Danug, maar een kleine knol is moeilijk te bewerken,' zei Wymez. 'Ik heb eraan gedacht om met een groter blad te beginnen en het in kleinere bladen te breken.'

Ayla merkte dat ze het nog steeds over vuursteen hadden. Ze schenen er nooit genoeg van te krijgen. Het materiaal en de mogelijkheden schenen hun te blijven boeien. Hoe meer ze ervan leerden, hoe groter hun belangstelling werd. Ze had waardering voor vuursteen en gereedschapmaken en ze vond de speerpunten die Wymez liet zien mooier dan alles wat ze tot nu toe had gezien, zowel het uiterlijk als de bruikbaarheid. Maar ze had het onderwerp nog nooit zo uitputtend horen behandelen. Ze herinnerde zich echter nog wel hoe geboeid ze altijd luisterde naar de lessen over medicijnen en de magische geneeskunst. De keren dat ze bij Iza en Oeba had gezeten, als de medicijnvrouw hen onderwees, behoorden tot haar mooiste herinneringen.

Ayla zag Nezzie naar buiten komen en stond op om te zien of ze kon helpen. Hoewel de drie mannen glimlachten en opmerkingen maakten, dacht ze dat ze het niet eens zouden merken dat ze weg was.

Dat was niet helemaal waar. Hoewel ze dat niet met zoveel woorden zeiden, haperde het gesprek wel even toen ze haar zagen weggaan.

Het is een mooie jonge vrouw, dacht Wymez. Ze is intelligent en ze heeft verstand van heel veel dingen. Ze heeft overal belangstelling voor. Ze zou een hoge Bruidsprijs opbrengen als ze een Mamutische was. Bedenk eens wat een status ze haar metgezel en haar kinderen zou geven.

Danugs gedachten gingen ongeveer in dezelfde richting, hoewel ze niet zo'n duidelijke vorm hadden. Hij kreeg vage ideeën over een Bruidsprijs en een verbintenis, of desnoods inwoning, maar hij geloofde niet dat hij een kans maakte. Hij was al tevreden als hij in haar nabijheid kon zijn.

Jondalar had des te meer behoefte aan haar. Als hij een redelijk excuus had kunnen bedenken, was hij opgestaan en haar achternagegaan. Toch was hij bang om zich te veel aan haar vast te klampen. Hij wist nog wel hoe hij het vond wanneer vrouwen te veel hun best deden om hem te strikken. Dat had alleen als resultaat gehad dat hij hen ontweek en medelijden met hen had. Hij had geen behoefte aan Ayla's medelijden. Hij had behoefte aan haar liefde.

Zijn keel werd bijna dichtgeknepen toen hij de man met de donkere huid naar buiten zag komen en zag hoe hij tegen haar glimlachte. Hij probeerde het weg te slikken en de woede en teleurstelling die hij voelde te onderdrukken. Hij had die jaloezie nooit gekend en het zat hem verschrikkelijk dwars. Hij wist dat Ayla een hekel aan hem zou krijgen, of nog erger, medelijden met hem kreeg als ze wist hoe hij zich voelde. Hij pakte een grote vuursteenknol en sloeg hem met zijn klopsteen open. Er kwam een barst in, dwars door de kruimelige, witte kalklaag, maar Jondalar bleef op de steen slaan tot de stukken steeds kleiner werden.

Ranec zag Ayla uit de hoek van de vuursteenbewerkers komen. Hij kon niet ontkennen dat zijn opwinding en haar aantrekkingskracht op hem steeds groter werden telkens wanneer hij haar zag. Van het begin af aan voelde hij zich aangetrokken tot haar volmaakte vormen, die zijn gevoel voor schoonheid aanspraken, niet alleen omdat ze een mooie vrouw was om te zien, maar ook door de natuurlijke gratie van haar bewegingen. Hij had een scherp oog voor zulke details en hij kon haar niet betrappen op ook maar de geringste gemaaktheid of neiging om hem te beïnvloeden. Ze gedroeg zich zelfbewust met een onbegrensd zelfvertrouwen dat zo volkomen natuurlijk leek dat hij het gevoel had dat ze ermee was geboren en ze toonde eigenschappen die hij gewoon beschouwde als persoonlijkheid. Hij glimlachte vriendelijk naar haar. Dat kon niet zomaar worden genegeerd en Ayla glimlachte terug met dezelfde hartelijkheid.

'Zitten je oren vol verhalen over vuursteen?' vroeg Ranec op een enigszins denigrerende toon. Ayla merkte het wel, maar ze begreep de betekenis van zijn woorden niet helemaal. Ze begreep echter wel dat het humoristisch was bedoeld, bij wijze van grap.

'Ja. Ze praten over vuursteen. Speerbladen maken. Gereedschap. Speerpunten. Wymez maakt prachtige punten.'

'O, hij heeft zeker zijn schatten voor den dag gehaald? Je hebt gelijk, ze zijn prachtig. Ik weet soms niet of hij het beseft, maar Wymez is meer dan een vakman. Hij is een kunstenaar.'

Ayla kreeg een rimpel in haar voorhoofd. Ze herinnerde zich dat hij dat woord voor haar had gebruikt na de demonstratie met de slinger en ze wist niet of ze de juiste betekenis van het woord begreep die hij eraan hechtte.

'Ben jij kunstenaar?' vroeg ze.

Hij maakte een vreemde grimas. Haar vraag had de kern geraakt van een probleem waar hij bepaalde opvattingen over had.

Zijn volk geloofde dat de Moeder eerst een wereld van geesten had geschapen en de geesten van alle dingen waren volmaakt. Toen gingen de geesten levende evenbeelden van zichzelf maken om de gewone wereld te bevolken. De geest was het voorbeeld, het model waarvan alle dingen waren afgeleid, maar de kopieën waren nooit zo volmaakt als het origineel. Zelfs de geesten konden geen volmaakte kopieën maken. Daarom waren ze allemaal verschillend.

Mensen waren uniek. Ze stonden dichter bij de Moeder dan de andere geesten. De Moeder baarde een kopie van zichzelf en noemde haar de Geestenvrouw en Ze deed een Geestenman geboren worden uit Haar schoot, precies zoals iedere man was geboren uit een vrouw. Toen zorgde de Grote Moeder dat de geest van de volmaakte vrouw zich mengde met de geest van de volmaakte man en zo werden er veel verschillende geestenkinderen geboren. Maar Zij koos zelf welke geest van een man zich zou mengen met die van een vrouw voor Ze Haar levenwekkende adem in de mond van de vrouw blies om haar zwanger te maken. En aan een paar van Haar kinderen, mannen en vrouwen, gaf de Moeder bijzondere gaven.

Ranec beschouwde zichzelf als beeldhouwer, iemand die voorwerpen maakt met gelijkenissen van levende en geestelijke dingen. Beelden waren nuttige voorwerpen. Levende geesten werden verpersoonlijkt, zichtbaar gemaakt, tastbaar, en het waren onmisbare gebruiksvoorwerpen bij zekere riten, noodzakelijk bij de plechtigheden van de mamuti. Zij die zulke voorwerpen konden maken stonden in hoog aanzien; het waren begaafde kunstenaars, uitverkoren door de Moeder.

Vele mensen dachten dat in feite iedereen die voorwerpen kon maken of versieren, om er iets meer dan een gewoon gebruiksvoorwerp van te maken. Maar volgens Ranec hadden niet alle kunstenaars gelijke gaven, of misschien besteedden ze niet dezelfde zorg aan hun werk. Het waren soms lompe dieren en lichaamsvormen die ze maakten. Hij vond zulke beelden een belediging voor de geesten en voor de Moeder die hen schiep.

Volgens Ranec was alleen het beste en meest volmaakte exemplaar mooi en iets moois was de beste en meest volmaakte uitbeelding van de geest, dat was het wezenlijke ervan. Dat was zijn geloofsovertuiging. Behalve dat voelde hij in het diepst van zijn esthetische ziel dat schoonheid een eigen innerlijke waarde had en hij geloofde dat in alles schoonheid aanwezig was. Hoewel sommige activiteiten of voorwerpen gewoon functioneel konden zijn, vond hij dat iedereen die de perfectie benaderde, in welke activiteit ook, een kunstenaar was en de resultaten bevatten het wezenlijke van de schoonheid. Doch de kunst was niet alleen aanwezig in het resultaat, maar ook in de activiteit. Een kunstwerk was niet alleen het eindproduct maar ook de gedachte, het werk, het hele scheppingsproces. Ranec zocht de schoonheid, het was bijna een pelgrimstocht, met zijn geoefende handen, maar nog meer met zijn aangeboren gevoel. Hij vond het een noodzaak om mooie dingen om zich heen te hebben en hij begon Ayla als een kunstwerk te beschouwen, als de mooiste, meest volmaakte weergave van een vrouw die hij zich kon voorstellen. Het was niet alleen haar uiterlijk dat haar mooi deed zijn. Schoonheid was geen statisch iets; het was het wezen, de geest, het was dat wat bezielde. Schoonheid werd het best uitgedrukt in beweging, gedrag en vaardigheid. Een mooie vrouw was een vaardige, dynamische vrouw. Hoewel hij het niet met zoveel woorden zei, was Ayla voor hem de volmaakte incarnatie van de oorspronkelijke Geestenvrouw. Zij was de wezenlijke vrouw, het wezen van de schoonheid.

De donkere man met de lachende ogen en de ironische gevatheid, die hij zich had aangeleerd om zijn diepste verlangens te verbergen, streefde naar het volmaakte en de schoonheid in zijn werk. Zijn mensen beschouwden hem als de beste beeldhouwer, een uitmuntend kunstenaar, maar zoals zoveel perfectionisten was hij nooit helemaal tevreden over zijn werk. Hij zou zichzelf nooit kunstenaar noemen.

'Ik ben beeldhouwer,' zei hij tegen Ayla. Toen hij haar verbazing zag, voegde hij eraan toe, 'Sommige mensen noemen iedere beeldhouwer een kunstenaar.' Hij aarzelde even en vroeg zich af hoe zij zijn werk zou beoordelen. Toen zei hij: 'Zou je wat van mijn werk willen zien?' 'Ja,' zei ze. De eenvoud van haar instemmend antwoord deed hem aarzelen, toen begon hij luidkeels te lachen. Natuurlijk, wat moest ze anders zeggen? Hij kreeg pretrimpeltjes om zijn ogen en wenkte haar om mee naar binnen te gaan.

Jondalar zag hen samen door de toegangspoort gaan en hij voelde een zware last op zijn schouders. Hij kreeg diepe rimpels in zijn voorhoofd, sloot zijn ogen en liet mismoedig het hoofd hangen.

De grote, knappe man had nog nooit te klagen gehad over aandacht van de vrouwen, maar omdat hij nooit had begrepen waarom ze hem zo aantrekkelijk vonden, had hij er geen vertrouwen in. Hij was als gereedschapmaker beter vertrouwd met materiële dan met abstracte zaken. Hij gebruikte zijn hoge intelligentie gemakkelijker om de

technische aspecten van de bewerking van homogeen kristallijn gesteente – vuursteen – te begrijpen. Hij bekeek de wereld vanuit de
materie.

Hij drukte zich daar ook beter in uit; hij kon meer met zijn handen
dan met woorden. Hij had wel geleerd om iets goed te vertellen, maar
hij had niet meteen een vlot antwoord klaar of een geestig weer-
woord. Hij was een serieuze, gesloten man, die liever niet over zichzelf
praatte maar wel een aandachtig luisteraar was die men gemakkelijk
iets toevertrouwde. Thuis stond hij bekend als een goede vakman,
maar dezelfde handen die zo zorgvuldig het harde gesteente konden
omvormen tot goed gereedschap waren ook bedreven in het omgaan
met een vrouwenlichaam. Dat was een andere uiting van zijn fysieke
aanleg en hoewel men het niet openlijk zei, stond hij daar evenzeer
om bekend. De vrouwen achtervolgden hem en er werden grappen
gemaakt over zijn 'andere' handwerk.

Het was een vaardigheid die hij had geleerd, net zoals hij had geleerd
om vuursteen te bewerken. Hij wist waar hij moest strelen, hij was
ontvankelijk voor subtiele signalen en reageerde erop. Hij genoot ervan om genot te schenken. Zijn handen, zijn ogen, zijn hele lichaam
zeiden meer dan welke woorden die hij ooit had gebruikt. Als Ranec
een vrouw was geweest, had hij hem een kunstenaar genoemd.

Jondalar had echte genegenheid en warmte opgevat voor een paar
vrouwen en hij had hun lichamelijk genot gegeven, maar hij had hen
niet liefgehad tot hij Ayla ontmoette en hij had er geen vertrouwen in
dat zij echt van hem hield. Hoe kon ze ook? Ze had geen mogelijkheid gehad om te vergelijken. Hij was de enige man die ze kende tot
ze hier kwamen. Hij moest toegeven dat de beeldhouwer in aanzien
stond en veel charme had en Jondalar zag wel hoe hij liet merken dat
hij Ayla aantrekkelijk vond. Hij begreep dat wanneer iemand het
kon, het Ranec was die in staat was Ayla's liefde te winnen. Jondalar
had de halve wereld door gereisd voor hij een vrouw vond van wie hij
kon houden. Zou hij haar zo gauw weer verliezen nu hij haar eindelijk
had gevonden?

Maar misschien verdiende hij het wel om haar te verliezen. Kon hij
haar meenemen naar zijn volk terwijl hij wist hoe ze over vrouwen als
zij dachten? Ondanks al zijn jaloezie begon hij zich af te vragen of hij
wel de juiste man voor haar was. Hij maakte zichzelf wijs dat hij eerlijk tegenover haar wilde zijn, maar diep in zijn hart betwijfelde hij of
hij de schande kon verdragen weer de verkeerde vrouw te hebben.

Danug zag hoe Jondalar leed en keek met een bezorgde blik naar Wymez. Deze knikte alleen maar begrijpend. Hij had ook eens een

vrouw liefgehad die buitengewoon mooi was, maar Ranec was de zoon van zijn vuurplaats en het duurde lang voor hij een vrouw vond en een gezin stichtte.

Ranec nam Ayla mee naar de Vossenvuurplaats. Hoewel ze er elke dag verscheidene keren langs kwam, had ze angstvallig vermeden nieuwsgierige blikken op het woongedeelte te werpen; het was een gebruik van de Stam dat ook voor het Leeuwenkamp gold. In de openheid van dit huis was privacy niet zozeer een kwestie van gesloten deuren als wel van rekening houden met elkaar, van respect en verdraagzaamheid.
'Ga zitten,' zei hij en wees op het bed dat vol zachte, uiterst comfortabele vachten lag. Ze keek om zich heen nu het was toegestaan om haar nieuwsgierigheid te bevredigen. Hoewel ze een vuurplaats deelden, hadden de beide mannen, die aan weerszijden van het middenpad woonden, aparte woonruimten.
Aan de andere kant van de stookplaats was de ruimte van de gereedschapmaker, die een povere, eenvoudige indruk maakte. Er was een bed, met een kussen en vachten en een leren gordijn dat lukraak was opgebonden en zo te zien in geen jaren was losgemaakt. Er hingen wat kleren aan haken en er lag ook nog een stapeltje op een deel van het bed dat langs de wand doorliep.
De werkplaats nam de meeste ruimte in beslag en werd gekenmerkt door brokken steen en scherven van vuursteen om een voetbeen van een mammoet, dat als zitplaats en als aambeeld werd gebruikt. Verschillende stenen en benen hamers en gereedschap voor het afwerken lagen op het verlengde van het bed. De enige decoratieve voorwerpen waren een ivoren beeldje van de Moeder dat in een nis in de wand stond en een fraai bewerkte gordel met een rok van gedroogd en verweerd gras. Zonder ernaar te vragen begreep Ayla dat die van Ranecs moeder was geweest.
Daarbij vergeleken was het gedeelte van de beeldhouwer smaakvol en weelderig ingericht. Ranec was een verzamelaar, maar wel een met een verfijnde smaak. Alles was met zorg gekozen en zo uitgestald dat de beste eigenschappen naar voren kwamen en het geheel completeerde met een rijkdom aan compositie. De vachten op het bed vroegen erom te worden aangeraakt en ze beloonden die aanraking met een buitengewone zachtheid. De gordijnen hingen aan beide zijden in keurige plooien. Ze waren van fluweelzacht geitenleer in een donkerbruine tint en ze hadden nog vaag die lekkere geur van brandend dennenhout, dat ze die kleur had gegeven. Op de vloer lagen matten van geurige grassen, die smaakvol waren geweven in kleurige dessins.

Op een deel van het grote bed stonden manden van verschillende grootte en vorm. In de grotere zat kleding, die zo was neergelegd dat het decoratieve kralenwerk of de dessins met veren en bont zichtbaar bleven. In sommige manden en aan haken hingen bewerkte ivoren armbanden en kettingen van dierentanden, schelpen van zoetwaterweekdieren, zeeschelpen, cilindervormige kalkpijpjes, ivoren kralen, gekleurde en naturel, en hangers van barnsteen. Aan de wand hing een grote schijf van een slagtand van een mammoet, versierd met vreemde wiskundige figuren. Ook de jachtwapens en de kleding die buiten werd gedragen en aan haken hing, droegen bij tot het effect.

Hoe meer ze om zich heen keek, hoe meer ze zag, maar de voorwerpen die het meest haar aandacht trokken waren een prachtig ivoren Moederbeeld in een nis en de beelden in zijn werkruimte.

Ranec keek naar haar en zag waar haar ogen op gevestigd bleven. Hij wist waar ze naar keek. Toen ze haar blik op hem richtte, glimlachte hij. Hij ging op zijn werkbank zitten, het onderste deel van het bot van een mammoetpoot, dat in de vloer was verzonken zodat het vlakke, concave kniegewricht ongeveer op borsthoogte lag als hij op een mat zat. Op het gebogen, horizontale werkblad stond tussen een verscheidenheid aan boren, stukken gereedschap die op beitels leken, het beeld van een vogel dat nog niet klaar was.

'Dat is het stuk waar ik aan werk,' zei hij en hij keek hoe ze erop reageerde toen hij het haar voorhield.

Ze nam het beeldje voorzichtig in de handen, keek ernaar, draaide het om en bekeek het nauwkeuriger. Toen keek ze peinzend en draaide het nog eens om. 'Is een vogel als ik zo kijk,' zei ze tegen Ranec, 'maar nu,' ze draaide het om, 'is vrouw!'

'Fantastisch! Je zag het meteen. Dat is iets wat ik probeerde uit te werken. Ik wou de gedaanteverwisseling van de Moeder laten zien. Haar geestelijke vorm. Ik wou Haar laten zien als Ze de vorm van een vogel aanneemt om vanhier naar de wereld van de geesten te vliegen, maar toch als de Moeder, als vrouw. Om beide vormen in een beeld samen te vatten!'

Ranecs donkere ogen schitterden. Hij was zo opgewonden dat hij over zijn woorden struikelde. Ayla glimlachte om zijn geestdrift. Zo had ze hem nog nooit gezien. Gewoonlijk leek hij meer gereserveerd, ook als hij lachte. Een ogenblik deed Ranec haar aan Jondalar denken toen hij het plan uitwerkte voor een speerwerper. Ze fronste haar wenkbrauwen bij die gedachte. Die zomerdagen in de vallei leken zo lang geleden. Jondalar glimlachte bijna nooit meer en als hij het deed was hij het volgende ogenblik weer boos. Ze kreeg plotseling het ge-

voel dat Jondalar het niet leuk zou vinden dat ze hier was en met Ranec praatte en naar zijn enthousiaste verhalen luisterde en dat maakte
haar verdrietig en een beetje boos.

11

'O, ben je daar al, Ayla,' zei Deegie, die door de Vossenvuurplaats kwam. 'We beginnen met de muziek. Kom mee. Jij ook, Ranec.' Deegie had de meeste mensen van het Leeuwenkamp gewaarschuwd dat ze begonnen en Ayla zag dat ze samen met Tornec de schedel en het schouderblad droeg, die met rode strepen en geometrische figuren waren beschilderd. Ze had dat vreemde woord weer gebruikt. Ayla en Ranec volgden haar naar buiten.

De lucht begon donker te worden en de wind was opgestoken, zodat de wolkenflarden in het noorden snel werden voortgedreven. De mensen in de kring schenen er niet op te letten dat de koude wind door het bont van hun capuchons en anoraks streek. De stookplaats voor het huis lag wat hoger om meer profijt te hebben van de wind, die meestal uit het noorden kwam. Toen er meer botten en nog wat hout op het vuur werden gegooid, begon het feller te branden, maar alles viel in het niet bij de rode gloed van de ondergaande zon.

Eerst leek het of er hier en daar willekeurig wat grote beenderen waren blijven liggen, maar dat bleek niet zo te zijn toen Deegie, Tornec en Mamut erop gingen zitten. Deegie zette de beschilderde schedel zo op een paar botten dat hij los van de grond bleef. Tornec zette het schouderblad rechtop en tikte er op verschillende plaatsen met een soort hamer tegenaan tot het in de juiste stand stond.

Ayla schrok van de geluiden die eruit kwamen. Heel anders dan ze binnen had gehoord. Daar waren het een soort trommelgeluiden, maar dit waren verschillende tonen. Dat had ze nog nooit gehoord, al klonk het haar bekend in de oren. De veranderlijke tonen deden haar denken aan de geluiden van de stem, zoals ze soms in zichzelf neuriede. Maar de tonen waren duidelijker te onderscheiden. Was dat muziek?

Opeens begon iemand te zingen. Ayla draaide zich om en zag Barzec staan, met het hoofd achterover. Hij gaf een luide klagende schreeuw die ver doorklonk. Hij liet zijn stem dalen tot een laag vibrato en eindigde met een doordringende hoge toon die wel een vraag leek op te roepen. Ayla kreeg er een brok van in de keel. Het antwoord van de drie muzikanten was een snel getrommel op de mammoetbeenderen waarbij de geluiden van Barzec werden herhaald en Ayla kon het niet uitleggen, maar voor haar pasten de klanken en het gevoel bij elkaar. Weldra begonnen anderen mee te zingen, zonder woorden maar begeleid door de instrumenten. De aard van de muziek veranderde geleidelijk aan. Er werd langzamer gespeeld en gevoeliger en het geluid klonk droeviger. Fralie begon te zingen, met een hoge melodieuze stem en zij gebruikte wel woorden. Ze vertelde het verhaal van een vrouw die haar metgezel had verloren en wier kind was gestorven. Ayla werd er diep door geroerd. Ze moest aan Durc denken en ze kreeg tranen in de ogen. Toen ze opkeek zag ze dat ze niet de enige was, maar ze werd het meest getroffen door Crozie, die onbeweeglijk voor zich uit staarde, zonder uitdrukking op haar gezicht, maar de tranen stroomden langs haar wangen.

Toen Fralie de laatste woorden van het lied herhaalde, viel Tronie in en vervolgens Latie. Bij de volgende herhaling werden de woorden veranderd en zongen Nezzie en Tulie mee. Tulie had een warme, lage alt. De tekst werd nog een keer veranderd, er kwamen meer zangers bij en de muziek veranderde van karakter. Het werd een verhaal over de Moeder en een legende over het volk, de wereld van de geesten en hun oorsprong. Toen de vrouwen op het punt waren aangekomen dat de Geestenman werd geboren, vielen de mannen in en er ontstond een sfeer van vriendschappelijke rivaliteit.

Er werd sneller gespeeld, met meer ritme. Talut raakte zo enthousiast dat hij zijn anorak uittrok en dansend, met de vingers knippend, in het midden van de groep terechtkwam. Aangemoedigd door gelach, instemmend geschreeuw, gestamp met de voeten en applaus, begon Talut te dansen en hij sprong hoog op in het ritme van de muziek. Barzec wou niet achterblijven en voegde zich bij hem. Toen ze moe werden, kwam Ranec in de kring. Hij danste met snelle passen en ingewikkelde bewegingen en dat veroorzaakte nog meer geschreeuw en applaus. Voor hij ophield riep hij Wymez, die eerst niet wou, maar toen de mensen hem aanmoedigden begon hij met een dans die blijkbaar onbekend voor hen was.

Ayla lachte en schreeuwde met de rest mee en ze genoot van de muziek, het zingen en dansen, maar vooral van het enthousiasme en plezier van de mensen. Het gaf haar een warm gevoel. Druwez sprong naar voren en gaf een demonstratie met acrobatische toeren. Zijn jongere broer, Brinan, probeerde hem na te doen. Het ging hem niet zo makkelijk af als zijn broer, maar hij kreeg applaus omdat hij zo zijn best deed. Dat gaf Crisavec, Fralies oudste zoon, moed om mee te doen. Toen besloot Tusie dat ze wou dansen. Barzec pakte, met een beminnelijke glimlach, haar beide handen en danste met haar. Talut zocht, na een wenk van Barzec, Nezzie op en nam haar mee in de kring. Jondalar probeerde Ayla over te halen om mee te doen, maar ze aarzelde. Ze zag dat Latie met glinsterende ogen naar de dansers keek en ze stootte hem aan om haar te vragen.

'Wil je mij de passen leren, Latie?' vroeg hij.

Ze glimlachte dankbaar naar de grote man. Het viel Ayla op dat ze zo op Talut leek. Ze pakte zijn beide handen terwijl ze zich bij de anderen voegden. Ze was slank en groot voor haar leeftijd en bewoog zich gracieus. Als Ayla haar met de andere vrouwen vergeleek dacht ze, als buitenstaander, dat ze een heel aantrekkelijke vrouw zou worden. En dat was ook zo.

Er kwamen nog meer vrouwen bij en toen het karakter van de muziek weer veranderde, danste bijna iedereen. De mensen begonnen te zingen en Ayla voelde dat ze haar meetrokken om in de kring te komen. Met Jondalar aan de ene kant en Talut aan de andere stapte ze vooruit en terug, draaide in het rond, danste en zong, terwijl de muziek hen in een steeds sneller tempo dwong.

Eindelijk hield de muziek, met een laatste schreeuw, op. De mensen lachten en praatten. De muzikanten zowel als de dansers probeerden weer op adem te komen.

'Nezzie! Is dat eten nog niet klaar? Ik ruik het de hele dag al en ik heb zo'n honger!' riep Talut.

'Moet je hem zien,' zei Nezzie en ze knikte naar haar reus van een metgezel. 'Ziet hij er niet naar uit dat hij honger lijdt?' De mensen grinnikten. 'Ja, het eten is klaar. We hebben gewoon even gewacht tot iedereen eraan toe was.'

'Nou, ik ben er wel aan toe,' antwoordde Talut.

Terwijl een aantal mensen hun borden haalde, brachten anderen, die hadden gekookt, het eten naar buiten. Voor de borden werden platte beenderen van het bekken of schouderbladen van bizons of herten gebruikt. Kopjes en kommen waren dicht geweven waterdichte mandjes, of soms de komvormige voorhoofdsbeenderen van herten. De geweien waren verwijderd. Schelpen van schaaldieren, die evenals zout waren verkregen door ruilhandel met mensen die naar de zee waren geweest of er dichtbij woonden, werden gebruikt als schaaltjes en bakjes en de kleinste deden dienst als lepels. Dienbladen en platte schotels waren gemaakt van het bekken van de mammoet. Het eten werd opgeschept met grote lepels, die uit been, ivoor, geweien of horens waren gesneden en men gebruikte rechte stukjes bot en vuurstenen messen om te eten. Zout was iets bijzonders, zo ver van de zee, en werd apart neergezet in een mooie, zeldzame molluskschelp.

Nezzies stoofpot was net zo lekker en voedzaam als de geur deed verwachten en Tulies broodjes van gemalen graan, die in de stoofpot waren verhit, maakten het compleet. Hoewel je met twee vogels niet ver kwam om het hongerige kamp te voeden, proefde elk een stukje van de sneeuwhoenders. Ze waren zo goed gaargestoofd in het vuur in de kuil dat ze uit elkaar vielen. De combinatie van kruiden die Ayla had gekozen viel goed in de smaak bij het Leeuwenkamp, hoewel het gehemelte van de Mamutiërs er niet aan gewend was. Ze aten er allemaal van. Ayla vond de vulling met graan lekker.

Tegen het eind van de maaltijd verraste Ranec iedereen met zijn schotel, omdat het niet zijn gebruikelijke specialiteit was. Hij had deze keer knapperige koekjes. Ayla proefde er een en pakte er nog een.

'Hoe maak je die?' vroeg ze. 'Is heel lekker.'

'Ik denk niet dat het zo gemakkelijk is om ze nog eens te maken, tenzij we telkens een wedstrijd houden. Ik heb het tot poeder gestampte graan gebruikt met gesmolten mammoetvet, wat bosbessen erbij en ik heb Nezzie een beetje honing gevraagd. Ik heb ze op hete stenen gebakken. Wymez zei dat het volk van mijn moeder ze met zwijnenvet bakte, maar hij wist het niet zeker. Omdat ik me niet herinner ooit een zwijn te hebben gezien, moest ik me wel behelpen met mammoetvet.'

'Smaak is bijna dezelfde,' zei Ayla. 'Maar niets is zo lekker als dit. Smelt in de mond.' Toen keek ze hem onderzoekend aan, de man met de bruine huid, de donkere ogen en het dikke krulhaar, die ondanks zijn exotische uiterlijk een Mamutiër was, net zo goed als de anderen van het Leeuwenkamp, en ze vroeg: 'Waarom kook je?'

Hij lachte. 'Waarom niet? We zijn maar met z'n tweeën in de Vossenvuurplaats en ik doe het graag, hoewel ik blij ben dat ik meestal bij Nezzie kan eten. Waarom vraag je dat?'

'Mannen van de Stam koken niet.'

'Er zijn zoveel mannen die het niet doen als het niet hoeft.'

'Nee, mannen van de Stam kunnen niet koken. Weten niet hoe. Hebben geen koken geleerd.'

Ayla wist niet of ze het duidelijk genoeg uitlegde, maar toen kwam Talut om iedereen wat van zijn gegiste brouwsel in te schenken en ze zag dat Jondalar haar een seintje gaf om het toch maar weer eens te proberen. Ze hield een benen kopje omhoog en Talut vulde het. Ze had het de eerste keer, toen ze het proefde, niet zo lekker gevonden, maar de anderen schenen het lekker te vinden, dus vond ze dat ze ook maar wat moest nemen.

Toen Talut iedereen had ingeschonken, pakte hij zijn bord en ging voor de derde keer opscheppen.

'Talut! Ga je nog meer halen?' zei Nezzie op de berispende toon die Ayla nu wel van haar kende. Ze wist dat Nezzie er niets van meende en heel gelukkig was met haar grote stamhoofd.

'Maar je hebt jezelf overtroffen. Dit is de beste stoofpot die ik ooit heb gegeten.'

'Je overdrijft weer. Dat zeg je om te voorkomen dat ik je een veelvraat noem.'

'Nou, Nezzie,' zei Talut en hij zette zijn bord neer. Iedereen lachte en ze wisselden blikken van verstandhouding. 'Als ik zeg dat je de beste bent, dan meen ik dat.' Hij tilde haar op en wreef zijn neus in haar hals.

'Toe, Talut! Dikke beer. Zet me neer.'

Hij deed wat hem werd gevraagd, maar hij streelde haar borst en hapte naar een oorlelletje. 'Ik geloof dat je gelijk hebt. Wie wil er nog stoofpot. Ik denk dat ik samen met jou de maaltijd beëindig. Had je me niet iets beloofd?' antwoordde hij met geveinsde onschuld.

'Talut! Je bent net zo erg als een hete stier!'

'Eerst ben ik een veelvraat, dan een beer en nu weer een stier.' Hij brulde van het lachen. 'Maar jij bent de leeuwin. Kom mee naar mijn vuurplaats,' zei hij en hij maakte aanstalten om haar op te tillen en naar binnen te dragen.

Opeens gaf ze zich lachend over. 'O, Talut. Wat zou het leven saai zijn zonder jou!'

Talut grijnsde en de wederzijdse liefde en het begrip voor elkaar straalden warmte uit. Ayla voelde het en diep in haar hart besefte ze dat hun genegenheid voortkwam uit het feit dat ze hadden geleerd elkaar te accepteren zoals ze waren na een leven vol gezamenlijke ervaringen.

Maar hun geluk verontrustte haar. Zou zij ooit iemand zo volledig accepteren? Zou zij ooit zoveel begrip voor iemand kunnen opbrengen? Toen het een poosje stil om haar heen was, staarde ze peinzend over de rivier. Het weidse landschap gaf haar een ontzaglijk gevoel van leegte.

Het feestmaal in het Leeuwenkamp was bijna afgelopen en de bewolking in het noorden had zich uitgebreid. Het zwakke licht van de zon werd weerkaatst door de wolkenbank die in een opvallende gloed de triomf verspreidde over de verre horizon, met veel vertoon van macht, in felle oranje en rode strepen, zonder zorgen over de donkere bondgenoot, de keerzijde van de dag. Het imposante schouwspel, met de schitterende koperkleurige pracht, was een feest van korte duur. De onverbiddelijke komst van de nacht onttrok de glans aan de vergankelijke schittering en temperde de vurige kleuren tot karmijnrode tinten. Het vlammende roze verflauwde tot een grijs lavendelblauw, om ten slotte over te gaan in diepzwart.

Bij het vallen van de avond nam de wind toe en de warmte en beschutting van het huis lokte de mensen naar binnen. In de schemering schuurde elk zijn eetgerei met zand en spoelde het af. Het overschot van Nezzies stoofpot werd in een kom gedaan en de grote kookhuid werd schoongespoeld en te drogen gehangen. Binnen werd de kleding die men buiten droeg aan haken gehangen en de stookplaatsen werden aangevuld met brandstof.

Tronies baby, Hartal, ging na de voeding tevreden slapen, maar Nuvie, die drie jaar was en de grootste moeite had om de ogen open te houden, wou graag bij de anderen blijven die zich verzamelden in de Mammoetvuurplaats. Ayla zag haar rondscharrelen, tilde haar op en bracht haar naar Tronie. Ze sliep al voor de jonge moeder goed en wel de vuurplaats had verlaten.

Ayla zag dat Tasher, het tweejarige zoontje van Fralie, in de Kraanvogelvuurplaats de borst wilde hebben hoewel hij van zijn moeders bord had gegeten. Hij wond zich op en begon te jengelen, waaruit Ayla afleidde dat ze geen melk meer had. Hij was net in slaap gevallen toen hij weer wakker werd door een ruzie tussen Crozie en Frebec. Fralie, die te moe was om zich ermee te bemoeien, tilde hem op en hield hem in haar armen, maar de zevenjarige Crisavec keek chagrijnig.

Hij ging met Brinan en Tusie mee toen die langskwamen. Ze vonden Rugie en Rydag en de vijf kinderen, die ongeveer even oud waren, begonnen onmiddellijk giechelend te praten met woorden en gebaren. Ze gingen naar een vrij bed, naast dat van Ayla en Jondalar.

Druwez en Danug waren bij elkaar gekropen aan de kant van de Vossenvuurplaats. Latie stond vlak bij hen, maar ze zagen haar zeker niet of wilden niet met haar praten. Ayla zag dat ze ten slotte de jongens links liet liggen en met gebogen hoofd, langzaam en onzeker, naar de jongere kinderen liep. Het meisje was nog net geen jonge vrouw, dacht Ayla, maar het scheelde niet veel. Op die leeftijd hadden meisjes andere meisjes nodig om mee te praten, maar er waren geen meisjes van haar leeftijd in het Leeuwenkamp en de jongens negeerden haar.

'Latie, wil je bij mij zitten?' vroeg ze. Latie fleurde helemaal op en ging naast Ayla zitten.

De rest van de Oerosvuurplaats kwam langs het pad door het huis. Tulie en Barzec voegden zich bij Talut die met Mamut stond te praten. Deegie ging aan de andere kant naast Latie zitten en glimlachte naar haar.

'Waar is Druwez?' vroeg ze. 'Als ik hem nodig had, kon ik hem altijd bij jou vinden.'

'O, hij zit met Danug te praten,' zei Latie. 'Ze zijn tegenwoordig altijd samen. Ik was zo blij toen mijn broer thuiskwam. Ik dacht dat we met ons drieën heel wat te bepraten hadden, maar ze praten liever samen.'

Deegie en Ayla wisselden een begrijpende blik. De tijd was gekomen om vriendschappen die tussen kinderen waren gesloten in een nieuw licht te zien. Ze begonnen volwassen te worden, ook in hun relaties. Ze begonnen elkaar als mannen en vrouwen te zien, wat soms een verwarde, eenzame periode kon zijn. Ayla was gedurende het grootste deel van haar leven min of meer buitengesloten geweest en was daardoor vervreemd geraakt. Ze wist wat het betekende om eenzaam te zijn, ook met mensen om je heen die van je hielden. Later, in haar vallei, had ze een manier gevonden om zich te schikken in een nog hopelozer eenzaamheid en ze herkende het verlangen en de opwinding in de ogen van het meisje telkens als ze naar de paarden keek.

Ayla keek naar Deegie en vervolgens naar Latie om haar in het gesprek te betrekken. 'Dit is erg drukke dag. Veel dagen zo druk. Ik heb hulp nodig. Zou je me kunnen helpen, Latie?' vroeg Ayla.

'Jou helpen? Natuurlijk. Wat kan ik voor je doen?'

'Voor ik iedere dag de paarden borstel, ga ik rijden. Ik heb nu niet zoveel tijd, maar paarden hebben het nodig. Zou je me kunnen helpen? Ik zal het je voordoen.'

Latie zette grote ogen op van verbazing. 'Wil je dat ik je help voor de paarden te zorgen?' vroeg ze blij verrast. 'O, Ayla, zou ik dat kunnen?'

'Ja, zolang ik hier blijf, zou je me goed kunnen helpen,' antwoordde Ayla.

Ze hadden zich allemaal verzameld in de Mammoetvuurplaats. Talut, Tulie en een aantal anderen bespraken de bizonjacht met Mamut. De oude man had het onderzoek gedaan en ze hadden het erover of hij dat weer moest doen. Omdat de jacht zo'n succes was geweest, vroegen ze zich af of het binnenkort nog een keer zou kunnen. Hij stemde erin toe het te proberen.

Het stamhoofd gaf de gegiste drank nog eens rond die hij had gemaakt van het meel van kattenstaartwortels en kruiden, terwijl Mamut zich voorbereidde op het onderzoek en hij vulde Ayla's kopje. Ze had het meeste opgedronken van wat hij haar buiten had gegeven, maar ze voelde zich een beetje schuldig omdat ze de rest had weggegooid. Deze keer rook ze eraan, liet de vloeistof even ronddraaien in haar kopje, haalde diep adem en dronk het in één teug leeg. Talut glimlachte en vulde haar kopje weer. Ze glimlachte nietszeggend terug en dronk het kopje weer leeg. Toen hij weer langskwam en zag dat het leeg was, vulde hij het weer. Dat had ze niet gewild, maar het was al te laat om te weigeren. Ze kneep haar ogen dicht en goot de sterkedrank naar binnen. Ze begon aan de smaak te wennen, maar ze kon nog altijd niet begrijpen waarom iedereen het zo lekker scheen te vinden.

Ze voelde langzaam een duizeligheid over zich komen, haar oren gonsden en haar waarnemingen werden vager. Ze merkte niet dat Tornec weer ritmische klanken liet horen op het schouderblad van een mammoet. Ze had het gevoel dat het binnen in haar gebeurde. Ze schudde haar hoofd en probeerde op te letten. Ze concentreerde zich op Mamut en zag dat hij iets dronk. Ze had het vage gevoel dat het niet goed was. Ze wou hem waarschuwen, maar ze kwam niet van haar plaats. Hij was Mamut, en hij zou wel weten wat hij deed.

De lange, magere man met de witte baard en het lange grijze haar zat met gekruiste benen achter een trommel die van een schedel was gemaakt. Hij pakte een geweitak als hamer en na een korte pauze speelde hij samen met Tornec en begon een lied te zingen. De anderen namen het over en weldra gingen de meeste mensen helemaal op in een hypnotiserende reeks herhalingen van teksten die werden gezongen in een opwindend ritme, met weinig variaties in de melodie, afgewisseld door een opzwepend ritme van de trommels. Er was nog een drummer bij gekomen, maar Ayla zag alleen maar dat Deegie niet meer naast haar zat.

Het gedreun van de trommels was bijna net zo erg als het gebonk in haar hoofd. Ze dacht dat ze meer hoorde dan alleen het zingen en de trommels. De wisselende klanken, het afwisselende ritme en de veranderingen in kracht en toonhoogte van de trommels, die op stemmen begonnen te lijken, sprekende stemmen die iets zeiden wat ze bijna, maar niet helemaal begreep. Ze probeerde zich te concentreren, spande zich in om te luisteren, maar haar geest was niet helder en hoe meer ze haar best deed, hoe moeilijker de stemmen van de trommels te verstaan waren. Ten slotte gaf ze het op en ze zakte weg in een draaierige duizeling die haar leek te overspoelen.

Toen hoorde ze de trommels weer en opeens was ze weg.

Ze reisde snel over de naargeestige, bevroren vlakte. In het lege landschap dat beneden haar lag uitgestrekt, waren alle herkenningspunten, behalve de opvallendste, door de wind ondergesneeuwd. Langzaam drong het tot haar door dat ze niet alleen was. Haar reisgenoot zag hetzelfde landschap en hij had, op onverklaarbare wijze, een zekere macht over hun snelheid en richting.

Toen hoorde ze vaag zingende stemmen en pratende trommels, als een ver verwijderd baken voor het oor, een herkenningspunt. Tijdens een helder ogenblik hoorde ze een woord dat in een angstaanjagend staccato bonzend naderbij kwam, al was het niet precies een weergave van de klank van de menselijke stem.

'Zzzlloew.' Toen weer: 'Zzzlloew hierrr.'

Ze voelde dat ze langzamer gingen en toen ze naar beneden keek zag ze een paar bizons, die in de luwte van een hoge rivieroever bij elkaar waren gekropen. De reusachtige dieren stonden in een stoïcijnse gelatenheid in de sneeuwstorm. De sneeuw plakte aan hun ruige vachten en ze lieten de koppen hangen alsof ze doorbogen onder het gewicht van de zware zwarte horens. Alleen aan de warme adem uit hun neusgaten was te zien dat het levende wezens waren en geen herkenningspunten in het landschap.

Ayla voelde dat ze ernaartoe werd getrokken, dicht genoeg om ze te kunnen tellen als afzonderlijke dieren. Een jong dier deed een paar stappen naar de moeder, een oude koe met een afgebroken linkerhoren, schudde de kop en snoof. Er was een stier bij die aan de grond krabde en de sneeuw opzij schoof. Hij at van een verweerde graspol. In de verte hoorde ze gehuil, misschien van de wind.

Het uitzicht werd weer ruimer toen ze zich terugtrokken en ze ving een glimp op van een stille groep viervoeters die geruisloos op hun doel afgingen. De rivier liep stroomafwaarts tussen twee rotsformaties door. Waar de bizons beschutting hadden gezocht, werd het rivierdal tussen de hoge oevers smaller. Stroomopwaarts brak de rivier tussen steile rotswanden door om via stroomversnellingen en kleine watervallen de weg te vervolgen. De enige uitweg was een steile, rotsachtige engte die bij abnormaal hoge waterstand een overloop vormde naar de steppe.

'Hhoemmie.'

De lange klinker in het woord klonk met een sterke trilling na in Ayla's oor en toen ging ze weer in volle vaart over de vlakte.

'Ayla! Voel je je wel goed?' zei Jondalar.

Ayla voelde een schok door haar lichaam gaan. Ze keek en zag een paar verschrikte blauwe ogen die haar bezorgd aankeken.

'Eh...Ja. Ik geloof van wel.'

'Wat is er gebeurd? Latie zei dat je achteroverviel, op het bed, en verstijfde. Toen begon je te schokken en viel je in slaap. Niemand kon je wakker krijgen.'

'Ik weet het niet...'

'Je bent natuurlijk met mij meegegaan, Ayla.' Ze keken om toen ze Mamuts stem hoorden.

'Ben ik met jou meegegaan? Waarheen?' vroeg Ayla.

De oude man wierp een onderzoekende blik op haar. Ze is geschrokken, dacht hij. Geen wonder. Ze had het niet verwacht. Zelfs als je erop voorbereid bent, is het de eerste keer angstaanjagend. Maar ik heb er niet aan gedacht haar voor te bereiden. Ik had niet gedacht dat haar natuurlijke gave zo sterk was. Ze had de middelen niet eens ingenomen. Haar gave is te sterk. Ze moet geoefend worden, in haar eigen belang, maar hoeveel kan ik haar nu vertellen? Ik wil niet dat ze haar talenten als een last gaat voelen die ze haar hele leven moet dragen. Ik wil dat ze begrijpt dat het een gave is, ook al geeft het een zware verantwoordelijkheid... maar Ze schenkt Haar gaven meestal niet aan hen die ze niet kunnen aanvaarden. De Moeder moet een speciale bedoeling met deze jonge vrouw hebben.

'Waar dacht je dat we geweest waren, Ayla?' vroeg de oude medicijnman.

'Niet zeker. Buiten... Ik was in sneeuwstorm en zag bizon... met gebroken horen... bij rivier.'

'Je hebt het duidelijk gezien. Ik was verbaasd toen ik jouw aanwezigheid voelde. Maar ik had moeten beseffen dat het kon gebeuren, ik wist dat je aanleg had. Je hebt de gave, Ayla, maar je hebt oefening en begeleiding nodig.'

'De gave?' vroeg Ayla, en ze ging rechtop zitten. Ze kreeg een koude rilling en beefde even van angst. Ze wilde geen gaven. Ze wou gewoon een levensgezel en kinderen, zoals Deegie, of elke andere vrouw. 'Wat voor soort gave, Mamut?'

Jondalar zag dat ze bleek werd. Ze kijkt zo angstig en lijkt zo kwetsbaar, dacht hij. Hij sloeg zijn arm om haar heen. Hij wou haar alleen maar vasthouden, haar tegen onheil beschermen en haar liefhebben. Ayla leunde tegen hem aan en voelde, door zijn warmte, haar angst afnemen. Mamut voelde de subtiele wisselwerking tussen hen beiden en voegde dat bij de indrukken die hij van die jonge, mysterieuze vrouw had, die zo plotseling in hun midden was verschenen. Waarom juist bij hen, vroeg hij zich af.

Hij geloofde niet dat het toeval Ayla naar het Leeuwenkamp had gebracht. Toevalligheden of een samenloop van omstandigheden namen geen grote plaats in zijn opvatting over de wereld in. De Mamut was ervan overtuigd dat alles een bedoeling had, gericht geleid, of hij de reden nu wel begreep of niet, en hij was er zeker van dat de Moeder een reden had om Ayla naar hen toe te sturen. Hij had enige scherpzinnige veronderstellingen omtrent haar gedaan en nu hij meer over haar achtergrond wist, vroeg hij zich af of hijzelf misschien voor een deel de reden was van haar komst. Hij wist dat hij degene was die haar, waarschijnlijk beter dan wie ook, zou begrijpen.

'Ik weet niet precies welke gave, Ayla. Een gave van de Moeder kan vele vormen hebben. Het lijkt zo te zijn dat je een genezende gave hebt. Je talent om met dieren om te gaan is ongetwijfeld ook een gave.'

Ayla glimlachte. Als de genezende kracht, die ze van Iza had geleerd, een gave was, had ze daar geen bezwaar tegen. En als Whinney en Renner en Kleintje geschenken van de Moeder waren, was ze daar dankbaar voor. Ze had al geloofd dat de Geest van de Grote Holenleeuw ze haar had gestuurd, maar misschien had de Moeder er ook iets mee te maken.

'En na wat ik vandaag heb gemerkt, zou ik willen zeggen dat je ook een gave hebt om dingen op te sporen. De Moeder heeft je royaal bedeeld met Haar gaven,' zei Mamut.

Jondalar fronste bezorgd zijn voorhoofd. Een te grote aandacht van Doni hoefde niet altijd wenselijk te zijn. Ze hadden hem vaak genoeg verteld hoe bevoorrecht hij was, maar het had hem niet veel geluk gebracht. Opeens herinnerde hij zich de woorden van de oude grijze genezer die de Moeder diende voor het volk van de Sharamudiërs. De Shamud had eens tegen hem gezegd dat de Moeder hem zo had bevoorrecht dat geen vrouw hem kon weigeren als hij haar vroeg. Zelfs de Moeder kon hem niets weigeren – dat was zijn gave – maar hij had hem gewaarschuwd op zijn hoede te zijn. Geschenken van de Moeder waren geen zegeningen zonder meer, ze gaven verplichtingen tegenover Haar. Zou dat betekenen dat Ayla ook verplichtingen aan Haar had?

Ayla wist niet of ze wel zo blij moest zijn met de laatste gave. 'Ik ken Moeder of gaven niet. Ik geloof Holenleeuw, mijn totem, stuurde Whinney.'

Mamut keek verbaasd. 'Is de Holenleeuw jouw totem?'

Ayla zag zijn verbazing en ze herinnerde zich hoe moeilijk het voor de Stam was geweest om te geloven dat een vrouw een sterke, mannelijke totem kon hebben om haar te beschermen. 'Ja. Dat heeft Mog-ur gezegd. De Holenleeuw heeft mij gekozen en heeft teken gemaakt. Ik zal je laten zien,' legde Ayla uit. Ze maakte haar broekriem los en liet één pand ver genoeg zakken om haar linkerdij te ontbloten en de vier evenwijdige littekens te laten zien die waren veroorzaakt door een scherpe klauw. Dat was het bewijs van haar ontmoeting met een holenleeuw.

De littekens waren al oud, zag Mamut. Ze moet heel jong zijn geweest. Hoe kan een jong meisje ontsnappen aan een holenleeuw? 'Hoe heb je die littekens gekregen?' vroeg hij.

'Ik weet het niet meer... maar heb een droom.'

Mamut was geïnteresseerd. 'Een droom?' vroeg hij belangstellend.

'Komt soms terug. Ik ben in donkere ruimte, kleine ruimte. Licht komt door kleine opening. Dan,' ze sloot haar ogen en slikte, 'iets houdt licht tegen. Ik ben bang. Dan komt grote leeuwenklauw naar binnen, scherpe nagels. Ik schreeuw, word wakker.'

'Ik had onlangs een droom over holenleeuwen,' zei Mamut. 'Daarom was ik zo geïnteresseerd in jouw droom. Ik droomde over een troep holenleeuwen die op een warme zomerdag op de steppe in de zon lagen. Er zijn twee welpen bij. De ene, een jonge leeuwin, probeert met het mannetje te spelen, een grote, met rossige manen. Ze slaat een poot omhoog, zachtjes op zijn kop, alsof ze hem alleen maar wil aanraken. De grote leeuw duwt haar opzij, legt zijn zware voorpoot op haar en wast haar met zijn lange ruwe tong.'

Ayla en Jondalar luisterden gespannen.

'Dan opeens komt er opschudding,' vervolgde Mamut. 'Er draaft een kudde rendieren recht op hen af. Eerst dacht ik dat ze een aanval deden – dromen hebben vaak een diepere betekenis dan het lijkt – maar deze dieren zijn in paniek en als ze de leeuwen zien verspreiden ze zich. Hierbij wordt het broertje van de jonge leeuwin vertrapt. Als alles voorbij is, probeert de leeuwin de welp te doen opstaan, maar ze krijgt er geen leven meer in, zodat ze ten slotte met de welp en de rest van de troep weggaat.'

Ayla was diep geschokt.

'Wat scheelt eraan, Ayla?' vroeg Mamut.

'Kleintje! Kleintje was broer. Ik dreef de rendieren op om te jagen. Later vond ik de jonge leeuw, gewond. Bracht hem naar grot. Hem genezen en verzorgd als baby.'

'Was de holenleeuw die jij hebt grootgebracht vertrapt door de rendieren?' Nu voelde Mamut zich geschokt. Dat kon geen toeval zijn of een kwestie van overeenkomstige omstandigheden. Dit had een diepe betekenis. Hij had gemeend dat de droom over de holenleeuw moest worden geïnterpreteerd naar de symbolische waarde, maar de betekenis was dieper dan hij had beseft. Dit ging verder dan een onderzoek, verder dan zijn ervaringen tot dat moment. Hij zou er goed over moeten nadenken en hij vond wel dat hij er meer van moest weten. 'Ayla, als je er geen bezwaar tegen hebt mijn vragen te beantw...'

Ze werden onderbroken door een hevige ruzie.

'Jij trekt je niets van Fralie aan! Je hebt niet eens een behoorlijke Bruidsprijs betaald!' krijste Crozie.

'En jij geeft alleen maar om je status! Ik heb er genoeg van om over die lage Bruidsprijs te moeten horen. Ik heb betaald wat je vroeg en dat had niemand anders gedaan.'

'Wat bedoel je daarmee: "niemand anders"? Je hebt me om haar gesmeekt. Je zei dat je voor haar en haar kinderen zou zorgen. Je zei dat ik welkom zou zijn bij je vuurplaats...'

'Is dat niet zo? Heb ik dat niet gedaan?' schreeuwde Frebec.

'Noem je dit een welkom? Wanneer heb je je respect betoond? Wanneer heb je me als moeder gewaardeerd?'

'Wanneer heb je mij respect betoond? Wat ik ook zeg, je zoekt altijd ruzie.'

'Als je nou eens iets verstandigs zei, hoefde niemand ruzie te maken. Fralie verdient dit niet. Moet je haar zien, ze is gezegend door de Moeder...'

'Moeder, Frebec, houden jullie alsjeblieft op met dat geruzie,' kwam Fralie tussenbeide. 'Ik wil even rusten...'

Ze was bleek en zag er afgetobd uit. Ayla maakte zich zorgen over haar. De medicijnvrouw in haar zag wel wat een verdriet de zwangere vrouw van die hevige ruzies had. Ze ging staan en kon het niet laten naar de Kraanvogelvuurplaats te gaan.

'Zien jullie niet hoe Fralie overstuur raakt?' zei Ayla toen de oude vrouw en de man even zwegen, net lang genoeg om iets in het midden te brengen. 'Ze heeft hulp nodig. Jullie helpen niet. Jullie maken ziek. Niet goed, die ruzies, voor zwangere vrouw. Kan baby verliezen.'

Crozie en Frebec waren allebei verrast, maar Crozie was de eerste die zich herstelde.

'Zie je wel, heb ik het niet gezegd? Je geeft niets om Fralie. Je wilt niet eens met deze vrouw praten, die er verstand van heeft. Als ze de baby verliest, is het jouw schuld!'

'Wat zou zij ervan weten?' merkte Frebec spottend op. 'Grootgebracht door een troep vieze beesten. Wat zou zij over medicijnen weten? Dan brengt ze hier ook beesten. Ze is zelf ook maar een beest. Je hebt gelijk, ik laat Fralie niet bij die gruwel komen. Wie weet wat voor boze geesten ze in dit huis heeft gebracht? Als Fralie de baby verliest, is het haar schuld! Haar schuld en die van die verdomde platkoppen!'

Ayla week wankelend achteruit alsof ze een klap had gekregen. De kracht van de giftige aanval benam haar de adem en deed de rest van het kamp sprakeloos staan. Iedereen stond perplex en zweeg. Ze hapte naar adem en stootte met verstikte stem een kreet uit. Ze draaide zich snikkend om en rende het huis uit. Jondalar greep haar anorak en de zijne en rende haar achterna.

Ayla duwde het zware kleed van de buitenste poort open en hoorde de wind gieren. De bui, die de hele dag al had gedreigd, had geen regen of sneeuw gebracht, maar de krachtige wind huilde om de dikke wallen van het huis. Omdat niets hun kracht kon breken, raasden de stormen met orkaankracht over de open steppe. Ze werden veroorzaakt door de grote luchtdrukverschillen rond de enorme ijsmassa's in het noorden.

Ze floot Whinney en hoorde haar dichtbij hinniken. De merrie en haar veulen kwamen uit het donker. Ze stonden in de luwte van het huis.

'Ayla! Je bent toch niet van plan om in deze storm te gaan rijden, hoop ik?' zei Jondalar, die naar buiten kwam. 'Hier, ik heb je anorak meegebracht. Het is koud buiten. Je kunt wel bevriezen.'

'O, Jondalar. Ik kan hier niet blijven,' zei ze huilend.

'Trek je anorak aan, Ayla,' drong hij aan en hij hielp haar. Toen nam hij haar in zijn armen. Hij had al veel eerder zo'n scène met Frebec verwacht. Hij wist dat het moest gebeuren wanneer ze zo openlijk over haar achtergrond praatte. 'Je kunt nu niet vertrekken. Zo niet. Waar wou je heen?'

'Ik weet het niet. Het kan me niet schelen,' snikte ze. 'Ik wil hier weg.'

'En Whinney dan? En Renner? Dit is geen weer voor ze om weg te gaan.'

Ayla klemde zich aan Jondalar vast zonder te antwoorden, maar ze had wel gezien dat de paarden beschutting hadden gezocht bij het huis. Het zat haar dwars dat ze geen grot voor ze had om ze te beschermen tegen het slechte weer, zoals ze gewend waren. Jondalar had gelijk. Dit was geen nacht om te vertrekken.

'Ik wil hier niet meer blijven, Jondalar. Zo gauw het beter weer wordt, wil ik terug naar de vallei.'

'Als je dat wilt, Ayla, gaan we terug. Als het weer opknapt. Maar laten we nu maar weer naar binnen gaan.'

12

'Kijk eens wat een ijs er aan hun vacht hangt,' zei Ayla, die de lagen ijspegels aan Whinneys haar met de hand probeerde weg te vegen. De merrie brieste en ademde in de koude morgenlucht een wolkje warme waterdamp uit, dat snel verdween in de scherpe wind. De storm was afgenomen, maar de wolken zagen er nog dreigend uit.

'Maar paarden zijn altijd buiten in de winter. Ze wonen gewoonlijk niet in grotten, Ayla,' zei Jondalar en hij probeerde het redelijk te doen klinken.

'En er sterven 's winters veel paarden, als het slecht weer is, ook al staan ze beschut. Whinney en Renner hadden altijd een warm, droog plekje als ze dat wilden. Ze leven niet in een kudde. Ze zijn niet gewend om altijd buiten te zijn. Het is hier geen goede plaats voor ze... en voor mij ook niet. Je zei dat we ieder moment weg konden gaan. Ik wil terug naar de vallei.'

'Maar Ayla, waren we hier niet welkom? Zijn de meeste mensen niet vriendelijk en goed voor ons geweest?'

'Ja, we waren welkom. De Mamutiërs proberen goed voor hun gasten te zorgen, maar we zijn bezoekers en het wordt tijd dat we vertrekken.'

Jondalar fronste bezorgd het voorhoofd en keek naar de grond. Hij wilde iets zeggen, maar kon de juiste woorden niet vinden. 'Ayla... ik heb je gezegd dat zoiets kon gebeuren als je... als je over de... de mensen praat waar je hebt gewoond. De meeste mensen denken er heel anders over... dan jij.' Hij keek op. 'Als je gewoon niets had gezegd...'

'Zonder de Stam had ik niet meer geleefd, Jondalar! Wou je zeggen dat ik me zou moeten schamen voor de mensen die voor me hebben gezorgd? Geloof je dat Iza minder mens was dan Nezzie?' raasde Ayla.

'Nee, nee, zo bedoelde ik het niet, Ayla. Ik zeg niet dat je je zou moeten schamen, ik zeg alleen... Ik bedoel... Je hoeft er niet over te praten met mensen die het niet begrijpen.'

'Ik weet niet of jij het wel begrijpt. Wat moet ik dan zeggen als de mensen vragen wie ik ben? Wat mijn volk is? Waar ik vandaan kom?

Ik hoor niet meer bij de Stam – Broud heeft me vervloekt, voor hen ben ik dood –, maar ik zou willen dat ik er weer heen kon! Zij hebben me ten slotte geaccepteerd als medicijnvrouw. Zij zouden me niet beletten om een vrouw te helpen die hulp nodig heeft. Weet je hoe verschrikkelijk het is om haar te zien lijden en haar niet te mogen helpen? Ik ben medicijnvrouw, Jondalar!' zei ze, wanhopig van teleurstelling en ze draaide zich boos om naar de paarden.

Latie kwam naar buiten en toen ze Ayla bij de paarden zag, liep ze enthousiast naar hen toe. 'Wat kan ik doen om te helpen?' vroeg ze met een stralende glimlach.

Ayla herinnerde zich dat ze haar de vorige avond had gevraagd om te helpen en ze probeerde wat te bedaren. 'Denk niet dat ik nu hulp nodig heb. Blijven niet, gaan binnenkort terug naar vallei,' zei ze in de taal van het meisje.

Latie was verpletterd. 'O... nou... dan ben ik hier zeker overbodig,' zei ze, en ze wou teruggaan naar de toegangspoort.

Ayla zag haar teleurstelling. 'Maar de paarden moeten wel geborsteld. Vol ijs. Misschien kun je helpen vandaag?'

'O, ja,' zei het meisje en ze lachte alweer. 'Wat kan ik doen?'

'Zie je daar op de grond, bij huis, droge stengels?'

'Je bedoelt deze kaardenbol?' vroeg Latie, terwijl ze een harde stengel opraapte met een stekelige droge bol.

'Ja, die heb ik bij de rivier gehaald. Met de bol kun je goed rossen. Breek af, zoals deze. Doe stukje leer om de hand. Kan beter vasthouden,' legde Ayla uit. Toen nam ze haar mee naar Renner en liet het meisje zien hoe ze de kaardenbol moest vasthouden om de ruige wintervacht van het jonge paard te rossen. Jondalar bleef erbij staan om hem rustig te houden tot hij aan het vreemde meisje gewend was. Ayla begon weer aan het verwijderen van de ijspegels uit Whinneys haar. Laties aanwezigheid maakte voorlopig een eind aan hun gesprek over het vertrek en daar was Jondalar blij om. Hij had het gevoel dat hij te veel had gezegd en niet de juiste woorden had gebruikt en wist niet wat hij verder moest zeggen. Hij wou niet dat Ayla onder deze omstandigheden wegging. Als ze nu terugging, zou ze misschien nooit meer weg willen uit de vallei. Hoeveel hij ook van haar hield, hij wist niet of hij het wel zou volhouden om de rest van zijn leven zonder andere mensen te leven. Hij geloofde ook niet dat zij dat kon. Het was zo goed gegaan, vond hij. Ze zou geen problemen hebben om zich aan te passen, ook niet bij de Zelandoniërs. Als ze maar niet praatte over... Maar ze had gelijk. Wat moest ze zeggen wanneer iemand naar haar volk vroeg? Hij wist dat ze ernaar zouden vragen als hij haar mee naar huis nam.

'Borstel je altijd het ijs uit hun vacht, Ayla?' vroeg Latie.

'Nee, niet altijd. In de vallei komen de paarden bij slecht weer in grot. Hier geen plaats voor paarden,' zei Ayla. 'Ik vertrek binnenkort. Ga terug naar vallei als weer beter wordt.'

Binnen liep Nezzie langs de kookplaats door de hal om naar buiten te gaan, maar toen ze bij de buitenpoort kwam, hoorde ze praten en bleef staan om te luisteren. Ze was bang dat Ayla misschien wilde vertrekken na de moeilijkheden van de vorige avond en dat zou betekenen dat Rydag en het kamp geen les meer zouden krijgen in het spreken met gebaren. De vrouw had al gemerkt dat de mensen anders met hem omgingen nu ze met hem konden praten. Behalve Frebec natuurlijk. Ik heb er spijt van dat ik Talut heb gevraagd hen bij ons op te nemen... hoewel, waar had Fralie heen moeten gaan als ik het niet had gedaan? Ze voelt zich niet goed, ze heeft het moeilijk met die zwangerschap.

'Waarom moet je weg, Ayla?' vroeg Latie. 'We kunnen hier toch een beschutte plaats voor ze maken?'

'Dat is zo. Het zou niet zo moeilijk zijn om een tent te bouwen, of een afdak, of iets anders om ze te beschermen tegen de ergste wind en de sneeuw,' voegde Jondalar eraan toe.

'Ik denk Frebec wil beest niet zo dichtbij hebben,' zei Ayla.

'Frebec is de enige, Ayla,' zei Jondalar.

'Maar Frebec is Mamutiër. Ik niet.'

Dat kon niemand tegenspreken, maar Latie kreeg een kleur van schaamte over haar volk.

Binnen haastte Nezzie zich terug naar de Leeuwenvuurplaats. Talut werd net wakker, sloeg de vachten opzij en zwaaide zijn lange benen over de rand van het bed. Hij ging rechtop zitten, krabde zijn baard, rekte zich uit en gaapte, met zijn mond wijdopen. Toen vertrok zijn gezicht van pijn en hij legde zijn hoofd even in zijn handen. Toen hij opkeek en Nezzie zag, glimlachte hij schaapachtig.

'Ik heb gisteravond te veel gedronken,' zei hij. Hij stond op, pakte zijn tuniek en trok die aan.

'Talut, Ayla is van plan om weg te gaan zodra het beter weer wordt,' zei Nezzie.

De grote man fronste het voorhoofd. 'Daar was ik al bang voor. Dat is niet best. Ik hoopte dat ze bij ons zouden overwinteren.'

'Kunnen we er niets aan doen? Waarom zou het slechte humeur van Frebec hen moeten wegjagen, terwijl de anderen hen allemaal hier willen houden?'

'Ik weet niet wat we kunnen doen. Heb je met haar gepraat, Nezzie?'

'Nee. Ik hoorde haar buiten praten. Ze zei tegen Latie dat er hier geen plaats was om de paarden onder dak te brengen. Die waren gewend om bij slecht weer bij haar in de grot te komen. Latie zei dat we wel iets konden maken en Jondalar deed het voorstel van een tent, of iets anders, bij de ingang. Toen zei Ayla dat ze niet geloofde dat Frebec zo dichtbij een beest wilde hebben en ik weet dat ze de paarden niet bedoelde.'

Talut liep naar de uitgang en Nezzie ging mee. 'We zouden ongetwijfeld iets voor de paarden kunnen maken,' zei hij, 'maar als ze weg wil kunnen we haar niet dwingen om te blijven. Ze is ook geen Mamutiër en Jondalar is een Zel... Zella... of wat dan ook.'

Nezzie hield hem tegen. 'Kunnen we geen Mamutiër van haar maken? Ze zegt dat ze geen volk heeft. We zouden haar kunnen aannemen. Jij en Tulie zouden de plechtigheid kunnen regelen om haar op te nemen in het Leeuwenkamp.'

Talut dacht er even over na. 'Ik weet het niet, Nezzie. Je kunt zomaar niet van iemand een Mamutiër maken. Daar zou iedereen het mee eens moeten zijn en we moeten goede redenen hebben om het uit te leggen aan de Raad op de Zomerbijeenkomst. Bovendien, je zei dat ze weggaat,' zei Talut. Hij duwde het kleed opzij en haastte zich naar de geul.

Nezzie bleef vlak buiten de poort staan en keek Talut na. Toen dwaalde haar blik naar de lange blonde vrouw die de dikke vacht van het paard stond te kammen. Nezzie bekeek haar aandachtig en vroeg zich af wie ze eigenlijk was. Als Ayla haar familie had verloren op het schiereiland in het zuiden, konden het Mamutiërs geweest zijn. In de zomer waren er verscheidene kampen bij de Zwarte Zee en het schiereiland lag er niet ver vandaan, maar om de een of andere reden betwijfelde de oudere vrouw dat. De Mamutiërs wisten dat daar het gebied van de platkoppen lag en ze bleven er als regel uit de buurt. Ze had ook iets over zich dat niet aan Mamutiërs deed denken. Misschien was haar familie Sharamudisch geweest, dat riviervolk in het westen waar Jondalar had gelogeerd, of misschien Sungaea, de mensen die in het noordoosten woonden. Maar ze wist niet of die wel zo ver naar het zuiden, naar de zee, trokken. Misschien behoorde ze wel tot een onbekend volk dat uit een ander gebied kwam. Het was moeilijk te zeggen, maar één ding was zeker: Ayla was geen platkop... en ze hadden haar toch opgenomen.

Barzec en Tornec kwamen naar buiten, gevolgd door Danug en Druwez. Ze wensten Nezzie goedemorgen met de gebaren die ze van Ayla hadden geleerd; het begon een gewoonte te worden in het Leeuwenkamp en Nezzie moedigde het aan. Rydag was de volgende die naar buiten kwam. Hij begroette haar op dezelfde manier en glimlachte. Ze beantwoordde zijn groet, maar toen ze hem omhelsde verflauwde haar glimlach. Rydag zag er niet goed uit. Hij was pafferig en bleek en hij leek vermoeider dan anders. Misschien werd hij wel ziek.

'Jondalar! Daar ben je al,' zei Barzec. 'Ik heb zo'n werper gemaakt. We wilden hem gaan proberen op de steppe. Ik zei tegen Tornec dat een beetje beweging hem van zijn hoofdpijn af kon helpen na dat vele drinken van gisteravond. Heb je zin om mee te gaan?'

Jondalar keek naar Ayla. Het zag er niet naar uit dat ze die morgen al een besluit namen en Renner scheen het best naar zijn zin te hebben nu Latie zich met hem bemoeide.

'Goed. Ik zal de mijne halen,' zei Jondalar.

Terwijl ze stonden te wachten, merkte Ayla wel dat zowel Danug als Druwez deed alsof ze niet zagen hoe Latie haar best deed hun aandacht te trekken. De slungelachtige, roodharige jongeman glimlachte wel verlegen naar haar, maar Latie keek haar broer en haar neef verdrietig na toen ze met de mannen weggingen.

'Ze hadden me wel eens mee kunnen vragen,' mompelde ze zachtjes. Toen ging ze weer ijverig door met het borstelen van Renner.

'Wil je leren met de speerwerper, Latie?' vroeg Ayla, die zich de tijd herinnerde dat zijzelf de vertrekkende jagers had nagekeken en ook zo graag was meegegaan.

'Ze hadden me kunnen vragen. Ik heb Druwez altijd verslagen met de hoepels en speren, maar ze keken niet eens naar me,' zei Latie.

'Ik zal het je voordoen, als je wilt, Latie. Als paarden zijn geborsteld,' zei Ayla.

Latie keek Ayla aan. Ze herinnerde zich de verbazingwekkende demonstraties van de vrouw met de speerwerper en de slinger en ze had gezien dat Danug tegen haar glimlachte. Toen drong het tot haar door dat Ayla nooit probeerde de aandacht te trekken. Ze ging gewoon haar gang en deed wat ze wou. Maar ze was zo goed in alles wat ze deed dat de mensen wel aandacht aan haar moesten besteden.

'Ik zou het fijn vinden als je het me voordoet, Ayla,' zei ze. Even later vroeg ze: 'Hoe heb je het zo goed geleerd? Ik bedoel met de speerwerper en de slinger.'

Ayla dacht even na. Toen zei ze: 'Ik wou erg graag en ik oefende... heel veel.'

Talut kwam uit de richting van de rivier. Zijn haar en zijn baard waren nat en hij had zijn ogen halfopen.

'O, mijn hoofd,' zei hij, met een overdreven gekreun.

'Talut, waarom heb je je hoofd natgemaakt? Met dit weer kun je wel ziek worden,' zei Nezzie.

'Ik bén ziek. Ik heb mijn hoofd in koud water gedompeld in de hoop dat ik die hoofdpijn kwijtraak. Ooo.'

'Niemand heeft je gedwongen zoveel te drinken. Ga naar binnen en droog je af.'

Ayla keek hem bezorgd aan en het verbaasde haar dat Nezzie zo weinig medelijden met hem scheen te hebben. Zij had ook hoofdpijn en voelde zich niet zo lekker toen ze wakker werd. Kwam dat door de drank? De sterkedrank die ze allemaal zo lekker hadden gevonden?

Whinney stak haar hoofd omhoog en hinnikte. Toen stootte ze haar aan. De paarden hadden geen last van het ijs op hun vacht, hoewel een dikke laag wel een heel gewicht kon worden, maar ze genoten van het rossen en van de aandacht die ze kregen. De merrie merkte dat Ayla, in gedachten verzonken, even was opgehouden.

'Whinney, laat dat. Je wilt alleen maar meer aandacht, niet?' zei ze in het taaltje dat ze gewoonlijk tegen het paard gebruikte.

Hoewel ze het eerder had gehoord, schrok Latie toch weer even van de volmaakte nabootsing van Whinneys gehinnik en ze herkende de gebarentaal nu ze eraan gewend raakte, al begreep ze niet alles.

'Jij kunt met paarden praten!' zei het meisje.

'Whinney is vriendin,' zei Ayla en ze sprak de naam van het paard uit zoals Jondalar het deed, omdat de mensen van het kamp een woord vertrouwder in de oren klonk dan dat gehinnik. 'Lange tijd enige vriendin.' Ze aaide de merrie, keek naar de vacht van het jonge paard en aaide die ook. 'Ik denk genoeg geborsteld. Nu halen we speerwerper en gaan oefenen.'

Ze gingen naar binnen en kwamen, op weg naar de vierde vuurplaats, langs Talut. Hij zag er beroerd uit. Ayla pakte haar speerwerper met een handvol speren en toen ze weer weg wou gaan, zag ze de rest van de thee die ze die morgen van duizendblad had gemaakt, tegen de hoofdpijn. De gedroogde bloemschermen en broze, veervormige bladeren zaten nog aan een stengel die bij de kaardenbol had gegroeid. Het duizendblad bij de rivier was geurig en kruidig van smaak door de regen en de zon, maar ze herinnerde zich dat ze er wat van had gedroogd. Haar maag was van streek en ze had wat hoofdpijn, dus had ze besloten het samen met wilgenbast te gebruiken.

Misschien hielp het Talut ook, dacht ze. Hoewel, als ze zijn klachten hoorde, vroeg ze zich af of het moederkoorn, dat ze bij heel zware hoofdpijn gebruikte, misschien beter was. Dat was wel een heel sterk middel.

'Neem dit, Talut. Voor hoofdpijn,' zei ze toen ze naar buiten ging. Hij glimlachte flauwtjes, pakte de kom aan en dronk hem leeg, al verwachtte hij er niet veel van. Maar hij was blij met het medegevoel dat verder niemand scheen te tonen.

De blonde vrouw en het meisje gingen samen de helling op naar de platgetrapte baan waar de wedstrijden waren gehouden. Toen ze op de vlakte kwamen, zagen ze dat de vier mannen, die eerder naar boven waren gegaan, aan het ene eind oefenden; zij liepen naar het andere eind. Whinney en Renner waren hen achternagekomen. Latie glimlachte naar het donkerbruine jonge paard, dat naar haar hinnikte en het hoofd op en neer bewoog. Toen ging hij rustig naast zijn moeder staan grazen, terwijl Ayla Latie liet zien hoe ze een speer met de speerwerper moest gooien.

'Zo vasthouden,' begon Ayla, terwijl ze het smalle houten toestel, dat zo'n zestig centimeter lang was, in horizontale stand hield. Ze stak twee vingers van haar rechterhand in de lussen.

'Dan speer opleggen,' vervolgde ze en ze legde de schacht van een speer, die bijna twee meter lang was, in de groef die over de lengte van het toestel was uitgesneden. Ze zette de haak vast die de speer tegenhield en zorgde ervoor dat de veren heel bleven. Vervolgens hield ze de speer stevig vast, trok hem terug en slingerde hem weg. Het lange, vrije eind van de speerwerper gaf de speer grote snelheid en kracht.

'Zo?' vroeg Latie en ze hield de speerwerper vast zoals Ayla had uitgelegd. 'De speer ligt in de groef en ik steek mijn vingers door de lussen om hem vast te houden. Dan druk ik het eind hiertegenaan.'

'Goed. Nu werpen.'

Latie gooide de speer een aardig eind weg. 'Het is niet zo moeilijk,' zei ze, tevreden over zichzelf.

'Nee. Is niet moeilijk om speer te werpen,' zei Ayla instemmend. 'Is moeilijk om speer te laten gaan waar jij wilt.'

'Je bedoelt om zuiver te richten. Zoals je de speertjes in de hoepels gooit.'

Ayla glimlachte. 'Ja. Oefening nodig om speertje in hoepel te gooien... in hoepel te gooien.' Ze had Frebec naar boven zien komen om te zien wat de mannen deden en dat maakte haar opeens bewust van haar taal. Ze sprak nog steeds niet goed. Daar moest ze ook op oefenen, dacht ze. Maar wat maakte het uit? Ze bleef toch niet.

Latie oefende onder Ayla's leiding en ze gingen er zo in op dat ze niet merkten dat de mannen dichterbij waren gekomen en waren opgehouden om naar hen te kijken.

'Dat is goed, Latie!' riep Jondalar, nadat ze haar doel had geraakt. 'Jij kunt nog wel eens de beste worden! Ik geloof dat deze jongens genoeg hadden van het oefenen en liever naar jou komen kijken.'

Danug en Druwez keken zuinig. Maar er zat een kern van waarheid in Jondalars plagende opmerking en Latie straalde. 'Ik wil de beste worden. Ik zal oefenen tot ik dat ben,' zei ze.

Ze vonden dat ze voor die dag genoeg hadden geoefend en gingen weer naar beneden. Toen ze de poort naderden, kwam Talut naar buiten stormen.

'Ayla! Ah, daar ben je. Wat zat er in dat drankje dat je me hebt gegeven?' vroeg hij en hij kwam op haar af.

Ze deed een stap achteruit. 'Duizendblad, met wat luzerne en een beetje frambozenblad en...'

'Nezzie. Hoor je dat? Kijk hoe ze het maakt. Mijn hoofdpijn is ervan overgegaan! Ik voel me een ander mens!' Hij keek om zich heen. 'Nezzie?'

'Ze is naar de rivier met Rydag,' zei Tulie. 'Hij zag er vanmorgen moe uit en Nezzie vond dat hij niet zo ver moest gaan. Maar hij zei dat hij met haar mee wou... of misschien wou hij bij haar blijven... Ik weet niet precies wat hij bedoelde. Ik heb gezegd dat ik ook kom om hem te dragen, of het water. Ik zou er net naartoe.'

De opmerkingen van Tulie trokken Ayla's aandacht om meer dan één reden. Ze was bezorgd om het kind, maar wat haar nog meer opviel was de duidelijke verandering in Tulies houding ten opzichte van hem. Hij was nu Rydag, niet meer zomaar 'de jongen', en ze had het over wat hij had gezegd. Hij was een persoon voor haar geworden.

'Nou...' zei Talut aarzelend, even verbaasd over het feit dat Nezzie niet in zijn onmiddellijke nabijheid was. Maar hij nam het zichzelf meteen kwalijk dat hij dat verwachtte en begon te grinniken. 'Wil je mij vertellen hoe je dat klaarmaakt, Ayla?'

'Ja,' zei ze, 'dat wil ik wel.'

Hij keek opgetogen. 'Als ik sterkedrank maak, behoor ik ook een middel te weten voor de volgende morgen.'

Ayla glimlachte. Ondanks zijn grootte had de reusachtige, roodharige man iets vertederends. Ze twijfelde er niet aan dat hij een geduchte tegenstander kon zijn als hij kwaad werd. Hij was niet alleen sterk, maar ook lenig en snel, en zeker niet dom, maar hij was zachtmoedig. Hij had een hekel aan ruzie. Hoewel hij er niet afkerig van was grappen ten koste van anderen te maken, lachte hij net zo smakelijk om zijn eigen zwakke punten. Hij pakte de problemen van de mensen met oprechte zorg aan en zijn medeleven strekte zich verder uit dan tot de mensen van zijn eigen kamp.

Opeens werd ieders aandacht getrokken door een schelle noodkreet uit de richting van de rivier. Ayla rende meteen naar beneden en verscheidene mensen volgden haar. Nezzie zat op haar knieën en boog zich over een kleine gestalte. Ze jammerde angstig. Tulie stond bezorgd en hulpeloos naast haar te kijken. Toen Ayla bij hen kwam, zag ze dat Rydag het bewustzijn had verloren.

'Nezzie?' zei Ayla en ze wou weten wat er was gebeurd.

'We liepen de helling op,' legde Nezzie uit. 'Hij kreeg moeite met ademhalen. Ik dacht dat ik hem beter kon dragen, maar toen ik de waterzak neerzette hoorde ik hem schreeuwen van pijn. Toen ik naar hem keek, lag hij zo op de grond.'

Ayla bukte en onderzocht Rydag zorgvuldig. Ze legde eerst haar hand en toen haar oor op zijn borst. Ze voelde zijn hals, bij de onderkaak. Ze keek Nezzie bezorgd aan en wendde zich tot de leidster.

'Tulie, draag Rydag naar huis, naar Mammoetvuurplaats. Vlug!' commandeerde ze.

Ayla rende vooruit en ging snel door de poorten. Ze rende naar haar bed en graaide in haar bezittingen tot ze een zakje vond dat van een hele otterhuid was gemaakt. De poten, de staart en de kop zaten er nog aan. Ze stortte de inhoud uit op het bed en zocht tussen de pakjes en zakjes. Ze zocht een zakje met een bepaalde vorm en kleur en in het koord eromheen zat een bepaald aantal knopen.

Haar geest werkte snel. Het is zijn hart, ik weet dat zijn hart het probleem is. Het geluid was niet goed. Wat moet ik doen? Ik weet niet zoveel over het hart. In Bruns Stam had niemand problemen met het hart. Wat heeft Iza me ervan verteld? En die andere medicijnvrouw op de Stambijeenkomst? Zij had twee mensen in haar Stam met hartklachten. Iza zei altijd: eerst nadenken wat er precies aan mankeert. Hij is pafferig en bleek. Hij had pijn en moeite met ademhalen. Zijn pols is zwak. Zijn hart moet harder werken, krachtiger slaan. Wat kan ik het beste gebruiken? Doornappel misschien? Ik denk het niet. En nieskruid dan? Belladonna? Bilzekruid? Vingerhoedskruid? Vingerhoedskruid... bladeren van het vingerhoedskruid. Dat is zo sterk. Hij zou erdoor kunnen sterven. Maar als hij niet iets krijgt dat sterk genoeg is om zijn hart weer te laten werken, gaat hij dood. Hoeveel moet ik dan gebruiken? Moet ik het koken, of weken? O, ik wou dat ik nog wist hoe Iza het deed. Waar is mijn vingerhoedskruid? Heb ik het niet?

'Ayla, wat is er?' Ze keek op en zag Mamut naast haar staan.

'Het is Rydag... Zijn hart. Ze brengen hem. Ik zoek naar... plant. Lange stengel... Bloemen hangen naar beneden... Purper, rode stippen aan binnenkant. Grote bladeren, voelen zacht aan, onderkant behaard. Doen hart... kloppen. Weet je?' Ayla voelde zich gehandicapt door haar beperkte woordenschat, maar ze was duidelijker geweest dan ze zelf besefte.

'Natuurlijk, purpurea. Vingerhoedskruid is de andere naam. Dat is een heel sterk middel.'

'Ja, maar noodzakelijk. Moet nadenken, hoeveel... Hier is zakje! Iza zei: altijd bij je houden.'

Op dat ogenblik kwam Tulie binnen. Ze droeg de kleine jongen. Ayla pakte vlug een vacht van haar bed en legde die op de grond bij het vuur. Ze wees de vrouw dat ze hem erop moest leggen. Nezzie kwam vlak achter haar aan en iedereen ging eromheen staan.

'Nezzie, trek de anorak uit en maak kleren los. Talut, te veel mensen hier. Maak ruimte,' zei Ayla, en ze besefte niet eens dat ze opdrachten gaf. Ze maakte het kleine leren zakje dat ze in de hand hield open, rook aan de inhoud en keek bezorgd naar de oude medicijnman. Toen keek ze naar het bewusteloze kind en haar gezicht kreeg een vastbesloten uitdrukking. 'Mamut, ik moet heet vuur hebben. Latie, haal gloeiende stenen, kom water en kopje om te drinken.'

Terwijl Nezzie zijn kleren losmaakte, propte Ayla nog een paar vachten onder zijn hoofd, zodat het hoger kwam te liggen. Talut zorgde dat de mensen van het kamp wat achteruitgingen om Rydag lucht te geven en Ayla ruimte kreeg om te werken. Latie gooide brandstof op het vuur dat Mamut had aangelegd om de stenen sneller heet te krijgen.

Ayla voelde Rydags pols; ze merkte nauwelijks iets. Ze legde haar oor op zijn borst. Hij ademde zwak en moeizaam. Hij had hulp nodig. Ze hield zijn hoofd achterover om de luchtwegen ruimer te maken en sloot haar mond om de zijne om lucht in zijn longen te blazen, zoals ze met Nuvie had gedaan.

Mamut observeerde haar een poosje. Ze leek te jong om veel ervaring als genezer te hebben en er was inderdaad een ogenblik van besluiteloosheid geweest, maar dat was voorbij. Ze was nu rustig, richtte al haar aandacht op het kind en gaf heel zelfverzekerd haar opdrachten. Hij knikte en ging achter de trommel zitten, begon zachtjes te zingen en begeleidde zichzelf met een zachtvloeiend ritme. Vreemd genoeg voelde Ayla dat er voor haar een kalmerende werking van uitging. Het lied, dat een genezende werking moest hebben, werd snel overgenomen door de rest van het kamp. Het werkte bevrijdend nu ze het gevoel hadden dat ze een bijdrage konden leveren. Tornec en Deegie deden mee op hun instrumenten en Ranec kwam met ivoren ringen en ratelde ermee. Het geluid van de trommels en het gezang overheerste niet, maar was bedoeld om de pijn te lenigen en de hartslag op te wekken.

Eindelijk kookte het water en Ayla deed een hoeveelheid gedroogde bladeren van het vingerhoedskruid in de palm van haar hand en sprenkelde het op het kokende water in de kom. Ze wachtte even, liet de bladeren weken en probeerde rustig te blijven tot de kleur en haar intuïtie haar het gevoel gaven dat het zo goed was. Ze schonk een beetje van de kokende vloeistof in een kopje. Toen legde ze Rydags hoofd in haar schoot en sloot even haar ogen. Dit was geen geneesmiddel om lichtvaardig te gebruiken. Een verkeerde dosis kon hem doden en de kracht in de bladeren van elke plant was verschillend.

Ze opende haar ogen en zag twee helderblauwe ogen, vol liefde en bezorgdheid, die haar aankeken. Jondalar kreeg een vluchtige, maar dankbare glimlach. Ze bracht het kopje naar haar mond en stak haar tong erin om te proeven hoe sterk de vloeistof was. Toen hield ze het bittere drankje bij de lippen van het kind.

Hij verslikte zich bijna, maar kwam daardoor wel weer een beetje bij kennis. Hij herkende Ayla en probeerde te glimlachen, maar het werd een grimas van pijn. Ze liet hem voorzichtig nog wat drinken en volgde nauwkeurig zijn reacties: veranderingen in temperatuur en gelaatskleur, de bewegingen van zijn ogen en de kracht van zijn ademhaling. De mensen van het Leeuwenkamp keken angstig toe. Ze hadden zich nooit gerealiseerd hoeveel het kind voor hen was gaan betekenen tot op dit moment, nu zijn leven in gevaar was. Hij was bij hen opgegroeid, hij was een van hen en sinds kort beseften ze dat hij niet zoveel van hen verschilde.

Ayla wist niet precies wanneer het gezang en de trommels ophielden, maar het zachte geluid van de diepe ademhaling van Rydag klonk als een overwinningskreet in de absolute stilte, terwijl de spanning te snijden was.

Ayla zag dat hij bij de tweede ademhaling weer wat kleur kreeg en ze voelde dat haar ongerustheid wat afnam. De trommels begonnen weer, in een ander tempo; er huilde een kind en er werd gepraat. Ze zette het kopje neer, controleerde zijn hartslag en legde haar hand op zijn borst. Hij ademde nu gemakkelijker, met minder pijn. Ze keek op en zag Nezzie door haar tranen heen glimlachen. Ze was niet de enige.

Ayla hield de jongen vast tot ze er zeker van was dat hij rustig bleef en daarna omdat ze hem niet los wilde laten. Als ze door haar wimpers keek, vergat ze de mensen van het kamp bijna. Ze kon zich voorstellen dat deze jongen, die zoveel op haar zoon leek, inderdaad haar kind was. De tranen op haar wangen golden niet alleen het kind dat ze in de armen hield, maar ook de zoon die ze zo graag zou willen zien.

Eindelijk viel Rydag in slaap. De beproeving die hij had doorstaan had veel van hem gevergd en van Ayla ook.

Talut tilde hem op en bracht hem naar bed. Jondalar hielp haar overeind. Ze leunde tegen hem aan en hij had zijn armen om haar heen. Ze was uitgeput en dankbaar voor zijn steun.

De meeste mensen die eromheen stonden hadden tranen in de ogen en voelden zich opgelucht, maar het was moeilijk om de passende woorden te vinden. Ze wisten niet wat ze moesten zeggen tegen de jonge vrouw die het kind had gered. Ze glimlachten tegen haar, knikten instemmend, raakten haar aan als blijk van genegenheid en sommigen mompelden een paar onverstaanbare woorden. Het was voor Ayla meer dan genoeg. Op dat moment had ze zich niet prettig gevoeld bij te veel dankbetuigingen of loftuitingen.

Toen Nezzie zich ervan had overtuigd dat Rydag rustig lag te slapen, kwam ze naar Ayla om met haar te praten. 'Ik dacht dat hij dood was. Ik kan niet geloven dat hij rustig ligt te slapen,' zei ze. 'Dat medicijn was goed.'

Ayla knikte. 'Ja, maar sterk. Hij zou iedere dag wat in moeten nemen, niet te veel. Samen met ander medicijn. Ik zal voor hem mengen. Je maakt het als thee, maar eerst beetje koken. Ik zal laten zien. Geef hem kopje in de morgen, nog een voor slapen. Hij zal 's nachts meer plassen, tot pafferigheid weg is.'

'Zal dat medicijn hem genezen, Ayla?' vroeg Nezzie, met enige hoop in haar stem.

Ayla pakte haar hand en keek haar recht in de ogen. 'Nee, Nezzie. Geen medicijn kan hem genezen,' antwoordde ze beslist, met spijt in haar stem.

Nezzie boog berustend het hoofd. Ze wist het al lang, maar het middel van Ayla had zo fantastisch geholpen dat ze ondanks alles weer wat hoop kreeg.

'Medicijn zal helpen. Rydag zal zich beter voelen. Niet zoveel pijn,' vervolgde Ayla. 'Maar ik heb niet veel. Heb meeste medicijnen in vallei achtergelaten. Ik dacht niet dat we lang gingen. Mamut kent vingerhoedskruid, heeft misschien wat.'

'Ik heb een gave voor onderzoek, Ayla,' zei Mamut. 'Mijn genezende gave is niet groot, maar de Mamut van het Wolvenkamp is een goede Genezer. Als het weer opknapt, kunnen we er iemand heen sturen om te vragen of zij nog wat heeft. Maar het is wel een reis van een paar dagen.'

Ayla hoopte dat ze voldoende van het stimuleringsmiddel voor het hart had, dat van de bladeren van het vingerhoedskruid werd gemaakt, tot iemand wat kon halen, maar ze wou nog liever dat ze haar eigen voorraad had meegenomen. Ze wist niet hoe een ander het bereidde. Zij lette er altijd heel goed op dat de grote ruige bladeren langzaam droogden, op een koele, donkere plaats, uit de zon, om zoveel mogelijk van de actieve stoffen te behouden. Ze wou eigenlijk wel dat ze al haar zorgvuldig bereide geneeskrachtige kruiden bij zich had, maar ze lagen allemaal in haar kleine grot in de vallei.

Net als Iza had Ayla altijd haar medicijnzak van otterhuid bij zich. Daarin zaten bepaalde wortels en soorten schors, bladeren, bloemen, vruchten en zaden. Maar dat beschouwde ze meer als een pakket voor eerstehulpverlening. In haar grot had ze een hele kruidenapotheek, ook al woonde ze dan alleen en maakte ze er weinig gebruik van. Ze was het zo gewend om geneeskrachtige planten te verzamelen in elk jaargetijde. Het was bijna net zo vanzelfsprekend als lopen. Ze kende veel andere toepassingen van de planten die in haar omgeving groeiden, zoals voor voedsel of als bindmateriaal, maar de geneeskrachtige eigenschappen interesseerden haar het meest. Zulke planten kon ze nauwelijks voorbijlopen zonder ze mee te nemen en ze kende er honderden.

Ze was zo vertrouwd met de flora dat onbekende planten haar altijd bijzonder interesseerden. Ze zocht overeenkomst met bekende planten en leerde zo groepen kennen binnen grotere groepen. Ze herkende verwante soorten en families, maar ze wist heel goed dat planten die op elkaar leken niet altijd dezelfde reacties opwekten en ze experimenteerde heel voorzichtig op zichzelf, met kennis en ervaring.

Ze was ook voorzichtig met de dosering en de bereidingsmethode. Ayla wist dat in een aftreksel van verschillende bladeren, bloemen of bessen in kokend water verschillende aromatische en vluchtige dampen vrijkwamen. Door het koken kreeg ze een extract met harshoudende, sterke eigenschappen en dat proces werkte beter in op harde stoffen als schors, wortels en zaden. Ze wist hoe ze de belangrijke olie, gom en hars uit een plant moest vrijmaken, hoe ze kompressen, pleisters, tonica, siropen, smeersels en zalf moest maken, waarbij ze vetten of bindmiddelen gebruikte. Ze wist hoe ze de bestanddelen moest mengen en hoe ze de oplossing moest versterken of verdunnen.

Dezelfde vergelijkingen die op planten van toepassing waren, bleken ook voor dieren te gelden. Ayla's kennis van het menselijk lichaam en zijn functies was het resultaat van een langdurig proces en was met vallen en opstaan verkregen. Een uitgebreide kennis van de anatomie van dieren, opgedaan door het slachten na de jacht, hielp daarbij. De punten van overeenkomst met het menselijk lichaam waren te zien bij ongelukken of verwondingen die werden opgelopen.

Ayla was plantkundige, apothekeres en dokter; haar magie bestond uit een esoterische overlevering die van generatie op generatie was doorgegeven en verbeterd in honderden, duizenden, misschien miljoenen jaren van verzamelen en jagen, waarbij het naakte bestaan afhing van een grondige kennis van het land en de producten.

Dankzij die tijdloze bron uit een ongeschreven geschiedenis, aan haar doorgegeven door de opleiding die ze van Iza had ontvangen en gesteund door een analytische aanleg en intuïtie, kon Ayla de meeste aandoeningen en verwondingen behandelen. Af en toe deed ze ook kleine operaties met een vlijmscherp vuurstenen mes, maar haar geneeswijze beperkte zich hoofdzakelijk tot de actieve eigenschappen van geneeskrachtige planten. Ze was bekwaam en ze boekte goede resultaten, maar ze kon geen grote operatie uitvoeren om een aangeboren afwijking van het hart te corrigeren.

Toen Ayla naar de slapende jongen keek, die zoveel op haar zoon leek, voelde ze zich dankbaar en opgelucht dat Durc zo gezond was toen hij werd geboren – maar dat verzachtte de pijn niet toen ze Nezzie moest vertellen dat er geen medicijn was om Rydag beter te maken.

In de loop van de middag bekeek Ayla haar pakjes en zakjes met kruiden om het mengsel samen te stellen dat ze Nezzie had beloofd. Mamut zat weer zwijgend naar haar te kijken. Er kon nu niet veel twijfel bestaan aan haar vermogen tot genezen, zelfs bij Frebec niet, al zou hij het misschien nog altijd niet willen toegeven, of Tulie, die het niet zo openlijk had gezegd, maar heel sceptisch was geweest, zoals de oude man wist. Ayla leek een gewone jonge vrouw en hij vond haar heel aantrekkelijk, zelfs op zijn leeftijd, maar hij was ervan overtuigd dat ze veel meer in zich had dan men wist; hij betwijfelde of ze zelf haar capaciteiten wel kende.

Ze heeft een moeilijk – en boeiend – leven gehad, mijmerde hij. Ze ziet er nog zo jong uit, maar wat levenservaring betreft is ze al veel ouder dan de meeste mensen ooit zullen worden. Hoe lang heeft ze bij hen gewoond? Hoe zou ze zoveel hebben geleerd van hun geneeskunst? vroeg hij zich af. Hij wist dat dergelijke kennis als regel niet werd doorgegeven aan hen die er niet voor in de wieg waren gelegd, en zij was een buitenstaander, meer dan de meesten ooit zouden begrijpen. Verder had ze een onverwacht talent voor het onderzoek. Welke andere talenten zou ze nog hebben die nog niet waren ontplooid? Welke kennis had ze nog niet toegepast? Welke geheimen hadden zich nog niet geopenbaard?

Haar kracht komt tot uiting in een crisis; hij herinnerde zich hoe Ayla opdrachten had gegeven aan Tulie en aan Talut. Ook aan mij, dacht hij met een glimlach, en niemand protesteerde. Ze heeft van nature leiderskwaliteiten. Welke tegenslagen hebben haar op zo'n jonge leeftijd zo'n persoonlijkheid doen worden? De Moeder heeft bepaalde plannen met haar, daar ben ik zeker van, maar hoe zit dat met die jonge man, Jondalar? Hij is zeker bevoorrecht, maar zijn gaven zijn niet zo bijzonder. Wat is Haar bedoeling met hem?

Ze legde de rest van de pakjes kruiden weg, toen Mamut opeens haar medicijnzak van otterhuid aandachtiger bekeek. Die kwam hem bekend voor. Als hij zijn ogen dichtdeed, zag hij een zak die er zoveel op leek dat het een stroom herinneringen opriep.

'Ayla, mag ik hem eens bekijken?' vroeg hij, omdat hij hem van dichtbij wilde zien.

'Deze? Mijn medicijnzak?' vroeg ze.

'Ik heb me altijd afgevraagd hoe ze worden gemaakt.'

Ayla gaf hem het vreemde zakje en ze zag de aders op zijn lange, magere, oude handen.

De oude medicijnman bekeek het nauwkeurig. Het kreeg al slijtplekken. Ze had het al een hele tijd. Het was gemaakt van de hele huid van een dier, dus niet van stukjes die aan elkaar waren genaaid. Gewoonlijk werd de buik opengesneden om een dier te villen, maar bij deze otter was de keel opengesneden en de kop was nog aan een strook huid blijven zitten. De beenderen en de rest waren door dat gat verwijderd, evenals de hersenen, zodat de kop wat platter was geworden. Daarna was de hele huid geprepareerd en rondom de nek waren met een stenen priem gaatjes geprikt zodat er een koordje doorheen kon worden geregen. Het resultaat was een zak van zacht, glanzend, waterdicht otterbont, met de staart en poten er nog aan, terwijl de kop als afsluiting werd gebruikt.

Mamut gaf hem terug. 'Heb jij die gemaakt?'

'Nee. Iza gemaakt. Zij was medicijnvrouw van Bruns Stam, mijn... moeder. Ze leerde me sinds klein meisje waar planten groeien, hoe medicijnen maken, hoe gebruiken. Ze was ziek, ging niet naar Stambijeenkomst. Brun moest medicijnvrouw hebben. Oeba te jong. Ik was enige.'

Mamut knikte begrijpend, toen keek hij haar scherp aan. 'Wat was de naam die je net noemde?'

'Mijn moeder? Iza?'

'Nee, die andere.'

Ayla dacht even na. 'Oeba?'

'Wie is Oeba?'

'Oeba is... zuster. Niet echte zuster, maar als zuster voor mij. Ze is dochter van Iza. Nu is ze medicijnvrouw... en moeder van...'

'Is dat een veel voorkomende naam?' Mamut onderbrak haar en zijn stem verraadde een zekere opwinding.

'Nee... dat denk ik niet... Creb noemde haar Oeba. De moeder van Iza's moeder had dezelfde naam. Creb en Iza hadden dezelfde moeder.'

'Creb! Zeg eens, Ayla, die Creb, had hij een ongelukkige arm en liep hij mank?'

'Ja,' antwoordde Ayla verbaasd. Hoe kon Mamut dat weten?

'En was er nog een andere broer? Jonger, maar sterk en gezond?'

Ayla fronste de wenkbrauwen bij al die vragen van Mamut. 'Ja. Brun. Hij was de leider.'

'Grote Moeder! Ik kan het niet geloven! Nu begrijp ik het.'

'Ik begrijp niet,' zei Ayla.

'Ayla, kom, ga zitten. Ik wil je wat vertellen.'

Hij nam haar mee naar een plaats bij het vuur, naast zijn bed. Hij nam plaats op de rand van het bed terwijl zij op een mat op de grond ging zitten en vol verwachting naar hem opkeek.

'Heel veel jaren geleden, toen ik nog een jonge man was, heb ik een vreemd avontuur beleefd dat mijn leven veranderde,' begon Mamut. Ayla voelde opeens een mysterieuze tinteling onder haar huid en ze had het gevoel dat ze ongeveer wist wat hij ging vertellen.

'Manuv en ik komen van hetzelfde kamp. De man, die zijn moeder als gezel koos, was mijn neef. We groeiden samen op en zoals jongelui vaker doen, we praatten erover samen een Tocht te maken. Maar hij werd ziek in de zomer dat we wilden gaan. Ernstig ziek. Ik wou graag vertrekken. We hadden al jaren plannen gemaakt en ik bleef hopen dat hij beter werd. Maar de ziekte duurde maar voort. Ten slotte besloot ik, tegen het eind van de zomer, alleen te gaan. Iedereen raadde het me af, maar ik had geen rust.

Het plan was om langs de Zwarte Zee te gaan en dan de oostkust van de grote Zuidelijke Zee te volgen, zoals Wymez heeft gedaan. Maar het was al zo laat in de tijd dat ik besloot een kortere weg te nemen, over het schiereiland en de oostelijke verbinding met de bergen.'

Ayla knikte. De Stam van Brun gebruikte die weg naar de Stambijeenkomst.

'Ik vertelde niemand iets over mijn plan. Het was het gebied van de platkoppen en ik wist dat ze bezwaar zouden maken. Ik dacht dat ik ieder contact kon vermijden als ik voorzichtig was, maar ik had geen rekening gehouden met de mogelijkheid van een ongeluk. Ik weet nog altijd niet hoe het gebeurde. Ik liep op de hoge oever langs een rivier. Het was bijna een ravijn. Ik weet alleen nog dat ik uitgleed en naar beneden viel. Ik moet een tijdje bewusteloos zijn geweest. Laat in de middag kwam ik weer bij. Ik had hoofdpijn en was een beetje duizelig, maar met mijn arm was het erger. Hij was gebroken en uit de kom en ik had vreselijk veel pijn.

Ik strompelde een poosje langs de rivier en wist eigenlijk niet waar ik heen moest. Ik had mijn rugzak verloren en had niet eens het besef hem op te zoeken. Ik weet niet meer hoe lang ik heb gelopen, maar het was bijna donker toen ik een vuur zag. Ik dacht er niet aan dat ik op het schiereiland was. Toen ik een paar mensen zag, ging ik erop af. Ik kan me hun verbazing voorstellen toen ik op hen af strompelde, maar op dat moment was ik zo in de war dat ik niet meer wist waar ik was. Mijn verbazing kwam later. Ik ontwaakte in een vreemde omgeving en ik had geen idee hoe ik daar was gekomen. Toen ik een kompres op mijn hoofd voelde en zag dat mijn arm in een band hing, herinnerde ik me dat ik was gevallen en ik vond dat ik geluk had gehad om in een kamp met een goede Genezer terecht te komen. Toen verscheen de vrouw. Misschien kun je je voorstellen hoe ik schrok toen ik zag dat ik in een kamp van de Stam was.'

Ayla was ook geschrokken. 'Jij! Jij bent man met gebroken arm? Jij kent Creb en Brun?' zei Ayla, stomverbaasd en ongelovig. Het leek een boodschap uit haar verleden en ze werd overweldigd door haar gevoelens. Haar ooghoeken werden vochtig.

'Heb je van mij gehoord?'

'Iza heeft me verteld. Voor ze is geboren, heeft haar moeders moeder een man genezen met gebroken arm. Man van de Anderen. Creb mij ook verteld. Hij zei Brun liet me bij Stam blijven, omdat hij van die man begreep – van jou, Mamut – Anderen zijn ook mensen.' Ayla zweeg. Ze staarde naar het witte haar en het gerimpelde gezicht van de eerbiedwaardige oude man. 'Iza is nu in geestenwereld. Ze was niet geboren toen jij kwam... en Creb... Hij was jongen, nog niet gekozen door Ursus. Creb was oude man toen hij stierf... Hoe kun jij nog leven?'

'Ik heb me vaak afgevraagd waarom de Moeder mij zoveel jaargetijden gunde. Ik denk dat Ze me nu een antwoord heeft gegeven.'

13

Nezzie schudde de arm van het grote stamhoofd en fluisterde hem in het oor, 'Talut, slaap je?'
'Hè? Wat is er?' zei hij, opeens klaarwakker.
'Ssst. Je moet niet iedereen wakker maken. Talut, we kunnen Ayla nu niet laten gaan. Wie moet er voor Rydag zorgen als het weer gebeurt? Ik vind dat we haar moeten aannemen, dat we haar lid van onze familie moeten maken, een Mamutiër.'
Hij keek haar aan en zag de gloed van het opgebankte vuur in haar glanzende ogen weerkaatsen. 'Ik weet dat je je zorgen maakt over de jongen, Nezzie. Dat doe ik ook. Maar kan jouw liefde voor hem een reden zijn om een vreemde te adopteren? Wat zou ik tegen de leden van de Raad moeten zeggen?'
'Het gaat niet alleen om Rydag. Ze is een Genezer. Een goede Genezer. Hebben de Mamutiërs zoveel Genezers dat we zo'n goede kunnen laten gaan? Kijk eens wat er in een paar dagen is gebeurd. Ze heeft Nuvie van de verstikkingsdood gered... Ik weet wel dat Tulie zei dat het gewoon een techniek kan zijn geweest die ze heeft geleerd, maar dat kan je zuster niet van Rydag zeggen. Ayla wist wat ze deed. Dat waren medicijnen van een Genezer. En ze heeft het ook bij het rechte eind wat Fralie betreft. Ik kan ook wel zien dat ze het moeilijk heeft met die zwangerschap en al die ruzies doen haar geen goed. En wat zeg je van je hoofdpijn?'
Talut grijnsde: 'Dat was meer dan de magie van de Genezer; dat was verbijsterend!'
'Ssst! Je maakt iedereen wakker. Ayla is meer dan een Genezer. Mamut zegt dat ze ook een Ziener is, al zal ze nog moeten oefenen. En als je ziet hoe ze met dieren omgaat, zou het me niet verbazen als ze ook een Roeper is. Bedenk eens hoe gunstig het voor een kamp zou zijn als blijkt dat ze niet alleen in staat is om de dieren te zien waar we op zullen jagen, maar ze ook te roepen?'
'Dat weet je niet, Nezzie. Dat zijn alleen maar vermoedens.'
'Nou, het zijn in ieder geval geen vermoedens wat haar vaardigheid

met die wapens betreft. Je weet dat ze een goede Bruidsprijs in zou brengen als ze een Mamutische vrouw was, Talut. Wat dacht je dat ze waard was als dochter van jouw vuurplaats, met alles wat zij te bieden heeft.'

'Hmm. Als ze een Mamutische vrouw was en dochter van de Leeuwenvuurplaats... Maar misschien wil ze geen Mamutiër worden, Nezzie. En die jongeman dan, Jondalar? Het is duidelijk dat die twee veel voor elkaar voelen.'

Nezzie had er een poosje over nagedacht en ze wist de oplossing. 'Vraag hem ook.'

'Allebei!' viel Talut uit en hij ging rechtop zitten.

'Ssst! Niet zo luid!'

'Maar hij heeft een volk. Hij zegt dat hij een Zel... Zel... of wat dan ook is.'

'Zelandoniër,' fluisterde Nezzie. 'Maar zijn volk woont een heel eind hiervandaan. Waarom zou hij zo'n lange terugreis willen maken als hij bij ons een thuis kan vinden? Je zou het hem in ieder geval kunnen vragen, Talut. Dat wapen dat hij heeft uitgevonden, moet toch voldoende reden zijn om de leden van de Raad tevreden te stellen. En Wymez zegt dat hij een uitstekend gereedschapmaker is. Je weet dat de Raad hem niet weigert wanneer mijn broer een aanbeveling geeft.'

'Dat is waar... Maar, Nezzie,' zei Talut, en hij ging weer liggen, 'hoe weet je dat ze willen blijven?'

'Dat weet ik niet, maar je kunt het toch vragen?'

In de loop van de morgen stapte Talut naar buiten en hij zag dat Ayla en Jondalar de paarden naar de steppe wilden brengen. Het sneeuwde niet, maar de rijp had schitterende kristallen gevormd op hun vacht en de hoofden verdwenen bij elke ademhaling in wolken stoom. De koude, droge vrieslucht zat vol statische elektriciteit. De vrouw en de man waren op de kou gekleed, in anoraks van bont, en de capuchons zaten strak om hun gezicht. De broekspijpen waren in het schoeisel gestoken.

'Jondalar! Ayla! Gaan jullie weg?' riep hij en hij haastte zich om bij hen te komen.

Ayla knikte bij wijze van een bevestigend antwoord en dat had tot gevolg dat Taluts glimlach verdween, maar Jondalar legde uit: 'We willen de paarden gewoon wat beweging geven. We komen vanmiddag weer terug.'

Hij zei er niet bij dat ze ook wat rust zochten, een plaats waar ze, zonder te worden gestoord, samen konden praten over teruggaan naar de vallei of niet. Jondalar hoopte eigenlijk dat hij het Ayla uit haar hoofd kon praten.

'Goed. Als het weer opknapt, zou ik nog wel wat willen oefenen met die speerwerpers. Ik wil graag zien hoe ze werken en of ik er iets mee kan,' zei Talut.

'Ik denk dat je wel eens verbaasd kunt staan als je ziet hoe goed ze het doen,' antwoordde Jondalar met een glimlach.

'Ja, maar niet vanzelf. Ik weet dat jullie er goed mee omgaan, maar daar is enige vaardigheid voor nodig en misschien is er niet veel tijd meer om te oefenen voor het weer lente wordt.' Talut wachtte even om na te denken.

Ayla stond te wachten, met haar hand op de schoften van de merrie, vlak onder haar korte, stugge manen. Er bungelde een zware want van bont aan een koord dat door de mouw achter de nek langs liep en door de andere mouw weer naar buiten kwam. Ook aan dat eind hing een want. Zo konden ze, als het nodig was, de wanten snel uittrekken zonder bang te zijn er een te verliezen. In een land waar het zo koud kon zijn en zo hard kon waaien kon een verloren want je een hand kosten, en misschien wel je leven. Het jonge paard brieste en steigerde ongeduldig. Hij stootte Jondalar aan. Ze schenen te popelen om te gaan en wachtten alleen uit beleefdheid tot hij was uitgesproken. Talut begreep het en hij besloot dan maar met de deur in huis te vallen.

'Nezzie begon er vannacht over en vanmorgen heb ik nog met een paar anderen gepraat. Het zou handig zijn als we iemand hadden die ons kon leren om met die jachtwapens om te gaan.'

'Jullie gastvrijheid was buitengewoon groot. Je weet dat ik iedereen graag laat zien hoe je de speerwerper kunt gebruiken. Dat is niet zoveel, voor alles wat jullie voor ons hebben gedaan,' zei Jondalar.

Talut knikte, toen vervolgde hij, 'Wymez zegt dat je een goede steenbewerker bent, Jondalar. De Mamutiërs kunnen altijd iemand gebruiken die goed gereedschap maakt. En ieder kamp zou graag profiteren van de vele vaardigheden die Ayla heeft. Ze is niet alleen heel bedreven in het omgaan met de speerwerper en de slinger – zoals je al zei,' en hij keek nu Ayla aan, 'ze is ook een Genezer. We willen graag dat jullie hier blijven.'

'Ik hoopte dat we bij jullie mochten overwinteren, Talut, en ik waardeer je aanbod, maar ik weet niet hoe Ayla erover denkt,' antwoordde hij glimlachend en hij had het gevoel dat Taluts uitnodiging op geen beter moment had kunnen komen. Hoe kon ze nu nog weggaan? Taluts aanbod had ongetwijfeld veel grotere waarde dan de hatelijkheden van Frebec.

Talut ging door en richtte zijn opmerkingen nu tot de jonge vrouw. 'Ayla, je hebt nu geen volk en dat van Jondalar woont ver weg. Misschien wel verder dan hij reizen wil als hij hier een thuis kan vinden. We willen graag dat jullie beiden hier blijven, niet alleen deze winter, maar voor altijd. Ik nodig je uit om een van de onzen te worden en dat doe ik ook namens anderen. Tulie en Barzec willen Jondalar opnemen in de Oerosvuurplaats en Nezzie en ik willen dat jij een dochter wordt van de Leeuwenvuurplaats. Omdat Tulie leidster is en ik stamhoofd ben, krijgen jullie een hoge status onder de Mamutiërs.'

'Je bedoelt dat jullie ons willen opnemen? Je wilt dat wij Mamutiërs worden?' flapte Jondalar eruit. Het overrompelde hem een beetje en hij kreeg een kleur van verbazing.

'Jullie willen mij? Jullie willen mij opnemen?' vroeg Ayla. Ze had het gesprek met gefronste wenkbrauwen gevolgd, want ze wilde geen woord missen, maar ze wist niet of ze haar oren wel kon geloven. 'Jullie willen van Ayla Zonder Volk Ayla van de Mamutiërs maken?'

De grote man glimlachte. 'Ja.'

Jondalar was sprakeloos. Gastvrijheid kon een gebruik zijn en iets om trots op te zijn, maar geen enkel volk maakte er een gewoonte van om zonder serieuze overwegingen vreemden te vragen tot hun stam en familie toe te treden.

'Ik... eh... Ik weet niet... wat ik moet zeggen,' zei hij. 'Ik vind het een grote eer en zeer vleiend om te worden gevraagd.'

'Ik begrijp dat jullie wat tijd nodig hebben om erover na te denken,' zei Talut. 'Het zou me verbazen als dat niet zo was. We hebben het nog niet tegen iedereen gezegd en het hele kamp moet het ermee eens zijn, maar dat hoeft geen probleem te zijn, met alles wat jullie inbrengen en de steun van Tulie en mij. Ik wou jullie eerst vragen. Als jullie ermee instemmen, roep ik een vergadering bij elkaar.'

Ze keken het grote stamhoofd zwijgend na toen hij weer naar huis liep. Hun plan was een plaats te vinden om te praten. Elk hoopte een oplossing te vinden voor de problemen die duidelijk tussen hen beiden waren gerezen. Taluts uitnodiging had een totaal nieuwe dimensie aan hun gedachten toegevoegd, ook in verband met de beslissingen die ze voor de toekomst moesten nemen. Ayla besteeg Whinney zonder een woord te zeggen en Jondalar ging achter haar zitten. Renner volgde hen de helling op en ze reden, in gedachten verzonken, over de open vlakte.

Ayla was diep getroffen door Taluts aanbod. Toen ze nog bij de Stam woonde, had ze zich vaak een vreemde gevoeld, maar dat was niets vergeleken bij de pijnlijke eenzaamheid, de hopeloze leegte die ze had gevoeld toen ze alleen was. Ze was alleen geweest vanaf het moment dat ze de Stam had verlaten tot Jondalar kwam en dat was nog geen jaar geleden. Ze had niemand gehad bij wie ze hoorde, geen thuis, geen familie, geen volk en ze wist dat ze haar volk nooit meer zou zien. De aardbeving, die haar als wees had achtergelaten, was de oorzaak van een definitieve scheiding van een volk tot ze door de Stam werd gevonden. In haar onderbewustzijn leefde een diepe angst vanwege de combinatie van verschrikkingen bij een aardbeving en de smart van een meisje dat alles had verloren, zelfs de herinnering aan degenen bij wie ze had gehoord. Er was niets dat Ayla meer vreesde dan aardschokken. Ze leken altijd nog plotselinge en grote veranderingen in haar leven aan te kondigen, zoals ook het landschap werd veranderd. Het leek wel alsof de aarde zelf haar vertelde wat ze kon verwachten... of trilde van medelijden.

Maar toen ze die eerste keer alles had verloren, werd de Stam haar volk. Als ze wilde kon ze nu weer tot een volk gaan behoren. Ze kon Mamutiër worden en dan zou ze niet meer alleen zijn.

En hoe moest het dan met Jondalar? Hoe kon ze een ander volk kiezen dan het zijne? Zou hij wel willen blijven en Mamutiër worden? Ayla betwijfelde het. Ze wist dat hij naar zijn eigen volk terug wilde. Maar hij was bang geweest dat alle Anderen haar net zo zouden behandelen als Frebec. Hij wou niet dat ze over de Stam praatte. Dat vond hij niet nodig. En als ze met hem meeging en ze accepteerden haar niet. Misschien reageerde zijn volk wel net als Frebec. Ze zou níét nalaten over de Stam te praten, alsof Iza, Creb, Brun en haar zoon mensen waren voor wie ze zich zou moeten schamen. Ze wou zich niet schamen voor de mensen van wie ze hield!

Wou ze wel naar zijn volk, met het risico dat ze zou worden behandeld als een beest? Of wou ze hier blijven, waar ze werd geaccepteerd en waar ze haar nodig hadden. Het Leeuwenkamp had zelfs een kind van gemengde afkomst aangenomen, een jongen zoals haar zoon... Opeens schoot er een gedachte door haar heen. Als ze er een hadden aangenomen, zouden ze er dan nog een aannemen? Een die niet zwak en ziekelijk was? Een die kon leren praten? Het gebied van de Mamutiërs strekte zich uit tot aan de Zwarte Zee. Had Talut niet gezegd dat iemand daar een Wilgenkamp had? Het schiereiland waar de Stam woonde, was niet veel verder. Als ze een Mamutiër werd, zou ze misschien eens... Maar Jondalar dan? Als hij wel wegging? Ayla voelde pijn in haar maag als ze daaraan dacht. Zou ze zonder Jondalar kunnen leven? vroeg ze zich af terwijl ze hinkte op twee gedachten.

Jondalar worstelde ook met tegenstrijdige verlangens. Hij dacht nauwelijks nog aan het aanbod dat hem was gedaan, behalve dan dat hij een reden moest vinden om te weigeren zonder dat het beledigend was voor Talut en de Mamutiërs. Hij was Jondalar van de Zelandoniërs en hij wist dat zijn broer gelijk had gehad. Hij zou nooit iets anders kunnen zijn. Hij wou naar huis, maar het was meer een zeurende pijn dan een bittere noodzaak. Hij kon het ook niet anders zien. Zijn volk woonde zo ver weg dat het wel een jaar zou kosten om de afstand af te leggen.

Zijn grootste probleem was Ayla. Hoewel hij nooit gebrek had gehad aan gewillige gezellinnen, van wie de meeste heel graag een vaste verbintenis met hem hadden gesloten, had hij nooit de juiste vrouw gevonden tot hij Ayla ontmoette. Niet één van de vrouwen van zijn volk, en niet één van de vrouwen die hij op zijn reizen had ontmoet, was in staat geweest hem in de toestand te brengen die hij bij anderen had gezien en zelf nooit had gevoeld, tot hij haar ontmoette. Hij hield meer van haar dan hij voor mogelijk had gehouden. Zij had alles wat hij altijd in een vrouw had gewenst en meer dan dat. Hij moest er niet aan denken om zonder haar te leven.

Maar hij wist ook wat het was om zichzelf een slechte naam te bezorgen. En dezelfde eigenschappen die hem aantrokken – haar combinatie van onschuld en wijsheid, eerlijkheid en geheimzinnigheid, zelfvertrouwen en kwetsbaarheid – waren het resultaat van dezelfde omstandigheden die hem de pijn van een slechte naam en verbanning konden doen ervaren.

Ayla was grootgebracht door de Stam, mensen die nu eenmaal anders waren, al kon hij niet uitleggen waarom. De meeste mensen die hij kende, beschouwden de mensen van de Stam niet als mensen. En Ayla had daarbij gehoord. Het waren dieren, maar anders dan de andere dieren, die door de Moeder waren geschapen in dienst van de mensen. Hoewel het niet werd toegegeven, werd de overeenkomst tussen mensen en de Stam wel erkend. Maar de duidelijk menselijke eigenschappen van de Stam gaven geen aanleiding tot gevoelens van verwantschap. Ze werden eerder als een bedreiging gezien en de nadruk werd gelegd op de verschillen met de mensen. Door mensen als Jondalar werd de Stam beschouwd als een verfoeilijke diersoort, die niet eens was opgenomen in de rijke schakering van de schepping van de Grote Aardmoeder, alsof ze waren uitgebroed door de een of andere raadselachtige boze geest.

Maar ze erkenden wederzijds elkaars mens-zijn beter in daden dan in woorden. Jondalars soort was niet zoveel generaties terug het gebied van de Stam binnengedrongen en had goede woongebieden en jachtgronden, met een overvloed aan voedsel, overgenomen, waarbij de Stam naar andere gebieden werd verdreven. Maar net als troepen wolven een gebied onderling verdelen en beschermen, werden ook deze grenzen stilzwijgend gerespecteerd.

Toen Jondalar zijn gevoelens voor Ayla begon te beseffen, ging hij begrijpen dat alle leven een schepping was van de Grote Aardmoeder, de platkoppen inbegrepen. Maar hoewel hij van haar hield, was hij ervan overtuigd dat zijn volk Ayla nooit zou opnemen. Het was niet alleen haar relatie met de Stam die haar tot een uitgestotene maakte. Ze zou ook worden beschouwd als een verfoeilijke gruwel, die door de Moeder was veroordeeld omdat ze een kind van gemengde geesten had gebaard, half dier, half mens.

Dat was voor iedereen taboe. Zo dachten alle mensen erover die hij op zijn reizen had ontmoet, hoewel, de een had het sterker dan de ander. Sommige mensen weigerden zelfs te geloven aan het bestaan van zulke bastaards, anderen beschouwden het als een misplaatste grap. Daarom was hij zo geschrokken toen hij Rydag aantrof in het Leeuwenkamp. Hij wist dat het niet gemakkelijk voor Nezzie moest zijn geweest en om eerlijk te zijn, zij had de felste kritiek en de vooroordelen moeten trotseren. Alleen iemand met een groot zelfvertrouwen, die zeker was van haar standpunt, durfde de lasteraars te overbluffen en uiteindelijk hadden haar oprechte barmhartigheid en menselijkheid het gewonnen. Maar ook Nezzie had niet gepraat over Ayla's zoon toen ze de anderen probeerde over te halen haar op te nemen.

Ayla kende de pijn niet die Jondalar voelde toen Frebec haar belachelijk had gemaakt, hoewel hij had verwacht dat het erger zou zijn. Maar hij voelde zich niet alleen beledigd uit begrip voor haar. Die hele nare confrontatie herinnerde hem aan het moment dat hij zelf door zijn emoties op een dwaalspoor was gebracht en die pijn was weer bovengekomen. Maar wat hij erger vond, was zijn eigen onverwachte reactie. Die hinderde hem nu nog het meest. Hij kreeg nu nog een kleur van schaamte omdat hij zich even gekrenkt had gevoeld vanwege zijn omgang met haar onder Frebecs scheldwoorden. Hoe kon hij van een vrouw houden en zich ook voor haar schamen?

Na dat verschrikkelijke moment in zijn jeugd had Jondalar zijn uiterste best gedaan om zich te beheersen, maar de problemen waar hij nu mee worstelde leken te groot. Hij wou Ayla meenemen naar zijn volk. Hij wou dat ze Dalanar ontmoette en de mensen van zijn Grot, en zijn moeder, Marthona, en zijn oudere broer, zijn zusje, zijn neven en nichten en Zelandoni. Hij wou dat ze haar zouden verwelkomen, zijn vuurplaats met haar inrichten, een plaats waar ze kinderen kon krijgen die misschien van zijn geest zouden zijn. Hij wilde niemand anders, maar hij kromp ineen bij de gedachte aan de minachting die zijn deel kon worden omdat hij zo'n vrouw meebracht en hij voelde er niet veel voor haar daaraan bloot te stellen.

Vooral niet als het niet hoefde. Als ze niet over de Stam praatte, hoefde niemand het te weten. Maar wat moest ze zeggen wanneer iemand vroeg wat haar volk was? Waar ze vandaan kwam? De mensen die haar hadden grootgebracht waren de enigen die ze kende, tenzij... ze Taluts aanbod aannam. Dan kon ze Ayla van de Mamutiërs zijn, alsof ze bij hen was geboren. Haar eigenaardige manier om sommige woorden uit te spreken kon gewoon een accent zijn. Wie weet, dacht hij. Misschien ís ze wel Mamutiër. Haar ouders kunnen dat wel zijn geweest. Ze weet niet wat ze waren.

Maar als ze een van de Mamutiërs wordt, zou ze wel eens kunnen besluiten om te blijven. En als ze dat doet? Zou ik ook kunnen besluiten om te blijven? Zou ik op den duur deze mensen kunnen accepteren als mijn eigen volk? Thonolan deed het wel. Was zijn liefde voor Jetamio groter dat de mijne voor Ayla? Maar de Sharamudiërs waren haar volk. Ze was daar geboren en getogen. De Mamutiërs zijn Ayla's volk net zomin als het mijne. Als ze hier gelukkig kan zijn, kan ze dat ook bij de Zelandoniërs. Maar wanneer ze een van hen wordt, zou het wel eens kunnen zijn dat ze niet met mij mee naar huis wil. Het zou voor haar geen enkel probleem zijn om hier iemand te vinden... Ik ben er zeker van dat Ranec het niet erg zou vinden.

Ayla voelde dat hij haar stevig vastgreep en ze vroeg zich af wat de reden was. Ze zag verderop wat struikgewas en ze dacht dat daar wel een riviertje was. Ze stuurde Whinney erheen. De paarden roken het water en hadden weinig aansporing nodig. Toen ze het riviertje bereikten, stapten Ayla en Jondalar af en zochten een geschikt plaatsje om te zitten.

Het stroompje kreeg al een ijslaagje aan de oever. De lagen zouden steeds dikker en groter worden naarmate het seizoen vorderde tot de wilde donkere stroom geheel was ingesloten en tot staan gebracht. Bij de wisseling van de jaargetijden zou de stroom weer in grote vrijheid losbarsten.

Ayla opende een draagtas van ongelooide huid waar ze voedsel voor hen beiden in had, wat gedroogd vlees, waarschijnlijk van een oeros en een mandje gedroogde bosbessen. Verder nog kleine zure pruimen. Ze haalde een koperachtig grauw klompje pyriet tevoorschijn, met een stukje vuursteen om een vuurtje te maken en thee te zetten. Jondalar verbaasde zich weer over het gemak waarmee ze vuur maakte met een vuursteen. Het was toverij, een wonder. Hij had nog nooit zoiets gezien voor hij Ayla ontmoette.

Het rotsstrandje in haar vallei lag bezaaid met klompjes pyriet en vuursteen. Bij toeval had ze ontdekt dat ze een vonk kreeg door vuursteen tegen pyriet te slaan en die gloeide lang genoeg om vuur te maken. Ze had er haar voordeel mee gedaan. Op een keer was haar vuur uitgegaan. Ze wist hoe ze vuur moest maken op de manier die de meeste mensen toepasten: door met een stok te draaien in het gat van een plankje. Het was een heel werk voor er zo genoeg hitte was om een smeulend vuurtje te maken. Bij vergissing pakte ze een keer een brok pyriet in plaats van haar klopsteen en de klap op de vuursteen gaf de eerste vonk.

Jondalar had de techniek van Ayla geleerd. Als hij met vuursteen werkte, had hij vaak kleine vonken gezien, maar die beschouwde hij als de levende geest van de steen die vrijkwam. Het was niet bij hem opgekomen om te proberen vuur te maken met die vonken. Maar hij woonde toen ook niet alleen in een vallei, met minder overlevingskansen; gewoonlijk waren er mensen om hem heen, die bijna altijd een vuur brandende hadden. De vonken, die hij uit vuursteen sloeg, gloeiden trouwens te kort om er een vuur mee te maken. Het was Ayla's toevallige combinatie van vuursteen en pyriet die de juiste vonk opleverde. Hij had echter onmiddellijk de waarde ervan begrepen en zag de voordelen wel om zo snel en gemakkelijk een vuur te kunnen maken.

Terwijl ze aten, moesten ze lachen om de capriolen van Renner, die zijn moeder probeerde te verleiden tot een spelletje 'Pak me dan'. Even later lagen de beide paarden op hun rug te rollen en sloegen met hun benen in de lucht. Ze lagen op een zandbank, uit de wind, die door de zon werd verwarmd. Ze vermeden het hun gedachten uit te spreken, maar het lachen verbrak de spanning, en de rust en eenzaamheid deden hen denken aan de mooie dagen in de vallei. Tegen de tijd dat ze een slokje van de warme thee namen, waren ze zover dat ze zich aan moeilijker onderwerpen durfden te wagen.

'Ik denk dat Latie zou genieten als ze die twee paarden zo zag spelen,' zei Jondalar.

'Ja. Ik geloof dat ze de paarden graag mag.'

'Ze mag jou ook graag, Ayla. Ze is je gaan bewonderen.' Jondalar aarzelde, toen vervolgde hij, 'er zijn hier veel mensen die je graag mogen en je bewonderen. Je wilt toch niet echt terug naar de vallei om daar alleen te wonen?'

Ayla keek in het kopje dat ze in de hand had, draaide het laatste beetje thee met de bladeren rond en nam nog een slokje. 'Het is een verademing om weer eens samen te zijn. Ik besefte niet hoe heerlijk het zou zijn, zo zonder al die mensen, en er zijn een paar dingen in mijn grot in de vallei die ik graag zou willen hebben. Maar je hebt gelijk. Nu ik de Anderen heb ontmoet, zou ik niet altijd meer alleen willen wonen. Ik mag Latie erg graag, en Deegie, en Talut en Nezzie, iedereen... behalve Frebec.'

Jondalar slaakte een zucht van verlichting. De eerste en grootste hindernis was gemakkelijk genomen. 'Frebec is de enige. Je kunt niet alles laten bederven door één persoon. Talut... en Tulie hadden ons niet gevraagd om bij hen te blijven als ze je niet mochten en niet het gevoel hadden dat je iets waardevols te bieden hebt.'

'Jij hebt iets waardevols te bieden, Jondalar. Wil jij blijven en Mamutiër worden?'

'Ze zijn vriendelijk voor ons geweest, veel vriendelijker dan eenvoudige gastvrijheid vereist. Ik zou kunnen blijven, zeker zo lang de winter duurt, en ook wel langer, en ik zou ze graag willen geven wat ik kan. Maar ze hebben mijn steenbewerking niet nodig. Wymez kan het veel beter dan ik en Danug zal het spoedig ook kunnen. En ik heb hun de speerwerper al uitgelegd. Ze hebben gezien hoe hij wordt gemaakt. Na enige oefening kunnen ze hem gebruiken. Ze moeten het alleen willen. En ik ben Jondalar van de Zelandoniërs...'

Hij zweeg en zijn ogen kregen een vage uitdrukking, alsof ze een grote afstand wilden overbruggen. Toen keek hij om in de richting waar ze vandaan waren gekomen en hij kreeg rimpels in zijn voorhoofd terwijl hij probeerde het uit te leggen. 'Ik zal eens terug moeten... al was het alleen maar om mijn moeder te vertellen dat mijn broer dood is... en Zelandoni een kans te geven zijn geest te vinden en die naar de volgende wereld te leiden. Ik zou nooit Jondalar van de Mamutiërs kunnen worden in de wetenschap dat ik mijn plicht niet mag verzaken.'

Ayla nam hem scherp op. Ze wist dat hij niet wou blijven. Niet vanwege verplichtingen, hoewel hij die misschien wel voelde. Hij wou naar huis.

'En jij dan?' vroeg Jondalar en hij probeerde de toon zo neutraal mogelijk te houden. 'Wil jij blijven en Ayla van de Mamutiërs worden?'

Ze sloot de ogen en probeerde de juiste woorden te vinden. Ze wist dat ze niet genoeg woorden kende, of dat woorden tekortschoten. 'Omdat Broud me vervloekte, had ik geen volk meer, Jondalar. Dat heeft me een leeg gevoel gegeven. Ik mag de Mamutiërs graag en ik waardeer hen. Ik voel me er thuis. Het Leeuwenkamp... lijkt op Bruns

222

Stam... De meeste mensen zijn goed. Ik weet niet wat mijn volk was voor ik bij de Stam kwam en ik geloof niet dat ik het ooit zal weten, maar 's nachts denk ik soms... Ik wou dat het Mamutiërs waren.'

Ze bekeek hem aandachtig, zijn sluike blonde haar dat afstak bij het donkere bont van zijn capuchon, zijn knappe gezicht dat ze mooi vond, al had hij gezegd dat dat niet het juiste woord was voor een man, zijn sterk, gevoelig lichaam en zijn grote sterke handen, zijn blauwe ogen, die zo ernstig en bezorgd leken. 'Maar voor de Mamutiërs kwam jij. Jij verdreef de eenzaamheid en je gaf me liefde. Ik wil bij je blijven, Jondalar.'

De bezorgdheid verdween uit zijn ogen en de ontspannen warmte, waar ze in de vallei zo aan gewend was, kwam ervoor in de plaats, met dat dwingende verlangen waaraan haar lichaam geen weerstand kon bieden. Zonder het bewust te willen, voelde ze zich tot hem aangetrokken, ze voelde zijn mond op de hare en zijn armen om haar heen. 'Ayla, mijn Ayla, ik houd zoveel van je,' riep hij met een rauwe, verstikte stem vol angst, maar ook opluchting. Hij drukte haar stijf tegen zich aan en toch teder, alsof hij haar nooit wou laten gaan, maar bang was dat ze zou breken. Hij gaf haar net ruimte genoeg om haar hoofd achterover te houden en haar voorhoofd, haar ogen en het puntje van haar neus te kussen. Toen kuste hij haar op de mond en hij voelde dat zijn verlangen groter werd. Het was koud. Ze konden geen beschut, warm plekje vinden, maar hij wou haar hebben.

Hij maakte het koord van haar capuchon los en vond haar hals en haar nek, terwijl zijn handen onder haar anorak en haar tuniek gingen en haar warme huid en de volle borsten vonden, met hun harde tepels. Ze kreunde zacht toen hij ze streelde, erin kneep en eraan trok. Hij maakte het koord los en stak zijn hand in haar broek om haar venusheuvel te zoeken. Ze drukte zich tegen hem aan toen hij haar vochtige warme spleet vond en ze een tinteling voelde.

Toen zocht ze onder zijn anorak en tuniek naar zijn koord, maakte het los, greep zijn stijve, kloppende lid en streelde het. Hij slaakte een diepe zucht van genot toen ze vooroverboog en het in haar mond nam. Ze voelde met haar tong de zachte huid en duwde hem er zo ver in als ze kon, toen eruit en er weer in, terwijl ze zijn gebogen penis met haar handen bleef strelen.

Ze hoorde hem kreunen. Hij haalde diep adem en duwde haar zachtjes van zich af. 'Wacht, Ayla, ik wil je hebben,' zei hij.

'Dan zal ik mijn broek uit moeten doen,' zei ze.

'Nee, het is te koud. Draai je om, weet je nog wel?'

'Zoals Whinney en haar hengst,' fluisterde Ayla.

Ze draaide zich om en ging op haar knieën zitten. Een ogenblik deed deze houding haar niet aan Whinney en haar begerige hengst denken, maar aan Broud, toen ze werd neergegooid en verkracht. Maar Jondalars liefdevolle strelingen waren anders. Ze liet haar broek zakken, ontblootte haar stevige, warme billen en de opening die hem lokte als een bloem de bijen, met haar zachte bloembladen en dieproze keel. De uitnodiging was bijna te veel voor hem. Hij voelde bijna een orgasme komen. Hij wachtte even en kroop dicht tegen haar aan om haar warm te houden terwijl hij haar volle billen streelde. Zijn vingers dwaalden naar haar uitnodigende vagina en hij streelde haar warme, vochtige schaamlippen tot haar kreungeluidjes hem zeiden dat hij niet langer hoefde te wachten.

Hij spreidde haar billen en leidde zijn stijve, begerige mannelijkheid binnen in haar diepe, gewillige vagina. Dat gaf zoveel genot dat ze beiden een kreet slaakten. Hij trok hem er bijna helemaal weer uit, duwde hem erin en trok haar tegen zich aan. Hij genoot ervan dat ze hem helemaal omsloot. Hij bleef doorstoten tot, met een uitbarsting, het bevrijdende orgasme kwam.

Na een paar laatste stoten die het laatste sperma aan hem onttrokken, sloeg hij zijn armen om haar heen en liet hen beiden op de zij rollen terwijl zijn lid nog in haar warmte bleef. Ze bleven even rusten, stijf tegen elkaar aan, met zijn anorak gedeeltelijk over haar heen.

Eindelijk trok Jondalar zich terug en ging staan. De wind stak op en Jondalar keek bezorgd naar de zich samenpakkende wolken.

'Ik wil me een beetje schoonmaken,' zei Ayla, die opstond. 'Dit is een nieuwe broek van Deegie.'

'Als we thuiskomen, kun je hem buiten laten liggen. Als hij bevriest kun je hem afborstelen.'

'Er is nog water in de rivier...'

'Het is ijskoud, Ayla!'

'Dat weet ik, maar ik kan het vlug.'

Ze liep voorzichtig over het ijs, hurkte bij het water en spoelde zich met één hand af. Toen ze weer op de oever stapte kwam Jondalar achter haar staan en droogde haar af met het bont van zijn anorak.

'Ik wil niet dat dat bevriest,' zei hij met een brede grijns, terwijl hij haar met het bont streelde.

'Ik denk dat jij het warm genoeg zult houden,' zei ze glimlachend terwijl ze haar anorak rechttrok en het koord dichtbond.

Dit was de Jondalar van wie ze hield. De man die haar een warm gevoel kon geven en haar deed huiveren met een blik van zijn ogen of een streling met zijn handen; de man die haar lichaam beter kende dan zijzelf en gevoelens kon opwekken die ze niet eerder had gekend; de man die haar de pijn en de vernedering van Brouds eerste ruwe verkrachting deed vergeten en haar leerde wat genot was. De Jondalar van wie ze hield was een speelse, zorgzame, liefhebbende minnaar. Zo was hij in de vallei geweest en nu ook, nu ze alleen waren. Waarom was hij zo anders in het Leeuwenkamp?

'Je hoeft niet meer naar je woorden te zoeken, meisje. Ik krijg moeite om je in mijn eigen taal bij te houden!' Hij sloeg zijn armen om haar middel en keek haar vol trots en liefde in de ogen. 'Je bent goed in talen, Ayla. Ik begrijp niet hoe snel je het leert. Hoe doe je dat?'

'Ik moet wel. Dit is nu mijn wereld. Ik heb geen volk. Voor de Stam ben ik dood, ik kan niet terug.'

'Je zou een volk kunnen hebben. Je kunt Ayla van de Mamutiërs worden, als je wilt. Wat denk je?'

'Ik wil bij jou zijn.'

'Je kunt toch bij me blijven? Het betekent toch niet dat je nooit meer weg kunt omdat iemand je aanneemt? We zouden hier kunnen blijven... een tijdlang. En als er iets met mij gebeurt – dat zou toch kunnen? – zou het niet zo slecht uitkomen dat je een volk hebt. Mensen die je nodig hebben.'

Ayla meende enige aarzeling te horen, maar hij leek het ernstig te menen. 'Jondalar, ik ben alleen maar Ayla. Ik heb geen volk. Als ze me aannemen zou ik iemand hebben. Dan zou ik Ayla van de Mamutiërs zijn.' Ze liep bij hem vandaan. 'Ik moet erover nadenken.'

Ze draaide zich om en liep naar haar tas. Als ik binnenkort met Jondalar zou weggaan, deed ik het niet, dacht ze. Dat zou niet eerlijk zijn. Maar hij zei dat hij wel een tijdje wou blijven. Misschien verandert hij wel van gedachten en vindt hij hier zijn thuis als hij een tijd bij de Mamutiërs woont. Ze vroeg zich af of ze voor zichzelf een excuus probeerde te vinden.

Ze zocht de amulet in haar anorak en richtte haar gedachten op haar totem. 'Holenleeuw, ik wou dat er een middel was om te weten wat het beste is. Ik houd van Jondalar, maar ik wil ook bij mensen van mijn eigen soort horen. Talut en Nezzie willen me aannemen, ze willen me een dochter van de Leeuwe... de *Leeuwen*vuurplaats maken. En het *Leeuwen*kamp! O, grote Holenleeuw, heb je me de hele weg geleid en heb ik niet opgelet?' Ze draaide zich om. Jondalar stond nog op dezelfde plaats en keek zwijgend naar haar.

'Ik heb mijn besluit genomen. Ik doe het! Ik word Ayla van het Leeuwenkamp van de Mamutiërs!'

Ze zag even een zorgelijke trek op zijn gezicht voor hij glimlachte.

'Goed, Ayla. Ik ben blij voor jou.'

'O, Jondalar. Zal het goed gaan? Zal het allemaal goed aflopen?'

'Dat weet niemand,' zei hij. Hij kwam naar haar toe en keek naar de lucht, die donker begon te worden. 'Ik hoop het... voor ons allebei.' Ze klemden zich even aan elkaar vast. 'Ik geloof dat we terug moeten.' Ayla pakte haar tas om hem in te pakken toen haar oog op iets viel. Ze steunde op een knie en raapte een goudkleurige steen op. Ze veegde hem schoon en bekeek hem nauwkeuriger. In de gladde steen, die warm werd door het wrijven, zag ze een insect met vleugels, volledig ingekapseld.

'Jondalar! Kijk eens. Heb jij ooit zoiets gezien?'

Hij pakte hem aan, bekeek hem nauwkeurig en toen keek hij met enig respect naar haar. 'Dat is barnsteen. Mijn moeder heeft er zo een. Ze hecht er grote waarde aan. Deze is misschien nog mooier.' Hij zag dat Ayla hem aanstaarde. Ze leek stomverbaasd. Hij dacht niet dat hij iets verkeerds had gezegd. 'Wat is er, Ayla?'

'Een teken. Het is een teken van mijn totem, Jondalar. De Geest van de Grote Holenleeuw vertelt me dat ik de juiste beslissing heb genomen. Hij wil dat ik Ayla van de Mamutiërs word!'

Toen Ayla en Jondalar terugreden, nam de wind in kracht toe en hoewel het nog in het begin van de middag was, werd het zonlicht verduisterd door wolken löss-stof, die voortrolden over de bevroren vlakte. Na korte tijd konden ze nauwelijks hun weg vinden door de stofwolken. Er flitsten bliksemstralen door de droge vrieslucht en de donder rolde overal om hen heen. Whinney hinnikte angstig en Renner steigerde toen, dichtbij, de bliksem met een donderende knal insloeg. Ze stegen af om het onrustige jonge paard te kalmeren en gingen verder te voet, met de paarden aan de hand.

Toen ze bij het kamp kwamen, raasde er een stofstorm die de hemel verduisterde en in hun gezicht sloeg. Bij het huis kwam er een figuur uit het halfduister die iets vasthield dat flapperde en rukte als een levend wezen dat probeerde los te komen.

'O, daar zijn jullie. Ik begon ongerust te worden,' schreeuwde Talut boven de storm en de donder uit.

'Wat ben je aan het doen? Kunnen we helpen?' vroeg Jondalar.

'We hebben een afdak gemaakt voor de paarden van Ayla toen er een onweersbui kwam opzetten. Ik wist niet dat het een stofstorm werd. De wind heeft het stukgemaakt. Ik denk dat we ze beter binnen kunnen brengen. Ze kunnen wel in de hal staan,' zei Talut.

'Gebeurt dit vaak?' vroeg Jondalar, die een eind van de grote huid vastgreep die als windbreker was bedoeld.

'Nee, er gaan jaren voorbij dat we geen stofstormen hebben. Als we een flink pak sneeuw krijgen, is het voorbij,' zei Talut lachend. 'Dan krijgen we alleen maar sneeuwstormen!' Hij dook naar binnen en hield de zware mammoethuid open zodat Ayla en Jondalar de paarden binnen konden brengen.

De paarden gingen nerveus de vreemde ruimte vol onbekende geurtjes in, maar ze hadden ook niet veel op met het geraas van de storm en ze vertrouwden op Ayla. Het was een hele opluchting dat ze de wind niet meer voelden en de paarden werden gauw rustig. Ayla was dankbaar dat Talut zo bezorgd om hen was, maar het verbaasde haar ook enigszins. Toen ze door de tweede poort ging, merkte Ayla hoe koud ze was. De prikkende stofdeeltjes hadden haar gedachten afgeleid, en ze was tot op haar botten verkleumd door de ijskoude wind.

Buiten bleef de wind razen. Hij deed de overkappingen van de rookgaten ratelen en rukte aan de zware kleden. Onverwachte windvlagen deden het stof opwaaien en het vuur in de stookplaats laaide op. De mensen zaten in willekeurige groepjes rond de eerste vuurplaats. Ze hadden het avondeten op, dronken hun kruidenthee, praatten wat en wachtten tot Talut begon.

Eindelijk ging hij staan en liep naar de Leeuwenvuurplaats. Toen hij terugkwam had hij een ivoren staf in de hand die langer was dan hijzelf. Het ondereind was dikker en hij liep naar boven spits toe. Hij was versierd met een soort wiel met spaken, dat op ongeveer eenderde van de hoogte hing. Halverwege de bovenste helft waren witte kraanvogelveren aangebracht, die in een halve cirkel uitwaaierden, terwijl onderin mysterieuze zakjes, uitgesneden ivoor en stukjes bont aan riempjes bungelden. Toen ze wat nauwkeuriger keek, zag Ayla dat de staf was gemaakt uit een enkele slagtand van een mammoet. Ze begreep niet hoe ze hem zo recht hadden gekregen. Hoe kon men de kromming uit zo'n slagtand halen?

Het werd rustig en alle aandacht was gericht op het stamhoofd. Hij keek naar Tulie, die knikte. Toen stampte hij vier keer op de grond met het stompe eind van de staf.

'Ik moet een belangrijke zaak aan het Leeuwenkamp voorleggen,' begon Talut. 'Het gaat iedereen aan en daarom gebruik ik de Spreekstaf, opdat er goed wordt geluisterd en niemand me in de rede valt. Iedereen die het woord wil over deze zaak, kan de Spreekstaf vragen.'

Er was enige spanning merkbaar terwijl de mensen rechtop gingen zitten en aandachtig luisterden.

'Ayla en Jondalar zijn niet zo lang geleden naar het Leeuwenkamp gekomen. Toen ik de dagen telde was ik verbaasd dat ze hier nog maar zo kort zijn. Het lijken al oude vrienden, die erbij horen. Ik denk dat de meesten van jullie hetzelfde voelen. Op grond van die warme gevoelens voor onze verwante Jondalar, en zijn vriendin Ayla, had ik gehoopt dat hun bezoek wat langer zou duren en ik was van plan hun te vragen bij ons te overwinteren. Maar in de korte tijd dat ze hier waren hebben ze meer dan vriendschap getoond. Ze hebben allebei waardevolle vaardigheden en kennis meegebracht en die hebben ze ons zonder voorbehoud aangeboden, alsof ze een van ons waren.

Volgens Wymez is Jondalar een bekwaam vuursteenbewerker. Hij heeft Wymez en Danug vrijelijk in zijn kennis laten delen. Bovendien heeft hij een nieuw jachtwapen meegebracht, een speerwerper, die de kracht en de reikwijdte van een worp met een speer vergroot.'

Er werd instemmend geknikt en gemompeld en Ayla zag weer dat de Mamutiërs zelden hun mond hielden. Ze namen graag actief deel aan ieder gesprek.

'Ayla brengt veel buitengewone talenten mee,' vervolgde Talut. 'Ze werpt goed en zuiver met de speerwerper en met haar eigen wapen, de slinger. Mamut zegt dat ze een Ziener is, al moet ze nog oefenen, en Nezzie denkt dat ze ook wel een Roeper kon zijn. Misschien is dat niet zo, maar het is waar dat paarden haar gehoorzamen en ze mag op hun rug rijden. Ze heeft ons ook een manier geleerd om te praten zonder woorden, zodat we Rydag beter kunnen begrijpen. Maar wat misschien het belangrijkste is: ze is Genezer. Ze heeft al twee kinderen het leven gered... en ze heeft een fantastisch middel tegen hoofdpijn!'

De laatste opmerking veroorzaakte een luid gelach.

'Ze brengen zoveel mee dat ik niet wil dat het Leeuwenkamp of de Mamutiërs hen verliest. Ik heb hun gevraagd om bij ons te blijven, niet alleen voor de winter, maar voor altijd. In de naam van Mut, de Moeder van Allen,' – Talut stampte een keer stevig met zijn staf op de grond – 'vraag ik of ze tot ons willen toetreden en of jullie hen aannemen als Mamutiërs.'

Talut knikte naar Ayla en Jondalar. Ze stonden op en liepen naar hem toe op de waardige wijze die bij een vooraf overeengekomen plechtigheid hoort. Tulie, die aan de kant had staan wachten, ging naast haar broer staan.

'Ik vraag de Spreekstaf,' zei ze.

Talut gaf hem aan haar.

'Als leidster van het Leeuwenkamp verklaar ik dat ik het eens ben met wat Talut heeft gezegd. Jondalar en Ayla zouden waardevolle leden van het Leeuwenkamp zijn en van de Mamutiërs.' Ze ging tegenover de lange blonde man staan. 'Jondalar,' zei ze, en ze stampte drie keer met de Spreekstaf, 'Tulie en Barzec hebben je gevraagd om een zoon van de Oerosvuurplaats te worden. Wat is je antwoord, Jondalar?'

Hij liep naar haar toe, nam de staf over en stampte er drie keer mee. 'Ik ben Jondalar van de Negende Grot van de Zelandoniërs, zoon van Marthona, de vroegere leidster van de Negende Grot, geboren bij de vuurplaats van Dalanar, de leider van de Lanzadoniërs,' begon hij. Omdat het een formele gebeurtenis was, besloot hij heel formeel zijn afkomst en zijn naaste verwanten te noemen, wat met goedkeurende glimlachen en knikjes werd ontvangen. Al die vreemde namen gaven de plechtigheid een exotisch en belangrijk tintje. 'Ik ben zeer vereerd door jullie uitnodiging, maar ik moet eerlijk zijn en jullie vertellen dat ik zware verplichtingen heb. Eens moet ik terug naar de Zelando-niërs. Ik moet mijn moeder vertellen dat mijn broer dood is en ik moet het Zelandoni, onze Mamut, meedelen, zodat zij zijn geest kan zoeken en hem naar de wereld van de geesten kan leiden. Ik waardeer onze verwantschap en ben getroffen door jullie vriendschap. Ik wil niet weg. Ik wil zo lang ik kan bij mijn vrienden en verwanten blij-ven.' Jondalar gaf de Spreekstaf weer aan Tulie.

'Het doet ons verdriet dat je je niet bij onze vuurplaats kunt voegen, Jondalar, maar we begrijpen je verplichtingen. Die respecteren we. Omdat we verwanten zijn, je broer was familie van Tholie, kun je zo lang blijven als je wilt,' zei Tulie en toen gaf ze de staf terug aan Talut.

'Ayla,' zei Talut en hij stampte weer drie keer op de grond, 'Nezzie en ik willen je aannemen als dochter van de Leeuwenvuurplaats. Wat is je antwoord?'

Ayla pakte de staf aan en stampte drie keer op de grond. 'Ik ben Ayla. Ik heb geen volk. Ik ben vereerd en blij omdat jullie me vragen een van jullie te worden. Ik zal er trots op zijn om Ayla van de Mamutiërs te zijn,' zei ze in zorgvuldig voorbereide zinnen.

Talut pakte de staf weer en stampte vier keer. 'Als niemand bezwaar maakt wil ik deze bijzondere bijeenkomst sluiten...'

'Ik vraag de Spreekstaf,' riep een stem uit de kring van toehoorders. Iedereen keek verbaasd toen Frebec dichterbij kwam.

Hij nam de staf over van het Stamhoofd en sloeg drie keer op de grond.

'Ik ben het er niet mee eens. Ik heb geen behoefte aan Ayla,' zei hij.

14

De mensen van het Leeuwenkamp waren met stomheid geslagen. Toen ontstond er een hevig tumult. Het stamhoofd had Ayla gesteund en de leidster was het er volledig mee eens. Hoewel iedereen wel wist wat Frebec van Ayla vond, scheen niemand zijn mening te delen. Bovendien, Frebec en de Kraanvogelvuurplaats schenen nauwelijks recht van spreken te hebben. Ze waren zelf nog maar kortgeleden opgenomen in het Leeuwenkamp, nadat een aantal andere kampen hen had geweigerd. Ze waren alleen opgenomen omdat Nezzie en Talut een goed woordje voor hen hadden gedaan. De Kraanvogelvuurplaats had vroeger een hoge status en er waren mensen in andere kampen die ze wel wilden opnemen, maar er waren altijd tegenstemmers en er mochten geen tegenstemmers zijn. Iedereen moest het ermee eens zijn. Na alle steun van het stamhoofd leek het ondankbaar van Frebec om tegen hem in te gaan en niemand had het verwacht, Talut zeker niet.

Het rumoer verstomde toen Talut de Spreekstaf van Frebec overnam. Hij hield hem omhoog en schudde hem om een beroep te doen op zijn macht. 'Frebec heeft de staf. Laat hem spreken,' zei Talut en hij gaf de ivoren staf terug.

Frebec sloeg drie keer op de grond en vervolgde: 'Ik heb geen behoefte aan Ayla omdat ik niet geloof dat ze genoeg heeft aangeboden om van haar een Mamutiër te maken.' Er klonk een ondertoon van protest in zijn verklaring, vooral na Taluts prijzende woorden, maar niet genoeg om de spreker in de rede te vallen. 'Vragen we iedere vreemde die hier een bezoek brengt om Mamutiër te worden?'

Zelfs met de beperking die door de Spreekstaf werd opgelegd, was het moeilijk voor het kamp om te zwijgen. 'Wat bedoel je, dat ze niets heeft aan te bieden? Wat zeg je dan van haar vaardigheid in het jagen?' riep Deegie, vol gerechtvaardigde woede. Haar moeder, de leidster, had Ayla in eerste instantie niet geaccepteerd. Pas na lang wikken en wegen had ze ermee ingestemd om Talut te steunen. Hoe kon die Frebec bezwaar maken?

'Wat dan nog als ze jaagt. Maken we van iedereen die jaagt een van ons?' zei Frebec. 'Dat is geen goede reden. Ze zal trouwens toch niet zo lang meer jagen. Als ze kinderen krijgt, is dat voorbij.'

'Kinderen krijgen is belangrijker! Dat geeft haar meer status,' zei Deegie, die woest werd.

'Dacht je dat ik dat niet wist? We weten niet eens of ze kinderen kan krijgen, en als ze geen kinderen krijgt, zal ze ook niet veel waarde hebben. Maar we hadden het niet over kinderen, we hadden het over het jagen. Alleen het feit dat ze jaagt is onvoldoende reden om haar tot Mamutiër te maken,' stelde Frebec.

Mamut keek met enige verbazing naar Frebec. Hoewel hij het helemaal niet met hem eens was, moest hij toegeven dat Frebec zijn argumenten knap had gekozen. Daarom was het jammer dat hij ze tegen haar gebruikte.

'En wat zeg je van de speerwerper? Je kunt niet ontkennen dat het een heel goed wapen is en zij kan ermee omgaan en leert het de anderen al,' zei Tornec.

'Zij heeft hem niet meegebracht. Dat deed Jondalar, en hij treedt niet toe.'

Danug nam het woord. 'Misschien is ze een Ziener, of een Roeper. Paarden gehoorzamen haar, ze rijdt zelfs op een paard.'

'Paarden zijn voedsel. De Moeder heeft ze bestemd om op te jagen, niet om met ze te leven. Ik weet niet eens of het wel goed is om erop te rijden. En niemand weet wat ze eigenlijk is. Misschien is ze een Ziener, misschien een Roeper. Misschien is ze de Moeder op aarde, maar misschien ook niet. Sinds wanneer is "misschien" een reden om iemand bij ons op te nemen?' Het was niemand gelukt zijn bezwaren te weerleggen. Frebec begon er plezier in te krijgen dat hij zoveel aandacht kreeg.

'Ayla heeft Rydag leren praten, terwijl niemand dacht dat hij dat kon,' riep Nezzie, die zich in het twistgesprek mengde.

'Praten!' zei hij spottend. 'Je kunt een heleboel bewegingen met de handen "praten" noemen, maar daar doe ik niet aan mee. Ik kan niets bedenken dat nuttelozer is dan stomme gebaren maken naar een platkop. Dat is geen reden om haar te adopteren, op z'n hoogst om het niet te doen.'

'Ik neem aan dat je nog steeds niet gelooft dat ze een Genezer is, hoewel dat toch duidelijk is,' merkte Ranec op. 'Ik hoop dat je goed beseft dat, wanneer je Ayla wegjaagt, jij wel eens degene kunt zijn die er spijt van krijgt als er niemand is om Fralie te helpen bij de bevalling.'

Ranec was voor Frebec altijd een buitenbeentje geweest. Ondanks zijn hoge status en faam als beeldhouwer wist Frebec nooit goed wat hij van de man met de bruine huid moest denken en hij voelde zich nooit op zijn gemak bij hem. Frebec had altijd het gevoel dat Ranec hem minachtte of voor de gek hield wanneer hij dat spottende toontje gebruikte. Daar hield hij niet van en bovendien: mensen met zo'n donkere huid hadden ongetwijfeld iets vreemds.

'Je hebt gelijk, Ranec,' zei Frebec met een luide stem. 'Ik geloof niet dat ze een Genezer is. Hoe zou iemand die bij die beesten opgroeit voor Genezer kunnen leren? En Fralie heeft eerder baby's gekregen. Waarom zou het deze keer anders gaan? Tenzij de aanwezigheid van die dierenvrouw haar ongeluk brengt. Die platkopjongen verlaagt de status al van dit kamp. Zien jullie dat niet in? Zij zal de status nog meer verlagen. Waarom zou iemand een vrouw willen hebben die door dieren is opgevoed? En wat zouden de mensen denken als ze hier komen en ze zien paarden in het huis. Nee, ik wil niet dat een dierenvrouw, die bij de platkoppen heeft gewoond, lid van het Leeuwenkamp wordt.'

Er ontstond een hevig tumult door zijn opmerkingen over het Leeuwenkamp, maar de stem van Tulie klonk erbovenuit. 'Volgens wie is de status van dit kamp verlaagd? Rydag schaadt mijn status niet. Er wordt nog steeds naar me geluisterd op de Raad van Zusters. Talut heeft ook niets van zijn aanzien verloren.'

'De mensen zeggen altijd "dat kamp met de platkopjongen". Ik schaam me om te moeten zeggen dat ik daarbij hoor,' schreeuwde Frebec terug.

Tulie verhief zich naast de tamelijk kleine man en ze zei op een zeer koele toon: 'Je kunt ieder moment vertrekken.'

'Nou zie je wat je gedaan hebt,' schreeuwde Crozie. 'Fralie verwacht een kind en door jou moet ze er straks uit, zonder te weten waarheen, in die kou. Waarom heb ik jou ooit aangenomen? Waarom heb ik ooit kunnen geloven dat iemand die zo'n lage Bruidsprijs betaalt goed genoeg voor haar zal zijn. Mijn arme dochter, arme Fralie...'

Het gejammer van de oude vrouw ging verloren in het lawaai van boze stemmen en opmerkingen aan het adres van Frebec. Ayla draaide zich om en liep naar de Mammoetvuurplaats. Bij de Leeuwenvuurplaats zag ze Rydag met grote verdrietige ogen de vergadering volgen en ze liep naar hem toe. Ze ging naast hem zitten, voelde zijn borst en bekeek hem nauwkeurig om te zien of het goed met hem ging. Toen pakte ze hem op, zonder te proberen een gesprek te beginnen, omdat ze niet wist wat ze moest zeggen en nam hem op haar schoot. Ze wiegde hem heen en weer terwijl ze zachtjes neuriede. Dat deed ze vroeger met haar zoon en later, toen ze alleen was in haar vallei, had ze zichzelf zo wel eens in slaap gewiegd.

'Heeft niemand respect voor de Spreekstaf?' brulde Talut boven de woede-uitbarstingen uit. Zijn ogen schoten vuur. Hij was kwaad. Ayla had hem nog nooit zo boos gezien, maar ze had bewondering voor zijn zelfbeheersing toen hij het woord nam. 'Crozie, we sturen Fralie de kou niet in en je beledigt mij en het Leeuwenkamp door te veronderstellen dat we dat wel zouden doen.'

De oude vrouw keek met open mond het stamhoofd aan. Ze had niet echt gedacht dat ze Fralie zouden wegsturen. Ze wou alleen Frebec terechtwijzen en dacht er niet aan dat het als een belediging werd opgevat. Zij had het fatsoen om te blozen van schaamte, wat sommige mensen verbaasde, maar zij had nog gevoel voor een acceptabel gedrag. Fralies status kwam ten slotte in de eerste plaats van haar. Crozie had in hoog aanzien gestaan tot ze bijna alles had verloren en ze zichzelf en haar naasten in het ongeluk had gestort. Ze probeerde nog altijd de schijn op te houden, al bestond daar weinig reden meer toe.

'Frebec, het kan zijn dat je je geneert als lid van het Leeuwenkamp,' zei Talut, 'maar als dit kamp status heeft verloren, komt dat doordat dit het enige kamp was dat jou wou opnemen. Zoals Tulie zei, niemand dwingt je om te blijven. Je hebt de vrijheid om op ieder moment te vertrekken, maar we zullen je niet wegsturen, niet met een zieke vrouw die deze winter moet bevallen. Misschien heb je niet vaak met zwangere vrouwen te maken gehad, maar Fralie is niet alleen zwanger. Er mankeert meer aan. Zoveel weet ik er nog wel van.

Maar dat is niet de reden waarom deze vergadering werd belegd. Het doet er niet toe wat jij ervan vindt of hoe wij erover denken, maar je bent lid van het Leeuwenkamp. Ik heb mijn wens uitgesproken om Ayla in mijn vuurplaats op te nemen om van haar een Mamutiër te maken. Maar daar moet iedereen mee instemmen en jij hebt bezwaar gemaakt...'

Nu begon Frebec zich ongemakkelijk te voelen. Hij vond het wel wat om een belangrijke rol te spelen door bezwaar te maken en iedereen tegen zich in het harnas te jagen, maar Talut herinnerde hem nu aan de vernedering en de wanhoop die hij had gevoeld toen het zo moeilijk was om een kamp te vinden waar hij een nieuwe vuurplaats kon inrichten met zijn nieuwe vrouw, die begerenswaardig was en hem meer status had gebracht dan hij ooit had gehad.

Mamut nam hem nauwkeurig op. Frebec was hem nooit zo bijzonder opgevallen. Van zijn moeder had hij weinig status gekregen, verder had hij niet veel vaardigheden, kwaliteiten of aanleg. Men haatte hem niet, maar men had ook niet veel met hem op. Hij leek een vrij middelmatig man, zonder bijzondere talenten. Maar het was Mamut opgevallen dat hij goed kon debatteren. Hoewel zijn argumenten onjuist waren, klonken ze logisch. Misschien was hij wel intelligenter dan de meesten dachten en hij had blijkbaar hoge aspiraties. Voor zo'n man was het al een hele prestatie dat hij Fralie als gezellin had gekregen. Hij zou voortaan wat meer aandacht aan hem besteden.

Er was ook een zekere moed voor nodig om te proberen zo'n vrouw te krijgen. De Bruidsprijs was de basis van de economische waarde onder de Mamutiërs; bruiden waren waardebepalend. Het aanzien van een man in de groep hing af van de vrouw die hem ter wereld bracht en van de vrouw of vrouwen die hij kon aantrekken – door status, of moed bij de jacht, bekwaamheid, talenten of charme – om bij hem te wonen. Als hij een vrouw kon vinden met een hoge status die zijn gezellin wilde worden, was dat voor hem een buitenkansje en Frebec was niet van plan om haar te laten gaan.

Maar waarom had ze hem genomen? vroeg Mamut zich af. Er waren beslist andere mannen geweest die haar hadden gevraagd en Frebec had haar moeilijkheden alleen maar vergroot. Hij had zo weinig te bieden en Crozie was zo twistziek dat Fralies kamp hen had weggestuurd en Frebecs kamp hen had geweigerd. Toen hadden de andere kampen, het ene na het andere, hen weggestuurd, zelfs met een zwangere vrouw met hoge status. En telkens had Crozie het, in haar paniek, erger gemaakt door hem de schuld te geven en hem de huid vol te schelden, wat tot gevolg had dat men hen helemaal niet meer wilde hebben.

Hij was dankbaar geweest toen het Leeuwenkamp hen had opgenomen, maar het was wel een van de laatste kampen geweest waar hij het had geprobeerd. Niet omdat het geen hoge status had, maar het stond bekend om zijn vreemde verzameling leden. Talut had het talent om het vreemde als iets bijzonders te beschouwen. Hij had zijn hele leven status gekend. Hij zocht iets anders en hij vond het in het ongebruikelijke. Hij koesterde die kwaliteiten in zijn kamp. Talut was zelf de grootste man in de wijde omtrek, niet alleen bij de Mamutiërs, maar ook bij de buurvolken. Tulie was de grootste en sterkste vrouw. Mamut was de oudste man. Wymez was de beste steenbewerker en Ranec was niet alleen de donkerste man, maar ook de beste beeldhouwer. En Rydag was het enige platkopkind. Talut wilde Ayla hebben omdat ze heel ongewoon was met paarden, haar bekwaamheden en gaven en hij had geen bezwaar tegen Jondalar, die de verste afstand had afgelegd.

Frebec had er geen behoefte aan om op te vallen, temeer niet omdat hij het gevoel had dat ze op hem neerkeken. Hij zocht nog altijd aanzien langs de normale weg en maakte er een deugd van om heel gewoon te zijn. Hij was Mamutiër en daarom was hij beter dan iedereen die dat niet was. Ranec, met zijn donkere huid – en zijn bijtende spot – was geen echte Mamutiër. Hij was niet eens bij hen geboren, maar Frebec wel, en hij was zeker beter dan die dieren, die platkoppen. Die jongen, waar Nezzie zoveel van hield, had helemaal geen status, omdat hij was geboren uit een platkopvrouw.

En die Ayla, die met haar paarden en haar lange vreemdeling bij hen was gekomen, had de aandacht al getrokken van die donkere Ranec, die alle vrouwen wilden hebben ondanks het feit dat hij anders was, of misschien juist wel daarom. Hij vond het verachtelijk. Ze had Frebec niet eens bekeken, alsof ze wist dat hij haar aandacht niet waard was. Het deed er niet toe dat ze bekwaam was, talent had, of knap was, hij was beslist beter dan zij; zij was niet Mamutisch en hij wel. Bovendien had ze bij die platkoppen gewoond. En nu wou Talut een Mamutische vrouw van haar maken.

Frebec wist dat hij de oorzaak was van deze scène. Hij had bewezen dat hij belangrijk genoeg was om haar buiten de stam te houden, maar hij had het grote stamhoofd bozer gemaakt dan hij hem ooit had gezien en het was angstaanjagend om die enorme beer van een vent zo kwaad te zien. Talut kon hem oppakken en in tweeën breken. Het minste wat Talut kon doen was hem wegsturen. Hoe lang zou hij dan zijn vrouw met hoge status nog houden?

Ondanks zijn woede behandelde Talut Frebec met meer respect dan hij gewend was. Zijn opmerkingen waren niet genegeerd of terzijde geschoven.

'Of je bezwaren redelijk zijn, doet er niet toe,' vervolgde Talut koel. 'Ik geloof dat ze veel bijzonder talent heeft dat een voordeel voor ons zou kunnen zijn. Jij hebt dat betwist en gezegd dat ze niets van waarde heeft aan te bieden. Ik weet niet wat er dan kan worden aangeboden zonder dat de waarde betwist wordt...'

'Talut,' zei Jondalar, 'neem me niet kwalijk dat ik je onderbreek terwijl je de Spreekstaf in je handen hebt, maar ik geloof dat ik iets weet wat niet betwist kan worden.'

'Is dat zo?'

'Ja, ik denk het wel. Kan ik je even alleen spreken?'

'Tulie, wil jij de staf vasthouden?' zei Talut en hij liep met Jondalar in de richting van de Leeuwenvuurplaats. Ze hoorden achter zich een nieuwsgierig gemompel.

Jondalar liep naar Ayla en praatte met haar. Ze knikte en zette Rydag neer. Ze ging staan en haastte zich naar de Mammoetvuurplaats.

'Talut, ben je bereid alle vuren te doven?' vroeg Jondalar.

Talut fronste de wenkbrauwen. 'Al de vuren? Het is koud buiten en het waait. Dan wordt het binnen gauw koud.'

'Dat weet ik, maar geloof me, het is de moeite waard. Voor een goede demonstratie van Ayla moet het donker zijn. Het blijft niet lang koud.'

Ayla kwam terug met een paar stenen in haar handen. Talut keek van haar naar Jondalar en toen weer naar haar. Toen knikte hij instemmend. Een vuur kon altijd weer worden aangelegd, ook al kostte het wat moeite. Ze liepen terug naar de kookplaats en Talut praatte even apart met Tulie. Er werd even gediscussieerd en Mamut werd erbij gehaald, en vervolgens zei Tulie iets tegen Barzec. Barzec gaf Druwez en Danug een seintje en ze trokken alle drie hun anoraks aan. Ze pakten grote, dichtgevlochten manden en gingen naar buiten.

In het geroezemoes van stemmen was duidelijk enige spanning te horen. Er ging iets bijzonders gebeuren en het hele kamp was zeer benieuwd. Ze hadden geen geheime beraadslagingen en een mysterieuze demonstratie verwacht.

Barzec en de jongens waren snel terug met mandenvol losse grond. Toen begonnen ze aan het andere eind, bij de Oerosvuurplaats. Ze pookten in de kleine vuren en schoven de kolen uit elkaar. Vervolgens gooiden ze er grond op om de vlammen te doven. De mensen van het kamp werden onrustig toen ze beseften wat er gebeurde.

Het werd donkerder bij elk vuur dat werd gedoofd, de gesprekken stokten en het werd stil in het huis. Het gehuil van de wind klonk luider en iedereen voelde de koude tocht. Vuur was min of meer iets vanzelfsprekends, hoewel iedereen het waardeerde, maar nu hun vuren uitgingen wisten ze dat hun leven ervan afhing.

Ten slotte was alleen het vuur in de grote kookruimte nog over. Ayla had haar spullen om vuur te maken, klaarliggen naast de stookplaats. Toen knikte Talut en Barzec gooide, met gevoel voor dramatiek, de grond op het vuur terwijl de mensen de adem inhielden.

In een ogenblik was de hele ruimte in een diepe duisternis gehuld. Het was niet gewoon het ontbreken van licht, maar het was volkomen donker om hen heen. De hele ruimte werd beheerst door een overweldigend diep zwart. Er waren geen sterren, geen hemellichaam dat licht uitstraalde, geen glanzende, paarlemoerachtige wolken. Je kon geen hand voor ogen zien. Er waren geen afstanden en geen schaduwen. Het gezichtsvermogen had geen enkele waarde meer.

Er begon een kind te huilen en de moeder suste het. Het ademen werd hoorbaar, er werd geschoven met voeten en er hoestte iemand.

Een ander praatte zachtjes en kreeg nog zachter antwoord. Er hing een sterke lucht van gebrand bot, maar er waren ook allerlei andere geurtjes: van bewerkt leer, gekookt voedsel en voedselvoorraden, grasmatten en gedroogde kruiden, en de lucht van mensen, hun voeten en lichamen en de warme adem.

De kampbewoners zaten in het donker te wachten en vroegen zich af wat er ging gebeuren. Ze waren niet direct bang, maar wel wat ongerust. Het leek een hele tijd te duren en ze begonnen onrustig te worden. Waarom duurde het zo lang?

Dat was aan Mamut overgelaten. Het was een tweede natuur van de oude medicijnman om aangrijpende momenten te creëren en hij wist bijna instinctmatig het juiste moment te kiezen. Ayla voelde een klopje op haar schouder. Dat was het teken waar ze op had gewacht. Ze had een stukje pyriet in de ene en een stukje vuursteen in de andere hand en voor haar op de grond lag een hoopje brandbaar pluis van planten. In de pikzwarte duisternis sloot ze haar ogen en haalde diep adem. Toen sloeg ze de vuursteen en het pyriet tegen elkaar.

Er gloeide even een grote vonk en in de diepe duisternis en bij dat kleine lichtje was nog juist de jonge vrouw te zien die geknield op de grond zat. Er klonken zuchten en geluiden die respect uitdrukten. Toen werd het weer donker. Ayla sloeg nog een keer, deze keer dichter bij het materiaal dat ze had klaargelegd. De vonk viel op het brandbare materiaal. Ayla boog voorover om te blazen en even later vloog het in brand. Ze hoorde de ah's en o's en andere uitroepen van verbazing.

Ze legde er kleine stukjes hout bij van een stapeltje naast zich en toen die begonnen te branden pakte ze grotere takjes en brandhout. Toen ging ze achteruit en keek toe hoe Nezzie de grond en de as uit de stookplaats verwijderde en het vuur erheen bracht. Ze regelde de aanvoer van lucht van buiten en zorgde ervoor dat de botten begonnen te branden. Alle aandacht van de mensen was eerst gericht op het werk van Ayla, maar nu het vuur goed brandde drong het tot hen door hoe snel het was gegaan. Dit was toverij! Wat had ze gedaan om zo snel vuur te krijgen?

Talut schudde de Spreekstaf en sloeg met het dikke eind drie keer op de grond. 'Heeft er nu nog iemand bezwaar tegen dat Ayla een Mamutiër wordt en lid van het Leeuwenkamp?' vroeg hij.

'Wil ze ons laten zien hoe ze die toverij doet?' vroeg Frebec.

'Ze zal het niet alleen laten zien, ze heeft beloofd dat ze aan elke vuurplaats in dit kamp een van haar vuurstenen zal geven,' antwoordde Talut.

'Ik heb geen bezwaren meer,' zei Frebec.

Ayla en Jondalar sorteerden de inhoud van hun reistassen om alle pyrietklompjes te verzamelen die ze bij zich hadden en ze zochten de zes beste uit. Ze had de vorige avond alle vuren weer aangestoken en laten zien hoe het ging, maar ze was toen moe en het was te laat om hun tassen na te zoeken voor ze naar bed gingen. De zes grauwgele stenen met de metaalglans vormden een onbeduidend hoopje op het bed, maar toch had een zo'n steen het verschil betekend tussen de opname van Ayla en een afwijzing. Zo te zien kon niemand raden welke toverkracht er in de ziel van deze stenen verborgen lag.

Ayla raapte ze op en terwijl ze ze in de hand hield keek ze Jondalar aan.

'Als iedereen me wilde opnemen, waarom lieten ze het dan toe dat één persoon het tegenhield?' vroeg ze.

'Ik weet het niet,' zei hij, 'maar in een groep als deze moeten ze allemaal met elkaar leven. Dat kan heel wat spanning geven wanneer iemand een ander echt niet mag, vooral als het weer de mensen noodzaakt een hele tijd binnen te blijven. De mensen gaan partij kiezen, ruzies kunnen leiden tot vechtpartijen en er kan iemand gewond raken, of erger. Dat roept woede op en dan wil iemand zich wreken. Soms kan een tragedie alleen worden voorkomen door de groep op te heffen... of een hoge strafsom te betalen en de ruziemaker weg te sturen...'

Hij sloot zijn ogen even en kreeg diepe rimpels in zijn voorhoofd. Ayla vroeg zich af wat de oorzaak daarvan was.

'Maar Frebec en Crozie hebben altijd ruzie en dat vinden de mensen niet leuk,' zei ze.

'De rest van het kamp wist het toen ze hun goedkeuring gaven, of ze hadden een vermoeden. Iedereen had de gelegenheid om nee te zeggen, dus ze kunnen elkaar niet de schuld geven. Wanneer je met iets hebt ingestemd, dien je te weten dat je het zelf moet oplossen, en je weet dat het maar voor één winter is. In de zomer kun je gemakkelijker veranderen.'

Ayla knikte. Ze was er nog altijd niet helemaal zeker van dat hij wou dat ze toetrad tot dit volk, maar het was zijn idee geweest om de vuurstenen te laten zien en het had geholpen. Ze liepen samen naar de Leeuwenvuurplaats om de stenen te brengen. Talut en Tulie waren in een druk gesprek verwikkeld. Nezzie en Mamut werden er af en toe in betrokken, maar ze luisterden meer dan ze praatten.

'Hier zijn vuurstenen die ik heb beloofd,' zei Ayla, toen ze haar zagen aankomen. 'Jullie kunnen ze vandaag geven.'

'O, nee,' zei Tulie. 'Vandaag niet. Bewaar ze voor de ceremonie. Daar hadden we het net over. Ze zullen een deel van de geschenken zijn. We zullen hun waarde moeten bepalen, dan kunnen we zien wat er nog bij moet om te geven. Ze moeten een hoge waarde hebben, ook als ruilmiddel en voor de status die ze je zullen geven.'

'Wat voor geschenken?' vroeg Ayla.

'Het is gebruikelijk dat er geschenken worden uitgewisseld wanneer er iemand wordt aangenomen,' legde Mamut uit. 'De persoon die wordt aangenomen ontvangt van iedereen geschenken en uit naam van de vuurplaats die hem of haar aanneemt worden over de rest van de vuurplaatsen in het kamp geschenken verdeeld. Die kunnen klein zijn, gewoon als symbool van uitwisseling, maar ze kunnen ook grote waarde hebben. Dat hangt af van de omstandigheden.'

'Ik vind dat de vuurstenen genoeg waarde hebben om voor elke vuurplaats een geschikt geschenk te zijn,' zei Talut.

'Talut, ik zou het met je eens zijn als Ayla al een Mamutische vrouw was en haar waarde was vastgesteld,' zei Tulie, 'maar in dit geval proberen we haar Bruidsprijs te regelen. Het hele kamp zal ervan profiteren als we kunnen aantonen dat ze een hoge waarde heeft. Nu Jondalar, althans voorlopig, het aanbod heeft afgeslagen om te worden aangenomen, zal ik graag wat geschenken bijdragen om te verdelen.' Ze glimlachte om te laten zien dat ze hem geen kwaad hart toedroeg. Haar glimlach was bijna flirtend, maar niet in het minst koket. Ze wilde alleen laten merken dat ze ervan overtuigd was hoe aantrekkelijk en begerenswaardig ze was.

'Wat voor soort geschenken?' vroeg Ayla.

'O, gewoon geschenken... Dat kunnen zo veel dingen zijn... Tunieken, broeken, laarzen, of leer om ze te maken. Deegie maakt prachtig gekleurd leer. Barnsteen en schelpen, ivoren kralen om een halssnoer te maken of kleding te versieren. Lange tanden van wolven of andere vleeseters zijn heel waardevol. Ivoren beeldjes ook. Vuursteen, zout... Voedsel is ook geschikt om te geven, vooral als het bewaard kan worden. Alles wat goed gemaakt is, manden, matten, riemen, messen. Ik geloof dat het belangrijk is om zoveel mogelijk te geven, want wanneer iedereen op de Bijeenkomst de geschenken laat zien, zal blijken dat je een overvloed hebt en daarmee toon je je status aan. Het is niet belangrijk of Talut en Nezzie het voor jou hebben gegeven.'

'Jij en Talut en Nezzie hoeven niet voor mij te geven. Ik heb dingen om te geven,' zei Ayla.

'Ja, natuurlijk, je hebt de vuurstenen. En die zijn heel waardevol, maar daar zien ze niet naar uit. Later zullen de mensen hun waarde ontdekken, maar de eerste indruk is anders.'

'Wat Tulie zegt, is waar,' zei Nezzie. 'De meeste jonge vrouwen zijn jaren bezig om geschenken te maken en te verzamelen om ze weg te geven op hun Verbintenisfeest of als ze worden aangenomen.'

'Worden er zoveel mensen aangenomen bij de Mamutiërs?' vroeg Jondalar.

'Geen buitenstaanders,' zei Nezzie, 'maar Mamutiërs nemen vaak andere Mamutiërs op. Ieder kamp heeft een zuster en een broer nodig om leidster en stamhoofd te worden, maar niet iedere man heeft het geluk om een zuster als Tulie te hebben. Als er iets met een van de twee gebeurt, of wanneer een jonge vrouw of een jonge man een nieuw kamp wil beginnen, mag er een zuster of een broer worden aangenomen. Maar maak je geen zorgen. Ik heb zoveel dingen die ik je kan geven, Ayla, en Latie heeft ook een paar van haar dingen aangeboden om aan jou te geven.'

'Maar ik heb dingen om te geven, Nezzie. Ik heb dingen in grot, in vallei,' zei Ayla. 'Ik ben jaren bezig geweest om veel dingen te maken.'

'Jullie hoeven niet beslist terug te gaan...' zei Tulie, die heimelijk van mening was dat wat ze ook kon hebben heel primitief zou zijn met haar platkopachtergrond. Ze kon toch niet tegen de jonge vrouw zeggen dat haar geschenken waarschijnlijk niet geschikt waren? Dat kon pijnlijk zijn.

'Ik wil terug,' hield Ayla vol. 'Er zijn andere dingen die ik nodig heb. Mijn geneeskrachtige kruiden. Voedselvoorraad en eten voor paarden.' Ze wendde zich tot Jondalar. 'Ik wil terug.'

'Ik denk dat het wel kan. Als we opschieten en onderweg niet stoppen, geloof ik dat we het halen... als het weer opknapt.'

'Gewoonlijk krijgen we na zo'n eerste koude inval weer wat mooi weer,' zei Talut. 'Maar dat is niet te voorspellen. Het kan ieder moment omslaan.'

'Nou, als we wat behoorlijk weer krijgen, kunnen we het er misschien op wagen en naar de vallei teruggaan,' zei Jondalar en zijn beloning was een lieve glimlach van Ayla.

Hij wou ook een paar dingen halen. Die vuurstenen hadden vrij wat indruk gemaakt en het rotsstrandje in de bocht van de rivier in Ayla's vallei lag er vol mee. Hij hoopte eens terug naar huis te gaan en dan wou hij zijn volk alles laten zien wat hij had geleerd en ontdekt: de vuurstenen, de speerwerper, en aan Dalanar de kunst van Wymez om vuursteen te verhitten. Eens...

'Kom gauw terug,' riep Nezzie. Ze stak haar hand op en wuifde hen na.

Ayla en Jondalar wuifden terug. Ze zaten samen op Whinney en hadden Renner aan een touw. Ze keken naar de mensen van het Leeuwenkamp, die zich hadden verzameld om hen uitgeleide te doen. Ayla had een gevoel van opwinding omdat ze terugging naar de vallei die drie jaar haar thuis was geweest, maar het deed haar ook verdriet om mensen achter te laten die al bijna familie leken.

Rydag stond aan de ene kant naast Nezzie en Rugie aan de andere. Ze hielden haar vast terwijl ze wuifden. Het kon niet anders of Ayla zag wel hoe weinig ze op elkaar leken. De een was het kleinere evenbeeld van Nezzie en de ander leek op de mensen van de Stam, maar ze waren opgevoed als broer en zus. Opeens moest Ayla er weer aan denken dat Oga ook voldoende melk had en naast haar eigen zoon, Grev, ook Durc had gevoed. Grev was een echt kind van de Stam en Durc maar gedeeltelijk en het verschil tussen hen beiden was ook groot.

Ayla nam een andere houding aan en met een druk van haar benen leidde ze Whinney, vrijwel zonder erbij na te denken, de helling op.

Deze reis was niet zo gemakkelijk als de heenreis. Ze trokken steeds door zonder van de route af te wijken. Ze jaagden niet en onderbraken de reis niet om van elkaar te genieten. Omdat ze er rekening mee hadden gehouden dat ze terug moesten, hadden ze verschillende herkenningspunten in het landschap in zich opgenomen, zoals rotsformaties en hoogvlakten, dalen en rivieren, maar de wisseling van het seizoen had veel veranderd.

De begroeiing zag er voor een deel heel anders uit. De beschutte dalen, waar ze de reis hadden onderbroken, boden nu een vreemde aanblik. De berken en wilgen hadden hun blad verloren. De dunne takjes huiverden in de wind en leken uitgedroogd en dood. De naaldbomen, zoals de zilverspar en de den, vielen nu veel meer op met hun trotse pracht van groene naalden en zelfs de alleenstaande boompjes op de steppen, die door de wind waren scheef gegroeid, waren nu gemakkelijker te herkennen, in vergelijking met de loofbomen. Maar de veranderingen in de bovenlaag, op de altijd bevroren ondergrond, maakten het veel moeilijker om het landschap te herkennen.

De ondergrond bleef het hele jaar bevroren tot op grote diepte. In het land dat zoveel zuidelijker dan de poolstreken lag, was dit veroorzaakt door ijslagen van wel twee kilometer dikte of meer, die het klimaat zo beïnvloedden dat ze nauwelijks werden aangetast. Het samenspel van klimaat, oppervlak en ondergrond schiep de voorwaarden voor een altijd bevroren ondergrond. Er waren natuurlijk wel invloeden van de zon, plantengroei, de wind, sneeuw, stilstaand water en samenstelling van de grond.

Gemiddelde jaartemperaturen, die maar een paar graden lager waren dan die welke later voor gematigder omstandigheden zorgden, waren voldoende laag om de enorme gletsjers en de bevroren ondergrond verder naar het zuiden te doen oprukken. De winters waren lang en koud en af en toe vielen er zware sneeuwbuien en woedden er sneeuwstormen, maar over het hele jaar gemeten viel er betrekkelijk weinig sneeuw en waren er veel zonnige dagen. De zomers waren kort en hadden enige dagen dat het zo warm was dat men nauwelijks kon geloven dat de ijsmassa's zo dichtbij waren, maar het was ook vaak bewolkt en koel met een beetje regen.

Hoewel een deel van de grond altijd bevroren bleef, betekende dat niet dat er nooit iets veranderde; het landschap was net zo grillig als de jaargetijden. Midden in de winter, wanneer alles bevroren was, leek het landschap hard en doods, maar dat was maar schijn. Bij de wisseling van de seizoenen werd de bovenlaag zachter. Op plaatsen met een dichte begroeiing, of veel schaduw, was dat slechts een kwestie van een paar centimeter, maar op zonnige hellingen of plaatsen met een goede afwatering, dankzij grindlagen, ontdooide de bovenlaag wel tot op een meter diepte.

De ondergrond bleef echter in de greep van de winter en daar heerste de macht van het ondoordringbare ijs. Als het begon te dooien gleed, onder invloed van de zwaartekracht, de met water doordrenkte bovenlaag, met keien en bomen, over de harde ondergrond. Er ontstonden verzakkingen en instortingen in de verwarmde bovenlaag en waar het smeltwater geen uitweg kon vinden verschenen poelen en moerassen.

Bij de volgende wisseling van het jaargetijde bevroor de bovenlaag weer, maar daarbij traden vaak grote veranderingen op. De enorme druk veroorzaakte grondverschuivingen met opstuwing van grondlagen. Er ontstonden scheuren in de grond, die weer met ijs werden gevuld. Omdat modder en slib uitzetten bij bevriezing, verrezen er ijsbergen van tientallen meters hoogte en honderden meters lengte.

Ayla en Jondalar kwamen tot de ontdekking dat het landschap was veranderd en de herkenningspunten onbetrouwbaar waren. Bepaalde riviertjes, die ze in hun geheugen hadden geprent, waren verdwenen. De bovenloop was bevroren en stroomafwaarts stonden ze droog. Er waren ijsheuvels ontstaan waar ze eerst niet waren, op plaatsen waar in de zomer moerassen waren geweest door de slechte afwatering. Boomgroepen op niet-bevroren aardlagen deden soms aan een vallei denken op plaatsen waar ze die niet verwachtten.

Jondalar kende de omgeving niet en moest herhaaldelijk afgaan op het betere geheugen van Ayla. Als zij het niet meer wist, vertrouwde ze op Whinney. De merrie had haar meer dan eens thuisgebracht en ze scheen te weten waar ze heen ging. Soms reden ze samen op het paard, dan weer wisselden ze elkaar af, of gingen lopen om haar wat rust te gunnen. Ze zetten door tot het vallen van de avond hen dwong te stoppen. Toen sloegen ze een eenvoudig kamp op met een klein vuur, hun tent en de slaapzakken. Ze kookten pap van gebarsten, gedroogd graan en Ayla maakte een warme kruidendrank klaar.

De volgende morgen pakten ze alles weer in en dronken hete thee om warm te worden. Onderweg aten ze gemalen gedroogd vlees en gedroogde bessen in vet, waarvan koekjes gemaakt waren. Ze jaagden niet, behalve dan op een enkele haas, die toevallig voor hen wegvluchtte. Ayla legde hem neer met haar slinger. Maar ze vulden de proviand voor onderweg die Nezzie hun had meegegeven wel aan met de oliehoudende zaden uit de dennenappels die ze onderweg plukten. Ze poften ze 's avonds boven het vuur. Ayla kreeg een gevoel van opwinding toen het landschap geleidelijk aan begon te veranderen. Het werd rotsachtiger, met diepe ravijnen. De omgeving werd bekender. Het begon te lijken op het landschap ten zuiden en ten westen van haar vallei. Toen ze een steile wand zag, met een bijzondere kleurschakering in de steenlagen, riep ze verheugd, 'Jondalar! Kijk, daar! We zijn er bijna!'

Whinney leek ook opgewonden te raken, want ze begon, zonder aansporing, sneller te lopen. Ayla zocht nog een herkenningspunt, een rotsformatie met een opvallende vorm die haar deed denken aan een hurkende leeuwin. Toen ze die hadden gevonden, gingen ze noordwaarts tot ze bij een steile helling kwamen vol grind en keien. Ze bleven staan en keken over de rand. Beneden stroomde een riviertje naar het oosten. Het spattende water glinsterde in de zon. Ze stegen af en zochten voorzichtig hun weg naar beneden. De paarden liepen het water in om te drinken. Ayla vond de stapstenen, die boven het water uitstaken, die ze altijd had gebruikt. Alleen op één plaats moest ze springen. Toen ze aan de overkant waren, dronk ze ook wat.

'Het water is hier zoeter. Kijk eens hoe helder het is,' riep ze uit. 'Het is helemaal niet modderig. Je kunt de bodem zien. En kijk, Jondalar, daar zijn de paarden!'

Jondalar reageerde met een warme glimlach op haar uitbundigheid. Hij had ook dat gevoel van thuiskomen, zij het wat minder sterk, nu hij de bekende, langgerekte vallei zag. De scherpe wind en de kou van de steppe hadden minder invloed op het beschutte dal, en al verloren de loofbomen hun bladeren, het leek wel of ze elk jaar voller werden.

243

De steile helling die ze net af waren gekomen, eindigde links in een steile rotswand. Aan de overkant van de rivier lag een brede strook struiken en bomen die verderop overging in grasland, waar het toekomstige hooi golfde in de middagzon. Het vlakke land, met gras tot wel een meter hoog, liep glooiend op naar de steppen aan de rechterkant. Aan het andere eind werd de vallei smaller en eindigde in een nauwe doorgang tussen steile wanden.

Toen ze bijna beneden waren, hield de kleine kudde steppepaarden op met grazen. Ze keken in hun richting. Een van de paarden hinnikte. Whinney bewoog het hoofd op en neer en beantwoordde het geluid. De kudde bleef naar hen kijken tot ze dichtbij waren. Toen de vreemde mensengeur steeds dichterbij kwam, draaiden ze zich allemaal tegelijk om en galoppeerden met stampende hoeven en wapperende staarten de helling op naar de open steppe. De twee mensen op de rug van een paard bleven staan om ze na te kijken. Het jonge paard aan het touw deed hetzelfde.

Renner had het hoofd omhoog en de oren naar voren. Hij volgde zo ver zijn touw het toeliet. Toen bleef hij staan, met uitgestrekte hals en wijdopen neusgaten, om ze na te kijken. Whinney hinnikte naar hem toen ze verder naar beneden gingen en hij kwam weer achter hen aan. Terwijl ze zich stroomopwaarts haastten naar het smalle eind van de vallei, zagen ze de scherpe bocht van het riviertje met het rotsachtige strandje aan de rechterkant. Aan de overkant lag een hele berg keien, drijfhout en botten, geweien, horens en allerlei soorten tanden. Er waren skeletten bij afkomstig van de steppen en van dieren die waren overvallen door overstromingen en waren meegesleurd en tegen de rotswand gesmeten.

Ayla kon nauwelijks langer wachten. Ze liet zich van Whinneys rug glijden en rende het steile, smalle pad op, langs de berg botten naar de wand waar een drempel voor het gat in de rotswand lag. Ze was bijna naar binnen gerend, maar ze beheerste zich op het laatste moment. Dit was de plaats waar ze alleen had gewoond en in leven had kunnen blijven omdat ze geen moment haar waakzaamheid voor mogelijk gevaar had verloren. Grotten werden niet alleen door mensen gebruikt. Terwijl ze voorzichtig langs de buitenwand sloop, haalde ze de slinger van haar hoofd en bukte om een paar stukken steen op te rapen.

Ze tuurde naar binnen. Ze zag alleen duisternis, maar ze rook een lichte geur van hout dat lang geleden had gebrand en een iets sterkere lucht van de veelvraat. Maar die was ook niet vers meer. Ze stapte naar binnen, liet haar ogen aan het halfduister wennen en keek toen om zich heen.

Ze kreeg tranen in de ogen en probeerde ze tevergeefs terug te dringen. Hier was het, haar grot. Ze was thuis. Alles was zo vertrouwd, al leek de plaats waar ze zo lang had gewoond verlaten. In het licht dat door een gat boven de ingang naar binnen viel, zag ze dat ze het goed had geroken en haar adem stokte. Ze zag verbijsterd dat het in haar grot een bende was. Er was inderdaad een dier binnengedrongen, misschien wel meer dan een, en de bewijzen lagen overal verspreid. Ze wist niet hoeveel schade er was aangericht.

Toen verscheen Jondalar bij de ingang. Hij kwam naar binnen, gevolgd door Whinney en Renner. De grot was ook het onderdak van de merrie geweest en het enige thuis dat Renner had gekend, tot ze in het Leeuwenkamp kwamen.

'Het lijkt wel of we bezoek hebben gehad,' zei hij toen hij de verwoesting zag. 'Wat is het hier een bende!'

Ayla slaakte een diepe zucht en veegde een traan weg. 'Ik kan beter een vuur aanleggen en fakkels aansteken. Dan kunnen we zien wat er vernield is. Maar eerst moet ik de vracht van Whinney afladen. Dan kan ze uitrusten en grazen.'

'Vind je dat we ze zomaar los kunnen laten lopen? Zo te zien wou Renner achter die paarden aan. Misschien is het beter als we ze vastzetten.' Jondalar had zijn twijfels.

'Whinney heeft altijd los rondgelopen,' zei Ayla, die er wel wat van schrok. 'Ik kan haar niet vastzetten. Ze is mijn vriendin. Ze blijft bij me omdat ze dat wil. Ze is een keer naar een kudde gegaan omdat ze een hengst wilde hebben en ik miste haar zo dat ik niet had geweten wat ik moest doen als ik Kleintje niet had gehad. Maar ze kwam terug. Zij zal blijven, en zolang zij dat doet blijft Renner ook – tenminste, tot hij volwassen is. Kleintje is weggegaan en dat zal Renner misschien ook doen, zoals kinderen hun moeder verlaten als ze groot worden. Maar paarden zijn anders dan leeuwen. Ik denk dat hij wel zal blijven wanneer hij een vriend wordt, net als Whinney.'

Jondalar knikte. 'Goed, jij kent ze beter dan ik.' Ayla was per slot van rekening de deskundige. De enige deskundige op het gebied van paarden. 'Waarom zou ik eigenlijk het vuur niet aanleggen terwijl jij Whinney helpt?'

Jondalar vroeg zich af hoe hij van Renner een vriend kon maken terwijl hij naar de plaats liep waar Ayla altijd het materiaal en het hout voor een vuur bewaarde. Het drong niet tot hem door hoe vertrouwd haar grot hem was geworden in de korte zomer die hij bij haar had doorgebracht. Hij begreep nog altijd niet goed hoe Ayla met Whinney communiceerde zodat de merrie de kant op ging die de vrouw wilde en hoe ze in de buurt bleef terwijl ze de vrijheid had om weg te gaan. Misschien leerde hij het nooit, maar hij wou het wel proberen. Zolang het nog niet zo ver was, hinderde het niets om Renner aan een touw te houden, zeker niet als ze door een gebied trokken waar misschien andere paarden waren.

Toen ze de grot en de inhoud bekeken, wisten ze genoeg. Een veelvraat of een hyena had een van de bergplaatsen met gedroogd vlees opengebroken. Ayla kon niet zeggen wie van de twee het had gedaan omdat ze allebei op verschillende momenten in de grot waren geweest en hun sporen door elkaar liepen. De bergplaats was leeggehaald. Een mand met graan, dat voor Whinney en Renner was geplukt, was op verscheidene plaatsen aangevreten. Te oordelen naar de sporen van veldmuizen, fluithazen, eekhoorns en springmuizen hadden allerlei knaagdieren zich tegoed gedaan aan deze overvloed, en er was bijna geen zaadje overgebleven. Onder een bergje hooi vonden ze een nest volgepropt met zaden. Maar de meeste manden met graan, wortels en gedroogde vruchten, die ze in gaten in de grond hadden gezet of onder keien hadden gestopt, hadden veel minder schade opgelopen.

Ayla was blij dat ze de zachte leren huiden en vachten die ze in de loop van de tijd had gemaakt hadden verborgen onder een steenhoop. De berg keien was te veel geweest voor de plunderaars. Maar het leer dat was overgebleven van de kleren die Ayla voor zichzelf en voor Jondalar had gemaakt voor ze weggingen, en dat niet was weggeborgen, was helemaal fijngekauwd. Een andere steenhoop, waar naast andere dingen ook een voorraad vet in zat, verpakt in ingewanden van dieren, in een huid, was herhaaldelijk aangevallen. In een hoek hadden ze met klauwen en tanden een kleine opening gemaakt, maar de steenhoop had standgehouden. Om bij het opgeslagen voedsel te komen hadden de dieren ook rondgesnuffeld in andere bergplaatsen. Ze hadden rekken met houten kommen en kopjes omgegooid en hadden lopen slepen met manden en matten die in fijne patronen waren gevlochten en geweven. Op verschillende plaatsen hadden ze hun behoeften erop gedaan, en eigenlijk hadden ze alles vernield wat ze konden vinden. Maar de werkelijke schade was minder groot dan het eerst leek en ze hadden haar grote verzameling gedroogde en geneeskrachtige kruiden zeer beslist genegeerd.

Tegen de avond begon Ayla zich al beter thuis te voelen. Ze had de grot opgeruimd en schoongemaakt, had vastgesteld dat de schade wel meeviel, had eten gekookt en de vallei bekeken om te zien of er iets was veranderd. Het vuur brandde en de slaapvachten lagen uitgespreid over het verse hooi in de ondiepe geul die Ayla als bed gebruikte. Whinney en Renner stonden weer op hun oude plaatsje aan de andere kant naast de ingang en Ayla vond het heel gezellig.

'Het is bijna niet te geloven dat ik weer terug ben,' zei Ayla. Ze zat naast Jondalar op een mat bij het vuur. 'Ik heb het gevoel dat ik een eeuwigheid weg ben geweest, maar het was helemaal niet zo lang.'

'Nee, het was niet zo lang.'

'Ik heb zoveel meegemaakt, misschien lijkt het daarom zo lang. Het was goed dat je me hebt overgehaald om mee te gaan, Jondalar, en ik ben blij dat we Talut en de Mamutiërs hebben ontmoet. Weet je wel hoe bang ik was om de Anderen te ontmoeten?'

'Ik wist dat je ertegen opzag, maar ik was er zeker van dat je ze wel zou mogen als je eenmaal wat mensen leerde kennen.'

'Het was niet zomaar wat mensen ontmoeten. Het was de *Anderen* ontmoeten. Voor de Stam waren het de Anderen en al hadden ze me altijd verteld dat ik bij de Anderen was geboren, ik beschouwde mezelf toch als iemand van de Stam. Ook toen ik werd vervloekt en wist dat ik niet meer terug kon, was ik nog bang voor de Anderen. Toen Whinney bij me kwam, werd het nog erger. Ik wist niet wat ik moest doen. Ik was bang dat ik haar niet zou mogen houden, of dat ze haar zouden slachten. En ik was bang dat ik niet zou mogen jagen. Ik wou niet meer bij mensen wonen die het niet goedvonden als ik wilde jagen of die me dingen lieten doen die ik niet wou,' zei Ayla.

Als ze daar weer aan dacht, voelde ze zich niet prettig en ze werd onrustig. Ze stond op en liep naar de ingang van de grot. Ze duwde de zware huid opzij die daar hing om de wind te keren en liep naar het eind van de vooruitstekende wand die een breed voorportaal voor de grot vormde. Het was koud en helder buiten. De sterren straalden in een diepzwarte lucht en er stond een koude wind. Ze sloeg haar armen over elkaar en probeerde ze warm te wrijven terwijl ze naar de richel liep.

Ze huiverde en voelde dat er een vacht om haar schouders werd gelegd. Ze draaide zich om en zag Jondalar staan. Hij sloot haar in zijn armen en ze genoot van zijn warmte.

Hij boog zijn hoofd om haar te kussen en zei: 'Het is hier koud. Kom mee naar binnen.'

Ayla ging mee naar binnen, maar ze bleef achter de zware huid staan. 'Dit was mijn tent... Nee, het was Crebs tent,' verbeterde ze. 'Maar hij gebruikte hem nooit. Ik heb hem gebruikt toen ik werd gekozen als een van de vrouwen die met de mannen mee op jacht gingen om te slachten en te helpen het vlees naar huis te dragen. Maar hij was niet van mij. Hij was van Creb. Ik heb hem meegenomen toen ik wegging omdat ik dacht dat Creb het niet erg had gevonden. Ik kon het hem niet vragen. Hij was dood, maar als hij nog had geleefd, had hij me niet gezien. Ze hadden me net vervloekt.' De tranen liepen over haar gezicht, maar ze scheen het niet te merken. 'Ik was dood, maar Durc zag me wel. Hij was nog te jong om te begrijpen dat hij me niet mocht zien. O, Jondalar, ik wou hem niet achterlaten.' Ze begon te snikken. 'Maar ik kon hem niet meenemen. Ik wist niet wat me boven het hoofd hing.'

Hij wist niet wat hij moest zeggen of doen, dus hield hij haar in zijn armen en liet haar huilen.

'Ik wil hem weer zien. Telkens als ik Rydag zie, moet ik aan Durc denken. Ik wou dat ik hem nu bij me had. Ik wou dat we samen door de Mamutiërs waren aangenomen.'

'Ayla, het is al laat. Je bent moe. Laten we naar bed gaan,' zei Jondalar en hij nam haar mee naar de slaapvachten, maar hij voelde zich niet op zijn gemak. Zulke gedachten misten elke werkelijkheidszin en hij wou haar daar niet in steunen. Ze deed wat hij zei en zonder verder iets te zeggen hielp hij haar uit de kleren, legde haar op de vachten en dekte haar toe. Hij gooide wat hout op het vuur en schoof de kolen bij elkaar om er nog wat langer warmte van te hebben. Toen kleedde hij zich snel uit en kroop naast haar. Hij legde zijn arm om haar heen en kuste haar teder, waarbij hij nauwelijks haar lippen raakte.

Dat wekte verwachtingen en hij voelde een rilling door haar heen gaan. Met dezelfde lichte, bijna kriebelende aanraking begon hij haar gezicht te kussen; haar wangen, haar gesloten ogen en toen weer haar zachte volle lippen. Hij duwde haar kin omhoog en streelde haar keel en haar hals. Ayla probeerde stil te blijven liggen en in plaats van kriebels kreeg ze rillingen van een heerlijk vuur dat zijn speelse strelingen volgde en haar sombere bui verdreef.

Zijn vingertoppen volgden de ronding van haar schouder en de volle lengte van haar arm. Er ging een siddering door haar heen en al haar zenuwen waren gespannen. Terwijl hij haar lichaam streelde, gleed zijn vaardige hand over haar zachte tepel. Die werd stijf toen er een schok van genot door haar heen ging.

Jondalar kon de verleiding niet weerstaan en boog zijn hoofd om hem in zijn mond te nemen. Ze drukte zich tegen hem aan terwijl hij sabbelde en zoog en ze voelde dat haar dijen vochtig werden door de gewaarwordingen die diep in haar reacties opriepen. Hij rook haar vrouwelijke geur en voelde zijn lid stijf worden toen hij merkte dat ze naar hem verlangde. Hij scheen nooit genoeg van haar te kunnen krijgen en ze wou hem altijd ontvangen. Ze had hem nog nooit afgewezen, voorzover hij zich kon herinneren. De omstandigheden deden er niet toe, binnen of buiten, op warme vachten of op de koude grond – als hij naar haar verlangde stond ze voor hem klaar, niet omdat ze zich schikte, maar als een actieve, gewillige gezellin. Alleen tijdens haar ongesteldheid was ze wat minder enthousiast, alsof ze zich ervoor schaamde, en daar hield hij rekening mee.

Toen hij haar dij begon te strelen, spreidde ze haar benen voor hem en zijn verlangen werd zo hevig dat hij haar meteen had kunnen nemen, maar hij wou wachten. Waarschijnlijk waren ze deze winter voor de laatste keer alleen in een warme, droge ruimte. Niet dat hij aarzelde in het huis van de Mamutiërs, maar het gaf een bijzonder gevoel van vrijheid en een dieper Genot om samen alleen te zijn. Zijn hand ontmoette haar vochtige vagina en hij voelde de erectie van haar clitoris. Hij hoorde haar hijgen en ze begon te kreunen toen hij wreef en streelde. Hij ging verder en duwde twee vingers tussen haar schaamlippen. Ze duwde kreunend haar bekken omhoog terwijl hij met zijn vingers tastte. O, wat verlangde hij naar haar, maar hij wachtte nog even.

Hij liet haar tepel los en vond haar mond, die een beetje openstond. Hij drukte er een stevige kus op en hun tongen vonden elkaar. Hij trok zich even terug en probeerde zich te beheersen voor hij zich volledig overgaf aan de mooie, hete vrouw die hij liefhad. Hij keek naar haar gezicht tot ze de ogen opende.

Bij daglicht waren haar ogen grijsblauw, de kleur van mooi vuursteen, maar nu waren ze donker en ze straalden zo'n verlangen uit dat zijn keel werd dichtgeknepen door het gevoel dat uit zijn diepste wezen kwam. Hij streelde haar wang met zijn wijsvinger, volgde de lijnen van haar kaak en ging naar haar lippen. Hij kon er niet genoeg van krijgen om naar haar te kijken en haar aan te raken, alsof hij haar gezicht in zijn geheugen wilde prenten. Ze keek hem aan en zag twee helderblauwe ogen die violet leken bij het licht van het vuur. Ze waren zo onweerstaanbaar door zijn liefde en verlangen dat ze er wel in weg wou smelten. Al had ze gewild, ze kon hem niet weigeren, maar ze wou niet.

Hij kuste haar en streek met zijn warme tong langs haar keel naar de holte tussen haar borsten. Hij sloot zijn handen om haar volle ronde borsten, zocht een tepel en sabbelde eraan. Ze kneedde zijn schouders en armen en kreunde zacht terwijl er rillingen van genot door haar lichaam trokken.

Hij daalde af en maakte het kuiltje van haar navel vochtig met zijn tong en toen voelde hij het zachte haar. Ze kwam iets omhoog bij wijze van uitnodiging en hij vond met zijn vochtige, gevoelige tong het begin van haar spleet en toen het kleine middelpunt van genot. Ze schreeuwde het uit toen hij het bereikte.

Ze kwam overeind en kronkelde zich om hem heen tot ze zijn stijve penis vond. Ze nam hem in haar mond, zo ver ze kon. Ze proefde een straaltje van zijn warmte, terwijl haar handen zich om zijn zachte, gevoelige huidplooien sloten.

Hij voelde de druk toenemen en het kloppen in zijn stijve penis terwijl hij het vocht van haar vagina proefde en haar schaamlippen en heerlijke diepte opnieuw ontdekte. Hij kon er bijna niet genoeg van krijgen. Hij wou alles aanraken, alles van haar proeven, steeds meer van haar. Hij voelde haar warme mond zuigen en haar beide handen gingen op en neer om zijn lange, stijve penis. Hij verlangde er hevig naar om bij haar binnen te dringen.

Met grote inspanning trok hij zich terug, draaide zich om en vond met zijn gevoelige handen opnieuw haar vagina. Hij boog naar het knobbeltje dat haar zoveel genot gaf en wreef er met zijn neus over tot haar adem stokte en ze het uitschreeuwde. Ze voelde de golven van heerlijke spanning toenemen. Ze riep hem, pakte hem vast en toen ging hij tussen haar dijen liggen. Trillend van verlangen drong hij eindelijk bij haar binnen en hij verlustigde zich in haar warme ontvangst.

Hij had zich zo lang ingehouden dat het even duurde voor hij zich liet gaan. Hij stootte diep en genoot van het wonder dat ze hem helemaal opnam. Uitbundig van geluk stootte hij weer toe, trok terug en stootte weer, steeds sneller naar het hoogtepunt, terwijl ze hem bij elke stoot tegemoet kwam. Toen voelde hij dat het kwam. Zijn schreeuw ging over in een gil en het stroomde in haar terwijl ze het allebei uitschreeuwden in die laatste overweldigende golf van energie, genot en ontspanning.

Ze waren allebei te moe, te uitgeblust om te bewegen. Hij lag nog op haar, maar dat vond ze altijd heerlijk, het gewicht van zijn lichaam op haar. Ze rook vaag haar geur aan hem, wat haar er altijd aan deed denken hoe fel zijn liefde voor haar was en waarom ze zich zo heerlijk dromerig voelde. Ze voelde nog het volkomen onverwachte wonder van het Genot. Ze wist niet dat haar lichaam haar zoveel verrukkelijke vreugde kon geven. Ze had alleen het verdriet en de vernedering gekend uit haat en minachting te worden bestegen. Tot Jondalar kwam had ze niet geweten dat er ook nog iets anders bestond.

Eindelijk kwam hij omhoog. Hij kuste een borst en streelde haar navel terwijl hij opstond. Zij stond ook op en ging een paar kookstenen in het vuur gooien.

'Wil je wat water in die kookmand doen, Jondalar? Ik geloof dat de grote waterzak nog vol staat,' zei ze terwijl ze naar de uiterste hoek van de grot liep die ze gebruikte wanneer het te koud was om buiten te plassen.

Toen ze terugkwam, pakte ze de hete stenen uit het vuur en liet ze in het water vallen dat in de waterdichte mand stond. Het siste en er kwam stoom af terwijl ze het water verwarmden. Ze viste ze eruit en legde ze weer in het vuur terwijl ze een paar andere in het water liet vallen.

Toen het water begon te koken, schepte ze er een paar kopjes uit en deed ze in een houten kom. Uit haar kruidenvoorraad deed ze er een paar gedroogde bloemen van de ceanothus bij. Een aangename kruidengeur vulde de ruimte en toen ze er een zacht stukje leer in doopte begon de saponineoplossing licht te schuimen. Het ging alleen om de prettige geur. Ze gaf Jondalar de kom met een stukje konijnenvel. Hij keek naar haar toen ze bij het vuur haar gezicht afspoelde en haar lichaam waste, en hij genoot van haar schoonheid terwijl ze zich bewoog. Hij wou wel dat hij opnieuw kon beginnen.

Terwijl hij zich schoonmaakte – die gewoonte had ze ontwikkeld na Jondalars komst en hij had die overgenomen – bekeek ze haar kruiden nog eens en ze was blij dat ze alles nog had. Ze koos voor elk van hen beiden een andere combinatie voor thee. Voor zichzelf begon ze met guldendraad en antilopenwortel, al vroeg ze zich even af of ze ermee zou ophouden en afwachten of er een baby in haar begon te groeien. Ondanks zijn uitleg geloofde ze nog altijd dat een man, en niet de geesten, het leven verwekte. Maar hoe het ook zij, Iza's geheime middel scheen te werken en haar vrouwenvloek, zoals zij het noemde, kwam nog steeds op tijd. Het zou fijn zijn om een baby te krijgen uit de liefde die ze met Jondalar deelde, dacht ze, maar misschien was het beter om te wachten. Als hij besluit om ook een Mamutiër te worden, misschien dan.

Vervolgens zocht ze een distel voor haar thee. Dat was goed voor het hart en de ademhaling en voor de moedermelk, maar ze gaf toch de voorkeur aan damiana, dat goed was voor de maandelijkse cyclus. Verder koos ze rode klaver en rozenbottel voor de gezondheid en de smaak. Voor Jondalar nam ze ginseng, dat goed was voor het mannelijk overwicht, de energie en het uithoudingsvermogen. Ze deed er gele zuring bij, die zuiverend werkte, en zoethoutwortel omdat ze hem vaak zijn wenkbrauwen zag fronsen, wat meestal een teken was van zorg en spanning, en het maakte de thee lekker zoet. Ze deed er ook een klein beetje kamille in, die kalmerend werkte.

Ze trok de vachten glad en legde ze goed. Toen gaf ze Jondalar het houten kopje dat zij had gemaakt en hij zo mooi vond. Omdat ze het koud vonden, dronken ze in bed hun thee op en ze knuffelden elkaar. 'Je ruikt lekker, naar bloemen,' zei hij. Hij ademde in haar oor en nam haar oorlel tussen zijn lippen.

'Jij ook.'

Hij kuste haar teder, met veel gevoel. 'De thee was lekker. Wat zat erin?' vroeg hij en hij kuste haar hals.

'Gewoon, kamille en nog een paar dingen die goed voor je zijn, die kracht en uithoudingsvermogen geven. Ik weet jouw namen niet voor die kruiden.' Toen kuste hij haar met meer hartstocht en er kwam van haar een warme reactie. Hij steunde op een elleboog en keek naar haar. 'Ayla, weet je wel hoe verbazingwekkend je bent?'

Ze glimlachte en schudde haar hoofd.

'Het doet er niet toe wanneer ik met je wil vrijen, je staat altijd voor me klaar. Je hebt nog nooit een smoesje verzonnen of me afgewezen, terwijl ik toch steeds vaker met je naar bed wil, hoe meer ik het doe.'

'Verwonder je je daarover? Dat ik net zo graag wil als jij? Jondalar, je kent mijn lichaam beter dan ik. Jij hebt me het Genot leren kennen. Waarom zou ik niet altijd willen wanneer jij wilt?'

'Maar voor de meeste vrouwen zijn er momenten dat ze niet in de stemming zijn, of dat het niet goed uitkomt. Of het nu koud is op de steppen, of op de vochtige oever van een rivier terwijl het warme bed vlakbij is, maar jij zegt nooit nee. Jij zegt nooit "straks".'

Ze sloot haar ogen en toen ze ze weer opende, keek ze ernstig. 'Jondalar, zo ben ik opgevoed. Een vrouw van de Stam zegt nooit nee. Wanneer een man het teken geeft, waar ze ook is of wat ze ook doet, ze houdt op en bevredigt hem. Elke man, ook als ze hem haat, zoals ik Broud haatte. Jondalar, jij geeft me alleen vreugde, alleen genot. Ik vind het heerlijk als je met me wilt vrijen, altijd en overal. Ik zal je nooit afwijzen. Ik hou van je.'

Hij sloeg zijn armen om haar heen en hield haar zo stijf vast dat ze bijna geen adem kon halen. 'Ayla, Ayla,' fluisterde hij met hese stem, 'ik dacht dat ik nooit verliefd kon worden. Iedereen vond een levensgezel en stichtte een gezin. Ik werd alleen maar ouder. Ook Thonolan vond een vrouw op onze reis. Daarom bleven we bij de Sharamudiërs. Ik heb veel vrouwen gekend en ik vond hen vaak aardig, maar er ontbrak altijd iets aan. Ik dacht dat het aan mij lag. Ik dacht dat de Moeder niet wilde dat ik verliefd werd. Ik dacht dat het mijn straf was.'

'Straf? Waarvoor?' vroeg Ayla.

'Voor... Voor iets dat lang geleden is gebeurd.'

Ze ging er niet verder op in. Dat was ook een deel van haar opvoeding. Onder mensen die met gebaren en gelaatsuitdrukkingen spreken, was het niet mogelijk om te liegen. Dat merkte je meteen, de taal
van het lichaam verraadde het. Maar je kon ervan afzien erover te praten en, hoewel men ook dat wel begreep, werd het gewoonlijk geaccepteerd, uit beleefdheid of een gevoel voor privacy.

15

Hij hoorde een stem roepen, de stem van zijn moeder. Maar het geluid kwam van ver en bereikte hem met windvlagen. Jondalar was thuis, maar het deed vreemd aan; vertrouwd en toch ook weer niet. Hij tastte naast zich. De plaats was leeg! In paniek vloog hij overeind, hij was klaarwakker.

Toen hij om zich heen keek, herkende Jondalar Ayla's grot. Het windscherm voor de ingang hing aan één kant los en flapperde in de wind. Er kwamen koude windvlagen de kleine grot in, maar het zonlicht stroomde naar binnen door de ingang en het gat erboven. Hij trok vlug zijn broek en zijn tuniek aan en zag toen de stoom boven een hete kop thee bij de stookplaats. Er lag een vers twijgje naast en de bast was eraf gestroopt.

Hij glimlachte. Hoe deed ze dat toch, dacht hij. Om altijd hete thee voor hem klaar te hebben als hij wakker werd? Tenminste hier, in haar grot. In het Leeuwenkamp was er altijd iets anders en de maaltijden werden gewoonlijk samen met anderen gebruikt. Hij dronk 's morgens soms thee bij de Leeuwenvuurplaats, maar ook wel bij de kookplaats of de Mammoetvuurplaats en dan kwam er meestal wel iemand bij hen zitten. Daar lette hij er niet zo op of ze altijd thee voor hem klaar had als hij wakker werd, maar als hij erover nadacht wist hij wel dat het zo was. Het lag niet in haar aard om er een punt van te maken. Hij stond gewoon altijd klaar, zoals ze zoveel dingen voor hem deed zonder dat hij het hoefde te vragen.

Hij pakte het kopje en nam een teugje. Er zat munt in – ze wist dat hij 's morgens graag munt had –, en ook kamille en nog iets dat hij niet helemaal kon thuisbrengen. De thee had een rood tintje, rozenbottel misschien?

Wat val je toch gemakkelijk terug op oude gewoonten, dacht hij. Hij had er altijd een spelletje van gemaakt om te raden wat er in haar morgenthee zat. Hij pakte het takje en kauwde erop terwijl hij naar buiten liep. Dat eind gebruikte hij om zijn tanden schoon te maken. Hij spoelde zijn mond met thee en liep naar het andere eind van de richel om te plassen. Hij bewoog het twijgje op en neer en spuwde de thee uit. Toen ging hij peinzend aan de rand staan en hij zag zijn warme urine in een boog naar beneden vallen.

Er stond niet veel wind en de ochtendzon, die door de lichtgekleurde rotswand werd weerkaatst gaf een gevoel van warmte. Hij liep over de ongelijke grond naar de vooruitstekende punt en keek naar het riviertje beneden. Er kwam al wat ijs langs de oevers, maar in de scherpe bocht stond nog een sterke stroom. Daar veranderde de rivier van richting en boog naar het oosten. Een paar kilometer verder werd de oude, zuidelijke richting weer ingeslagen. Links strekte de vredige vallei zich uit langs de rivier en hij zag Whinney en Renner dichtbij grazen. Stroomopwaarts was het uitzicht volkomen anders. Achter de berg botten, aan de voet van de rotswand, bij het strandje, werd de rivier ingesloten door steile wanden en stroomde daar door een diep ravijn. Hij herinnerde zich dat hij eens zo ver stroomopwaarts was gezwommen als hij kon, tot aan een onstuimige waterval.

Toen hij het steile pad op ging, kreeg hij Ayla in het oog en hij glimlachte. 'Waar ben jij geweest?'

Nog een paar stappen en zijn vraag werd beantwoord, zonder dat ze een woord zei. Ze droeg een paar dikke, bijna witte sneeuwhoenders bij de poten. 'Ik stond daar waar jij nu staat en zag ze in de wei,' zei ze, terwijl ze de vogels omhooghield. 'Ik dacht dat vers vlees wel eens lekker zou zijn voor een keer. Ik heb een vuur aangelegd, beneden op het strand. Ik ga ze plukken en klaarmaken als we het ontbijt op hebben. O, hier, ik heb nog een vuursteen gevonden.'

'Liggen er veel op het strandje?' vroeg hij.

'Misschien niet zoveel als anders. Ik moest naar deze zoeken.'

'Ik denk dat ik straks naar beneden ga om er een paar te zoeken.'

Ayla ging naar binnen om het ontbijt klaar te maken. Ze had gekookt graan met rode bessen, die ze nog aan struiken had gevonden terwijl de bladeren er al af waren. De vogels hadden er niet veel overgelaten en ze had ijverig moeten zoeken om een paar handenvol te plukken, maar ze was blij dat ze ze had gevonden.

'Dat was het!' zei Jondalar, terwijl hij nog een kopje thee dronk. 'Je hebt rode bessen in de thee gedaan! Munt, kamille en rode bessen.'

Ze glimlachte instemmend en hij was tevreden dat hij het raadseltje had opgelost.

Na het ontbijt gingen ze samen naar beneden, naar het strand. Terwijl Ayla de vogels klaarmaakte om in de stenen oven te worden geroosterd, begon Jondalar pyrietklompjes te zoeken, die verspreid op het strand lagen. Hij liep nog steeds te zoeken toen zij terugging naar de grot. Hij vond ook een paar goede stukken vuursteen en legde ze apart. In de loop van de morgen had hij heel wat vuurstenen verzameld en hij begon er genoeg van te krijgen het strand af te zoeken. Hij liep om de uitspringende wand heen en zag op een afstandje de merrie en het jonge paard in de vallei staan. Hij liep naar ze toe.

Toen hij dichterbij kwam, zag hij dat ze in de richting van de steppen keken. Aan het eind van de helling stonden verscheidene paarden naar hen te kijken. Renner deed een paar stappen in de richting van de wilde paarden. Hij boog zijn nek en zijn neusgaten trilden. Jondalar reageerde zonder verder na te denken.

'Weg! Maak dat je wegkomt!' schreeuwde hij en hij rende, met zijn armen zwaaiend, op hen af.

De paarden schrokken, sprongen opzij, hinnikten, briesten en gingen ervandoor. De laatste, een hooikleurige hengst, deed een uitval naar de man en steigerde alsof hij hem wou waarschuwen, waarna hij achter de anderen aan galoppeerde.

Jondalar draaide zich om en liep naar Whinney en Renner terug. Ze waren allebei onrustig. Zij waren ook geschrokken en ze hadden de paniek van de kudde gevoeld. Hij aaide Whinney en sloeg zijn arm om de hals van Renner.

'Het is goed, jongen,' zei hij tegen het jonge paard. 'Het was niet mijn bedoeling om jullie te laten schrikken. Ik wou alleen niet dat ze jou weglokten voor wij de kans hadden gehad goede vrienden te worden.' Hij krabde en aaide het dier met grote genegenheid. 'Stel je eens voor hoe het moet zijn om op zo'n hengst te rijden,' peinsde hij hardop. 'Hij zou moeilijk te berijden zijn, maar ik zou hem ook niet zo kunnen krabben, of wel? Wat zou ik moeten doen om op jouw rug te mogen rijden en je overal heen te laten gaan waar ik wil? Wanneer moet ik beginnen? Zal ik nu proberen om je te berijden of kan ik beter wachten? Je bent nog niet volwassen, maar dat duurt niet lang meer. Ik kan het beter aan Ayla vragen. Zij moet het weten. Whinney schijnt haar altijd te begrijpen. Ik vraag me af of jij me eigenlijk wel begrijpt, Renner.'

Toen Jondalar eindelijk naar de grot terugging, volgde Renner hem. Hij stootte speels tegen hem aan en snuffelde aan zijn hand. Dat deed de man veel plezier. Het jonge paard leek vriendschap te willen sluiten. Renner volgde hem de hele weg terug het pad op en de grot in.

'Ayla, heb jij iets dat ik Renner kan geven? Wat graan of zoiets?' vroeg hij zodra hij binnenkwam. Ayla zat bij het bed en had een hele verzameling voorwerpen om zich heen opgestapeld. 'Waarom geef je hem niet een paar van die appeltjes die daar in die schaal staan. Ik heb ze bekeken en er zijn er een paar bij met plekjes,' zei ze.

Jondalar schepte er met de hand wat kleine zure vruchten uit en gaf ze een voor een aan Renner. Na een paar klopjes op de flank liep de man naar Ayla. Het aardige dier volgde hem.

'Jondalar, duw Renner eruit! Straks trapt hij op iets!'

Hij draaide zich om en liep tegen het jonge paard op. 'Zo is het wel genoeg, Renner,' zei de man en hij bracht hem naar de andere kant van de grot, waar de jonge hengst en zijn moeder gewoonlijk bleven. Maar toen Jondalar weg wilde gaan, werd hij weer gevolgd. Hij bracht Renner weer terug naar zijn plaats, maar het lukte hem weer niet hem daar te laten blijven. 'Hoe moet ik dit oplossen?'

Ayla had glimlachend de fratsen gevolgd. 'Je zou wat water in zijn schaal kunnen doen, of wat graan in zijn voerbak.'

Jondalar deed het en toen het paard eindelijk voldoende was afgeleid, liep hij terug naar Ayla. Hij keek wel voorzichtig achterom om zich ervan te overtuigen dat het jonge paard hem niet meer achterna-kwam. 'Wat ben je aan het doen?' vroeg hij.

'Ik probeer tot een besluit te komen over wat ik zal meenemen en wat ik hier laat,' legde ze uit. 'Wat vind je dat ik Tulie moet geven bij de aannemingsceremonie? Het moet iets heel moois zijn.'

Jondalar bekeek de stapels en rekken met dingen die Ayla had ge-maakt om zichzelf bezig te houden tijdens de lange koude winters en de eenzame avonden die ze in de grot had doorgebracht. Ook toen ze bij de Stam woonde, stond ze al bekend om haar vaardigheid en de kwaliteit van haar werk en gedurende haar jaren in de vallei had ze weinig anders te doen. Ze besteedde extra tijd en veel aandacht aan al-les wat ze maakte en dat was te zien.

Hij pakte een schaal van een stapel, bedrieglijk eenvoudig, bijna vol-maakt rond en uit één stuk hout gemaakt. Hij was heel glad afge-werkt. Ze had hem verteld hoe ze die maakte. De werkwijze was hem bekend, maar het verschil was de zorg en aandacht voor de details. Eerst gutste ze de ruwe vorm uit met een stenen hak, vervolgens deed ze het fijnere werk met een vuurstenen mes. Met een ronde steen en zand schuurde ze de binnen- en buitenkant glad tot er bijna geen rib-beltje meer was te voelen en ten slotte schuurde ze hem met het ge-veerde blad van de paardenstaart.

Haar manden, open of waterdicht gevlochten, hadden dezelfde ei-genschappen van eenvoud en vakkundigheid. Er waren geen kleur-stoffen gebruikt, maar door de wijze van vlechten af te wisselen en gebruik te maken van de natuurlijke kleurvariaties van de vezels, werd de belangstelling voor het materiaal gewekt. Er hingen vlechten van touw en strengen van pezen met schors, in verschillende lengtes, evenals de lange riemen die in een spiraalvorm uit een huid waren gesneden.

Het leer dat ze van huiden maakte, was zacht en soepel, maar hij was het meest onder de indruk van haar vachten. Het was al heel wat om geitenleer buigzaam te maken door de nerf er eerst aan de binnenkant af te krabben en dan aan de buitenkant, maar huiden werden gewoonlijk stugger als het bont erop bleef. Die van Ayla waren niet alleen heerlijk zacht aan de buitenkant, maar ook fluweelzacht en buigzaam aan de binnenkant.

'Wat ga je Nezzie geven?' vroeg hij.

'Voedsel, zoals die appels en manden om ze in te bewaren.'

'Dat is een goed idee. En wat wou je Tulie geven?'

'Ze is erg trots op het leer van Deegie, dus ik geloof dat ik haar dat maar niet moet geven, en ik wil haar ook geen voedsel geven, zoals Nezzie. Het moet niet te praktisch zijn. Ze is leidster. Het zou iets bijzonders moeten zijn om te dragen, zoals barnsteen of schelpen, maar zulk soort bijzondere dingen heb ik niet,' zei Ayla.

'Toch wel.'

'Ik heb eraan gedacht om haar de barnsteen te geven die ik heb gevonden, maar dat is een teken van mijn totem. Dat kan ik niet weggeven.'

'Ik bedoel de barnsteen niet. Ze heeft waarschijnlijk genoeg barnsteen. Geef haar bont. Dat was het eerste wat ze noemde.

'Maar ze moet toch al veel vachten hebben?'

'Geen vacht is zo mooi en zo bijzonder als de jouwe, Ayla. Ik heb maar één keer eerder zoiets moois gezien. Ik weet zeker dat het voor haar iets nieuws is. Die ik heb gezien was gemaakt door een platk... door een vrouw van de Stam.'

Toen het avond werd had Ayla een paar moeilijke beslissingen genomen en de resultaten van jaren werk lagen in twee stapels opgetast. De grootste moest achterblijven, in de grot, in de vallei. Ze kon alleen de kleine meenemen... en haar herinneringen. Het ging haar aan het hart en het deed soms pijn. Ze werd er doodmoe van. Haar stemming sloeg over op Jondalar, die merkte dat hij in geen jaren zo vaak aan thuis en aan zijn jeugd had gedacht. Zijn gedachten dwaalden telkens af naar de pijnlijke herinneringen die hij meende te hebben verdrongen, en hij wou dat hij het kon. Hij vroeg zich af waarom hij daar nu steeds aan moest denken.

Ze zeiden weinig onder het avondeten. Ze maakten af en toe een opmerking en dan viel er weer een stilte omdat elk werd opgeëist door de eigen gedachten.

'De vogels zijn heerlijk,' merkte Jondalar op.

'Creb vond ze zo ook lekker.'

Dat had ze al eens verteld. Soms was het nog moeilijk te geloven dat ze zoveel had geleerd van de platkoppen bij wie ze had gewoond. Maar waarom zouden zij niet net zo goed kunnen koken als ieder ander?

'Mijn moeder kan goed koken. Ze zou ze ongetwijfeld ook lekker vinden.'

Jondalar heeft de laatste tijd veel aan zijn moeder gedacht, dacht Ayla. Hij zei dat hij van haar gedroomd had toen hij vanmorgen wakker werd.

'Toen ik opgroeide kookte ze graag bijzondere dingen... als ze het niet druk had met de dingen van de Grot.'

'Dingen van de Grot?'

'Ze was leidster van de Negende Grot.'

'Dat heb je verteld, maar ik begreep het niet goed. Bedoel je net als Tulie, leidster?'

'Ja, zoiets. Maar er was geen Talut, en de Negende Grot is veel groter dan het Leeuwenkamp. Er zijn veel meer mensen.' Hij wachtte even en sloot zijn ogen om na te denken. 'Misschien wel vier keer zoveel.'

Ayla probeerde zich voor te stellen hoeveel dat er waren en ze besloot het later uit te rekenen met streepjes op de grond, maar ze vroeg zich af hoe zoveel mensen steeds bij elkaar konden wonen. Het leek bijna genoeg voor een Stambijeenkomst.

'In de Stam waren de vrouwen geen leiders,' zei ze.

'Marthona werd leidster na Joconnan. Zelandoni heeft me verteld dat ze zo'n groot aandeel in zijn leiderschap had dat iedereen zich, na zijn dood, gewoon tot haar wendde. Mijn broer, Joharran, was een zoon van zijn vuurplaats. Hij is nu de leider, maar Marthona geeft hem nog altijd advies... Tenminste, dat was zo toen ik wegging.'

Ayla fronste de wenkbrauwen. Hij had het eerder verteld, maar ze begreep al zijn familierelaties niet zo goed. 'Je moeder was de gezellin van... hoe zei je? Joconnan?'

'Ja.'

'Maar je hebt het altijd over Dalanar.'

'Ik ben de zoon van zijn vuurplaats.'

'Dus je moeder is ook de gezellin van Dalanar geweest.'

'Ja. Ze was al leidster toen zij een verbintenis aangingen. Ze hielden heel veel van elkaar. De mensen vertellen nog altijd verhalen over Marthona en Dalanar en ze zingen verdrietige liedjes over hun liefde.

Zelandoni zei dat ze te veel om elkaar gaven. Dalanar wou haar niet delen met de Grot. Hij begon er een hekel aan te krijgen dat ze zoveel tijd besteedde aan haar verplichtingen als leidster, maar zij voelde zich verantwoordelijk. Ten slotte hakten ze de knoop door en ging hij weg. Later betrok Marthona een nieuwe vuurplaats met Willomar en toen kreeg ze Thonolan en Folara nog. Dalanar trok naar het noordoosten, ontdekte een vuursteengroeve en ontmoette Jerika. Daar stichtte hij de Eerste Grot van de Lanzadoniërs.'

Hij zweeg een poosje. Jondalar scheen er behoefte aan te hebben om over zijn familie te praten, dus Ayla luisterde, ook al had hij een aantal dingen al eens eerder verteld. Ze stond op en schonk de rest van de thee in hun kopjes. Ze deed nog wat hout op het vuur en ging op de vachten aan het eind van het bed zitten om naar het flakkerende licht en de schaduwen op Jondalars gezicht te kijken. 'Wat betekent dat, Lanzadoniërs,' vroeg ze.

Jondalar glimlachte. 'Het betekent gewoon... mensen... kinderen van Doni... kinderen van de Grote Aardmoeder, die in het noordoosten wonen, om precies te zijn.'

'Daar heb jij gewoond, nietwaar? Bij Dalanar?'

Hij sloot zijn ogen. Zijn onderkaak bewoog alsof hij knarsetandde en hij kreeg diepe rimpels in zijn voorhoofd. Ayla had dat eerder gezien en ze vroeg zich af wat het betekende. In de loop van de zomer had hij al eens over die periode in zijn leven gepraat, maar ze wist dat hij het er moeilijk mee had en dat hij iets verzweeg. Ze voelde de spanning om hen heen, een spanning die zich vooral op Jondalar concentreerde, zodat de last zo zwaar werd dat het ieder moment wel tot een uitbarsting kon komen.

'Ja, ik heb daar drie jaar gewoond,' zei hij. Plotseling sprong hij overeind, waarbij hij zijn thee omstootte en liep naar de achterwand van de grot. 'O Moeder! Het was verschrikkelijk!' Hij stak in het donker zijn arm omhoog langs de wand en legde zijn hoofd ertegenaan. Hij probeerde zich te beheersen. Eindelijk kwam hij terug en keek naar de natte plek waar de thee in de grond was gezakt. Hij steunde op een knie en zette het kopje weer overeind. Hij draaide het in zijn handen en staarde in het vuur.

'Had je het daar zo slecht bij Dalanar?' vroeg Ayla ten slotte.

Hij was verbaasd over haar vraag. 'Bij Dalanar? Nee. Hij was blij dat hij me zag. Ik was welkom en hij leerde me het vak, samen met Joplaya. Hij behandelde me als een volwassene... en hij heeft nooit ergens over gepraat.'

'Waarover?'

Jondalar zuchtte diep. 'De reden waarom ik erheen gestuurd ben,' zei hij en hij keek naar het kopje dat hij in de hand had.

In de stilte was het ademen van de paarden en het geknetter van het vuur duidelijk te horen. Jondalar stond op en zette het kopje neer.

'Ik was altijd groot voor mijn leeftijd en ik leek ouder dan ik was,' begon hij. Hij liep op en neer langs het vuur. 'Ik was al vroeg rijp. Ik was nauwelijks elf jaar toen de donii me voor het eerst in een droom bezocht... en ze had het gezicht van Zolena.'

Daar kwam haar naam weer. De vrouw die zoveel voor hem had betekend. Hij had al eens over haar gepraat, maar dat was maar even geweest, en het had hem duidelijk verdriet gedaan. Ayla had niet goed begrepen wat de oorzaak was.

'Alle jonge mannen wilden haar hebben als donii-vrouw, om hen in te wijden. Dat was ook heel normaal' – hij draaide zich om en keek Ayla aan – 'maar het was niet normaal dat ze verliefd op haar werden! Weet je wat het betekent als je verliefd wordt op je donii-vrouw?'

Ayla schudde het hoofd.

'Er wordt van haar verwacht dat ze je inwijdt, je alles leert, je helpt om de grote Gave van de Moeder te begrijpen, om je voor te bereiden op het moment dat het jouw beurt is om van een meisje een vrouw te maken. Er wordt van alle vrouwen verwacht dat ze ten minste één keer donii-vrouw zijn. Als ze ouder worden, net zoals van alle mannen wordt verwacht dat ze ten minste één keer de Eerste Riten met een jonge vrouw delen. Het is een heilige plicht ter ere van Doni.' Hij sloeg zijn ogen neer. 'Maar een donii-vrouw vertegenwoordigt de Grote Moeder; daar word je niet verliefd op en je wilt haar niet als gezellin.' Hij keek haar weer aan. 'Begrijp je dat? Het is verboden. Het is zoiets als verliefd worden op je moeder, of een verbintenis aan willen gaan met je eigen zuster. Neem me niet kwalijk, Ayla, maar het is net zoiets als een verbintenis willen met een platkopvrouw.'

Hij draaide zich om en was met een paar grote stappen bij de ingang. Hij duwde het windscherm opzij. Toen liet hij zijn schouders zakken, veranderde van gedachten en kwam terug. Hij ging naast haar zitten en staarde voor zich uit.

'Ik was twaalf jaar. Zolena was mijn donii-vrouw en ik hield van haar. En zij hield van mij. Eerst leek het alsof ze alleen maar precies wist hoe ze me kon laten genieten, maar het werd meer. Met haar kon ik overal over praten; we vonden het fijn om bij elkaar te zijn. Ze leerde me wat vrouwen genot gaf, en ik was een goede leerling omdat ik van haar hield en haar graag liet genieten. Dat vond ik heerlijk. Het was niet onze bedoeling om verliefd te worden. In het begin praatten we er ook niet over. Later probeerden we het geheim te houden. Maar ik wilde haar als gezellin, samen met haar leven. Ik wou dat haar kinderen de kinderen van mijn vuurplaats werden.'

Hij knipperde met zijn ogen en Ayla zag een traan glinsteren in zijn ooghoek terwijl hij in het vuur staarde.

'Zolena zei telkens dat ik te jong was en dat ik er wel overheen kwam. De meeste mannen zijn ten minste vijftien voor ze serieus een vrouw als levensgezel gaan zoeken. Ik voelde me niet te jong. Maar wat ik vond was niet belangrijk. Ik kon haar niet krijgen. Ze was mijn donii-vrouw, mijn helpster en lerares en men verwachtte geen liefdesrelatie tussen ons. Ze zouden het haar strenger aanrekenen dan mij, maar daar werd het alleen maar erger van. Ze hadden haar niets kwalijk kunnen nemen als ik niet zo stom was geweest!' zei Jondalar. Het was eruit.

'Andere mannen wilden haar ook altijd hebben. Of zij hen wilde of niet. Er was er één die haar altijd lastigviel – Ladroman. Ze was een paar jaar eerder zijn donii-vrouw geweest. Ik geloof dat ik het hem niet kwalijk kan nemen dat hij haar wilde hebben, maar ze had geen belangstelling meer voor hem. Hij begon ons te volgen en hield ons in de gaten. Toen, op een keer, vond hij ons samen. Hij dreigde dat hij het iedereen zou vertellen als ze niet met hem meeging.

Ze probeerde zich er lachend vanaf te maken en zei dat hij dat maar moest doen; er was niets te vertellen, ze was gewoon mijn donii-vrouw. Ik zou dat ook hebben volgehouden, maar toen hij ons bespotte met woorden die we hadden gebruikt toen we meenden samen alleen te zijn, werd ik kwaad. Nee... Ik werd niet alleen kwaad. Ik kon me ook niet meer beheersen en ik sloeg hem.'

Jondalar sloeg met zijn vuist op de grond, nog een keer, en weer. 'Ik kon niet meer ophouden. Zolena probeerde me vast te houden. Ten slotte moest ze een ander halen om me weg te trekken. Het was goed dat ze het deed. Ik geloof dat ik hem anders had doodgemaakt.'

Jondalar stond op en begon weer heen en weer te lopen. 'Toen kwam alles uit. Ieder smerig detail. Ladroman vertelde alles, in het openbaar... waar iedereen bij was. Ik werd er verlegen van toen ik merkte hoe lang hij ons in de gaten had gehouden en wat hij allemaal had gehoord. Zolena en ik werden allebei ondervraagd' – hij kreeg een kleur bij de herinnering – 'en openlijk beschuldigd, maar ik vond het verschrikkelijk dat zij verantwoordelijk werd gesteld. Wat het nog erger maakte was dat ik de zoon van mijn moeder ben. Zij was de leidster van de Negende Grot en ik maakte haar te schande. De hele Grot was in rep en roer.'

'Wat heeft ze gedaan?' vroeg Ayla.

'Ze deed wat ze moest doen. Ladroman was ernstig gewond. Hij raakte verscheidene tanden kwijt. Dat maakt het moeilijk om te kauwen en vrouwen hebben niet graag een man zonder tanden. Moeder moest voor mij een zware boete betalen als schadeloosstelling en toen de moeder van Ladroman bleef aandringen, stemde ze erin toe mij weg te sturen.'

Hij wachtte even en sloot zijn ogen. Hij kreeg diepe rimpels in zijn voorhoofd nu hij eraan terugdacht. 'Ik heb die nacht gehuild.' Het was blijkbaar moeilijk voor hem geweest om het te aanvaarden. 'Ik wist niet waar ik heen moest. Ik wist niet dat moeder een boodschapper naar Dalanar had gestuurd om te vragen of hij me wilde opnemen.'

Hij zuchtte en vervolgde zijn verhaal. 'Zolena ging eerder weg dan ik. Ze had zich altijd aangetrokken gevoeld tot de Zelandoniërs en ze ging zich voegen bij Hen Die de Moeder Dienen. Daar heb ik ook aan gedacht, misschien als beeldhouwer – ik dacht toen dat ik daar wel aanleg voor had. Maar er kwam antwoord van Dalanar en Willomar bracht me naar de Lanzadoniërs. Ik kende Dalanar niet zo goed. Hij vertrok toen ik nog jong was en ik zag hem alleen op de Zomerbijeenkomsten. Ik wist niet wat me te wachten stond, maar Marthona heeft de juiste beslissing genomen.'

Jondalar zweeg en hij ging weer bij het vuur zitten. Hij pakte een gebroken droge tak en stak hem in de vlammen. 'Voor ik wegging ontweken de mensen me en ze scholden me uit,' vervolgde hij. 'Sommigen hielden hun kinderen uit mijn buurt, opdat ze niet werden blootgesteld aan mijn verderfelijke invloed, alsof ze al medeschuldig waren als ze naar me keken. Ik besef dat ik het had verdiend, want wat wij hadden gedaan was verschrikkelijk, maar ik wou niet meer leven.'

Ayla wachtte en keek hem zwijgend aan. Ze begreep de gebruiken waar hij over sprak niet helemaal, maar ze leed met hem mee door haar eigen verdriet. Zij had ook taboes doorbroken en de wrange vruchten moeten plukken, maar ze had ervan geleerd. Misschien omdat ze heel anders was. Ze had geleerd zich af te vragen of het echt zo erg was wat ze had gedaan. Ze was gaan inzien dat het niet verkeerd van haar was om te jagen, met een slinger, of een speer of wat ze maar wou, alleen omdat de Stam geloofde dat het verkeerd was voor een vrouw om te jagen. En ze had er ook geen spijt van dat ze tegen Broud in verzet was gekomen, al ging dat tegen alle tradities in.

'Jondalar,' zei ze, en het speet haar voor hem omdat hij terneergeslagen het hoofd liet hangen, 'je hebt iets verschrikkelijks gedaan toen je die man zo hard sloeg' – hij knikte instemmend – 'maar waarom was het zo verkeerd wat jij en Zolena deden?' vroeg Ayla.

Hij keek haar verbaasd aan bij die vraag. Hij had minachting verwacht, of spot, dezelfde minachting die hij voor zichzelf voelde. 'Je begrijpt het niet. Zolena was mijn donii-vrouw. Wij hebben de Moeder onteerd. Haar beledigd. Het was schandelijk.'

'Wat was schandelijk? Ik weet nog steeds niet wat er zo verkeerd was aan wat jullie deden.'

'Ayla, wanneer een vrouw het van de Moeder aanneemt om een jonge man in te wijden, aanvaardt ze een grote verantwoordelijkheid. Ze maakt een man van hem, een man die weer een vrouw van een meisje moet maken. Doni heeft de man de verantwoordelijkheid gegeven om de vrouw te openen, om de vrouw geschikt te maken om de gemengde geesten van de Grote Aardmoeder te ontvangen, zodat de vrouw moeder kan worden. Het is een heilige plicht. Het is niet een gewone alledaagse relatie die iedereen op elk moment kan aangaan, niet iets wat je licht kunt opnemen,' legde Jondalar uit.

'Heb jij het licht opgenomen?'

'Nee. Natuurlijk niet!'

'Wat heb je dan verkeerd gedaan?'

'Ik heb een heilige rite geschonden. Ik werd verliefd...'

'Jij werd verliefd. En Zolena werd verliefd. Waarom zou dat verkeerd zijn? Zijn dat geen warme en goede gevoelens? Jullie hebben het niet met opzet gedaan. Het gebeurde gewoon. Is het niet normaal om verliefd te worden op een vrouw?'

'Maar niet op die vrouw,' protesteerde Jondalar. 'Je begrijpt het niet.'

'Je hebt gelijk. Ik begrijp het niet. Broud heeft me gedwongen. Hij was wreed en weerzinwekkend en dat verschafte hem genot. Toen heb jij me geleerd hoe het behoort te zijn: niet pijnlijk maar warm en goed. Het geeft me warmte dat ik van je houd. Ik dacht dat liefde je altijd dat gevoel gaf en nu vertel je me dat het verkeerd kan zijn om van iemand te houden en dat het veel verdriet kan veroorzaken.'

Jondalar pakte nog een stuk hout en gooide het op het vuur. Hoe kon hij het haar aan het verstand brengen? Je kon ook van je moeder houden, maar je wilt haar niet als levensgezel en je wilt niet dat je donii-vrouw de kinderen van je vuurplaats heeft. Hij wist niet wat hij moest zeggen, maar er hing een geladen stilte.

'Waarom ben je teruggegaan en niet bij Dalanar gebleven?' vroeg Ayla na een poosje.

'Mijn moeder liet me halen... maar dat was niet de enige reden. Ik wou graag terug. Hoe goed Dalanar ook voor me was, hoe graag ik Jerika en Joplaya ook mocht, het was toch anders dan thuis. Ik wist niet of ik ooit terug kon. Ik zag er erg tegen op om terug te gaan, maar ik wou toch. Ik heb gezworen om nooit weer mijn zelfbeheersing te verliezen.'

'Was je blij toen je naar huis ging?'

'Het was niet meer hetzelfde, maar na de eerste paar dagen was het beter dan ik had verwacht. Ladromans familie had de Negende Grot verlaten en nu hij er niet meer was om iedereen eraan te herinneren, dachten de mensen er niet meer aan. Ik weet niet wat ik had gedaan als hij er nog geweest was. Op de Zomerbijeenkomsten was het al erg genoeg. Telkens als ik hem zag werd ik herinnerd aan de schande. Er werd veel gepraat toen Zolena korte tijd later terugkwam. Ik was bang om haar weer te ontmoeten, maar ik wou het wel. Ik kon er niets aan doen, Ayla, ook niet na alles wat er was gebeurd. Ik denk dat ik nog steeds van haar hield.' Zijn blik smeekte om begrip.

Hij stond op en begon weer te lopen. 'Maar ze was erg veranderd. Ze had het al ver gebracht in de gelederen van de Zelandoniërs. Ze was al helemaal Een Die de Moeder Dient. Ik wou het eerst niet geloven. Ik wou weten in hoeverre ze was veranderd, of ze nog iets voor me voelde. Ik wou met haar alleen zijn en beraamde daartoe een plan. Ik wachtte tot het feest ter ere van de Moeder. Ze moet het hebben geweten. Ze probeerde me te ontwijken, maar toen veranderde ze van gedachten. De volgende dag namen een paar mensen er aanstoot aan, hoewel het volkomen correct is om bij een feest Genot met haar te delen.' Hij snoof verachtelijk. 'Ze hoefden zich geen zorgen te maken. Ze zei dat ze nog wel om me gaf en hoopte dat het me goed zou gaan, maar het was niet meer hetzelfde. Ze wou me echt niet meer.

De waarheid is,' zei hij, met bittere spot, 'dat ik echt geloof dat ze om me geeft. We zijn nu goede vrienden, maar Zolena wist wat ze wou... en ze heeft het bereikt. Ze is geen Zolena meer. Voor ik aan mijn Tocht begon werd ze Zelandoni, de Eerste onder Degenen Die de Moeder Dienen. Spoedig daarna ben ik met Thonolan vertrokken. Ik denk dat ik daarom ben gegaan.'

Hij liep weer naar de ingang en bleef over de rand van het gerepareerde windscherm staan kijken. Ayla stond op en kwam bij hem staan. Ze sloot haar ogen en voelde de wind op haar gezicht. Ze luisterde naar Whinneys gelijkmatige ademhaling en het onrustige snuiven van Renner. Jondalar zuchtte diep en ging weer op een mat bij het vuur zitten, maar hij maakte geen aanstalten om naar bed te gaan. Ayla volgde hem, pakte de grote waterzak en schonk wat water in een kookmand. Vervolgens legde ze stenen in het vuur om ze te verhitten. Hij scheen nog niet naar bed te willen. Hij was nog niet klaar.

Hij vatte de draad weer op en zei: 'Het belangrijkste, toen ik weer thuiskwam, was Thonolan. Hij was volwassen geworden in de tijd dat ik weg was. We werden goede vrienden en gingen allerlei dingen samen doen...'

Jondalar zweeg en zijn gezicht kreeg een smartelijke uitdrukking. Ayla herinnerde zich hoe de dood van zijn broer hem had aangegrepen. Hij kon zich niet meer goedhouden en liet zijn schouders hangen. Hij was uitgeput en ze besefte wat een beproeving het voor hem was geweest om over zijn verleden te praten. Ze wist niet precies hoe het was begonnen, maar ze begreep dat het een keer tot een uitbarsting moest komen.

'Ayla, denk je dat we op de terugweg... de plaats kunnen vinden waar Thonolan werd... gedood?' vroeg hij. Zijn ogen stonden vol tranen en zijn stem trilde.

'Ik weet het niet, maar we kunnen het proberen.' Ze legde nog een paar stenen in het water en zocht wat kalmerende kruiden uit.

Opeens herinnerde ze zich zijn eerste nacht in de grot, met al haar zorg en angst omdat ze niet wist of hij zou blijven leven. Hij had toen om zijn broer geroepen en hoewel ze zijn woorden niet verstond, begreep ze dat hij naar de man vroeg die dood was. Toen hij haar eindelijk begreep, had hij, kapot van verdriet, in haar armen uitgehuild.

'Weet je hoe lang het toen geleden was dat ik had gehuild?' vroeg hij. Ze schrok. Het was net of hij wist wat ze dacht, maar toen had hij over Thonolan gepraat. 'Niet meer sinds mijn moeder me had gezegd dat ik weg moest. Ayla, waarom moest hij sterven?' zei hij smekend. 'Thonolan was jonger dan ik! Hij had niet zo jong mogen sterven. Ik kon de gedachte niet verdragen dat hij er niet meer was. Toen ik eenmaal begon leek het wel of ik niet meer kon ophouden. Ik weet niet wat ik zou hebben gedaan als jij er niet was geweest, Ayla. Ik heb het je nooit verteld. Ik geloof dat ik me schaamde omdat... omdat ik me weer niet kon beheersen.'

'Verdriet is geen schande, Jondalar... en liefde ook niet.'

Hij wendde zijn blik af. 'Dat vind je nu?' In zijn stem klonk iets van zelfverwijt. 'Ook niet als je er zelf van geniet en een ander pijn doet?' Ayla fronste verbaasd de wenkbrauwen.

Hij draaide zich weer naar het vuur. 'Die zomer toen ik terug was, werd ik op de Zomerbijeenkomst uitgekozen voor de Eerste Riten. Ik maakte me zorgen; dat doen de meeste mannen. Je bent bang dat je een vrouw pijn zult doen en ik ben geen kleine man. Er zijn altijd getuigen om vast te stellen dat een meisje geen maagd meer is, maar ook om te controleren dat ze echt geen pijn heeft gehad. Je bent bezorgd dat je misschien niet in staat zult zijn om je als man te bewijzen en ze, tot je schande, op het laatste moment een andere man moeten nemen. Er kan van alles gebeuren. Ik moet Zelandoni dankbaar zijn.' Zijn lach was sarcastisch. 'Ze had precies gedaan wat van een doniivrouw wordt verwacht. Ze had me voorgelicht... en het hielp.

Maar ik dacht die nacht aan Zolena, niet aan de eerzuchtige zelandoni. Toen zag ik dat angstige meisje en het drong tot me door dat zij zich veel meer zorgen maakte dan ik. Ze werd echt bang toen ze mijn erectie zag; dat hebben veel vrouwen de eerste keer. Maar ik herinnerde me wat Zolena me had geleerd, hoe ik haar zover moest brengen, hoe ik me moest beheersen en hoe ik haar kon laten genieten. Het was fantastisch om haar van een nerveus, angstig meisje te zien veranderen in een gewillige vrouw. Ze was zo dankbaar en zo verliefd... Ik had het gevoel dat ik die nacht van haar hield.'

Hij sloot zijn ogen, met de pijnlijke trek die Ayla de laatste tijd zo vaak van hem had gezien. Hij sprong weer overeind en begon te lopen. 'Ik leer het nooit! De volgende dag wist ik dat ik niet echt van haar hield, maar ze hield wel van mij! Er werd net zomin van haar verwacht dat ze verliefd op me werd als dat van mij werd verwacht met mijn donii-vrouw. Er werd van mij verwacht dat ik een vrouw van haar maakte, haar het Genot leerde kennen, maar niet dat ze van me ging houden. Ik probeerde haar niet te kwetsen, maar ik zag haar teleurstelling toen ik het haar ten slotte duidelijk had gemaakt.'

Hij kwam met grote passen terug van de ingang, ging voor haar staan en riep: 'Ayla, het is een heilige daad om van een meisje een vrouw te maken, een plicht, een verantwoordelijkheid en ik had het weer ontheiligd!' Hij begon weer te lopen. 'Dat was niet de laatste keer. Ik zei tegen mezelf dat ik dat nooit weer zou doen, maar de volgende keer ging het op dezelfde manier. Ik vond dat ik de opdracht niet meer moest aanvaarden. Ik verdiende het niet. Maar toen ze me de volgende keer uitkozen, kon ik geen nee zeggen. Ik wou graag. Ze kozen me vaak en ik begon ernaar uit te kijken, naar de gevoelens van warmte en liefde die nacht, hoewel ik mezelf de volgende dag haatte omdat ik die jonge vrouwen en de heilige rite van de Moeder voor mezelf gebruikte.'

Hij zweeg en keek op haar neer terwijl hij zich vasthield aan een paal van haar droogrek met kruiden. 'Maar na een paar jaar besefte ik dat er iets niet klopte en ik wist dat de Moeder me strafte. De mannen van mijn leeftijd vonden vrouwen en pronkten met de kinderen van hun vuurplaats. Maar ik kon geen vrouw vinden van wie ik in die mate hield. Ik kende veel vrouwen, ik genoot van hun gezelschap, maar ik voelde alleen liefde bij de Eerste Riten, wanneer het niet van mij werd verwacht... en alleen die nacht.' Hij liet het hoofd hangen.

Hij keek geschrokken op toen hij een zacht lachje hoorde. 'O, Jondalar. Maar je bent wel verliefd geworden. Je houdt toch van mij? Begrijp je het niet? Je werd niet gestraft. Je hebt op mij gewacht. Ik heb je verteld dat mijn totem me bij je bracht, misschien de Moeder ook wel, maar jij moest van ver komen. Je moest wachten. Als je eerder verliefd was geworden, was je nooit gekomen. Dan had je me nooit gevonden.'

Zou dat zo zijn? vroeg hij zich af. Hij wou het graag geloven. Voor het eerst sedert jaren voelde hij de last, die op hem drukte, lichter worden en er straalde wat hoop uit zijn ogen. 'En Zolena dan, mijn doniivrouw?'

'Ik geloof niet dat het verkeerd was om van haar te houden, maar ook wanneer het tegen jullie gebruiken is, je bent ervoor gestraft, Jondalar. Je werd weggestuurd. Dat is nu voorbij. Daar hoef je niet steeds weer aan te denken en je hoeft jezelf er niet mee te pijnigen.'

'Maar de jonge vrouwen bij de Eerste Riten, die...'

Ayla's gezicht verstrakte. 'Jondalar, weet je wel hoe verschrikkelijk het is om voor de eerste keer verkracht te worden? Weet je wat het is om te haten en te moeten dulden wat geen Genot is, maar pijnlijk en afschuwelijk? Misschien werd je niet geacht verliefd te worden op die vrouwen, maar het moet een heerlijk gevoel voor hen geweest zijn om zo teder te worden behandeld en zo te genieten van de liefde bij de eerste keer. Zelfs al gaf je hun maar een deel van wat je mij geeft, dan hebben ze voor hun hele leven een prachtige herinnering. O, Jondalar, je hebt hun geen pijn gedaan. Je hebt het precies goed gedaan. Waarom, denk je, ben je zo vaak gekozen?'

De zware last van de schaamte en het zelfverwijt, die hij al zo lang met zich meedroeg, begon weg te glijden. Hij begon te geloven dat zijn leven misschien toch zin had, dat de pijnlijke ervaringen in zijn jeugd een bedoeling hadden gehad. In de loutering van zijn bekentenis zag hij dat zijn daden misschien niet zo verachtelijk waren geweest als hij dacht, dat hij misschien niet zo minderwaardig was – want dat gevoel zat hem dwars.

Maar de last die hij zo lang had gedragen was niet zo gemakkelijk af te schudden. Ja, hij had eindelijk een vrouw gevonden van wie hij hield en het was waar dat ze alles had wat hij wenste, maar wat zou er gebeuren als hij haar mee naar huis nam en ze vertelde dat ze door platkoppen was grootgebracht? Of, nog erger: dat ze een zoon van gemengde afkomst had? Een gruwel? Zou hij weer bespot worden, en zij ook, omdat hij zo'n vrouw meebracht? Hij kreeg een kleur alleen al bij de gedachte.

Was het wel eerlijk tegenover haar? Wat moesten ze doen als ze haar afwezen, haar beledigden? En als hij haar dan niet steunde? Ze hun gang liet gaan? Hij huiverde. Nee, dacht hij. Dat zou hij niet toestaan. Hij hield van haar. Maar hoe moest het dan?

Waarom had hij Ayla ontmoet? Haar uitleg leek te simpel. Zijn overtuiging dat de Grote Moeder hem strafte voor zijn heiligschennis kon niet zo gemakkelijk worden weerlegd. Misschien had Ayla gelijk, misschien had Doni hem bij haar gebracht, maar was het geen straf dat zijn volk deze mooie vrouw, van wie hij hield, net zomin zou accepteren als de eerste vrouw die hij liefhad? Was het niet ironisch dat de vrouw die hij eindelijk had gevonden een paria was, die een gruwel had gebaard?

Maar de Mamutiërs hadden soortgelijke opvattingen en zij wezen haar niet af. Het Leeuwenkamp nam haar aan terwijl ze wisten dat ze door platkoppen was grootgebracht. Ze hadden zelfs een kind van gemengde afkomst opgenomen. Misschien moest hij niet proberen om haar mee naar huis te nemen. Ze zou misschien gelukkiger zijn als ze daar bleef. Misschien kon hij daar ook beter blijven en zich laten adopteren door Tulie en Mamutiër worden. Hij fronste zijn voorhoofd. Maar hij was geen Mamutiër. Hij was een Zelandoniër. De Mamutiërs waren goede mensen en hun manier van leven week niet veel af van de zijne, maar het was zijn volk niet. Wat kon hij Ayla hier aanbieden? Hij had geen banden met deze mensen, geen familie of verwanten. En wat had hij te bieden wanneer hij haar mee naar huis nam?

Hij werd verscheurd door twijfel en voelde zich opeens uitgeput. Ayla zag de matte uitdrukking in zijn ogen.

'Het is laat, Jondalar. Drink hier maar wat van, dan gaan we naar bed,' zei ze en ze gaf hem een kopje.

Hij knikte en dronk de warme thee op. Hij kleedde zich uit en kroop tussen de vachten. Ayla ging naast hem liggen en keek tot de rimpels in zijn voorhoofd wegtrokken en zijn ademhaling rustig werd, maar zij kon de slaap niet vatten. Ze maakte zich zorgen over Jondalars verdriet. Ze was blij dat hij meer over zichzelf en zijn jeugd had verteld. Ze vermoedde al lang dat hij diep in zijn binnenste een groot leed meedroeg en misschien was er een deel van zijn problemen opgelost door erover te praten, maar er zat hem nog iets dwars. Hij had haar niet alles verteld en dat vervulde haar met grote zorg.

Ze lag klaarwakker en ze probeerde hem niet te storen. Ze zou willen dat ze kon slapen. Hoeveel nachten had ze alleen in deze grot doorgebracht terwijl ze niet kon slapen? Toen herinnerde ze zich de cape. Ze gleed voorzichtig uit bed, zocht in haar zak, trok er een zacht, oud stuk leer uit en hield het tegen haar wang. Het was een van de weinige dingen die ze had meegenomen uit het steengruis van de grot van de Stam toen ze wegging. Ze had het gebruikt om Durc in te dragen toen hij een baby was en later als kleuter. Ze wist niet waarom ze het had meegenomen. Ze had het niet nodig, maar toch had ze zich er meer dan eens mee in slaap gesust als ze alleen was. Maar niet meer sinds Jondalar was gekomen.

Ze maakte een prop van de zachte oude huid en drukte die tegen haar buik.

Zo viel ze ten slotte in slaap.

'Het is te veel, ook met de slee en de draagmanden. Ik heb twee paarden nodig om dit allemaal te vervoeren!' zei Ayla terwijl ze naar de stapel keurig dichtgebonden zakken keek die ze wou meenemen. 'Ik zal meer moeten achterlaten, maar ik heb alles al zo vaak bekeken dat ik niet zou weten wat ik verder nog hier zou kunnen laten.' Ze keek nog eens om zich heen en probeerde iets te bedenken dat een oplossing voor haar probleem kon brengen.

De grot leek verlaten. Alles wat nog bruikbaar was en niet werd meegenomen, was in de bergplaatsen en steenhopen gebracht voor het geval ze nog eens terug zouden komen, hoewel ze daar geen van beiden in geloofden. Het enige wat nog in het gezicht lag was een berg afdankertjes. Zelfs het droogrek voor de kruiden was leeg.

'Je hebt twee paarden. Jammer dat je ze niet allebei kunt gebruiken,' zei Jondalar, die de twee paarden bij de ingang op hooi zag kauwen.

Ayla keek naar de paarden en overwoog de mogelijkheid. Jondalars opmerking had haar aan het denken gezet. 'Ik beschouw hem nog altijd als het veulen van Whinney, maar Renner is bijna net zo groot als zij. Misschien kan hij ook wel wat dragen.'

Jondalar was onmiddellijk geïnteresseerd. 'Ik heb me al vaak afgevraagd wanneer hij groot genoeg zou zijn om wat van de dingen te doen die Whinney doet en hoe je het hem zou leren. Wanneer heb je voor het eerst op Whinney gereden? En hoe kwam je eigenlijk op het idee?'

Ayla glimlachte. 'Op een dag liep ik gewoon naast haar en ik wou dat ik zo snel kon lopen. Opeens kwam het idee bij me op. Ze was eerst wat bang en begon te rennen, maar ze kende me. Toen ze moe werd bleef ze staan en scheen het niet erg meer te vinden. Het was schitterend! We gingen zo snel als de wind!'

Jondalar zag haar opwinding en haar glinsterende ogen terwijl ze aan haar eerste rit dacht. Hij had hetzelfde gevoeld de eerste keer dat Ayla hem op Whinney liet rijden en hij begreep haar opwinding. Hij kreeg opeens een hevig verlangen naar haar. Hij was er telkens weer verbaasd over hoe snel en overwacht dat verlangen naar haar werd opgewekt. Maar ze had haar gedachten bij Renner.

'Ik vraag me af hoe lang het zou duren om hem te laten wennen aan een vracht. Ik reed al op Whinney voor ik ermee begon haar een vracht te laten dragen, dus dat duurde niet lang. Maar als we eens met een klein vrachtje begonnen, is het later misschien gemakkelijker om hem te berijden. Ik zal eens kijken of ik iets kan vinden om mee te oefenen.'

Ze zocht in de hoop afdankertjes, trok er huiden uit, een paar manden, extra keien die ze had gebruikt om schalen te schuren en gereedschap te maken en de stokken die ze had gemerkt om de dagen te tellen die ze in de vallei had doorgebracht.

Ze wachtte even en legde elke vinger van een hand over de tekens, zoals Creb het haar zo lang geleden had geleerd. Ze kreeg een brok in de keel als ze aan Creb dacht. Jondalar had de tekens op de stok gebruikt om vast te stellen hoe lang ze daar was geweest en met zijn telwoorden uit te rekenen hoe oud ze was. Ze was toen, in het begin van de zomer, zeventien jaar. Aan het eind van de winter, of in het voorjaar, werd ze weer een jaar ouder. Hij had gezegd dat hij eenentwintig was en hij had zichzelf lachend een oude man genoemd. Hij was drie jaar daarvoor met zijn Tocht begonnen, in dezelfde tijd dat zij de Stam had verlaten.

Ze pakte alles bij elkaar, ging naar buiten en floot Whinney en Renner. Toen ze buiten stonden, besteedden ze wat tijd aan het aaien en krabben van de jonge hengst. Toen pakte Ayla een leren huid. Ze liet hem eraan ruiken en erop kauwen en wreef ermee over zijn haar. Vervolgens legde ze de huid over zijn rug en liet hem hangen. Hij pakte met zijn tanden een eind vast, trok de huid eraf en bracht die bij haar om nog wat te spelen. Ze legde hem weer over zijn rug. De volgende keer deed Jondalar het, terwijl Ayla een lange riem afrolde. Whinney hinnikte, kwam nieuwsgierig kijken en kreeg ook wat aandacht. Ze legden de huid weer op Renner en hij mocht die er nog een paar keer af trekken.

De volgende keer dat Ayla de huid over Renners rug gooide, ging de lange leren riem mee. Ze pakte het losse eind dat onder hem hing en bond de huid vast. Toen Renner de huid weer wilde wegtrekken met zijn tanden, lukte dat niet onmiddellijk. Eerst vond hij het niet leuk en probeerde de huid af te schudden, maar toen vond hij een los eind en begon met zijn tanden te trekken tot hij hem onder de riem vandaan had. Hij trok aan de riem tot hij de knoop vond en bewerkte die met zijn tanden tot hij los was. Hij pakte de huid met zijn tanden en liet deze voor Ayla's voeten vallen. Toen ging hij de riem halen. Ayla en Jondalar moesten lachen toen Renner parmantig wegstapte met het hoofd omhoog. Hij leek trots op zichzelf.

Het jonge paard stond Jondalar toe om de huid weer vast te binden en hij liep er wat mee rond voor hij weer aan het spelletje begon van lostrekken en afschudden. Het scheen hem niet zoveel meer te interesseren. Ayla bond de huid weer op en hij liet die liggen terwijl ze hem aaide en tegen hem praatte. Toen pakte ze de spullen om mee te oefenen: twee manden die zo aan elkaar waren gebonden dat er aan elke kant één hing. Ze had er stenen in gedaan om ze te verzwaren en er staken een paar stokken uit als de palen van een slee.

Ze legde het geheel over Renners rug. Hij legde de oren in de nek en draaide zijn hoofd om te kijken. Hij was niet gewend aan een vracht, maar ze hadden zo vaak op hem geleund dat hij wel gewend was aan wat druk en gewicht op zijn rug. Het was geen volkomen vreemde ervaring, maar wat het belangrijkste was, hij vertrouwde de vrouw en dat deed zijn moeder ook. Ayla liet de manden hangen terwijl ze hem aaide en tegen hem praatte en toen haalde ze alles eraf, ook de huid en de riem. Hij snuffelde er nog eens aan en keek er niet meer naar.

'We zouden misschien nog een dag kunnen blijven om hem eraan te laten wennen en ik zal alles nog eens nakijken, maar ik geloof dat het lukt,' zei Ayla stralend van vreugde toen ze terugliepen naar de grot. 'Misschien wil hij geen vracht op palen slepen, zoals Whinney doet, maar ik geloof dat Renner wel wat op zijn rug kan dragen.'

'Ik hoop alleen dat het weer nog een paar dagen goed blijft,' zei Jondalar.

'Als we proberen om helemaal niet te rijden, kunnen we nog een pak hooi leggen op de plaats waar we anders zitten, Jondalar. Ik heb het goed bij elkaar gebonden,' riep Ayla naar de man die nog een paar laatste stenen om vuur te maken op het strandje zocht. De paarden waren er ook. Whinney stond geduldig te wachten met de geladen slee en de draagmanden, met nog een vracht op haar rug die in een huid was gerold. Renner was nog wat schichtig door de manden die aan zijn zij hingen en de vracht die op zijn rug was gebonden. Hij was er nog niet aan gewend om iets te dragen, maar het was een echt steppepaard, gedrongen en stevig gebouwd, gewoon om in het wild te leven en buitengewoon sterk.

'Ik dacht dat je graan zou meenemen, je hebt toch geen hooi nodig?

Er groeit onderweg meer gras dan alle paarden kunnen opeten.'

'Maar als er veel sneeuw valt, of, wat nog erger is, er een ijskorst op komt, wordt het moeilijk om erbij te komen en als ze te veel graan krijgen kunnen ze verstopt raken. Het is altijd goed om een voorraad hooi voor een paar dagen te hebben. In de winter kunnen paarden van de honger sterven.'

'Jij zou die paarden niet laten verhongeren, al zou je zelf het ijs stuk moeten breken om het gras te snijden, Ayla,' zei Jondalar lachend, 'maar het maakt mij niet uit of we rijden of lopen.' Zijn glimlach verflauwde toen hij naar de strakke blauwe lucht keek. 'We zullen in ieder geval meer tijd nodig hebben om terug te komen dan toen we hierheen gingen nu de paarden zo zwaar beladen zijn.'

Jondalar had nog drie onbetekenend lijkende stenen in zijn hand toen hij het steile pad naar de grot op ging. Toen hij bij de ingang kwam, zag hij dat Ayla met tranen in haar ogen naar binnen stond te kijken. Hij legde het pyriet in een zakje bij zijn reistas en ging bij haar staan.

'Dit was mijn thuis,' zei ze en ze werd overweldigd door dit verlies nu ze voelde dat het vertrek definitief was. 'Dit was mijn eigen plekje. Mijn totem heeft me hier gebracht. Hij gaf me een teken.' Ze pakte het leren zakje dat ze om haar hals droeg. 'Ik was eenzaam, maar ik kon hier doen wat ik wou en wat ik moest doen. Nu wil de Geest van de Holenleeuw dat ik wegga.' Ze keek naar de grote man die naast haar stond. 'Denk je dat we hier ooit terugkomen?'

'Nee,' zei hij. Zijn stem klonk hol. Hij keek de kleine grot in, maar het was voor hem niet meer dezelfde. 'Zelfs al ga je naar dezelfde plaats terug, dan is het toch anders.'

'Waarom wil jij dan terug, Jondalar? Waarom blijf je niet en word je geen Mamutiër?' vroeg ze.

'Ik kan niet blijven. Het is moeilijk uit te leggen. Ik weet dat het niet hetzelfde zal zijn, maar de Zelandoniërs zijn mijn mensen. Ik wil hun de stenen laten zien om vuur te maken. Ik wil hun laten zien hoe je met de speerwerper kunt jagen en wat je met vuursteen kunt doen als het verhit wordt. Al die dingen zijn belangrijk en de moeite waard. Daar wil ik mijn volk van laten profiteren.' Hij keek naar de grond en zei zachtjes: 'Ik wil dat ze me zien en me niet meer minderwaardig vinden.'

Ze keek hem in de ogen, die bezorgdheid uitstraalden en ze wou dat ze het verdriet kon wegnemen dat ze erin zag. 'Is het zo belangrijk wat zij vinden? Is het niet belangrijker wat je zelf vindt?' zei ze.

Toen herinnerde ze zich dat de Holenleeuw ook zijn totem was, omdat hij net als zij was uitgekozen door de Geest van het machtige dier.

Ze wist dat het niet gemakkelijk was om met een krachtige totem te leven, de beproevingen waren zwaar, maar de gaven en de kennis die je ermee verwierf waren de moeite waard. Creb had haar verteld dat de Grote Holenleeuw nooit iemand uitkoos die het niet waard was.

Zij gebruikten liever de zware rugzakken dan de schoudertassen van de Mamutiërs. Jondalar had ze ook gebruikt, met riemen over de schouders. Ze keken of de capuchons gemakkelijk konden worden opgedaan. Ayla had nog extra koordjes gemaakt die over het voorhoofd konden worden getrokken, maar zij gaf er de voorkeur aan om de slinger om haar hoofd te dragen. Hun voedsel, het materiaal om vuur te maken, de tent en de slaapvachten waren ingepakt.

Jondalar droeg ook nog twee goede vuursteenknollen die hij met zorg had gekozen uit een aantal die hij op het strand had gevonden en een zak vol stenen om vuur te maken. In een aparte houder aan hun zij droegen ze allebei speren en een speerwerper. Ayla droeg een aantal goede werpstenen en onder haar anorak had ze aan een riem om haar tuniek de medicijntas van otterhuid.

De merrie droeg het hooi dat Ayla tot een baal had gebonden. Ze bekeek de paarden nog eens goed, controleerde de stand van hun benen en overtuigde zich ervan dat ze niet te zwaar beladen waren. Met een laatste blik naar het steile pad gingen ze de lange vallei in. Whinney volgde Ayla en Jondalar leidde Renner aan een touw. Ze staken het riviertje over bij de stapstenen. Ayla dacht er even aan om wat van Whinneys vracht weg te nemen opdat ze gemakkelijker de grindhelling kon nemen, maar het lukte de merrie zonder veel moeite.

Toen ze eenmaal op de steppen in het westen waren, week Ayla af van de weg die ze op de heenreis hadden genomen. Ze sloeg te vroeg af, ging weer terug en vond de goede weg. Eindelijk kwamen ze bij een doodlopend ravijn, bezaaid met enorme, puntige rotsblokken die van de granieten wanden waren losgeraakt door de vorst, de hitte en de tijd. Ze hielden Whinney in de gaten om te zien of ze onrustig werd – er waren vroeger holenleeuwen in het ravijn – en gingen erin, naar de helling van los grind aan het andere eind.

Toen Ayla hen vond was Thonolan al dood en Jondalar was zwaar gewond. Ze had geen tijd gehad voor een begrafenisritueel, behalve dan dat ze een verzoek aan de Geest van haar Holenleeuw had gericht om de man naar de volgende wereld te leiden. Maar ze kon het lichaam niet aan de roofdieren overlaten. Ze had hem naar het eind van het ravijn gesleept en met haar zware speer, zoals die door de mannen van de Stam werden gebruikt, had ze een kei losgewrikt waar een hoop losse stenen achter lagen. Het had haar verdriet gedaan toen het levenloze, bebloede lichaam door de stenen werd bedolven. Ze had hem nooit gekend en ze zou hem ook nooit kennen, maar het was een man als zij, een man van de Anderen.

Jondalar stond aan de voet van de helling en hij wou dat hij een teken van herkenning aan het graf van zijn broer kon geven. Misschien had Doni hem al gevonden omdat Ze hem zo gauw had teruggeroepen, maar hij wist dat Zelandoni zou proberen de rustplaats van Thonolans geest te vinden en hem zou leiden als ze kon. Maar hoe kon hij haar vertellen waar deze plaats was? Hij had hem zelf ook niet kunnen vinden.

'Jondalar?' zei Ayla. Hij keek en zag dat ze een leren zakje in de hand had. 'Je hebt me verteld dat zijn geest naar Doni terug moet. Ik weet niet hoe de Grote Aardmoeder dat doet, ik ken alleen de geestenwereld van de Stamtotems. Ik heb mijn Holenleeuw gevraagd hem daarheen te leiden. Misschien is het dezelfde plaats of misschien kent jullie Grote Moeder die plaats, maar de Holenleeuw is een machtig totem en je broer is niet zonder bescherming.'

'Dank je, Ayla. Ik weet dat je hebt gedaan wat je kon.'

'Misschien begrijp je het niet, zoals ik Doni niet begrijp, maar de Holenleeuw is nu ook jouw totem. Hij heeft je gekozen, zoals hij mij heeft gekozen en hij gaf je een litteken, zoals hij mij een litteken gaf.'

'Dat heb je me eerder verteld, maar ik weet niet wat het betekent.'

'Hij moest jou kiezen toen hij je voor mij uitzocht. Alleen een man met de totem van de Holenleeuw is sterk genoeg voor een vrouw met de Holenleeuwtotem, maar er is nog iets wat je moet weten. Creb heeft altijd tegen me gezegd dat het niet gemakkelijk is om met een krachtige totem te leven. Zijn Geest zal je op de proef stellen, om te weten of je Hem waardig bent. Het zal heel moeilijk zijn, maar je zult meer krijgen dan je denkt.' Ze hield het zakje omhoog. 'Ik heb een amulet voor je gemaakt. Je hoeft hem niet om je hals te dragen, zoals ik, maar je moet hem wel bij je houden. Ik heb er een stukje rode oker in gedaan zodat er een stukje van jouw geest en van je totem in zit, maar ik vind dat er nog iets in je amulet moet zitten.'

Jondalar fronste het voorhoofd. Hij wou haar niet beledigen, maar hij wist niet of hij deze totemamulet van de Stam wel wilde hebben.

'Ik geloof dat je een stukje steen van het graf van je broer moet nemen. Er zal een stukje van zijn geest in blijven en je kunt het meenemen naar je volk.'

De diepe rimpels in zijn voorhoofd trokken opeens weg. Natuurlijk! Dat zou Zelandoni kunnen helpen om deze plaats in een droomtoestand te vinden. Misschien vermochten de Stamtotems wel meer dan hij besefte. Per slot van rekening had Doni ook al de geesten van de dieren geschapen.

'Ayla, hoe weet je zo precies wat je moet doen? Hoe heb je zoveel kunnen leren waar je bent opgegroeid? Ja, ik zal het zakje bewaren en er een steen in doen van Thonolans graf,' zei hij.

Hij keek naar het losse steengruis, met de scherpe randen, dat door dezelfde krachten was ontstaan als de zware brokken die in zo'n wankel evenwicht op de helling naar de wanden van het ravijn lagen. Opeens gaf een steen zich gewonnen aan de zwaartekracht en rolde naar beneden tussen de andere keien. Hij bleef voor Jondalars voeten liggen en hij raapte hem op. Op het eerste gezicht leek hij gelijk aan de andere, onbetekenende brokjes graniet. Maar toen hij hem omdraaide, was hij verbaasd een kleurenschittering op het breukvlak te zien, als van een opaal. In het hart van de melkwitte steen schitterden felle rode puntjes en als hij hem in het zonlicht draaide zag hij blauwe en groene streepjes dansen.

'Ayla, kijk eens,' zei hij, en hij liet haar het stukje steen zien. 'Je zou nooit verwachten dat de achterkant er zo uitziet. Het lijkt een heel gewone steen, maar kijk eens op het breukvlak. Het lijkt wel of de kleuren van binnenuit komen en ze zijn zo helder. Het lijkt wel of er leven in zit.'

'Misschien is dat zo, of misschien is het een stukje van de geest van je broer,' antwoordde ze.

16

Er draaide een koude luchtstroom onder de rand van de lage tent door; een blote arm werd snel onder een vacht getrokken. Een stijve bries floot door de flap voor de ingang en een van de slapers fronste de wenkbrauwen. De flap werd losgerukt door een hevige windvlaag en zo werd de weg vrijgemaakt voor de rukwinden die ervoor zorgden dat Ayla en Jondalar in een ogenblik klaarwakker waren. Jondalar bond het losse eind vast, maar de wind, die in de loop van de nacht was toegenomen, maakte een rustige slaap onmogelijk doordat hij om de kleine tent, die van huiden was gemaakt, raasde en huilde.

De volgende morgen hadden ze de grootste moeite om in de stormachtige wind de tent op te vouwen en in te pakken. Ze deden geen poging een vuur aan te leggen, wat ze elke morgen nog hadden gedaan sinds hun vertrek uit de vallei. Ze dronken wat koud water uit de rivier in de buurt en aten wat voedsel dat ze hadden meegenomen voor onderweg. In de loop van de ochtend ging de wind iets liggen, maar er hing iets in de lucht dat hen deed betwijfelen of het ergste voorbij was.

Toen de wind omstreeks het middaguur weer opstak, rook Ayla een frisse, bijna metaalachtige geur. Ze snoof en draaide onderzoekend haar hoofd om.

'Er is sneeuw in aantocht,' riep Ayla om boven het lawaai uit te komen. 'Ik ruik het.'

'Wat zei je?' vroeg Jondalar, maar de wind sloeg zijn woorden weg en Ayla begreep de betekenis ervan eerder uit de bewegingen van zijn mond dan dat ze iets hoorde. Ze bleef staan om te wachten tot hij naast haar liep.

'Ik ruik dat er sneeuw op komst is. We zullen een schuilplaats moeten zoeken voor het begint,' zei Ayla, die de wijde vlakte met bezorgde ogen afzocht. 'Maar waar vinden we hier beschutting?'

Jondalar was net zo bezorgd terwijl hij over de lege steppe keek. Hij dacht aan de bijna bevroren rivier waar ze de afgelopen nacht hun kamp hadden gehad. Ze waren haar niet overgestoken, dus moest ze nog links liggen, hoeveel bochten er ook in zaten. Hij probeerde door de stofwolken te kijken, maar het was niet helder genoeg. Het water ging in ieder geval naar links.

'Laten we proberen dat riviertje te vinden,' zei hij. 'Misschien zijn er bomen of hoge oevers die wat bescherming bieden.'

Ayla knikte en ze volgde hem. Whinney had ook geen bezwaar.

De geringe verandering in de toestand van de atmosfeer, die de vrouw had herkend als de geur van sneeuw, was met recht een waarschuwing geweest. Het duurde niet lang of de wind begon buien met een lichte stuifsneeuw aan te voeren, die spoedig plaatsmaakte voor grotere vlokken, waardoor het zicht minder werd.

Maar toen Jondalar dacht dat hij voor zich uit vage vormen zag opdoemen en bleef staan om ze beter te kunnen zien, ging Whinney door en ze volgden haar allemaal. Lage, kromgegroeide bomen en kreupelhout gaven de oever van een rivier aan. De man en de vrouw konden er wel achter wegkruipen, maar de merrie ging verder, stroomafwaarts, tot ze bij een bocht kwamen waar het water een diepe geul had uitgeslepen. Daar dreef Whinney het jonge paard naar de steile wand, buiten de hevigste kracht van de wind, en ze ging zelf voor hem staan om hem te beschermen.

Ayla en Jondalar bevrijdden de paarden snel van hun last en zetten het tentje bijna tussen de benen van de merrie op. Toen kropen ze erin om de bui af te wachten.

Zelfs in de luwte van de oever, buiten de volle wind, bedreigde de storm hun eenvoudige schuilplaats nog. Hij brulde van alle kanten en leek vastbesloten een weg naar binnen te vinden. Dat lukte vaak. Er kwamen windvlagen onder de rand door en windstoten bliezen sneeuw naar binnen door kiertjes bij de opening of het rookgat. De vrouw en de man kropen onder hun vachten om warm te blijven en ze praatten over voorvallen uit hun jeugd, verhalen en mensen die ze hadden gekend, gebruiken, ideeën, dromen en hun hoop; ze schenen nooit gebrek te hebben aan dingen om over te praten. Toen de nacht kwam, vrijden ze en toen gingen ze slapen. Omstreeks middernacht kwam er een eind aan de aanvallen van de wind op hun tent.

Ayla werd wakker en keek om zich heen in de schemerige tent. Ze voelde zich niet goed en probeerde een opkomend gevoel van panische angst te onderdrukken. Ze had hoofdpijn en er hing een drukkende stilte in de bedompte lucht van de tent. Er was iets, maar ze wist niet wat. De situatie kwam haar bekend voor, of was het een herinnering aan een plek waar ze eerder was geweest? Het leek meer een gevaar dat ze behoorde te kennen, maar wat? Opeens kon ze er niet meer tegen. Ze ging rechtop zitten en duwde de warme vachten van de man die naast haar lag af.

'Jondalar! Jondalar!' Ze schudde hem wakker, maar dat hoefde niet. Hij was al wakker vanaf het moment dat ze overeind vloog.

'Ayla! Wat is er?'

'Ik weet het niet. Er is iets niet goed!'

'Ik zie niets bijzonders,' zei hij. Dat was ook zo, maar Ayla had duidelijk ergens last van. Hij was niet gewend haar zo angstig te zien. Gewoonlijk was ze kalm en beheerst, ook als er gevaar dreigde. Zelfs een roofdier kon haar niet zo in paniek brengen. 'Waarom denk je dat er iets niet goed is?'

'Ik heb gedroomd. Ik was in een donkere ruimte, nog zwarter dan de nacht; en ik stikte bijna. Ik kon geen adem meer halen!'

Hij keek de tent nog eens rond met een bezorgde blik. Het was niets voor Ayla om zo bang te zijn, misschien klopte er iets niet. Het was donker in de tent, maar je kon nog wel wat zien. Er kwam wat flauw licht naar binnen. Alles leek nog op zijn plaats te zitten, de wind had niets stukgescheurd en er waren geen touwen gebroken. Het waaide niet eens. Er bewoog niets. Het was volkomen stil...

Jondalar gooide de vachten af en scharrelde naar de ingang. Hij maakte de flap los en zag een zachte witte muur, die de tent in zakte, maar er lag nog veel meer achter.

'We zijn ingesneeuwd, Jondalar! We liggen begraven onder de sneeuw!' Ayla's ogen werden groot van angst en haar stem sloeg over omdat ze moeite deed zich te beheersen.

Jondalar pakte haar vast. 'Rustig maar, Ayla. Er is niets aan de hand,' zei hij zachtjes, hoewel hij er helemaal niet zeker van was.

'Het is zo donker en ik kan geen lucht krijgen!'

Haar stem klonk zo vreemd, alsof hij van heel ver kwam, en ze verslapte in zijn armen. Hij legde haar op de vachten en zag dat ze haar ogen dicht had, maar ze bleef met die vreemde stem schreeuwen dat het donker was en dat ze geen lucht kreeg. Jondalar wist niet wat hij moest doen. Hij was erg geschrokken en ook wel wat angstig. Er was iets vreemds aan de hand. Het was niet alleen dat ze waren ingesneeuwd, hoe beangstigend dat ook was. Hij zag zijn rugzak bij de opening gedeeltelijk onder de sneeuw liggen en bleef er even naar kijken. Opeens kroop hij ernaartoe. Hij veegde de sneeuw eraf en vond een speer. Hij ging op zijn knieën zitten en maakte de flap over het rookgat los, boven het midden van de tent. Hij stootte het stompe eind van de speer omhoog in de sneeuw. Er viel een laag op hun slaapvachten en toen kwam er een stroom frisse lucht met het zonlicht de tent in.

Ayla knapte onmiddellijk op. Ze werd duidelijk rustiger en opende even later de ogen. 'Wat heb je gedaan?' vroeg ze.

'Ik heb een speer door het rookgat en de sneeuw gestoken. We zullen ons eruit moeten graven, maar misschien ligt er minder sneeuw dan het lijkt.' Hij wierp een bezorgde blik op haar. 'Wat was er met jou aan de hand, Ayla? Ik was ongerust. Je zei steeds maar dat je geen lucht kreeg. Ik denk dat je een flauwte had.'

'Ik weet het niet. Misschien was het gebrek aan frisse lucht.'

'Dat geloof ik niet. Ik had weinig moeite met ademhalen. En je was echt bang. Ik heb je nog nooit zo angstig gezien.'

Ayla voelde zich niet op haar gemak door zijn vragen. Ze had een vreemd gevoel en ze was nog wat licht in het hoofd, en het leek wel of ze aan onaangename dromen moest denken, maar ze kon het niet uitleggen.

'Ik herinner me dat er ook sneeuw lag op de opening van de kleine grot waar ik ben geweest toen ik Bruns Stam moest verlaten. Ik werd in het donker wakker en het was benauwd in de grot. Dat moet het geweest zijn.'

'Ik kan erin komen dat je dan bang wordt als het weer gebeurt,' zei Jondalar, maar om de een of andere reden geloofde hij het niet helemaal, en Ayla ook niet.

De grote man met de rode baard was nog buiten aan het werk, hoewel de schemering weldra zou overgaan in duisternis. Hij was de eerste die de merkwaardige groep over de rand zag komen en de helling zag afdalen. Eerst kwam de vrouw, die vermoeid door de hoge sneeuw ploeterde, gevolgd door een paard dat van uitputting het hoofd liet hangen. Ze had een vracht op de rug en sleepte de slee achter zich aan. Het jonge paard, dat ook een vracht droeg, werd aan een touw geleid door de man, die de merrie volgde. Hij had het wat gemakkelijker omdat de sneeuw al was platgetrapt door degenen die voor hem liepen, hoewel Jondalar en Ayla onderweg van plaats wisselden om elkaar de gelegenheid te geven wat uit te rusten.

'Nezzie! Ze zijn terug!' schreeuwde Talut terwijl hij opsprong om ze tegemoet te gaan. Hij trapte de sneeuw plat voor Ayla op het laatste stukje dat ze nog moest gaan. Hij bracht hen niet naar de bekende toegangspoort aan de voorkant, maar naar het midden van het lange huis. Tot hun verbazing was er tijdens hun afwezigheid een stuk aan gebouwd. Het leek veel op de hal bij de ingang maar het was groter, of dat leek zo omdat het leeg was en nog niet helemaal klaar. Via een nieuwe ingang was er een directe verbinding met de Mammoetvuurplaats.

'Dit is voor de paarden, Ayla,' zei Talut, toen ze eenmaal binnen waren, met zijn brede zelfvoldane grijns omdat ze zonder een woord te zeggen ongelovig stond te kijken. 'Na die laatste storm begreep ik wel dat een afdak niet voldoende was. Als jij met de paarden bij ons komt wonen, moeten we iets degelijks hebben. Ik vind dat we het de Paardenvuurplaats moeten noemen!'

Ayla kreeg tranen in de ogen. Ze was doodmoe en dankbaar dat ze het hadden gehaald, maar dit was overweldigend. Er had nog nooit iemand zoveel moeite voor haar gedaan. Zolang ze bij de Stam had gewoond, had ze nooit het gevoel gehad dat ze volledig werd geaccepteerd, dat ze er echt bij hoorde. Ze wist zeker dat ze haar nooit hadden toegestaan om paarden te houden, om er maar over te zwijgen dat ze een ruimte voor de dieren zouden hebben gebouwd.

'O, Talut,' zei ze, en haar stem stokte. Toen sloeg ze haar armen om zijn nek en drukte haar koude wang tegen de zijne. Ayla leek altijd wat terughoudend tegenover hem, zodat dit spontane blijk van genegenheid een welkome verrassing was. Talut drukte haar tegen zich aan en klopte haar op de rug. Hij glimlachte van genoegen en was heel tevreden over zichzelf.

De meesten van het Leeuwenkamp stonden om hen heen in de nieuwe ruimte en ze verwelkomden de vrouw en de man alsof ze allebei echte leden van de groep waren.

'We werden al ongerust over jullie,' zei Deegie, 'vooral toen het begon te sneeuwen.'

'We hadden vlugger terug kunnen zijn als Ayla niet zoveel had willen meenemen,' zei Jondalar. 'De laatste paar dagen wist ik niet of we het zouden halen.'

Ayla was al begonnen om voor de laatste keer de vracht van de paarden te halen en toen Jondalar haar ging helpen kwamen de anderen eromheen staan, nieuwsgierig naar de inhoud van de pakken.

'Heb je ook iets voor mij meegebracht?' vroeg Rugie ten slotte, die met deze vraag onder woorden bracht wat iedereen dacht.

Ayla glimlachte naar het meisje. 'Ja, ik heb iets voor je meegebracht. Ik heb voor iedereen wat meegebracht,' antwoordde ze, zodat ieder zich afvroeg wat voor geschenk dat dan wel was.

'Voor wie is dat?' vroeg Tusie, toen Ayla de touwen van het grootste pak begon los te snijden.

Ayla en Deegie keken elkaar aan en ze moesten beiden glimlachen terwijl ze probeerden Deegies kleine zusje niet te laten merken dat ze schik hadden in de toon en stembuiging van Tulie die duidelijk was te horen in de stem van haar jongste dochter.

'Ik heb ook wat voor de paarden meegebracht,' zei Ayla tegen het meisje terwijl ze de laatste touwen om de baal hooi lossneed. 'Dit is voor Whinney en Renner.'

Toen ze het voor hen had uitgespreid, begon ze de vracht op de slee los te maken. 'Ik moet de rest ook nog naar binnen brengen.'

'Dat hoeven jullie nu niet te doen,' zei Nezzie. 'Jullie hebben de anoraks nog aan. Kom binnen, dan krijgen jullie iets warms te drinken en wat te eten. Het kan hier best blijven staan.'

'Nezzie heeft gelijk,' voegde Tulie eraan toe. Ze was net zo benieuwd als de rest van het kamp, maar de pakken van Ayla konden best even wachten. 'Jullie hebben allebei behoefte aan rust en wat eten. Jullie lijken uitgeput.'

De leidster kreeg een dankbare glimlach van Jondalar terwijl hij achter Ayla aan naar binnen ging.

De volgende morgen had Ayla veel helpende handen om haar pakken naar binnen te dragen, maar Mamut had rustig voorgesteld om haar geschenken ingepakt te laten tot de ceremonie die avond. Ayla glimlachte instemmend. Zij begreep meteen zijn bedoeling om de geheimzinnigheid en verwachtingen nog wat op te voeren, maar Tulie ergerde zich aan de ontwijkende antwoorden van Ayla toen ze liet merken dat ze graag wilde zien wat er in de pakken zat, al deed ze of dat niet zo was.

Toen Ayla de pakken en bundels had opgestapeld op een van de lege bedden en de gordijnen had gesloten, kroop ze in de afgesloten ruimte. Ze stak drie stenen lampjes aan en zette ze een eindje uit elkaar om goed licht te hebben bij het uitzoeken en rangschikken van de geschenken die ze had meegebracht. Ze veranderde nog wat aan de keuze die ze vooraf had gemaakt, deed er nog wat bij of verwisselde een paar voorwerpen, maar toen ze de lampen uitblies en de gordijnen achter zich sloot was ze wel tevreden.

Ze ging naar buiten door de nieuwe opening, langs een bed dat niet was gebruikt. De vloer van het nieuwe gedeelte lag hoger dan de vloer van het huis en voor het gemak waren er drie brede treden gemaakt. Ze keek even rond in de nieuwe ruimte. De paarden waren er niet. Whinney was er al aan gewend om met haar neus een windscherm opzij te duwen. Ze hoefde het maar één keer van Ayla te zien en Renner keek de kunst af van zijn moeder. Ayla vond toch dat ze even moest kijken waar de paarden waren. Zoals een moeder dat heeft met kinderen, kon Ayla de paarden nooit helemaal uit haar hoofd zetten. De jonge vrouw liep naar de poort van mammoetslagtanden, trok het zware kleed opzij en keek naar buiten.

De scherpe lijnen van het landschap waren vervaagd; er waren geen schaduwen en de vormen liepen in elkaar over in twee kleuren, het warme, trillende blauw van de hemel, zonder een enkel wolkje en het verblindende wit van de sneeuw, met de morgenzon die erop weerkaatste. Ayla knipperde met haar ogen vanwege de felle witte schittering die nog herinnerde aan de sneeuwstorm die dagen had gewoed. Geleidelijk aan wenden haar ogen aan het licht en kreeg ze weer het normale gevoel voor afstand en diepte. In het midden van de rivier fonkelde het water nog feller dan de sneeuw die de oevers bedekte. De boorden van de rivier gingen over in scherpe bevroren randen. Dichterbij lagen vreemde witte heuveltjes met de vormen van mammoetbotten en afvalhopen.

Ze deed een paar stappen naar buiten om de bocht van de rivier te kunnen overzien, waar de paarden graag liepen te grazen. Het was warm in de zon en de bovenlaag van de sneeuw begon al een beetje te smelten. De paarden moesten de zachte, koude laag opzij krabben om het droge gras te vinden. Ayla wou juist fluiten toen Whinney, met het hoofd omhoog, naar voren stapte en haar zag. Ze hinnikte bij wijze van groet en Renner kwam achter haar vandaan. Ayla beantwoordde het geluid.

Toen ze zich omdraaide zag ze Talut, die een beetje vreemd en vol ontzag stond te kijken.

'Hoe wist de merrie dat jij daar stond?' vroeg hij.

'Ik denk niet dat ze het wist, maar paard heeft goede neus, kan ver ruiken. Goede oren, ver horen. Ze ziet alles wat beweegt.'

De grote man knikte. Zoals zij het zei klonk het heel eenvoudig en logisch, maar toch... Hij glimlachte en was blij dat ze terug waren. Hij keek uit naar Ayla's adoptie. Ze had zoveel te bieden, ze zou een welkome en waardevolle Mamutische vrouw zijn.

Ze liepen samen terug naar de nieuwe ruimte en toen ze binnenstapten, kwamen ze Jondalar tegen.

'Ik heb gezien dat je de geschenken al klaar hebt,' zei hij met een brede grijns. Hij genoot ervan dat de verwachtingen zo hooggespannen waren en hij keek al uit naar de verrassing. Hij had opgevangen dat Tulie zich zorgen maakte over de kwaliteit van Ayla's geschenken, maar daarover bestond bij hem geen enkele twijfel. Ze zouden de Mamutiërs onbekend voorkomen, maar vakmanschap was vakmanschap en hij was ervan overtuigd dat ze dat zouden herkennen.

'Iedereen is benieuwd wat je hebt meegebracht, Ayla,' zei Talut. Hij genoot net zo van de spanning, of nog meer, als ieder ander.

'Ik weet niet of mijn geschenken genoeg,' zei Ayla.

'Natuurlijk is het genoeg. Maak je daar geen zorgen over. Wat je ook hebt meegebracht, het is altijd genoeg. De stenen om vuur te maken zijn alleen al genoeg,' zei Talut, en hij voegde er glimlachend aan toe: 'Het feit dat je ons reden geeft een groot feest te houden zou al genoeg zijn!'

'Maar, jij zei geschenken uitwisselen, Talut. In Stam voor uitwisselen moet zelfde waarde hebben. Wat kan genoeg zijn, voor jou, voor iedereen die deze plaats maken voor de paarden?' zei Ayla, die nog eens rondkeek. 'Is net een grot, maar jullie hebben hem gemaakt. Ik weet niet hoe mensen zo'n grot kunnen maken.'

'Ik heb me dat ook afgevraagd,' zei Jondalar. 'Ik moet toegeven dat ik nog nooit zoiets heb gezien en ik ben al in heel wat onderkomens geweest; zomerverblijven en onderkomens die in een grot zijn gemaakt, of onder een overhangende rotswand... Maar jullie onderkomen is zo stevig alsof het van steen is.'

Talut lachte. 'Dat moet ook, als je erin woont, vooral in de winter. Als het niet zo stevig was, zou het door de harde wind worden weggeblazen.' Zijn glimlach verflauwde en zijn gezicht kreeg een tedere uitdrukking, alsof hij met liefde aan iets dacht. 'Het land van de Mamutiërs is een rijk land, met veel wild, vis en ander voedsel. Het is een mooi en gezond land. Ik zou nergens anders willen wonen...' De glimlach kwam weer terug. 'Maar je moet een sterk onderkomen hebben om hier te wonen en we hebben niet veel grotten.'

'Hoe maken jullie een grot, Talut? Hoe maken jullie zo'n onderdak als dit?' vroeg Ayla, die zich herinnerde hoe Brun had moeten zoeken om een geschikte grot voor zijn Stam te vinden en hoe dakloos zijzelf zich had gevoeld tot ze een vallei met een bruikbare grot vond.

'Als jullie het willen weten, zal ik het vertellen. Het is geen groot geheim!' zei Talut met een vrolijke grijns. Hij was blij dat ze zo duidelijk hun bewondering toonden. 'De rest van het huis is ongeveer op dezelfde manier gemaakt, maar voor deze uitbreiding zijn we begonnen met het uitmeten van een afstand buiten de Mammoetvuurplaats. Toen we het midden hadden van een stuk dat we groot genoeg vonden, hebben we daar een stok in de grond gezet. Dat is de plaats waar we een stookplaats kunnen maken als we besluiten een vuur aan te leggen. Toen hebben we een touw vastgemaakt aan de stok en met het andere eind een cirkel uitgemeten waar de wand moest komen.' Talut lichtte zijn uitleg toe met grote stappen en het vastknopen van een denkbeeldig touw aan een niet-bestaande stok.

'Vervolgens hebben we de zode in stukken gesneden en voorzichtig opzij gelegd om te bewaren, en toen hebben we ongeveer de lengte van mijn voet uitgegraven.' Om zijn opmerkingen te verduidelijken hield hij een ongelooflijk grote voet omhoog, die opvallend smal en goed gevormd was. Hij droeg nauwsluitende, zachtleren schoenen. 'Toen hebben we de breedte van de bank uitgemeten. Daar kunnen de bedden of voorraden op en dan nog een stukje extra voor de wand. Aan de binnenkant hebben we dieper gegraven, zo'n twee of drie lengtes van mijn voet, voor de vloer. De grond werd rondom op een hoop gegooid om de wand te steunen.'

'Dat is veel graafwerk,' zei Jondalar, die om zich heen keek. 'Ik zou zo zeggen dat de afstand tussen de wanden wel dertig van jouw voeten is, Talut.'

Het stamhoofd keek verbaasd. 'Dat klopt! Ik heb het precies uitgemeten. Hoe wist je dat?'

Jondalar trok zijn schouders op. 'Ik schat het maar.'

Het was meer dan een schatting. Hieruit bleek weer eens dat hij van nature gevoel had voor de dingen om zich heen. Hij kon op het oog nauwkeurig afstanden schatten en hij kon met de afmetingen van zijn lichaamsdelen meten. Hij kende de lengte van zijn passen en de breedte van zijn hand, de lengte van een arm en het bereik van zijn uitgespreide armen. Hij kon onderdelen schatten met de dikte van zijn duim, of de hoogte van een boom door de schaduw te meten. Hij had het niet geleerd, maar het was een aangeboren talent, dat hij verder had ontwikkeld. Het kwam niet bij hem op om eraan te twijfelen.

Ayla vond ook dat er veel graafwerk aan te pas kwam. Ze had haar portie valkuilen wel gemaakt en ze wist hoeveel werk eraan vastzat en dat maakte haar nieuwsgierig.

'Hoe graven jullie zoveel, Talut?' vroeg ze.

'Ja, hoe graaft iemand? We gebruiken houwelen om het leem open te breken en een schop om het weg te scheppen, behalve de harde bovenlaag. Die snijden we stuk met de scherpe kant van een plat bot.'

Uit haar verbaasde blik bleek wel dat ze het niet begreep. Misschien kende ze de namen voor de gereedschappen niet in zijn taal, dacht hij. Hij stapte naar buiten en kwam terug met wat gereedschap. Er zaten lange stelen aan. Aan het ene zat een stuk mammoetrib, waar een scherpe rand aan was geslepen. Het leek op een schoffel met een lang gebogen blad. Ayla bekeek het nauwkeurig.

'Lijkt op graafstok, vind ik,' zei ze en ze keek of Talut het met haar eens was.

Hij glimlachte. 'Ja, dat is een houweel. Soms gebruiken we ook puntige graafstokken. Als je haast hebt, zijn ze gemakkelijker te maken, maar deze is handiger in het gebruik.'

Toen liet hij haar een schep zien die was gemaakt van het brede blad van het reusachtige gewei van een reuzenhert, in vorm gebracht en geslepen. Er werden geweien gebruikt van jonge dieren; het gewei van een volwassen reuzenhert kon wel vier meter lang worden en dat was te groot. De steel werd vastgemaakt met een sterk koord, dat door zes gaten in het midden werd getrokken. Met de zachte kant naar beneden werd het niet gebruikt om te graven, maar om de grond, die met het houweel was losgewerkt, weg te scheppen. Zo was het ook te gebruiken in de sneeuw. Hij had ook nog een tweede schep, die meer de vorm van een lepel had en was gemaakt van het buitenste stuk ivoor van de slagtand van een mammoet.

'Dit zijn scheppen,' zei Talut, die de naam nog een keer noemde. Ayla knikte. Ze had platte stukken bot en geweien op ongeveer dezelfde manier gebruikt, maar zij had geen stelen aan haar scheppen.

'Ik ben al blij dat het een poosje mooi weer bleef toen jullie weggingen,' vervolgde het stamhoofd. 'Zoals het nu is konden we niet zo diep graven als we gewoonlijk doen. Als je dieper komt, is de grond al hard bevroren. Volgend jaar kunnen we verder graven en ook een paar voorraadkuilen maken, misschien ook wel een zweetbad, als we terugkomen van de Zomerbijeenkomst.'

'Hebben jullie niet meer gejaagd toen het mooi weer werd?' vroeg Jondalar.

'De bizonjacht was een groot succes en Mamut heeft niet veel geluk meer met zijn onderzoek. Het enige wat hij schijnt te vinden zijn de paar bizons die wij hebben gemist en dat is niet de moeite waard om achteraan te gaan. We besloten dan maar het onderdak voor de paarden te maken omdat Ayla en de paarden ons zo goed hebben geholpen.'

'Houwelen en scheppen maken gemakkelijker, Talut, maar werk is... veel graven,' zei Ayla, die wel wat onder de indruk was van de verrassing.

'We hadden veel mensen om te helpen, Ayla. Bijna iedereen vond het een goed idee en wilde wel helpen... om jou te verwelkomen.'

De jonge vrouw kreeg opeens een warm gevoel van dankbaarheid en ze sloot haar ogen om haar tranen te verbergen. Jondalar en Talut zagen het wel, maar ze lieten het niet merken en wendden zich af.

Jondalar onderzocht de wanden omdat hij belangstelling had voor de constructie. 'Het lijkt wel of jullie ook grond hebben weggegraven tussen de banken,' merkte hij op.

'Ja, voor de belangrijkste steunen,' zei Talut, die op de zes enorme slagtanden wees. Ze waren aan de onderkant vastgezet met kleinere botjes zoals wervels en kootjes. Hun punten wezen naar het midden. Ze stonden op regelmatige afstanden tegen de wand, aan beide zijden van de twee paar slagtanden die dienstdeden als toegangspoorten. De lange, sterke, gebogen tanden waren de belangrijkste steunpunten van het huis.

Terwijl Talut van de mammoetjagers doorging met de uitleg van de constructie van de halfonderaardse woning raakten Ayla en Jondalar steeds dieper onder de indruk. Het was veel ingewikkelder dan ze zich hadden voorgesteld. Halverwege tussen het midden van de ruimte en de slagtanden tegen de wand stonden zes houten palen. Ze hadden de bast van de bomen geschild. Langs de buitenwand stonden mammoetschedels rechtop in de grond, gesteund door schouderbladen, bekkens, wervels en een aantal knap opgestelde lange botten van poten en ribben. Het bovenste deel van de wand bestond voornamelijk uit schouderbladen, bekkens en kleinere mammoettanden die doorliepen tot in het dak, dat werd gesteund door houten balken. Het mozaïek van beenderen die doelbewust waren gekozen en bijgewerkt, paste als wiggen in elkaar als de stukjes van een legpuzzel.

In de rivierdalen was wel wat hout te vinden, maar voor het bouwen was er een overvloed aan mammoetbotten. De mammoets waar ze op jaagden leverden maar een klein deel van de botten die ze gebruikten. Het grootste deel van hun bouwmateriaal zochten ze uit de enorme hoop beenderen die in de bocht van de rivier lag. Sommige botten waren afkomstig van de door aaseters kaalgevreten karkassen op de steppen in de buurt, maar de open grasvlakten waren belangrijker als leveranciers van ander materiaal.

Ieder jaar lieten de kudden rendieren die op doortocht waren hun geweien vallen om plaats te maken voor nieuwe en ze werden alle jaren verzameld. Om het huis af te maken werden de rendiergeweien aan elkaar gebonden tot een sterk geraamte voor een koepelvormig dak. In het midden bleef een rookgat open. Vervolgens werden er dikke matten gevlochten van wilgentenen uit het rivierdal. Die werden eroverheen gelegd en stevig vastgebonden aan de geweien, zodat ze ook langs de wanden konden hangen. Dan kwamen boven over alles heen nog dikke lagen gras tot aan de grond toe, die het water afstootten en boven op het gras kwam nog een dichte laag zoden. Een deel van de zoden kwam van de grond die was uitgegraven voor de uitbreiding en een deel kwam van het land in de buurt.

De wanden van het hele bouwwerk waren bijna een meter dik, maar er moest nog een laatste laag overheen om het af te maken.

Ze stonden het nieuwe bouwwerk aan de buitenkant te bewonderen toen Talut zijn uitvoerige uitleg beëindigde. 'Ik hoopte dat het weer zou opknappen,' zei hij met een breed gebaar naar de heldere blauwe lucht. 'We moeten het nog afmaken. Als we dat niet doen, weet ik niet hoe lang het standhoudt.'

'Hoe lang gaat zo'n huis mee?' vroeg Jondalar.

'Een mensenleven, soms langer. Maar dit zijn winterverblijven. In de zomer gaan we meestal weg, naar de Zomerbijeenkomst, op de mammoetjacht en andere tochten. De zomer is om te reizen, om planten en zaden te verzamelen, te jagen of te vissen, handel te drijven of bezoeken af te leggen. We laten de meeste dingen hier achter als we gaan, omdat we ieder jaar terugkomen. Het Leeuwenkamp is ons huis.'

'Als het de bedoeling is dat dit gedeelte een blijvend onderdak voor Ayla's paarden wordt, kunnen we het beter afmaken nu het misschien nog kan,' onderbrak Nezzie hem. Zij en Deegie zetten de grote zware waterzak neer die ze van de gedeeltelijk dichtgevroren rivier hadden gehaald. Toen kwam Ranec, die graafwerktuigen droeg en een grote mand vol natte grond achter zich aan sleepte. 'Ik heb nog nooit gehoord dat iemand zo laat in het jaar nog een huis, of een deel van een huis, bouwt,' zei hij.

Barzec liep vlak achter hem. 'Het wordt een interessante proef,' zei hij en hij zette een tweede mand met modder neer die ze van een speciale plaats op de rivieroevers hadden gehaald. Toen kwamen Danug en Druwez, die elk een mand met modder droegen.

'Tronie heeft een vuur aangelegd,' zei Tulie, die de zware waterzak van Nezzie en Deegie alleen optilde. 'Tornec schept met een paar anderen een hoop sneeuw bij elkaar om te smelten als dit water heet is.'

'Ik wil graag helpen,' zei Ayla, en ze vroeg zich af of ze veel aan haar zouden hebben. Iedereen scheen precies te weten wat er moest worden gedaan, maar zij had geen idee wat er ging gebeuren en nog minder wat zij kon doen.

'Ja, kunnen we helpen?' vroeg ook Jondalar.

'Ik zou niet weten waarom niet,' merkte Deegie op, 'maar laat me wat ouds van mij halen, Ayla, om aan te trekken. Het is een vies karweitje. Heeft Talut of Danug iets voor Jondalar?'

'Ik vind wel wat voor hem,' zei Nezzie.

'Als jullie nog zo graag willen wanneer we klaar zijn, kunnen jullie komen helpen bij het nieuwe huis dat Tarneg en ik gaan bouwen voor het nieuwe kamp... na mijn verbintenis met Branag,' zei Deegie glimlachend.

'Heeft iemand de vuren al aangelegd in de zweetbaden?' vroeg Talut.

'Als dit klaar is, zal iedereen zich graag willen wassen, vooral als we vanavond iets te vieren hebben.'

'Wymez en Frebec zijn er vanmorgen vroeg al mee begonnen. Ze halen nu méer water,' zei Nezzie. 'Crozie en Manuv zijn met Latie en de kleintjes weg om verse dennentakken te halen voor de lekkere geur van de baden. Fralie wou ook mee, maar het leek me voor haar niet zo geschikt om heuvel op, heuvel af te moeten. Daarom heb ik haar gevraagd of ze op Rydag wou passen. Ze let ook op Hartal. Mamut doet ook iets voor de ceremonie van vanavond. Ik heb zo'n idee dat hij een verrassing voorbereidt.'

'O... Mamut heeft me gevraagd om je te zeggen dat de voortekens voor een jacht over een paar dagen goed zijn, Talut. Hij wil weten of hij het voor je moet onderzoeken,' zei Barzec.

'De voortekens voor een jacht zíjn goed,' zei het stamhoofd. 'Kijk maar naar de sneeuw! Een zachte onderlaag terwijl de bovenlaag smelt. Als het goed begint te vriezen, krijgen we een ijskorst, en dan raken de dieren altijd vast. Ja, ik geloof dat het wel een goed idee is.'

Iedereen was naar de stookplaats gelopen, waarboven een grote huid, gevuld met ijskoud water uit de rivier, was gespannen, vlak boven de vlammen. Het water van de rivier werd alleen maar gebruikt om een begin te maken met het smelten van sneeuw die erin werd gegooid. Terwijl het smolt, werden er mandenvol water uit geschept en leeggegoten in een andere, grote, smerige huid, die in een kuil op de grond lag. De speciale grond uit de rivieroever werd erbij gedaan en zo ontstond een mengsel van dikke, kleverige klei.

Er klommen verscheidene mensen op het dak van het nieuwe gedeelte met waterdichte manden vol dunne modder en ze lieten die met lepelsvol over de zoden naar beneden lopen. Ayla en Jondalar keken ernaar en voegden zich bij hen. Anderen, die op de grond stonden, spreidden de modder uit en zorgden ervoor dat het hele oppervlak een dikke beschermende laag kreeg.

De taaie, kleverige klei, die door de rivier was aangevoerd, nam geen water op. Hij was waterdicht. Er kwam niets doorheen, geen regen, geen hagel, sneeuwwater, niets. Ook als de klei nat werd bleef hij waterdicht. Op den duur werd de buitenkant heel hard en men gebruikte het materiaal vaak om een bergplaats te maken. Bij mooi weer was het een plekje om lui tegenaan te zitten of te discussiëren. Je kon er ook rustig gaan zitten om na te denken. Als er bezoek kwam, klommen de kinderen erbovenop om alles te kunnen zien zonder dat ze in de weg zaten en iedereen gebruikte die hoge plaats wanneer hij het hele kamp iets wilde vertellen of als er iets te zien was.

Er werd meer klei gemengd en Ayla droeg een zware mand naar boven. Ze morste over de rand en kreeg een deel over zich heen, maar dat hinderde niet. Ze zat al onder de modder, net als iedereen. Deegie had gelijk. Het was een vies karwei. Toen ze de zijkanten klaar hadden, begonnen ze aan het dak, maar naarmate de koepel een dikkere laag glibberige modder kreeg, werd het gevaarlijker om erop te lopen. Ayla goot de laatste modder uit haar mand en zag die langzaam naar beneden vloeien. Ze draaide zich om en keek niet goed waar ze haar voeten neerzette. Voor ze het wist, gleed ze uit. Ze viel met een plof in de zachte klei die ze net had uitgestort en gleed over de ronde rand van het dak naar beneden langs de wand van het nieuwe verblijf voor de paarden. Onwillekeurig gaf ze een gil.

Het volgende moment bereikte ze de grond en voelde ze zich opgevangen door twee sterke armen. Geschrokken keek ze naar het bemodderde, lachende gezicht van Ranec.

'Dat is ook een manier om het uit te spreiden,' zei hij terwijl hij haar steunde tot ze haar evenwicht weer had gevonden. Hij had haar nog vast en voegde eraan toe: 'Als je het nog een keer wilt doen, wacht ik hier wel op je.'

Ze voelde de warmte waar hij haar koude armen aanraakte en merkte wel hoe hij zijn lichaam tegen haar aan drukte. Zijn donkere ogen glinsterden vol verlangen en ze wekten een spontane reactie in haar diepste vrouw-zijn. Ze beefde licht en kreeg een kleur, waarna ze haar ogen neersloeg en toen maakte ze zich los.

Ayla wierp een blik op Jondalar en zag wat ze wel verwachtte. Hij was boos. Hij stond met gebalde vuisten en zijn slapen klopten. Ze wendde haar blik snel af. Ze begreep zijn woede nu wat beter. Het drong tot haar door dat het een uitdrukking van angst was – angst om haar te verliezen, te worden afgewezen – maar dat nam niet weg dat ze zich ook enigszins ergerde aan zijn reactie. Ze kon er niets aan doen dat ze uitgleed en ze was dankbaar dat Ranec daar toevallig stond om haar op te vangen. Ze bloosde weer toen ze aan haar reactie op zijn, wel wat langdurige, omarming dacht. Maar daar kon ze ook niets aan doen.

'Kom maar, Ayla,' zei Deegie. 'Talut zegt dat het zo genoeg is en de zweetbaden zijn warm. Laten we ons gaan wassen en ons dan voorbereiden op het feest. Dat is voor jou.'

De twee jonge vrouwen gingen naar binnen door het nieuwe gedeelte. Toen ze bij de Mammoetvuurplaats kwamen, vroeg Ayla opeens: 'Deegie, wat is een zweetbad?'

'Heb je nog nooit een zweetbad genomen?'

'Nee.' Ayla schudde het hoofd.

'O, je zult het heerlijk vinden! Je mag die modderige kleren wel uittrekken in de Oerosvuurplaats. De vrouwen gebruiken meestal het achterste zweetbad. De mannen hebben liever dit.' Deegie wees op een poort vlak achter het bed van Manuv terwijl ze door de Rendiervuurplaats naar de Kraanvogelvuurplaats liepen.

'Is dat geen bergruimte?'

'Dacht je dat alle ruimtes aan de zijkant bergplaatsen waren? Het is ook geen wonder, je hoort er al zo helemaal bij dat ik vaak vergeet dat je hier nog niet zo lang bent.' Ze bleef staan om Ayla aan te kijken. 'Ik ben blij dat je een van ons wordt. Ik geloof dat je ervoor bestemd was.'

Ayla glimlachte verlegen. 'Ik ben ook blij, en ik ben blij dat jij er bent. Het is fijn een vrouw te kennen... jong... zoals ik.'

Deegie beantwoordde haar glimlach. 'Ik weet het. Ik wou alleen dat je eerder was gekomen. Als de zomer voorbij is, ga ik weg. Ik zie er bijna tegen op om te gaan. Ik wil leidster worden van mijn eigen kamp, zoals mijn moeder, maar ik zal haar missen, en jou, en iedereen.'

'Hoe ver ga je weg?'

'Ik weet het niet. Dat hebben we nog niet besloten,' zei Deegie.

'Waarom ver gaan? Waarom geen nieuw huis bouwen dichtbij?' vroeg Ayla.

'Ik weet het niet. De meeste mensen doen het niet, maar ik denk dat het wel zou kunnen. Ik had er nog niet aan gedacht,' zei Deegie, met een grappig verbaasde blik. Toen ze de laatste vuurplaats hadden bereikt, zei ze: 'Doe die vuile spullen uit en leg ze hier maar op een stapel.'

Deegie en Ayla trokken hun modderige kleren uit. Ayla voelde warmte door een roodleren kleed komen dat in een vrij laag poortje van slagtanden hing, in de achterwand van het huis. Deegie bukte en ging het eerst naar binnen. Ayla volgde, maar ze bleef even met het kleed in haar handen staan voor ze naar binnen ging en ze probeerde wat te zien.

'Kom erin en doe het kleed dicht! Anders gaat de warmte eruit!' riep iemand uit de zwak verlichte, wat rokerige ruimte, die vol stoom stond.

Ze ging vlug naar binnen en liet het kleed achter zich dichtvallen. Ze voelde de hitte op zich vallen. Deegie nam haar mee een paar treden af, die van mammoetbotten waren gemaakt, naar een kuil die ongeveer een meter diep was. Ayla bleef op de bodem staan, die was bedekt met een dikke vacht, en ze wachtte tot haar ogen aan het zwakke licht gewend waren en ze wat kon zien. De ruimte was ongeveer twee meter breed en drie meter lang en bestond uit twee ronde stukken die met elkaar in verbinding stonden. De lage, koepelvormige zoldering lag slechts een paar centimeter boven haar hoofd.

Er lagen gloeiende kolen op de vloer van het grootste stuk. De twee jonge vrouwen liepen door het kleinste gedeelte naar de anderen en Ayla zag dat de wanden bedekt waren met huiden. Op de vloer lagen mammoetbotten, met ruimte ertussen, zodat ze boven de gloeiende kolen konden lopen. Als ze water op de vloer goten om stoom te maken of om zich te wassen, liep het weg in de grond onder de botten terwijl ze overal met schone voeten konden lopen.

Er werden nog meer kolen opgestapeld in de stookplaats in het midden. Ze gaven hitte en waren de enige lichtbron, behalve een spleetje rondom het afgedekte rookgat waar nog een beetje daglicht doorheen viel. Op geïmproviseerde banken van platte botten op steunen van mammoetbeenderen zaten de naakte vrouwen om het vuur. Er stonden bakken met water langs de wand. Grote, stevige, dicht gevlochten manden bevatten koud water en de stoom kwam uit de magen van grote dieren die op geweien stonden. Er was iemand die met twee platte botten een gloeiende steen uit het vuur pakte en in een van de met water gevulde magen liet vallen. Een wolk van stoom met een dennengeur steeg op en vulde de ruimte.

'Hier kun je wel zitten, tussen Tulie en mij,' zei Nezzie, die met haar gezette lichaam wat opschoof om ruimte te maken. Tulie schoof de andere kant wat op. Zij was ook een grote vrouw, maar ze was meer gespierd, hoewel haar volle vrouwelijke vormen geen twijfel lieten bestaan aan haar geslacht.

'Ik wil eerst wat modder wegwassen,' zei Deegie. 'Ayla waarschijnlijk ook wel. Hebben jullie haar van het dak zien glijden?'

'Nee. Heb je je bezeerd, Ayla?' vroeg Fralie bezorgd. Ze voelde zich niet helemaal op haar gemak door haar vergevorderde zwangerschap.

Deegie begon te lachen voor Ayla kon antwoorden. 'Ranec heeft haar opgevangen en hij scheen het helemaal niet vervelend te vinden.' Ze lachten en knikten.

Deegie pakte een schaal, gemaakt van een mammoetschedel, en schepte er wat heet en koud water in. In het hete water zaten ook dennentakjes. Ze pakte van een donker hoopje met de een of andere zachte stof een handvol voor Ayla en wat voor zichzelf.

'Wat is dat?' vroeg Ayla, die de fijne zachte structuur van het materiaal voelde.

'Mammoetwol,' zei Deegie. 'De ondervacht die ze in de winter krijgen. Ieder voorjaar werpen ze die af, door het lange bovenhaar heen en de grote bossen blijven aan struiken en bomen hangen. Soms kun je het van de grond oprapen. Als je het in water doopt, kun je het gebruiken om de modder van je lichaam te wassen.'

'Haar is ook modderig,' zei Ayla, 'zou ook moeten wassen.'

'Straks wassen we ons goed, als we een poosje hebben gezweet.'

Ze spoelden zich af in wolken stoom en toen ging Ayla tussen Deegie en Nezzie zitten. Deegie leunde met een tevreden zucht achterover en sloot haar ogen, maar Ayla, die zich afvroeg waarom ze daar allemaal samen zaten te zweten, nam iedereen die in de ruimte zat goed op. Latie, die aan de andere kant van Tulie zat, glimlachte naar haar. Ze glimlachte terug.

Er bewoog iets bij de ingang. Ayla voelde een koude luchtstroom en besefte hoe warm ze was. Iedereen keek wie er binnenkwam. Rugie en Tusie daalden het trapje af, gevolgd door Tronie, die Nuvie vasthield.

'Ik moest Hartal voeden,' zei Tronie. 'Tornec wou hem mee hebben voor een zweetbad, maar dan windt hij zich zo op.'

Mochten mannen hier niet komen, ook geen baby's? vroeg Ayla zich af.

'Zijn alle mannen in het zweetbad, Tronie? Dan kan ik misschien Rydag halen,' zei Nezzie.

'Danug heeft hem meegenomen. Ik geloof dat ze hebben besloten dat ze deze keer alle mannen wilden hebben,' zei Tronie. 'Ook de kinderen.'

'Frebec heeft Tasher en Crisavec meegenomen,' zei Tusie.

Het werd ook tijd dat hij wat meer belangstelling voor die jongens krijgt,' mopperde Crozie. 'Is dat niet de enige reden waarom je een verbintenis met hem aanging, Fralie?'

'Nee, moeder. Dat is niet de enige reden.'

Ayla was verrast. Ze had nog niet eerder gehoord dat Fralie het oneens was met haar moeder. De anderen schenen het niet te merken. Misschien vond Fralie het hier niet erg om partij te kiezen, nu ze onder vrouwen was. Crozie leunde achterover en sloot de ogen; het was verbazingwekkend hoeveel haar dochter op haar leek. Eigenlijk was de gelijkenis te groot. Behalve haar dikke buik, door de zwangerschap, was Fralie zo mager dat ze bijna even oud leek als haar moeder, vond Ayla. Ze had gezwollen enkels. Dat was geen goed teken. Ze wou dat ze haar kon onderzoeken. Toen drong het tot haar door dat het hier misschien zou kunnen.

'Fralie, zetten enkels erg op?' vroeg Ayla, een beetje aarzelend. Iedereen ging rechtop zitten en wachtte op het antwoord van Fralie. Het was net alsof plotseling tot hen doordrong wat Ayla nu was opgevallen. Zelfs Crozie keek naar haar dochter zonder een woord te zeggen. Fralie bekeek haar voeten en ze scheen zich zorgen te maken over haar gezwollen enkels. Toen keek ze op. 'Ja, ze zijn de laatste tijd een stuk dikker geworden,' zei ze.

Nezzie zuchtte hoorbaar. Fralies antwoord was voor Nezzie een opluchting en de anderen voelden het ook zo.

'Nog misselijk 's morgens?' vroeg Ayla, terwijl ze naar voren boog.

'Ik ben van de eerste twee niet zo lang misselijk geweest.'

'Fralie, zal ik je... onderzoeken?'

Fralie keek naar de vrouwen. Niemand zei iets. Nezzie glimlachte en knikte haar bemoedigend toe om ermee in te stemmen.

'Goed,' zei Fralie.

Ayla stond vlug op. Ze keek in haar ogen, rook haar adem en legde een hand op haar voorhoofd. Het was te donker om veel te kunnen zien en het was te warm in het zweetbad om koorts te kunnen vaststellen. 'Wil je gaan liggen?' vroeg Ayla.

Iedereen ging opzij om plaats te maken zodat Fralie kon gaan liggen. Ayla voelde en luisterde. Ze onderzocht haar grondig terwijl iedereen nieuwsgierig toekeek en het was duidelijk dat ze er verstand van had.

'Niet alleen 's morgens misselijk, denk ik,' zei Ayla toen ze klaar was. 'Ik maak wat klaar, helpt dat eten niet opkomt. Helpt beter voelen. Helpt gezwollen enkels. Wil je innemen?'

'Ik weet het niet,' zei Fralie. 'Frebec let op alles wat ik eet. Ik denk dat hij zich zorgen om me maakt, maar hij wil het niet toegeven. Hij zal vragen waar het vandaan komt.'

Crozie hield haar lippen stijf op elkaar. Het was duidelijk dat ze de woorden probeerde in te houden die ze wou zeggen omdat ze bang was dat Fralie partij zou kiezen voor Frebec en Ayla's hulp zou weigeren. Nezzie en Tulie wisselden blikken van verstandhouding. Het was niets voor Crozie om zoveel zelfbeheersing te betrachten.

Ayla knikte. 'Ik denk ik weet raad,' zei ze.

'Ik weet niet wat jullie ervan vinden, maar ik ben zover dat ik me ga wassen en dan ga ik eruit,' zei Deegie. 'Hoe zou je het vinden om nu een duik in de sneeuw te nemen, Ayla?'

'Goed. Ik heb het warm.'

17

Jondalar opende glimlachend het kleed dat voor het bed hing dat hij met Ayla deelde. Ze zat naakt, met gekruiste benen, midden op het bed haar natte haar te borstelen. Haar huid gloeide en had een roze kleur.

'Ik voel me lekker,' zei ze en ze beantwoordde zijn glimlach. 'Deegie zei dat ik het heerlijk zou vinden. Vond jij het zweetbad lekker?' Hij klauterde naar haar toe en liet het kleed vallen. Zijn huid gloeide ook, maar hij had zich aangekleed, zijn haar gekamd en het achter bij elkaar gebonden. Het bad was zo verfrissend geweest dat hij er zelfs aan had gedacht om zich te scheren, maar hij had alleen zijn baard wat bijgesneden.

'Ik geniet er altijd van,' zei hij. Toen kon hij geen weerstand meer bieden aan de verleiding. Hij nam haar in zijn armen, kuste haar en streelde haar warme lichaam. Ze reageerde gewillig en gaf zich over aan zijn omhelzing en hij hoorde haar zacht kreunen toen hij boog om een tepel in zijn mond te nemen.

'Grote Moeder, wat ben jij verleidelijk,' zei hij terwijl hij weer rechtop ging zitten. 'Maar wat zullen de mensen zeggen wanneer ze naar de Mammoetvuurplaats komen voor jouw adoptie en zien dat wij liggen te vrijen in plaats van gekleed zitten te wachten?'

'We zouden kunnen zeggen dat ze later maar terug moeten komen,' antwoordde ze met een lachje.

Jondalar lachte hardop. 'Ik geloof dat je het echt zou doen, of niet?'

'Wel, je hebt me toch net het teken gegeven?' zei ze met een ondeugend lachje.

'Mijn teken?'

'Dat weet je toch nog wel? Het teken dat een man een vrouw geeft als hij haar wil hebben. Je hebt me gezegd hoe ik dat kon zien en toen kuste en streelde je me zoals je nu deed. Nou, je hebt me net je teken gegeven en als een man dat doet, weigert een vrouw van de Stam nooit.'

'Is het echt waar dat ze nooit weigert?' vroeg hij. Hij kon het nog nauwelijks geloven.

'Zo is het haar geleerd, Jondalar. Een fatsoenlijke vrouw van de Stam behoort zich zo te gedragen,' antwoordde ze met een volkomen rustige ernst.

'Hmm, je bedoelt dat de keuze aan mij is? Als ik zou zeggen, laten we hier blijven om te vrijen, dan zou jij iedereen laten wachten?' Hij probeerde serieus te blijven, maar zijn ogen twinkelden van pret om wat hij als een grapje tussen hen beiden beschouwde.

'Alleen als je me het teken geeft,' antwoordde ze in dezelfde stemming.

Hij nam haar weer in zijn armen en kuste haar. Hij voelde haar warme huid en hoe ze reageerde en hij kwam bijna in de verleiding om te onderzoeken of ze een grapje maakte of dat ze het echt meende, maar hij liet haar los, zij het met tegenzin.

'Het gaat er niet om wat ik liever zou doen, maar ik geloof dat het beter is dat je je aankleedt. De mensen zullen wel gauw komen. Wat doe je aan?'

'Ik heb echt niets, behalve wat kleding van de Stam en wat ik hier heb gedragen en nog een extra broek. Ik wou dat ik meer had. Deegie heeft me laten zien wat zij aandoet. Het is zo mooi – zoiets heb ik nog nooit gezien. Toen ik mijn haar met een kaardenbol ging borstelen, gaf ze me een van haar borstels,' zei Ayla en ze liet Jondalar de stugge borstel van dierenhaar zien, met een stuk huid eromheen gewonden als handvat. Hij had de vorm van een brede verfkwast. 'Ze heeft me ook een paar kettingen met kralen en schelpen gegeven. Ik denk dat ik ze in mijn haar doe, net als zij.'

'Ik denk dat ik je beter rustig je gang kan laten gaan,' zei Jondalar en hij deed het kleed open om weg te gaan. Hij boog voorover om haar weer te kussen en stond op. Toen hij het leren gordijn achter zich dicht had gedaan, bleef hij er even met diepe rimpels in zijn voorhoofd naar staan kijken. Hij wou dat hij bij haar kon blijven en zich niets van andere mensen aan hoefde te trekken. Toen ze in haar vallei waren, konden ze doen wat ze wilden en deed het er niet toe wanneer. En dan zou ze zich nu niet gereedmaken voor een adoptie door mensen die zo ver van zijn volk woonden. Veronderstel dat ze hier wil blijven? Hij kreeg een wee gevoel dat het na deze avond nooit meer hetzelfde zou zijn.

Toen hij zich omdraaide om te gaan, zag hij dat Mamut hem wenkte. De lange jonge man liep naar de oude medicijnman.

'Als je het niet druk hebt, zou je me mooi kunnen helpen,' zei Mamut.

'Ik wil je graag helpen. Wat kan ik doen?' vroeg Jondalar. Mamut liet hem vier lange palen zien die in een bergplaats lagen. Toen hij ze van dichtbij bekeek, zag Jondalar dat ze niet van hout waren, maar van massief ivoor. Het waren gebogen slagtanden geweest waar ze rechte palen uit hadden gemaakt. Vervolgens gaf Mamut hem een grote stenen hamer met steel. Jondalar bekeek het zware stuk gereedschap omdat hij nog nooit zoiets had gezien. Het was helemaal met huid bekleed. Hij voelde dat er een ronde groef in de steen was gekerfd. Er liep een buigzame wilgentak door de groef en met deze tak was de hamer aan een benen steel bevestigd. Om de hele hamer zat een stuk ongelooide huid, die alleen schoongekrabd was. De huid kromp bij het drogen zodat de stenen hamer en de steel door hard, taai leer bij elkaar werden gehouden.

De medicijnman nam hem mee naar de stookplaats en tilde een grasmat op. Mamut liet hem een gat zien met een doorsnede van ongeveer vijftien centimeter dat gevuld was met steentjes en stukjes bot. Ze haalden ze eruit en Jondalar zette een van de ivoren palen in het gat. Terwijl Mamut hem overeind hield, sloeg Jondalar met een stenen hamer de stenen en botjes stevig in de grond om de paal. Toen de paal stevig stond, zetten ze er nog een in, en nog een, in een boog rondom de stookplaats.

Toen haalde de oude man een pak en maakte het voorzichtig, met eerbied, open. Hij haalde er een keurig opgerold vliezig vel uit, dat wel iets van perkament had. Toen het open lag, zag Jondalar dat er een aantal dierfiguren, zoals een mammoet, vogels en een holenleeuw – en vreemde geometrische figuren op waren geschilderd. Ze maakten het vast aan de ivoren palen en zo kwam er een doorschijnend, beschilderd scherm te staan. Jondalar deed een paar stappen achteruit om het resultaat in zich op te nemen. Vervolgens bekeek hij het nieuwsgierig van dichtbij. Ingewanden waren meestal doorschijnend wanneer ze werden opengesneden, schoongemaakt en gedroogd, maar dit scherm was van ander materiaal gemaakt. Hij dacht dat hij wist wat het was, maar hij was er niet zeker van.

'Dit is toch niet gemaakt van ingewanden, wel? Die moeten aan elkaar worden genaaid en dit scherm bestaat uit één stuk.'

Mamut knikte bevestigend. 'Dan moet het het vlies aan de binnenkant van de huid van een heel groot dier zijn geweest, dat op de een of andere manier in één stuk is verwijderd.'

De oude man glimlachte. 'Een mammoet,' zei hij. 'Een witte mammoetkoe.'

Jondalar zette grote ogen op en keek nog eens met ontzag naar het scherm.

'Ieder kamp kreeg een deel van de witte mammoet die de geest gaf bij de eerste jacht van een Zomerbijeenkomst. De meeste kampen wilden iets wits. Ik heb dit gevraagd; wij noemen het de schaduwhuid. Het is minder degelijk dan de witte stukken en ik kan het niet aan iedereen laten zien om de onmiskenbare kracht te tonen die ervan uitgaat, maar ik geloof in de kracht van iets teers. Dit is meer dan een klein stukje; dit heeft de geest van het geheel omvat.'

Brinan en Crisavec kwamen opeens de ruimte in het midden van de Mammoetvuurplaats binnenstormen. Ze waren langs de Oeros- en Kraanvogel- en de Rendiervuurplaats gekomen en zaten elkaar achterna. Ze rolden worstelend over de grond en botsten bijna tegen het broze scherm aan, maar ze hielden in toen Brinan zag dat het dunne scheenbeen van een lang been hun de weg versperde. Ze keken omhoog, zagen de afbeelding van de mammoet en hun adem stokte. Toen keken ze Mamut aan. Jondalar zag niets bijzonders aan het gezicht van de medicijnman, maar toen de twee jongens, van zeven en acht jaar, hem zagen stonden ze vlug op, ontweken voorzichtig het scherm en liepen als geslagen honden naar de eerste vuurplaats.

'Ze keken schuldbewust, bijna angstig, maar je hebt geen woord gezegd en je hebt hen helemaal niet bang gemaakt,' zei Jondalar.

'Ze zagen het scherm. Als je naar het wezen van een krachtige geest kijkt, zie je soms je eigen hart.'

Jondalar knikte glimlachend, maar hij wist niet of hij wel begreep wat de oude man bedoelde. Hij praat als een zelandoni, dacht de jonge man, hij praat met een schaduw op zijn tong, zoals dat soort mensen zo vaak doen. Hij wist ook niet of hij zijn eigen hart wel wilde zien.

Toen de jongens door de Vossenvuurplaats liepen, knikten ze naar de beeldhouwer, die glimlachte. Ranecs glimlach werd breder toen hij zijn aandacht weer richtte op de Mammoetvuurplaats, die hij al een tijdje in de gaten had gehouden. Ayla kwam tevoorschijn en ze stond voor het kleed haar tuniek recht te trekken. Hoewel het niet te zien was onder zijn donkere huid, bloosde hij toen hij haar zag. Zijn hart bonsde en hij voelde een druk in zijn geslachtsorganen.

Hoe meer hij haar zag, hoe mooier hij haar vond. Het leek wel of de zonnestralen, die door het rookgat vielen, haar opzettelijk in een stralend licht zetten. Hij wou dat moment, haar beeld, in zich opnemen. Zijn hartstocht was buitengewoon groot als hij aan haar dacht. Haar volle, weelderige haar, dat in zachte golven om haar gezicht viel, leek een gouden wolk die met de zonnestralen speelde; haar ongedwongen bewegingen waren uiterst gracieus. Niemand wist hoe hij had geleden toen ze weg was en hoe blij hij was dat ze een van hen werd. Hij fronste zijn wenkbrauwen toen hij zag dat Jondalar naar haar toe liep en zijn arm om haar heen legde alsof ze zijn bezit was. Hij ging tussen hen in staan zodat hij haar niet meer kon zien. Ze liepen samen in zijn richting, op weg naar de eerste vuurplaats. Ze bleef even staan om vol ontzag en bewondering naar het scherm te kijken. Jondalar liep achter haar op het pad door de Vossenvuurplaats. Ranec zag dat Ayla een kleur kreeg toen ze hem zag, voor ze haar ogen neersloeg. De lange man werd ook rood toen hij Ranec zag, maar aan zijn blik was te zien dat hij het niet prettig vond. Ze probeerden beiden de ander de ogen te doen neerslaan – Jondalar met een duidelijk boze, jaloerse blik en Ranec die zijn best deed om zelfbewust en cynisch te kijken. Vervolgens dwaalde Ranecs blik onwillekeurig naar de starende ogen van de man achter Jondalar, de man die het middelpunt van geestelijk leven in het kamp was, en om de een of andere reden voelde hij zich een beetje beschaamd.

Toen ze de eerste vuurplaats naderden en door de hal liepen, begon Ayla te begrijpen waarom ze niets had gemerkt van de koortsachtige voorbereidingen voor het feestmaal. Nezzie hield toezicht bij het verwijderen van dorre bladeren en stomend gras van een braadkuil in de grond en de geuren die uit het gat opstegen deden bij iedereen het water in de mond lopen. De voorbereidingen waren al begonnen voor ze naar de rivier gingen om klei te halen en er was steeds gekookt terwijl zij aan het werk waren. Nu hoefde het alleen nog te worden opgediend voor de mensen van het kamp, die allemaal trek hadden.

Er kwam eerst een verscheidenheid aan zetmeelrijke wortels uit die lekker waren als ze lang werden gekookt, dan kwamen er manden met een mengsel van beenmerg, blauwe beredruiven en allerlei gebroken en gemalen zaden – meelganzenvoet, een graanmengsel en olierijke aardnoten. Na uren stomen was het resultaat een stijf, puddingachtig geheel dat de vorm van de mand hield toen die werd verwijderd. De bessen gaven het een lichte vruchtensmaak en het was heerlijk voedzaam en niet zoet. Vervolgens kwam er een grote bout mammoetvlees met een dikke rand vet, die zo gaar was dat hij uit elkaar viel.

De zon ging onder en door de schrale wind haastte iedereen zich met het eten naar binnen. Deze keer was Ayla niet meer zo verlegen toen haar gevraagd werd om als eerste op te scheppen. Dit feestmaal was ter ere van haar en daar was ze blij om, al vond ze het niet prettig het middelpunt van de belangstelling te zijn.

Deegie ging bij haar zitten en Ayla betrapte zichzelf erop dat ze naar haar zat te staren. Ze had haar dikke roodbruine haar achterovergekamd en een vlecht gemaakt, die ze had opgerold op haar hoofd. Ze had er een snoer van bewerkte ivoren kralen doorheen gevlochten en die schitterden in het licht. Ze droeg een lange, wijde jurk van soepel leer – Ayla dacht dat het een lange tuniek was – die vanaf de taille in plooien viel. Hij was donkerbruin met een wat glanzende afwerking, zonder mouwen, maar breed over de schouders, wat aan korte mouwen deed denken. Een lange roodbruine franje van mammoethaar viel van haar schouders op de rug en van een V-vormig schouderstuk aan de voorkant tot vlak onder haar taille.

De lijn van de hals werd geaccentueerd door een driedubbele rij ivoren kralen en om haar hals droeg ze een ketting van kegelvormige schelpen, met kalkstaafjes en stukjes barnsteen ertussen. Om haar rechter bovenarm droeg ze een ivoren armband die bewerkt was met V-vormige figuren. Dit patroon was herhaald in haar riem in de kleuren rood, geel en bruin. De riem was geweven van dierenhaar. Aan de riem hing, met een lus, een vuurstenen mes met ivoren handvat in een schede van huid en aan een andere lus hing het onderste deel van een holle zwarte oeroshoren, als drinkbeker en talisman van de Oerosvuurplaats.

De rok was gesneden in schuine banen die boven de knie begonnen. De zoom werd geaccentueerd door drie rijen ivoren kralen, een strook konijnenbont en een tweede strook bont van de gestreepte ruggen van grondeekhoorns. Aan de zoom hing een strook franje tot op haar kuit van het lange haar van de wolharige mammoet. Ze droeg geen broek en door de franje waren glimmende, waterdichte hoge laarzen te zien.

Ayla vroeg zich af hoe ze het leer zo glanzend kregen. Al haar huiden en vellen hadden de zachte natuurlijke structuur van geitenvel. Ze had de grootste bewondering voor Deegie en vond haar de mooiste vrouw die ze ooit had gezien.

'Deegie, dat is prachtige... tuniek?'

'Je zou het een tuniek kunnen noemen. Het is eigenlijk een zomerjurk. Ik heb hem verleden jaar voor de Bijeenkomst gemaakt, toen Branag zich voor het eerst openlijk voor me uitsprak. Ik zou vanavond eerst iets anders aantrekken, maar ik wist dat we binnen bleven, en met het feest zal het wel warm worden.'

Jondalar kwam bij hen zitten en het was duidelijk dat hij Deegie ook aantrekkelijk vond. Zijn glimlach en de uitstraling die hem zo onweerstaanbaar maakte, brachten niet alleen zijn gevoelens over, maar ze riepen ook de gebruikelijke reactie op. Deegies glimlach, bestemd voor de lange knappe man met de diepblauwe ogen, was innemend en verleidelijk.

Talut kwam naar hen toe met een enorme schotel eten in zijn hand.

Ayla staarde hem aan. Hij droeg een grote hoed die zo hoog op zijn hoofd stond dat hij de zoldering raakte. Hij was van leer, in verschillende kleuren, en van verscheidene soorten bont en aan de achterkant hing de lange staart van een eekhoorn tot op zijn rug. Aan iedere kant stond het puntige eind van een slagtand die samen een boog vormden als bij de toegangspoort. Zijn tuniek, die tot op zijn knieën viel, was kastanjebruin, tenminste voorzover Ayla hem kon zien. De voorkant was zo rijk versierd met ingewikkelde patronen van ivoren kralen, dierentanden en schelpen dat het leer nauwelijks te zien was.

Verder had hij om zijn hals een zware ketting van klauwen van de holenleeuw en een hoektand, afgewisseld met barnsteen en er hing een ivoren plaat aan met mysterieuze inscripties. Laag om zijn middel droeg hij een brede zwartleren riem, die aan de voorkant met kwastjes was dichtgeknoopt. Er hing een dolk aan, gemaakt van de scherpe punt van een slagtand, met een kruisarcering voor een betere greep. Verder een schede van huid met een vuurstenen mes met ivoren handvat en nog een rond voorwerp met riempjes waaraan een zakje, wat hoektanden, en het meest opvallende, de harige punt van de staart van een holenleeuw hing. Uit de franje van lang mammoethaar, die bijna over de grond sleepte wanneer hij zich bewoog, bleek wel dat zijn broek net zo rijk versierd was als zijn tuniek.

Zijn glanzend zwarte schoeisel was bijzonder interessant, niet vanwege versieringen, want die zaten er niet op, maar omdat nergens een naad te zien was. Het leek een stuk zacht leer dat precies naar de vorm van zijn voet was gemaakt. Het was een van de raadsels waar Ayla later een antwoord op wilde hebben.

'Jondalar! Ik zie dat je de twee mooiste vrouwen hier hebt gevonden!' zei Talut.

'Dat is zo,' zei Jondalar lachend.

'Ik durf te wedden dat deze twee zich in ieder gezelschap kunnen handhaven,' vervolgde Talut. 'Jij hebt gereisd; wat is jouw mening?'

'Ik ben het er helemaal mee eens. Ik heb heel wat vrouwen gezien, maar nergens heb ik mooiere gezien dan hier,' zei Jondalar, die zijn blik op Ayla richtte. Vervolgens glimlachte hij naar Deegie.

Deegie lachte. Ze genoot van de bijrol, maar er was geen twijfel aan naar wie Jondalars hart uitging. Talut maakte haar altijd overdreven complimentjes; ze was zijn erkende erfgename, de dochter van zijn zuster, die de dochter van zijn moeder was. Hij hield van de kinderen van zijn vuurplaats en zorgde voor hen, maar ze waren van Nezzie, en de erfgenamen van Wymez, haar broer. Ze had Ranec ook aangenomen, omdat zijn moeder dood was, wat hem ook kind van de vuurplaats van Wymez maakte en zijn nakomeling en erfgenaam, maar dat was een uitzondering.

Alle mensen van het kamp hadden de gelegenheid aangegrepen om hun mooie kleren te laten zien en Ayla probeerde te vermijden hen allemaal aan te staren. Hun tunieken hadden verschillende lengten, met en zonder mouwen. Er was een verscheidenheid aan kleuren en ze hadden elk hun eigen versieringen. Die van de mannen waren wat korter en zwaarder versierd en de meesten hadden iets op het hoofd. De vrouwen gaven over het algemeen de voorkeur aan een V-vormige zoom aan hun tuniek, hoewel die van Tulie meer op een hemd leek dat over een broek werd gedragen. Het kledingstuk was bedekt met ingewikkelde artistieke figuren, van kralen, schelpen, tanden, bewerkt ivoor en vooral zware stukken barnsteen. Hoewel ze geen hoed droeg, had ze haar haar zo opgemaakt en versierd dat het leek of ze er wel een ophad.

Maar de tuniek van Crozie was de meest opvallende. De schuine banen liepen helemaal door naar de rechterzijde en ze hadden een ronde uitsparing aan de linkerkant. Maar het meest verbazingwekkend was de kleur. Die was wit, niet gebroken wit of ivoorkleurig, maar echt wit en afgezet en versierd met onder andere de witte veren van de grote noordelijke kraanvogel.

Ook de kinderen waren voor de plechtigheid gekleed. Toen Ayla Latie zag staan, aan de buitenkant van een groepje dat om haar en Deegie heen draaide, vroeg ze haar om haar kleding te laten zien, met de bedoeling haar uit te nodigen bij hen te komen zitten. Latie maakte een opmerking over de manier waarop Ayla de kralen en schelpen droeg die Deegie haar had gegeven en ze zei dat ze ze ook zo wou dragen. Ayla glimlachte. Ze had geen tijd gehad om erover na te denken hoe ze ze zou dragen en had ze ten slotte om haar hoofd gewikkeld, over haar voorhoofd, zoals ze haar slinger droeg. Latie nam snel deel aan de algemene vrolijkheid en ze glimlachte verlegen toen Wymez zei dat ze er leuk uitzag – een buitengewoon compliment van de man die nooit ergens omheen draaide. Toen Latie eenmaal bij hen zat, kwam Rydag er vlug achteraan. Ayla nam hem op schoot. Zijn tuniek had hetzelfde model als die van Talut, maar er zat veel minder versiering op. Dat gewicht had hij niet kunnen dragen. Er waren maar weinig mensen die zijn hoofdtooi konden dragen.

Het duurde lang voor Ranec kwam. Ayla had al een paar keer gezien dat hij er nog niet was, maar toen ze hem zag overviel het haar. Ze hadden allemaal genoten van Ayla's reactie toen ze hun kleding zag; ze was echt onder de indruk en ze genoot ervan. Ranec had dat wel gezien en hij was teruggegaan naar de Vossenvuurplaats om zich te verkleden, want hij wou een resultaat dat ze niet gauw zou vergeten. Hij had staan kijken bij de Leeuwenvuurplaats en toen ze in gesprek was ging hij stilletjes naast haar staan. Toen ze haar hoofd omdraaide, was hij er opeens en ze keek zo verbaasd dat hij wist dat hij het gewenste resultaat had bereikt.

De snit en het model van zijn tuniek waren ongewoon. Het kledingstuk liep taps toe en de wijde mouwen gaven een heel apart effect. Het was duidelijk te zien dat hij uit een andere streek kwam. Dit was geen tuniek zoals de Mamutiërs ze droegen. Hij had ervoor gehandeld en had er duur voor betaald, maar hij wist dat hij deze wou hebben vanaf het moment dat hij hem zag. Een van de kampen in het noorden had een paar jaar geleden een handelsreis gemaakt naar een volk in het westen dat in de verte nog verwant was aan de Mamutiërs. De leider had het hemd gekregen als een herinnering aan de wederzijdse banden en toekomstige vriendschappelijke betrekkingen. Hij wou er geen afstand van doen, maar Ranec was zo blijven aandringen en had hem ten slotte zoveel geboden dat hij niet kon weigeren.

De meeste kleren die de mensen van het Leeuwenkamp droegen waren geverfd in bruine, rode of gele tinten en waren zwaar versierd met lichte ivoren kralen, tanden, schelpen en barnsteen. Verder waren ze nog afgezet met bont en veren. Ranecs tuniek was ivoorkleurig, warmer dan zuiver wit en hij wist dat het een prachtig contrast gaf met zijn donkere huid, maar de versiering was nog mooier. Zowel de voorkant als de achterkant van het hemd was als achtergrond gebruikt voor een afbeelding waarbij pennen van een stekelvarken waren gebruikt en fijn draad in felle primaire kleuren.

Op de voorkant van het hemd stond een abstracte afbeelding van een zittende vrouw, gemaakt uit een combinatie van concentrische cirkels in de tinten rood, oranje, blauw, zwart en bruin; een groep cirkels stelde haar buik voor, twee andere waren haar borsten. Haar heupen, schouders en armen werden aangegeven door cirkelbogen. Het hoofd was gebaseerd op een driehoek, met een puntige kin en een vlakke bovenkant, met mysterieuze lijnen in plaats van trekken in het gezicht. In de middelpunten van de cirkels voor de borsten en de buik zaten helderrode granaatstenen, blijkbaar bedoeld om de tepels en de navel aan te geven. Langs de vlakke kant van het hoofd liep een rij gekleurde stenen – groen en roze toermalijn, rode granaat en aquamarijn. Op de achterkant van het hemd stond de andere kant van de vrouw, met concentrische cirkels voor de billen en de schouders. Dezelfde groepen kleuren waren enige malen herhaald op de wijde mouwen.

Ayla kon geen woord uitbrengen. Ook Jondalar was verbaasd. Hij had veel gereisd en veel mensen ontmoet, met allerlei verschillende wijzen van kleden, niet alleen voor daagse kleding maar ook voor plechtigheden. Hij had borduurwerk gezien en wist hoe de draden werden geverfd en hij had er bewondering voor, maar zo'n kleurig en indrukwekkend kledingstuk had hij nog nooit gezien.

'Ayla,' zei Nezzie, terwijl ze haar schaal aanpakte, 'Mamut wil even met je praten.'

Toen ze opstond begon iedereen het eten op te ruimen, de borden schoon te maken en alles voor te bereiden voor de ceremonie. Tijdens de lange winter werd er een aantal feesten en plechtigheden gehouden die wat variatie brachten in die betrekkelijk rustige periode; het Feest van de Broeders en Zusters, het Feestmaal van de Lange Nacht, de Lachwedstrijd, verscheidene feesten ter ere van de Moeder. Maar de adoptie van Ayla was een onverwachte gelegenheid, maar daarom niet minder welkom.

Terwijl de mensen naar de Mammoetvuurplaats gingen, legde Ayla de spullen voor het vuurmaken klaar, zoals Mamut had gevraagd. Toen dat klaar was voelde ze zich toch wel nerveus en gespannen. Ze hadden haar alles wel uitgelegd, zodat ze wist wat ze kon verwachten en wat er van haar werd verwacht, maar ze was niet bij de Mamutiërs opgegroeid. De algemeen aanvaarde opvattingen en gedragspatronen waren voor haar geen tweede natuur en hoewel Mamut haar scheen te begrijpen en had geprobeerd haar vrees weg te nemen, maakte ze zich toch zorgen dat ze iets verkeerd zou doen.

Ze zat op een mat bij de stookplaats naar de mensen te kijken. Ze zag dat Mamut in één teug iets opdronk. Jondalar zat alleen op hun bed. Hij leek zich zorgen te maken en keek niet zo vrolijk. Ze vroeg zich af of ze er wel goed aan deed Mamutiër te worden. Ze sloot haar ogen en dacht in stilte aan haar totem. Als de Geest van de Holenleeuw het niet had gewild, zou hij haar dan een teken hebben gegeven?

Ze wist dat de ceremonie begon toen Talut en Tulie ieder aan een kant naast haar kwamen staan, en Mamut gooide koude as op het laatste vuurtje dat nog in het huis brandde. Hoewel het eerder was gebeurd en het kamp wist wat er ging gebeuren, was het een angstaanjagende ervaring om in het donker te wachten tot het vuur ging branden. Ayla voelde de hand op haar schouder en ze sloeg de vonk terwijl ze om haar heen opgelucht hoorde zuchten. Toen het vuur goed brandde, ging ze staan. Talut en Tulie stapten naar voren, elk met een lange ivoren staf in de hand. Mamut ging achter Ayla staan.

'In de naam van Mut, de Grote Aardmoeder, zijn we hier om Ayla te verwelkomen in het huis van het Leeuwenkamp van de Mamutiërs,' begon Tulie. 'Maar we verwelkomen deze vrouw niet alleen in het Leeuwenkamp. Ze is hier als vreemde gekomen, we willen haar een van ons maken, Ayla van de Mamutiërs.'

Talut ging verder. 'Wij zijn de jagers op de grote wolharige mammoet, die ons wordt gegeven door de Moeder. De mammoet is voedsel, kleding en onderdak. Als wij Mut vereren, zal Zij ervoor zorgen dat de Geest van de Mammoet zich ieder jaar vernieuwt en terugkomt. Als we de naam van de Moeder bezoedelen of het Geschenk van de Geest van de Mammoet niet waarderen, zal de mammoet weggaan en niet meer terugkomen. Zo is het ons verteld.

Het Leeuwenkamp is als de grote holenleeuw; ieder van ons gaat fier en onbevreesd. Ayla gaat ook fier en onbevreesd. Ik, Talut van de Leeuwenvuurplaats, stamhoofd van het Leeuwenkamp, biedt Ayla een plaats aan onder de Mamutiërs in het Leeuwenkamp.'

'Dat is een hele eer voor haar. Waar verdient ze dat aan?' riep een stem uit de verzamelde groep. Ayla herkende de stem van Frebec en ze was blij dat ze haar hadden gezegd dat het een deel van de ceremonie was. 'Met het vuur dat jullie zien heeft Ayla haar waarde bewezen. Ze heeft een groot geheim ontdekt, een steen om vuur te maken. En ze heeft die toverkracht aan iedere vuurplaats aangeboden zonder er iets voor terug te vragen,' antwoordde Tulie.

'Ayla is een begaafde vrouw, met veel talenten,' voegde Talut eraan toe. 'Bij het redden van levens heeft ze haar waarde bewezen als bekwaam Genezer. Bij het zoeken naar voedsel heeft ze haar waarde bewezen als een bekwaam jager met een slinger en met een nieuw wapen dat ze meebracht toen ze kwam, een speerwerper. Met de paarden achter die poort heeft ze bewezen dat ze macht over dieren heeft. Ze zou iedere vuurplaats in aanzien doen stijgen en ze heeft waarde voor het Leeuwenkamp. Zij is het waard Mamutiër te worden.'

'Wie getuigt voor deze vrouw? Wie wil verantwoordelijk voor haar zijn? Wie wil haar de verwantschap met de Vuurplaats aanbieden?' riep Tulie luid en duidelijk terwijl ze naar haar broer keek. Maar voor Talut kon antwoorden, klonk er een andere stem.

'Mamut getuigt voor Ayla! Mamut wil verantwoordelijk zijn! Ayla is een dochter van de Mammoetvuurplaats!' zei de oude medicijnman met een krachtige stem waar meer gezag van uitging dan Ayla ooit voor mogelijk had gehouden.

Uit de donkere ruimte klonken verbaasde geluiden en opmerkingen. Iedereen dacht dat de Leeuwenvuurplaats haar zou aannemen. Dit had men niet verwacht... Of wel? Ayla had nooit gezegd dat ze medicijnvrouw was of wilde worden; ze gedroeg zich niet als iemand die alles wist van het onbekende; ze was niet geoefend in het beheersen van bijzondere krachten. Maar ze was wel een Genezer en ze had een bijzondere macht over paarden en misschien ook over andere dieren. Misschien was ze een Ziener, misschien zelfs een Roeper. Maar de Mammoetvuurplaats vertegenwoordigde de geestelijke kern van de Aardkinderen die zich de mammoetjagers noemden. Ayla kon zich nog niet eens goed in hun taal uitdrukken. Hoe kon iemand die hun gewoonten niet kende en niets van Mut wist de behoeften en wensen van de Moeder overbrengen?

'Talut zou haar aannemen, Mamut,' zei Tulie. 'Waarom zou ze naar de Mammoetvuurplaats gaan? Ze heeft zich niet aan Mut gewijd en is niet opgeleid om de Moeder te Dienen.'

'Ik heb niet gezegd dat ze een opleiding heeft gehad of nog zal krijgen, Tulie, hoewel ze meer gaven heeft dan je je kunt voorstellen en ik vind dat een opleiding voor haar heel verstandig zou zijn. Ik zei niet dat ze een dochter van de Mammoetvuurplaats wórdt. Ik zei dat ze een dochter van de Mammoetvuurplaats ís. Ze is ervoor geboren, door de Moeder zelf gewijd. Of ze wel of niet het besluit neemt te worden opgeleid, is een keuze die ze alleen zelf kan maken, maar het maakt niets uit. Ayla hoeft niet te worden gewijd, ze heeft het zelf niet in de hand. Opgeleid of niet, haar leven zal in Dienst van de Moeder staan. Ik pleit niet voor een opleiding, tenzij ze het zelf wil. Ik wil haar aannemen als dochter van mijn vuurplaats.'

Terwijl Ayla naar de oude man luisterde, voelde ze opeens een koude rilling. Het leek haar geen prettig idee dat haar lot was voorbeschikt, dat er, buiten haar om, bij haar geboorte was gekozen. Wat bedoelde hij ermee dat ze door de Moeder was gewijd, dat haar leven in Dienst van de Moeder zou staan? Was zij ook door de Moeder gekozen? Toen Creb haar uitleg over de totems gaf, had hij haar verteld dat er een reden voor was dat de Geest van de Grote Holenleeuw haar had gekozen. Hij zei dat ze behoefte zou hebben aan krachtige bescherming. Wat betekende het om door de Moeder te zijn gekozen? Had ze daarom bescherming nodig? Of betekende het dat de Holenleeuw haar totem niet meer zou zijn als ze Mamutiër werd? Het was een verontrustende gedachte. Ze wou haar totem niet kwijt. Ze probeerde dat voorgevoel te verdrijven.

Jondalar was al niet zo gelukkig met haar adoptie, maar deze plotselinge ommekeer maakte hem nog onrustiger. Hij hoorde de gefluisterde opmerkingen van de mensen om zich heen en hij betwijfelde of het wel waar was dat ze was voorbestemd om een van hen te worden.

Misschien was ze al wel Mamutiër voor ze alleen overbleef, als Mamut zei dat ze was geboren voor de Mammoetvuurplaats.

Ranec was in de wolken. Hij wou graag dat Ayla een van hen werd, maar als ze door de Leeuwenvuurplaats werd aangenomen, zou ze zijn zuster worden. Hij wou haar broer niet zijn. Hij wou een verbintenis met haar en dat kon niet tussen broer en zus. Als ze beiden waren aangenomen en duidelijk niet dezelfde moeder hadden, was hij bereid een andere vuurplaats te zoeken die hem wou aannemen om zijn doel te bereiken, hoe hij er ook tegen opzag om de banden met Nezzie en Talut te verbreken. Maar als ze werd aangenomen door de Mammoetvuurplaats hoefde dat niet. Hij was bijzonder blij dat ze werd aangenomen als de dochter van Mamut en niet als Een die moest Dienen, al zou ook dat hem niet hebben afgeschrikt.

Nezzie was enigszins teleurgesteld; ze had Ayla al beschouwd als een dochter. Maar het belangrijkste was dat Ayla bij hen bleef en als Mamut haar wou hebben, zou de Raad op de Zomerbijeenkomst haar nog gemakkelijker accepteren. Talut wierp een vluchtige blik op haar en toen ze knikte gaf hij zich gewonnen. Tulie had ook geen bezwaar. Na een korte beraadslaging tussen hen vieren stemde Ayla toe. Ze kon niet precies zeggen waarom, maar het stond haar wel aan om de dochter van Mamut te worden.

Toen het weer stil werd in de donkere ruimte, hield Mamut zijn hand omhoog. 'Wil de vrouw, Ayla, naar voren komen?'

Ayla kreeg een vreemd gevoel in haar maag en haar knieën knikten terwijl ze de oude man naderde.

'Wil je één worden met de Mamutiërs?' vroeg hij.

'Ja,' fluisterde ze met een schorre stem.

'Wil je Mut, de Grote Moeder, eren, al Haar Geesten respecteren en, in het bijzonder, de Geest van de Mammoet nooit beledigen; wil je ernaar streven een waardig Mamutiër te zijn, aanzien te geven aan het Leeuwenkamp en Mamut en de betekenis van de Mammoetvuurplaats altijd te respecteren?'

'Ja.' Verder kon ze nauwelijks iets zeggen. Ze wist niet wat er van haar werd verwacht om dit allemaal te volbrengen, maar ze zou het zeker proberen.

'Neemt dit kamp deze vrouw aan?' vroeg Mamut aan de vergadering.

'Wij nemen haar aan,' antwoordden ze in koor.

'Is hier iemand die haar afwijst?'

Het bleef lang stil en Ayla was er helemaal niet zeker van dat Frebec geen bezwaar zou maken, maar niemand reageerde.

'Talut, stamhoofd van het Leeuwenkamp, wil jij met een kras het teken aanbrengen?' vroeg Mamut op plechtige toon.

Toen Ayla zag dat Talut zijn mes uit de schede trok, begon haar hart te bonzen. Dit had ze niet verwacht. Ze wist niet wat hij met het mes ging doen, maar wat het ook was, ze zou het zeker niet prettig vinden. Het grote stamhoofd pakte Ayla's arm, schoof haar mouw omhoog en hield het mes klaar. Toen maakte hij snel een rechte snee in haar bovenarm, die begon te bloeden. Ayla voelde de pijn wel, maar ze vertrok geen spier. Met het bloed nog aan het mes maakte Talut een rechte kras op het stuk ivoor dat als een plaat om zijn nek hing. Mamut hield hem vast en maakte er een rode groef van. Toen zei Mamut een paar woorden die Ayla niet verstond. Het drong niet tot haar door dat de anderen ze ook niet begrepen.

'Ayla wordt nu gerekend tot het volk van het Leeuwenkamp, dat tot de mammoetjagers behoort,' zei Talut. 'Deze vrouw is en zal altijd zijn Ayla van de Mamutiërs.'

Mamut pakte een schaaltje en deed wat bijtende vloeistof op de snee in haar arm – ze begreep dat het een ontsmettende oplossing was – toen draaide hij haar om, met het gezicht naar de groep. 'Welkom, Ayla van de Mamutiërs, vrouw van het Leeuwenkamp, dochter van de Mammoetvuurplaats.' Hij wachtte even en voegde eraan toe: 'Gekozen door de Geest van de Grote Holenleeuw.'

De groep herhaalde de woorden en Ayla besefte dat dit de tweede keer was dat ze werd opgenomen door een volk waarvan ze de gebruiken nauwelijks kende. Ze sloot haar ogen en hoorde de woorden in haar geest naklinken. Toen pas viel het haar op. Mamut had haar totem ook genoemd! Ook al was ze niet langer Ayla van de Stam, ze had haar totem niet verloren! Ze stond nog steeds onder bescherming van de Holenleeuw. Maar er was nog meer: ze was niet langer Ayla Zonder Volk; ze was nu Ayla van de Mamutiërs!

18

'Je kunt altijd aanspraak maken op bescherming van de Mammoet-vuurplaats, Ayla, waar je ook bent. Neem dit teken van mij aan, dochter van mijn vuurplaats,' zei Mamut terwijl hij een smalle ivoren armband, met zigzagstreepjes erop, van zijn arm haalde en de door-boorde einden vlak boven de snee om Ayla's arm bond. Vervolgens sloot hij haar in zijn armen.

Ayla had tranen in de ogen toen ze naar het bed liep waar haar ge-schenken lagen, maar ze veegde ze weg voor ze de houten schaal pak-te. Hij was rond en sterk, maar overal even dun. De schaal viel niet op door een geschilderde of uitgesneden versiering, maar wel door het fijne, symmetrische verloop van de houtnerf.

'Neem alsjeblieft deze medicijnschaal aan, Mamut, als geschenk van de dochter van de vuurplaats,' zei Ayla. 'En als je goedvindt, zal doch-ter van de vuurplaats iedere dag schaal vullen met middel tegen pijn-lijke gewrichten van vingers, armen en knieën.'

'Ah, ik zou deze winter graag wat minder last van mijn jicht willen hebben,' zei hij glimlachend. Hij pakte de schaal aan en gaf hem door aan Talut, die hem bekeek, knikte, en aan Tulie doorgaf.

Tulie bekeek hem kritisch en haar eerste indruk was dat hij maar heel eenvoudig was omdat het gebruikelijke patroon ontbrak dat er werd opgeschilderd of in uitgesneden. Maar toen ze hem beter bekeek en met haar vingers over het opvallend gladde oppervlak streek, en de volmaakte vorm en symmetrie zag, moest ze toegeven dat het een prachtig stuk werk was, misschien wel het mooiste in zijn soort dat ze ooit had gezien. Toen de schaal werd doorgegeven steeg de belangstel-ling en de nieuwsgierigheid naar de andere geschenken die Ayla had meegebracht en ieder vroeg zich af of alle geschenken zo buitenge-woon mooi zouden zijn.

Toen kwam Talut naar voren en hij gaf Ayla een stevige omhelzing. Zijn geschenk bestond uit een vuurstenen mes met ivoren handvat, in een roodgekleurde schede van ongelooide huid, met hetzelfde inge-wikkelde patroon erop als Deegie op haar mes had. Ayla trok het mes uit de schede en ze kreeg onmiddellijk het vermoeden dat het lemmet door Wymez was gemaakt en dat Ranec het handvat had uitgesneden en bewerkt.

Ayla pakte een zware donkere vacht voor Talut. Met een brede grijns schudde hij de mantel uit elkaar die van een hele bizonhuid was gemaakt en gooide hem over zijn schouders. Het dikke bont van de schouders deed de grote man nog groter lijken dan hij was en hij genoot van het effect. Hij merkte hoe goed de mantel over de schouders paste en in soepele plooien om zijn lichaam hing. Hij bekeek de zachte binnenkant van dichtbij.

'Nezzie! Kijk eens,' zei hij. 'Heb je ooit een zachtere bizonhuid gezien? En deze is warm. Ik geloof niet dat ik er iets van wil laten maken, ook geen anorak! Ik ben van plan hem gewoon te dragen zoals hij is.'

Ayla glimlachte om zijn blijdschap en ze was blij dat haar geschenk zo in de smaak viel. Jondalar stond wat naar achteren en keek over de mensen heen die naar voren drongen. Hij genoot ook van Taluts reactie. Hij had het verwacht, maar hij was blij dat zijn verwachtingen uitkwamen.

Nezzie omhelsde Ayla en gaf haar een halssnoer van bij elkaar passende, naar grootte gerangschikte schelpen met een spiraalvormige winding. Tussen elke twee schelpen zat een zorgvuldig uitgezaagd stukje van het holle beenbot van de poolvos, met aan de voorkant, bedoeld als hanger, een grote hoektand van een holenleeuw. Tronie maakte hem aan de achterkant vast en Ayla hield hem om. Ze bekeek hem vol bewondering, hield de tand van de holenleeuw omhoog en vroeg zich af hoe het hun was gelukt er een gat in te boren.

Ayla duwde het kleed voor het bed opzij en haalde een grote mand met deksel tevoorschijn. Ze zette deze neer voor Nezzie. Hij leek heel gewoon. De grassen waarvan hij was gemaakt waren niet geverfd en er stonden geen gekleurde patronen of geometrische figuren op. Ook stonden er geen gestileerde afbeeldingen van vogels of andere dieren op de zijkanten of het deksel. Maar toen ze hem goed bekeek, zag de vrouw het fijne patroon en hoe knap hij was gemaakt. Ze wist dat hij voldoende waterdicht was om hem als kookmand te gebruiken.

Nezzie tilde het deksel op om het te bekijken en het hele kamp gaf blijk van zijn verbazing. De mand was met buigzame berkenbast in vakjes verdeeld en zat vol voedsel. Er waren harde appeltjes, geurige zoete worteltjes, geschilde knoestige wortels van aardnoten, rijk aan zetmeel, gedroogde kersen zonder pit, gedroogde maar nog groene knoppen van de daglelie, gedroogde groene hokjespeulen, gedroogde paddestoelen en stengels van groene uien en nog wat gedroogde bladeren en schijfjes waarvan de naam niet bekend was. Nezzie glimlachte vriendelijk terwijl ze de verzameling bekeek. Het was een ideaal geschenk.

Toen kwam Tulie dichterbij. Haar omhelzing was niet onvriendelijk, maar wat stijfjes en het aanbieden van haar geschenk gebeurde nu niet direct met een zwierig gebaar, maar met een passend gevoel voor de plechtigheid. Het was een prachtig versierd doosje, uit hout gesneden, met ronde hoeken. Er waren figuren van vissen in uitgesneden en op geschilderd en er waren ook stukjes schelp op gelijmd. Het geheel gaf de indruk van water met vissen en waterplanten. Toen Ayla het deksel optilde, ontdekte ze de bedoeling van dat waardevolle doosje. Het was gevuld met zout.

Ze wist wel iets van de waarde van zout. Toen ze opgroeide bij de Stam, die in de buurt van de Zwarte Zee woonde, had ze zout heel gewoon gevonden. Er was vrij gemakkelijk aan te komen en sommige vissen werden er zelfs in bewaard, maar toen ze in haar vallei woonde, in het binnenland, had ze geen zout gehad en het had een tijdje geduurd voor ze eraan gewend was. Het Leeuwenkamp lag nog verder van zee dan haar vallei. Het zout moest over een lange afstand worden aangevoerd, evenals de schelpen en toch had Tulie haar deze doos vol gegeven. Het was een zeldzaam en kostbaar geschenk.

Ayla was erg onder de indruk toen ze haar geschenk voor de leidster pakte en ze hoopte dat Jondalar het bij het rechte eind had toen hij veronderstelde dat het heel geschikt zou zijn. Het bont dat ze had uitgekozen was de huid van een sneeuwluipaard die had geprobeerd een buit van haar af te pakken in de winter dat zij en Kleintje samen probeerden te jagen. Haar plan was hem te verjagen, maar de jonge holenleeuw dacht er anders over. Ayla had de volwassen, maar kleinere kat overrompeld met een steen uit haar slinger toen het ernaar uitzag dat er een gevecht volgde. Met een tweede steen had ze er een eind aan gemaakt.

Tulie had het geschenk blijkbaar niet verwacht, want aan haar ogen was te zien hoe blij ze was. Pas toen ze bezweek voor de verleiding om de weelderige, dikke wintervacht om haar schouders te gooien, voelde ze de zeldzame kwaliteit, dezelfde die Talut had opgemerkt. Hij voelde aan de binnenkant ongelooflijk zacht aan. Vachten werden gewoonlijk stijver dan huiden. Door de aard van het materiaal kon bont maar aan één kant met krabbers worden bewerkt om het te spannen en zacht te maken. Daarbij kwam dat door de methode van de Mamutiërs de huiden wel langer goed bleven, maar veel harder werden dan die van Ayla, die ze alleen met vet bewerkte, zodat ze zacht en soepel bleven. Tulie was meer onder de indruk dan ze had verwacht en ze wou erachter komen hoe Ayla het deed.

Wymez kwam dichterbij met een voorwerp dat in een zachte huid was verpakt. Ze maakte het pakje open en haar adem stokte. Het was een prachtige speerpunt, zoals de andere die ze zo had bewonderd. Hij fonkelde bij het licht van het vuur als een geslepen edelsteen, maar deze had meer waarde. Haar geschenk voor hem was een stevige mat van gras waar hij op kon zitten bij zijn werk. De meeste manden en matten die Ayla had gevlochten hadden geen kleurpatronen, maar de laatste winter in haar grot was ze begonnen te experimenteren met verschillende grassen in natuurlijke kleurvariaties. In combinatie met haar gebruikelijke weefpatronen was het resultaat een mat met een fijn maar duidelijk stermotief. Ze was er heel tevreden over toen ze hem maakte en toen ze de geschenken uitzocht deden de punten uit het midden haar denken aan de prachtige speerpunten van Wymez en de structuur van het weefsel herinnerde haar aan de fijne splinters die hij eraf sloeg. Ze betwijfelde of hij het zou zien.

Toen hij hem had bekeken, beloonde hij haar met een van zijn zeldzame glimlachjes. 'Dit is prachtig. Hij doet me denken aan het werk dat Ranecs moeder deed. Zij verstond de kunst van het weven met gras beter dan wie ook. Ik geloof dat ik hem zou moeten bewaren en aan de muur hangen, maar ik wil hem gebruiken. Ik wil erop zitten als ik aan het werk ben. Hij zal me helpen om mijn doel voor ogen te houden.' In zijn hartelijke omhelzing herkende ze niets van zijn terughoudende manier van spreken. Ze wist dat Wymez, die uiterlijk zo rustig leek, in werkelijkheid een vriendelijke, gevoelige man was. Er was geen bepaalde volgorde bij het uitwisselen van de geschenken en de volgende die haar aandacht vroeg was Rydag. Ze ging bij hem zitten en beantwoordde zijn innige omhelzing. Hij had een lang, rond buisje in zijn hand. Het was het holle botje van een vogelpoot, met gaatjes erin. Ze nam het aan van de jongen en draaide het om en om. Ze begreep de bedoeling niet goed. Hij nam het terug, hield het voor zijn mond en blies erop. Ze hoorde een doordringende fluittoon. Ayla probeerde het ook en ze moest glimlachen. Ze gaf hem een warme, waterdichte capuchon van veelvraatbont, zoals de mensen van de Stam ze droegen, maar het deed haar pijn toen hij hem opdeed. Hij deed haar te sterk aan Durc denken.

'Ik heb hem ook zo'n fluitje gegeven om me te roepen wanneer hij me nodig heeft. Soms heeft hij geen adem genoeg om te roepen, maar dan kan hij nog wel op een fluitje blazen,' legde Nezzie uit.

'Maar deze heeft hij zelf gemaakt.'

Deegie verraste haar met de kleren die ze die avond had willen dragen. Maar toen ze zag hoe Ayla ernaar keek besloot ze haar die kleding te geven. Ayla was sprakeloos en bleef er maar naar kijken tot ze tranen in haar ogen kreeg. 'Ik heb nog nooit zoiets moois gehad om aan te trekken!'

Vervolgens gaf ze aan Deegie haar geschenk, een stel manden en verscheidene prachtig afgewerkte houten schalen in verschillende grootten, die konden worden gebruikt om uit te drinken, voor soep en ook om in te koken. Ze kon ze in haar vuurplaats gebruiken na haar verbintenis met Branag. De schalen waren een bijzonder geschenk in gebieden waar hout betrekkelijk schaars was en gewoonlijk beenderen en ivoor werden gebruikt. Ze waren allebei verrukt en omhelsden elkaar als zusters.

Om te laten zien dat hij haar wel een behoorlijk cadeau gunde, gaf Frebec haar een paar kniehoge bontlaarzen, met versieringen aan de rand en ze was blij dat ze een van de beste zomerrendiervellen voor hem had uitgekozen. De haartjes waren hol en gaven een natuurlijke isolatie omdat ze met lucht waren gevuld. De zomerhuid was het warmst en was licht in gewicht. Als men op jacht ging bij koud weer, was het de prettigste en meest praktische dracht en daarom zeer nuttig. Uit de stukken die ze hem gaf konden wel een broek en een tuniek worden gemaakt, zodat hij ook bij het koudste weer genoeg had aan een enkel kledingstuk eroverheen en niet zoveel zware kleren hoefde te dragen. Ook hij keek hoe zacht haar bewerkte huiden waren, maar hij zei er niets van en zijn omhelzing, bij wijze van welkom, was heel stijfjes.

Fralie gaf haar bontwanten die bij de laarzen pasten en Ayla gaf de zwangere vrouw een prachtige houten kookschaal, met een zak gedroogde bladeren erin. 'Ik hoop dat je deze thee lekker vindt, Fralie,' zei ze, terwijl ze haar scherp aankeek alsof ze haar woorden wilde benadrukken. 'Is goed om 's morgens een kop te drinken als je wakker wordt en misschien 's avonds nog een voor slapengaan. Als je wilt, geef ik meer als deze op is.'

Fralie knikte instemmend toen ze elkaar omhelsden. Frebec keek achterdochtig, maar Ayla gaf alleen maar een geschenk en hij kon er toch niets van zeggen dat Fralie een geschenk kreeg van het nieuwe lid van het Leeuwenkamp? Ayla was er niet gelukkig mee. Ze had Fralie veel liever zonder omwegen en openlijk behandeld, maar het trucje was beter dan haar helemaal niet te helpen en Fralie weigerde om in een situatie terecht te komen waarbij het leek of ze koos tussen haar moeder en haar levensgezel.

Toen kwam Crozie naar voren en ze knikte Ayla goedkeurend toe. Vervolgens gaf ze haar een leren zakje dat bestond uit aan elkaar genaaide stukjes. Het zakje was rood geverfd en prachtig versierd met ivoren kraaltjes en geborduurde witte driehoekjes. Rondom de onderkant waren witte veertjes van de kraanvogel als versiering aangebracht. Ayla bekeek het bewonderend, maar toen ze het niet openmaakte zei Deegie dat ze dat wel moest doen. Er zaten koord en draad van mammoetwol in, pezen, bont en plantenvezels. Alles was zorgvuldig op stukjes bot gewonden. Er zaten ook scherpe mesjes en priemen in de naaizak. Ayla was er erg blij mee. Ze wou leren hoe de Mamutiërs kleren maakten en ze opsierden.

Ze pakte een kleine houten schaal met een goed passend deksel en gaf hem de oude vrouw. Toen Crozie hem openmaakte, keek ze Ayla verbaasd aan. Hij was gevuld met een blank, gemarmerd smeersel. Het was dierlijk vet, zonder smaak, kleur of geur, uitgesmolten in zachtjes kokend water. Ze rook eraan en glimlachte, nog steeds verbaasd.

'Ik maak rozenwater, van bloembladen... Meng met... andere dingen,' begon Ayla uit te leggen.

'Dan gaat het lekker ruiken, denk ik, maar waar is het voor?' vroeg Crozie.

'Het is voor handen, voor gezicht, ellebogen, voeten. Voelt goed. Maakt glad,' zei Ayla, die er wat van pakte en het op de gerimpelde oude hand van de vrouw smeerde. Toen het was ingetrokken, streek Crozie over haar hand; ze sloot haar ogen en voelde dat haar huid geleidelijk gladder werd. Toen de oude vrouw haar ogen weer opende meende Ayla een glans te zien, maar er waren geen tranen. Ayla voelde de vrouw wel beven bij de stevige omhelzing.

Bij alle geschenken die werden uitgewisseld werd iedereen nog meer benieuwd naar de volgende en Ayla genoot net zoveel van het uitdelen als van het ontvangen. Haar geschenken waren voor hen net zo ongewoon als die van hen voor haar waren en ze vond het even leuk om te zien hoe goed haar geschenken in de smaak vielen bij de anderen als alles wat haar werd aangeboden in ontvangst te nemen. Ze had zich nooit zo bijzonder gevoeld, nooit het gevoel gehad dat ze zo welkom kon zijn, zo gewenst. Als ze erover nadacht kon ze wel huilen van blijdschap.

Ranec bleef wat op de achtergrond. Hij wachtte tot alle geschenken waren uitgewisseld. Hij wou de laatste zijn zodat het zijne niet tussen de andere kon raken. Tussen al de bijzondere en aparte geschenken die ze had gekregen wou hij dat ze het zijne nooit zou vergeten. Ayla zette haar spullen weg op het bed dat weer net zo vol stond als toen ze begon en ze zag het cadeau dat ze voor Ranec had uitgekozen. Ze moest er even over nadenken voor het tot haar doordrong dat ze met hem nog geen geschenken had uitgewisseld. Ze nam het in haar handen en toen ze zich omdraaide om hem te zoeken stond hij tegenover haar en zei met een plagerig lachje: 'Heb je mijn geschenk vergeten?' Hij stond zo dichtbij dat ze zijn grote zwarte pupillen zag en de lichtjes die zijn donkere ogen zo onweerstaanbaar maakten. De warmte die hij uitstraalde bracht haar in verwarring.

'Nee, eh... Heb niet vergeten... Hier,' zei ze toen ze er weer aan dacht dat ze het geschenk in haar handen had, en ze hield het omhoog. Hij keek ernaar en ze zag aan zijn ogen dat hij de dikke, witte wintervachten van de poolvos mooi vond. De korte aarzeling gaf haar de gelegenheid haar kalmte terug te vinden en toen hij haar weer aankeek zei ze plagend: 'Ik denk jij vergeet.'

Hij grijnsde, deels omdat ze zo goed en snel reageerde op zijn grapje, maar ook omdat het hem een goede aanleiding gaf om zijn geschenk aan te bieden.

'Nee. Ik heb het niet vergeten. Hier,' zei hij, en hij haalde het voorwerp tevoorschijn dat hij achter zijn rug had verborgen. Ze keek naar het stukje bewerkt ivoor dat hij voorzichtig in zijn handen hield en ze kon haar ogen bijna niet geloven. Zelfs toen hij haar bevrijdde van de witte vachten die zij vasthad, stak ze geen hand uit. Ze was bijna bang het aan te raken. Ze keek hem aan met oprechte verbazing.

'Ranec,' fluisterde ze en ze stak aarzelend haar hand uit. Hij moest het haar aangeven en toen hield ze het nog vast alsof ze bang was dat het zou breken. 'Dit is Whinney! Is of je Whinney hebt genomen en klein gemaakt,' riep ze uit terwijl ze het prachtig bewerkte ivoren paardje om en om draaide. Het was nog geen tien centimeter lang en hij had wat kleur op het beeldje aangebracht: gele oker op de vacht en houtskool op de benen en de manen, met een donkere streep over de rug tot de staart, zoals Whinney ook had. 'Kijk, oortjes, precies goed. En hoeven, en staart. Zelfs tekening van de vacht. O, Ranec, hoe doe je dat?'

Ranec kon zijn geluk niet op toen hij haar stevig omhelsde. Haar reactie was precies zoals hij had gehoopt, ja zelfs had gedroomd, en er lag zoveel liefde in zijn ogen toen hij haar aankeek dat Nezzie er tranen van in de ogen kreeg. Ze wierp een blik op Jondalar en begreep dat hij het ook had gezien. Zijn gezicht toonde een smartelijke trek. Ze schudde begrijpend het hoofd.

Toen alle geschenken waren uitgewisseld, ging Ayla met Deegie naar de Oerosvuurplaats om zich te verkleden. Vanaf het moment dat Ranec het vreemde hemd had, had Deegie geprobeerd de kleur na te maken. Ten slotte was ze er heel dichtbij gekomen en ze had van het leer met de roomkleur een tuniek gemaakt met korte mouwen en een V-hals. Ook de zoom had een V-lijn en er was een bijpassende broek bij met een riem die in dezelfde heldere kleuren was geweven als de figuren op het hemd. Omdat Ayla de zomer buiten had doorgebracht, had haar huid een bruine tint en haar lichtblonde haar had bijna de kleur van het leer. Het was of de kleding speciaal voor haar was gemaakt.

Met hulp van Deegie deed Ayla de ivoren armband van Mamut af en het mes met de rode schede van Talut en het halssnoer van Nezzie, maar toen de jonge Mamutische vrouw voorstelde om het vuile, versleten leren zakje dat ze om de hals droeg af te doen, weigerde Ayla beslist.

'Is mijn amulet, Deegie, met Geest van Holenleeuw, van Stam, van mij. Kleine stukjes, zoals Ranecs beeldje is kleine Whinney. Creb heeft gezegd als ik amulet verlies, kan totem mij niet vinden. Ga ik dood,' probeerde Ayla uit te leggen.

Deegie dacht even na terwijl ze naar Ayla keek. Het hele effect werd bedorven door het groezelige leren zakje. Ook het riempje om haar hals was gerafeld en dat bracht haar op een idee.

'Ayla, wat doe je als het versleten is? Dat riempje ziet eruit of het binnenkort breekt,' zei Deegie.

'Ik maak nieuw zakje, nieuwe riem.'

'Dus het zakje is niet zo belangrijk, maar wat erin zit, nietwaar?'

'Ja...'

Deegie keek om zich heen en opeens viel haar oog op het naaizakje dat Crozie aan Ayla had gegeven. Ze haalde de inhoud er voorzichtig uit en liet het Ayla zien. 'Waarom zou je dit niet gebruiken? We kunnen het aan een snoer kralen hangen – een uit je haar kan heel goed – en dan kun je het om de hals dragen.'

Ayla pakte het prachtig versierde zakje van Deegie aan en bekeek het. Toen sloot ze haar hand om het haar zo bekende oude leren zakje en kreeg het vertrouwde gevoel dat de amulet van de Stam haar altijd had gegeven. Maar ze hoorde niet meer bij de Stam. Ze had haar totem niet verloren. De Geest van de Holenleeuw beschermde haar nog steeds en de tekens die ze had ontvangen waren nog belangrijk, maar ze was nu een Mamutische vrouw.

Toen Ayla naar de Mammoetvuurplaats terugging, was ze volledig een Mamutische vrouw, een mooie, goedgeklede Mamutische vrouw, met hoge status en waarde en iedereen keek goedkeurend naar de nieuwe bewoonster van het Leeuwenkamp. Twee paar ogen toonden echter meer dan goedkeuring. Liefde en verlangen straalden uit de donkere ogen, vol hoop en begeerte, maar die lagen ook in de diep ongelukkige blik van de helderblauwe ogen.

Manuv had Nuvie op zijn schoot en hij glimlachte vriendelijk tegen Ayla toen ze voorbijkwam om haar andere kleren op te bergen en ze reageerde met een stralende lach. Ze was zo blij en gelukkig dat ze bijna niet kon geloven dat het echt waar was. Ze was nu Ayla van de Mamutiërs en ze was van plan om alles te doen om er helemaal bij te horen. Toen zag ze Jondalar met Danug praten. Ze zag hem op de rug, maar dat was genoeg om haar opgetogen gevoel te doen verdwijnen. Misschien was het zijn houding, of waren het zijn schouders, maar haar onderbewustzijn deed haar aarzelen. Jondalar was niet gelukkig. Maar wat kon ze er nu aan doen?

Ze haastte zich om de vuurstenen te halen. Mamut had tegen haar gezegd dat ze de stenen nu pas moest geven. Deze passende gelegenheid gaf de stenen de betekenis die ze toekwam en hun waarde werd er ook door vergroot. Ze pakte de kleine metaalkleurige stukjes pyriet en nam ze mee naar de vuurplaats. Onderweg liep ze achter Tulie, die met Nezzie en Wymez praatte en ze hoorde haar zeggen: '... maar ik had er geen idee van dat ze zoveel bezat. Kijk alleen maar eens naar die vachten. De bizonhuid en dat witte vossenbont, en die sneeuwluipaard – die zie je hier niet veel...'

Ayla glimlachte en ze voelde zich weer blij. Haar geschenken werden gewaardeerd.

De oude medicijnman had ook niet stilgezeten terwijl zij zich verkleedde. Hij had zijn gezicht beschilderd met zigzagstrepen die zijn tatoeëring accentueerden. Als cape droeg hij de huid van een holenleeuw. Talut pronkte met de staart van dezelfde holenleeuw. Mamuts ketting was gemaakt van korte, uitgeholde stukjes slagtand van een kleine mammoet, afgewisseld met hoektanden van verscheidene andere dieren, waaronder een van een holenleeuw.

'Talut wil nog een keer op jacht, dus zal ik de mogelijkheden onderzoeken,' zei de medicijnman. 'Kom dan bij me, als je kunt – en als je wilt. Houd er in ieder geval rekening mee.'

Ayla knikte, maar ze zag er wel tegen op.

Tulie kwam naar de vuurplaats en zei glimlachend: 'Ik wist niet dat Deegie dat aan je zou geven,' zei ze, 'en ik weet ook niet of ik het er wel mee eens was geweest, want ze heeft er veel werk aan gehad, maar ik moet toegeven dat het je goed staat, Ayla.'

Ayla wist niet wat ze moest antwoorden en glimlachte alleen maar.

'Daarom heb ik het haar ook gegeven, moeder,' zei Deegie, die kwam aanlopen met haar muziekinstrument. 'Ik heb geprobeerd om het leer zo licht mogelijk te kleuren. Ik kan altijd weer andere kleren maken.'

'Ik ben klaar,' zei Tornec, die erbij kwam staan met zijn instrument van mammoetbeen.

'Goed. Jullie kunnen beginnen zodra Ayla de stenen uitdeelt,' zei Mamut. 'Waar is Talut?'

'Hij heeft de drank ingeschonken,' zei Tornec glimlachend, 'en hij is heel royaal geweest. Hij zei dat dit een passend feest moet worden.'

'En dat wordt het ook!' zei het grote stamhoofd. 'Hier, Ayla, ik heb een kopje voor je meegebracht. Per slot van rekening ben jij de aanleiding tot dit feest!'

Ayla proefde ervan en vond de gegiste drank nog altijd niet zo lekker, maar de andere Mamutiërs schenen ervan te genieten. Ze nam zich voor om het ook te leren drinken. Ze wou een van hen zijn, doen wat zij deden en lekker vinden wat zij lekker vonden. Ze dronk het op en Talut vulde haar kopje weer.

'Talut zal wel zeggen wanneer je kunt beginnen met het uitdelen van de stenen, Ayla. Je moet er telkens een vonk uit slaan als je hem geeft,' zei Mamut. Ze knikte en keek naar het kopje dat ze in de hand hield. Ze dronk hoofdschuddend de sterkedrank op, zette het kopje neer en pakte de stenen.

'Ayla wordt nu tot het Leeuwenkamp gerekend,' zei Talut zodra iedereen zat, 'maar ze heeft nog een geschenk. Voor elke vuurplaats een steen om vuur te maken. Nezzie bewaart hem voor de Leeuwenvuurplaats. Ayla zal de steen nu aan haar geven.'

Terwijl Ayla naar Nezzie liep, sloeg ze met een stuk vuursteen op het pyriet en er spatte een heldere vonk uit. Toen gaf ze haar de steen.

'Wie bewaart hem voor de Vossenvuurplaats?' vervolgde Talut terwijl Deegie en Tornec op de benen instrumenten begonnen te slaan.

'Ik. Ranec bewaart hem voor de Vossenvuurplaats.'

Ayla bracht hem een steen en sloeg erop, maar toen ze Ranec de steen gaf fluisterde hij zachtjes: 'Het vossenbont is zachter en mooier dan ik ooit heb gezien. Ik houd het op mijn bed en zal iedere nacht aan je denken wanneer ik het zachte bont tegen mijn blote huid voel.' Hij streelde lichtjes haar gezicht met de rug van zijn hand, maar er ging een schok door haar heen.

Ze deed een stap achteruit en was helemaal in de war toen Talut vroeg wie de steen bewaarde voor de Rendiervuurplaats. Ze moest bij Tronie twee keer slaan voor er een vonk kwam. Fralie nam de steen aan voor de Kraanvogelvuurplaats en tegen de tijd dat Tulie de hare had aangenomen en ze Mamut er een had gegeven voor de Mammoet-vuurplaats, voelde Ayla zich duizelig en ze was blij dat ze bij het vuur kon gaan zitten.

De trommels misten hun uitwerking niet. Het was een kalmerend maar ook meeslepend geluid. Het werd donker in de ruimte en achter het scherm bleef alleen een klein vuur branden. Ze hoorde vlakbij iemand ademen en keek om te zien waar het geluid vandaan kwam. Bij het vuur zat een man ineengehurkt – of was het een leeuw? Het ademen werd een zacht grommen. Ze vond dat het veel had van het waarschuwende gegrom van een holenleeuw. De trommels namen het geluid over en gaven het resonantie en diepte.

Opeens sprong de leeuwenfiguur met een wilde grauw vooruit en de schaduw van een leeuw bewoog over het scherm. Maar hij kwam bijna met een schok tot stilstand toen hij schrok van Ayla's spontane reactie. Ze daagde de schaduw uit met een gegrom dat zo echt en dreigend klonk dat de meeste mensen die zaten te kijken de adem inhielden. De schaduw nam de houding van een leeuw weer aan en trok zich met een kalmerend gegrom terug. Ayla liet nog een triomfantelijke grauw horen en eindigde met een tevreden gebrom als van een leeuw die wegloopt.

Mamut moest glimlachen. Haar leeuw is zo volmaakt dat ze een leeuw ertussen kon nemen, dacht hij en hij vond het leuk dat ze zo spontaan had meegedaan. Ayla wist zelf niet waarom ze het had gedaan, maar na haar eerste geïmproviseerde uitdaging had ze het leuk gevonden om als een leeuw met Mamut te praten. Dat had ze niet meer gedaan sinds Kleintje haar vallei had verlaten. De trommels hadden het tafereel nog meer kracht gegeven, maar nu volgden ze de schaduw weer die kronkelend over het scherm ging. Ze zat dicht genoeg bij het scherm om te zien dat het Mamut was, maar toch ging ook zij er helemaal in op. Ze vroeg zich wel af hoe het mogelijk was dat de anders zo stijve man, met zijn jicht, zich zo gemakkelijk bewoog. Toen herinnerde ze zich dat ze hem van tevoren iets had zien drinken en misschien was het wel een sterke pijnstiller geweest. De volgende dag zou hij waarschijnlijk pijn moeten lijden voor wat hij nu deed.

Plotseling sprong Mamut achter het scherm vandaan en ging op zijn hurken bij zijn trommel zitten. Hij gaf een snelle korte roffel en hield opeens op. Hij pakte een kopje dat Ayla niet had zien staan, dronk ervan, liep naar Ayla toe en bood het haar aan. Zonder erbij na te denken nam ze een slokje en nog een, hoewel ze het niet lekker vond. Het was sterk en muskusachtig. Bij het geluid van de trommels begon ze spoedig de uitwerking te voelen.

De dansende vlammen achter het scherm gaven de indruk dat de dieren die erop waren geschilderd bewogen. Ze raakte erdoor gehypnotiseerd, concentreerde al haar gedachten erop en hoorde in de verte nog de mensen van het kamp zingen. Er huilde een baby, maar dat scheen uit een andere wereld te komen terwijl zij werd meegevoerd door de dansende bewegingen van de dieren op het scherm. Ze leken wel te leven terwijl de trommels haar vervulden met gedachten aan stampende hoeven, brullende kalveren en trompetterende mammoets.

Toen was het niet donker meer. Er scheen een flauw zonnetje op een besneeuwde vlakte. Een kleine kudde muskusossen was bij elkaar gekropen en er raasde een sneeuwstorm om ze heen. Toen ze naar beneden dook, merkte ze dat ze niet alleen was. Mamut was bij haar. Het beeld veranderde. De bui was voorbij, maar sneeuwduivels die door de wind werden voortgedreven, loeiden over de steppen als geestverschijningen. Zij en Mamut verlieten de troosteloze leegte. Toen zag ze een paar bizons die gelaten stonden te wachten aan de luwe kant van een smal dal. Ze probeerden uit de wind te blijven. Ze vloog met grote snelheid door het dal van de rivier, die een diep ravijn had uitgesneden. Ze volgden een zijrivier, die steeds smaller werd tussen steile wanden en toen zag ze het bekende pad langs de rivier die nu droogstond.

Even later zat ze in een donkere ruimte naar een vuurtje te kijken en ze zag mensen bij elkaar om een scherm zitten. Ze hoorde ze langzaam zingen, steeds weer hetzelfde geluid. Haar oogleden trilden en ze zag vaag de gezichten van Nezzie, Talut en Jondalar, die haar bezorgd aankeken.

'Voel je je wel goed?' vroeg Jondalar in het Zelandonisch.

'Ja, ja. Ik voel me uitstekend, Jondalar. Wat is er gebeurd? Waar ben ik geweest?'

'Dat moet jij maar vertellen.'

'Hoe voel je je?' vroeg Nezzie. 'Mamut heeft dan altijd graag thee.'

'O, best,' zei ze. Ze ging rechtop zitten en pakte het kopje aan. Ze voelde zich inderdaad uitstekend. Een beetje moe en een beetje zweverig, maar dat was alles.

'Ik geloof dat het deze keer niet zo angstig voor je was, Ayla,' zei Mamut, die naar haar toe kwam.

Ayla glimlachte. 'Nee, ik was niet bang, maar wat deden we?'

'We hebben gezocht. Ik dacht dat je een Ziener was. Daarom ben je de dochter van de Mammoetvuurplaats,' zei hij. 'Je hebt andere natuurtalenten, Ayla, maar die moeten geoefend worden.' Hij zag haar bezorgd kijken. 'Zit daar nu maar niet over in. Daar kun je later wel eens over nadenken.'

Talut schonk nog wat in voor Ayla en een paar anderen, terwijl Mamut vertelde waar ze waren geweest en wat ze hadden gevonden. Ze dronk het in één teug op – dan leek het niet zo vies – en ze probeerde te luisteren, maar ze kon het niet zo snel volgen. Haar gedachten dwaalden af en ze hoorde dat Deegie en Tornec nog steeds op hun instrumenten speelden, maar het klonk nu zo ritmisch en er ging zo'n aantrekkingskracht van uit dat ze er wel op wilde dansen. Het deed haar denken aan de Vrouwendans van de Stam, en ze had de grootste moeite om zich op Mamut te concentreren.

Ze voelde dat iemand naar haar keek en ze liet haar blik over de mensen dwalen. Bij de Vossenvuurplaats stond Ranec haar aan te staren. Hij glimlachte en ze glimlachte terug. Opeens schonk Talut haar kopje weer vol. Ranec kwam naar voren en hield zijn kopje omhoog om het te laten vullen; Talut voldeed aan het verzoek en zette het gesprek voort.

'Hier heb je geen belangstelling voor, wel? Laten we daarheen gaan, waar Deegie en Tornec zitten te spelen,' fluisterde hij haar in het oor.

'Ik geloof het ook niet. Ze hebben het over de jacht.' Ayla probeerde het serieuze gesprek te volgen, maar ze had er zoveel van gemist dat ze niet precies wist waar het over ging en ze schenen niet eens te merken of ze wel of niet luisterde.

'Je zult er niets aan missen. Ze vertellen het ons later wel. Je kunt daar beter naar luisteren,' zei hij en hij wachtte even om haar de ritmische muzikale klanken te laten horen die uit de andere hoek van de vuurplaats kwamen. 'Wil je niet liever zien hoe Tornec dat doet? Hij is echt heel goed.'

Ayla boog zich in de richting van het geluid, aangetrokken door het ritmische getrommel. Ze keek nog even naar het groepje dat de plannen besprak en toen naar Ranec. Met een stralende glimlach zei ze: 'Ja, ik wil graag Tornec zien!'

Terwijl ze overeind kwamen, zei Ranec, die vlak bij haar stond: 'Je moet ophouden met glimlachen, Ayla', en het klonk heel serieus.

'Waarom?' vroeg ze bezorgd. Haar glimlach verdween en ze vroeg zich af wat ze verkeerd had gedaan.

'Omdat je zo lief bent wanneer je glimlacht dat ik geen adem meer kan halen,' zei Ranec, en hij meende het, maar hij vervolgde 'Hoe kan ik met je meelopen als ik naar lucht moet happen?'

Door dit compliment kwam Ayla's glimlach terug en ze moest giechelen bij de gedachte dat hij naar lucht moest happen als zij glimlachte. Het was natuurlijk een grapje, dacht ze, hoewel ze er niet helemaal zeker van was. Ze liepen naar de nieuwe ingang van de Mammoetvuurplaats.

Jondalar zag hen wel komen. Hij had genoten van de ritmische muziek terwijl hij op haar wachtte, maar hij vond het niet prettig dat Ayla samen met Ranec naar de muzikanten liep. Hij voelde de jaloezie weer opkomen en hij voelde een hevige drang om uit te halen naar de man die het probeerde aan te leggen met de vrouw die hij liefhad. Maar Ranec was een Mamutiër, ondanks het feit dat hij er anders uitzag en hij behoorde tot het Leeuwenkamp. Jondalar was maar gast. Ze zouden voor elkaar opkomen en hij stond alleen. Hij probeerde zich te beheersen en redelijk te blijven. Ayla en Ranec liepen alleen samen op. Hoe kon hij daar bezwaar tegen hebben?

Hij had van het begin af aan gemengde gevoelens over haar adoptie gehad. Hij vond het nodig dat ze bij een groep mensen hoorde, omdat ze het zelf wou en hij moest toegeven dat zijn volk haar dan gemakkelijker zou accepteren. Hij had gezien hoe gelukkig ze was toen ze elkaar geschenken gaven en hij was blij voor haar, maar hij had het gevoel dat hij erbuiten stond en hij maakte zich meer zorgen dan ooit over het feit dat ze misschien niet meer weg wou. Hij vroeg zich af of hij zich misschien ook niet beter had kunnen laten adopteren.

In het begin had hij zich sterk betrokken gevoeld bij Ayla's adoptie. Maar nu had hij het gevoel dat hij erbuiten stond, ook voor Ayla. Ze was nu een van hen. Dit was haar avond, haar feest, dat van haar en van het Leeuwenkamp. Hij had haar geen geschenk gegeven en hij had ook niets ontvangen. Hij had er niet eens aan gedacht, hoewel hij daar nu wel spijt van had. Maar hij had niets te geven, aan haar niet en aan niemand. Hij was hier zonder iets gekomen en hij had geen jaren besteed aan het maken en verzamelen van dingen. Hij had veel geleerd op zijn reizen en hij had kennis verzameld, maar hij had geen gelegenheid gehad ervan te profiteren. Het enige wat hij had meegebracht was Ayla.

Met een sombere blik zag hij hoe ze plezier had met Ranec en lachte en hij voelde zich een ongewenste indringer.

19

Toen het gesprek was afgelopen, ging Talut nog eens rond met zijn sterkedrank, die hij maakte van zetmeel uit de wortels van de kattenstaart en verschillende andere ingrediënten waar hij voortdurend mee experimenteerde. Deegie en Tornec waren het middelpunt en de mensen zongen, soms samen en soms alleen. Sommige mensen dansten, niet zo wild als Ayla een tijd geleden buiten had gezien, maar met subtiele bewegingen van het lichaam, op de maat van de muziek, terwijl ze nauwelijks van hun plaats kwamen. Ze werden vaak begeleid door gezang.

Ayla merkte Jondalar herhaaldelijk op. Hij bleef wat op de achtergrond en ze was een paar keer op weg naar hem toe, maar er kwam steeds iets tussen. Er waren zoveel mensen en ze leken allemaal hun best te doen om haar aandacht te trekken. Door Taluts drank had ze zichzelf niet helemaal meer in de hand en ze werd gemakkelijk afgeleid. Onder enthousiaste aanmoedigingen speelde ze een keer op de trommel van Deegie een paar ritmes van de Stam die ze zich herinnerde. Ze waren ingewikkeld en voor het Leeuwenkamp vreemd en boeiend. Voor het geval Mamut nog twijfelde aan Ayla's afkomst werd die twijfel volledig weggenomen door de herinneringen die haar spel bij hem opriep.

Vervolgens ging Ranec staan om te dansen en een humoristisch lied te zingen, bestemd voor Ayla, vol bedekte toespelingen en dubbelzinnigheden over het Genot van de Geschenken. Het veroorzaakte hier en daar een brede grijns en blikken van verstandhouding en het was duidelijk genoeg om Ayla te doen blozen. Deegie deed haar voor hoe ze moest dansen en een spottend liedje als antwoord moest zingen, maar bij het slot, waar Ayla moest laten merken of ze hem accepteerde of afwees, hield ze op. Ze kon het niet. Ze begreep het spelletje niet helemaal en hoewel het niet haar bedoeling was hem aan te moedigen, wou ze hem ook niet de indruk geven dat ze hem niet mocht. Ranec glimlachte. Onder het mom van humor werd het liedje vaak gebruikt om er zonder risico achter te komen of de belangstelling wederzijds was. Zelfs een botte afwijzing zou hem niet hebben tegengehouden; iedere andere teneur beschouwde hij als veelbelovend.

Ayla werd overmoedig door de drank en het lachen en de aandacht die ze kreeg. Ze namen haar allemaal op, iedereen wou met haar praten, naar haar luisteren, een arm om haar heen leggen en dicht bij haar zijn. Ze kon zich niet herinneren ooit zoveel plezier te hebben gehad met zoveel vriendelijke mensen bij wie ze welkom was. En telkens wanneer ze zich omdraaide, zag ze de stralende glimlach en de schitterende ogen op zich gericht.

Naarmate de avond vorderde, werd de groep kleiner. De kinderen vielen in slaap en werden naar bed gebracht. Fralie was vroeg naar bed gegaan op advies van Ayla en de rest van de Kraanvogelvuurplaats had haar spoedig gevolgd. Tronie had zich de hele avond al niet lekker gevoeld. Ze klaagde over hoofdpijn. Ze ging naar haar vuurplaats om Hartal te voeden en viel in slaap. Jondalar ging ook ongemerkt weg. Vanaf zijn bed kon hij Ayla nog zien en hij bleef op haar wachten.

Na een paar kopjes van Taluts drank was Wymez buitengewoon spraakzaam geworden. Hij vertelde verhalen en maakte plagende opmerkingen, eerst tegen Ayla, toen tegen Deegie en vervolgens tegen alle vrouwen. Tulie begon hem, na al die tijd, opeens interessant te vinden en ze plaagde terug en maakte grapjes tegen hem. Ten slotte nodigde ze hem uit om de nacht bij haar en Barzec door te brengen in de Oerosvuurplaats. Sinds Darnev was gestorven, had ze het bed niet met een tweede man gedeeld.

Wymez vond het wel een goed idee om de vuurplaats aan Ranec over te laten en misschien was het ook niet onverstandig om te laten zien dat een vrouw twee mannen kon kiezen. Hij was niet blind voor de situatie die begon te ontstaan, hoewel hij betwijfelde of er wel een overeenstemming mogelijk was tussen Ranec en Jondalar. Maar de grote vrouw leek deze avond bijzonder aantrekkelijk en ze was een hooggewaardeerde leidster met heel wat status. Wie weet wat er allemaal zou veranderen wanneer Ranec besloot om de samenstelling van de Vossenvuurplaats te veranderen.

Niet lang nadat die drie waren weggegaan, nam Talut Nezzie mee naar de Leeuwenvuurplaats. Deegie en Tornec begonnen met hun instrumenten te experimenteren, waar de anderen niet veel aan hadden, en Ayla meende een paar van haar ritmes te horen. Toen drong het tot haar door dat zij en Ranec nog alleen over waren en dat gaf haar een onbehaaglijk gevoel.

'Ik denk iedereen gaat naar bed,' zei ze, een beetje brabbelend. Ze begon de uitwerking van de drank te voelen en ze stond te wankelen op haar benen. De meeste lampjes waren weg en het vuur was bijna uit. 'Misschien moesten wij ook maar gaan,' zei hij glimlachend. Ayla zag de stilzwijgende uitnodiging in zijn ogen en ze voelde zich aangetrokken, maar ze wist niet hoe ze het moest oplossen.

'Ja. Ik ben moe,' zei ze en ze begon in de richting van haar bed te lopen. Ranec pakte haar bij de hand en hield haar tegen.

'Ayla, niet doen.' Zijn glimlach was verdwenen en zijn stem klonk vastberaden. Ze draaide zich om en het volgende moment had hij zijn armen om haar heen. Hij drukte zijn lippen stijf op de hare. Ze opende haar mond iets en hij reageerde onmiddellijk. Hij kuste haar overal, op haar mond, haar hals en haar keel. Zijn handen zochten haar borsten, streelden haar heupen en haar dijen. Hij legde zijn hand op haar venusheuvel, alsof hij niet genoeg van haar kon krijgen en alles tegelijk wilde hebben. Ze voelde onverwachte schokken van opwinding door haar lichaam. Hij drukte zich tegen haar aan en ze voelde een warme harde bobbel. Opeens voelde ze ook warmte tussen haar benen.

'Ayla, ik wil je hebben. Kom mee, naar mijn bed,' zei hij en hij drong sterk aan. Buiten verwachting volgde ze hem bereidwillig.

De hele avond had Jondalar de vrouw die hij liefhad met haar nieuwe vrienden zien lachen, plezier maken en dansen en hoe langer hij keek, hoe meer hij zich een buitenstaander voelde. Maar hij ergerde zich vooral aan de hoffelijke beeldhouwer met de donkere huid. Hij had zijn woede wel willen koelen door zich erin te mengen en Ayla mee te nemen, maar dit was nu haar thuis en het was de avond van haar adoptie. Welk recht had hij om hun feest te verstoren? Hij kon alleen maar doen alsof hij ermee instemde, zij het niet van harte, maar hij voelde zich ellendig en ging naar bed in de hoop dat de slaap hem alles zou doen vergeten, maar dat lukte niet.

Vanuit de donkere, afgesloten ruimte zag Jondalar dat Ranec Ayla omhelsde en meenam naar zijn bed. Hij kon het niet geloven. Hoe kon ze met een andere man meegaan terwijl hij op haar lag te wachten? Er was nog nooit een vrouw geweest die een ander koos wanneer hij haar wilde hebben en dit was de vrouw van wie hij hield! Hij wou overeind springen, haar wegsleuren en zijn vuist in dat lachende gezicht slaan.

Toen zag hij gebroken tanden en bloed voor zich en hij moest weer denken aan de ondraaglijke kwelling van de schande en de verbanning. Dit was zijn volk niet eens. Ze zouden hem er zeker uit gooien en waar moest hij heen in de koude winternacht op de steppen? Waar moest hij überhaupt heen zonder zijn Ayla?

Maar zij had de keuze gemaakt. Ze had Ranec gekozen en ze had het recht te kiezen wie ze wou. Het feit dat Jondalar lag te wachten betekende nog niet dat ze naar hem toe moest gaan en dat had ze dan ook niet gedaan. Ze koos een man van haar eigen volk, een Mamutiër, die met haar zong en danste en haar het hof maakte. Ze had met hem gelachen en plezier gemaakt. Kon hij het haar kwalijk nemen?

Hoe vaak had hij iemand gekozen met wie hij had gelachen en plezier had gemaakt?

Maar hoe kon ze het doen? Dit was de vrouw die hij liefhad! Hoe kon ze een ander kiezen terwijl hij van haar hield? Jondalar kwelde zichzelf met al die vragen en hij was wanhopig, maar wat kon hij doen? Er bleef hem niets anders over dan zijn bittere jaloezie te verbijten en toe te zien hoe de vrouw die hij liefhad een andere man volgde naar zijn bed.

Ayla kon niet helder meer denken, haar geest was vertroebeld door Taluts drank. Ze voelde zich natuurlijk wel aangetrokken tot Ranec, maar dat was niet de reden dat ze met hem meeging. Ze zou toch met hem mee zijn gegaan. Ayla was opgevoed door de Stam. Het was haar geleerd om zonder meer iedere man te gehoorzamen die haar het teken gaf dat hij gemeenschap met haar wilde.

Wanneer een man van de Stam een vrouw het teken gaf, werd van haar verwacht dat ze die dienst verleende, net zoals ze hem eten of water bracht. Hoewel het gebruikelijk was om die diensten in de eerste plaats te vragen van de gezellin of van de vrouw bij wie hij gewoonlijk was, was dat geen vereiste, en ze werden altijd zonder problemen verleend. Een man kon altijd over zijn gezellin beschikken, maar hij had haar niet voor zich alleen. De band tussen een vrouw en een man had voor beide partijen voordelen, ze leefden samen en na een tijdje gingen ze vaak van elkaar houden, maar het was ondenkbaar dat een van beiden jaloezie of andere hevige emoties toonde. Het deed ook geen afbreuk aan die band wanneer zij iemand anders een dienst bewees, en zijn liefde voor de kinderen van zijn gezellin werd er niet minder om. Hij nam een zekere verantwoordelijkheid op zich wat de zorg en opvoeding betrof, maar zijn jachtbuit was voor de Stam en al het voedsel werd gedeeld.

Ayla had begrepen dat Ranec haar het 'teken' van de Anderen had gegeven en haar opdroeg om zijn seksuele behoefte te bevredigen. En zoals bij iedere welopgevoede vrouw van de Stam kwam het niet eens bij haar op om te weigeren. Ze keek nog even naar haar bed, maar ze zag de verdrietige blauwe ogen niet. Het zou haar ook alleen maar hebben verbaasd.

Ranecs hartstocht was niet bekoeld in de tijd dat ze naar de Vossenvuurplaats liepen, maar hij kon zich beter beheersen toen hij haar in zijn eigen ruimte had, hoewel hij het nauwelijks kon geloven. Ze gingen op zijn bed zitten. Ze zag de witte vachten die ze hem had gegeven. Ze wou haar riem losmaken, maar Ranec hield haar tegen.

'Ik wil je uitkleden, Ayla. Hier heb ik van gedroomd en ik wil dat alles goed gaat,' zei Ranec. Ze haalde gewillig haar schouders op. Ze had al gemerkt dat Ranec in bepaalde opzichten anders was dan Jondalar en dat maakte haar nieuwsgierig. Het was niet haar bedoeling om uit te maken welke man beter was, maar ze wou alleen de verschillen in zich opnemen.

Ranec bleef een poosje naar haar kijken. 'Wat ben je mooi,' zei hij eindelijk en hij boog zich voorover om haar te kussen. Zijn lippen voelden zacht aan, maar dat was misschien niet altijd zo. Ze zag zijn donkere hand op de witte vacht liggen en wreef zachtjes over zijn arm. Zijn huid voelde net zo aan als iedere andere huid.

Hij haalde eerst de kralen en schelpen uit haar haar, en streek er met zijn vingers doorheen, drukte zijn gezicht ertegenaan om het te voelen en te ruiken. 'Prachtig, wat mooi,' mompelde hij. Toen maakte hij haar ketting en haar nieuwe amuletzakje los en legde ze voorzichtig bij haar kralen op de bank naast het hoofdeind van het bed. Hij maakte haar riem los, ging staan en trok haar omhoog, naast zich. Opeens begon hij haar gezicht en haar keel weer te kussen en hij betastte haar lichaam onder haar tuniek alsof hij niet langer kon wachten. Ayla voelde zijn opwinding. Ze kreeg een heerlijk gevoel toen zijn vingertoppen over haar tepel streken. Ze leunde tegen hem aan en gaf zich aan hem over.

Toen wachtte hij even en na een diepe zucht trok hij de tuniek over haar hoofd en vouwde hem keurig op bij de andere dingen. Hij keek alleen maar naar haar, alsof hij probeerde haar in zich op te nemen. Hij draaide haar om, en nog een keer, alsof zijn ogen ook bevredigd moesten worden.

'Volmaakt, gewoon volmaakt. Kijk maar, vol, toch goed gevormd, precies goed,' zei hij, terwijl hij met een vingertop de lijn van haar borst volgde. Ze sloot haar ogen en huiverde onder de tedere aanraking. Opeens zoog er een warme mond aan een tepel en diep in haar binnenste voelde ze een schok.

'Volmaakt, zo volmaakt,' fluisterde hij, en hij ging naar de andere borst. Hij duwde zijn gezicht tussen haar beide borsten, duwde haar borsten naar elkaar toe en zoog aan beide tepels tegelijk, terwijl hij gromde van genot. Ze boog haar hoofd achterover en drukte zich tegen hem aan. Ze voelde nu dubbele golven van genot. Ze greep naar zijn hoofd en voelde zijn haar met de dikke krullen. Haar handen genoten van deze nieuwe gewaarwording.

Hij deed een stap achteruit en bekeek haar met een glimlach op zijn gezicht. Hij maakte haar broek los en liet hem zakken. Toen hij haar blonde kroeshaar voelde, kon hij de verleiding niet weerstaan om haar warme, vochtige spleet te strelen. Hij zette haar neer, trok snel zijn hemd uit en legde het bij het hare. Toen knielde hij voor haar en trok een van de mocassins uit die ze binnen droeg.

'Kun je wel tegen kietelen?' vroeg hij.

'Niet aan onderkant.'

'Hoe vind je dit?' Hij wreef zacht haar voet en drukte op haar wreef.

'Voelt goed.' Toen kuste hij haar wreef. 'Voelt goed,' zei ze glimlachend.

Hij glimlachte ook, trok haar andere mocassin uit en wreef die voet. Hij trok de broek uit en legde hem met de mocassins bij haar andere spullen. Hij pakte haar handen vast en trok haar weer overeind, zodat ze naakt in het laatste licht van de dovende kolen van de Mammoetvuurplaats stond. Hij draaide haar weer om en bekeek haar van alle kanten. 'O Moeder! Zo mooi, zo volmaakt. Ik wist dat je er zo uit zou zien,' zei hij zacht, meer in zichzelf dan tegen haar.

'Ranec, ik ben niet mooi,' zei ze afkeurend.

'Je zou jezelf moeten zien, Ayla. Dan zou je dat niet zeggen.'

'Het is aardig wat je zegt, wat je denkt, maar ik ben niet mooi,' hield Ayla vol.

'Je bent mooier dan alle anderen die ik heb gezien.'

Ze knikte alleen. Dat mocht hij denken als hij wou. Ze kon het niet verhinderen.

Toen hij zijn ogen had laten genieten, begon hij haar te strelen. Eerst volgde hij met zijn vingertoppen lichtjes de lijnen van haar hele lichaam. Toen ging hij over de spieren onder haar huid. Opeens hield hij op en trok hij zijn laatste kleren uit. Hij liet ze op de grond liggen en nam haar in zijn armen omdat hij haar lichaam tegen het zijne wou voelen. Ze voelde zijn hete, gespierde lichaam en zijn stijve lid. Ze ademde zijn prettige mannelijke geur in. Hij kuste haar mond, haar gezicht en haar hals. Ze huiverde toen hij haar zachtjes in de schouder beet en hij fluisterde: 'Zo prachtig, zo volmaakt, Ayla. Ik wil je zien, ik wil je strelen en ik wil je vasthouden. O Moeder, wat mooi.' Zijn handen lagen weer op haar borsten en hij zoog aan haar tepels terwijl ze hem hoorde genieten. Hij zoog eerst aan een borst, waarbij hij probeerde zoveel mogelijk in zijn mond te nemen, en toen nam hij de andere. Hij ging voor haar op zijn knieën liggen, wreef met zijn neus over haar navel, sloeg zijn armen om haar benen en om haar soepele ronde billen. Hij streelde ze en de spleet ertussen. Hij streek met zijn neus door het haar en zocht, een beetje plagend, met zijn natte tong haar spleet. Ze kreunde en hij voelde haar huiveren.

Hij ging weer staan en liet haar langzaam op zijn bed zakken, op de zachte, weelderige vachten, die heerlijk aanvoelden. Hij kroop naast haar en kuste haar met zachte happende lippen, sabbelde aan haar borsten en streelde met zijn hand haar vagina. Ze kreunde en schreeuwde terwijl hij probeerde alle plekjes tegelijk te strelen.

Hij pakte haar hand en leidde hem naar zijn stijve penis. Ze kwam overeind, boog voorover en wreef er met haar wang langs, wat hem in verrukking bracht. Bij het zwakke licht kon zij zien hoe haar hand afstak bij zijn donkere huid. Hij had een gladde huid, en de geur was anders, maar wel mannelijk. Het haar was dicht en stug. Hij kreunde in vervoering toen hij haar warme, vochtige mond om zijn lid voelde en hij kreeg een gewaarwording of eraan getrokken werd. Dit was meer dan hij zich ooit had voorgesteld, ook meer dan hij had durven dromen. Hij dacht dat hij zich niet meer kon beheersen toen ze technieken begon toe te passen die ze nog zo kortgeleden had geleerd. Ze draaide snel met haar tong, trok hem naar binnen en liet hem weer gaan, terwijl ze haar hand stevig op en neer bewoog. 'O, Ayla, Ayla. Je bent het helemaal! Ik wist het.'

Plotseling ging Ranec rechtop zitten. 'Ik wil je hebben en ik kan niet langer wachten. Alsjeblieft, nu meteen,' zei hij hees fluisterend van opwinding.

Ze draaide zich om en opende zich voor hem. Hij beklom haar en drong binnen met een lange, huiveringwekkende schreeuw. Hij trok terug en stootte weer, en weer, en weer, en zijn stem klonk steeds scheller bij iedere stoot. Ayla spande haar rug om hem tegemoet te komen en ze probeerde zijn tempo bij te houden. 'Ayla, ik ben klaar, het komt,' schreeuwde hij zwoegend, en toen opeens: een diepe kreunende zucht van verlichting. Hij stootte nog een paar keer en ontspande zich boven op haar. Het duurde wat langer voor Ayla zich kon ontspannen.

Na een poosje maakte Ranec zich los en hij rolde op zijn zij. Hij steunde op een arm en keek naar Ayla. 'Ik ben bang dat ik niet zo volmaakt was als jij,' zei hij.

Ze fronste haar wenkbrauwen. 'Ik begrijp dat volmaakt niet, Ranec.

Wat is volmaakt?'

'Het ging te snel. Je bent zo mooi, zo volmaakt in alles wat je doet, ik kwam te vlug klaar. Ik kon niet wachten en ik denk dat ik voor jou niet zo volmaakt was,' zei hij.

'Ranec, dit is Gave van het Genot, nietwaar?'

'Ja, dat is er een naam voor.'

'Jij denkt dat het voor mij geen Genot was? Ik had Genot. Veel Genot.'

'Veel, maar niet het volmaakte Genot. Als je kunt wachten, geloof ik dat ik straks wel weer kan.'

'Is niet nodig.'

'Misschien niet nodig, Ayla, maar ik wil het,' zei hij en hij boog zich over haar heen om haar te kussen. 'Ik had het kunnen weten,' voegde hij eraan toe, terwijl hij haar borst en haar buik streelde en haar venusheuvel zocht. Ze wipte omhoog bij zijn streling en huiverde nog. 'Het spijt me, je was bijna klaar. Als ik het nog even had kunnen inhouden...'

Ze gaf geen antwoord. Hij kuste haar borst en wreef het knobbeltje in haar spleet, en in een ogenblik was ze weer zover. Ze bewoog haar heupen en drukte zich schreeuwend tegen hem aan. Opeens kwam ze klaar met een kreet en hij voelde dat ze nat werd. Toen ontspande ze zich.

Ze glimlachte naar hem. 'Ik denk nu volmaakt Genot,' zei ze.

'Niet helemaal, maar volgende keer misschien. Ik hoop dat er veel volgende keren komen, Ayla,' antwoordde hij. Hij lag op zijn zij naast haar, met zijn hand op haar buik. Ze fronste in verwarring haar wenkbrauwen en vroeg zich af of ze iets niet goed had begrepen.

Bij het vage licht zag hij zijn donkere hand op haar lichte huid en hij glimlachte. Hij vond het altijd een leuk contrast: zijn donkere kleur tegen de blanke huid van de vrouwen die hij Genot gaf. Het liet een indruk achter die andere mannen niet konden geven, en dat wisten de vrouwen. Het viel hun altijd op en ze vergaten hem nooit. Hij was blij dat de Moeder hem zo'n donkere kleur had gegeven. Het maakte hem opvallend, ongewoon en onvergetelijk. Hij vond het een prettig gevoel, haar buik onder zijn hand, maar hij vond het nog prettiger te weten dat ze daar naast hem in zijn bed lag. Hij had het gehoopt, ernaar verlangd en ervan gedroomd, en zelfs nu ze er was leek het onmogelijk.

Na een poosje verplaatste hij zijn hand naar haar borst, streelde een tepel en hij voelde hem stijf worden. Ayla begon te soezen. Ze was moe en had wat hoofdpijn. Toen hij met zijn neus in haar hals wreef en zijn mond op de hare drukte, drong het tot haar door dat hij haar weer wilde hebben en haar weer een teken had gegeven. Ze voelde even wat ergernis en kreeg een moment de neiging om te weigeren. Dat verraste haar, gaf haar bijna een schok en ze was weer klaarwakker. Hij kuste haar hals en streelde haar schouder en haar arm. Toen voelde hij de volle ronding van haar borst. Toen hij een tepel in zijn mond nam, voelde ze geen ergernis meer. Er gingen weer heerlijke gewaarwordingen door haar heen naar haar plekje van volmaakt Genot. Hij ging naar haar andere borst, streelde hem en zoog beurtelings aan de ene en aan de andere. Aan de zachte keelgeluidjes hoorde ze dat hij genoot.

'Ayla, mooie Ayla,' mompelde Ranec. Toen ging hij rechtop zitten en keek op haar neer. 'O Moeder! Ik kan niet geloven dat je hier bent. Zo mooi. Deze keer wordt het volmaakt, Ayla. Ik weet dat het deze keer volmaakt zal zijn.'

Jondalar lag onbeweeglijk op zijn bed, zijn mond stijf dicht, met een wanhopig verlangen om met zijn gebalde vuisten op de beeldhouwer los te slaan. Maar hij dwong zichzelf om stil te blijven liggen. Ze had naar hem gekeken, toen had ze zich omgedraaid en was met Ranec meegegaan. Telkens wanneer hij zijn ogen sloot, zag hij dat ze naar hem keek en zich omdraaide.

Het is haar keus! Het is haar keus, zei hij steeds weer tegen zichzelf. Ze had gezegd dat ze van hem hield, maar hoe kon ze dat weten? Natuurlijk, misschien had ze wel om hem gegeven, zelfs van hem gehouden toen ze samen in haar vallei waren; toen kende ze niemand anders. Hij was de eerste man die ze ooit had ontmoet. Maar waarom kon ze niet van iemand anders gaan houden nu ze andere mannen ontmoette? Hij probeerde zichzelf ervan te overtuigen dat het alleen maar goed was dat ze anderen ontmoette en zelf kon kiezen, maar hij kon het niet uit zijn gedachten zetten dat ze die avond een ander had gekozen.

Sinds hij was teruggekomen van zijn verblijf bij Dalanar had de lange, gespierde, bijna mooie man kunnen uitzoeken. Met een uitnodigende blik van zijn ongelooflijk mooie ogen kon hij elke vrouw krijgen die hij wenste. Ze deden eigenlijk alles wat ze konden om hem aan te moedigen. Ze liepen hem achterna en hunkerden naar hem. Ze hoopten dat hij hen zou vragen. En dat deed hij ook wel, maar er was geen vrouw die hem zijn eerste liefde kon doen vergeten, noch zijn schuldgevoel dat er verband mee hield. En nu lag die vrouw, de enige op de wereld die hij eindelijk had gevonden, de enige vrouw die hij liefhad, bij een ander in bed.

Alleen al de gedachte dat ze een ander had gekozen, deed pijn, maar toen hij de onmiskenbare geluiden van haar en Ranec hoorde onderdrukte hij zijn gekreun, stompte op het bed en voelde zijn woede toenemen. Het leek wel of er een gloeiende kool in zijn buik lag. Hij kreeg een beklemmend gevoel in de borst en een brandend gevoel in de keel. Hij hapte naar adem alsof hij zou stikken. Hoewel hij zijn ogen stijf dichtkneep, voelde hij hete tranen in zijn ooghoeken.

Eindelijk hield het op en toen hij het zeker wist, kalmeerde hij een beetje. Maar toen begon het weer en hij kon er niet meer tegen. Hij sprong overeind, bleef even besluiteloos staan en rende naar de ingang van het nieuwe gedeelte. Whinney spitste de oren en draaide zich naar hem om terwijl hij langskwam en door de andere poort naar buiten liep.

De wind smeet hem tegen het huis. De plotselinge kou sneed zijn adem af en maakte hem met een schok bewust van de omgeving. Hij keek over de bevroren rivier en hij zag wolkenflarden langs de maan drijven. Hij deed nog een paar stappen. Het leek wel of de wind door zijn tuniek en zijn huid sneed tot op het merg van zijn botten.

Hij huiverde en ging weer naar binnen. Hij sjokte langs de paarden naar de Mammoetvuurplaats. Hij luisterde gespannen en hoorde eerst niets. Toen begon het kreunen en hijgen weer. Hij keek naar zijn bed en draaide zich om. Hij wist niet waar hij het zoeken moest. Hij hield het binnen niet meer uit en buiten zou hij het niet overleven. Ten slotte verdroeg hij het niet langer. Hij moest eruit. Hij pakte zijn slaapzakken en ging weer door de poort naar het paardenverblijf.

Whinney brieste en bewoog het hoofd op en neer en Renner, die op de grond lag, tilde het hoofd op en hinnikte zacht als begroeting. Jondalar liep naar de dieren toe, spreidde naast Renner zijn vachten uit op de vloer en kroop erin. Het was er koud, maar lang niet zo koud als buiten. Er was geen wind en er kwam nog wat warmte uit het huis. Bovendien gaven de paarden ook nog wat warmte. Verder kon hij dankzij hun ademhaling het gehijg van anderen niet horen. Toch lag hij bijna de hele nacht wakker en zijn gedachten bleven bij de geluiden en de beelden die hij had gezien of zich telkens weer voorstelde.

Ayla werd wakker toen de eerste straaltjes daglicht door de kieren om het afgedekte rookgat vielen. Ze zocht naast zich of ze Jondalar voelde en schrok hevig toen ze merkte dat het Ranec was. Met de herinnering aan de vorige avond voelde ze ook een zware hoofdpijn opkomen, het resultaat van Taluts drank. Ze gleed het bed uit, pakte de kleren die Ranec zo netjes had neergelegd en haastte zich naar haar eigen bed. Daar was Jondalar ook niet. Ze keek om zich heen naar de andere bedden in de Mammoetvuurplaats. Deegie en Tornec lagen samen in een bed en ze vroeg zich af of ze hadden gevreeën. Toen herinnerde ze zich dat Wymez was uitgenodigd in de Oerosvuurplaats en dat Tronie zich niet lekker had gevoeld. Misschien hadden Deegie en Tornec het gewoon beter gevonden om daar te slapen. Het deed er ook niet toe, maar ze vroeg zich af waar Jondalar was.

Ze herinnerde zich dat ze hem niet meer had gezien toen het de vorige avond laat begon te worden. Iemand had gezegd dat hij naar bed was gegaan, maar waar was hij nu? Ze keek weer naar Deegie en Tornec. Hij zou ook wel bij anderen slapen, dacht ze. Ze kwam in de verleiding om te gaan kijken, maar er scheen nog niemand op te zijn en ze wou niemand wakker maken. Ze voelde zich niet op haar gemak, maar ze kroop in het lege bed, trok de vachten om zich heen en viel na een poosje weer in slaap.

Toen ze weer wakker werd, was de bedekking van het rookgat verwijderd en stroomde het volle daglicht naar binnen. Ze maakte aanstalten om op te staan, maar toen ze een hevige, kloppende pijn in haar hoofd voelde, liet ze zich weer achterovervallen en sloot ze haar ogen. Ik ben erg ziek of dit komt van Taluts sterkedrank, dacht ze. Waarom vinden de mensen het lekker als ze er zo ziek van worden? Toen moest ze weer aan het feest denken. Ze kon zich niet alles meer herinneren, maar ze wist nog wel dat ze op de trommels had gespeeld en dat ze had gedanst en gezongen, al wist ze niet precies meer hoe. Ze had veel gelachen, ook om zichzelf, toen ze merkte dat ze niet veel stem had om te zingen en ze had zich er niets van aangetrokken dat ze in het middelpunt van de belangstelling stond. Dat was anders niets voor haar. Gewoonlijk bleef ze liever wat op de achtergrond om te kijken en er voor zichzelf wat van te leren. Was het de drank die haar normale gedrag had veranderd en haar minder voorzichtig had gemaakt? Wat brutaler? Dronken de mensen hem misschien daarom?

Ze opende haar ogen weer en stond heel voorzichtig op, terwijl ze haar hoofd vasthield. Ze plaste in de mand voor de nacht – een dicht geweven mand, voor de helft gevuld met gedroogde mest van planteneters, die urine en ontlasting absorbeerde. Ze waste zich met koud water. Toen pookte ze het vuur op en legde er wat hete kookstenen in. Ze trok de kleren aan die ze zelf had gemaakt voor ze kwam en ze vond ze nu vrij alledaags, maar toen ze ze maakte had ze ze heel exotisch en ingewikkeld gevonden.

Ze bewoog zich heel bedachtzaam en haalde een paar pakjes uit haar medicijnzak. Ze mengde wilgenbast, duizendblad, betonie en kamille in verschillende hoeveelheden. Ze goot koud water in de kookmand die ze voor de ochtendthee gebruikte en deed er hete stenen bij tot het kookte, daarna de thee. Ze hurkte met gesloten ogen bij het vuur en wachtte tot de thee getrokken was. Opeens sprong ze overeind. Ze voelde haar hoofd bonzen, maar dat negeerde ze en ze pakte haar medicijnzak weer.

Dat had ik bijna vergeten, dacht ze, terwijl ze haar pakjes met de geheime voorbehoedende kruiden van Iza eruit haalde. Of het nu haar totem hielp om de geest van de totem van een man af te slaan, zoals Iza dacht, of dat het op de een of andere manier tegenstand bood aan de geest van een mannelijk lid, zoals Ayla vermoedde, ze wou nu in ieder geval niet het risico lopen een baby te krijgen. Alles was veel te onzeker. Ze had een baby van Jondalar willen hebben, maar terwijl ze op de thee wachtte begon ze zich af te vragen hoe een baby eruit zou zien die een mengsel was van haar en Ranec. Zou hij op hem lijken? Of op mij? Of op allebei een beetje? Waarschijnlijk op allebei, zoals Durc... en Rydag. Zij waren van gemengde afkomst. Een donkere zoon van Ranec zou er ook anders uitzien, alleen, dacht ze met een zekere bitterheid, zou niemand hem een gruwel noemen of denken dat hij een beest was. Hij zou kunnen praten en lachen en huilen, zoals iedereen. Omdat ze nog wist hoe Talut haar middel tegen de hoofdpijn had gewaardeerd, de laatste keer dat hij had gedronken, maakte Ayla genoeg voor een aantal mensen. Toen ze haar thee op had, ging ze naar buiten om Jondalar te zoeken. Door het nieuwe gedeelte kon ze rechtstreeks naar buiten uit de Mammoetvuurplaats en dat bleek een uitkomst, want om de een of andere reden was ze blij dat ze niet door de Vossenvuurplaats hoefde te gaan. De paarden waren naar buiten, maar toen ze doorliep zag ze Jondalars slaapzak opgerold tegen de wand liggen en ze vroeg zich af hoe die daar kwam.

Toen ze het kleed opzij trok en door de tweede poort stapte, zag ze Talut, Wymez en Mamut met Jondalar staan praten, die ze op de rug keek.

'Hoe is het hoofd, Talut?' vroeg ze toen ze dichterbij kwam.

'Wou je me weer wat van je magische middel voor de ochtend na het feest aanbieden?'

'Ik heb hoofdpijn en heb thee. Er is meer, binnen,' zei ze en toen keek ze Jondalar aan met een opgewekte glimlach, blij dat ze hem had gevonden.

Heel even werd haar glimlach beantwoord, maar dat was ook maar heel even. Zijn gezicht versomberde en hij kreeg een uitdrukking in zijn ogen die ze nog nooit had gezien. Haar glimlach verdween.

'Wil jij thee, Jondalar?' vroeg ze verward en bezorgd.

'Waarom denk je dat ik die nodig heb? Ik heb gisteravond niet te veel gedronken, maar ik denk dat je dat niet eens hebt gemerkt,' antwoordde hij met een stem zo koud en afstandelijk dat ze hem nauwelijks herkende.

'Waar was je? Ik heb je gezocht, maar je was niet in bed.'

'Jij ook niet,' zei hij. 'Ik kan me nauwelijks voorstellen dat het je wat kan schelen waar ik was.' Hij draaide zich om en liep weg. Ze keek de andere drie mannen aan. Ze zag verlegenheid op het gezicht van Talut. Wymez leek zich niet op zijn gemak te voelen, maar hij maakte niet bepaald een ongelukkige indruk. De blik van Mamut kon ze niet thuisbrengen.

'Ik denk dat ik wat van je thee ga halen,' zei Talut en hij dook snel naar binnen.

'Misschien neem ik ook wel een kopje,' zei Wymez en hij volgde hem. Wat heb ik verkeerd gedaan, dacht Ayla, en de onzekerheid die ze voelde toenemen maakte plaats voor droefheid.

Mamut bekeek haar en zei: 'Ik geloof dat we samen eens moeten praten, Ayla. Later, als we even alleen kunnen zijn. Er zullen nu wel verscheidene bezoekers in de vuurplaats komen voor je thee. Waarom ga je niet wat eten?'

'Ik heb geen honger,' zei Ayla. Haar maag kromp ineen. Ze wou bij haar nieuwe volk niet beginnen met iets verkeerd te doen en ze vroeg zich af waarom Jondalar zo kwaad was.

Mamut probeerde haar met een glimlach gerust te stellen. 'Je kunt beter proberen wat te eten. Er is nog mammoetvlees over van je feest en ik denk dat Nezzie wel een van die gestoomde stukken voor je heeft bewaard.'

Ayla knikte. Ondanks het feit dat ze helemaal van streek was toen ze naar de hoofdingang liep, keek ze nog even of ze de paarden zag, want die vergat ze nooit. Ze zag dat Jondalar bij ze was en dat stelde haar enigszins gerust. Ze had vaak troost bij de dieren gevonden wanneer ze problemen had en ze hoopte dat het Jondalar ook goed zou doen nu hij naar ze toe was gegaan.

Ze liep door de hal naar de kookplaats. Nezzie zat met Rydag en Rugie te eten. Ze glimlachte toen ze Ayla zag en stond op. Ondanks het feit dat Nezzie vrij dik was, was ze actief en niet log in haar bewegingen. Ayla vermoedde dat ze erg sterk was.

'Neem wat vlees. Ik zal het brood pakken dat ik voor je opzij heb gezet. Het is het laatste,' zei Nezzie. 'En neem maar een kop hete thee als je wilt. Het is wilgenroosje met munt.'

Ayla brak een paar stukjes van het harde, vochtige brood voor Rydag en Rugie toen ze bij hen zat, maar zelf zat ze te kieskauwen.

'Scheelt er iets aan, Ayla?' vroeg de vrouw. Ze had wel een idee wat het was.

Ayla keek bezorgd. 'Nezzie, ik weet gewoonten van Stam, niet van Mamutiërs. Wil leren, wil goede Mamutische vrouw zijn, maar weet niet wanneer ik verkeerd doe. Ik denk dat ik gisteravond iets verkeerds heb gedaan.'

'Waarom denk je dat?'

'Toen ik buiten kwam, Jondalar kwaad. Ik geloof Talut niet blij. Wymez ook niet. Ze gingen vlug weg. Vertel me wat ik verkeerd heb gedaan, Nezzie.'

'Je hebt niets verkeerds gedaan, Ayla, tenzij het verkeerd is om door twee mannen te worden bemind. Sommige mannen menen dat je hun bezit bent als ze veel van je houden. Ze willen niet dat je bij andere mannen bent. Jondalar vindt dat hij recht op je heeft en hij is boos omdat je met Ranec naar bed bent geweest. Maar dat is niet alleen zo met Jondalar. Ik denk dat Ranec er net zo over denkt en ook zo zou reageren als hij kon. Toen hij bij ons kwam, was hij nog een jongen en ik heb hem grootgebracht. Ik heb nog nooit gezien dat hij het zo te pakken had van een vrouw. Ik denk dat Jondalar probeert niet te laten merken hoe hij zich voelt, maar hij kan er niets aan doen en toen hij zich niet meer kon beheersen werden Talut en Wymez er blijkbaar verlegen onder. Daarom zijn ze misschien gauw weggegaan. Soms wordt er veel geschreeuwd, of we plagen elkaar. We zijn trots op onze gastvrijheid en we gaan graag vriendschappelijk met elkaar om, maar de Mamutiërs laten niet veel merken van hun diepste gevoelens. Daar kunnen moeilijkheden van komen en we proberen ruzies en vechtpartijen te vermijden. De Raad van Zusters keurt zelfs de overvallen af die de jonge mannen graag op andere volken doen, zoals de Sungaea, en probeert ze te verbieden. De Zusters zeggen dat je er alleen maar nieuwe overvallen mee uitlokt en er zijn mensen bij gedood. Ze zeggen dat het beter is om te handelen dan overvallen te doen. De Raad van Broeders is wat soepeler. De meesten hebben in hun jeugd ook wel eens een overval gedaan en ze zeggen dat het gewoon een manier is om de jonge spieren eens te gebruiken en het brengt wat spanning.'

Ayla luisterde al niet meer. Nezzies verklaring loste niets op, integendeel, ze raakte nog meer in de war. Was Jondalar kwaad omdat ze had gereageerd op het teken van een andere man? Was dat een reden om boos te worden? Geen enkele man van de Stam zou zich zo laten gaan en zo geëmotioneerd reageren. Broud was de enige man die ooit enige belangstelling voor haar had getoond en dan nog alleen omdat hij wist dat ze er een hekel aan had. Maar velen vroegen zich af waarom hij zich met zo'n lelijke vrouw bemoeide en hij zou blij geweest zijn wanneer een andere man belangstelling voor haar had getoond. Als ze erover nadacht, begreep ze dat Jondalar zich van het begin af aan had geërgerd aan Ranecs belangstelling.

Mamut kwam uit de hal en het was duidelijk te zien dat hij moeilijk liep.

'Nezzie, ik heb Mamut beloofd zijn medicijnkom te vullen met middel tegen jicht,' zei Ayla.

Ze ging staan om hem te helpen, maar dat sloeg hij af. 'Ga jij maar. Ik kom wel. Het duurt alleen wat langer.'

Ze liep snel door de Leeuwenvuurplaats en de Vossenvuurplaats, blij dat ze daar niemand zag, en deed wat brandstof op het vuur van de Mammoetvuurplaats. Terwijl ze haar middeltjes sorteerde, dacht ze terug aan de vele keren dat ze pleisters en kompressen had gebruikt en pijnstillende drankjes had gemaakt voor de pijnlijke gewrichten van Creb. Dit aspect van haar geneeskunst kende ze heel goed.

Ze wachtte tot Mamut rustig achter een kop warme thee zat die de pijn wat verzachtte, voor ze met haar vragen kwam. Evenals de oude man deed het ook haar goed om haar kennis en vaardigheid toe te passen, want daardoor raakte ze ook iets van haar spanning kwijt. Maar toen ze een kop thee pakte en tegenover Mamut ging zitten, wist ze niet goed waar ze moest beginnen.

'Mamut, ben je lang bij de Stam gebleven?' vroeg ze ten slotte.

'Ja, het duurt wel even voor een moeilijke breuk genezen is en toen het zover was wou ik wel wat meer van hen weten, dus ben ik gebleven tot ze naar de Stambijeenkomst vertrokken.'

'Heb je gebruiken van de Stam geleerd?'

'Sommige.'

'Weet je van teken?'

'Ja, Ayla, ik ken het teken dat een man aan een vrouw geeft.' Hij wachtte even, leek na te denken, en toen vervolgde hij: 'Ik zal je iets vertellen wat ik nog nooit aan iemand heb verteld. Er was een jonge vrouw die voor me zorgde zolang mijn arm nog niet beter was en toen ik later werd betrokken bij een jachtceremonie en met hen ging jagen, werd ze aan mij gegeven. Ik weet wat het teken is en wat het betekent. Ik heb het gebruikt, hoewel ik me er eerst niet prettig bij voelde. Ze was een platkopvrouw en voor mij niet zo aantrekkelijk, vooral niet omdat ik er in mijn jeugd zoveel verhalen over had gehoord. Maar ik was jong en gezond en men verwachtte van mij dat ik me gedroeg als een man van de Stam.

Hoe langer ik bleef, hoe aantrekkelijker ik haar begon te vinden – je hebt geen idee hoe prettig het kan zijn om iemand te hebben die altijd voor je klaarstaat om al je behoeften te bevredigen. Later merkte ik pas dat ze een levensgezel had. Ze was een tweede vrouw, haar eerste gezel was gestorven en een van de andere jagers had haar opgenomen, zij het met enige tegenzin omdat ze van een andere stam kwam en geen kinderen had. Toen ik wegging wou ik haar niet achterlaten, maar ik zag wel in dat ze bij de Stam gelukkiger zou zijn dan bij mij en mijn volk. En ik wist niet hoe ze me zouden ontvangen wanneer ik terugkwam met een platkopvrouw. Ik heb me dikwijls afgevraagd hoe het verder met haar is gegaan.'

Ayla sloot haar ogen, overspoeld door herinneringen. Het was vreemd om van deze man, die ze nog maar zo kortgeleden had ontmoet, bij stukjes en beetjes dingen over haar stam te horen. Ze voegde zijn verhaal bij wat ze zelf wist van de geschiedenis van Bruns stam.

'Ze heeft nooit kinderen gekregen, altijd tweede vrouw, maar altijd door iemand opgenomen. Ze stierf bij aardbeving, voor ze mij vonden.'

Hij knikte. Hij was ook blij om iets te horen over een belangrijk deel van zijn verleden.

'Mamut, Nezzie zegt Jondalar boos omdat ik bij Ranec heb geslapen. Is dat zo?'

'Ik denk dat het waar is.'

'Maar Ranec gaf me het teken! Hoe kan Jondalar boos zijn als Ranec me het teken geeft?'

'Waar heeft Ranec het teken van de Stam geleerd?' vroeg Mamut verbaasd.

'Niet teken van Stam. Teken van de Anderen. Toen Jondalar mijn vallei vond en mij de Eerste Riten en de Gave van het Genot van de Grote Aardmoeder Doni leerde, vroeg ik wat zijn teken is. Hij drukte zijn mond op de mijne, gaf kus. Legde hand op mij, gaf... Genot. Hij zegt dat ik dan weet wanneer hij me wil hebben; hij vertelt zijn teken. Ranec gaf me gisteravond teken. Toen zei hij: "Ik wil je hebben. Kom in mijn bed." Ranec gaf me teken. Hij gaf me opdracht.'

Mamut keek naar het plafond en zei: 'O Moeder!' Toen keek hij haar weer aan. 'Ayla, je begrijpt het niet. Natuurlijk gaf Ranec je een teken dat hij je wou hebben, maar het was geen opdracht.'

Ayla keek hem heel verbaasd aan. 'Ik begrijp het niet.'

'Niemand kan je een opdracht geven, Ayla. Jij beslist zelf wat je doet en met wie je het wilt doen. Je kunt met iedere man naar bed gaan die jij kiest, voorzover hij dat wil – en wat dat betreft zie ik niet veel problemen –, maar je hoeft nooit met een man te vrijen als je dat niet wilt.'

Ze dacht even over zijn woorden na. 'En als Ranec me weer een opdracht geeft? Hij zei: hij wil me weer hebben, veel keren.'

'Daar twijfel ik niet aan, maar hij kan je geen opdracht geven. Dat kan niemand, Ayla. Niet tegen je wil.'

'Ook niet levensgezel? Nooit?'

'Ik geloof niet dat de verbintenis lang zou duren onder zulke omstandigheden, maar nee, ook je levensgezel kan je geen opdracht geven. Je bent niet het eigendom van je gezel. Jij alleen kunt beslissen.'

'Mamut, toen Ranec mij teken gaf, hoefde ik niet te gaan?'

'Dat klopt.' Hij keek naar haar bezorgde gezicht. 'Heb je er spijt van dat je naar zijn bed bent gegaan?'

'Spijt?' Ze schudde het hoofd. 'Nee. Geen spijt. Ranec is... goed. Is niet ruw... zoals Broud. Ranec... geeft om me... liet me genieten. Nee. Geen spijt van Ranec. Spijt voor Jondalar. Spijt dat Jondalar boos is. Ranec kan goed vrijen, maar Ranec is... geen Jondalar.'

20

Ayla leunde, met het hoofd opzij, tegen de gierende wind en probeerde haar gezicht te beschermen tegen de gure sneeuwvlagen. Elke voorzichtige stap naar voren ontmoette hevige tegenstand van een kracht die zichtbaar werd in de wervelende massa witte, bevroren korrels die tegen haar aan werd gesmeten. Ze zette moedig door in de razende sneeuwstorm, terwijl de hagelkorrels haar gezicht striemden. Ze keek even, wendde het hoofd af en deed weer een paar stappen. Omdat de hevige storm haar opzij duwde, keek ze weer. Gelukkig zag ze de gladde, ronde vorm voor zich en ze was opgelucht toen ze de stevige ivoren poort kon vastpakken.

'Ayla, je had er niet uit moeten gaan in die sneeuwstorm!' zei Deegie. 'Je kunt al verdwalen als je een paar stappen van de ingang bent.'

'Maar het stormt al zoveel dagen en Whinney en Renner gaan naar buiten. Ik wil weten waar ze heen gaan.'

'Heb je het ontdekt?'

'Ja. Ze grazen graag op een plek om de bocht. Daar niet zoveel wind en niet zoveel sneeuw op droog gras. Wordt naar andere kant gejaagd. Ik heb wat graan, maar geen gras meer. Paarden weten waar gras is, ook bij sneeuwstorm. Ik wil hier water geven als ze terugkomen,' zei Ayla. Ze stampte met haar voeten en schudde de sneeuw van haar anorak, die ze net had uitgetrokken. Ze ging naar binnen en hing hem aan een haak bij de ingang van de Mammoetvuurplaats.

'Het is niet te geloven. Ze is naar buiten gegaan. Bij dit weer!' zei Deegie tegen de mensen die bij de vierde vuurplaats zaten.

'Maar waarom?' vroeg Tornec.

'Paarden moeten eten en ik...' begon Ayla.

'Ik dacht dat je al een hele tijd weg was,' zei Ranec. 'Toen ik het aan Mamut vroeg zei hij dat hij je het laatst naar de ruimte voor de paarden had zien gaan, maar toen ik ging kijken was je er niet.'

'Iedereen heeft naar je gezocht, Ayla,' zei Tronie.

'Toen zag Jondalar dat je anorak weg was en de paarden ook. Hij dacht dat je misschien met ze naar buiten was gegaan. Toen ik naar buiten keek om te zien hoe het weer was, zag ik je aankomen.'

'Ayla, als het slecht weer is, kun je beter tegen iemand zeggen dat je naar buiten gaat,' waarschuwde Mamut vriendelijk.

'Begrijp je niet dat je de mensen ongerust maakt als je in zo'n sneeuwstorm naar buiten gaat?' zei Jondalar op boze toon.

Ayla probeerde te antwoorden, maar ze praatten allemaal tegelijk. Ze zag dat ze haar allemaal aankeken en ze kreeg een kleur. 'Het spijt me. Ik wou niemand ongerust maken. Ik heb lang alleen gewoond, had niemand om ongerust te worden. Ging naar buiten en kwam terug wanneer ik wou. Ik ben niet gewend aan mensen, dat iemand ongerust wordt,' zei ze, en ze keek naar Jondalar en toen naar de anderen. Mamut zag dat Ayla de wenkbrauwen fronste toen de blonde man zich afwendde.

Niemand had zich zo ongerust over haar gemaakt als Jondalar, maar dat wilde hij niet laten merken. Sinds de avond van haar adoptie kostte het hem moeite om tegen haar te praten. Eerst had hij zich zo beledigd gevoeld omdat ze een ander had gekozen dat hij zich had teruggetrokken en aan zijn eigen gevoelens begon te twijfelen. Hij was waanzinnig jaloers en toch twijfelde hij aan zijn liefde voor haar. Ze had hem in verlegenheid gebracht en hij had zich geschaamd dat hij haar had meegebracht, maar voor dat gevoel schaamde hij zich ook weer. Toen haar vriendelijke pogingen tot toenadering te vaak werden afgewezen, wist ze het niet meer, ze werd onzeker en na een poosje trok ze zich van hem terug.

Toen pas begon hij eindelijk in te zien dat de groeiende verwijdering tussen hen beiden zijn eigen schuld was, maar hij wist er geen oplossing voor. Hij was nooit eerder verliefd geweest, ondanks zijn vele ervaringen met vrouwen. Hij voelde er niets voor om haar te vertellen wat hij van haar vond. Hij herinnerde zich hoe jonge vrouwen hem overal naliepen en hem vertelden hoeveel ze voor hem voelden terwijl hij die gevoelens niet deelde. Daar had hij zich niet prettig bij gevoeld en dan ging hij liever weg. Hij wou niet dat Ayla zo over hem zou denken, dus hield hij zich afzijdig. Hij wou zich niet aan haar opdringen.

Ayla had niet meer bij Ranec geslapen, maar elke avond was Jondalar bang dat ze het zou doen. Het maakte hem gespannen en nerveus en hij bleef uit de buurt van de Mammoetvuurplaats tot ze naar bed was. Als hij dan eindelijk bij haar kwam, draaide hij haar de rug toe en raakte haar niet aan, uit vrees dat hij zich niet zou kunnen beheersen, misschien zou bezwijken en haar zou smeken om haar liefde.

Maar Ayla wist niet waarom hij haar ontweek. Als ze met hem probeerde te praten antwoordde hij kortaf, of hij deed alsof hij sliep; als ze een arm om hem heen sloeg toonde hij geen enkele reactie. Ze kreeg de indruk dat hij niet meer van haar hield, vooral toen hij aparte vachten ophaalde om in te slapen, opdat hij de opwindende aanraking van haar lichaam niet meer zou voelen. Ook overdag bleef hij uit haar buurt. Hij had met Wymez en Danug in de kookplaats een hoekje ingericht om steen te bewerken en daar bracht hij zijn meeste uren door. Hij kon er niet tegen om met Wymez in de Vossenvuurplaats te werken, tegenover het bed waar Ayla en Ranec hadden gelegen.

Ranec wist dat ze geen gemeenschap hadden. Ieder moment dat hij Ayla zag was een marteling voor hem, al probeerde hij het niet te laten merken. Hij wist wanneer ze naar bed ging en wanneer ze wakker werd, wat ze at en met wie ze praatte en hij bracht zijn tijd zoveel mogelijk door in de Mammoetvuurplaats. Er werd daar vaak hard gelachen om Ranecs grappen, die soms ten koste gingen van een bewoner van het Leeuwenkamp. Hij paste er echter angstvallig voor op om iets ten nadele van Jondalar te zeggen, of Ayla nu in de buurt was of niet. De gast wist hoe handig Ranec met woorden was, maar dát was nooit Jondalars sterkste punt geweest. Behalve het voordeel van zijn gespierde bouw en zijn onbeperkte zelfvertrouwen had Ranec dan ook nog bereikt dat de lange, opvallend knappe man zich een grote sukkel zou voelen.

In de loop van de winter nam het misverstand tussen Jondalar en Ayla steeds grotere vormen aan. Jondalar begon te vrezen dat hij haar helemaal zou verliezen aan de begaafde, exotische man die haar voor zich probeerde te winnen. Hij probeerde zichzelf er voortdurend van te overtuigen dat hij redelijk moest zijn en haar moest laten kiezen en dat hij geen enkel recht had om aanspraken op haar te doen gelden. Maar hij begon er niet over, omdat hij haar niet voor de keus wou stellen. Hij was bang dat ze hem niet zou kiezen en hij wou haar niet de gelegenheid geven hem af te wijzen.

Jondalar voelde dat hij een kleur kreeg terwijl hij wegliep van de mensen die zich ongerust hadden gemaakt over Ayla. Ze had gelijk: ze had alleen gewoond en heel goed voor zichzelf kunnen zorgen. Welk recht had hij om haar daden te bekritiseren, of haar onder handen te nemen omdat ze niemand had verteld dat ze naar buiten ging? Maar hij had zich ongerust gemaakt vanaf het moment dat hij ontdekte dat ze er niet was en waarschijnlijk in de sneeuwstorm naar buiten was gegaan. Hij had vaak slecht weer meegemaakt – waar hij was opgegroeid waren de winters buitengewoon guur en koud – maar zo'n barre winter had hij nog nooit meegemaakt. Het leek wel of deze storm al maanden zonder onderbreking voortraasde.

Maar de Mamutiërs schenen zich niet te storen aan de winter. De voedselvoorraad was groot genoeg en ze zochten in hun behaaglijke, half-ondergrondse woning afleiding in hun gebruikelijke bezigheden voor de winter. De oudere bewoners van het kamp zaten vaak bij elkaar om de kookplaats. Ze dronken warme thee, vertelden verhalen en haalden oude herinneringen op of maakten een praatje. Ze deden ook wel spelletjes met stukjes bewerkt ivoor of bot, wanneer ze niets anders te doen hadden. De jongere mensen kwamen bij elkaar in de Mammoetvuurplaats. Daar werden grappen gemaakt en er werd gelachen, gezongen en op muziekinstrumenten geoefend. Maar men liep ook vaak van de ene vuurplaats naar de andere en de kinderen waren overal welkom. Het was een rustige tijd en dat bood gelegenheid om gereedschap te maken en te bewerken, of wapens en sieraden. Er werden manden en matten gevlochten, riemen, touw, koorden en netten gemaakt en er was tijd voor het versieren van kleding.

Ayla had belangstelling voor de manier waarop de Mamutiërs hun leer bewerkten en vooral voor hoe ze het kleurden. Ze wou ook graag meer weten over het gekleurde borduurwerk, het plooien en het werk met de kralen. Versierde en genaaide kleding was voor haar helemaal nieuw. Toen Jondalar de jongere mensen de rug toedraaide en naar de hoek voor de steenbewerking ging, kreeg Ayla een brok in haar keel. Haar gezicht verstrakte, maar ze wendde zich tot Deegie.

'Je zei dat je me zou laten zien hoe leer rood wordt gemaakt, als ik huid klaar heb. Ik denk bizonhuid waar ik aan werk is klaar,' zei Ayla. 'Goed, ik zal het je laten zien,' zei Deegie. 'Laat maar eens kijken hoe de huid eruitziet.'

Ayla liep naar de bergplaats bij het hoofdeind van haar bed, sloeg een hele huid open en spreidde hem uit. Hij was ongelooflijk zacht en soepel en bijna wit. Deegie bekeek de huid nauwkeurig. Ze had Ayla's wijze van behandelen met grote belangstelling gevolgd, zonder iets te zeggen.

Eerst had Ayla er met een scherp mes het lange haar af gesneden; vervolgens had ze de huid over een groot mammoetbot gehangen en schoongekrabd, waarvoor ze de minder scherpe rand van een stuk vuursteen gebruikte. Ze krabde de binnenkant om de vetdeeltjes en bloedvaten te verwijderen en de buitenkant krabde ze tegen de vleug van het haar in om de bovenlaag eraf te halen. Deegie zou de huid hebben opgerold en een paar dagen bij het vuur hebben gelegd tot hij begon te rotten, zodat het haar gemakkelijker losliet. Als ze klaar was hield ze de huid over, met de structuur van het leer. Om het zachtere bukskin te maken zou ze het vel op een raamwerk hebben gebonden om het haar eraf te krabben.

Bij de volgende stap maakte Ayla gebruik van het advies van Deegie. Ayla wou de huid invetten om hem zacht te maken na het wassen. Dat deed ze altijd. Maar Deegie liet Ayla zien hoe ze de huid weekte in een dun papje van de rottende hersenen van het dier. Ayla was aangenaam verrast over het resultaat. Ze voelde de zachtheid na de behandeling. De huid was duidelijk veranderd. Maar nadat deze grondig was uitgewrongen begon het eigenlijke werk. Tijdens het drogen moest hij voortdurend gespannen en gerekt worden en de kwaliteit van het leer hing uiteindelijk van deze bewerking af.

'Je hebt gevoel voor leer, Ayla. Bizonhuid is moeilijk te bewerken en deze is zo zacht. Hij lijkt fantastisch goed. Weet je al wat je ervan wilt maken?'

'Nee.' Ayla schudde het hoofd. 'Maar ik wil leer rood maken. Wat denk jij? Schoeisel?'

'Het is er sterk genoeg voor, maar is ook zacht genoeg voor een tuniek. Laten we het eerst maar kleuren. Dan kun je er later over nadenken wat je ervan gaat maken,' zei Deegie en toen ze samen naar de laatste vuurplaats liepen vroeg ze: 'Wat zou je met die huid doen als je hem niet kleurt?'

'Dan zou ik hem in de rook van een vuur hangen zodat hij niet meer hard wordt als hij nat wordt van de regen of bij het zwemmen,' zei Ayla.

Deegie knikte. 'Dat zou ik ook doen. Maar wat wij gaan doen maakt de huid ook waterdicht.'

Toen ze door de Kraanvogelvuurplaats liepen, zagen ze Crozie en het schoot Ayla te binnen dat ze nog iets wou vragen. 'Deegie, weet jij ook hoe je leer wit moet maken? Zoals tuniek Crozie draagt? Ik vind rood mooi, maar daarna wil ik graag wit leren. Ik geloof dat ik iemand ken die van wit houdt.'

'Wit is moeilijk. Het is moeilijk om leer echt sneeuwwit te krijgen. Ik denk dat Crozie je dat beter kan laten zien dan ik. Dan zou je krijt moeten hebben... Misschien heeft Wymez wat. Ze vinden vuursteen in krijt en meestal zit er krijt om de stukken die ze uit de groeve in het noorden krijgen,' zei Deegie.

De jonge vrouwen liepen terug naar de Mammoetvuurplaats met een paar vijzels en stampers en brokken rode oker in verschillende tinten. Deegie hing wat vet boven het vuur om te smelten en legde de stukjes kleurstof voor Ayla neer. Er waren stukjes houtskool voor zwart, mangaan voor blauwzwart en lichtgele zwavel, verder nog bruine, rode en gele oker. De vijzels hadden de natuurlijke vorm van beenderen, zoals van de voorpoten van herten of ze waren uit graniet of bazalt gehakt, zoals de stenen lampjes. De stampers waren van hard ivoor of bot en er was er ook een bij van een langwerpig stuk steen.

'Welke tint rood wil je, Ayla? Donkerrood, bloedrood of meer oranje, zoals de kleur van de zon?'

Ayla had niet verwacht dat er zoveel keus zou zijn. 'Ik weet het niet... Rood rood,' antwoordde ze.

Deegie bekeek de kleuren. 'Ik geloof dat we deze nemen,' zei ze, en ze pakte een stukje met een vrij lichte tint, 'en dan doen we er een beetje geel bij. Ik denk dat we dan een kleur krijgen die je wel mooi zult vinden.'

Ze deed een stukje rode oker in de stenen stamper en liet Ayla zien hoe ze het goed fijn moest stampen. Toen liet ze haar het geel in een andere kom fijnstampen. Deegie mengde de twee kleuren in een derde schaal tot ze tevreden was over de kleur. Toen deed ze het hete vet erbij en dat veranderde de kleur. Ayla glimlachte toen ze de heldere tint zag.

'Ja. Dat is rood. Dat is mooi rood,' zei ze.

Vervolgens pakte Deegie een lange gespleten rib van een hert. Het zachte binnenste deel van het bot gebruikte ze als strijkbeen. Ze pakte een likje uit het afgekoelde rode vet en wreef het in de bewerkte bizonhuid terwijl ze die met een hand vasthield. Terwijl ze de natuurlijke kleurstof erin wreef, kreeg het leer een zachte glans. Leer met een andere structuur kreeg een diepere glans.

Nadat ze het een poosje had bekeken pakte Ayla ook een rib en ze volgde dezelfde techniek als Deegie. Die zag het wel en gaf nog een paar aanwijzingen. Toen er een hoek van de huid klaar was, hielden ze even op.

'Kijk,' zei Deegie, en ze sprenkelde wat water op dat gedeelte van de huid. 'Het loopt eraf, zie je wel?' Het water liep er in druppeltjes af zonder sporen achter te laten.

'Weet je al wat je met dat rode stuk leer gaat doen?' vroeg Nezzie.

'Nee,' zei Ayla. Ze had de hele bizonhuid opengevouwen om hem aan Rydag te laten zien en zelf nog eens te bewonderen. De huid was van haar omdat ze hem zelf had behandeld en ze had nog nooit zo'n groot stuk gehad met een rode kleur. Het leer was opvallend rood geworden. 'Rood was heilig voor Stam. Ik zou hem aan Creb geven... als het kon.'

'Het is, geloof ik, het helderste rood dat ik ooit heb gezien. Iemand die dat draagt kun je van een grote afstand zien aankomen.'

'Het is ook zacht,' gebaarde Rydag. Hij kwam vaak naar de Mammoetvuurplaats als zij er was en dat vond ze prettig.

'Deegie heeft me laten zien hoe je het leer eerst zacht moet maken, met hersenen,' zei Ayla. 'Ik gebruikte vroeger vet. Is moeilijk en geeft soms vlekken. Kan beter hersenen van bizon gebruiken. Ze wachtte even om na te denken en vroeg toen: 'Werkt dat voor elk dier, Deegie?' Toen Deegie knikte vroeg ze: 'Hoeveel hersenen moet je gebruiken? Hoeveel voor rendier? Hoeveel voor konijn?'

'Mut, de Grote Aardmoeder, geeft in Haar onbegrensde wijsheid ieder dier altijd precies genoeg hersenen om zijn huid te bewerken,' antwoordde Ranec met een grijns.

Ayla luisterde even verbaasd naar het gegrinnik van Rydag en toen zei ze glimlachend: 'Sommige hebben genoeg hersens en worden niet gepakt?'

Ranec lachte en Ayla ook omdat ze het grapje had begrepen. Ze begon beter thuis te raken in de taal.

Jondalar kwam net de Mammoetvuurplaats binnenstappen en hij zag Ranec en Ayla samen lachen. Zijn maag kromp ineen. Mamut zag hem verdrietig zijn ogen dichtknijpen. Hij keek Nezzie aan en schudde het hoofd.

Danug, die achter de steenbewerker aan kwam, zag dat hij bleef staan, een paal vastpakte en zijn hoofd liet hangen. Het probleem dat ontstond door de gevoelens die Jondalar en Ranec voor Ayla hadden, was iedereen wel duidelijk, maar de meesten schonken er geen aandacht aan. Ze wilden zich er niet mee bemoeien in de hoop dat de drie het zelf zouden oplossen. Danug wou dat hij kon helpen, maar hij wist er ook geen raad op. Ranec was een broer, omdat Nezzie hem had geadopteerd, maar hij mocht Jondalar graag en hij kon zich zijn verdriet wel indenken. Hij had ook warme, zij het ondefinieerbare gevoelens voor de nieuwe, mooie vrouw van het Leeuwenkamp. Behalve het onverklaarbare blozen en de lichamelijke gewaarwordingen die hij kreeg wanneer hij bij haar in de buurt kwam, voelde hij ook sympathie voor haar. Zij leek net zomin opgewassen tegen de situatie als hij wanneer hij te maken kreeg met veranderingen en onverwachte moeilijkheden.

Jondalar zuchtte diep, richtte zich weer op en liep door. Ayla volgde hem met haar ogen terwijl hij naar Mamut liep en hem iets gaf. Ze zag dat ze even met elkaar praatten en toen ging Jondalar vlug weg zonder iets tegen haar te zeggen. Ze volgde het gesprek niet meer dat om haar heen werd gevoerd en toen Jondalar weg was haastte ze zich naar Mamut. Ze hoorde de vraag van Ranec niet en zag de vluchtige uitdrukking van teleurstelling op zijn gezicht ook niet. Hij maakte een grapje om zijn wanhoop te verbergen, maar ook dat hoorde ze niet. Maar Nezzie, die gevoelig was voor de fijne nuances van zijn diepere gevoelens, zag de pijn in zijn ogen. Zijn gezicht verstrakte en hij trok vastbesloten zijn schouders recht.

Ze wou hem wel raad geven en hem laten profiteren van haar levenservaring, maar ze hield haar mond. Ze moeten hun eigen weg zoeken, dacht ze.

Omdat de Mamutiërs langdurig in een kleine ruimte woonden, hadden ze geleerd elkaar te verdragen. Echte privacy was er niet in het huis, behalve dan de privacy van iemands persoonlijke gedachten en ze letten erop iedereen daarin vrij te laten. Ze vermeden het persoonlijke vragen te stellen of ongevraagd hulp of raad aan te bieden, en ze mengden zich alleen in ruzies wanneer hun tussenkomst werd gevraagd of de zaak zo uit de hand liep dat het voor iedereen een probleem werd. Wanneer ze zagen dat er een moeilijke situatie ontstond, hielden ze zich beschikbaar en wachtten geduldig en tolerant tot er behoefte kwam aan een vriend om de problemen, zorgen of frustraties te bespreken. Ze stonden niet meteen klaar met een oordeel of ernstige kritiek en ze drongen alleen aan op kleine wijzigingen in iemands gedrag wanneer ze niemand kwetsten of in moeilijkheden brachten. De juiste oplossing voor een probleem was er een die alle betrokkenen bevredigde. Ze gingen voorzichtig om met elkaars gevoelens.

'Mamut...' begon Ayla, en toen besefte ze dat ze niet precies wist wat ze wou zeggen. 'Ik... geloof dat het nu tijd is om een middel voor de jicht te maken.'

'Daar heb ik geen bezwaar tegen,' zei de oude man glimlachend. 'Ik heb in jaren niet zo'n goede winter gehad. Ik ben alleen daarom al blij dat je hier bent, Ayla. Ik zal dit mes even wegleggen dat ik van Jondalar heb gewonnen en dan leg ik mijn lot in jouw handen.'

'Heb je mes gewonnen van Jondalar?'

'Crozie en ik waren aan het spelen met de kootjes. Hij keek toe en scheen belangstelling te hebben dus nodigde ik hem uit om mee te doen. Hij zei dat hij wel wou, maar hij had niets om in te zetten. Ik zei dat hij altijd iets had zolang hij zijn vak zo goed verstond en dat ik wel wilde spelen om een mes dat op een speciale manier was gemaakt. Hij verloor. Hij had beter moeten weten en niet moeten spelen tegen Een Die Dient.' Mamut grinnikte. 'Dit is het mes.'

Ayla knikte. Haar nieuwsgierigheid was bevredigd, maar ze wou dat iemand haar kon vertellen waarom Jondalar niet meer met haar wou praten. De mensen die Ayla's rode leren huid hadden bewonderd verlieten de Mammoetvuurplaats, behalve Rydag, die bij Ayla en Mamut ging zitten. Er ging iets gezelligs van uit om haar de oude man te zien behandelen. Hij ging op een hoek van het bed zitten.

'Ik zal eerst warme kompressen voor je maken,' zei ze en ze begon de verschillende stoffen in een houten schaal te mengen.

Mamut en Rydag keken toe hoe ze de juiste hoeveelheden pakte, mengde en heet water maakte.

'Wat gebruik je voor de kompressen?' vroeg Mamut.

'Ik weet jouw woorden voor planten niet.'

'Beschrijf ze maar. Misschien kan ik het je vertellen. Ik ken wel wat planten en weet waar ze voor worden gebruikt. Ik heb er een aantal moeten leren.'

'Eén plant groeit hoger dan knie,' legde Ayla uit, terwijl ze goed over de plant nadacht. 'Heeft grote bladeren, niet heldergroen, alsof er stof op ligt. Bladeren groeien eerst samen om stengel, worden dan groot, met punt aan eind. Onderkant blad zacht als vacht. Bladeren goed voor veel dingen, en wortels ook, vooral gebroken botten.'

'Smeerwortel! Dat moet smeerwortel zijn. Wat zit er nog meer in de kompressen?' Dit is interessant, dacht hij.

'Andere plant kleiner, niet tot knie. Bladeren als kleine speerpunt die Wymez maakt, donker glanzend groen, blijft groen in winter. Stengel komt uit bladeren, kleine bloemen, lichte kleur, kleine rode vlekjes erin. Goed voor zwellingen en uitslag,' zei Ayla.

Mamut schudde het hoofd. 'Blaadjes blijven groen in de winter, gevlekte bloemen... Ik geloof niet dat ik die ken. Waarom noemen we hem niet gewoon gevlekt wintergroen?'

Ayla knikte. 'Wil je nog meer planten weten?' vroeg ze.

'Ja, ga door en beschrijf er nog maar een.'

'Grote plant, groter dan Talut, bijna boom. Groeit op lage grond, bij rivieren. Donkerrode bessen blijven ook in winter aan plant. Jonge blaadjes goed te eten, grote oude te sterk, kunnen ziek maken. Gedroogde wortel in kompressen is goed voor zwelling, ook rode zwelling, en voor pijn. Ik doe gedroogde bessen in thee die ik voor je jicht maak. Weet je naam?'

'Nee, ik geloof het niet, maar als jij de plant maar kent ben ik tevreden,' zei Mamut. 'Je middelen tegen de jicht hebben geholpen. Je bent goed in medicijnen voor oude mensen.'

'Creb was oud. Hij was kreupel en had pijn van jicht. Ik leerde van Iza hoe ik moest helpen. Toen hielp ik anderen in Stam.' Ayla zweeg en keek even op onder het mengen. 'Ik geloof Crozie heeft ook pijn van ouderdom. Ik wil helpen. Denk je dat ze wil, Mamut?'

'Ze geeft niet graag toe dat ze last van de ouderdom krijgt. In haar jonge jaren was ze trots op haar schoonheid, maar ik vind dat je gelijk hebt. Je zou het haar kunnen vragen, vooral als je een manier weet om haar niet te krenken in haar trots. Die is alles wat ze nog heeft.'

Ayla knikte. Toen ze klaar was trok Mamut zijn kleren uit. 'Als je met kompressen rust,' zei ze, 'heb ik poeder van wortel van andere plant. Dat doe ik voor je op hete kolen om te ruiken. Dan ga je zweten en is goed voor de pijn. Dan heb ik vanavond, voor je gaat slapen, nieuw middel voor gewrichten. Appelsap en hete wortel...'

'Je bedoelt mierikswortel? De wortel die Nezzie bij het eten gebruikt.'

'Dat denk ik, ja, met appelsap en de drank van Talut. Maakt de huid warm, ook vanbinnen.'

Mamut lachte. 'Hoe heb je Talut zover gekregen dat je zijn sterke-drank op de huid mag smeren in plaats van op te drinken?'

Ayla glimlachte. 'Hij vindt het "geheime middel voor de volgende morgen" goed. Ik zei dat ik het altijd voor hem maak,' zei ze terwijl ze dikke, warme pleisters op de pijnlijke gewrichten van de oude man plakte. Hij ging behaaglijk liggen en sloot zijn ogen.

'Deze arm ziet er goed uit,' zei Ayla, die met de arm bezig was die gebroken was geweest. 'Ik dacht dat het een lelijke breuk was.'

'Het was ook een lelijke breuk,' zei Mamut, die zijn ogen weer opende. Hij wierp een blik op Rydag, die alles rustig in zich opnam. Mamut had nog met niemand over zijn belevenissen gepraat, behalve met Ayla. Hij wachtte even. Toen knikte hij opeens met grote beslistheid. 'Het wordt tijd dat je het hoort, Rydag. Toen ik als jonge man een Tocht maakte, ben ik van een rots gevallen en heb ik mijn arm gebroken. Ik was half versuft en kwam ten slotte in een kamp van platkoppen terecht, mensen van de Stam. Ik heb een tijdje bij hen gewoond.'

'Daarom leerde je de tekens zo snel!' seinde Rydag glimlachend. 'Ik dacht dat je zo knap was.'

'Ik bén knap, jongeman,' zei Mamut grijnzend, 'maar ik herinnerde me er ook een paar toen Ayla me er weer aan deed denken.'

Rydags glimlach werd nog breder. Hij hield van deze mensen meer dan van wie ook, behalve dan van Nezzie en de anderen van de Leeuwenvuurplaats en hij kon zijn geluk niet op sinds Ayla was gekomen. Voor het eerst van zijn leven kon hij praten, hij kon de mensen iets duidelijk maken en hij kon iemand zelfs doen glimlachen. Hij keek hoe Ayla Mamut behandelde en hij begreep ook haar grondige kennis. Toen Mamut weer in zijn richting keek, zei hij in zijn gebarentaal: 'Ayla is goede Genezer.'

'De medicijnvrouwen van de Stam zijn heel bekwaam. Daar heeft ze het geleerd. Niemand had mijn arm beter kunnen behandelen. Ik had een schaafwond, met modder erin en het gebroken bot stak door de huid heen. Het leek wel een stuk rauw vlees. De vrouw, Oeba, heeft het schoongemaakt en de arm gezet en het is niet eens gaan zweren. Ik kreeg ook geen koorts. Ik kon hem weer goed gebruiken toen hij genezen was en de laatste jaren voel ik alleen af en toe wat pijn. Ayla heeft het geleerd van de kleindochter van de vrouw die mijn arm heeft genezen. Men zegt dat zij de beste was,' zei Mamut die keek hoe Rydag reageerde. De jongen keek heel verbaasd en vroeg zich af hoe het mogelijk was dat ze dezelfde mensen kenden.

'Ja. En Iza was heel goed, als haar moeder en haar grootmoeder,' zei Ayla, die bijna klaar was. Ze had geen aandacht geschonken aan de zwijgende communicatie tussen de jongen en de oude man. 'Ze wist alles wat haar moeder wist, ze had de herinneringen van haar moeder en herinneringen van haar grootmoeder.'

Ayla bracht een paar stenen uit de vuurplaats wat dichter bij Mamuts bed. Ze pakte met een paar stokken wat gloeiende kolen en legde ze op de stenen. Vervolgens strooide ze poeder van de honingbloemwortel op de kolen. Ze ging vachten halen voor Mamut om hem goed warm te houden, maar terwijl ze hem instopte kwam hij op een elleboog overeind en keek haar peinzend aan.

'De mensen van de Stam zijn anders, maar de meeste mensen beseffen niet in welk opzicht. Het is niet dat ze niet praten, of op een andere manier praten. Hun manier van denken is alleen een beetje anders. Als Oeba, de vrouw die mij heeft verzorgd, de grootmoeder was van jouw Iza, en zij geleerd heeft van de herinneringen van haar moeder en grootmoeder, hoe heb jij dan geleerd, Ayla? Jij hebt de herinneringen van de Stam niet.' Mamut zag een verlegen blos en Ayla hapte even verbaasd naar adem voor ze de ogen neersloeg. 'Of wel?'

Ayla keek hem even aan en sloeg haar ogen weer neer. 'Nee. Ik heb de herinneringen van de Stam niet,' zei ze.

'Maar...?'

Ayla keek hem weer aan. 'Wat bedoel je, "maar"?' vroeg ze. Ze keek bedachtzaam, bijna geschrokken.

'Je hebt de herinneringen van de Stam niet, maar... je hebt iets, nietwaar? Iets van de Stam?'

Ayla bleef met gebogen hoofd zitten. Hoe kon hij dat weten? Ze had het nooit aan iemand verteld, ook niet aan Jondalar. Ze wou het zelf nauwelijks weten, maar ze was daarna nooit meer helemaal dezelfde geweest. Er waren momenten, dan kwam het over haar...

'Heeft het iets te maken met je bekwaamheid als medicijnvrouw?' vroeg Mamut.

Ze keek op en schudde het hoofd. 'Nee,' zei ze en het leek of ze hem met haar ogen smeekte haar te geloven. 'Iza heeft me geleerd. Ik was erg jong. Ik denk ik was nog niet zo oud als Rugie toen ze begon. Iza wist dat ik de herinneringen niet had, maar ze leerde me onthouden, liet me haar steeds weer vertellen tot ik niet vergat. Ze was heel geduldig. Sommige mensen zeiden haar, is dwaas mij te leren. Ik kon niet onthouden... Ik was te dom. Ze zei nee. Ik was alleen anders. Ik wou niet anders zijn. Ik leerde zelf onthouden. Ik zei telkens weer tegen mezelf, ook wanneer Iza me niet leerde. Ik leerde onthouden, op mijn manier. Toen leerde ik snel zodat ze niet zouden denken ik was zo dom.'

Rydag had de ogen wijdopen. Hij begreep beter dan wie ook hoe ze zich had gevoeld, maar hij wist niet dat een ander ook dat gevoel had gehad en dan nog wel iemand als Ayla.

Mamut keek haar verbaasd aan. 'Dus jij hebt Iza's herinneringen van de Stam uit het hoofd geleerd? Dat is een hele prestatie. Die gaan generaties ver terug, of niet?'

Rydag luisterde nu heel aandachtig. Hij had het gevoel dat dit heel belangrijk voor hem was.

'Ja,' zei Ayla, 'maar ik heb niet al haar herinneringen geleerd. Iza kon me niet alles leren wat ze wist. Ze zei dat ze niet eens wist hoeveel ze wist, maar ze leerde me hoe ik moest leren. Hoe ik proeven moest doen en voorzichtig moest proberen. Toen ik ouder werd zei ze dat ik haar dochter was, medicijnvrouw van haar lijn. Ik vroeg, hoe kon ik van haar lijn zijn? Ik was niet haar echte dochter. Ik was niet eens Stam, ik had geen herinneringen. Toen zei ze dat ik iets anders had, even goed als herinneringen, misschien beter. Iza dacht dat ik van geboorte bij lijn van medicijnvrouwen van de Anderen hoorde, de beste lijn, zoals haar lijn de beste was. Daarom ben ik medicijnvrouw van haar lijn. Ze zei dat ik eens de beste zou zijn.'

'Weet je wat ze bedoelde? Weet je wat je hebt?' vroeg Mamut.

'Ja, ik denk het. Als iemand niet goed is, zie ik wat eraan scheelt. Ik zie blik in ogen, kleur gezicht, ruik adem. Soms weet met nadenken en alleen kijken, andere keer weet wat te vragen. Dan maak medicijn om te helpen. Niet altijd zelfde medicijn. Soms nieuw medicijn, zoals drank in waswater voor jicht.'

'Misschien had jouw Iza wel gelijk. De beste Genezers hebben die gave,' zei Mamut en toen schoot hem iets te binnen. 'Ik heb een verschil opgemerkt tussen de Genezers die ik ken en jou, Ayla. Jij gebruikt planten en andere dingen om te genezen. Genezers van de Mamutiërs doen ook een beroep op de hulp van de geesten.'

'Ik ken wereld van geesten niet. In Stam kennen we alleen Mog-urs. Als Iza hulp van geesten wou, vroeg ze Creb.'

Mamut keek de jonge vrouw diep in de ogen. 'Ayla, zou je de hulp van de wereld van de geesten willen hebben?'

'Ja, maar ik heb geen Mog-ur om te vragen.'

'Je hoeft niemand te vragen. Jij kunt je eigen Mog-ur zijn.'

'Ik? Een Mog-ur? Maar ik ben een vrouw. Een vrouw van de Stam kan geen Mog-ur zijn,' zei Ayla, overweldigd door het idee.

'Maar jij bent geen vrouw van de Stam. Jij bent Ayla van de Mamutiërs. Je bent een dochter van de Mammoetvuurplaats. De beste Genezers van de Mamutiërs kennen de gewoonten van de geesten. Je bent een goede Genezer, Ayla, maar hoe kun je de beste worden als je de hulp van de wereld van de geesten niet kunt vragen?'

Ayla kreeg een onrustig gevoel in de maagstreek. Ze was medicijnvrouw, een goede medicijnvrouw en Iza had gezegd dat ze eens de beste zou worden. Nu zei Mamut dat ze de beste niet kon zijn zonder de hulp van de geesten en hij zou wel gelijk hebben. Iza vroeg Creb altijd om hulp, nietwaar?

'Maar ik ken de wereld van de geesten niet, Mamut,' zei Ayla wanhopig en een beetje paniekerig.

Mamut boog zich naar haar over. Hij voelde dat dit het juiste moment was om van binnenuit een dwingende kracht op te roepen. 'Jawel,' zei hij, op bevelende toon, 'die ken je wel!'

Ze sperde angstig haar ogen open. 'Ik wil de wereld van de geesten niet kennen!' schreeuwde ze.

'Je bent alleen bang voor die wereld omdat je hem niet begrijpt. Ik kan je daarbij helpen. Ik kan je helpen hem te gebruiken. Je bent geboren voor de Mammoetvuurplaats, voor de mysteries van de Moeder. Het doet er niet toe waar je bent geboren of waar je heen gaat. Je kunt er niets aan doen. Je wordt ernaartoe getrokken en het zoekt je. Je kunt er niet aan ontkomen, maar met oefening en begrip kun je het beheersen. Je kunt de mysteries voor je laten werken, Ayla en je kunt je niet verzetten tegen je bestemming. Jij bent voorbestemd om de Moeder te Dienen.'

'Ik ben medicijnvrouw! Dat is mijn bestemming.'

'Ja, dat is je bestemming, om medicijnvrouw te zijn, maar dat is het-

zelfde als de Moeder Dienen, en eens kun je worden geroepen om op een andere manier te dienen. Daar moet je je op voorbereiden. Ayla, je wilt de beste medicijnvrouw zijn, nietwaar? Jij weet ook dat sommige ziekten niet kunnen worden genezen met alleen medicijnen en behandelingen. Hoe genees je iemand die niet langer wil leven? Welke medicijn geeft iemand de wil om te genezen van een ernstig ongeluk? Welke behandeling geef je degenen die achterblijven wanneer iemand sterft?'
Ayla boog het hoofd. Wanneer iemand had geweten wat hij voor haar moest doen toen Iza stierf, had ze misschien haar melk niet verloren en had ze haar zoon misschien niet aan een andere vrouw hoeven te geven voor de voeding. Zou ze weten wat ze moest doen wanneer het iemand overkwam om wie ze veel gaf? Zou kennis van de wereld van de geesten haar helpen om te weten wat ze moest doen?
Rydag volgde het gespannen tafereel en hij wist dat ze hem even vergaten. Hij durfde zich niet te bewegen, uit angst dat hij hen zou afleiden van iets belangrijks, hoewel hij niet wist wat het was.
'Ayla, waar ben je bang voor? Wat is er gebeurd dat je zo afkerig maakt? Vertel het maar,' zei Mamut, met een vriendelijke, overredende stem.
Ayla ging opeens staan. Ze pakte de warme vachten en stopte de oude man in. 'Moet toedekken, warm houden voor kompressen om te werken,' zei ze, wat afwezig en in de war. Mamut bleef liggen en gaf haar de gelegenheid, zonder protest, om haar behandeling te voltooien. Hij begreep dat ze tijd nodig had. Ze begon, opgewonden en nerveus, heen en weer te lopen. Ze staarde in de ruimte of ze zag in haar gedachten een beeld. Ze draaide zich om en keek hem aan.
'Het was mijn bedoeling niet!' zei ze.
'Wat was je bedoeling niet?' vroeg Mamut.
'Om de grot in te gaan... en Mog-urs te zien.'
'Wanneer ben je de grot in gegaan, Ayla?' Mamut kende de beperkingen die vrouwen van de Stam bij het deelnemen aan rituelen werden opgelegd. Ze moest iets hebben gedaan wat niet van haar werd verwacht, een taboe hebben doorbroken, dacht hij.
'Bij Stambijeenkomst.'
'Ben je naar een Stambijeenkomst geweest? Die houden ze iedere zeven jaar, nietwaar?'
Ayla knikte.
'Hoe lang is dat geleden?'
Ze moest er even over nadenken en haar geest klaarde weer wat op door de concentratie. 'Durc was toen pas geboren, in het voorjaar. De volgende zomer is het zeven jaar geleden! Volgende zomer is Stambij-

eenkomst. Daar gaat Stam heen, brengt Oera terug. Oera en Durc gaan verbintenis aan. Mijn zoon zal gauw man zijn!'

'Is dat zo, Ayla? Krijgt hij al een verbintenis als hij zeven jaar is? Wordt hij zo jong al een man?' vroeg Mamut.

'Nee, zo jong niet. Misschien over drie, vier jaar. Hij is... zoals Druwez. Nog niet man. Maar moeder van Oera vroeg me voor Durc, voor Oera. Zij is ook kind van gemengde geesten. Oera zal bij Brun en Ebra wonen. Als Durc en Oera oud genoeg zijn gaan ze verbintenis aan.'

Rydag keek Ayla ongelovig aan. Hij begreep er niet alles van, maar een ding leek zeker. Ze had een zoon van gemengde afkomst, zoals hij, en die woonde bij de Stam!

'Wat is er zeven jaar geleden op de Stambijeenkomst gebeurd, Ayla?' vroeg Mamut, die zich de kans niet wilde laten ontglippen om haar op te leiden nu hij zo dicht bij Ayla's instemming leek te zijn, al wou hij haar nog wel het een en ander vragen over een paar punten die zijn grote belangstelling hadden. Hij was ervan overtuigd dat het voor haar van wezenlijk belang was.

Ayla sloot de ogen met een pijnlijke uitdrukking op het gezicht. 'Iza was te ziek om te gaan. Ze zei tegen Brun dat ik medicijnvrouw was. Brun deed de ceremonie. Ze vertelde me hoe wortel te kauwen om drank te maken voor Mog-urs. Alleen vertellen, kan niet voordoen. Is te... heilig voor oefenen. Mog-urs op Stambijeenkomst wilden me niet, ik ben niet Stam. Maar niemand anders weet, alleen Iza's lijn. Ten slotte zei ja. Iza zei, sap niet doorslikken bij kauwen, in schaal spuwen, maar ik kon niet. Ik slikte wat door. Later was ik in de war, ging grot in, volgde vuren, vond Mog-urs. Ze zagen me niet, maar Creb wist het.'

Ze raakte weer opgewonden en begon heen en weer te lopen. 'Het was donker, als diep gat, en ik viel.' Ze boog haar schouders naar voren en wreef over haar armen alsof ze het koud had. 'Toen kwam Creb, zoals jij, Mamut, maar meer. Hij... Hij... nam me mee.'

Ze zweeg en bleef lopen. Eindelijk bleef ze staan en begon weer te praten. 'Later was Creb heel boos en ongelukkig. En ik was... anders. Ik heb het nooit gezegd, maar soms dacht ik, ik ga er weer heen, en ik was... bang.'

Mamut wachtte tot ze klaar was. Hij had wel een idee over wat ze had beleefd. Hij was zelf een keer toegelaten op een Stamceremonie. Ze gebruikten op een heel bijzondere manier bepaalde planten en hij had ook een onpeilbare ervaring gehad. Het was hem later nooit meer gelukt dezelfde ervaring op te roepen, ook niet toen hij Mamut was. Hij stond op het punt iets te zeggen toen Ayla weer begon.

'Soms wil ik wortel weggooien, maar Iza heeft me gezegd hij is heilig.'
Het duurde even voor de betekenis van Ayla's woorden tot hem door-
drong, maar de schok bracht hem naar de werkelijkheid terug.
'Zei je dat je die wortel bij je hebt?' vroeg hij en hij had moeite om
zijn opwinding te verbergen.
'Toen ik wegging nam ik medicijnzak mee. Wortel is in medicijnzak,
in speciaal rood zakje.'
'Maar is hij nog goed? Je zegt dat het meer dan drie jaar geleden is dat
je wegging. Zou de kracht er in die tijd niet uit zijn gegaan?'
'Nee, is op speciale manier behandeld. Als wortel gedroogd is, blijft
lange tijd. Vele jaren.'
'Ayla,' begon de Mamut, en hij probeerde de juiste woorden te kiezen,
'het kan een groot geluk zijn dat je hem nog hebt. Weet je, de beste
manier om een angst te overwinnen is hem onder ogen te zien. Zou je
die wortel weer willen bereiden? Alleen voor jou en mij?'
Ayla huiverde bij de gedachte. 'Ik weet het niet, Mamut. Ik wil niet.
Ik ben bang.'
'Ik bedoel niet nu meteen,' zei hij. 'Niet voor je wat oefening hebt gehad en bent voorbereid. En het moet bij een speciale gelegenheid zijn,
met een diepe betekenis. Misschien het Feest van de Lente, het begin
van het nieuwe leven.' Hij zag haar weer huiveren. 'Jij moet beslissen,
maar dat hoeft nu nog niet. Ik vraag alleen of je het goedvindt dat ik
met je opleiding en voorbereiding begin. Als de lente komt en je voelt
je er niet klaar voor, kun je nee zeggen.'
'Wat is opleiding?' vroeg Ayla.
'Eerst zou ik je bepaalde liederen willen leren en ook hoe je de mammoetschedel moet gebruiken. Dan zijn er nog bepaalde tekens en
symbolen.'
Rydag zag dat ze haar ogen sloot en haar wenkbrauwen fronste. Hij
hoopte dat ze het zou doen. Hij had nu meer gehoord over het volk
van zijn moeder dan ooit tevoren, maar hij wou nog meer weten. En
dat kon zeker wanneer Mamut en Ayla een ceremonie hielden met rituelen van de Stam.
Toen Ayla de ogen opende stonden ze bezorgd, maar ze slikte iets weg
en toen knikte ze. 'Ja, Mamut, ik zal proberen de angst voor de wereld
van de geesten te overwinnen, wanneer jij me wilt helpen.'
Toen Mamut ging liggen, merkte hij niet dat Ayla het versierde zakje
dat ze om de hals droeg, krampachtig vasthield.

21

'Hoi! Hoi! Hoi! Dat is drie!' schreeuwde Crozie en ze gniffelde vol leedvermaak terwijl ze de schijfjes telde, die met het merkteken naar boven in de ondiepe schaal terechtkwamen.

'Jij moet weer,' zei Nezzie. Ze zaten op de grond, naast de ondiepe kuil met de lössbodem, die Talut had gebruikt om de weg naar het jachtterrein te tekenen. 'Je moet er nog zeven. Ik zet er nog twee in.' Ze trok nog twee streepjes in de vlakke grond van de kuil.

Crozie pakte de schaal en schudde de zeven ivoren schijfjes bij elkaar. De schijven waren aan een kant vlak, maar de andere kant, waar de gekleurde streepjes op stonden, was iets bol zodat ze nog even dansten wanneer ze op een plat oppervlak vielen.

Crozie hield de wijde rieten schaal dicht bij de grond en gooide de schijfjes omhoog. Ze bewoog de schaal handig boven de mat met ro-de rand die de grens van het speelveld aangaf en ving de schijfjes weer op. Deze keer lagen er vier schijven met de goede kant boven en wa-ren er maar drie blank.

'Kijk eens! Vier! Ik hoef er nog maar drie. Ik zet er nog vijf in.'

Ayla zat bij hen op een mat thee te drinken uit haar houten kopje en keek hoe de oude vrouw de schijfjes weer door elkaar schudde in de schaal. Crozie gooide ze omhoog en ving ze weer op. Deze keer lagen er vijf met de goede kant naar boven.

'Ik win! Wil je het nog eens proberen, Nezzie?'

'Nou, nog één spelletje dan,' zei Nezzie en ze pakte de rieten schaal en schudde hem. Ze gooide de schijven omhoog en ving ze weer op.

'Daar ligt het zwarte oog!' schreeuwde Crozie en ze wees op een schijfje dat met de zwarte kant naar boven lag. 'Je hebt verloren! Nu krijg ik er twaalf van je. Wil je nog een keer?'

'Nee, jij hebt te veel geluk vandaag,' zei Nezzie en ze ging staan.

'En jij, Ayla?' vroeg Crozie. 'Wil jij een keer spelen?'

'Ik ben niet goed in dat spel,' zei Ayla. 'Soms vang ik niet alle stukjes op.'

Ze had in die lange, koude winter vaak naar de spelletjes zitten kijken, maar ze had weinig gespeeld en alleen voor de aardigheid. Ze wist dat Crozie een serieuze speelster was, die niet voor de aardigheid speelde en weinig geduld had met onbeholpen of besluiteloze spelers.

'En bikkelen dan? Daar hoef je niet handig in te zijn.'

'Ik zou wel willen, maar ik weet niet waar ik om moet spelen,' zei Ayla.

'Nezzie en ik spelen om streepjes en we verrekenen het later.'

'Nu of later, ik weet niet wat ik moet inzetten.'

'Je hebt altijd wel iets waar je om kunt spelen,' zei Crozie, die wat ongeduldig werd omdat ze wou spelen. 'Iets van waarde.'

'En jij zet iets in van dezelfde waarde?'

De oude vrouw knikte en zei bits: 'Natuurlijk.'

Ayla fronste de wenkbrauwen en dacht diep na. 'Misschien... bont, of leer, of iets om te maken. Wacht! Ik denk dat ik iets weet. Jondalar speelde met Mamut en heeft vaardigheid ingezet. Hij heeft een bijzonder mes gemaakt toen hij verloor. Kun je vaardigheid inzetten, Crozie?'

'Waarom niet?' zei ze. 'Ik noteer het hier wel,' zei Crozie en ze streek de grond vlak met de platte kant van het mes dat bij het tekenen werd gebruikt. De vrouw pakte twee voorwerpen van de grond en liet ze zien, een in iedere hand. 'We rekenen drie streepjes per spel. Als je goed raadt, krijg jij een streepje. Als je fout raadt, krijg ik een streepje. Wie het eerst drie streepjes heeft, heeft gewonnen.'

Ayla keek naar de twee middenvoetsbeentjes van een os die ze in de handen had. Op het ene waren rode en zwarte strepen geschilderd en het andere was blank. 'Ik moest de blanke maar nemen, is dat goed?' vroeg ze.

'Dat is best,' zei Crozie, met een sluwe uitdrukking in haar ogen. 'Ben je zover?' Ze sloot haar handen om de botjes en keek naar Jondalar, die bij Danug in het hoekje van de steenkloppers zat. 'Is hij echt zo goed als ze zeggen?' zei ze, terwijl ze met haar hoofd in zijn richting wees.

Ayla keek naar het blonde hoofd van de man dat zich boog naar het rode haar van de jongen. Toen ze haar hoofd weer omdraaide, had Crozie haar beide handen al achter haar rug.

'Ja. Jondalar is goed,' zei ze.

Ze vroeg zich af of Crozie met opzet had geprobeerd haar aandacht af te leiden. Ze nam de vrouw goed op en zag de schuine stand van haar schouders, hoe ze haar hoofd hield en de uitdrukking op haar gezicht. Crozie stak haar handen weer naar voren met in iedere vuist een botje. Ayla zag op haar gerimpelde gezicht geen enkele uitdrukking en ze keek naar de jichthanden met de witte knokkels. Hield ze een arm wat stijver tegen haar borst? Ayla koos de andere.

'Mis!' riep Crozie, heel vergenoegd, terwijl ze haar vuist opende om het botje met de rode en zwarte strepen te laten zien. Ze zette een streepje op de grond in de kuil. 'Kunnen we doorgaan?'

'Ja,' zei Ayla.

Deze keer begon Crozie te neuriën terwijl ze de botjes in haar handen schudde. Ze sloot haar ogen en staarde vervolgens naar het plafond alsof ze in de buurt van het rookgat iets interessants zag. Ayla liet zich even verleiden om ook omhoog te kijken en te zien wat Crozie zo boeide, maar ze herinnerde zich de listige truc van de eerste keer om haar aandacht af te leiden en ze was nog net op tijd om te zien hoe de sluwe oude vrouw stiekem in haar handen keek voor ze ze achter haar rug verborg. Er vloog even een begrijpend glimlachje over het oude gezicht, waaruit bleek dat ze moest toegeven dat ze Ayla had onderschat. Op grond van de bewegingen van haar schouders en armspieren kreeg Ayla de indruk dat Crozie haar handen achter haar rug bewoog. Dacht ze dat Ayla een van de botjes had gezien en wilde ze ze verwisselen? Of deed ze alsof?

Bij dit spel ging het om meer dan raden, dacht Ayla en het was interessanter om te spelen dan te kijken. Crozie liet haar vuisten weer zien. Ayla observeerde haar aandachtig en zorgde ervoor dat het niet opviel. In de eerste plaats was het niet beleefd om iemand aan te staren en bovendien wou ze niet dat Crozie merkte waar ze naar keek. Het was moeilijk te zeggen, want de oude vrouw was goed in spelletjes, maar het leek toch of de andere schouder nu wat hoger was en hield ze de andere hand nu niet iets terug? Ayla koos de hand die Crozie haar wilde laten kiezen, de verkeerde.

'Ha! Weer mis!' zei Crozie opgetogen en ze voegde er snel aan toe: 'Ben je zover?'

Voor Ayla kon knikken had Crozie haar handen achter de rug en stak ze haar vuisten alweer naar voren, maar deze keer leunde ze voorover. Ayla bleef glimlachen. De oude vrouw probeerde steeds iets anders om te voorkomen dat Ayla het in de gaten kreeg. Ze dacht dat ze de goede hand koos en werd beloond met een streepje. De volgende keer veranderde Crozie weer van houding, ze liet haar vuisten zakken en Ayla raadde verkeerd.

'Dat is drie! Ik win. Maar één spelletje zegt niets. Wil je nog een keer?' vroeg Crozie.

'Ja. Wil graag weer spelen,' zei Ayla.

Crozie glimlachte, maar toen Ayla de volgende twee keren goed raadde, keek ze veel minder vriendelijk. Toen ze de derde keer de botjes schudde, fronste ze de wenkbrauwen.

'Kijk daar! Wat is dat?' zei Crozie. Ze wees met haar kin, in een schaamteloze poging de aandacht van de jonge vrouw af te leiden.

Ayla keek en toen ze haar hoofd omdraaide, glimlachte de oude vrouw weer. De jonge vrouw nam rustig de tijd om de hand met het winnende botje uit te zoeken, hoewel ze snel had beslist. Ze wou Crozie niet te veel uit haar evenwicht brengen, maar ze herkende nu de signalen die het lichaam van de vrouw onbewust uitzond bij het spel en ze wist nu net zo goed in welke hand het blanke botje zat als wanneer Crozie het haar zelf had verteld.

Het was voor Crozie niet leuk om te weten dat ze zich zo gemakkelijk blootgaf, maar Ayla was natuurlijk in het voordeel. Ze was er zo aan gewend om kleine veranderingen in houding of uiterlijk waar te nemen dat het bijna een tweede natuur voor haar was. Dat was een belangrijk onderdeel van de taal van de Stam. Ze had gemerkt dat bepaalde lichaamsbewegingen en houdingen, ook bij deze mensen, een betekenis hadden, hoewel niet opzettelijk omdat ze met woorden communiceerden.

Ayla had zo haar best gedaan om de gesproken taal van haar nieuwe volk te leren dat ze nog geen serieuze poging had gedaan om die andere, onbewuste taal te leren. Nu ze de taal aardig onder de knie begon te krijgen, al sprak ze die nog niet vloeiend, kon ze meer aandacht gaan besteden aan de uitingen die normaal niet werden gerekend tot de spreektaal. Door het spelletje dat ze met Crozie had gespeeld besefte ze hoeveel ze van haar eigen soort mensen kon leren door gebruik te maken van de kennis en het inzicht die ze bij de Stam had verworven. De Stam kon niet liegen, omdat het onmogelijk is de taal van het lichaam te verbergen en daarom konden de Anderen ook geen geheimen voor haar verborgen houden. Ze wisten niet eens dat ze 'praatten'. Ze was nog niet volledig in staat om de signalen van de Anderen te vertalen... maar ze leerde snel.

Ayla koos de hand met het blanke botje erin en Crozie zette geërgerd een derde streepje. 'Het geluk is nu aan jouw kant,' zei ze. 'Nu ik een spelletje heb gewonnen, en jij ook, kunnen we net zo goed zeggen dat we gelijkstaan en de inzet vergeten.'

'Nee,' zei Ayla. 'We hebben vaardigheid ingezet. Jij wint de mijne. Dat zijn medicijnen en die zal ik je geven en ik wil de jouwe.'

'Welke vaardigheid?' vroeg Crozie. 'Mijn handigheid in het spel? Dat kan ik tegenwoordig het best en je hebt me al verslagen. Waar heb je mij bij nodig?'

'Nee, geen spelletjes. Ik wil wit leer maken,' zei Ayla.

Crozie keek stomverbaasd. 'Wit leer?'

'Wit leer, zoals tuniek die je droeg bij adoptie.'

'Ik heb in geen jaren wit leer gemaakt,' zei Crozie.

'Maar je kunt het nog?' vroeg Ayla.

'Ja.' Crozie keek voor zich uit en haar blik werd zachter. 'Ik heb het als meisje van mijn moeder geleerd. Het was destijds heilig voor de Kraanvogelvuurplaats, dat werd tenminste gezegd. Niemand anders kon het dragen...' Haar blik werd harder. 'Maar dat was voor de Kraanvogelvuurplaats zo in achting daalde dat zelfs de Bruidsprijs een schijntje werd.' Ze keek de jonge vrouw scherp aan. 'Wat betekent wit leer voor jou?'

'Ik vind het prachtig,' zei Ayla, en onwillekeurig werd de blik in Crozies ogen weer wat zachter. 'En wit is heilig voor iemand,' zei ze en ze sloeg de ogen neer. 'Ik wil een bijzondere tuniek maken voor iemand die het mooi vindt. Bijzondere witte tuniek.'

Ayla merkte niet dat Crozie een blik op Jondalar wierp, die op dat moment toevallig naar hen zat te kijken. Het leek wel of hij in verwarring raakte en hij wendde snel zijn blik af. De oude vrouw schudde het hoofd toen ze Ayla nog steeds met gebogen hoofd zag zitten.

'En wat krijg ik ervoor?' vroeg Crozie.

'Wil je me leren?' vroeg Ayla. Ze keek op en glimlachte. Ze meende iets van hebzucht in de oude ogen te zien, maar ook nog wat anders. Dat lag dieper en het was zachter. 'Ik zal medicijn maken voor reumatiek,' zei ze, 'zoals voor Mamut.'

'Wie zegt dat ik dat nodig heb?' snauwde Crozie. 'Ik ben nog lang zo oud niet als hij.'

'Nee, je bent niet zo oud, Crozie, maar je hebt pijn. Je zegt niet dat je pijn hebt, je klaagt over andere dingen, maar ik weet het, omdat ik medicijnvrouw ben. Medicijn kan je pijnlijke botten en gewrichten niet genezen, die middelen bestaan niet, maar je zult je wel veel beter voelen. Met warme kompressen kun je je beter bewegen en buigen en ik zal medicijn maken voor pijn, een voor de ochtend en een voor andere tijden,' zei Ayla. Omdat ze wel voelde dat de vrouw haar gezicht wilde redden, voegde ze eraan toe: 'Ik moet wel medicijn voor je maken, om mijn inzet te betalen. En dat is mijn vaardigheid.'

'Nou, ik geloof dat ik je je inzet maar laat betalen,' zei Crozie, 'maar ik wil nog iets.'

'Wat? Ik zal het doen, als ik kan.'

'Ik wil nog wat van dat zachte witte smeersel voor een droge oude huid, om hem glad... en jong te houden,' zei ze rustig. Toen richtte ze zich op en zei snauwerig: 'Mijn huid kreeg altijd al kloofjes in de winter.'

Ayla glimlachte. 'Ik zal het doen. Vertel me nu eens wat de beste huid is voor wit leer, dan kan ik Nezzie vragen wat er in de koelruimtes ligt.'

'Hert. Rendier is goed, hoewel je het beter als vacht voor de warmte kunt gebruiken. Hert is altijd goed, edelhert, eland, reuzenhert. Maar voor je de huid haalt, heb je nog iets anders nodig.'

'Wat dan?'

'Je zult je water moeten bewaren.'

'Mijn water?'

'Ja, je plas. Niet alleen de jouwe, dat doet er niet toe, hoewel dat wel het beste is. Begin het nu te bewaren, nog voor je een hertenvel gaat ontdooien. Je moet het een poosje op een warme plaats laten staan,' zei Crozie.

'Ik plas meestal achter het gordijn, in de mand met mammoetmest en as. Dan wordt het weggegooid.'

'Doe het niet meer in de mand. Bewaar het in een mammoetschedel, of een dichte mand. Iets dat niet lekt.'

'Waar is dat water voor nodig?'

Crozie wachtte even en ze nam de jonge vrouw goed op voor ze antwoordde. 'Ik word er niet jonger op,' zei ze eindelijk, 'en ik heb niemand meer... behalve Fralie. Gewoonlijk geeft een vrouw haar vaardigheden door aan haar kinderen en kleinkinderen, maar Fralie heeft geen tijd en niet veel belangstelling voor het bewerken van leer – ze houdt meer van borduren en het werken met kralen – en ze heeft geen dochters. Haar zoons... Ach, die zijn nog jong. Wie weet? Maar mijn moeder heeft het mij geleerd en ik moest het doorgeven aan... aan iemand. Het is zwaar werk, het bewerken van huiden, maar ik heb jouw werk gezien. Ook aan de vachten en huiden die je hebt meegebracht herken je de vaardigheid en de zorg, en die zijn nodig voor het maken van wit leer. Ik heb er in geen jaren meer aan gedacht om het te maken en er was niemand die er veel belangstelling voor had, maar jij vraagt ernaar. Dan zal ik het je vertellen.'

De vrouw boog voorover en pakte Ayla's hand vast. 'Het geheim van wit leer zit in je water. Dat lijkt misschien vreemd, maar het is zo. Als je het een poosje op een warme plaats laat staan, verandert het. Als je er dan huiden in weekt, trekken alle restjes vet en vetvlekken eruit. Het haar gaat er gemakkelijker uit, ze rotten niet zo gauw, blijven zacht, ook zonder roken, dus worden ze niet bruin. Dus de huid wordt er wit van, hoewel niet zuiver wit. Later, wanneer hij een paar keer gewassen is en uitgewrongen en gedroogd, is hij klaar voor de witte kleur.'

Wanneer iemand het haar had gevraagd, had Crozie niet kunnen uitleggen dat ureum, het voornaamste bestanddeel van urine, in een
warme omgeving wordt ontbonden en sterk ammoniakhoudend
wordt. Ze wist alleen dat urine verandert wanneer het wordt bewaard.
Dan lost het vet op en heeft het een blekende werking. Tegelijkertijd
wordt het leer beschermd tegen rotting. Ze hoefde ook niet te weten
hoe het kwam, ze hoefde het ook geen ammoniak te noemen, als ze
maar wist dat het werkte.
'Krijt... Hebben we ook krijt?' vroeg Crozie.
'Wymez wel. Hij zei dat het vuursteen dat hij meebracht uit krijtrot-
sen kwam en verscheidene van zijn stenen hebben een laag krijt,' zei
Ayla.
'Waarom heb je Wymez naar krijt gevraagd? Hoe wist je dat ik je wou
helpen?' vroeg Crozie achterdochtig.
'Dat wist ik niet. Ik heb al een hele tijd een witte tuniek willen maken. Als je me niet wou helpen had ik het zelf geprobeerd, maar ik
wist niet dat ik mijn water moest bewaren en daar zou ik ook niet aan
gedacht hebben. Ik ben blij dat je me wilt helpen om het goed te
doen,' zei Ayla.
Crozie was blijkbaar wel overtuigd, maar ze wou het niet toegeven.
'Vergeet niet om dat zachte witte smeersel te maken.' En ze voegde eraan toe: 'Maak ook maar wat voor het leer. Het lijkt me goed om het
met het krijt te mengen.'

Ayla hield het kleed open en keek naar buiten. De wind huilde en gaf,
met een sombere klaagzang, een passende begeleiding bij het saaie,
naargeestige landschap en de grauwe, bewolkte lucht. Ze verlangde
naar wat afwisseling in de bittere kou die iedereen binnenhield, maar
het leek wel of er nooit een einde kwam aan dit deprimerende jaargetijde. Whinney brieste en toen ze zich omdraaide zag ze Mamut de
ruimte voor de paarden binnenkomen. Ze glimlachte tegen hem.
Ayla had van het begin af aan een diep respect voor de oude medicijnman gehad, maar sinds hij met haar opleiding was begonnen was haar
respect uitgegroeid tot liefde. Voor een deel zag ze een grote gelijkenis
tussen de lange, magere, ongelooflijk oude man en de kleine, manke
magiër met één oog van de Stam. Niet uiterlijk, maar wat de aard betrof. Het was bijna net of ze Creb weer had gevonden, of tenminste
zijn equivalent. Ze toonden allebei een groot respect en begrip voor
de wereld van de geesten, hoewel de geesten die ze vereerden, verschillende namen hadden; ze konden beiden ontzagwekkende krachten
oproepen, hoewel ze lichamelijk maar zwak waren en ze wisten veel

over de gevoelens van mensen. Maar misschien was de belangrijkste reden voor haar liefde wel het feit dat Mamut haar, net als Creb, had opgevangen, haar had geholpen en haar had aangenomen als dochter van zijn vuurplaats.

'Ik zocht je, Ayla. Ik dacht dat je misschien wel hier zou zijn, bij je paarden,' zei Mamut.

'Ik keek naar buiten, want ik verlang naar de lente,' zei Ayla.

'Omstreeks deze tijd beginnen de meeste mensen uit te zien naar een verandering. Ze willen iets nieuws doen of zien. Ze gaan zich vervelen en slapen langer. Ik denk dat we daarom in het laatste deel van de winter meer feesten hebben. Het Lachfeest komt spoedig. De meeste mensen genieten ervan.'

'Wat is het Lachfeest?'

'De naam zegt het al. Iedereen probeert iedereen te laten lachen. Sommigen dragen dan rare kleren, of ze dragen hun kleren achterstevoren, ze trekken rare gezichten of doen gekke dingen, maken grappen over elkaar of nemen elkaar ertussen. Wanneer iemand er boos om wordt, worden ze nog meer uitgelachen. Bijna iedereen kijkt ernaar uit, maar de meesten vinden het Lentefeest toch het mooist. En daarom zocht ik je eigenlijk,' zei Mamut. 'Je moet nog zoveel dingen leren voor die tijd.'

'Waarom is het Lentefeest zo bijzonder?' Ayla wist niet of ze het wel zo mooi zou vinden.

'Om verschillende redenen, denk ik. Het is niet alleen het meest indrukwekkende maar ook het uitbundigste feest. Het geeft het einde aan van de langdurige, hevige kou en het begin van de warmte. Er wordt beweerd dat je het leven begrijpt wanneer je de loop van de seizoenen een jaar volgt. De meeste mensen rekenen drie seizoenen. De lente is het jaargetijde van de geboorte. Met de uitbundige waterstroom brengt de Grote Moeder weer nieuw leven. In de zomer, in het warme jaargetijde, breidt alles zich uit. De winter is de "kleine dood". In de lente wordt het leven vernieuwd, herboren. Voor de meesten zijn drie seizoenen genoeg, maar de Mammoetvuurplaats rekent er vijf. Vijf is het heilige getal van de Moeder.'

Ondanks de bedenkingen die Ayla aanvankelijk had, vond ze de opleiding waar Mamut op had aangedrongen heel boeiend. Ze leerde zoveel: ze kreeg nieuwe ideeën, andere gedachten en ook andere gedachtepatronen. Het was opwindend om zoveel nieuwe dingen te ontdekken en erover na te denken, te worden opgenomen in plaats van buitengesloten. Kennis van geesten, getallen en zelfs van de jacht was buiten haar om gegaan toen ze bij de Stam woonde; dat was alleen voor mannen. De Mog-urs en hun volgelingen gingen er dieper op in en een vrouw kon geen Mog-ur worden. Vrouwen mochten niet eens meepraten over onderwerpen als geesten en getallen. De jacht was voor haar ook taboe geweest, maar vrouwen mochten wel naar de verhalen luisteren; er werd gewoon aangenomen dat vrouwen het niet konden leren.

'Ik zou de liederen die we hebben geoefend nog eens door willen nemen en ik wil je ook iets bijzonders laten zien. Symbolen. Ik denk dat je ze interessant zult vinden. Sommige hebben te maken met geneesmiddelen.'

'Symbolen van geneesmiddelen?' vroeg Ayla. Natuurlijk had ze daar belangstelling voor. Ze liepen samen naar de Mammoetvuurplaats.

'Ga je ook iets met het witte leer doen?' vroeg Mamut, die een paar matten bij het vuur naast zijn bed legde. 'Of bewaar je het, net als het rode?'

'Het rode weet ik nog niet, maar van het witte wil ik een heel bijzonder tuniek maken. Ik probeer te leren naaien, maar ik ben zo onhandig. Het leer is zo mooi geworden en ik wil het niet bederven voor ik beter kan naaien. Deegie doet het me voor, en Fralie soms wanneer Frebec het haar niet te lastig maakt.'

Ayla hakte een paar botten stuk en gooide ze op het vuur terwijl Mamut een vrij dun, ovaal stuk ivoor met een gewelfd oppervlak pakte. De omtrek was met een stenen beitel uitgekapt in de slagtand van een mammoet en toen de groef diep genoeg was, had men met een goedgerichte harde klap de ivoren schijf eruit geslagen. Mamut pakte een stukje kool uit het vuur en Ayla ging met een mammoetschedel en een stuk gewei bij hem zitten.

'Voor we met de trommel oefenen wil ik je symbolen laten zien die we gebruiken om bepaalde dingen te onthouden, zoals liederen, verhalen, spreuken, plaatsen, tijden, namen, alles wat iemand wil onthouden,' begon Mamut. 'Je hebt ons handgebaren en tekens geleerd en ik weet dat je hebt gemerkt dat wij ook bepaalde gebaren gebruiken, al zijn het er niet zoveel als bij de Stam. We wuiven als we afscheid nemen en wenken iemand wanneer we willen dat hij komt en we begrijpen elkaar. We gebruiken nog andere handgebaren, vooral wanneer we iets beschrijven, of een verhaal vertellen of wanneer Een Die Dient een ceremonie leidt. Hier is een gemakkelijk gebaar. De Stam heeft iets dergelijks.'

Mamut maakte met zijn hand een draaiende beweging, de palm naar buiten. 'Dat betekent "alles", "iedereen",' legde hij uit. Vervolgens pakte hij het stukje kool. 'Nu kan ik dezelfde beweging met het stukje kool op het ivoor maken, zie je?' zei hij, en hij tekende een cirkel. 'Nu betekent dat symbool "alles" en altijd wanneer je het ziet, ook wanneer een andere Mamut het heeft getekend, weet je dat het "alles" betekent.'

De oude medicijnman genoot ervan om Ayla iets te leren. Ze was pienter en ze leerde snel, bovendien had ze oprecht plezier in het leren. Als hij iets uitlegde was aan haar gezicht te zien hoe leergierig en belangstellend ze was en ze was altijd weer verbaasd wanneer ze het begreep.

'Daar had ik nooit aan gedacht! Kan iedereen dit leren?' vroeg ze.

'Sommige dingen zijn heilig en die mogen alleen worden verteld aan hen die zijn opgenomen in de Mammoetvuurplaats, maar de meeste dingen kan iedereen leren die belangstelling toont. Het blijkt vaak dat degenen die veel belangstelling tonen uiteindelijk toetreden tot de Mammoetvuurplaats. De heilige kennis ligt vaak verborgen onder een tweede betekenis, of zelfs een derde. De meeste mensen weten dat dit' – hij tekende weer een cirkel op het ivoor – '"alles" betekent, maar het heeft nog een andere betekenis. Er zijn veel symbolen voor de Grote Moeder en dit is er een van. Het betekent Mut, de Schepper van Alle Leven. Er zijn veel lijnen en vormen met een betekenis,' vervolgde hij. 'Dit betekent "water",' zei hij en hij tekende een zigzaglijn. 'Die stond op de kaart toen we op bizons gingen jagen,' zei ze. 'Ik dacht dat het rivier betekende.'

'Ja, het kan rivier betekenen. Het hangt ervan af hoe het wordt getekend, of waar, of waarmee. Als het er zo uitziet' en hij deed er nog een paar lijntjes bij, 'betekent het dat je het water niet kunt drinken. En net als bij de cirkel heeft het een tweede betekenis. Het is het symbool voor gevoelens, hartstocht, liefde en soms voor haat. Het kan ons ook herinneren aan een gezegde: de rivier stroomt geruisloos als het water diep is.'

Ayla voelde dat er voor haar een diepere betekenis in dat gezegde lag en ze fronste de wenkbrauwen.

'De meeste Genezers geven betekenissen aan de symbolen om hun geheugen te steunen, zoals bij de gezegdes, maar dan gaat het om medicijnen of een behandeling en die symbolen worden gewoonlijk niet door anderen begrepen,' zei Mamut. 'Ik ken er niet veel, maar als we naar de Zomerbijeenkomst gaan, zullen we andere Genezers ontmoeten en die kunnen je er meer over vertellen.'

Dat interesseerde Ayla. Ze herinnerde zich dat ze op de Stambijeenkomst andere medicijnvrouwen had ontmoet en dat ze er veel had geleerd. Ze hadden haar verteld over hun behandelingsmethoden en de middelen en ze hadden haar ook nieuwe rites geleerd, maar het uit-wisselen van ervaringen met andere mensen was het belangrijkste van alles. 'Ik zou graag meer willen leren,' zei ze. 'Ik ken alleen de medicij-nen van de Stam.'

'Ik geloof dat je meer kennis hebt dan je denkt, Ayla, zeker meer dan veel Genezers daar, in eerste instantie, willen aannemen. Sommigen zouden nog van jou kunnen leren, maar ik hoop dat je begrijpt dat er wat tijd voor nodig is voor je door iedereen volledig wordt geaccep-teerd.' De oude man zag dat ze weer bedenkelijk keek en hij wou dat hij een middel wist om die moeilijkheden voor haar uit de weg te rui-men. Hij kon verschillende redenen bedenken waarom het voor haar niet gemakkelijk zou zijn om andere Mamutiërs te ontmoeten, en ze-ker niet zulke grote aantallen. Maar daar hoefde ze nu nog niet over in te zitten, vond hij, en hij veranderde van onderwerp. 'Ik wou je nog iets vragen over de medicijnen van de Stam. Zijn het alleen maar "herinneringen"? Of heb je een manier om je geheugen wat te hel-pen?'

'Hoe planten en zaden eruitzien, hoe ze groeien en rijpen, waar ze groeien, waar ze goed voor zijn, hoe ik ze moet mengen, klaarmaken en gebruiken, dat is allemaal herinnering. Andere behandelingen heb ik ook onthouden. Ik bedenk nieuwe manieren om iets te gebruiken, maar dat is omdat ik weet hoe ik het moet gebruiken,' zei ze.

'Gebruik je geen symbolen, of geheugensteuntjes?'

Ayla dacht even na; toen stond ze glimlachend op en haalde haar me-dicijnzak. Ze gooide de inhoud op de grond. Het was een verzame-ling zakjes en pakjes, die zorgvuldig waren dichtgebonden met touw-tjes en riempjes. Ze pakte er twee.

'Hier zit munt in,' zei ze, 'en in deze rozenbottel.'

'Hoe weet je dat? Je hebt ze niet opengemaakt en er ook niet aan gero-ken.'

'Dat weet ik omdat munt is dichtgebonden met de draderige bast van een bepaalde struik en er zitten twee knopen aan het eind van het touw. Het draad om het pakje rozenbottel is van het lange haar van een paardenstaart en daar zitten drie knopen in, vlak bij elkaar,' zei Ayla. 'Ik kan het verschil ook ruiken, als ik niet verkouden ben, maar sommige sterke medicijnen hebben weinig reuk. Die meng ik met sterk geurende bladeren van een plant die weinig geneeskracht heeft, zodat ik niet het verkeerde middel gebruik. Ander draad, verschillen-de knopen, andere geur, soms ander pakje. Dat zijn geheugensteun-tjes, goed?'

'Knap... heel knap,' zei Mamut. 'Ja, dat zijn geheugensteuntjes. Maar je moet voor ieder middel de draadjes en knopen onthouden, niet-waar? Toch is het een goede manier om zeker te weten dat je het juiste middel gebruikt.'

Ayla lag met haar ogen open, maar ze bewoog zich niet. Het was donker en het enige licht kwam van de gedoofde vuren. Jondalar stapte net in bed en probeerde haar zo weinig mogelijk te storen toen hij om haar heen moest. Ze had er al eens aan gedacht om achterin te gaan liggen, maar ze had toch besloten om het niet te doen. Ze wou het hem ook niet te gemakkelijk maken om stilletjes het bed in en uit te gaan. Hij kroop in zijn eigen vachten en ging op zijn zij liggen, met het gezicht naar de wand, en hij bewoog zich niet. Ze wist dat hij niet zo gauw in slaap viel en ze had hem dolgraag willen aanraken, maar ze was al eerder afgewezen en ze wou het risico niet weer lopen. Het had haar pijn gedaan toen hij zei dat hij moe was of net deed of hij sliep, of helemaal niet reageerde.

Jondalar wachtte tot hij aan haar ademhaling hoorde dat ze ten slotte in slaap gevallen was. Toen draaide hij zich rustig om en hij ging, steunend op een elleboog, naar haar liggen kijken. Haar haar zat in de war en ze had een arm boven dek. Hij zag een blote borst. Hij voelde haar warmte en hij rook een vage, vrouwelijke geur. Hij voelde dat hij trilde van verlangen om haar aan te raken, maar hij was ervan overtuigd dat ze niet lastiggevallen wilde worden als ze sliep. Hij was bang dat ze hem niet meer wilde hebben na zijn vreemde, boze reactie op haar nacht met Ranec. Wanneer ze elkaar toevallig raakten, was ze de laatste tijd steeds teruggeweken. Hij had al verscheidene keren overwogen om naar een ander bed te verhuizen, of naar een andere vuurplaats, maar hoe moeilijk het ook was om naast haar te slapen, het was veel erger om weg te gaan. De haarstreng op haar gezicht bewoog bij iedere ademhaling. Hij streek hem zachtjes opzij, ging voorzichtig liggen en probeerde zich te ontspannen. Hij sloot zijn ogen en viel in slaap bij het geluid van haar ademhaling.

Ayla werd wakker en ze had het gevoel dat iemand naar haar keek. De vuren waren weer opgestookt en het daglicht viel naar binnen door het gedeeltelijk geopende gat boven de stookplaats. Ze draaide haar hoofd en zag de donkere ogen van Ranec die haar heimelijk bekeken vanuit de Vossenvuurplaats. Ze glimlachte slaperig naar hem en hij reageerde met een brede, opgetogen glimlach. Ze wist wel dat de plaats naast haar leeg was, maar ze stak haar hand uit naar de stapel vachten om zich daarvan te overtuigen. Toen duwde ze het dek weg en ging zitten. Ze wist dat Ranec zou wachten tot ze op was en zich had aangekleed voor hij naar de Mammoetvuurplaats kwam. Toen ze voor het eerst merkte dat hij steeds naar haar keek, had ze zich niet prettig gevoeld. In zeker opzicht was het vleiend en ze wist dat zijn aandacht goed bedoeld was, maar bij de Stam beschouwde men het als onbeleefd om over de grensstenen naar het gebied van een ander gezin te kijken. Er bestond bij de Stam net zo weinig privacy als bij de Mamutiërs, maar ze voelde de aandacht van Ranec als een goedaardige inbreuk op haar privacy en de spanning die ze voelde werd erdoor geaccentueerd. Er was altijd iemand om haar heen. Dat was bij de Stam niet anders, maar ze was niet vertrouwd met de gewoonten van deze mensen. De verschillen waren vaak heel gering, maar omdat de Mamutiërs zo dicht op elkaar woonden viel het meer op, of ze was er gevoeliger voor. Soms wou ze wel weg. Na drie jaar eenzaamheid in de vallei had ze nooit gedacht dat er nog eens een tijd zou komen dat ze weer graag alleen was, maar soms kon ze verlangen naar de eenzaamheid en de vrijheid.

Ayla haastte zich met de dingen die ze iedere morgen deed en ze nam maar een paar stukjes van het eten dat nog over was van de vorige avond. De open rookgaten betekenden meestal dat het buiten droog was en ze besloot met de paarden naar buiten te gaan. Toen ze het kleed opzij trok, zag ze dat Jondalar en Danug bij de paarden stonden en ze wachtte even om na te denken. Als ze even alleen wou zijn, zonder mensen om zich heen, ging ze de paarden verzorgen, hetzij binnen, hetzij buiten, wanneer het weer het toeliet. Als ze hem dan zag, bleef ze dikwijls uit de buurt, omdat hij zich er ook niet mee bemoeide wanneer zij met de paarden bezig was. Dan mompelde hij wat en zei dat hij haar niet wou storen. Ze gunde hem de tijd met de paarden. Ze maakten niet alleen deel uit van haar relatie met Jondalar, maar omdat ze beiden voor de paarden zorgden hadden ze af en toe toch nog wat contact, zij het ook vluchtig. Omdat hij graag bij ze was en veel met ze op had, meende ze dat hij misschien nog meer behoefte aan hun gezelschap had dan zij.

Ayla ging het verblijf van de paarden in. Nu Danug er was zou Jondalar misschien niet zo gauw weggaan. Bij haar nadering begon hij zich al terug te trekken, maar ze haastte zich om hem in een gesprek te betrekken.

'Heb je er al over nagedacht hoe je Renner wilt leren, Jondalar?' vroeg Ayla. Ze begroette Danug met een glimlach.

'Wat moet ik hem leren?' vroeg Jondalar, die een beetje in de war raakte door haar vraag.

'Dat je op hem kunt rijden.'

Hij had er wel over nagedacht. In feite had hij er, zomaar terloops, een opmerking over gemaakt tegen Danug. Zijn verlangen om het dier te berijden werd steeds groter, maar dat wou hij niet laten merken. Vooral wanneer hij zichzelf geremd voelde door zijn onmacht om iets te veranderen aan het feit dat Ayla zich blijkbaar aangetrokken voelde tot Ranec, zag hij zichzelf al op de rug van de bruine hengst over de steppen galopperen, zo vrij als een vogel, maar hij wist niet of dat ooit zou gebeuren. Misschien zag ze nu wel liever Ranec op het veulen van Whinney rijden.

'Ik heb erover nagedacht, maar ik wist niet... hoe ik moest beginnen,' zei Jondalar.

'Ik denk dat je moet doorgaan met wat we in de vallei deden. Hem laten wennen aan dingen op zijn rug, aan het dragen van een vracht. Ik weet niet hoe je hem moet leren dat hij naar je luistert als je ergens heen wilt. Aan een touw volgt hij wel, maar ik weet niet hoe hij een touw kan volgen wanneer jij op zijn rug zit,' zei Ayla rad, alles aangrijpend om hem bij het gesprek betrokken te houden.

Danug keek naar haar en toen naar Jondalar en hij wou dat hij iets kon zeggen of doen dat alles weer goed zou maken, niet alleen tussen hen, maar voor iedereen. Toen Ayla ophield met praten, viel er een pijnlijke stilte. Danug haastte zich om de leemte te vullen.

'Misschien zou hij het touw in de hand kunnen houden, als hij op het paard zit, in plaats van de manen,' zei de jongeman.

Opeens zag Jondalar duidelijk voor zich wat de jongen had gezegd, alsof iemand een vonk sloeg uit een stuk pyriet. In plaats van zich terug te trekken om bij de eerste gelegenheid de benen te nemen, sloot Jondalar de ogen en aan de rimpels in zijn voorhoofd was te zien dat hij diep nadacht. 'Dat kon best wel eens lukken, Danug!' zei hij. Helemaal in beslag genomen door een idee dat misschien een oplossing bracht voor een probleem waar hij mee bezig was geweest, vergat hij even zijn onzekerheid over de toekomst. 'Misschien kan ik iets aan zijn halster vastmaken. Een sterk touw... of een dunne leren riem... of twee, misschien.'

'Ik heb een paar smalle riemen,' zei Ayla, die vond dat hij minder gespannen leek. Ze was blij dat hij nog steeds belangstelling had om de jonge hengst te trainen en ze was benieuwd of het zou lukken. 'Ik zal ze voor je halen. Ze liggen binnen.'

Jondalar volgde haar door de binnenpoort naar de Mammoetvuurplaats. Toen ze naar haar voorraad ging om de riemen te pakken, bleef hij opeens staan. Ranec zat met Deegie en Tronie te praten en draaide zich om om Ayla zijn innemende glimlach toe te werpen. Jondalar voelde zijn maag ineenkrimpen, hij sloot zijn ogen en klemde zijn tanden op elkaar. Hij ging terug naar de opening. Ayla wou hem de smalle rol buigzaam leer geven.

'Dit is een sterke riem,' zei ze. 'Ik heb hem vorige winter gemaakt.' Ze keek op en zag de bezorgde blauwe ogen, die het verdriet, de verwarring en de martelende besluiteloosheid niet konden verbergen. 'Voor je naar mijn vallei kwam, Jondalar. Voor de Geest van de Grote Holenleeuw je uitkoos en je daarheen leidde.'

Hij pakte de rol en haastte zich naar buiten. Dáár kon hij niet blijven. Zodra de beeldhouwer naar de Mammoetvuurplaats kwam, moest hij weg. Hij kon er niet zijn als de donkere man en Ayla er samen waren en dat gebeurde de laatste tijd steeds vaker. Hij had op een afstand staan kijken als de jonge mensen in de grotere ruimte bij elkaar kwamen met hun werk, en over hun plannen en vaardigheden spraken. Hij hoorde hen muziek maken en zingen en hij luisterde naar hun grappen en gelach. En telkens kromp hij in elkaar wanneer hij Ayla samen met Ranec hoorde lachen.

Jondalar legde de riem bij de halster van het jonge dier, pakte zijn anorak van de haak en ging naar buiten, met een sombere glimlach naar Danug. Hij gooide de anorak over zijn hoofd, trok de capuchon strak om zijn gezicht, stak de handen in de wanten die aan zijn mouwen hingen en liep naar de steppe.

Het stormde nog steeds, maar dat was normaal voor dit jaargetijde en de zon, die af en toe door de wolken brak, scheen weinig invloed te hebben op de temperatuur, die onder het vriespunt bleef. Er lag niet veel sneeuw. De droge lucht knetterde en bij iedere ademhaling vormde het vocht uit zijn longen wolkjes stoom. Hij wou niet lang buiten blijven, maar de kou kalmeerde hem, omdat het hardnekkige verlangen om te overleven alle andere gedachten naar de achtergrond schoof. Hij wist niet waarom hij zo heftig op Ranec reageerde. Voor een deel was het ongetwijfeld zijn angst om Ayla aan hem te verliezen, en ook wel omdat hij zich in zijn fantasie voorstelde hoe ze bij elkaar waren, maar hij had ook dat knagende schuldgevoel over zijn eigen aarzeling haar volledig en onvoorwaardelijk te accepteren. Soms meende hij dat Ranec haar meer verdiende dan hij. Maar één ding leek zeker: Ayla wou dat hij zou proberen Renner te berijden en Ranec niet.

Danug zag Jondalar de helling op gaan. Hij liet het kleed vallen en liep langzaam naar binnen. Renner hinnikte en bewoog het hoofd op en neer terwijl de jongeman langskwam. Danug keek naar het paard en glimlachte. Bijna iedereen scheen nu plezier in de dieren te hebben. Men aaide ze en praatte tegen ze, al ging dat niet op de vertrouwde manier van Ayla. Het leek heel normaal om paarden in een gedeelte van het huis te hebben. Hoe gauw had hij zijn verbazing vergeten die hij had gevoeld toen hij ze voor de eerste keer zag. Hij ging door de tweede poort en zag Ayla naast haar bed staan. Hij wachtte even en toen ging hij naar haar toe.

'Hij gaat op de steppe wandelen,' zei hij tegen Ayla. 'Het is niet zo'n goed idee om alleen naar buiten te gaan als het koud en winderig is, maar het weer is niet zo slecht als anders.'

'Wou je me vertellen dat ik me geen zorgen over hem hoef te maken?' vroeg Ayla glimlachend en hij kreeg even het gevoel dat hij zich belachelijk maakte. Natuurlijk zou Jondalar zich wel redden. Hij had veel gereisd en hij kon wel op zichzelf passen. 'Dank je wel,' zei ze, 'voor je hulp en omdat je wilt helpen.' Ze pakte zijn hand. Haar hand was koud, maar hij voelde haar warmte en de diepe gevoelens die ze bij hem opriep, maar vooral dat ze hem nog iets aanbood: haar vriendschap.

'Ik denk dat ik er nog even uit ga om een paar strikken te controleren die ik heb gezet.'

'Probeer het zo eens, Ayla,' zei Deegie.
Ze stak behendig met een botje een gat bij de rand van het leer. Het was een hard stukje bot van een poolvos, dat van nature al een scherpe punt had, die nog scherper was gemaakt met zandsteen. Toen legde ze een stukje draad van een pees op het gat, en met de punt van de els duwde ze het erdoorheen. Ze pakte het met haar vingers aan de achterkant van het leer en trok de pees aan. Ze prikte vervolgens een gat in een ander stuk leer dat ze aan het eerste wilde naaien en herhaalde de handeling.

Ayla nam de oefenstukjes weer aan. Ze gebruikte een taai stukje mammoethuid als vingerhoed en duwde het scherpe botje van de poolvos door het leer. Ze maakte een klein gaatje. Toen probeerde ze de dunne pees over het gat te leggen en hem erdoor te duwen, maar ze kon de techniek blijkbaar niet onder de knie krijgen en haar teleurstelling was weer groot.

'Ik geloof niet dat ik dit ooit leer, Deegie,' klaagde ze.

'Je moet gewoon oefenen, Ayla. Ik ben ermee begonnen toen ik een meisje was. Natuurlijk is het gemakkelijk voor mij, maar je leert het wel, als je maar volhoudt. Het is hetzelfde idee als een sneetje met een stuk vuursteen en een riempje erdoor om werkkleding te maken en dat kun je heel goed.'

'Maar het is veel moeilijker met dunne pees en kleine gaatjes. Ik kan de pees er niet door krijgen. Ik vind mezelf zo onhandig! Ik begrijp niet hoe Tronie de kralen en steken er zo mooi op naait,' zei Ayla, die keek hoe Fralie een lange ivoren cilinder in de groef van een blok zandsteen draaide. 'Ik hoopte dat ze het me kon leren zodat ik de witte tuniek kon versieren als ik die klaar had, maar ik weet niet of het me ooit wel zal lukken zoals ik het wil hebben.'

'Jawel, Ayla. Als je het echt wilt geloof ik niet dat er iets is dat je niet kunt,' zei Tronie.

'Behalve zingen!' zei Deegie.

Iedereen begon te lachen, Ayla ook. Hoewel ze een prettige, donkere stem had, was zingen niet haar sterkste kant. Haar beperkte stembereik was wel voldoende voor een kalmerende eentonige melodie en ze had gevoel voor muziek. Ze wist wanneer ze uit de maat was en ze kon wel een melodietje fluiten, maar ze had zeker geen talent. De virtuositeit van iemand als Barzec was voor haar een groot wonder. Ze kon de hele dag wel naar hem luisteren wanneer hij ermee instemde om zo lang te zingen. Fralie had ook een mooie, heldere stem en Ayla hoorde haar graag. Eigenlijk konden de meeste bewoners van het Leeuwenkamp wel zingen, behalve Ayla.

Er werden grapjes gemaakt over haar zingen en haar stem, met opmerkingen over haar accent, hoewel die meer betrekking hadden op haar manier van praten dan op haar accent. Zijzelf lachte er net zo goed om als ieder ander. Ze kon niet zingen en dat wist ze en als ze een grapje maakten over haar stem waren er ook heel wat die haar een complimentje maakten over haar spreekvaardigheid. Ze vonden het knap dat ze zo snel had geleerd om zich goed uit te drukken in hun taal en het feit dat ze een grapje maakten over haar zingen gaf haar het gevoel dat ze erbij hoorde.

Iedereen had wel een eigenschap of iets karakteristieks waar de anderen de draak mee staken: de afmetingen van Talut, de kleur van Ranec of de kracht van Tulie. Alleen Frebec voelde zich beledigd, dus maakten ze achter zijn rug grapjes over hem, in gebarentaal. Zonder er zelfs bij na te denken drukten de mensen van het Leeuwenkamp zich ook vlot uit in een aangepaste vorm van de taal van de Stam. En dat had tot gevolg dat Ayla niet de enige was die het prettige gevoel had dat ze werd geaccepteerd. Rydag werd er ook bij betrokken.

Ayla wierp een blik op hem. Hij zat op een mat met Hartal op zijn schoot en hij hield de drukke baby bezig met een stapel botjes, voornamelijk wervels van herten, opdat hij niet naar zijn moeder zou kruipen en de kralen door elkaar gooien waar ze Fralie mee hielp. Rydag kon goed met de kleintjes omgaan. Hij had het geduld om met hen te spelen en hen zo lang bezig te houden als ze wilden.

Hij glimlachte naar haar. 'Jij niet enige die niet kan zingen, Ayla,' gebaarde hij.

Ze glimlachte terug. Nee, dacht ze, ze was niet de enige die niet kon zingen. Rydag kon ook niet zingen. Of praten. Of rennen en spelen. Zelfs niet lang leven. Ondanks haar medicijnen wist ze niet hoe lang hij zou blijven leven. Hij kon diezelfde dag nog sterven of hij kon nog verscheidene jaren leven. Ze kon alleen maar van hem houden, iedere dag dat hij leefde en hopen dat hij er de volgende dag nog zou zijn.

'Hartal kan ook niet zingen!' gebaarde hij en hij lachte met zijn vreemde keelgeluid.

Ayla schudde het hoofd met een verbaasd lachje. Hij had geweten waar ze aan dacht en hij maakte er een grapje over, dat was verstandig en grappig.

Nezzie stond bij de stookplaats naar hen te kijken en ze glimlachte. Misschien zing je niet, Rydag, dacht ze, maar je kunt nu wel praten. Hij reeg een aantal wervels aan een stevig koord en ratelde ermee voor de baby. Zonder de gebarentaal, waardoor men zich beter bewust was geworden van Rydags begrip en intelligentie, had hij nooit de verantwoordelijkheid mogen dragen om op Hartal te passen, zodat zijn moeder aan het werk kon blijven, zelfs niet als hij vlak naast haar had gezeten. Wat had Ayla een verandering in Rydags leven gebracht. Deze winter twijfelde niemand meer aan het feit dat hij een mens was, behalve Frebec, en Nezzie was ervan overtuigd dat dat meer uit koppigheid was.

Ayla bleef maar worstelen met de els en de pees. Als ze eerst maar zover was dat ze de dunne draad in het gat kon krijgen en aan de andere kant van het leer eruit. Ze probeerde het te doen zoals Deegie had voorgedaan, maar het was een handigheid die jaren ervaring vergde, en daar was zij nog lang niet aan toe. Ze liet geërgerd de oefenstukjes in haar schoot vallen en keek naar de anderen die ivoren kralen maakten.

Met een flinke klap, onder de juiste hoek, op de slagtand van een mammoet, sloegen ze er een vrij dunne schijf af. Dan werden er met stiften groeven in gemaakt, tot ze diep genoeg waren en er lange stukken afbraken. Die werden geschaafd en met krabbers en messen werden van de cilinders lange, gekrulde repen gesneden. Die werden gladgeschuurd met nat zandsteen. Scherp getande stukken vuursteen, met een lang handvat, werden gebruikt om er kleine stukjes af te zagen en die werden weer gladgeschuurd.

De laatste stap was het maken van een gat in het midden, om ze aan een koord te rijgen of ze op een kledingstuk te naaien. Dat werd met speciaal gereedschap gedaan. Een ervaren gereedschapmaker kon van een stuk vuursteen een lange, dunne punt maken, die werd vastgezet in het eind van een lange stok, die volkomen recht en glad moest zijn. De punt van de handboor werd op het midden van een dik schijfje ivoor gezet en door te draaien en te drukken tussen de handpalmen, net als bij het maken van vuur, werd er een gat geboord.

Ayla zag hoe Tronie de stok tussen haar handen draaide terwijl ze goed oplette of het gat goed geboord werd. Het viel haar op dat ze er heel wat werk voor over hadden om iets te maken dat geen duidelijk nut had. Kralen speelden geen rol bij het bemachtigen of klaarmaken van voedsel en de kleren waar ze op werden genaaid werden er ook niet nuttiger door. Maar ze begon te begrijpen waarom de kralen zo'n waarde hadden. Het Leeuwenkamp zou er nooit zoveel tijd en moeite aan kunnen besteden zonder de zekerheid van warmte en voldoende voedsel. Alleen een goed georganiseerde groep met een goede samenwerking kon voldoende voorraad aan noodzakelijke behoeften aanleggen om tijd vrij te maken voor het maken van kralen. Hoe meer kralen ze droegen, hoe beter ze lieten zien dat het Leeuwenkamp een florerende, begerenswaardige plaats was om te wonen en dat gaf meer respect en status tegenover andere kampen.

Ze pakte het leer en de stenen els weer uit haar schoot en maakte het laatste gaatje dat ze had gemaakt wat groter. Vervolgens probeerde ze met de els de pees door het gat te steken. Ze kreeg hem erdoor en trok hem aan de achterkant aan, maar het zag er lang niet zo netjes uit als de fijne steken van Deegie. Ze keek weer ontmoedigd om zich heen en zag hoe Rydag een touw door het natuurlijke gat van een wervel stak. Hij pakte nog een wervel en stak het vrij stijve koord door het gat.

Ayla zuchtte diep en nam haar werk weer op. Het was niet zo moeilijk om de punt door het leer te steken. Ze stak de hele els bijna door het gat. Als ze de draad er maar aan vast kon maken, dacht ze, zou het gemakkelijk zijn...

Ze wachtte even en bekeek het botje nauwkeurig. Toen keek ze naar Rydag, die de einden van het koord aan elkaar knoopte en voor Hartal de botjes schudde. Ze zag hoe Tronie de boor tussen haar handen draaide en hoe Fralie een ivoren cilinder gladschuurde in een blok zandsteen. Toen sloot ze haar ogen en ze herinnerde zich hoe Jondalar de vorige zomer in haar vallei benen speerpunten maakte...

Ze keek weer naar de benen els. 'Deegie!' schreeuwde ze.

'Wat is er?' antwoordde de jonge vrouw geschrokken.

'Ik denk dat ik er een manier voor weet!'

'Waarvoor?'

'Om de pees door het gat te krijgen. Waarom maken we geen gat in het achtereind van een botje met een scherpe punt? Dan doen we de draad door het gat. Zoals Rydag dat touw door die wervels doet. Dan kun je het helemaal door het leer drukken en de draad gaat mee. Wat vind jij ervan? Zou dat kunnen?' vroeg Ayla.

Deegie deed even de ogen dicht. Toen pakte ze de els van Ayla en bekeek hem. 'Dat zou wel een heel klein gat moeten worden.'

'De gaten die Tronie in die kralen maakt zijn klein. Zouden ze nog kleiner moeten zijn?'

'Dit been is erg hard en moeilijk te bewerken. Het zal niet gemakkelijk zijn om er een gat in te maken en ik zie ook geen goede plaats.'

'Kunnen we niet iets maken uit een mammoettand, of een ander soort been? Jondalar maakt lange, dunne speerpunten van been. Hij maakt ze scherp en hij schuurt ze met zandsteen, net als Fralie nu doet. Kunnen we niet iets maken dat op een kleine speerpunt lijkt en er dan een gaatje in boren aan het eind?' vroeg Ayla opgewonden.

Deegie dacht weer even na. 'We zouden Wymez, of een ander, kunnen vragen om een kleinere boor te maken, maar... Het zou kunnen. Ayla, ik denk dat het zou kunnen!'

Het leek wel of bijna iedereen rondliep in de Mammoetvuurplaats. Ze bespraken in groepjes van drie of vier wat er ging gebeuren. Ze hadden op de een of andere manier gehoord dat Ayla de nieuwe draadtrekker ging proberen. Er hadden verscheidene mensen aan gewerkt, maar omdat het oorspronkelijk haar idee was geweest zou zij hem de eerste keer gebruiken. Wymez en Jondalar hadden samen een manier bedacht om een stenen boor te maken die klein genoeg was om het gat te maken. Ranec had het ivoor uitgezocht en had met zijn gereedschap een aantal heel kleine cilinders met punten gemaakt. Ayla had ze geschuurd en geslepen, maar Tronie had uiteindelijk het gat geboord.

Ayla voelde de spanning. Toen ze de oefenstukjes en de pees pakte, kwamen ze er allemaal omheen staan. Ze waren allang vergeten dat ze, zogenaamd toevallig, even langskwamen. De harde, droge pees van een hert was zo bruin als oud leer en wel vingerdik. Het leek wel een stuk hout. Er werd op geslagen tot het witte bindweefsel overbleef, dat gemakkelijk tot fijne draden werd gesplitst, wat dikker of dunner naar behoefte. Ze voelde dat het een belangrijk moment was en ze nam de tijd om de pees te bekijken. Ten slotte trok ze er een dunne draad uit. Om hem wat zachter te maken bevochtigde ze hem met haar mond en met de draadtrekker in de linkerhand bekeek ze het gat nauwkeurig. Dat kon nog wel eens moeilijk worden om de draad door het gat te krijgen. De draad begon te drogen en werd wat harder. Dat maakte het gemakkelijker. Ayla stak de draad voorzichtig in het kleine gaatje en ze slaakte een zucht van verlichting toen ze hem erdoor trok en de ivoren naald omhooghield waar de draad aan bungelde.

Vervolgens pakte ze het oude stukje leer dat ze gebruikte om te oefenen, en langs de rand stak ze de punt erdoor. Deze keer drukte ze door en ze glimlachte toen ze zag dat de draad meeging. Ze hield het omhoog om het te laten zien en ze hoorde bewonderende kreten om zich heen. Toen pakte ze een ander stuk leer dat ze eraan vast wou naaien en ze herhaalde de handeling, hoewel ze het stukje mammoethuid als vingerhoed moest gebruiken om de punt door de dikkere huid te krijgen. Ze trok de twee stukken bij elkaar en maakte een tweede steek. Toen hield ze de twee stukken omhoog om het te laten zien.

'Het lukt!' zei Ayla met een triomfantelijke glimlach.

Ze gaf het leer en de naald aan Deegie, die een paar steken deed. 'Het lukt. Hier, moeder, probeer het ook eens,' zei ze en ze gaf het leer en de draadtrekker aan de leidster.

Tulie deed ook een paar steken en knikte goedkeurend. Toen gaf ze het aan Nezzie, die het ook probeerde en doorgaf aan Tronie. Tronie gaf het aan Ranec, die probeerde om de punt door de twee stukken tegelijk te steken en hij merkte dat het moeilijk was om door dik leer heen te komen.

'Ik denk dat je gemakkelijker door dit zware leer komt als je eerst een kerfje maakt met een stenen punt,' zei hij terwijl hij het aan Wymez gaf. 'Wat denk jij ervan?'

Wymez probeerde het en knikte instemmend. 'Ja, maar deze draadtrekker is knap bedacht.'

Iedereen in het kamp probeerde het en ze waren het er allemaal mee eens. Het naaien werd een stuk gemakkelijker nu ze iets hadden om de draad erdoor te trekken in plaats van te duwen.

Talut hield het stukje naaigereedschap omhoog en bekeek het aan alle kanten. Hij knikte vol bewondering. Een lange, dunne naald, een punt aan het ene eind en een gat aan het andere, het was een uitvinding waarvan hij de waarde onmiddellijk inzag. Hij vroeg zich af waarom ze niet eerder op het idee waren gekomen. Het was eenvoudig en zo voor de hand liggend nu je het zag, maar het was wel nuttig.

22

Het geluid van de hoeven klonk in hetzelfde ritme op de harde grond. Ayla lag voorovergebogen op de merrie en ze keek door haar wimpers omdat de koude wind haar in het gezicht sloeg. Het rijden kostte haar geen inspanning door het voortreffelijke samenspel tussen de druk van haar knieën en heupen en de sterke spieren van het galopperende paard. Ze merkte dat het ritme van de andere hoefslagen iets veranderde en ze keek even naar Renner. Hij liep eerst voor hen uit, maar het was duidelijk te zien dat hij moe werd en hij bleef achter. Ze hield Whinney in en liet haar stoppen en de jonge hengst bleef ook staan. De paarden lieten het hoofd hangen, in wolken damp. De dieren waren moe, maar ze hadden een flink eind gedraafd.

Ayla zat nu rechtop en bewoog gemakkelijk mee met het ritme van het paard. Ze ging in een rustig tempo terug naar de rivier en ze genoot ervan om buiten te zijn. Het was wel koud, maar erg mooi, omdat de gloed van de zon nog werd versterkt door de schittering van het ijs en het wit van de vers gevallen sneeuw.

Meteen toen ze die morgen buiten kwam, had ze besloten een flink eind met de paarden te draven. Het was de lucht die haar naar buiten had gelokt. Hij leek lichter, alsof er een zware last was weggenomen. Ze vond de kou minder hevig, hoewel ze niet kon zien dat er iets was veranderd. Het ijs smolt nog niet en de hagelkorrels die haar in het gezicht sloegen waren nog net zo hard.

Ayla had geen absolute zekerheid dat de temperatuur begon te stijgen of dat het minder hard waaide, maar ze had toch het gevoel dat er iets ging veranderen. Het kon misschien worden uitgelegd als intuïtie, maar ze had er een fijn gevoel voor. Mensen die in een buitengewoon koud klimaat leven, begroeten de kleinste verbetering in de weersomstandigheden vaak met grote blijdschap. Het was nog geen lente, maar de meedogenloze greep van de barre kou begon te verslappen en die lichte verbetering hield de belofte in dat het leven weer zou ontwaken.

Ze glimlachte toen de jonge hengst trots voor hen uit sprong, met gebogen hals en de staart rechtuit. Ze dacht nog steeds aan Renner als het veulen dat ze op de wereld had geholpen, maar het was geen veulentje meer. Hoewel hij nog niet volledig was uitgegroeid, was hij groter dan zijn moeder en hij was een renner. Hij vond het heerlijk om te draven en hij was snel, maar er was verschil tussen de beide paarden. Renner was op de korte afstand altijd sneller dan zijn moeder, dan lag hij in korte tijd een heel stuk voor, maar Whinney had meer uithoudingsvermogen. Ze kon langer draven en als ze wat verder weg gingen, haalde ze de achterstand altijd in en ging ze Renner voorbij.

Ayla steeg af, maar ze bleef even staan voor ze het kleed opzij duwde en naar binnen ging. Ze had de paarden vaak als excuus gebruikt om weg te komen en vooral die morgen had ze zich opgelucht gevoeld toen het weer goed leek voor een lange rit. Hoe gelukkig ze ook was dat ze weer mensen had gevonden die haar accepteerden als een van hen en die haar betrokken in hun activiteiten, ze had er af en toe behoefte aan om alleen te zijn. Dat was zeker het geval wanneer de twijfel en misverstanden, die niet werden opgelost, de spanning deden toenemen.

Frebec begon zich er steeds meer aan te ergeren dat Fralie zoveel tijd doorbracht bij de jonge mensen in de Mammoetvuurplaats. Ayla hoorde de woordenwisselingen in de Kraanvogelvuurplaats wel, of liever de heftige toon waarop Frebec klaagde over Fralies afwezigheid. Ze wist dat hij er een hekel aan had dat Fralie zich te veel met haar bemoeide en ze was er zeker van dat de zwangere vrouw minder vaak zou komen om de vrede te bewaren. Ayla maakte zich zorgen, vooral omdat Fralie haar laatst in vertrouwen had verteld dat ze bloed verloor. Ze had de vrouw gewaarschuwd dat ze een miskraam kon krijgen als ze geen rust nam en ze had haar wat medicijnen beloofd, maar met de afkeurende blikken van Frebec werd het moeilijker om haar te behandelen.

Haar groeiende onzekerheid over Jondalar en Ranec kwam er nog bij. Jondalar was heel terughoudend geweest, maar de laatste dagen leek dat wat beter te worden. Mamut had hem een paar dagen geleden gevraagd te komen praten over een bijzonder stuk gereedschap waar hij plannen voor had, maar de medicijnman had het de hele dag druk en hij had alleen 's avonds tijd om zijn plan te bespreken. Dan zaten de jonge mensen gewoonlijk bij elkaar in de Mammoetvuurplaats en hoewel zij een rustig plekje zochten waren het gelach en de gebruikelijke scherts duidelijk te horen.

Ranec probeerde meer dan ooit Ayla's aandacht te trekken en onder het mom van wat plagerij en een grapje had hij onlangs nog druk op Ayla uitgeoefend om weer met hem naar bed te gaan. Ze vond het nog altijd moeilijk om hem zonder meer af te wijzen; het toegeven aan de wensen van een man zat er zo ingebakken dat het moeilijk voor haar was om te weigeren. Ze lachte om zijn grappen – ze begon de humor steeds beter te begrijpen, en ook de serieuze bedoeling die er soms achter zat – maar ze ontweek behendig zijn bedekte uitnodiging, onder een algemeen gelach ten koste van Ranec. Hij moest er ook om lachen en hij genoot van haar gevatheid. Zij vond hem aantrekkelijk door zijn vriendelijkheid en hij was prettig in de omgang.

Mamut zag dat Jondalar ook glimlachte en hij knikte goedkeurend. De steenklopper had de samenkomst van de jonge mensen ontweken. Hij had de grappen alleen van een afstand gevolgd en het gelach had zijn jaloezie alleen doen toenemen. Hij wist niet dat het vaak werd uitgelokt door Ayla's weigering om op Ranecs aanbod in te gaan, maar Mamut wel.

De volgende dag had Jondalar tegen haar geglimlacht, voor het eerst na een veel te lange tijd, vond Ayla. Maar haar adem stokte en haar hart bonsde. De volgende dagen kwam hij vroeger naar de vuurplaats en wachtte niet altijd tot zij sliep. Hoewel ze zich nog niet aan hem wilde opdringen en hij nog leek te aarzelen om toenadering te zoeken, kreeg ze hoop dat hij zijn probleem zou overwinnen. Toch was ze bang dat het ijdele hoop zou zijn.

Ayla zuchtte diep en trok het zware kleed opzij voor de paarden. Toen ze haar anorak had uitgeschud en aan een haak had gehangen, ging ze naar binnen. De Mammoetvuurplaats was bijna leeg, wat niet vaak gebeurde. Alleen Jondalar en Mamut zaten samen te praten. Ze was blij verrast hem te zien en dat herinnerde haar eraan hoe weinig ze hem zag de laatste tijd. Ze glimlachte en liep vlug naar hen toe, maar Jondalars stuurse blik deed haar glimlach verstrakken. Hij leek niet blij haar te zien.

'Je bent de hele morgen alleen weg geweest!' barstte hij uit. 'Weet je niet dat het gevaarlijk is om alleen weg te gaan? Je maakt de mensen ongerust. Het had niet lang geduurd of er moest iemand naar je gaan zoeken.' Hij zei niet dat hij degene was geweest die zich ongerust had gemaakt en dat hij had overwogen om haar te gaan zoeken.

Ayla deinsde terug onder zijn felle aanval. 'Ik was niet alleen. Ik was met Whinney en Renner. Ik heb ze meegenomen voor een rit. Daar hadden ze behoefte aan.'

'Je had niet zo lang weg moeten gaan als het zo koud is. Het is gevaarlijk om er alleen op uit te gaan,' zei hij, enigszins ongeloofwaardig, en hij wierp een blik op Mamut in de hoop dat die hem zou steunen.

'Ik zei dat ik niet alleen was. Ik was samen met Whinney en Renner en het is lekker buiten, zonnig en niet zo koud.' Ze wond zich op over zijn boosheid en ze besefte niet dat hij probeerde te verbergen dat hij ontzettend over haar in angst had gezeten. 'Ik ben vaker alleen buiten geweest in de winter, Jondalar. Wie dacht je dat er met me meeging toen ik in de vallei woonde?'

Ze heeft gelijk, dacht hij. Ze kan wel op zichzelf passen. Welk recht heb ik om haar te vertellen wanneer ze kan gaan en waarheen? Mamut scheen zich niet overdreven bezorgd te maken toen hij vroeg waar Ayla was, en ze is de dochter van zijn vuurplaats. Hij had beter moeten opletten hoe de oude medicijnman reageerde, dacht hij, en hij kreeg de indruk dat hij zich belachelijk had gemaakt door zo'n drukte om niets te maken.

'Eh... nou... misschien kan ik beter de paarden gaan verzorgen,' mompelde hij. Hij droop af en haastte zich naar het nieuwe gedeelte. Ayla keek hem na en vroeg zich af of hij misschien dacht dat zij niet goed voor ze zorgde. Ze was helemaal verslagen en in de war. Het leek volkomen onmogelijk om hem te begrijpen.

Mamut nam haar scherp op. Het was duidelijk te zien dat ze zich beledigd en verdrietig voelde. Waarom hadden de mensen er toch zo'n moeite mee om hun eigen problemen te begrijpen? Hij kreeg de neiging om hen ermee te confronteren en hen te dwingen om te zien wat iedereen toch duidelijk was, maar hij deed het niet. Hij vond dat hij alles al had gedaan wat hij behoorde te doen. Hij had vanaf het begin een zekere spanning bij de Zelandoniër gevoeld en hij was ervan overtuigd dat het probleem niet zo gemakkelijk was als het leek. Het was het beste dat ze het zelf oplosten. Ze zouden er meer van leren wanneer ze zelf de oplossing vonden. Maar hij kon Ayla wel aanmoedigen er met hem over te praten, of tenminste haar te helpen haar keuze te maken en haar capaciteiten en verlangens te leren kennen.

'Zei je dat het buiten niet zo koud is, Ayla?' vroeg Mamut.

Omdat haar geest zo in beslag werd genomen door andere dingen die haar dwarszaten, duurde het even voor de vraag tot haar doordrong. 'Wat? O... ja. Ik denk het. Niet dat het echt warmer is, maar het lijkt niet meer zo koud.'

'Ik vroeg me al af wanneer Ze de rug van de winter zou breken,' zei Mamut. 'Ik dacht dat het dichterbij kwam.'

'De rug breken? Dat begrijp ik niet.'

'Het is maar een gezegde, Ayla. Ga zitten, dan zal ik je een verhaal vertellen over de Grote Gulle Aardmoeder die al het leven schiep,' zei de oude man met een glimlach. Ayla ging naast hem op een mat bij het vuur zitten.

'In een zware worsteling nam de Aardmoeder een levenskracht van Chaos, die een koude, onbeweeglijke leegte is, als de dood, en daar schiep Ze leven en warmte uit, maar Ze moet altijd vechten voor het leven dat Ze schiep. Als de koude tijd nadert, weten we dat de worsteling is begonnen tussen de Gulle Aardmoeder die warmte en leven wil brengen, en de koude dood van Chaos, maar eerst moet Ze voor Haar kinderen zorgen.'

Het verhaal begon Ayla te interesseren. 'Wat doet Ze om voor Haar kinderen te zorgen?'

'Sommigen laat ze inslapen, sommigen kleedt ze warm, om de kou te weerstaan en anderen geeft ze opdracht om voedsel en onderdak te zoeken. Omdat het kouder en kouder wordt, schijnt de dood te winnen. De Moeder wordt steeds verder teruggedrongen. Midden in de winter, wanneer de Moeder verwikkeld is in de strijd op leven en dood, beweegt er niets, er verandert niets en alles lijkt dood. Wanneer wij geen voedselvoorraad hadden en geen warm plekje om te wonen, zou de dood het van ons winnen; soms, als de slag langer duurt dan normaal, gebeurt dat ook. Niemand gaat dan veel naar buiten. De mensen maken allerlei dingen, ze vertellen verhalen of praten met elkaar, maar ze krijgen niet veel beweging en slapen veel. Daarom wordt de winter de kleine dood genoemd.

Eindelijk, als Ze niet verder meer wil, gaat Ze tegenstand bieden tegen de kou. Ze duwt en duwt, tot Ze de rug van de winter breekt. Dat betekent dat de lente terug zal komen, maar dan is het nog geen lente. Ze heeft een lange strijd gevoerd en Ze moet rusten voor Ze weer leven kan brengen. Maar je weet dat Ze heeft gewonnen. Je kunt het ruiken, je kunt het aan de lucht voelen.'

'Dat is zo! Ik heb het gevoeld, Mamut! Daarom moest ik de paarden meenemen voor een rit. De Moeder heeft de rug van de winter gebroken!' riep Ayla uit. Het verhaal scheen precies haar gevoelens uit te drukken.

'Ik denk dat het tijd voor een feest wordt, vind je niet?'

'O, ja. Dat denk ik ook!'

'Misschien wil je me helpen om het te organiseren?' Ayla kreeg nauwelijks tijd om te knikken. 'Nog niet iedereen voelt Haar overwinning, maar dat zal niet lang meer duren. We kunnen het samen in de gaten houden en dan beslissen wanneer het de beste tijd is.'

'Hoe zien we dat?'

'Als het leven terugkomt, voelt iedereen dat op zijn eigen manier. Sommigen zijn blij en willen naar buiten, maar het is nog te koud om veel buiten te zijn, dus worden ze prikkelbaar en geïrriteerd. Ze willen toegeven aan hun gevoelens van nieuw leven, maar er komen nog veel zware buien. De winter weet dat hij het heeft verloren en is om deze tijd het meest geprikkeld. De mensen voelen dat en raken ook geprikkeld. Ik ben blij dat je me er attent op hebt gemaakt. Tussen nu en de lente worden de mensen rustelozer. Dat zul je wel merken, denk ik. Dat is de tijd voor een feest. Dat geeft de mensen een reden om hun blijdschap te uiten in plaats van hun ergernis.'

Ik weet dat ze het zal merken, dacht Mamut, toen hij haar zag nadenken. Ik heb het verschil nog maar nauwelijks gevoeld en zij heeft het al herkend. Ik wist dat ze gaven had, maar haar capaciteiten verbazen me nog steeds en ik ben er zeker van dat ik nog niet alles van haar weet. Misschien gebeurt dat wel nooit; haar capaciteiten kunnen wel veel groter zijn dan de mijne. Wat zei ze over die wortel en de ceremonie met de Mog-urs? Ik wou dat ze erop voorbereid was... De jachtceremonie bij de Stam! Die heeft me veranderd. De gevolgen waren moeilijk te doorgronden. Het leeft nog altijd in me. Zij had ook een ervaring... Zou die haar ook hebben veranderd? Haar natuurlijke talenten hebben versterkt? Ik vraag me af... of het Lentefeest ook te vroeg is om die wortel weer ter sprake te brengen. Misschien kan ik beter wachten tot ze met me aan het feest voor het breken van de kracht van de winter heeft gewerkt... of het volgende... Er komen nog zoveel feesten tussen nu en de lente...

Deegie kwam door het pad naar de Mammoetvuurplaats en ze droeg de dikke kleding voor buiten.

'Ik hoopte dat ik je zou vinden, Ayla. Ik wil de strikken controleren die ik heb gezet, om te kijken of ik ook witte vossen heb gevangen voor het afwerken van Branags anorak. Wil je mee?'

Ayla, die net wakker werd, keek naar het gedeeltelijk bedekte rookgat. 'Het ziet er goed uit. Ik zal me aankleden.'

Ze trok de vachten weg, ging zitten, rekte zich uit en gaapte. Toen ging ze naar het afgesloten gedeelte bij de paarden. Onderweg liep ze langs een bed waar wel een half dozijn kinderen lagen te slapen. Ze lagen op een hoop als een nest jonge wolven. Ze zag dat Rydag zijn grote bruine ogen open had en ze glimlachte naar hem. Hij deed ze weer dicht en kroop tussen de twee jongsten: Nuvie, die bijna vier was en Rugie van bijna acht jaar. Crisavec, Brinan en Tusie lagen er ook en laatst had ze wel gezien dat Tasher, de jongste van Fralie, die nog geen drie was, ook al belangstelling voor de jongelui kreeg. Latie, die al bijna een vrouw was, speelde steeds minder vaak met hen.

De kinderen werden grondig verwend. Ze konden eten en slapen waar

en wanneer ze maar wilden. Ze hielden zelden rekening met de grenzen die hun ouders aanhielden, het hele huis was van hen. Ze eisten de
aandacht van de volwassenen in het kamp en ze merkten vaak dat het
werd ervaren als een welkom verzetje; niemand had haast om ergens
heen te gaan. Waar de belangstelling van de kinderen ook naar uitging,
er was altijd een ouder lid van de groep bereid om hen te helpen of iets
uit te leggen. Als ze huiden aan elkaar wilden naaien, kregen ze gereedschap, stukken leer en draad. Als ze stenen gereedschap wilden maken,
kregen ze stukken vuursteen en stenen of benen hamers.

Ze worstelden en stoeiden en bedachten spelletjes die vaak te maken
hadden met activiteiten van de volwassenen. Ze maakten hun eigen
stookplaatsjes en leerden met vuur omgaan. Ze deden alsof ze op
jacht gingen, spietsten stukken vlees uit de koude voorraadruimte aan
hun speren en kookten het. Als ze 'vuurplaatsje' speelden, deden ze
zelfs het vrijen van hun ouders na. De volwassenen reageerden met
een toegeeflijk lachje. Niets uit het normale leven werd verborgen gehouden of onderdrukt; het hoorde allemaal bij de groei naar volwassenheid. Het enige taboe was het gebruiken van geweld, zeker als het
onnodig was.

Omdat ze zo dicht op elkaar woonden, hadden ze geleerd dat niets zo
erg was voor een kamp, of een groep mensen, als gewelddadigheid,
vooral wanneer ze gedurende de lange, koude winter in huis moesten
blijven. Of het nu toeval was of opzet, alle gebruiken, handelingen en
regels waren erop gericht geweld tot een minimum te beperken. Allerlei individuele handelingen waren toegestaan, ook al omdat daarmee
soms hevige emoties werden afgereageerd, maar ze mochten geen aanleiding geven tot gewelddadigheden. Individuele vaardigheden werden aangemoedigd evenals onderlinge tolerantie; jaloezie en afgunst
probeerde men te voorkomen, al had men er wel begrip voor. Als al-
ternatief werden vaak wedstrijden gehouden, maar de spelregels werden strikt gehandhaafd en wanneer er onenigheid ontstond, bleef die
binnen de perken. De kinderen leerden de basisregels snel. Schreeuwen was toegestaan; slaan niet.

Ayla moest glimlachen om de slapende kinderen, terwijl ze de grote
waterzak controleerde. Ze waren de vorige avond laat naar bed gegaan. Ze vond het heerlijk om kinderen om zich heen te hebben. 'Ik
moest eigenlijk sneeuw halen voor we weggaan. We hebben niet veel
water meer en het heeft al een tijdje niet gesneeuwd. Het is moeilijk
om dichtbij nog schone sneeuw te vinden.'

'Laten we die tijd er niet afnemen,' zei Deegie. 'Wij hebben water in
onze vuurplaats en Nezzie ook. We kunnen wel wat halen als we te-

rugkomen.' Ayla trok haar warme winterkleren aan terwijl Deegie wachtte. 'Ik heb een waterzak en wat eten om mee te nemen, dus als je geen honger hebt, kunnen we zo weg.'

'Dat eten kan wel wachten, maar ik wil graag wat warme thee,' zei Ayla. Ze wou al net zo graag weg als Deegie. Ze begonnen zich net weer wat buiten te bewegen en het leek haar leuk om een poosje met Deegie alleen te zijn.

'Ik denk dat Nezzie nog wel wat warme thee heeft en ik geloof niet dat ze het erg vindt als wij een kopje nemen.'

'Ze heeft 's morgens muntthee en ik haal even iets om erbij te doen... iets dat ik 's morgens lekker vind. Ik denk dat ik meteen mijn slinger pak.'

Nezzie wou beslist dat de twee jonge vrouwen ook wat warm gekookt graan aten en ze gaf hun een paar plakken vlees van de vorige avond om mee te nemen. Talut wou weten waar ze langs gingen en waar de strikken van Deegie ongeveer stonden. Toen ze door de hoofdingang naar buiten gingen, was de dag aangebroken. De zon kwam boven een wolkenbank aan de horizon uit en begon aan zijn reis langs een heldere hemel. Ayla zag dat de paarden al buiten waren. Ze kon ze geen ongelijk geven.

Deegie liet Ayla de vlugge draai van de voet zien waardoor de leren lus, die aan een ovaal frame van stevige gevlochten wilgentenen was bevestigd, veranderde in een handige sneeuwschoen. Na enig oefenen liep Ayla boven op de sneeuw naast Deegie.

Jondalar stond hen bij de nieuwe uitgang na te kijken. Hij keek bezorgd naar de lucht en dacht er even aan om hen te volgen, maar die gedachte zette hij uit zijn hoofd. Hij zag wel een paar wolken, maar er was niets dat op gevaar wees. Waarom was hij altijd zo bezorgd om Ayla wanneer ze het huis verliet? Het was belachelijk om haar overal na te lopen. Ze was nu niet alleen, Deegie was bij haar en de twee jonge vrouwen waren heel goed in staat om op zichzelf te passen... ook als het zou gaan sneeuwen... of erger. Na korte tijd zouden ze merken dat hij hen volgde en dan zou hij hun alleen maar tot last zijn wanneer ze samen weg wilden. Hij liet het kleed vallen en ging weer naar binnen, maar hij kon de gedachte niet van zich afzetten dat Ayla misschien gevaar liep.

'O, kijk, Ayla!' schreeuwde Deegie, die op haar knieën het harde, bevroren karkas met het witte bont bekeek dat aan een strop bungelde die strak om de nek zat. 'Ik heb nog meer strikken gezet. Laten we die ook vlug gaan bekijken.'

Ayla wou wel blijven om de strik te onderzoeken, maar ze volgde Deegie. 'Wat ga je ermee doen?' vroeg ze toen ze haar had ingehaald. 'Dat hangt ervan af hoeveel ik er krijg. Ik wou een bontrand maken aan een anorak voor Branag, maar ik ben ook bezig met een tuniek voor hem, een rode – niet zo licht als de jouwe. Deze krijgt lange mouwen en daar zijn twee huiden voor nodig. Ik probeer de tweede huid dezelfde kleur te geven als de eerste. Ik geloof dat ik hem ga versieren met de wintervacht en de tanden van een vos. Wat vind jij ervan?' 'Dat lijkt me prachtig.' Ze liepen een poosje zwijgend door de sneeuw en toen zei Ayla: 'Wat vind jij het beste voor een witte tuniek?' 'Dat hangt ervan af. Wil je andere kleuren erbij of wil je alleen wit?' 'Ik denk dat ik hem wit houd, maar ik weet het niet zeker.' 'Wit vossenbont zou mooi staan.' 'Daar heb ik aan gedacht, maar... het lijkt me niet zo goed,' zei Ayla. Het was niet zozeer de kleur waar ze zich zorgen over maakte. Ze herinnerde zich dat ze voor Ranec wit vossenbont had gekozen bij de adoptieceremonie en ze had er geen behoefte aan om daaraan te worden herinnerd.

De tweede strik had wel gewerkt, maar hij was leeg. De strop was doorgebeten en er waren sporen van wolven. In de derde had ook een vos gezeten en hij was blijkbaar bevroren in de strik, maar er was aan geknaagd en het grootste deel was opgegeten. Het bont was niet te gebruiken. Ayla zag weer sporen van wolven.

'Het lijkt wel of ik vossen vang voor de wolven,' zei Deegie.

'Het ziet ernaar uit dat je er maar één krijgt, Deegie,' zei Ayla.

Deegie begon te vrezen dat ze geen goede vacht meer kreeg, ook niet als er in haar vierde strik een zat. Ze haastte zich naar de plaats waar ze hem had gezet.

'Hij moet daar staan, bij die struiken,' zei ze terwijl ze een bosje naderden, 'maar ik zie geen...'

'Daar is hij, Deegie!' riep Ayla, die snel vooruitliep. 'En het lijkt ook goed. Kijk eens, wat een staart!'

'Prachtig!' Deegie slaakte een zucht van verlichting. 'Ik had er ten minste twee nodig.' Ze maakte de bevroren vos los uit de strik, bond hem vast aan de eerste en slingerde ze over de tak van een boom. De spanning was gebroken nu ze haar twee vossen had gevangen. 'Ik heb honger. Waarom blijven we hier niet om wat te eten?'

'Ik heb ook honger, nu je het zegt.'

Ze bevonden zich in een dun begroeide vallei met meer kreupelhout dan bomen. Het dal was gevormd door een stroompje dat zich een weg had gebaand door dikke lösslagen. De kleine vallei maakte in de laatste dagen van de lange strenge winter een sombere, vermoeide indruk. Het was een kleurloos oord in zwart en wit met somber grijs. Het sneeuwdek lag er al lang en werd onderbroken door kreupelhout. Er liepen veel sporen doorheen en het had een gore tint. Gebroken takken wezen op de schade die was aangericht door de wind, de sneeuw en hongerige dieren. Onder de last van het klimaat en het jaargetijde bleven de wilgen en elzen klein en het leek wel kreupelhout. Er stonden een paar armzalige berken. Hun kale takken schuurden in de wind tegen elkaar en het leek wel of ze met dat geluid wilden aandringen op de terugkeer van het vleugje groen. Zelfs de naaldbomen hadden hun kleur verloren. De kromme dennen, met plekken grijs korstmos op de stam, stierven af en de hoge, donkere lariksen bogen ver door onder de zware last van de sneeuw.

Op een flauwe helling staken lange, dikke stengels met scherpe doorns boven de sneeuw uit. Het waren de droge, houtachtige stengels van uitlopers, die de afgelopen zomer hun weg hadden gezocht naar een nieuw terrein. Ayla nam de omgeving goed in zich op. Ze zag het niet als een ondoordringbaar bosje doornstruiken, maar als een plaats om in het geschikte jaargetijde bessen en geneeskrachtige bladeren te zoeken. Achter de naargeestige, saaie omgeving zag ze de hoop op betere tijden en na de lange, gedwongen rust kon zelfs een eentonig winterlandschap er veelbelovend uitzien, vooral wanneer de zon scheen.

De twee jonge vrouwen schoven wat sneeuw bij elkaar voor een zitplaats op de plek waar de oever van een riviertje zou zijn als het zomer was. Deegie maakte haar rugzak open en haalde het eten eruit dat ze had meegenomen en, wat nog belangrijker was, het water. Ze opende een pakje van berkenbast en gaf Ayla het eten voor onderweg dat bestond uit een stevige koek – het voedzame mengsel van gedroogde vruchten, vlees en het belangrijke vet, dat kracht gaf. Het had de vorm van een ronde pastei.

'Moeder heeft gisteravond wat broodjes met dennenzaad gestoomd en ze heeft me er een meegegeven,' zei Deegie, die nog een pakje openmaakte en er een stuk afbrak voor Ayla. Ze was ze lekker gaan vinden.

'Ik moet Tulie maar eens vragen hoe ze die maakt,' zei Ayla, die er een hap van nam voor ze de plakken vlees van Nezzie uitpakte en voor ieder wat neerlegde. 'Ik vind dat we hier een feestmaal hebben. Er ontbreekt alleen nog wat verse groente aan.'

'Dan was het volmaakt. Ik kan bijna niet langer op de lente wachten. Als we eenmaal het feest voor het einde van de winter hebben, lijkt het wel of het wachten steeds langer duurt,' antwoordde Deegie.

Ayla genoot van het uitstapje met Deegie en omdat ze uit de wind zaten, voelde ze de warmte in het ondiepe dal. Ze maakte de riem om haar keel los en schoof de capuchon naar achteren. Ze wikkelde de slinger om haar hoofd. Ze sloot de ogen en draaide haar gezicht naar de zon. Ze zag het beeld van de ronde schijf op de binnenkant van haar oogleden en ze genoot van de heerlijke warmte. Toen ze haar ogen weer opende, leek het wel of ze alles veel duidelijker zag.

'Worstelen de mensen altijd bij dat feest?' vroeg Ayla. 'Ik heb nog nooit iemand zien worstelen zonder zijn voeten te bewegen.'

'Ja, dat is ter ere...'

'Kijk, Deegie! Het is lente!' onderbrak Ayla. Ze sprong overeind en rende naar een wilgenstruik die dichtbij stond. Toen de andere vrouw bij haar stond, wees ze op de zwellende knoppen aan een dun twijgje. Er was er al een opengesprongen en hij toonde het eerste frisse groen van de lente, maar dat was nog te vroeg om te overleven. De vrouwen glimlachten verbaasd tegen elkaar door hun ontdekking, alsof ze zelf de lente tot leven hadden geroepen.

De lus van de strik hing niet ver van de wilg te bungelen. Ayla hield hem omhoog. 'Ik vind het een heel goede manier om te jagen. Je hoeft niet naar dieren te zoeken. Je zet een strik en je komt later terug om ze te halen, maar hoe maak je ze en hoe weet je dat je een vos zult vangen?'

'Ze zijn niet zo moeilijk te maken. Je weet toch dat een pees hard wordt wanneer je hem natmaakt en laat drogen, net als leer dat niet behandeld is?'

Ayla knikte.

'Je maakt een kleine lus aan het eind,' vervolgde Deegie en ze liet haar de lus zien. 'Dan neem je het andere eind en steekt het erdoor om weer een lus te maken, die net groot genoeg is voor een vossenkop. Dan maak je hem nat en je laat hem drogen, met de lus open zodat hij openblijft. Dan ga je naar een plaats waar vossen zijn en dat is meestal een plaats waar je ze al eens hebt gezien of waar je ze hebt gevangen. Mijn moeder heeft me deze plek gewezen. Gewoonlijk zijn hier ieder jaar vossen, dat kun je aan de sporen zien. Ze volgen vaak dezelfde paden wanneer ze in de buurt van hun hol zijn. Om de strik te zetten zoek je zo'n paadje van een vos. Je zet hem in de buurt van struiken of bomen, met de lus ter hoogte van de kop en je zet hem stevig vast, hier en hier, net als deze.' Deegie deed het voor terwijl ze het uitlegde en Ayla keek aandachtig toe.

'Als de vos over het pad loopt, gaat de kop door de lus en omdat hij hard loopt, gaat de lus strak om zijn hals zitten. De strik gaat steeds strakker zitten, hoe meer de vos worstelt. Het duurt maar even. Het enige probleem is te zorgen dat je de eerste bent die de vos vindt. Danug heeft me verteld hoe de mensen in het noorden nu de strikken zetten. Hij zegt dat ze een jong boompje zo ombuigen dat ze de lus eraan kunnen binden. Zodra het dier is gevangen, wordt hij omhooggeslingerd omdat het boompje weer rechtop gaat staan. Zo blijft de vos boven de grond hangen tot je terugkomt.'

'Dat lijkt me een goed idee,' zei Ayla, die weer naar de plaats liep waar ze zaten. Ze keek en trok, tot Deegies verbazing, opeens de slinger van haar hoofd. Ze zocht de grond af. 'Zie jij een steen?' fluisterde ze. 'Daar!'

Deegie kon het nauwelijks volgen, zo snel pakte Ayla de steen. Ze legde hem in de slinger, draaide hem rond en liet hem schieten. Deegie hoorde de steen neerkomen, maar ze zag het doel van Ayla's projectiel pas toen ze weer bij hun plekje kwamen. Het was een witte hermelijn, met een totale lengte van ruim dertig centimeter, maar daar ging wel tien centimeter af voor de witte bontstaart met een zwart puntje. In de zomer had het dier een mooie, bruine pels van zacht bont, met een witte onderbuik, maar in de winter werd het lenige hermelijntje zuiver wit met een zijdeglans, behalve de zwarte neus, de felle oogjes en het uiterste puntje van de staart.

'Hij wilde ons vlees pakken!' zei Ayla.

'Ik zag hem niet eens bij die sneeuw. Je hebt goede ogen,' zei Deegie. 'En je bent zo vlug met die slinger dat ik niet begrijp waarom je aan strikken zou denken, Ayla.'

'Een slinger is goed voor de jacht wanneer je ziet waar je op wilt jagen, maar met een strik kun je ook jagen als je er niet bij bent. Het is nuttig om ze allebei te kunnen gebruiken,' antwoordde Ayla, die het serieus opvatte.

Ze gingen zitten om verder te eten. Onder het eten streek Ayla met de hand over het zachte, dikke bont van het hermelijntje. 'Hermelijnen hebben het mooiste bont,' zei ze.

'Dat hebben de meeste van die rovers,' zei Deegie. 'Nertsen, sabeldieren en veelvraten hebben goed bont. Niet zo zacht, maar best te gebruiken voor capuchons als je geen rijp op je gezicht wilt hebben. Maar met strikken zijn ze moeilijk te vangen en met een speer kun je er eigenlijk ook niet op jagen. Ze zijn vlug en gevaarlijk, maar met je slinger schijnt het te lukken, al weet ik nog steeds niet hoe je het deed.'

'Ik heb de slinger leren gebruiken toen ik op dat soort dieren jaagde. In het begin jaagde ik alleen op vleeseters en ik heb eerst hun manier van doen bestudeerd.'

'Waarom?' vroeg Deegie.

'Er werd van mij helemaal niet verwacht dat ik jaagde, dus deed ik het niet voor voedsel, maar alleen op dieren die ons eten wegpakten.' Ze snoof verachtelijk toen ze erover nadacht. 'Ik dacht dat het dan wel goed zou zijn.'

'Waarom mocht je niet jagen?'

'Vrouwen van de Stam mogen niet jagen... maar ten slotte stonden ze me toe om mijn slinger te gebruiken.' Ayla zweeg even bij die herinnering. 'Weet je wel dat ik een veelvraat had gedood lang voor ik een konijn doodde?' Ze moest lachen om het idee.

Deegie schudde verbaasd het hoofd. Wat moet Ayla een vreemde jeugd hebben gehad, dacht ze.

Ze stonden op om weg te gaan en terwijl Deegie haar vossen ging halen, pakte Ayla het zachte, witte hermelijntje. Ze streek met haar hand over het hele lijfje, tot het puntje van de staart.

'Dat wil ik hebben,' zei Ayla opeens. 'Hermelijn!'

'Maar dat heb je toch?' zei Deegie.

'Nee. Ik bedoel voor de witte tuniek. Die wil ik afzetten met wit hermelijnbont en met de staarten. Ik vind die staarten zo leuk met de zwarte puntjes.'

'Waar haal je genoeg hermelijn vandaan om een tuniek te versieren?' vroeg Deegie. 'Het wordt straks lente en dan veranderen ze weer van kleur.'

'Ik heb er niet zoveel nodig, en als er een is zitten er meestal meer in de buurt. Ik wil ze nu vangen,' zei Ayla. 'Ik moet een paar goede stenen zoeken.' Ze begon de sneeuw opzij te schuiven, op zoek naar stenen aan de oever van de bevroren rivier.

'Nu?' vroeg Deegie.

Ayla hield even op en keek haar aan. In haar opwinding had ze bijna vergeten dat Deegie er ook nog was. Daar kon het speuren en besluipen wel moeilijker door worden. 'Je hoeft niet op me te wachten, Deegie. Ga maar terug. Ik vind de weg wel.'

'Terug? Ik zou dit niet graag willen missen.'

'Kun je heel stil zijn?'

Deegie glimlachte. 'Ik heb vaker gejaagd, Ayla.'

Ayla kreeg een kleur en ze voelde wel aan dat ze iets verkeerds had gezegd. 'Ik bedoelde niet...'

'Dat weet ik wel,' zei Deegie en ze begon te glimlachen. 'Ik denk dat ik nog wel wat kan leren van iemand die eerst een veelvraat heeft gedood voor ze een konijn doodde. Veelvraten zijn gevaarlijker, valser, brutaler en wraakzuchtiger dan alle andere dieren, hyena's inbegrepen. Ik heb gezien hoe ze panters van hun prooi verjaagden, ze gaan zelfs niet opzij voor een holenleeuw. Ik zal proberen om je niet voor de voeten te lopen. Als je denkt dat ik de hermelijnen afschrik, moet je het zeggen. Dan blijf ik hier op je wachten. Maar je moet me niet vragen om terug te gaan.'

Ayla glimlachte opgelucht. Ze vond het heerlijk dat ze een vriendin had die haar zo goed begreep. 'Hermelijnen zijn net zo erg als veelvraten. Ze zijn alleen kleiner, Deegie.'

'Kan ik je ergens mee helpen?'

'We hebben nog vlees over. Dat zouden we kunnen gebruiken, maar eerst moeten we sporen vinden... als ik een voorraadje stenen heb.'

Toen Ayla een stapel geschikte projectielen had verzameld en ze in een zakje had gedaan dat aan haar riem hing, pakte ze haar rugzak en slingerde hem over haar linkerschouder. Toen bleef ze even staan en ze liet haar blik over het landschap dwalen om te zien waar ze het best kon beginnen. Deegie kwam iets achter haar staan en ze wachtte tot Ayla op pad ging. Ayla begon rustig tegen haar te praten, alsof ze hardop dacht.

'Hermelijnen maken geen holen. Ze gebruiken alles wat ze vinden, ook het hol van een konijn – nadat ze de konijnen hebben gedood. Soms denk ik dat ze geen hol nodig zouden hebben wanneer ze geen jongen zouden krijgen. Ze zijn altijd in beweging: jagen, rennen, klimmen, rechtop staan en rondkijken, en ze doden dag en nacht, ook als ze net hebben gegeten, terwijl het dan niet nodig is. Ze eten alles, eekhoorns, konijnen, vogels, eieren, insecten, zelfs rottend vlees, maar meestal eten ze vers vlees van een prooi. Als ze in het nauw gedreven worden, verspreiden ze een vieze muskusgeur. Ze spuiten niet als een stinkdier, maar het stinkt net zo erg en ze maken zo'n geluid...' Ayla maakte een knorrend, wat verstikt geluid. 'In de paartijd fluiten ze.'

Deegie was stomverbaasd. Ze had nu meer geleerd over wezels en hermelijnen dan in haar hele leven. Ze wist niet eens dat ze geluiden maakten.

'Het zijn goede moeders, hebben veel kleintjes, twee handen...'

Ayla dacht even na over het telwoord. 'Tien, soms meer. Andere keren maar weinig. Jongen blijven bij moeder tot bijna volwassen.' Ze wachtte weer om de omgeving goed te bekijken. 'Om deze tijd van het jaar kunnen de jongen nog bij de moeder zijn. We zoeken naar sporen... Ik denk bij het rietveld.' Ze liep naar de berg sneeuw die de verwarde massa stengels en uitlopers min of meer bedekte. Het riet stond daar al vele jaren.

Deegie volgde haar en ze vroeg zich af hoe Ayla al zoveel had kunnen leren terwijl ze niet veel ouder was dan zij. Deegie had wel gemerkt dat Ayla even de taal wat minder goed gebruikte en alleen daaraan was te horen dat ze opgewonden was, maar ze besefte daardoor wel hoe goed Ayla al sprak. Ze sprak meestal niet vlug, maar haar Mamutisch was bijna perfect, behalve de manier waarop ze sommige klanken uitsprak. Deegie dacht dat ze dat nooit zou kwijtraken en dat hoopte ze eigenlijk ook. Ze onderscheidde zich daarmee van de anderen... en het gaf haar een menselijk trekje.

'Let op kleine sporen met vijf tenen. Soms zie je er maar vier; ze maken de kleinste sporen van alle vleeseters en de achterpoten stappen in de sporen van de voorpoten.'

Deegie bleef achter, want ze wou niet op de kleine sporen trappen. Ze zag hoe Ayla langzaam en voorzichtig ieder stukje om zich heen afzocht, bij elke stap die ze deed. Ze bekeek de met sneeuw bedekte grond en elke omgevallen boomstam, ieder twijgje aan elke struik, de dunne stammen van kale berken en de gebogen takken van de dennen met hun donkere naalden. Opeens hield ze de blik op één punt gericht en ze hield de adem in. Ze zette haar voet langzaam neer, zocht in de rugzak naar een stuk halfrauw bizonvlees en legde het voor zich op de grond. Toen ging ze voorzichtig achteruit en zocht in het zakje met stenen.

Deegie keek, zonder zich te bewegen, langs Ayla heen en probeerde te zien wat zij zag. Eindelijk zag ze iets bewegen en even later zag ze verscheidene witte diertjes in golvende bewegingen naderbij komen. Ze renden verbazend snel, hoewel ze over dode takken en bomen klommen, door het kreupelhout, over gaten en spleten en ze verslonden alles wat hun pad kruiste. Deegie had nooit de tijd genomen om de kleine vraatzuchtige vleeseters op te nemen en ze keek geboeid toe. Af en toe gingen ze rechtop zitten, keken met hun glimmende zwarte oogjes om zich heen, spitsten de oortjes voor ieder geluid, maar ze gingen feilloos op de geur van hun ongelukkige prooi af.

Ze kronkelden door muizennesten, onder boomwortels, op zoek naar salamanders en kikkers in de winterslaap, achter vogeltjes aan die te verkleumd en te hongerig waren om te vluchten, en werden ingesloten door een horde van acht of tien nietsontziende jonge witte hermelijnen. Ze bewogen de kopjes met de begerige zwarte kraaloogjes heen en weer en sloegen met een dodelijke nauwkeurigheid de scherpe klauwtjes in de hersenen, de nek of de halsslagader. Ze sloegen zonder scrupules toe en waren de meest efficiënte bloeddorstige rovers uit de dierenwereld. Deegie was opeens blij dat ze zo klein waren. Moordlust leek de enige reden voor zo'n wrede vernietiging – behalve dan het behouden van een voortdurend actief lichaam dat zich voedde op de manier zoals de natuur het blijkbaar had beschikt.

De hermelijnen werden aangetrokken door het stuk halfrauw vlees en maakten er meteen korte metten mee. Opeens ontstond er verwarring. De met grote kracht weggeslingerde stenen kwamen tussen de etende hermelijnen terecht. Er werden er een paar tegen de grond geslagen en de onmiskenbare muskusgeur verstikte de lucht. Deegie had al haar aandacht op de dieren gericht zodat ze Ayla's nauwkeurige voorbereidingen en snelle worpen had gemist.

Toen sprong er, uit het niets, een groot zwart dier tussen de hermelijnen en Ayla stond perplex toen ze een dreigend gegrom hoorde. De wolf wou het stuk bizonvlees pakken, maar hij werd op een afstand gehouden door twee brutale, onverschrokken hermelijnen. Het zwarte roofdier, dat maar iets terugweek, zag een hermelijn liggen die nog maar net onschadelijk was gemaakt, en pakte die.

Maar Ayla was niet van plan om haar hermelijn door de zwarte wolf te laten pakken; ze had er te veel moeite voor gedaan. Het was haar buit en ze had hem nodig voor de witte tuniek. Toen de wolf met het witte hermelijntje in zijn bek wegliep, ging Ayla erachteraan. Wolven waren ook vleeseters. Toen ze nog met de slinger oefende, had ze ze net zo goed bestudeerd als de wezels. Ze kende ze ook heel goed. Ze pakte een tak die op de grond lag en rende achter het dier aan. Een enkele wolf ging een rechtstreekse aanval meestal uit de weg en misschien liet hij de hermelijn wel vallen.

Bij een troep wolven, of zelfs maar twee, had ze niet zo'n roekeloze aanval durven te doen, maar toen de zwarte wolf even bleef staan om de hermelijn beter in zijn bek te nemen, liep Ayla erheen met de tak. Ze haalde uit om hem een flinke slag toe te brengen. Ze beschouwde de tak niet zozeer als een wapen, maar het was alleen haar bedoeling om de wolf af te schrikken zodat hij het kleine pelsdier zou laten vallen. Maar Ayla was degene die schrok. De wolf liet de hermelijn vallen en sprong met een valse, nijdige grauw naar haar toe.

Haar eerste reactie was dat ze de tak naar de aanvallende wolf moest gooien om hem op een afstand te houden en dan snel weglopen. Maar ze raakte een boom van het bosje en de bevroren tak brak af, zodat ze met een verrot stompje hout in de handen bleef staan. De wolf kreeg het andere stuk tegen de kop. Dat was genoeg om hem tegen te houden. De wolf had ook gebluft en had niet veel zin om aan te vallen. Hij pakte de dode hermelijn en liep het bosje uit.

Ayla was wel geschrokken, maar ze was ook boos. Ze wou niet zomaar afstand doen van de hermelijn. Ze ging weer achter de wolf aan.

'Laat hem gaan!' riep Deegie. 'Je hebt genoeg! Laat de wolf hem maar houden.'

Maar Ayla hoorde het niet; ze schonk er geen aandacht aan. De wolf zocht de open ruimte en ze was vlak achter hem. Terwijl Ayla achter hem aan rende, pakte ze nog een steen en merkte dat er nog maar twee over waren. Hoewel ze verwachtte dat de afstand tot het grote roofdier weldra te groot zou zijn, wou ze het nog een keer proberen. Ze legde een steen in haar slinger en gooide hem achter de vluchtende wolf aan. De tweede steen, die er snel achteraan kwam, maakte het werk af. Ze waren allebei raak.

Ze kreeg een tevreden gevoel toen ze de wolf zag vallen. Dat was er weer een die niets meer van haar zou afpakken. Terwijl ze erheen draafde om de hermelijn te halen, kwam ze tot de conclusie dat ze de wolvenvacht ook wel kon meenemen, maar toen Deegie bij haar kwam zat Ayla nog naast de dode zwarte wolf en de witte hermelijn. Deegie schrok van de uitdrukking op haar gezicht.

'Wat is er, Ayla?'

'Ik had hem haar moeten laten houden. Ik had moeten weten dat ze een goede reden had om naar dat vlees te gaan terwijl de hermelijnen ermee bezig waren. Wolven weten hoe gevaarlijk hermelijnen zijn en gewoonlijk valt een eenzame wolf niet aan in een vreemde omgeving en trekt hij zich terug. Ik had haar die hermelijn moeten laten houden.'

'Ik begrijp het niet. Je hebt je hermelijn terug en bovendien een vacht van een zwarte wolf. Wat bedoel je dat je hem haar had moeten laten houden?'

'Kijk,' zei Ayla, en ze wees op de buik van de zwarte wolf. 'Ze heeft jongen.'

'Is het niet wat vroeg voor wolven om jongen te werpen?' vroeg Deegie.

'Ja. Het is de goede tijd niet. En ze is alleen. Daarom had ze zo'n moeite om genoeg voedsel te vinden. En daarom kwam ze op het vlees af en wou ze de hermelijn zo graag hebben. Moet je haar ribben zien. De jongen hebben veel van haar gevergd. Ze is bijna vel over been. Als ze in een troep had geleefd, hadden ze haar geholpen om die jongen te voeden, maar als ze in een troep had geleefd had ze geen jongen gehad. Gewoonlijk heeft alleen de leidster van een groep jongen en deze heeft de verkeerde kleur. Wolven zijn gewend aan bepaalde kleuren en kenmerken. Het is met haar net als met de witte wolf die ik in de gaten hield toen ik ze bestudeerde. Die mochten ze ook niet. Ze probeerde telkens weer in de gunst te komen bij de leidster en de leider, maar ze verdroegen haar niet om zich heen. Toen de troep te groot werd, ging ze weg. Misschien kreeg ze er genoeg van dat niemand haar mocht.'

Ayla keek naar de zwarte wolf. 'Dat heeft deze ook gedaan. Misschien wou ze daarom wel jongen hebben: omdat ze alleen was. Maar ze had ze niet zo vroeg moeten krijgen. Ik denk dat dit dezelfde zwarte wolf is die ik heb gezien toen we op bizonjacht waren, Deegie. Ze moet de troep hebben verlaten om een eenzaam mannetje te zoeken en een eigen troep te stichten. Zo ontstaan nieuwe troepen. Maar de eenzame hebben het altijd moeilijk. Wolven jagen graag samen en ze zorgen voor elkaar. De leider helpt altijd de leidster met haar jongen. Je zou ze eens moeten zien. Soms spelen ze met de kleintjes. Maar waar is haar mannetje? Heeft ze er ooit een gevonden? Is hij dood?'

Deegie was verbaasd toen ze zag hoe Ayla tegen haar tranen vocht, om een dode wolf. 'Ze gaan allemaal een keer dood, Ayla. We gaan allemaal terug naar de Moeder.'

'Dat weet ik, Deegie, maar eerst was ze anders en toen was ze alleen. Ze had toch iets moeten hebben zolang ze leefde, een levensgezel, een troep waar ze bij hoorde, of tenminste een paar kleintjes.'

Deegie dacht dat ze begon te begrijpen waarom Ayla zo'n medelijden had met een magere, oude zwarte wolf. Ze vergeleek de omstandigheden waaronder de wolf had geleefd met haar eigen situatie. 'Maar ze had toch jongen, Ayla?'

'En nu gaan die ook dood. Ze hebben geen troep. Zelfs geen leider. Zonder moeder gaan ze dood.' Opeens sprong Ayla overeind. 'Ik ben niet van plan om ze te laten sterven!'

'Wat bedoel je? Waar wou je heen?'

'Ik ga ze zoeken. Ik ga het spoor van de zwarte wolf volgen, naar haar hol.'

'Dat kon wel eens gevaarlijk zijn. Misschien zijn er andere wolven in de buurt. Je kunt nooit weten.'

'Dat kan niet, Deegie. Ik hoef maar naar haar te kijken.'

'Nou, als ik je niet op andere gedachten kan brengen, heb ik maar één ding te zeggen, Ayla.'

'Wat dan?'

'Als je van me verwacht dat ik met jou de hele omgeving afzoek naar wolvensporen, dan kun jij je eigen hermelijnen dragen,' zei Deegie en ze gooide vijf dode witte hermelijnen uit haar rugzak. 'Ik heb genoeg aan mijn vossen!' Deegie grijnsde heel tevreden.

'O, Deegie,' zei Ayla, en haar glimlach toonde haar warme genegenheid. 'Jij hebt ze meegenomen!' De twee jonge vrouwen sloegen uit vriendschap en liefde de armen om elkaar heen.

'Eén ding is zeker, Ayla: je hoeft je bij jou nooit te vervelen!' Deegie hielp Ayla de hermelijnen in de rugzak te doen. 'Wat ga je met de wolf doen? Als wij haar niet pakken, vinden de dieren haar, en een zwarte wolvenvacht is toch wel iets bijzonders.'

'Ik zou haar wel mee willen nemen, maar ik wil de jongen eerst vinden.'

'Goed, ik draag haar wel,' zei Deegie en ze hees het slappe dier over haar schouder. 'Als we straks tijd hebben, vil ik haar wel. Ze wou nog iets vragen, maar ze deed het niet. Ze zou gauw genoeg zien wat Ayla zou doen als ze nog levende jongen vond. Ze moesten terug door het dal om de goede sporen te vinden. De wolvin had haar best gedaan om haar sporen zo goed mogelijk verborgen te houden omdat ze wel wist welke gevaren het jonge leven liep dat ze onbewaakt achterliet. Verschillende keren was Deegie ervan overtuigd dat ze het kwijt waren en ze was toch een goede spoorzoeker, maar Ayla wou beslist doorzetten tot ze het weer vonden. Tegen de tijd dat ze, volgens Ayla, het hol hadden gevonden, was het al laat in de middag.

'Jij zegt dat dit het hol is, Ayla, maar om eerlijk te zijn, ik zie geen enkel teken van leven.'

'Zo hoort het ook wanneer ze alleen zijn. Als er een teken van leven was, zou dat wel eens moeilijkheden kunnen geven.'

'Misschien heb je gelijk, maar als daar jongen in zitten, hoe krijg je ze dan zover dat ze eruit komen?'

'Ik denk dat er maar één manier is. Ik zal erin moeten om ze te pakken.'

'Dat kun je niet doen, Ayla! Het is tot daaraan toe om wolven van een afstand te bestuderen, maar je kunt hun hol niet in kruipen. Als er nu eens niet alleen jongen zijn? Er kan nog wel een volwassen wolf in de buurt zijn.'

'Heb je nog meer sporen van volwassen wolven gezien?'

'Nee, maar toch vind ik het geen leuk idee dat jij een wolvenhol ingaat.'

'Nu ik zover ben, wil ik ook weten of er jongen zijn. Ik moet erin, Deegie.'

Ayla zette haar rugzak neer en liep naar het kleine zwarte gat in de grond. Het was een uitgegraven oud hol dat lang geleden was verlaten, omdat het niet zo'n gunstige plaats had, maar het was het beste wat de zwarte wolf kon vinden toen haar mannetje, een eenzame wolf die was aangetrokken door haar vroege loopsheid, in een gevecht was gestorven. Ayla ging op haar buik liggen en begon zich naar binnen te werken.

'Ayla, wacht even!' riep Deegie. 'Hier, neem mijn mes mee.' Ayla knikte. Ze stak het mes tussen de tanden en kroop het donkere gat in. Het liep eerst schuin af en het was een nauwe gang. Opeens merkte ze dat ze vast kwam te zitten en ze moest terug.

'We kunnen beter gaan, Ayla. Het wordt al laat en als je er niet in kunt, dan kun je er niet in.'

'Nee,' zei ze, en ze trok de anorak over haar hoofd. 'Ik zal erin komen.'

Ze huiverde van de kou tot ze weer in het hol was, maar het bleef moeilijk om door het eerste, schuin aflopende stuk te komen. Bij de bodem was meer ruimte, maar het hol leek verlaten. Omdat haar eigen lichaam het licht tegenhield, duurde het even voor haar ogen aan de duisternis gewend waren. Pas toen ze terug wilde gaan, meende ze iets te horen.

'Wolf, kleine wolf, waar zit je?' riep ze, maar toen herinnerde ze zich de vele keren dat ze naar wolven had gekeken en geluisterd, en ze liet een geruststellend gejank horen. Vervolgens luisterde ze. Er kwam een zacht jankend geluid uit de donkerste hoek van het hol en Ayla kon wel juichen.

Ze kroop in de richting van het geluid en jankte nog een keer. Het klonk nu dichterbij, en toen zag ze twee glimmende ogen, maar toen ze haar hand uitstak naar het jong week hij terug en siste kwaadaardig. Ze voelde de scherpe tandjes in haar hand.

'Au! Jij hebt nog strijdlust,' zei Ayla glimlachend. 'Er zit nog leven in. Kom, kleine wolf. Alles komt goed. Kom maar.' Ze stak haar hand weer uit naar het jong, jankte weer zachtjes en voelde een donzige bol. Toen ze hem goed vasthad, trok ze het jong, dat bleef blazen en tegenspartelen, naar zich toe. Toen kroop ze het hol uit.

'Kijk eens wat ik heb gevonden, Deegie!' zei Ayla met een triomfantelijke grijns, terwijl ze een donzig grijs wolvenjong omhooghield.

23

Jondalar liep buiten heen en weer tussen de hoofdingang en het verblijf van de paarden. Zelfs in de warme anorak, een oude van Talut, voelde hij hoe koud het werd nu de zon dichter bij de horizon kwam. Hij was al verscheidene keren de helling op gelopen in de richting die Ayla en Deegie hadden gekozen en hij dacht erover om het weer te doen.

Sinds de twee vrouwen die morgen waren vertrokken, had hij geprobeerd zijn ongerustheid te onderdrukken en toen hij in het begin van de middag bezorgd heen en weer begon te lopen moesten anderen in het huis meewarig glimlachen, maar nu was hij niet meer de enige die zich ongerust maakte. Tulie was al een paar keer de helling op gelopen en Talut had het er al over om een groep te vormen die met fakkels naar hen ging zoeken. Zelfs Whinney en Renner leken onrustig te worden.

Het schitterende vuur in het westen gleed achter een wolkenbank die boven de horizon hing, maar het kwam weer tevoorschijn als een scherp afgetekende, vuurrode cirkel, uit een andere wereld, zonder diepte of dimensie, te volmaakt en symmetrisch van vorm om deel uit te maken van de natuurlijke omgeving. Maar de gloeiende rode bol kleurde de wolken en gaf het bleke gezicht van de andere buitenaardse metgezel, die laag aan de oostelijke hemel stond, een gezond tintje. Jondalar stond juist op het punt om de helling weer op te gaan toen er twee gestalten op de top verschenen. Ze staken af tegen een lavendelblauwe achtergrond, die langzaam overging in donker indigo. Er fonkelde al een enkele ster. Hij slaakte een diepe zucht en liet zich tegen de poort van slagtanden vallen. Door het plotseling wegvallen van de spanning kreeg hij een licht gevoel in zijn hoofd. Ze waren in veiligheid. Ayla was in veiligheid.

Maar waarom waren ze zo lang weggebleven? Ze hadden toch kunnen begrijpen dat iedereen ongerust werd? Wat kon de reden zijn dat ze zo lang weg bleven? Misschien hadden ze wel moeilijkheden gehad. Hij had hen toch achterna moeten gaan.

'Ze zijn er! Ze zijn er!' riep Latie.

De mensen renden halfgekleed naar buiten. Degenen die al buiten waren en erop gekleed waren, renden hen tegemoet.

'Waarom zijn jullie zo lang weggebleven? Het is bijna donker. Waar hebben jullie gezeten?' vroeg Jondalar op scherpe toon zodra Ayla het huis had bereikt.

Ze keek hem verbaasd aan.

'Laat ze eerst maar naar binnen gaan,' zei Tulie. Deegie begreep dat haar moeder het ook niet leuk vond, maar ze waren de hele dag buiten geweest, ze waren moe en het werd snel kouder. De beschuldigingen over en weer konden wel even wachten tot Tulie wist dat er niets aan de hand was. Ze werden naar binnen geduwd, door de hal naar de kookplaats. Deegie, die dankbaar was dat ze haar vracht kon neerzetten, tilde eerst het karkas van de zwarte wolf op. Het was stijf en had de vorm van haar schouder aangenomen. Toen ze het op een mat liet vallen, klonken er verbaasde uitroepen en Jondalar verbleekte. Ze hadden moeilijkheden gehad.

'Dat is een wolf!' zei Druwez, die met ontzag naar zijn zuster keek. 'Waar hebben jullie die wolf gepakt?'

'Wacht maar tot je hebt gezien wat Ayla heeft,' zei Deegie, die de witte vossen uit haar rugzak haalde.

Ayla haalde met de ene hand de bevroren hermelijnen uit haar rugzak, terwijl ze de andere voorzichtig tegen haar middel drukte, op haar warme bonttuniek met kap.

'Dat zijn heel mooie hermelijnen,' zei Druwez, die lang niet zo onder de indruk was van de kleine witte hermelijnen als van de zwarte wolf, maar hij wou haar niet beledigen.

Ayla glimlachte naar de jongen; ze maakte de riem om haar anorak los, stak haar hand eronder en haalde een grijs bolletje tevoorschijn. Iedereen kwam kijken om te zien wat ze daar had. Opeens bewoog het.

Het wolvenjong had lekker geslapen tegen Ayla's warme lichaam, onder haar bovenkleding, maar het licht, het lawaai en de vreemde geurtjes maakten het bang. Het jong begon te janken en probeerde weer tegen de vrouw aan te kruipen van wie de geur en de warmte al vertrouwd waren. Ze zette het donzige schepseltje op de bodem van de tekenkuil. Het jong ging staan, deed een paar waggelende stappen, ging prompt op de hurken zitten en deed een plasje, dat snel in de zachte, droge grond verdween.

'Het is een wolf!' zei Danug.

'Een klein wolfje!' voegde Latie eraan toe en ze keek er verrukt naar.

Ayla merkte dat Rydag het beestje graag van dichtbij wou bekijken. Hij stak een hand uit en het jong snuffelde eraan. Toen begon hij hem te likken. Rydag straalde van vreugde.

'Waar heb je kleine wolf gevonden, Ayla?' gebaarde de jongen.

'Is lang verhaal,' antwoordde ze, 'zal later vertellen.' Ze trok vlug haar anorak uit. Nezzie pakte hem aan en gaf haar een kop warme thee. Ze pakte hem met een dankbare glimlach aan en nam een slokje.

'Het doet er niet toe waar ze hem heeft gevonden. Wat gaat ze ermee doen?' vroeg Frebec op scherpe toon. Ayla wist dat hij de gebarentaal verstond, hoewel hij beweerde dat het niet zo was. Hij had Rydag blijkbaar begrepen. Ze draaide zich om en keek hem aan.

'Ik ga hem verzorgen, Frebec,' zei Ayla en ze tartte hem met een felle blik. 'Ik heb zijn moeder gedood' – ze wees naar de zwarte wolf – 'en ik zal voor die baby zorgen.'

'Dat is geen baby. Dat is een wolf! Een beest dat mensen kan verwonden,' zei hij. Ayla nam zelden zo'n duidelijk standpunt in tegenover hem of een ander en hij was erachter gekomen dat ze op onbelangrijke punten vaak toegaf om conflicten te vermijden, als hij maar hatelijk genoeg was. Hij had de directe confrontatie niet verwacht en hij voelde er ook niet veel voor, vooral nu hij wel merkte dat hij zijn zin niet kreeg.

Manuv keek naar het wolvenjong en toen naar Frebec en hij zei met een brede grijns: 'Ben je bang dat dit beestje je zal verwonden, Frebec?'

Frebec kreeg een kleur van woede toen hij het rauwe gelach hoorde. 'Dat bedoel ik niet. Ik bedoel dat wolven mensen kunnen verwonden. Het begint met paarden en nu zijn het wolven. Wat krijgen we straks? Ik ben geen dier en ik wil niet bij dieren wonen,' zei hij. Toen liep hij weg. Hij had geen zin om uit te zoeken of de rest van het Leeuwenkamp hem liever had dan Ayla met haar dieren als hij hen dwong een keuze te maken.

'Heb je nog wat bizonvlees over, Nezzie?'

'Je zult wel honger hebben. Ik zal een bord eten voor je halen.'

'Niet voor mij. Voor de jonge wolf,' zei Ayla.

Nezzie bracht Ayla een stuk vlees en ze vroeg zich af hoe zo'n kleine wolf dat moest eten. Maar Ayla herinnerde zich een les die ze lang geleden had geleerd: baby's kunnen alles eten wat hun moeders eten, maar het moet zachter zijn en gemakkelijker te kauwen en door te slikken. Ze had eens een gewond welpje van een holenleeuw meegenomen naar haar vallei en hem vlees en soep gegeven in plaats van melk. Wolven waren ook vleeseters. Ze herinnerde zich dat ze vaak had gezien dat oudere wolven het eten fijnkauwden en doorslikten om het bij het hol te brengen, waar ze het weer uitbraakten voor de jongen. Maar zij hoefde het niet fijn te kauwen, ze had handen en een scherp mes, ze kon het fijnsnijden.

Toen ze het vlees had fijngemaakt, deed Ayla het in een schaal. Ze voegde wat warm water toe om de temperatuur wat meer in overeenstemming te brengen met die van moedermelk. De jonge wolf had eens aan de randen van de tekenkuil gesnuffeld, maar hij waagde zich er niet buiten. Ayla ging op de mat zitten, stak haar hand uit en riep hem zachtjes. Ze had het jong uit een koude, eenzame ruimte gehaald en hem warmte en troost gebracht en haar geur was al verbonden aan veiligheid. Het bolletje dons waggelde naar haar uitgestoken hand.

Ze pakte hem eerst op om hem te bekijken. Een nauwkeurig onderzoek wees uit dat het een mannetje was. Hij was nog erg jong. Er waren waarschijnlijk niet meer dan vier maanstanden geweest sinds zijn geboorte. Ze vroeg zich af of hij ook broertjes en zusjes had gehad, en zo ja, wanneer ze waren gestorven. Hij had geen enkele verwonding zover ze kon zien, en hij leek ook niet ondervoed, hoewel de zwarte wolf beslist broodmager was geweest. Als Ayla dacht aan de vreselijk ongelijke strijd die de zwarte had moeten voeren om dit enige jong in leven te houden, deed dat haar denken aan de beproeving die zij had doorstaan en dat sterkte haar in haar besluit. Als ze kon zou ze de zoon van de moederwolf in leven houden, wat er ook gebeurde, en niemand, Frebec noch iemand anders, kon haar dat beletten.

Ayla had het jong op haar schoot, stak haar vinger in de schaal met fijngemaakt vlees en hield hem onder de neus van de jonge wolf. Hij had honger. Hij snuffelde, likte eraan en likte toen haar vinger schoon. Ze nam nog een vingervol en die likte hij ook begerig schoon. Ze hield hem op haar schoot en bleef hem voeden tot ze voelde dat zijn buikje rond werd. Toen ze merkte dat hij genoeg had, hield ze wat water onder zijn neus, maar hij keek er alleen maar naar. Toen stond ze op en bracht hem naar de Mammoetvuurplaats.

'Ik denk dat je daar op die bank wel een paar oude manden kunt vinden,' zei Mamut, die haar was gevolgd.

Ze glimlachte naar hem. Hij wist precies wat ze van plan was. Na enig zoeken vond ze een grote gevlochten kookmand die aan één kant uit elkaar viel en zette die op de bank bij het hoofdeind van haar bed. Maar toen ze de wolf erin zette, jankte hij om eruit te komen. Ze pakte hem op en keek om zich heen. Ze wist niet hoe het dan moest. Ze kwam in de verleiding om hem in haar bed te leggen, maar daar wist ze alles van na jonge paarden en leeuwen. Het was te moeilijk om ze later hun gewoonten af te leren, en bovendien: Jondalar zou zijn bed misschien niet met een wolf willen delen.

'Hij is niet blij met zijn mand. Hij mist waarschijnlijk zijn moeder of andere jongen om bij te slapen,' zei Ayla.

'Geef hem iets van jou, Ayla,' zei Mamut. 'Iets zachts, iets bekends. Jij bent nu zijn moeder.'

Ze knikte en bekeek haar kleine verzameling kleren. Ze had niet veel. De prachtige kleren die ze van Deegie had gekregen, de kleding die ze in de vallei had gemaakt voor ze hier kwam en nog wat gedragen spulletjes die ze met andere mensen had geruild. Ze had omslagen genoeg gehad toen ze bij de Stam woonde, en ook nog in de vallei... Ze zag de rugzak die ze uit de vallei had meegebracht in een hoek staan. Ze keek erin en pakte Durcs cape, maar ze vouwde hem weer op nadat ze hem even in de hand had gehad en legde hem weer terug. Ze kon er geen afstand van doen. Toen vond ze haar oude omslag van de Stam, een grote oude huid van zacht leer. Ze had er altijd zo een gedragen, met een lange riem eromheen, zo lang ze zich kon herinneren, tot ze voor het eerst met Jondalar haar vallei verliet. Dat leek nu zo lang geleden. Ze bekleedde de mand met de omslag van de Stam en zette de jonge wolf erin. Hij snuffelde even, ging gauw lekker liggen en viel in een diepe slaap.

Opeens besefte ze dat ze erg moe was, honger had en dat haar kleren nog vochtig waren van de sneeuw. Ze trok de natte laarzen uit met de voering die van samengeperste mammoetwol was gemaakt, en ze trok iets droogs aan en het zachte schoeisel voor binnen, dat Talut haar had leren maken. Ze had het paar dat hij op haar adoptiefeest had gedragen erg mooi gevonden, maar ze wist niet hoe ze werden gemaakt. De vorm was gebaseerd op de karakteristieke houding van een eland of een hert. De achterpoot heeft zo'n scherpe bocht bij het enkelgewricht dat het lijkt op de natuurlijke vorm van de menselijke voet. De huid werd boven en onder het gewricht opengesneden en in één stuk verwijderd. Na de behandeling werd het ondereind met een pees op de gewenste grootte genaaid en het boveneind werd met koorden of riemen om de enkel geslagen en dichtgeregen. Het resultaat was een warme leren kousschoen zonder naden, die gemakkelijk zat.

Toen ze zich had verkleed, ging Ayla naar de paarden om ze gerust te stellen, maar ze bemerkte een zekere aarzeling en weerstand bij de merrie toen ze haar wou aaien.

'Je ruikt zeker de wolf, Whinney? Je zult eraan moeten wennen. Jullie allebei. De wolf blijft een poosje bij ons.' Ze stak haar handen uit en liet de beide paarden eraan snuffelen. Renner week terug, brieste en gooide het hoofd omhoog. Toen snuffelde hij nog eens. Whinney duwde haar lippen in de handen van de vrouw, maar de oren lagen plat en ze hapte aarzelend. 'Je was gewend aan Kleintje, Whinney, je kunt ook wennen aan... Wolf. Ik zal hem morgen hier brengen als hij wakker wordt. Als jullie zien hoe klein hij is, weten jullie meteen dat hij jullie geen kwaad kan doen.'

Toen ze weer naar binnen ging, zag ze dat Jondalar bij het bed naar de jonge wolf stond te kijken. Aan zijn gelaatsuitdrukking kon ze niets afleiden, maar ze meende in zijn ogen iets van nieuwsgierigheid en tederheid te zien. Hij keek op, zag haar en zijn voorhoofd kreeg weer die bekende rimpels.

'Ayla, waarom ben je zo lang weggebleven?' vroeg hij. 'Iedereen stond klaar om jullie te gaan zoeken.'

'Dat was ook niet de bedoeling, maar toen ik zag dat de zwarte wolf die ik had gedood jongen had, moest ik proberen ze te vinden,' zei Ayla.

'Wat maakte dat nu uit? Er gaan zo vaak wolven dood, Ayla!' Hij was heel redelijk begonnen, maar toen hij er weer aan dacht hoe ongerust hij was geweest, werd zijn toon scherper. 'Het was dom om het spoor van een wolf te volgen. Als jullie een troep wolven hadden getroffen, hadden ze jullie kunnen doden.' Jondalar was vreselijk bezorgd geweest, maar nu kwam weer die onzekerheid en de opgekropte woede.

'Het maakte voor mij wel verschil, Jondalar,' stoof ze op. 'En ik ben niet dom. Ik jaagde al op vleeseters voor ik op andere dieren had gejaagd. Ik weet wat wolven zijn. Als er een troep was geweest, had ik het spoor naar het hol niet gevolgd. Dan zou de troep voor haar jongen hebben gezorgd.'

'Ook als er maar één wolf was, begrijp ik niet waarom je de hele dag hebt gezocht naar haar jong.' Jondalar was steeds luider gaan praten. Hij reageerde zijn spanning af en wou haar ook overtuigen om niet weer zulke risico's te nemen.

'Dat jong was alles wat die moederwolf ooit had gehad. Ik kon het niet van honger laten sterven omdat ik zijn moeder had gedood. Als niemand voor mij had gezorgd toen ik nog klein was, had ik niet meer geleefd. Het is mijn plicht om voor een ander te zorgen, ook voor een jonge wolf.' Ayla begon ook luider te praten.

'Dat is niet hetzelfde. Een wolf is een dier. Je had je verstand moeten gebruiken en je leven niet op het spel moeten zetten voor een jonge wolf,' schreeuwde Jondalar. Hij scheen het haar niet aan het verstand te kunnen brengen. 'Dit is geen weer om de hele dag buiten te blijven.'

'Ik heb een goed verstand, Jondalar,' zei Ayla met een woedende blik. 'Ik was degene die buiten was. Dacht je soms dat ik niet wist wat voor weer het was? Dacht je dat ik niet weet wanneer mijn leven in gevaar is? Ik heb voor mezelf gezorgd voor jij kwam en ik heb aan veel grotere gevaren blootgestaan. Ik heb ook voor jou gezorgd. Ik heb jou niet nodig om mij te vertellen dat ik dom ben en geen verstand heb.'

De mensen die naar de Mammoetvuurplaats kwamen, reageerden met een nerveus glimlachje op de ruzie en probeerden het wat te vergoelijken. Jondalar keek vluchtig om zich heen en zag verscheidene mensen glimlachen en met elkaar praten, maar degene die zich erbuiten hield was de donkere man met de schitterende ogen. Lag er iets hooghartigs in zijn brede glimlach?

'Je hebt gelijk, Ayla. Je hebt me niet nodig. Nergens voor,' siste Jondalar en toen hij Talut zag aankomen vroeg hij: 'Heb je er ook bezwaar tegen dat ik naar de kookplaats verhuis, Talut? Ik zal zorgen dat niemand last van me heeft.'

'Nee, natuurlijk niet, maar...'

'Goed. Bedankt,' zei hij en hij pakte zijn spullen en vachten van het bed dat hij met Ayla deelde.

Ayla was verslagen en ze kon zich niet voorstellen dat hij echt ergens anders wou slapen. Ze wou hem al bijna smeken om te blijven, maar haar trots weerhield haar. Hij sliep bij haar, maar ze hadden al zo lang geen gemeenschap gehad dat ze er zeker van was dat hij niet meer van haar hield. Als hij niet meer van haar hield, wou ze niet proberen hem bij haar te houden, al kromp haar maag ineen van angst en verdriet.

'Je kunt je eten ook beter meenemen,' zei ze terwijl hij allerlei dingen in een rugzak deed. Toen probeerde ze een middel te vinden om de scheiding niet zo onherroepelijk te maken en ze voegde eraan toe: 'Hoewel ik niet weet wie daar voor je moet koken. Het is geen echte vuurplaats.'

'Wie zou er voor me hebben gekookt toen ik op reis was, dacht je? Een donii? Ik heb geen vrouw nodig om voor me te zorgen. Ik kan zelf wel koken!' Hij stapte weg, met zijn armen vol vachten, door de Vossenvuurplaats en de Leeuwenvuurplaats, en hij gooide zijn beddengoed op de grond bij de werkplaats van de steenkloppers. Ayla keek hem na. Ze kon het niet geloven.

Het huis gonsde van de gesprekken over hun scheiding. Deegie haastte zich langs de doorgang toen ze het nieuws had gehoord, want ze kon het moeilijk geloven. Terwijl Ayla de wolf eten gaf, was zij met haar moeder naar de Oerosvuurplaats gegaan en ze hadden een poosje rustig gepraat. Deegie had ook droge kleren aangetrokken en ze had wel begrip getoond, maar ze was niet van haar standpunt afgeweken. Zeker, ze hadden niet zo lang weg moeten blijven. Dat was beter geweest voor hun eigen veiligheid en voor de anderen, die zich ongerust maakten, maar nee, onder de gegeven omstandigheden kon het niet anders. Tulie had ook nog met Ayla willen praten, maar ze vond het misplaatst nadat ze Deegies verhaal had gehoord. Voor ze aan hun onzinnige speurtocht naar de wolf begonnen, had Ayla tegen Deegie gezegd dat ze wel terug kon gaan en het waren allebei volwassen jonge vrouwen, die zo langzamerhand heel goed op zichzelf konden passen, maar Tulie was nog nooit zo ongerust over Deegie geweest.

Nezzie gaf Tronie een seintje en ze brachten samen twee borden vol warm eten naar Deegie en Ayla in de Mammoetvuurplaats. Misschien trok alles weer wat bij als ze hadden gegeten en de gelegenheid kregen om hun verhaal te vertellen.

Ze hadden allemaal gewacht met het stellen van vragen over de jonge wolf tot er voor warmte en eten was gezorgd voor de jonge vrouwen en de kleine wolf. Ondanks haar honger had Ayla nu moeite om iets naar binnen te krijgen. Ze bleef maar kijken in de richting waarheen Jondalar was gegaan. Alle anderen hadden blijkbaar de weg naar de Mammoetvuurplaats gevonden, benieuwd naar het verhaal over een spannend en vreemd avontuur, dat men wel meer dan één keer wilde horen. Of ze nu in de stemming was of niet, iedereen wou het verhaal horen hoe ze met een kleine wolf kon thuiskomen.

Deegie begon met te vertellen over de vreemde omstandigheden waaronder ze de vossen in de strikken had gevonden. Ze was er nu van overtuigd dat de zwarte wolf de vossen uit de strikken had gehaald, voor voedsel, omdat ze te zwak en te hongerig was en alleen niet in staat om op herten, paarden of bizons te jagen. Ayla veronderstelde dat de zwarte wolf misschien Deegies spoor had gevolgd van de ene strik naar de andere, toen ze ze zette. Vervolgens vertelde Deegie dat Ayla wit bont wou hebben om iets voor iemand te maken, maar deze keer geen wit vossenbont en toen hadden ze de sporen van de hermelijnen gevolgd.

Jondalar kwam erbij toen het vertellen was begonnen en hij probeerde onopgemerkt te blijven door in de uiterste hoek te gaan zitten. Hij had al spijt en hij verweet zichzelf dat hij te overhaast was weggegaan, maar hij voelde het bloed uit zijn gezicht wegtrekken toen hij de opmerking van Deegie hoorde. Als Ayla iets met wit bont voor iemand maakte en geen vossenbont wou hebben, dan moest dat zijn omdat diegene al wit vossenbont had gekregen. En hij wist wie ze dat had gegeven bij haar adoptiefeest. Jondalar sloot zijn ogen en hij balde zijn vuisten. Hij wou er ook niet aan denken, maar hij kon die gedachten niet uit zijn hoofd zetten. Ayla moest met iets bezig zijn voor de donkere man, die er zo verbluffend goed uitzag in wit bont; voor Ranec. Ranec vroeg zich ook af wie het was. Hij vermoedde dat het Jondalar was, maar hij hoopte dat het een ander was, misschien hijzelf wel. Maar het bracht hem wel op een idee. Of ze nu iets voor hem maakte of niet, hij kon sowieso wel iets voor haar maken. Hij herinnerde zich hoe opgewonden en verrukt ze was over het paardje dat hij had gemaakt en haar had gegeven en hij voelde zich warm worden bij de gedachte om nog iets voor haar te maken, iets dat haar weer in verrukking zou brengen, vooral nu de grote blonde man niet meer bij haar was. De aanwezigheid van Jondalar had hij altijd als een belemmering gevoeld, maar nu die vrijwillig afstand had gedaan van zijn belangrijke plaats, en haar bed en vuurplaats had verlaten, vond Ranec dat hij het recht had om meer werk van haar te maken.

De kleine wolf jankte in zijn slaap en Ayla, die op de rand van haar bed zat, streelde hem om hem te kalmeren. Hij had zich, in zijn jonge leven, alleen maar zo warm en veilig gevoeld wanneer hij bij zijn moeder lag en zij had hem vaak alleen gelaten in het koude, donkere hol. Maar de hand van Ayla had hem uit die sombere, angstaanjagende ruimte gehaald en die had hem warmte, eten en een gevoel van veiligheid gebracht. Hij sliep rustig door onder haar geruststellende aanraking.

Ayla liet Deegie het verhaal verder vertellen en ze legde alleen af en toe iets uit of maakte een opmerking. Ze had niet veel zin in praten en ze vond het interessant dat het verhaal van de jonge vrouw anders was dan zij het zou hebben verteld. Het was niet minder waar, maar zij had andere dingen gezien en Ayla was een beetje verbaasd over sommige indrukken die haar vriendin had opgedaan. Zij had de situatie niet zo gevaarlijk gevonden. Deegie was veel meer geschrokken van de wolf; ze scheen ze niet zo goed te kennen.

Wolven behoorden tot de meest zachtaardige vleeseters en hun gedrag was wel te voorspellen wanneer je goed oplette. Hermelijnen waren veel bloeddorstiger en beren waren erg onberekenbaar. Wolven vielen zelden mensen aan. Maar Deegie scheen er anders over te denken. Ze zei dat de wolf een gevaarlijke aanval op Ayla had gedaan en dat ze bang was geweest. Het was natuurlijk wel gevaarlijk, maar ook als Ayla hem niet had afgeweerd, bleef het een aanval uit zelfverdediging. Ze had gewond kunnen raken, maar de wolf zou haar waarschijnlijk niet gedood hebben en ervandoor gegaan zijn zodra ze de dode hermelijn had gepakt. Toen Deegie vertelde hoe Ayla in het hol van de wolf was gekropen, keek het hele kamp vol ontzag naar haar. Ze moest heel dapper of roekeloos zijn, maar Ayla vond dat ze geen van beide was. Ze wist dat er geen volwassen wolven in de buurt waren, want er waren geen andere sporen. De zwarte was een eenzame wolf geweest, waarschijnlijk ver van haar oorspronkelijk woongebied, en de zwarte was dood.

De levendige manier waarop Deegie over Ayla's naspeuringen vertelde, wekte bij een van de luisteraars niet alleen ontzag. Jondalar had zich steeds meer opgewonden. In zijn verbeelding werd het verhaal nog gevaarlijker en zag hij Ayla, aangevallen door wolven, tot bloedens toe verwond en misschien nog erger. Hij moest er niet aan denken en de ongerustheid van die dag kwam in veel heviger mate terug. Er waren meer mensen met dezelfde gevoelens.

'Je had niet zoveel risico moeten nemen, Ayla,' zei de leidster.

'Moeder!' zei Deegie. De vrouw had vooraf te kennen gegeven dat ze niet zou praten over haar bezorgdheid.

De mensen die het avontuur helemaal meebeleefden, wierpen afkeurende blikken op haar omdat ze zo'n aangrijpend verhaal onderbrak, dat zo goed werd verteld. Dat het waar gebeurd was maakte het nog spannender en hoewel het nog vaak zou worden verteld, zou het nooit meer zoveel indruk maken als de eerste keer. De stemming werd bedorven – ze was nu toch weer veilig thuis?

Ayla keek Tulie aan en ze wierp een vluchtige blik op Jondalar. Ze had hem wel naar de Mammoetvuurplaats zien komen. Hij was boos, en Tulie blijkbaar ook. 'Ik liep niet zo'n groot gevaar,' zei ze.

'Vind je het niet gevaarlijk om een wolvenhol in te gaan?' vroeg Tulie.

'Nee. Er was geen gevaar bij. Het was het hol van een eenzame wolvin en ze was dood. Ik ging er alleen in om haar jongen te zoeken.'

'Dat kan wel zo zijn, maar was het nodig om zo laat terug te komen omdat jullie het spoor van een wolf volgden? Het was bijna donker toen jullie thuiskwamen,' zei Tulie.

Jondalar had hetzelfde gezegd. 'Maar ik wist dat de zwarte jongen had. Zonder moeder zouden ze sterven,' legde Ayla uit, hoewel ze het al eerder had gezegd en meende dat ze het hadden begrepen.

'Dus je brengt je leven in gevaar' – en dat van Deegie, dacht ze, maar ze zei het niet – 'voor het leven van een wolf? Toen de zwarte jou had aangevallen, was het roekeloos om erachteraan te gaan alleen om die hermelijn terug te krijgen. Je had hem haar moeten laten houden.'

'Dat ben ik niet met je eens, Tulie,' merkte Talut op. Iedereen draaide zich om naar het stamhoofd. 'Er was een hongerige wolf in de omgeving, een die de sporen van Deegie al had gevolgd toen ze haar strikken zette. Wie weet of hij haar ook niet had gevolgd hierheen. Het wordt warmer, de kinderen gaan meer buiten spelen. Als die wolf ten einde raad was, had hij een van de kinderen kunnen aanvallen en dat zouden we niet hebben verwacht. Nu weten we dat de wolf dood is. Het is beter zo.'

De mensen knikten instemmend, maar Tulie liet zich niet zo gemakkelijk van de wijs brengen. 'Misschien was het beter dat de wolf werd gedood, maar je kunt niet zeggen dat het nodig was om zo lang weg te blijven om naar een jong te zoeken. En wat gaan we ermee doen nu ze het heeft gevonden?'

'Ik vind dat Ayla er goed aan heeft gedaan om de wolf achterna te gaan en te doden, maar het is jammer dat een moeder met jongen moest worden gedood. Alle moeders hebben er recht op hun kleintjes groot te brengen, ook wolvenmoeders. Maar buiten dat was het niet helemaal nutteloos dat Deegie en Ayla het spoor naar het hol hebben gevolgd, Tulie. Ze hebben niet alleen een wolvenjong gevonden. Omdat ze niet meer sporen hebben gevonden, weten we dat er verder geen hongerige wolven in de buurt zijn. En als Ayla, in de naam van de Moeder, medelijden kreeg met het wolvenjong, zie ik daar geen kwaad in. Het is nog maar zo'n klein beestje.'

'Nu is het nog een klein beestje, maar hij blijft niet klein. Wat doen we met een volwassen wolf in huis? Hoe weet je of hij de kinderen dan niet aanvalt?' vroeg Frebec. 'Wij krijgen binnenkort een baby in onze vuurplaats.'

'Als ik zie hoe zij met dieren omgaat, denk ik dat Ayla wel weet hoe ze moet voorkomen dat die wolf iemand lastigvalt. Bovendien, als stamhoofd wil ik zeggen dat ik hem zal doden wanneer ik ook maar het vermoeden heb dat de wolf iemand zou kunnen aanvallen.' Talut keek Ayla scherp aan. 'Ben je het daarmee eens, Ayla?'

Alle ogen waren op haar gericht. Ze kreeg een kleur, stamelde even en zei toen haar mening: 'Ik kan niet garanderen dat deze jonge wolf niemand verwondt als hij groot is. Ik weet niet eens of hij blijft. Ik heb een paard grootgebracht. Ze ging weg om haar hengst te zoeken en leefde een tijdje in een kudde, maar ze kwam terug. Ik heb ook een holenleeuw verzorgd tot hij volwassen was. Whinney heeft me daarbij geholpen en zij en Kleintje werden vrienden. Ondanks het feit dat holenleeuwen op paarden jagen en hij mij gemakkelijk kwaad kon doen, heeft hij ons nooit bedreigd. Hij was gewoon mijn baby.

Toen Kleintje wegging om een gezellin te zoeken, kwam hij niet meer terug, niet om te blijven, wel op bezoek, en soms zagen we hem op de steppen. Hij heeft Whinney, of Renner, of mij nooit bedreigd, ook niet toen hij een gezellin kreeg en een eigen troep. Kleintje heeft twee mannen aangevallen, die bij zijn hol kwamen, en hij heeft er een gedood, maar toen ik zei dat hij weg moest gaan en Jondalar en zijn broer met rust moest laten, ging hij weg. Een holenleeuw en een wolf zijn beide vleeseters. Er heeft een holenleeuw bij me gewoond en ik heb de wolven gadegeslagen. Ik geloof niet dat een wolf die bij de mensen van een kamp opgroeit, hen ooit zal aanvallen, maar ik zeg hier dat wanneer er ooit gevaar dreigt voor een kind of een volwassene,' – ze slikte een paar keer – 'dat ik, Ayla van de Mamutiërs, hem dan zelf zal doden.'

De volgende morgen besloot Ayla dat de jonge wolf en Whinney en Renner moesten kennismaken, zodat ze aan zijn geur konden wennen en onnodige onrust kon worden vermeden. Toen ze hem eten had gegeven, pakte ze de kleine hondachtige op en nam hem mee naar het verblijf van de paarden om de dieren te ontmoeten. Ze wist niet dat verscheidene mensen haar zagen gaan.

Voor ze echter met de jonge wolf bij de paarden kwam, pakte ze een droog stuk paardenmest, verkruimelde het en wreef het in zijn haren. Ayla hoopte dat het steppepaard nogmaals een jong van een roofdier als vriend zou willen aannemen, net zoals met de holenleeuw, maar ze herinnerde zich dat Whinney haar gemakkelijker accepteerde toen Kleintje in haar mest had liggen rollen.

Toen ze de pluizige handvol onder Whinneys neus hield, schrok de merrie eerst terug, maar haar natuurlijke nieuwsgierigheid won het ten slotte. Ze kwam behoedzaam dichterbij en rook, behalve de geruststellende, bekende paardengeur ook de wolvengeur, die haar nerveus maakte. Renner was net zo nieuwsgierig en minder voorzichtig. Hoewel hij van nature op zijn hoede was voor wolven, had hij nooit in een wilde kudde geleefd en was hij nooit achtervolgd door een troep van die bedreven jagers. Hij stapte naar voren om het interessante, warme, levende ding te zien dat Ayla in de handen had en hij strekte de hals om het wat beter te bekijken, al vond hij het ook wel een beetje bedreigend.

Toen de twee paarden de jonge wolf voldoende hadden besnuffeld, zette Ayla hem op de grond, voor de voeten van de twee grote graseters. Op dat moment hoorde ze een geluid of iemand naar adem snakte. Ze keek naar de ingang van de Mammoetvuurplaats en zag dat Latie het kleed openhield. Vlak achter haar stonden Talut, Jondalar en nog een paar anderen. Ze wilden haar niet storen, maar zij waren ook benieuwd en ze konden de verleiding niet weerstaan om de eerste ontmoeting tussen de jonge wolf en de paarden te zien. Hoe klein hij ook was, de wolf was een roofdier en paarden waren de natuurlijke prooi van wolven. Maar de hoeven en de tanden konden geduchte wapens zijn. Het was bekend dat paarden aanvallende wolven hadden verwond of gedood en ze konden gemakkelijk korte metten maken met zo'n klein roofdier.

De paarden begrepen dat ze geen gevaar te duchten hadden van de kleine rover en ze hadden hun eerste schroom spoedig overwonnen. De meesten moesten lachen toen ze de waggelende kleine wolf, niet veel groter dan een hoef, zagen opkijken bij de dikke benen van de vreemde reuzen. Whinney liet het hoofd zakken en snuffelde, trok terug en stak toen haar lange, beweeglijke neus weer in de richting van de wolf. Renner naderde het interessante jong van de andere kant. De jonge wolf dook in elkaar en deinsde terug toen hij de reusachtige hoofden op zich af zag komen. Maar vanuit het gezichtspunt van het kleine diertje werd de wereld bevolkt door reuzen. De mensen, ook de vrouw, die hem eten gaf en op zijn gemak stelde, waren ook reuzen.

Hij zag geen bedreiging in de warme adem die uit de trillende neusgaten kwam.

Voor de scherpe neus van de wolf was de lucht van deze paarden bekend. De kleren en eigendommen van Ayla waren ervan doortrokken en de geur hing ook om de vrouw heen. De kleine wolf kwam tot de conclusie dat deze reusachtige viervoeters ook bij zijn troep hoorden en met het normale verlangen van ieder jong dier om in de smaak te vallen, rekte hij zich uit om zijn kleine zwarte neusje tegen de warme zachte neus van de merrie te drukken.

'Ze wrijven de neuzen tegen elkaar!' hoorde Ayla Latie fluisteren. Toen de wolf de snoet van de merrie begon te likken, wat de gewone manier was om leden van de troep te benaderen, gooide Whinney het hoofd omhoog. Maar haar belangstelling was toch te groot om lang uit de buurt van het opzienbarende diertje te blijven en weldra accepteerde ze de warme likjes van het kleine roofdier.

Toen ze nog even aan elkaar hadden kunnen wennen, pakte Ayla de jonge wolf op om hem weer naar binnen te brengen. Het was een veelbelovend begin, maar ze besloot niet te overdrijven. Later wou ze hem meenemen voor een rit.

Zo te zien had Jondalar zich geamuseerd en hij had vertederd staan kijken toen de dieren elkaar ontmoetten. Dat was haar vroeger zo vertrouwd geweest. Het gaf haar een onverklaarbaar gevoel van blijdschap. Misschien kwam hij wel weer terug naar de Mammoetvuurplaats nu hij tijd had om na te denken. Maar toen ze naar binnen ging en tegen hem glimlachte – met haar liefste glimlach – wendde hij het gezicht af, sloeg zijn ogen neer en volgde Talut snel naar de kookplaats. Ayla boog het hoofd. Haar vreugde had plaatsgemaakt voor het loodzware gevoel dat hij niets meer om haar gaf.

Niets was echter minder waar. Het speet hem dat hij zo overhaast had gehandeld en hij schaamde zich voor zijn onvolwassen gedrag en hij was ervan overtuigd dat hij niet langer welkom was na zijn plotselinge vertrek. Hij geloofde niet dat haar glimlach echt voor hem was bedoeld. Hij meende dat die nog een gevolg was van de geslaagde ontmoeting tussen de dieren, maar het deed hem wel pijn en hij voelde dat zijn verlangen naar haar zo hevig werd dat hij niet in haar nabijheid kon zijn.

Ranec zag hoe Ayla de grote man nakeek. Hij vroeg zich af hoe lang ze gescheiden zouden blijven en wat de gevolgen zouden zijn. Hij kon er niets aan doen, maar hij dacht dat Jondalars afwezigheid zijn kansen bij Ayla zou vergroten, al durfde hij het nauwelijks te hopen. Hij had zo'n idee dat hij voor een deel de oorzaak was van hun scheiding, maar hij meende dat hun probleem dieper zat. Ranec had zijn belangstelling voor Ayla duidelijk laten blijken en niets had erop gewezen dat die volkomen misplaatst was. Jondalar was niet gekomen met een duidelijke uitspraak dat het zijn bedoeling was met Ayla een verbintenis aan te gaan waarbij voor een ander geen plaats was; hij had alleen gereageerd met ingehouden woede en hij had zich teruggetrokken. En hoewel Ayla hem nu niet direct had aangemoedigd, had ze hem ook niet afgewezen.

Het was waar, Ayla stelde Ranecs gezelschap op prijs. Ze wist niet precies de reden van Jondalars afstandelijke houding, maar ze was ervan overtuigd dat zij iets verkeerd deed. De aandacht die ze van Ranec kreeg, gaf haar echter het gevoel dat haar gedrag beslist niet onbehoorlijk was.

Latie stond naast Ayla en ze keek met grote belangstelling naar de jonge wolf. Ranec kwam bij hen staan.

'Dat zal ik nooit vergeten, Ayla,' zei Ranec. 'Dat kleine ding met zijn neus tegen de neus van dat enorme paard. Het is een dappere kleine wolf.'

Ze keek op en glimlachte. Ze was net zo blij met Ranecs lof als ze zou zijn geweest wanneer het diertje haar eigen kind was geweest. 'Wolf was eerst bang. Ze zijn veel groter dan hij. Ik ben blij dat ze zo gauw vriendschap hebben gesloten.'

'Ga je hem Wolf noemen?' vroeg Latie.

'Ik heb er nog niet over nagedacht, maar het lijkt me een passende naam.'

'Ik zou geen naam kunnen bedenken die beter bij hem past,' moest Ranec toegeven.

'Wat vind jij ervan, Wolf?' vroeg Ayla. Ze hield de jonge wolf omhoog en keek hem aan. Het jong wrong zich in allerlei bochten om bij haar te komen en likte haar in het gezicht. Ze moesten erom lachen.

'Ik geloof dat hij het een mooie naam vindt,' zei Latie.

'Je hebt verstand van dieren, Ayla,' zei Ranec, maar hij voegde eraan toe: 'Ik zou je toch nog iets willen vragen. Hoe wist je dat de paarden hem niets zouden doen? Wolven maken jacht op paarden en ik heb wel gezien dat paarden wolven doden. Ze zijn elkaars doodsvijanden.'

Ayla wachtte even met haar antwoord. 'Ik weet niet. Ik wist het gewoon. Misschien door Kleintje. Holenleeuwen doden ook paarden, maar je had Whinney met hem moeten zien toen hij nog klein was. Ze beschermde hem als een moeder, of tenminste als een tante. Whinney wist dat zo'n kleine wolf haar niets kon doen en Renner scheen het ook te begrijpen. Ik geloof dat, als je begint wanneer ze nog heel klein zijn, de meeste dieren vrienden kunnen worden, en ook van de mensen.'

'Zijn Whinney en Renner daardoor je vrienden?' vroeg Latie.

'Ja, ik denk het. We hebben de tijd gehad om aan elkaar te wennen. Die heeft Wolf ook nodig.'

'Denk je dat hij aan mij zou kunnen wennen?' vroeg Latie en Ayla herkende het hevige verlangen dat uit haar woorden klonk.

'Hier,' zei ze, en ze reikte de jonge wolf over aan het meisje. 'Houd hem goed vast.'

Latie knuffelde het warme, kronkelende diertje en drukte haar wang tegen hem aan om de zachte donzige vacht te voelen. Wolf likte haar gezicht en beschouwde haar ook als lid van zijn troep.

'Ik geloof dat hij me wel mag,' zei Latie. 'Hij gaf me een kusje!'

Ayla moest lachen om haar opgetogen reactie. Ze wist dat die vriendelijkheid heel normaal was voor jonge wolven; mensen schenen er net zomin tegen bestand te zijn als volwassen wolven. Wolven namen pas een schuwe, afwerende en achterdochtige houding tegenover vreemden aan wanneer ze ouder werden.

De jonge vrouw bekeek de wolf aandachtig terwijl Latie hem vasthield. Wolfs vacht had nog de donkergrijze kleur van de kleintjes. Pas later zou het haar de donkere en lichte strepen in de typische wildkleuren van een volwassen wolf krijgen – wanneer hij ze tenminste kreeg. Zijn moeder was egaal zwart, nog donkerder dan het jong, en

Ayla vroeg zich af welke kleur Wolf zou krijgen. Plotseling werden ze gestoord door een bekende, onaangename stem.

'Jouw beloften hebben geen enkele waarde!'

Ze keken alle drie om toen ze Crozie hoorden schreeuwen.

'Je hebt beloofd dat je me met respect zou behandelen! Je hebt me beloofd dat ik onder alle omstandigheden welkom zou zijn!'

'Ik weet wel wat ik heb beloofd. Daar hoef je me niet aan te herinneren,' schreeuwde Frebec.

De ruzie kwam niet onverwacht. De lange winter gaf de mensen veel vrije tijd om kleren, wapens, gebruiksvoorwerpen en sieraden te maken en te repareren; om ivoor, been, geweien en hout te bewerken; om manden, matten en bakjes te vlechten of om verhalen te vertellen, liedjes te zingen, spelletjes te doen en op muziekinstrumenten te spelen. Ze konden zich uitleven in allerlei vormen van tijdverdrijf. Maar nu de lange winter op zijn eind liep, brak ook de tijd aan dat sommigen een woedeaanval kregen omdat ze al zo lang zo dicht op elkaar woonden. Het slepende conflict tussen Frebec en Crozie had de verhouding zo verslechterd dat de meesten wel een uitbarsting verwachtten.

'Nu zeg je dat ik weg moet. Ik ben moeder en ik kan nergens heen en jij wilt dat ik wegga. Is dat jouw manier om je aan een belofte te houden?'

De woordenstrijd werd via het gangpad in alle hevigheid voortgezet in de Mammoetvuurplaats. De jonge wolf, die schrok van het lawaai en de opschudding, bevrijdde zich uit Laties armen en was verdwenen voor ze kon zien waar hij heen ging.

'Ik houd mijn beloften,' zei Frebec. 'Je hebt niet goed geluisterd. Wat ik wou zeggen is...' Hij had haar inderdaad beloften gedaan, maar hij wist toen niet wat het betekende om bij die oude feeks te wonen. Was hij maar alleen met Fralie en hoefde hij haar moeder maar niet te dulden, dacht hij, en hij keek om zich heen alsof hij een mogelijkheid zocht om de hoek uit te komen waar Crozie hem in had gedreven.

'Wat ik wou zeggen is...' Hij zag Ayla staan en hij wendde zich rechtstreeks tot haar. 'We hebben meer ruimte nodig. De Kraanvogelvuurplaats is niet groot genoeg voor ons. En wat doen we als de baby komt? Er schijnt in deze vuurplaats genoeg ruimte te zijn, zelfs voor dieren!'

'Dat is niet voor de dieren. De Mammoetvuurplaats was al zo groot voor Ayla kwam,' zei Ranec, die voor Ayla opkwam. 'Alle mensen van het kamp komen hier bij elkaar. Hij moet ook groter zijn. En dan zit het nog vol. Zo'n grote vuurplaats kun jij niet krijgen.'

'Heb ik om zo'n grote gevraagd? Ik heb alleen gezegd dat die van ons niet groot genoeg is. Waarom moet het Leeuwenkamp ruimte maken voor dieren en niet voor mensen?'

Er kwamen meer mensen om te zien wat er aan de hand was. 'Je kunt geen ruimte van de Mammoetvuurplaats afnemen,' zei Deegie, die opzij ging zodat de oude medicijnman naar voren kon komen. 'Vertel het hem maar, Mamut.'

'Niemand heeft ruimte gemaakt voor de wolf. Hij slaapt in een mand naast haar hoofdeind,' begon Mamut op rustige toon. 'Jij doet het voorkomen alsof Ayla deze hele vuurplaats heeft, maar ze heeft maar weinig ruimte voor zichzelf. De mensen komen hier bij elkaar, of er een ceremonie is of niet, vooral de kinderen. Er is altijd wel iemand, Fralie en haar kinderen net zo goed.'

'Ik heb tegen Fralie gezegd dat ik er niet voor ben dat ze hier zo vaak is, maar ze zegt dat ze voor haar werk meer ruimte nodig heeft. Fralie hoeft hier niet te werken wanneer wij meer ruimte in onze vuurplaats hadden.'

Fralie kreeg een kleur en ze ging weer naar de Kraanvogelvuurplaats. Ze had dat wel tegen Frebec gezegd, maar het was niet helemaal waar. Ze kwam ook graag naar de Mammoetvuurplaats om het gezelschap en omdat Ayla's goede raad haar had geholpen bij de moeilijkheden met haar zwangerschap. Nu begreep Fralie wel dat ze weg zou moeten blijven.

'Hoe dan ook, ik had het niet over de wolf,' vervolgde Frebec, 'hoewel niemand me heeft gevraagd of ik dat beest wel in huis wou hebben. Ik zou niet weten waarom ik erbij moet wonen, alleen omdat iemand zo graag dieren in huis haalt. Ik ben geen beest en ik ben er ook niet bij opgegroeid, maar hier zijn dieren zo langzamerhand meer waard dan mensen. Dit hele kamp is bereid om een aparte ruimte voor paarden te maken terwijl wij samengepropt zitten in de kleinste vuurplaats van het huis!'

Er brak een tumult los omdat ze allemaal tegelijk begonnen te schreeuwen en zich verstaanbaar probeerden te maken.

'Wat bedoel je, "de kleinste vuurplaats van het huis"?' raasde Tornec. 'Wij hebben niet meer ruimte dan jullie, misschien minder, met evenveel mensen!'

'Dat is zo,' zei Tronie, en Manuv knikte heftig.

'Er is niemand die veel ruimte heeft,' zei Ranec.

'Hij heeft gelijk!' stemde Tronie weer in, maar ze werd feller. 'Ik denk dat zelfs de Leeuwenvuurplaats kleiner is dan die van jullie, Frebec, en zij zijn met meer mensen dan jullie, en ze zijn ook groter. Die zijn echt kleinbehuisd. Misschien kunnen zij wat ruimte van de kook-plaats krijgen. Als één vuurplaats ervoor in aanmerking komt, zijn zij het wel.'

'Maar de Leeuwenvuurplaats vraagt niet om meer ruimte,' probeerde Nezzie te zeggen.

Ayla keek van de een naar de ander en ze begreep niet hoe het hele kamp opeens in zo'n luidruchtige discussie verwikkeld kon raken, maar ergens had ze het gevoel dat het allemaal haar schuld was.

Te midden van al dat lawaai klonk plotseling een luid gebulder dat al het tumult overstemde en tot zwijgen bracht. Talut stond met een groot zelfvertrouwen in het midden van de vuurplaats. Hij stond met gespreide benen en in zijn rechterhand had hij de lange, rechte ivoren staf met de mysterieuze versieringen. Tulie kwam bij hem staan en steunde hem met haar aanwezigheid en gezag. Ayla was diep onder de indruk van het machtige paar.

'Ik heb de Spreekstaf gehaald,' zei Talut, terwijl hij de staf omhoog-hield en ermee schudde. 'We zullen dit probleem in vrede bespreken en een rechtvaardige oplossing zoeken.'

'In de naam van de Moeder, laat iedereen eerbied hebben voor de Spreekstaf,' voegde Tulie eraan toe. 'Wie wil eerst spreken?'

'Ik denk dat Frebec eerst moet spreken,' zei Ranec. 'Hij is degene die het probleem heeft.'

Ayla had zich wat teruggetrokken naar de buitenste rij en ze probeer-de wat verder weg te komen van die drukke, schreeuwende mensen. Ze zag dat Frebec nerveus werd en zich niet op zijn gemak scheen te voelen onder al die onvriendelijke blikken die op hem waren gericht. De opmerking van Ranec suggereerde dat Frebec de schuld had van de hele consternatie. Ayla stond wat verscholen achter Danug, en ze bekeek Frebec, misschien wel voor de eerste keer, heel aandachtig.

Hij had een normale lengte, misschien iets minder. Nu ze erop lette was zij misschien iets groter, maar ze was ook wat groter dan Barzec en ze had waarschijnlijk dezelfde lengte als Wymez. Ze was er zo aan gewend dat ze groter was dan iedereen om haar heen dat ze er niet eer-der op had gelet. Frebec had donkerblond haar, dat al wat dunner werd, blauwe ogen, en regelmatige gelaatstrekken. Hij had een heel normaal uiterlijk en ze zag geen duidelijke reden voor zijn agressief gedrag. In haar jeugd had Ayla soms wel gewild dat ze zo op de rest van de Stam leek als Frebec op zijn volk leek.

Toen Frebec naar voren stapte en de Spreekstaf van Talut overnam, zag Ayla nog net het kwaadaardige lachje op het gezicht van Crozie. Natuurlijk had de vrouw voor een deel schuld aan het gedrag van Frebec, maar was dat de enige reden? Er moest meer zijn. Ayla keek of ze Fralie zag, maar ze zag haar niet tussen de mensen in de Mammoet-vuurplaats. Toen zag ze dat de zwangere vrouw vanuit de Kraanvogel-vuurplaats stond te kijken.

Frebec schraapte zijn keel een paar keer en pakte de ivoren staf stevig vast voor hij begon. 'Ja, ik heb inderdaad een probleem.' Hij keek nerveus om zich heen, fronste het voorhoofd en ging rechtop staan. 'Ik bedoel, wij hebben een probleem, de Kraanvogelvuurplaats. Er is niet genoeg ruimte. We hebben geen ruimte om te werken, het is de kleinste vuurplaats van het huis...'

'Het is niet de kleinste. Hij is groter dan die van ons!' wierp Tronie tegen, die zich niet kon inhouden.

Tulie wierp een strenge blik op haar. 'Tronie, je krijgt gelegenheid om te spreken als Frebec klaar is.'

Tronie kreeg een kleur en mompelde een verontschuldiging. Frebec scheen moed te putten uit haar verlegenheid. Hij nam een agressieve-re houding aan.

'We hebben nu te weinig ruimte, Fralie heeft te weinig ruimte om te werken en... en Crozie heeft ook meer ruimte nodig. En binnenkort komt er nog een bij. Ik vind dat we meer ruimte moeten hebben.' Frebec gaf de staf weer aan Talut en deed een stap terug.

'Tronie, nu mag jij wat zeggen,' zei Talut.

'Ik geloof niet... Ik dacht gewoon... Goed, ik wil wel wat zeggen,' zei ze, en ze kwam naar voren om de staf te pakken. 'Wij hebben niet meer ruimte dan de Kraanvogelvuurplaats en we hebben net zoveel mensen.' Ze probeerde steun te krijgen van Talut en voegde eraan toe: 'Ik denk dat de Leeuwenvuurplaats ook kleiner is...'

'Dat is niet belangrijk, Tronie,' zei Talut. 'De Leeuwenvuurplaats vraagt niet om meer ruimte en wij zitten niet dicht genoeg bij de Kraanvogelvuurplaats om hinder te ondervinden van Frebecs verzoek om meer ruimte. Jullie, in de Rendiervuurplaats, hebben wel recht van spreken, omdat veranderingen in de Kraanvogelvuurplaats waar-schijnlijk ook voor jullie veranderingen meebrengen. Wil je verder nog iets zeggen?'

'Nee, ik geloof het niet,' zei Tronie en ze schudde het hoofd terwijl ze hem de staf overhandigde.

'Iemand anders misschien?'

Jondalar zou willen dat hij iets kon zeggen om te helpen, maar hij was een buitenstaander en hij had het gevoel dat het hem niet paste zich ermee te bemoeien. Hij wou Ayla helpen en het speet hem nu nog meer dat hij zijn slaapplaats had verlaten. Hij was bijna blij toen Ranec naar voren stapte en de ivoren staf pakte. Er moest toch iemand zijn die haar verdedigde.

'Het is niet zo verschrikkelijk belangrijk, maar Frebec overdrijft. Ik kan niet beoordelen of ze meer ruimte nodig hebben, maar de Kraanvogelvuurplaats is niet de kleinste van het huis. Die eer komt de Vossenvuurplaats toe. Maar wij zijn maar samen en we zijn tevreden.' Er klonk gemompel en Frebec wierp een woedende blik op de beeldhouwer. De beide mannen hadden nooit veel begrip voor elkaar gehad. Ranec was altijd geneigd hem te negeren omdat hij van mening was dat hij totaal anders was. Frebec vatte het op als minachting en daar zat wel iets in. Vooral na Frebecs kleinerende opmerkingen over Ayla had Ranec weinig waardering meer voor hem.

Talut probeerde een nieuwe woordenwisseling te voorkomen. Hij verhief zijn stem en wendde zich tot Frebec. 'Hoe dacht je de indeling van het huis te veranderen opdat jullie meer ruimte krijgen?' Hij gaf de man de lange ivoren staf.

'Ik heb nooit gezegd dat ik ruimte van de Rendiervuurplaats wil afnemen, maar het lijkt me zo toe dat sommige mensen meer ruimte hebben dan ze nodig hebben wanneer ze ruimte hebben voor dieren. Er is een heel nieuw stuk bij gebouwd voor de paarden, maar niemand schijnt zich er iets van aan te trekken dat wij er binnenkort een kind bij krijgen. Misschien zou er kunnen worden... verhuisd.' Dat laatste kwam er wat aarzelend uit. Hij vond het niet prettig dat Mamut de Spreekstaf pakte.

'Wou je voorstellen om de Rendiervuurplaats naar de Mammoetvuurplaats te verhuizen om meer ruimte te maken voor de Kraanvogelvuurplaats? Dat zou hun al heel slecht uitkomen. En wat Fralie betreft wou je toch zeker niet voorstellen dat ze zich opsluit in de Kraanvogelvuurplaats? Dat zou niet gezond zijn en het zou haar beroven van het gezelschap dat ze hier vindt. Wij rekenen erop dat ze hier haar werk doet. Deze vuurplaats is bedoeld om plaats te bieden voor werkzaamheden waar meer ruimte voor nodig is dan in een gewone vuurplaats. De Mammoetvuurplaats is er voor iedereen en hij is nu al bijna te klein voor bijeenkomsten.'

Toen Mamut de Spreekstaf aan Talut teruggaf, leek Frebec aardig gekalmeerd, maar hij was op zijn hoede toen Ranec hem weer pakte.

'Wat de ruimte voor de paarden betreft, daar zullen we allemaal van profiteren, vooral wanneer er voorraadkelders onder gegraven worden. Ook nu al is het voor velen een gemakkelijke ingang. Het valt me op dat jij je kleding voor buiten daar laat hangen en die toegang meer gebruikt dan de hoofdingang, Frebec,' zei Ranec. 'Bovendien, baby's zijn klein. Ze hebben niet zoveel ruimte nodig. Ik geloof niet dat jullie meer ruimte nodig hebben.'

'Hoe zou jij dat weten?' merkte Crozie op. 'Er is er in jouw vuurplaats nog nooit een geboren. Baby's hebben ruimte nodig, veel meer dan jij denkt.'

Pas toen ze het had gezegd besefte Crozie dat ze voor de eerste keer partij had gekozen voor Frebec. Ze dacht even na en kwam tot de conclusie dat hij misschien wel gelijk had. Misschien hádden ze wel meer ruimte nodig. Het was waar dat de Mammoetvuurplaats een plek was waar de mensen elkaar ontmoetten, maar het scheen Ayla meer status te geven dat ze in zo'n grote vuurplaats woonde. Hoewel iedereen hem als de hunne beschouwde toen Mamut er nog alleen woonde, zagen ze hem nu meer als de vuurplaats van Ayla, behalve dan bij ceremoniële bijeenkomsten. Een grotere ruimte voor de Kraanvogelvuurplaats zou de status van de bewoners misschien verhogen.

Iedereen scheen Crozies interruptie aan te grijpen om commentaar te leveren. Talut en Tulie wisselden een blik van verstandhouding en ze lieten de uitbarsting rustig over zich heen komen. Soms hadden de mensen er behoefte aan om zich te uiten. Tijdens de interruptie hadden Tulie en Barzec elkaar aangekeken en toen het weer rustig werd, stapte hij naar voren en vroeg om de staf. Tulie knikte instemmend alsof ze wist wat hij ging zeggen, hoewel ze niet met elkaar hadden gepraat.

'Crozie heeft gelijk,' zei hij en hij knikte in haar richting. Ze stond op, gevleid door de erkenning en Barzec steeg in haar achting. 'Baby's hebben inderdaad ruimte nodig, veel meer dan je van die kleintjes zou verwachten. Misschien wordt het tijd voor een paar veranderingen, maar ik geloof niet dat de Mammoetvuurplaats ruimte moet afstaan. De behoeften van de Kraanvogelvuurplaats nemen toe, maar die van de Oerosvuurplaats worden kleiner. Tarneg woont weer in het kamp van zijn leidster en binnenkort zal hij met Deegie een nieuw kamp beginnen. Dan gaat zij ook weg. De Oerosvuurplaats heeft begrip voor de behoeften van een gezin dat groter wordt en daarom willen wij wat ruimte afstaan aan de Kraanvogelvuurplaats.'

'Vind je dat een bevredigende oplossing, Frebec?' vroeg Talut.

'Ja,' antwoordde Frebec, die niet goed wist hoe hij moest reageren op deze onverwachte gang van zaken.

'Dan wil ik het aan jullie overlaten om samen uit te zoeken hoeveel ruimte de Oerosvuurplaats zal afstaan, maar het lijkt me redelijk dat er niets verandert voor Fralie haar baby heeft. Ben je het daarmee eens?'

Frebec knikte, nog diep onder de indruk. In zijn vorige kamp had hij het niet durven wagen om om meer ruimte te vragen; als hij het had gedaan, hadden ze hem uitgelachen. Hij miste het recht en de status om zulke verzoeken te doen. Toen de ruzie met Crozie begon, had hij helemaal niet aan ruimte gedacht. Hij zocht gewoon een mogelijkheid om te reageren op haar grievende, zij het ook juiste beschuldigingen. Hij begon te geloven dat ruimtegebrek al lang de oorzaak van de ruzies was geweest en deze keer had ze partij gekozen voor hem. Hij genoot van het succes. Hij had een slag gewonnen. Twee slagen: een tegen het kamp en een tegen Crozie. Terwijl de mensen zich verspreidden, zag hij dat Tulie en Barzec stonden te praten en hij vond wel dat hij hen behoorde te bedanken.

'Ik heb waardering voor jullie begrip,' zei Frebec tegen de leidster en de man van de Oerosvuurplaats.

Barzec zei, zoals gebruikelijk, dat dat niet nodig was, maar ze hadden het niet leuk gevonden wanneer Frebec niet had gewaardeerd dat ze zo inschikkelijk voor hem waren. Ze wisten heel goed dat de waarde van hun tegemoetkoming veel verder strekte dan een meter ruimte. Het betekende dat de Kraanvogelvuurplaats de status had om in aanmerking te komen voor zo'n gunst van de vuurplaats van de leidster, hoewel ze aan de status van Crozie en Fralie dachten toen Tulie en Barzec vooraf een wijziging van de grens tussen de beide vuurplaatsen met elkaar hadden besproken. Ze waren al vooruitgelopen op het feit dat de behoeften van de twee gezinnen zouden veranderen. Barzec had zelfs overwogen om de kwestie al eerder ter sprake te brengen, maar Tulie had voorgesteld te wachten op een geschikter moment, misschien als een geschenk voor de baby.

Ze wisten beiden dat dit het moment was. Er was alleen maar een blik en een knikje voor nodig om elkaar te begrijpen. En omdat Frebec slechts een symbolische overwinning had behaald, moest de Kraanvogelvuurplaats wel verzoeningsgezind zijn bij het regelen van de nieuwe grens. Barzec had net met trots opgemerkt hoe verstandig Tulie was toen Frebec naderde om zijn dank te betuigen. Terwijl Frebec terugliep naar de Kraanvogelvuurplaats, genoot hij nog na van het incident en ging de punten na waarop hij voor zijn gevoel had gewonnen, alsof het een spel was geweest dat ze in het kamp graag speelden.

In zeker opzicht was het ook een spel, het subtiele en serieuze spel om de rangorde dat door alle dieren wordt gespeeld die in groepen leven. Het is de methode die individuen toepassen om een plaats te veroveren in een bepaalde rangorde, zoals paarden in een kudde, wolven in een troep of mensen in een gemeenschap, opdat ze met elkaar kunnen leven. In dat spel werken twee tegengestelde krachten die beide even belangrijk zijn om te overleven: de individuele zelfstandigheid en het welzijn van de groep. Het is de bedoeling een dynamisch evenwicht te bereiken.

Onder bepaalde omstandigheden kunnen individuen soms bijna zelfstandig zijn. Een individu kan alleen leven, zonder zorgen over een rangorde, maar op den duur kan een individu niet leven zonder contact met anderen. De prijs zou uiteindelijk hoger zijn dan de dood. Het zou het uitsterven van de soort betekenen. Anderzijds werkt een volledige onderwerping van het individu aan de groep net zo vernietigend. Het leven is noch statisch noch onveranderlijk. Zonder individualiteit is er geen verandering en geen aanpassing. In een wereld waaraan de verandering eigen is zijn de soorten die zich niet kunnen aanpassen ook ten dode opgeschreven.

Mensen die in een gemeenschap leven, of die nu uit twee individuen bestaat of zo groot is als de wereld, zullen zich moeten schikken in een zekere rangorde, ongeacht de vorm van die gemeenschap. Algemeen aanvaarde omgangsvormen en gebruiken kunnen de wrijvingen wat afzwakken en de spanning wat draaglijker maken die het handhaven van een werkbaar evenwicht binnen dat voortdurend veranderende systeem meebrengt. In sommige situaties hoeven de meeste individuen niet veel van hun persoonlijke onafhankelijkheid af te staan voor het welzijn van de gemeenschap. In andere gevallen kunnen de belangen van de groep de grootste persoonlijke offers van het individu eisen, tot zelfs zijn leven. Het hangt van de omstandigheden af wat het beste is, maar het extreme kan zich nooit lang handhaven en een samenleving houdt geen stand wanneer een paar mensen hun persoonlijke belangen laten prevaleren ten koste van de groep.

Ayla merkte dat ze vaak de gemeenschap van de Stam vergeleek met die van de Mamutiërs en ze begon er iets van te begrijpen door het verschil in de manier van leidinggeven dat ze had opgemerkt bij Brun en het stamhoofd en de leidster van het Leeuwenkamp. Ze zag Talut de Spreekstaf op zijn gebruikelijke plaats terugzetten en ze herinnerde zich nog dat ze Brun een betere leider had gevonden dan Talut toen ze pas in het kamp van de Mamutiërs was. Brun zou eenvoudig een besluit hebben genomen en de anderen hadden het uitgevoerd, of ze het leuk vonden of niet. Dat zouden de meesten zich trouwens niet hebben afgevraagd. Brun hoefde nooit te argumenteren of te schreeuwen. Een scherpe blik of een kort bevel was voldoende om onmiddellijk ieders aandacht te krijgen. Zij had de indruk gekregen dat Talut geen baas kon blijven over die drukke, ruzieachtige mensen en dat ze geen respect voor hem hadden.

Nu was ze daar niet zo zeker meer van. Het leek haar moeilijker om een groep mensen te leiden die van mening waren dat iedereen, vrouw en man, het recht had vrijuit te spreken en te worden aangehoord. Ze vond nog steeds dat Brun een goede leider voor zijn groep was geweest, maar ze vroeg zich af of hij deze mensen wel had kunnen leiden, die zo openlijk voor hun mening uitkwamen. Het kon er luid en lawaaiig toegaan wanneer iedereen een mening had en niet aarzelde om die te uiten, maar Talut stond nooit toe dat bepaalde grenzen werden overschreden. Hoewel hij zeker over voldoende besluitvaardigheid beschikte om zijn wil aan de mensen op te leggen, gaf hij de voorkeur aan een leiderschap op basis van vergelijk en eensgezindheid. Hij kon een beroep doen op bepaalde afspraken en opvattingen en hij had zijn eigen aanpak om de aandacht te krijgen, maar om de mensen te overtuigen waren andere capaciteiten nodig dan het toepassen van dwang. Talut kreeg respect door respect te tonen.

Op weg naar een groepje mensen bij de stookplaats keek Ayla om zich heen om te zien waar de jonge wolf was. Ze deed het onbewust en toen ze hem niet zag nam ze aan dat hij een plekje had gevonden om de drukte te ontvluchten.

'... Frebec heeft zijn zin gekregen,' zei Tornec, 'dankzij Tulie en Barzec.'

'Ik ben blij voor Fralie,' zei Tronie, die het een hele geruststelling vond dat de Rendiervuurplaats niet werd ingepalmd of verkleind. 'Ik hoop dat Frebec nu een poosje rustig blijft. Hij heeft deze keer een hele ruzie veroorzaakt.'

'Ik houd niet van die ruzies,' zei Ayla, die zich herinnerde dat de ruzie was begonnen met de klacht van Frebec dat haar dieren meer ruimte hadden dan hij.

'Trek je er maar niets van aan,' zei Ranec. 'Het is een lange winter geweest. Zulk soort dingen gebeuren ieder jaar om deze tijd. Het is gewoon een verzetje en het brengt wat opwinding.'

'Maar hij hoefde niet zo'n drukte te maken om wat meer ruimte te krijgen,' zei Deegie. 'Ik heb moeder en Barzec erover horen praten lang voordat hij erover begon. Ze waren van plan om de Kraanvogelvuurplaats meer ruimte te geven als geschenk voor Fralies baby. Frebec hoefde het alleen maar te vragen.'

'Daarom is Tulie zo'n goede leidster,' zei Tronie. 'Zij denkt aan zulke dingen.'

'Zij is goed, en Talut ook,' zei Ayla.

'Ja, dat is zo,' zei Deegie glimlachend. 'Daarom is hij nog steeds stamhoofd. Niemand kan zo lang leider blijven wanneer hij het respect van zijn mensen niet kan afdwingen. Ik denk dat Branag ook zo goed zal zijn. Hij had een goed voorbeeld aan Talut.' De warme gevoelens tussen Deegie en de broer van haar moeder gingen verder dan de formele verwantschap van een oom die de jonge vrouw, samen met de status en de nalatenschap van haar moeder, verzekerde van een hoog aanzien onder de Mamutiërs.

'Maar wie zou er dan leider moeten worden wanneer men voor Talut geen ontzag had?' vroeg Ayla. 'En hoe?'

'Nou... eh...' begon Deegie. Toen wendden de jonge mensen zich tot Mamut om haar vraag te beantwoorden.

'Wanneer de oude leiders hun actief leiderschap overdragen aan een jongere broer en zuster – gewoonlijk verwanten die zijn gekozen – is er een leertijd, gevolgd door een ceremonie en dan worden de oude leiders adviseurs,' zei de medicijnman en leraar.

'Ja. Dat deed Brun ook. Toen hij jong was respecteerde hij de oude Zoug en luisterde naar zijn raad en toen hij ouder werd droeg hij het leiderschap over aan Broud, de zoon van zijn gezellin. Maar wat gebeurt er wanneer een kamp geen respect meer heeft voor zijn leider? Een jonge leider?' vroeg Ayla, heel belangstellend.

'Er zou niet meteen een andere leider komen,' zei Mamut, 'maar na een poosje zouden de mensen zich gewoon niet meer tot hem wenden. Ze zouden naar een ander gaan, iemand die met meer succes een jacht kon leiden, of de problemen beter kon oplossen. Soms doet men afstand van het leiderschap, soms gaat een kamp uit elkaar. Sommigen gaan met de nieuwe leider mee en anderen blijven bij de oude. Gewoonlijk doen de leiders niet zo gemakkelijk afstand van hun positie of gezag en dat kan problemen geven, zelfs ruzies. Dan moet de beslissing worden overgelaten aan de Raadslieden. Het stamhoofd of de leidster die het leiderschap heeft vervuld met iemand die de moeilijkheden veroorzaakte, of verantwoordelijk wordt gesteld voor een probleem, kan zelden een nieuw kamp beginnen, hoewel het misschien niet haar...' Mamut aarzelde en Ayla zag dat hij een scherpe blik wierp op de oude vrouw van de Kraanvogelvuurplaats die met Nezzie stond te praten, '... of zijn schuld is. De mensen willen leiders op wie ze kunnen bouwen en ze wantrouwen degenen die problemen hebben gehad... of erger.'

Ayla knikte en Mamut wist dat ze hem begreep, niet alleen wat hij had gezegd, maar ook wat hij liet doorschemeren. Het gesprek ging verder, maar Ayla's gedachten dwaalden af naar de Stam. Brun was een goede leider geweest, maar wat zou zijn Stam doen wanneer Broud dat niet was? Ze vroeg zich af of ze een nieuwe leider zouden nemen en wie dat zou zijn. Het duurde nog een hele tijd voor de zoon van Brouds gezellin oud genoeg was. Opeens werd ze weer herinnerd aan de bezorgdheid die het moeilijk maakte om haar aandacht bij het gesprek te houden.

'Waar is Wolf?' zei ze.

Ze had hem niet meer gezien vanaf het moment dat de ruzie begon, en de anderen ook niet. Iedereen begon te zoeken. Ayla zocht bij haar bed en vervolgens in alle hoeken van de vuurplaats, ook achter de gordijnen, waar de mand met as en paardenmest stond die ze de jonge wolf had laten zien. Ze kreeg hetzelfde gevoel van paniek dat een moeder heeft wanneer haar kind zoek is.

'Hier is hij, Ayla!' hoorde ze Tornec zeggen en dat was een opluchting, maar haar maag kromp ineen toen hij eraan toevoegde, 'Frebec heeft hem.' Haar verrassing steeg echter ten top toen ze hem zag aankomen. Ze was niet de enige die hem ongelovig aanstaarde. Frebec, die nooit een gelegenheid voorbij liet gaan om Ayla's dieren, of haarzelf, te kleineren, om de manier waarop ze met ze omging, hield de jonge wolf zachtjes wiegend in zijn armen. Hij gaf de wolf aan haar over, maar ze bemerkte een moment van aarzeling, alsof hij met tegenzin afstand deed van het schepseltje en ze zag een zachtere uitdrukking in zijn ogen dan ze ooit van hem had gezien.

'Hij moet bang geworden zijn,' legde Frebec uit. 'Fralie zei dat hij opeens bij de vuurplaats zat te janken. Ze wist niet waar hij vandaan kwam. De meeste kinderen waren er ook en Crisavec pakte hem en zette hem op een voorraadplank bij het hoofdeind van zijn bed, maar daar zit een diepe nis in de wand. Die loopt een heel stuk de heuvel in. De wolf heeft hem gevonden, kroop er helemaal in tot het eind en toen wou hij er niet meer uit komen.'

'Die nis deed hem aan zijn hol denken,' zei Ayla.

'Dat zei Fralie ook. Zij kon er niet in om hem te pakken, want ze is te dik en ik denk dat ze bang was nadat ze Deegie had horen vertellen hoe jij in dat wolvenhol ging. Ze wou ook niet dat Crisavec erin ging. Toen ik kwam, moest ik erin om hem te pakken.' Frebec wachtte even en toen hij doorging klonk er verbazing uit zijn stem. 'Toen ik bij hem kwam, was hij zo blij dat hij me zag dat hij mijn hele gezicht likte. Ik had moeite om hem te laten ophouden.'

Frebec probeerde een wat gereserveerde en onverschilliger houding aan te nemen om het feit te verdoezelen dat hij zichtbaar was getroffen door het natuurlijke, vertederende gedrag van de bange kleine wolf. 'Maar toen ik hem neerzette, begon hij te janken en hij bleef janken tot ik hem weer oppakte.' Er stonden nu verscheidene mensen om hen heen. 'Ik weet niet waarom hij de Kraanvogelvuurplaats, of mij, heeft uitgekozen om heen te rennen toen hij een veilig plekje zocht.'

'Hij beschouwt het kamp nu als zijn troep en hij weet dat jij bij het kamp hoort, vooral nu je hem uit het hol hebt gehaald dat hij had gevonden,' antwoordde Ayla, die probeerde de situatie te verklaren.

Frebec had in een overwinningsroes verkeerd toen hij naar zijn vuurplaats terugging en er was nog iets dat hem een ongewoon warm gevoel gaf: het gevoel erbij te horen, als een gelijkwaardig lid van de groep. Ze hadden hem niet genegeerd of belachelijk gemaakt. Talut had steeds naar hem geluisterd alsof hij de status had die dat rechtvaardigde en Tulie, de leidster, had hem zelf aangeboden iets van haar ruimte af te staan. Crozie had zelfs partij voor hem gekozen.

Toen hij Fralie zag, kreeg hij een brok in de keel. Ze was zijn gezellin, die werd gewaardeerd om haar hoge status en zij had dit allemaal mogelijk gemaakt; zijn mooie zwangere vrouw, die spoedig het eerste kind van zijn eigen vuurplaats zou baren, de vuurplaats die Crozie hem had gegeven, de Kraanvogelvuurplaats. Het had hem geïrriteerd toen ze zei dat de wolf was weggekropen in de nis, maar hij was verrast dat het jonge dier tegenover hem zo aanhankelijk was, ondanks zijn ruwe woorden. Zelfs de jonge wolf accepteerde hem en wou alleen door hem worden gesust. En Ayla zei dat het kwam doordat de wolf wist dat hij bij het Leeuwenkamp hoorde. En dat wist zelfs een wolf.

'Je kunt hem in het vervolg beter hier houden,' waarschuwde Frebec terwijl hij zich omdraaide om weg te gaan. 'En pas goed op hem. Anders kunnen ze wel op hem trappen.'

Toen Frebec weg was, keken verscheidene mensen die eromheen stonden elkaar stomverbaasd aan.

'Wat een ommekeer. Ik vraag me af wat er met hem gebeurd is,' zei Deegie. 'Als ik niet beter wist, zou ik zeggen dat hij Wolf echt wel mag!'

'Dit had ik nooit van hem verwacht,' zei Ranec, die nooit zoveel waardering had gevoeld voor de man van de Kraanvogelvuurplaats.

24

De viervoetige schepsels uit het domein van de Moeder waren voor het Leeuwenkamp altijd voedsel geweest, of bont of personificaties van geesten. Ze kenden de dieren in hun natuurlijke omgeving, ze wisten hoe ze zich verplaatsten en naar andere gebieden trokken, ze konden ze vinden en op ze jagen. Maar voor Ayla met de merrie en de jonge hengst kwam, hadden de mensen van het kamp nooit dieren leren kennen.

De wederzijdse invloed die de paarden en Ayla op elkaar hadden, en na verloop van tijd tot op zekere hoogte ook op de anderen, zorgde voortdurend voor verrassingen. Het was vroeger nooit bij hen opgekomen dat zulke dieren op mensen konden reageren of konden komen wanneer ze werden gefloten, of een ruiter zouden dragen. Maar hoe interessant en aantrekkelijk de paarden ook waren, ze moesten het verliezen van de jonge wolf. Ze respecteerden de wolven als jagers en soms als tegenstanders. Er werd wel eens op een wolf gejaagd voor een wintervacht en hoewel het zelden gebeurde, werd iemand wel eens het slachtoffer van een troep wolven. Meestal bleven de mensen en de wolven bij elkaar uit de buurt.

Maar alles wat nog heel jong is heeft een bijzondere aantrekkingskracht; het is hun aangeboren talent om te overleven. Kleintjes, ook kleine dieren, hebben iets vertederends, maar Wolf – dat was de naam die ze allemaal gebruikten – was bijzonder aantrekkelijk. Vanaf de eerste dag dat het donzige, donkergrijze jong op zijn onvaste pootjes over de vloer waggelde, had hij de mensen in verrukking gebracht. Het was moeilijk om weerstand te bieden aan zijn opdringerig gedrag en hij werd algauw de lieveling van het kamp.

Het scheelde wel dat er niet zoveel verschil is in het gedrag van wolven en van mensen, al besefte de bevolking van het kamp dat niet. Het waren beide intelligente, sociale wezens die in een ingewikkeld patroon van wisselende relaties samenwerkten in dienst van de groep, terwijl er plaats was voor individuele verschillen. Door de overeenkomsten in sociale structuur en bepaalde kenmerkende eigenschap-

pen, die zich bij de hondachtigen en de mensen onafhankelijk van elkaar hadden ontwikkeld, behoorde een unieke verhouding tussen de
beide soorten tot de mogelijkheden.

Het leven van Wolf was onder ongewone en moeilijke omstandigheden begonnen. Als enige overlevende uit een nest jongen van een eenzame wolvin die haar mannetje had verloren, had hij nooit het gevoel
van geborgenheid bij een troep wolven gekend. In plaats van de gezelligheid van andere jongen of de zorg van een oom of tante die bij hem
bleef wanneer zijn moeder even weg was, kende hij alleen maar eenzaamheid, wat heel ongewoon is voor een wolvenjong. De enige andere wolf die hij had gekend was zijn moeder en de herinnering aan
haar begon te vervagen omdat Ayla haar plaats had ingenomen.

Maar Ayla was nog iets meer. Door haar besluit om het wolvenjong te
houden en groot te brengen, werd ze de menselijke helft van een bijzondere eenheid die tussen twee totaal verschillende soorten groeide –
hondachtigen en mensen – een eenheid die een diepe en blijvende indruk zou maken.

Ook als er andere wolven in de buurt waren geweest en ze hem hadden gevonden, was Wolf nog te jong om een echte band met ze te
hebben. Op zijn leeftijd, van ongeveer een maand, zou hij nog maar
net uit zijn hol zijn gekomen om zijn soortgenoten te ontmoeten, de
wolven waar hij zich voor de rest van zijn leven bij thuis had gevoeld.
Nu voelde hij zich thuis bij de mensen en de paarden van het Leeuwenkamp.

Het was de eerste keer, maar het zou niet de laatste zijn. Naarmate het
bekender werd zou het vaker gebeuren, op vele plaatsen, bij toeval of
met opzet. De voorouders van alle hondachtigen waren wolven en in
het begin behielden ze hun typische eigenschappen. Na verloop van
tijd begonnen de generaties wolven die bij de mensen waren geboren
en opgegroeid echter af te wijken van de oorspronkelijke wilde wolven.

De mensen stonden vaak positief tegenover dieren die uit de groep
werden verdreven omdat ze normale erfelijke variaties hadden in
kleur, vorm of grootte – een donkere vacht, een witte vlek, een krul in
de staart, of omdat ze wat groter of kleiner waren dan de andere. Ook
erfelijke afwijkingen in de vorm van dwergdieren of abnormaal grote
exemplaren, die zich in het wild niet konden handhaven, werden
door de mensen gehouden en goed verzorgd. Uiteindelijk werd er
met vreemde en afwijkende hondachtigen gefokt om bepaalde voor
de mens aantrekkelijke eigenschappen te behouden of te versterken,
tot de uiterlijke overeenkomst tussen veel honden en de oorspronke-

lijke wolf inderdaad ver te zoeken was. Maar de typische eigenschappen van de wolf, zoals intelligentie, de neiging om een ander te beschermen, trouw en speelsheid, bleven bewaard.

Wolf leerde snel de onderlinge rangorde binnen het kamp, zoals hij ook in een troep wolven zou hebben gedaan, hoewel zijn uitleg van status misschien niet helemaal overeenkwam met de gedachten die de mensen daarover hadden. Tulie was de leidster van het Leeuwenkamp, maar voor Wolf was Ayla de hoogste in rang; in een troep wolven was de moeder van het nest de leidster en ze stond andere vrouwtjes zelden toe om jongen te krijgen.

Niemand in het kamp wist precies wat het diertje dacht of voelde, of dat hij gedachten en gevoelens had die mensen konden begrijpen, maar dat deed er niet toe. De mensen van het kamp beoordeelden hem naar zijn gedrag en uit zijn daden bleek overduidelijk dat zijn liefde en verering voor Ayla buitengewoon groot waren. Hij hield haar altijd in de gaten, waar ze ook was, en of ze hem nu floot, met de vingers knipte, wenkte of alleen maar knikte, hij stond meteen voor haar en in zijn ogen zag ze grote genegenheid en het verlangen om aan al haar wensen te voldoen. Zijn reacties waren heel natuurlijk en vergevingsgezind. Hij jankte wanhopig wanneer ze hem een standje gaf en hij wrong zich in allerlei bochten van blijdschap wanneer ze zich liet vermurwen. Hij deed alles om haar aandacht te trekken. Hij genoot het meest als ze met hem speelde of stoeide, maar een woord of een tikje was al genoeg voor een likje of andere duidelijke bewijzen van genegenheid.

Bij niemand anders was Wolf zo uitbundig. Tegen de een was hij vriendelijker dan tegen de ander en niet iedereen werd met dezelfde instemming begroet. Het wekte verbazing dat het dier zo verschillend reageerde. Zijn houding tegenover Ayla versterkte de visie van het kamp dat ze een magisch vermogen bezat om dieren te leiden, en dat verhoogde haar status.

De jonge wolf had er wat meer moeite mee om vast te stellen wie de mannelijke leider van zijn troep was. Degene die die plaats in de groep innam kreeg meer aandacht dan alle andere wolven. Zijn leiderschap werd gewoonlijk bekrachtigd door een begroetingsceremonie, waarbij de rest van de troep zich om de mannelijke leider verdrong om zijn snuit te likken en aan zijn vacht te ruiken en het eindigde vaak met een opzienbarend gemeenschappelijk gehuil. Maar deze troep toonde die eerbied voor een bepaald mannetje niet.

Wolf merkte echter wel dat de twee grote viervoeters in zijn ongebruikelijke troep de lange blonde man met meer enthousiasme begroetten dan de anderen, behalve Ayla. Daar kwam nog bij dat zijn geur sterk aanwezig was rond Ayla's bed en de directe omgeving, waar Wolfs mand stond. Bij gebrek aan andere aanwijzingen was Wolf geneigd het leiderschap van de troep aan Jondalar toe te schrijven. Deze neiging werd sterker toen zijn vriendelijke toenaderingen werden beloond met een warme en speelse belangstelling.

Het half dozijn spelende kinderen beschouwde hij als zijn broertjes en zusjes en daar was Wolf vaak te vinden, meestal in de Mammoetvuurplaats. Toen ze eenmaal een passend respect voor zijn scherpe tandjes hadden ontwikkeld en hadden geleerd om geen afwerende happen uit te lokken, ontdekten ze dat Wolf graag in de handen werd genomen, gestreeld en geknuffeld. Hij was verdraagzaam tegenover een onbedoeld harde behandeling en hij voelde blijkbaar het verschil wanneer Nuvie wat te hard kneep bij het dragen en wanneer Brinan aan zijn staart trok om hem te horen janken. Het eerste onderging hij met toegeeflijkheid en op het laatste reageerde hij met een beet als vergelding. Wolf was dol op spelen en het lukte hem altijd om midden in de groep worstelende kinderen te komen. Ze merkten spoedig dat hij het leuk vond om dingen terug te halen die zij weggooiden. Wanneer ze allemaal in een vermoeid kluwen in slaap vielen, lag het wolvenjong vaak tussen hen in, waar ze op dat moment ook waren.

Nadat ze de eerste avond had beloofd ervoor te zorgen dat de wolf nooit iemand kwaad zou doen, had Ayla besloten hem volgens een bepaald plan te leiden. Dat was bij Whinney in het begin bij toeval gebeurd. Toen ze de eerste keer op de rug van de merrie ging zitten, had ze bij ingeving gehandeld en ze wist niet dat ze, hoe meer ze reed, intuïtief leerde het paard te leiden. Hoewel ze nu wist welke aanwijzingen ze had ontwikkeld en bewust gebruikte, gebeurde het nog grotendeels intuïtief, en Ayla dacht dat Whinney haar gehoorzaamde omdat ze dat zelf wou.

De opvoeding van de holenleeuw ging wat resoluter. Tegen de tijd dat ze de gewonde welp vond, wist ze dat een dier kon worden aangemoedigd om te doen wat zij wou. Haar eerste pogingen waren erop gericht om de onstuimige genegenheid van de jonge leeuw wat te beteugelen. Ze voedde op met liefde, zoals de kinderen bij de Stam werden opgevoed. Ze beloonde beminnelijk gedrag met genegenheid en ze gaf hem een flinke duw of ze stond op en liep weg wanneer hij vergat zijn nagels in te trekken of te ruw speelde. Als hij uitgelaten en heel enthousiast op haar afkwam, leerde hij zich in te houden wanneer ze haar hand opstak en met krachtige stem 'Stop!' zei. Die les had hij zo goed geleerd dat hij zich ook nog inhield op Ayla's bevel toen hij een volwassen holenleeuw werd, bijna zo groot als Whinney, maar wel zwaarder. Ze reageerde altijd op dezelfde manier met teder rossen en krabben. Af en toe sloeg ze de armen om hem heen en rolde ze met hem over de grond. Toen hij ouder werd leerde hij veel dingen, waaronder ook het samen met haar op jacht gaan.

Ayla begon spoedig te beseffen dat het voor de kinderen van belang kon zijn wanneer ze iets begrepen van het gedrag van wolven. Ze begon verhalen te vertellen uit de tijd dat ze leerde jagen en de wolven, samen met andere vleeseters, bestudeerde. Ze legde uit dat een troep wolven een vrouwelijke en een mannelijke leider had, net als de Mamutiërs en ze vertelde dat wolven onderling contact hadden via bepaalde houdingen, gebaren en geluiden. Ze ging op handen en knieën zitten en liet de houding van een leider zien – de kop omhoog, de oren gespitst en de staart gestrekt – en de houding van een die de leider nadert – iets in elkaar gedoken de snoet van de leider likkend. Ze bootste de geluiden perfect na. Ze beschreef de waarschuwing om uit de buurt te blijven en het speelse gedrag. De jonge wolf deed vaak mee.

De kinderen genoten ervan en dikwijls luisterden de volwassenen met evenveel plezier. Spoedig werden de signalen van wolven opgenomen in het spel van de kinderen, maar niemand gebruikte ze beter en met meer begrip dan het kind wiens eigen taal voornamelijk bestond uit gebaren. Tussen de jongen en de wolf groeide een bijzondere relatie, die de mensen van het kamp verbaasde en Nezzie verwonderd het hoofd deed schudden. Rydag gebruikte niet alleen de signalen van wolven, met de bijbehorende geluiden, maar hij scheen er meer mee te doen. Voor de mensen die ernaar keken leek het vaak of ze met elkaar praatten en het jonge dier scheen te begrijpen dat de jongen bijzondere zorg en aandacht nodig had.

Van het begin af aan was Wolf bij hem minder onstuimig en rustiger en op zijn manier beschermend. Met uitzondering van Ayla was er niemand bij wie Wolf liever was. Als Ayla het druk had, zocht hij Rydag op en later vond ze hem dan vaak slapend bij hem in de buurt of op zijn schoot. Ayla wist ook niet precies waarom Wolf en Rydag elkaar zo goed begrepen. Rydags aangeboren vermogen om de fijne nuances in de signalen van de wolf te begrijpen zou de vaardigheid van de jongen kunnen verklaren, maar hoe kon een wolvenjong de behoeften van een zwak mensenkind weten?

Ayla ontwikkelde aangepaste signalen van wolven, samen met andere bevelen om de jonge wolf op te voeden. Na verscheidene ongelukjes was de eerste les om, net als de mensen, een mand met mest en as te

428

gebruiken of naar buiten te gaan. Dat ging verrassend gemakkelijk; Wolf leek zich te schamen voor de vuiligheid en hij kromp in elkaar wanneer Ayla hem een standje gaf. De volgende les was moeilijker.

Wolf vond het zalig om op leer te kauwen, vooral laarzen en schoenen en het afleren van die gewoonte ging gepaard met veel ergernis en teleurstellingen. Telkens wanneer ze hem erop betrapte en hem een standje gaf, toonde hij berouw en deed hij zijn uiterste best om het weer goed te maken, maar hij was recalcitrant en deed het telkens weer. Soms kon hij nauwelijks wachten tot ze zich omdraaide. Ieders schoeisel was in gevaar, maar vooral haar mooie zachtleren broek. Die scheen hij niet met rust te kunnen laten. Ze moest hem hoog ophangen zodat hij er niet bij kon, anders werd hij aan flarden getrokken. Al had ze er een hekel aan dat Wolf op haar spullen kauwde, ze vond het veel erger wanneer hij iets van een ander vernielde. Zij was verantwoordelijk voor zijn komst en ze voelde zich schuldig voor elke schade die hij aanrichtte.

Ayla zat de kralen op de witleren tuniek te naaien toen ze rumoer in de Vossenvuurplaats hoorde.

'Hé! Jij! Geef op!' schreeuwde Ranec.

Ayla hoorde aan het geluid dat Wolf weer iets had gepakt. Ze rende erheen om te zien wat deze keer het probleem was en ze zag Ranec en Wolf, die elk aan een eind van een gedragen laars stonden te trekken.

'Wolf! Laat los!' zei ze en ze liet met een snelle beweging haar hand vlak langs zijn neus vallen. De jonge wolf liet onmiddellijk los en maakte zich zo klein mogelijk, met de oren in de nek en zijn staart naar beneden, terwijl hij klaaglijk jankte. Ranec legde zijn laars op een verhoging.

'Ik hoop dat hij je laars niet heeft vernield,' zei Ayla.

'Het hindert niet, het is maar een oude,' zei Ranec. Hij glimlachte en voegde er vol bewondering aan toe: 'Jij weet hoe je met wolven moet omgaan, Ayla. Hij doet precies wat je zegt.'

'Maar alleen zolang ik hier sta en naar hem kijk,' zei ze terwijl ze naar het dier keek. Wolf keek haar aan en draaide zich vol verwachting in allerlei bochten. 'Zodra ik me omdraai, pakt hij iets anders, terwijl hij weet dat hij er niet aan mag komen. Hij laat het vallen zodra hij me aan ziet komen, maar ik weet niet hoe ik hem moet leren van andermans spullen af te blijven.'

'Misschien moet hij iets voor zichzelf hebben,' opperde Ranec. Toen keek hij haar aan met zijn vriendelijk glanzende zwarte ogen: 'Of iets van jou.'

De kleine wolf kroop naar haar toe en probeerde jankend haar aandacht te trekken. Ten slotte werd hij ongeduldig en hij kefte een paar keer. 'Blijf daar! Stil!' commandeerde Ayla, een beetje boos. Hij deinsde terug, ging languit liggen en keek haar heel zielig aan.

Ranec zag het en hij zei tegen Ayla: 'Hij kan er niet tegen dat je boos op hem bent. Hij wil weten dat je van hem houdt. Ik denk dat ik weet hoe hij zich voelt.'

Hij kwam dichter bij haar staan en in zijn donkere ogen zag ze de warmte en de behoefte die haar eerder zo diep hadden getroffen. Ze voelde een prikkelende reactie, die haar opwond, en ze deed een stap achteruit. Ze bukte om haar opwinding te verbergen en pakte de kleine wolf. Hij likte opgewonden haar gezicht en wrong zich in allerlei bochten van geluk.

'Zie je hoe blij hij is nu hij weet dat je om hem geeft?' vroeg Ranec. 'Ik zou ook gelukkig zijn als ik wist dat je om me geeft. Is dat wel zo?'

'Eh... Natuurlijk geef ik om je, Ranec,' stamelde Ayla, die zich niet op haar gemak voelde.

Hij keek haar glimlachend aan en behalve een ondeugende schittering meende ze ook een dieper gevoel te zien. 'Het zou een genot zijn om je te tonen hoe gelukkig je me maakt als ik weet dat je om me geeft,' zei hij terwijl hij een arm om haar middel legde en haar tegen zich aan trok.

'Ik geloof je wel,' zei ze en ze dook weg. 'Je hoeft het me niet te laten zien, Ranec.'

Het was niet de eerste keer dat hij toenadering zocht. Gewoonlijk gebeurde het in de vorm van een grapje dat hem in staat stelde haar te laten weten wat hij voelde, terwijl zij de gelegenheid kreeg hem te ontwijken zonder dat het voor een van beiden aanleiding gaf tot gezichtsverlies. Ze liep weg omdat ze een serieuze confrontatie verwachtte en die wou ze vermijden. Ze had het gevoel dat hij haar zou vragen om met hem naar bed te gaan en ze wist niet hoe ze een man die een rechtstreeks verzoek deed kon weigeren. Ze begreep dat het haar goed recht was, maar de reactie om te gehoorzamen zat er zo diep ingebakken dat ze niet wist of ze het wel kon.

Hij kwam naast haar lopen en vroeg: 'Waarom niet, Ayla? Waarom wil je niet? Je slaapt nu alleen. Jij behoort toch niet alleen te slapen?' Ze kreeg opeens medelijden met zichzelf toen ze besefte dat ze inderdaad alleen sliep, maar ze probeerde het niet te laten merken. 'Ik slaap niet alleen,' zei ze en ze hield de jonge wolf omhoog. 'Wolf slaapt bij me, in een mand, naast mijn hoofdeind.'

'Dat is niet hetzelfde,' zei Ranec. Zijn stem klonk ernstig en hij leek op het punt te staan over de kwestie te beginnen. Maar hij zweeg en glimlachte. Hij wou haar niet opjagen. Hij begreep dat ze zich niet prettig voelde. Het was nog niet zo lang geleden dat zij en Jondalar uit elkaar waren gegaan. Hij probeerde de spanning weg te nemen. 'Hij is te klein om je warm te houden... maar ik moet toegeven dat hij heel aantrekkelijk is.' Hij aaide Wolf teder over de kop.

Ayla glimlachte en zette de jonge wolf in de mand. Hij sprong er onmiddellijk weer uit en ging zich op de vloer zitten krabben. Vervolgens draafde hij naar zijn schaal met eten. Ayla begon de witte tuniek op te vouwen om die op te bergen. Ze streek met haar hand over het zachte witte leer en het witte hermelijnbont, trok de staartjes met de zwarte puntjes recht en voelde dat ze een brok in de keel kreeg. Ze vocht tegen haar tranen. Nee, dat was niet hetzelfde, dacht ze. Hoe kon het ook hetzelfde zijn?

'Ayla, je weet hoe graag ik je wil hebben, hoeveel ik om je geef,' zei Ranec naast haar. 'Of niet?'

'Ik denk van wel,' zei ze en ze wendde zich niet af, maar ze sloot de ogen.

'Ik houd van je, Ayla. Ik weet dat je je op het ogenblik onzeker voelt, maar ik wil dat je het weet. Ik heb van je gehouden vanaf het eerste moment dat ik je zag. Ik wil mijn vuurplaats met je delen, een verbintenis met je aangaan. Ik wil je gelukkig maken. Ik weet dat je tijd nodig hebt om erover na te denken. Ik vraag je niet om nu te beslissen, maar zeg dat je erover na zult denken... of je me laat proberen je gelukkig te maken. Wil je dat? Erover nadenken?'

Ayla keek naar de witte tuniek in haar handen en het duizelde haar. Waarom wil Jondalar niet meer bij me slapen? Waarom raakt hij me niet meer aan, waarom had hij geen gemeenschap meer met me toen hij nog bij me sliep? Alles is veranderd sinds ik Mamutiër ben geworden. Wou hij dan niet dat ik werd aangenomen? Als dat zo is, waarom zei hij het dan niet? Misschien wou hij het wel; hij zei dat hij het wou. Ik dacht dat hij van me hield. Misschien is hij van gedachten veranderd. Misschien houdt hij niet meer van me. Hij heeft me ook nooit gevraagd een verbintenis met hem aan te gaan. Wat moet ik doen als Jondalar weggaat zonder mij? Ze had een gevoel of ze een steen in haar maag had. Ranec geeft wel om me en hij wil dat ik om hem geef. Hij is aardig, en grappig, ik moet altijd om hem lachen... en hij houdt van me. Maar ik houd niet van hem. Ik wou dat ik van hem kon houden... Misschien moet ik het proberen.

'Ja, Ranec, ik zal erover nadenken,' zei ze zacht, maar haar keel zat dicht en het deed pijn als ze sprak.

Jondalar zag Ranec uit de Mammoetvuurplaats komen. De lange

man stond voortdurend op de uitkijk, hoewel hij er verlegen onder werd. Het was voor volwassenen ongepast, zowel in deze groep als bij zijn eigen volk, om te staan kijken of je te bemoeien met de alledaagse dingen van anderen en Jondalar was altijd bijzonder gevoelig geweest voor goede omgangsvormen. Het zat hem dwars dat hij zich zo onvolwassen gedroeg, maar hij kon er niets aan doen. Hij probeerde het onopvallend te doen, maar hij hield Ayla en de Mammoetvuurplaats voortdurend in de gaten.

De zelfverzekerde stap van de beeldhouwer en zijn opgetogen glimlach toen hij naar de Vossenvuurplaats terugging bezorgden de lange gast angstgevoelens. Hij begreep dat het iets moest zijn wat Ayla had gezegd of gedaan dat de Mamutiër zo in verrukking bracht en zijn zwartgalligheid deed hem het ergste vrezen...

Jondalar wist dat Ranec een trouwe bezoeker van de Mammoetvuurplaats was geworden sinds hij was weggegaan en hij kon zich wel voor het hoofd slaan omdat hij zelf de gelegenheid daartoe had geschapen. Hij wou dat hij zijn woorden kon terugnemen en die hele domme ruzie ongedaan kon maken, maar hij was ervan overtuigd dat het te laat was om het weer goed te maken. Hij voelde zich machteloos, maar in zeker opzicht was het een opluchting dat er wat afstand tussen hen was ontstaan. Na de nacht van haar adoptie, die Ayla bij Ranec had doorgebracht, was het voor Jondalar een obsessie geworden dat hij haar een kans moest geven om te kiezen en hij vatte het zo op dat hij zich moest terugtrekken opdat zij zich vrij zou voelen om een ander te kunnen kiezen.

Hoewel hij het niet wou toegeven, was de simpele wens om haar toe te staan de man te kiezen die ze wilde hebben niet de enige reden voor zijn houding. Hij voelde zich zo zwaar beledigd dat hij terug wou slaan; als zij hem kon afwijzen, kon hij haar ook afwijzen. Maar hij had er ook behoefte aan om zichzelf voor de keuze te plaatsen en te zien of het mogelijk was zijn liefde voor haar te vergeten. Hij vroeg zich in alle ernst af of het voor haar niet beter zou zijn dat ze hier bleef, waar ze werd geaccepteerd en bemind, dan met hem mee te gaan naar zijn volk, waar haar een onbekende ontvangst wachtte, die wel eens heel onaangenaam kon zijn. Diep in zijn hart had hij angst voor zijn eigen reactie wanneer zijn volk haar zou afwijzen. Zou hij bereid zijn om samen met haar in ballingschap te leven? Zou hij bereid zijn om weer weg te gaan, zijn volk weer achter te laten, vooral na zo'n lange Tocht om weer thuis te komen? Of zou hij haar ook afwijzen?

Wanneer ze een ander koos, zou hij genoodzaakt zijn haar achter te laten en dan zou hij niet voor zo'n beslissing komen te staan. Maar als hij eraan dacht dat ze van een ander zou houden, voelde hij zijn maag zich omdraaien. Zijn adem stokte, zijn keel werd dichtgeknepen en met brandende ogen voelde hij een ondraaglijke pijn. Hij wist niet of hij dat zou overleven – en of hij dat wel wou. Hoe meer hij tegen zichzelf vocht om zijn liefde niet te laten blijken, hoe begeriger en jaloerser hij werd en hoe meer hij een hekel aan zichzelf kreeg.

De onrust omdat hij niet met zichzelf in het reine kon komen wat zijn heftige gemengde gevoelens betrof, begon zijn tol te eisen. Hij kon niet meer eten of slapen. Hij zag er schraal uit en hij leek gebroken. Zijn kleren zwabberden om zijn lange lichaam. Hij kon zich niet meer concentreren, ook niet op een prachtig stuk vuursteen. Soms vroeg hij zich af of hij zijn verstand begon te verliezen of dat hij bezeten was door een dodelijke nachtgeest. Hij werd zo verscheurd door zijn liefde voor Ayla, zijn verdriet dat hij haar kwijtraakte en de angst wat er zou gebeuren wanneer hij haar niet liet gaan, dat hij er niet meer tegen kon om in haar nabijheid te zijn. Hij was bang dat hij zich niet meer zou kunnen beheersen en iets zou doen waar hij later spijt van kreeg. Maar hij kon het niet laten om naar haar te kijken.

De mensen van het Leeuwenkamp namen hun gast deze kleine indiscretie niet kwalijk. Ze waren zich wel bewust van zijn gevoelens voor Ayla, ondanks zijn pogingen om ze te verbergen. Iedereen in het kamp praatte over de kritieke situatie waarin de drie jonge mensen zich bevonden. Voor degenen die het van de buitenkant bekeken was de oplossing voor hun probleem heel eenvoudig. Ayla en Jondalar gaven blijkbaar veel om elkaar, dus waarom praatten ze er niet gewoon met elkaar over en nodigden ze Ranec niet uit om bij hen te komen wonen? Maar Nezzie voelde wel aan dat het niet zo eenvoudig was. De wijze, moederlijke vrouw begreep wel dat de liefde van Jondalar voor Ayla te sterk was om te worden tegengehouden door het gemis aan een paar woorden. Er was iets tussen gekomen dat veel dieper lag. En zij begreep, beter dan wie ook, de grote liefde van Ranec voor de jonge vrouw. Ze geloofde niet dat deze situatie kon worden opgelost door bij elkaar te gaan wonen. Ayla zou moeten kiezen.

Het leek wel of er zo'n dwingende kracht van Ranecs woorden uitging dat Ayla aan niets anders meer kon denken sinds hij haar had gevraagd erover na te denken of ze zijn vuurplaats met hem wou delen en zijn opmerking over het pijnlijk duidelijke feit dat ze alleen sliep. Ze had zich vastgeklampt aan haar hoop dat Jondalar hun harde woorden zou vergeten en terug zou komen, vooral toen het leek of ze hem telkens zag kijken wanneer ze een blik op de kookplaats wierp, tussen de steunbalken en voorwerpen die aan het plafond hingen door. Het bracht haar op het idee dat hij nog voldoende belangstelling had om naar haar te kijken. Maar iedere nacht die ze alleen doorbracht, deed haar hoop kleiner worden.

'Denk erover na...' Ze hoorde Ranecs woorden telkens weer terwijl ze voor Wolf het vlees fijnsneed. Ze maakte gedroogde klis en zoete varens fijn om thee te zetten voor Mamuts jicht terwijl ze dacht aan de donkere man met de glimlach en zich afvroeg of ze kon leren van hem te houden. Maar ze kreeg pijn in de maag en ze voelde een vreemde leegte als ze dacht aan een leven zonder Jondalar. Ze deed vers wintergroen en heet water bij de schaal met fijngemaakte bladeren en bracht die bij de oude man.

Ze glimlachte toen hij haar bedankte, maar ze leek geheel in gedachten en verdrietig. Ze was de hele dag al verstrooid. Mamut wist dat ze uit haar doen was sinds Jondalar was weggegaan en hij wou dat hij kon helpen. Hij had Ranec tegen haar zien praten en hij dacht erover na om het met haar te bespreken, maar hij geloofde dat er in Ayla's leven niets gebeurde zonder een bepaalde bedoeling. Hij was ervan overtuigd dat de Moeder een reden had voor deze moeilijkheden en hij aarzelde om zich ermee te bemoeien. De beproevingen die zij en de twee jonge mannen moesten ondergaan waren noodzakelijk. Hij keek haar na toen ze naar het paardenverblijf ging en hij zag haar enige tijd later weer terugkomen.

Ayla dekte het vuur af. Ze liep naar haar bed, kleedde zich uit en maakte zich gereed voor de nacht. Ze zag tegen de nacht op nu ze wist dat Jondalar niet bij haar zou slapen. Ze zocht nog wat kleine bezigheden om wat op te blijven, want ze wist wel dat ze de halve nacht wakker zou liggen. Ten slotte pakte ze de kleine wolf en ging op de rand van het bed zitten. Ze wiegde en streelde hem en ze praatte tegen het lieve warme diertje tot hij in haar armen in slaap viel. Toen legde ze hem in zijn mand en ze streelde hem tot hij weer ging slapen. Nu Jondalar er niet was, gaf Ayla al haar liefde aan de wolf.

Mamut merkte dat hij wakker was en hij opende zijn ogen. Hij kon nauwelijks wat vage vormen onderscheiden in de duisternis. Het was stil om hem heen, behalve dan wat zacht geritsel, een zware ademhaling en zacht praten in de slaap. Hij draaide langzaam zijn hoofd om, keek naar de zachte rode gloed van de kolen in de stookplaats en hij probeerde uit te zoeken waarom hij nu klaarwakker was na een diepe slaap. Hij hoorde een onrustige ademhaling en een snik en hij duwde zijn vachten opzij.

'Ayla? Ayla, heb je pijn?' vroeg Mamut zachtjes. Ze voelde een warme hand op haar arm.

'Nee,' zei ze, en haar stem klonk hees van de spanning. Ze lag met haar gezicht naar de wand.

'Je huilt.'

'Het spijt me dat ik je wakker heb gemaakt. Ik had stiller moeten zijn.'

'Maar je was stil. Ik ben niet wakker geworden omdat ik je hoorde, maar omdat ik voelde dat je me nodig had. De Moeder heeft me geroepen. Je hebt pijn. Je hebt innerlijk pijn, of niet?'

Ayla zuchtte diep en ze deed haar best om niet in huilen uit te barsten. 'Ja,' zei ze. Ze keek hem aan en hij zag tranen glinsteren in het gedempte licht.

'Huil dan, Ayla. Je moet het niet inhouden. Je hebt een reden voor je verdriet en je hebt het recht om te huilen,' zei Mamut.

'O, Mamut,' riep ze, met een diepe snik en zijn woorden waren voor haar al een hele troost. Ze kon nu vrijuit huilen, al probeerde ze het wel zo zacht mogelijk te doen.

'Je moet je niet inhouden, Ayla. Het zal je goed doen om te huilen,' zei hij. Hij zat op de rand van haar bed en probeerde haar te kalmeren. 'Het loopt allemaal zoals het moet, Ayla. Het komt wel goed.'

Toen ze eindelijk stil werd, zocht ze een stukje zacht leer om haar gezicht af te vegen en toen ging ze rechtop zitten, naast de oude man. 'Ik voel me al wat beter,' zei ze.

'Het is altijd het beste om te huilen wanneer je er behoefte aan hebt, maar het is nog niet over, Ayla.'

Ayla boog het hoofd. 'Ik weet het.' Toen keek ze hem aan en vroeg: 'Maar waarom?'

'Eens zul je begrijpen waarom. Ik geloof dat je leven geleid wordt door sterke krachten. Jij bent uitgekozen voor een bijzondere bestemming. Het is geen lichte last die je moet dragen als je ziet wat je allemaal hebt meegemaakt in je jonge leven. Maar het zal niet alleen verdriet zijn in je leven, je zult ook grote vreugde kennen. Je wordt bemind, Ayla. Je trekt liefde aan. Dat wordt je gegeven om de last te kunnen dragen. Je zult altijd liefde ontvangen... misschien te veel...'

'Ik dacht dat Jondalar van me hield...'

'Ik zou er maar niet zo zeker van zijn dat het niet zo is, maar er zijn veel mensen die van je houden, deze oude man ook,' zei Mamut glimlachend. Ayla moest ook glimlachen. 'Zelfs een wolf en een paard houden van je. En zijn er niet velen geweest die van je hebben gehouden?'

'Je hebt gelijk. Iza heeft van me gehouden. Ze was een moeder voor me en het was niet belangrijk dat ik niet echt haar kind was. Toen ze stierf zei ze dat ze van mij het meest had gehouden... en Creb hield van me... ondanks het feit dat ik hem heb teleurgesteld... en hem pijn heb gedaan.' Ayla wachtte even en toen ging ze door. 'Oeba hield van me... en Durc.' Ze wachtte weer. 'Geloof jij dat ik ooit mijn zoon weer zal zien, Mamut?'

De medicijnman wachtte even voor hij antwoordde. 'Hoe lang is het geleden dat je hem hebt gezien?'

'Drie... nee, vier jaar. Hij is geboren in het vroege voorjaar. Hij was drie jaar toen ik wegging. Hij is bijna even oud als Rydag...' Opeens keek Ayla de oude medicijnman aan en ze zei opgewonden: 'Mamut, Rydag is een kind van gemengde afkomst, net als mijn zoon. Als Rydag hier kan wonen, waarom Durc dan niet? Jij bent naar het schiereiland geweest en je bent teruggekomen. Waarom zou ik er niet heen kunnen om Durc te halen en hem hier te brengen? Zo ver is het niet.'

Mamut fronste de wenkbrauwen terwijl hij nadacht over zijn antwoord. 'Die vragen kan ik niet beantwoorden, Ayla. Dat moet je zelf doen. Maar je moet er heel goed over nadenken voor je besluit wat het beste is, niet alleen voor jezelf, maar ook voor je zoon. Jij bent Mamutiër. Je hebt onze taal leren spreken en je hebt veel van onze gebruiken geleerd, maar je moet nog veel van onze gewoonten leren.'

Ayla luisterde niet naar de zorgvuldig gekozen woorden van de medicijnman. Ze was met haar gedachten al ver vooruit. 'Als Nezzie een kind kon aannemen dat niet eens kan praten, waarom dan niet een die wel zou kunnen praten? Durc zou het kunnen wanneer hij een taal heeft om te leren. Durc zou een vriend kunnen zijn voor Rydag. Durc zou hem kunnen helpen, allerlei dingen voor hem halen. Durc kan goed lopen.'

Mamut onderbrak haar enthousiaste opsomming van Durcs goede eigenschappen niet, maar ze hield vanzelf op en toen vroeg hij: 'Wanneer wou je naar hem toe, Ayla?'

'Zodra ik kan. Dit voorjaar... Nee, het is te moeilijk om in het voorjaar te reizen; dan zijn er te veel overstromingen. Ik zal tot de zomer moeten wachten.' Ayla wachtte even. 'Misschien niet. Dat is de zomer van de Stambijeenkomst. Als ik er niet ben voor ze vertrekken, zal ik moeten wachten tot ze terugkomen. Maar tegen die tijd zal Oera er zijn...'

'Het meisje dat voorbestemd is voor je zoon?' vroeg Mamut.

'Ja. Over een paar jaar zullen ze een verbintenis aangaan. Kinderen van de Stam zijn sneller volwassen dan de Anderen... Dat was met mij ook zo. Iza dacht dat ik nooit een vrouw werd. Ik was zo laat in vergelijking met de meisjes van de Stam... Maar Oera zou dan vrouw kunnen zijn en een gezel kunnen nemen en haar eigen vuurplaats.' Ayla dacht na. 'Ze was nog maar een baby toen ik haar zag, en Durc... De laatste keer dat ik Durc zag was hij nog een klein jongetje. Hij zal spoedig een man zijn, die voor zijn gezellin zorgt, een gezellin die kinderen kan krijgen. Ik heb niet eens een levensgezel. De gezellin van mijn zoon kan nog eerder een kind krijgen dan ik.'

'Weet je hoe oud je bent, Ayla?'

'Niet precies, maar ik tel mijn jaren altijd naar het einde van de winter, om deze tijd. Ik weet niet waarom.' Ze dacht weer diep na. 'Ik denk dat het tijd is om er weer een jaar bij te tellen. Dat betekent dat ik...' Ze sloot de ogen om zich te concentreren op de telwoorden. 'Ik ben nu achttien, Mamut. Ik begin oud te worden!'

'Was je elf toen je zoon werd geboren?' vroeg hij verbaasd. Ayla knikte. 'Ik heb een paar meisjes gekend die vrouw werden toen ze negen of tien jaar waren, maar dat is erg jong. Latie is nog geen vrouw en ze wordt twaalf.'

'Dat zal niet lang meer duren,' zei Ayla.

'Ik denk dat je gelijk hebt. Maar jij bent nog niet zo oud, Ayla. Deegie is bijna zeventien en ze gaat deze zomer pas een verbintenis aan op de Zomerbijeenkomst.'

'Dat klopt en ik heb beloofd dat ik bij de plechtigheid zal zijn. Ik kan niet tegelijk naar een Stambijeenkomst en een Zomerbijeenkomst.' Mamut zag haar verbleken. 'Ik kan trouwens niet naar een Stambijeenkomst. Ik weet niet eens of ik wel weer naar de Stam zou kunnen gaan. Ik ben vervloekt. Ik ben dood. Zelfs Durc zou wel kunnen denken dat ik een geest ben en bang voor me zijn. O, Mamut. Wat moet ik doen?'

'Je moet er heel goed over nadenken voor je beslist wat het beste is,' antwoordde hij. Ze leek verslagen en hij besloot over iets anders te beginnen. 'Maar je hebt de tijd nog. Het is nog geen voorjaar, hoewel we spoedig het Lentefeest hebben. Heb je nog nagedacht over de wortel en de ceremonie waar je het over had? Ben je bereid om die ceremonie op te nemen in het Lentefeest?'

Ayla kreeg een koude rilling. Het idee joeg haar schrik aan, maar Mamut zou er zijn om haar te helpen. 'Goed, Mamut. Ja, ik zal het doen.'

Jondalar begreep onmiddellijk dat de verhouding tussen Ayla en Ranec was veranderd, hoewel hij het niet kon accepteren. Hij had hen verscheidene dagen in de gaten gehouden, tot hij wel moest toegeven dat Ranec vrijwel in de Mammoetvuurplaats woonde en dat Ayla zijn aanwezigheid op prijs stelde en ervan genoot. Het hielp niet dat hij zichzelf probeerde wijs te maken dat het zo het beste was en dat het verstandig was om weg te gaan. Het verzachtte de pijn niet door het verlies van haar liefde en hij kon het gevoel te worden buitengesloten ook niet van zich afzetten. Ondanks het feit dat hij degene was die zich had teruggetrokken en uit vrije wil haar bed en haar gezelschap meed, voelde hij zich nu afgewezen.

Ze lieten niet veel tijd verstrijken, dacht Jondalar. Hij hing de volgende dag al om haar heen en zij kon nauwelijks wachten tot ik weg was voor ze hem verwelkomde. Ze moeten er gewoon op hebben gewacht tot ik wegging. Ik had het kunnen weten...

Maar wat neem je haar kwalijk? Jij bent degene die wegging, Jondalar, zei hij bij zichzelf. Zij heeft niet gezegd dat je weg moest gaan. Na die eerste keer is ze niet meer naar hem teruggegaan. Ze was er weer voor jou en dat weet je...

Dus nu is ze er voor hem. En hij wil graag. Kun je het hem kwalijk nemen? Misschien is het zo het beste. Ze is hier welkom, ze zijn meer gewend aan platkoppen... aan de Stam. En er is iemand die van haar houdt...

Ja, er is iemand die van haar houdt. Dat hoopte je toch voor haar? Dat ze werd geaccepteerd en dat ze iemand had die van haar hield...

Maar ik houd van haar, dacht hij met een opwelling van verdriet en angst. O Moeder! Ik kan er niet meer tegen! Ze is de enige vrouw van wie ik heb gehouden. Ik wil niet dat ze wordt beledigd, ik wil niet dat ze wordt uitgestoten. Waarom juist zij? O Doni, waarom moest zij het zijn?

Misschien kan ik beter weggaan. Dat is het, ik ga gewoon weg. Hij miste op dat moment het vermogen om rustig na te denken.

Jondalar liep vlug naar de Mammoetvuurplaats en hij onderbrak Talut en Mamut, die het komende Lentefeest bespraken. 'Ik ga weg,' gooide hij eruit. 'Wat moet ik geven voor wat eten voor onderweg?' Hij maakte een ziekelijk wanhopige indruk.

Het stamhoofd en de medicijnman wisselden een blik van verstandhouding. 'Jondalar, beste vriend,' zei Talut, en hij klopte hem op de schouder, 'we geven je graag alles wat je nodig hebt, maar je kunt nu niet weggaan. Het wordt straks lente. Maar ga eens buiten kijken. Er staat een sneeuwstorm en om deze tijd zijn de sneeuwstormen het ergst.' Jondalar kalmeerde wat en hij besefte dat hij onmogelijk gevolg kon geven aan die plotselinge opwelling om te vertrekken. Iemand die bij zijn volle verstand was zou nu niet aan een lange Tocht beginnen.

Talut voelde de spanning in Jondalars spieren verslappen, terwijl hij doorging: 'In het voorjaar komen de overstromingen en je moet veel rivieren oversteken. Bovendien kun je niet zo ver van huis gaan, bij de Mamutiërs overwinteren en dan niet met de mammoetjagers op mammoeten jagen. Als je eenmaal thuis bent, krijg je die kans nooit meer. De eerste jacht is in de voorzomer, kort na de Zomerbijeenkomst. De beste tijd om aan een Tocht te beginnen zou vlak daarna zijn. Je zou me een groot plezier doen wanneer je in overweging neemt om in ieder geval bij ons te blijven tot de eerste mammoetjacht. Ik zou graag willen dat je dan laat zien wat je met je speerwerper kunt doen.'

'Ja, natuurlijk, ik zal erover nadenken,' zei Jondalar. Toen keek hij het grote roodharige stamhoofd in de ogen. 'En bedankt, Talut. Je hebt gelijk. Ik kan nu nog niet weggaan.'

Mamut zat met gekruiste benen op zijn geliefde mediteerplekje. De ruimte naast hem werd gebruikt om de extra rendierhuiden en vachten te bewaren. Eigenlijk zat hij meer na te denken. Na de nacht dat hij was gewekt door haar tranen was hij zich veel meer bewust van Ayla's wanhoop om het vertrek van Jondalar. Haar verdriet had een diepe indruk op hem gemaakt. Hoewel het haar lukte om haar gevoelens voor de meeste mensen te verbergen, had hij nu meer oog voor kleinigheden in haar gedrag die hem eerder misschien waren ontgaan. Hoewel ze echt leek te genieten van Ranecs gezelschap en om zijn grappen lachte, was ze stil en de overvloedige zorg en aandacht die ze aan Wolf en de paarden besteedde verborgen een verlangen dat haar diepongelukkig maakte.

Mamut schonk ook meer aandacht aan de lange gast en hij bemerkte hetzelfde verdriet in Jondalars houding. Hij scheen gekweld te worden door een vreselijke angst, maar ook hij scheen het te verbergen. Na zijn wanhopige poging om midden in een sneeuwstorm te vertrekken vreesde de oude medicijnman dat Jondalars vermogen om een situatie goed te beoordelen verminderde, omdat hij er steeds aan dacht dat hij Ayla zou verliezen. Voor de oude man die zo'n nauw contact had met de geestenwereld van Mut en Haar voorbeschikkingen, hield dat in dat er een diepere drijfveer moest zijn dan alleen een jonge liefde. Misschien had de Moeder met hem ook plannen; plannen die met Ayla te maken hadden.

Hoewel Mamut aarzelde om zich ermee te bemoeien, vroeg hij zich af waarom de Moeder hem had laten zien dat Zij de kracht achter hun wederzijdse gevoelens was. Hoewel hij ervan overtuigd was dat Zij uiteindelijk de omstandigheden regelde zoals het Haar paste, wou Ze misschien toch wel dat hij Haar in dit geval hielp.

Terwijl hij erover zat te peinzen hoe hij de wens van de Moeder kon doorgronden, kwam Ranec de Mammoetvuurplaats in. Hij was duidelijk op zoek naar Ayla. Mamut wist dat ze de kleine wolf had meegenomen voor een rit met Whinney en dat ze wel een poosje zou wegblijven. Ranec keek om zich heen, toen zag hij de oude man en liep naar hem toe.

'Weet jij waar Ayla is, Mamut?' vroeg hij.

'Ja. Ze is uit met de dieren.'

'Ik vroeg me al af waarom ik haar zo'n tijd niet had gezien.'

'Je ziet haar vaak de laatste tijd.'

Ranec grijnsde. 'Ik hoop haar nog veel vaker te zien.'

'Ze is hier niet alleen gekomen, Ranec. Heeft Jondalar niet zoiets als de oudste rechten?'

'Die had hij misschien wel toen ze pas kwamen, maar hij heeft er afstand van gedaan. Hij heeft de vuurplaats verlaten,' zei Ranec. Mamut hoorde iets afwerends in zijn toon.

'Ik denk dat er nog steeds sterke gevoelens tussen hen bestaan. Ik geloof niet dat de scheiding blijvend zou zijn wanneer hun genegenheid de kans weer kreeg om te groeien, Ranec.'

'Als je daarmee wilt zeggen dat ik me moet terugtrekken, spijt me dat, Mamut. Het is te laat. Ik heb ook diepe gevoelens voor Ayla.' Ranecs stem sloeg over door de emotie die hij voelde. 'Mamut, ik houd van haar, ik wil een verbintenis met haar, een vuurplaats met haar. Het wordt tijd dat ik een vrouw krijg en ik wil haar kinderen in mijn vuurplaats. Ik heb nog nooit iemand ontmoet zoals zij. Ze heeft alles waar ik ooit van heb gedroomd. Als zij het ermee eens is, wil ik onze plannen op het Lentefeest bekendmaken en deze zomer de verbintenis aangaan.'

'Weet je zeker dat je dat wilt, Ranec?' vroeg Mamut. Hij mocht Ranec heel graag en hij wist dat Wymez, die de donkere jongen had meegebracht van zijn reizen, blij zou zijn wanneer hij een vrouw vond en een verbintenis aanging. 'Er zijn veel Mamutische vrouwen die een verbintenis met je zouden willen. Wat moet je tegen die knappe, jonge, roodharige vrouw zeggen die verwacht dat je haar vraagt? Hoe heet ze? Tricie?' Mamut wist zeker dat, wanneer het te zien was geweest, Ranecs gezicht nu rood zou zijn.

'Ik zal zeggen... Ik zal zeggen dat het me spijt. Ik kan er niets aan doen. Ik wil geen ander. Ze is nu een Mamutische vrouw. Ze behoort een verbintenis aan te gaan met een Mamutiër. En dat wil ik zijn.'

'Wanneer het Ranec moet worden,' zei Mamut vriendelijk, 'dan gebeurt dat, maar denk hierom. De keuze is niet aan jou. Ook niet aan haar. De Moeder heeft Ayla een bestemming gegeven en veel gaven. Wat je ook besluit, of wat zij besluit, Mut heeft de eerste rechten. Iedere man die een verbintenis met haar aangaat, heeft ook een verbintenis met haar bestemming.'

25

Naarmate de oude aarde zijn ijzig koude, noordelijke gezicht, nauwelijks merkbaar, naar de grote stralende ster draaide, waar hij omheen
cirkelde, voelde ook het land bij de gletsjers iets van de tedere warmte
en het ontwaakte langzaam uit de slaap van een lange, koude winter.
Na een aarzelend begin wierp het voorjaar, met de haast van een jaargetijde dat niet veel tijd heeft, de bevroren deken af in een uitbundige,
krachtige stroom die de bodem van water voorzag en tot leven riep.
De druppels, die door de eerste middag zonder vorst langs de takken
en poorten liepen, verstijfden in de koude nacht weer tot ijspegels.
Toen de volgende dagen geleidelijk iets warmer werden, groeiden de
langgerekte ijspegels tot de koude greep verslapte en de opgejaagde
sneeuw veranderde in een brij die door een modderstroom werd afge-
voerd. De geultjes, stroompjes en riviertjes van smeltende sneeuw en
ijs verzamelden zich tot rivieren, die al de neerslag meenamen die tijdens de kou aan banden was gelegd. De aanzwellende stroompjes
volgden met grote snelheid de oude beddingen en geulen of vormden
nieuwe in de zachte löss, soms geholpen of van richting veranderd
met een schep, die van een gewei was gemaakt, of een ivoren lepel.
De door het ijs geblokkeerde rivier kreunde en kraakte in de worsteling om zich te bevrijden uit de greep van de winter terwijl het smeltwater doordrong tot de verborgen stroom. Toen, zonder waarschuwing, een harde knal die zelfs in huis werd gehoord en werd gevolgd
door een tweede. Vervolgens kondigde een hevig gerommel aan dat
het ijs het wassende water niet langer had kunnen keren. De dansende brokken en schotsen kantelden en werden meegevoerd door de
krachtige stroom. Ze gaven de wisseling van de seizoenen aan.
Zoals de kou met het water werd weggespoeld, stroomden de mensen
van het kamp ook naar buiten. Ze waren, evenals de rivier, opgesloten
geweest door de strenge kou. Hoewel de stijging van temperatuur nog
maar heel betrekkelijk was, werden na het gedwongen binnenzitten
de activiteiten naar buiten verplaatst. Elk excuus om naar buiten te
gaan werd met enthousiasme begroet, zelfs de voorjaarsschoonmaak.

De mensen van het Leeuwenkamp waren, volgens hun normen, vrij schoon. Hoewel er voldoende vocht was in de vorm van sneeuw en ijs, was er vuur voor nodig en een grote voorraad brandstof om water te maken. Het water, van gesmolten sneeuw en ijs, werd niet alleen gebruikt om te koken en te drinken maar ook om te wassen en ze namen regelmatig zweetbaden. De eigen ruimten waren over het algemeen goed opgeruimd; gereedschappen en gebruiksvoorwerpen werden nagekeken; de weinige kleren die ze binnen droegen werden geborsteld, soms gewassen en goed onderhouden. Maar tegen het eind van de winter hing er een ongelooflijke stank in het huis.

De stank werd veroorzaakt door voedsel in verschillende staten van bewaring of bederf, gekookt, rauw en verrot; lampolie, die vaak ranzig was omdat de nieuw gestolde brokken vet gewoonlijk bij de oude olie in de lampen werd gedaan; manden die voor de ontlasting werden gebruikt en niet altijd onmiddellijk werden geleegd; bakken met urine die werd bewaard en bleef staan om ammoniak te worden door de ontleding van urea door bacteriën; en de mensen. Hoewel zweetbaden de huid reinigden en gezond waren, hielpen ze weinig om de normale lichaamsgeuren weg te nemen, maar dat was de bedoeling ook niet. Lichaamsgeur was een deel van iemands persoonlijkheid.

De Mamutiërs waren gewend aan de sterke, doordringende geurtjes van het dagelijks leven. Hun reukzin was goed ontwikkeld, evenals hun gezicht en gehoor, zodat ze zich goed bewust bleven van hun omgeving. Zelfs de lucht van de dieren vonden ze niet onaangenaam; die vonden ze ook normaal. Maar toen het warmer werd begonnen zelfs de neuzen die gewend waren aan de normale geuren de gevolgen te ruiken van het feit dat zevenentwintig mensen gedurende een langere periode in een kleine ruimte hadden gewoond. De lente was de tijd dat de kleden opzij werden getrokken om het huis te luchten en het opgehoopte afval van de hele winter werd opgeruimd en naar buiten gegooid.

In Ayla's geval hield dat in dat ze de mest van de paarden uit het nieuwe gedeelte moest scheppen. De paarden waren goed door de winter gekomen, waar Ayla blij om was. Maar dat was niet zo verwonderlijk. Steppepaarden waren sterke dieren, die zich hadden aangepast aan de ontberingen van de strenge winters. Hoewel ze hun eigen voedsel moesten zoeken, konden Whinney en Renner beschutting vinden wanneer ze maar wilden en dat was heel wat meer dan hun wilde soortgenoten meestal hadden. Daar kwam nog bij dat er ook nog voor water en wat eten werd gezorgd. In het wild werden paarden snel volwassen en dat was onder normale omstandigheden ook nodig om te overleven. Renner was nu volwassen, net als andere veulens die in dezelfde tijd waren geboren. Hoewel hij in de komende paar jaar nog wel wat zou uitgroeien, was hij nu een flinke jonge hengst, iets groter dan zijn moeder.

Het voorjaar was ook de tijd van de tekorten. De voorraad van bepaalde etenswaren, vooral de veel gevraagde groenten, was uitgeput en andere voedingsmiddelen raakten op. Toen ze de voorraad opnamen, was iedereen blij dat ze hadden besloten op die laatste bizonjacht te gaan. Als ze het niet hadden gedaan, hadden ze nu waarschijnlijk nog maar weinig vlees gehad. Maar hoewel het vlees de maag nog vulde, hadden ze er niet genoeg aan. Ayla herinnerde zich Iza's versterkende middelen in het voorjaar voor de Stam van Brun en ze besloot voor het kamp hetzelfde te doen. Haar aftreksels van verschillende gedroogde kruiden, waaronder de ijzerhoudende gele zuring en de rozenbottels ter voorkoming van scheurbuik, verzachtten het gemis aan vitaminen, wat de oorzaak was van het hunkeren naar vers voedsel, maar het verlangen werd er niet door weggenomen. De behoefte aan haar medische kennis ging echter verder dan de vraag naar versterkende middelen voor de lente.

Het was warm in het halfonderaardse verblijf omdat het goed was geïsoleerd en werd verwarmd door een aantal vuren, lampen en door de natuurlijke lichaamswarmte. Ook als het buiten bitter koud was, werden binnen weinig kleren gedragen. Gedurende de winter pasten ze goed op om warme kleren aan te trekken voor ze naar buiten gingen, maar toen de sneeuw begon te smelten werd daar geen acht meer op geslagen. Hoewel de temperatuur maar nauwelijks boven het vriespunt kwam, leek het zoveel warmer dat de mensen naar buiten gingen met weinig meer dan de kleding die ze gewend waren binnen te dragen. Met de voorjaarsregens en de smeltende sneeuw waren ze vaak nat en verkleumd voor ze weer naar binnen gingen en dat verminderde hun weerstand.

Ayla had het drukker met het behandelen van hoestende, verkouden mensen en zere kelen in de warme dagen van het voorjaar dan in het hartje van de koude winter. Iedereen werd getroffen door de epidemische voorjaarsverkoudheid en infecties van de ademhalingsorganen. Ook Ayla bleef een paar dagen in bed om een lichte koorts en een hardnekkige hoest te genezen. Het was nog maar nauwelijks lente en ze had bijna iedereen in het kamp al behandeld. Afhankelijk van de behoefte zorgde ze voor geneeskrachtige thee, stoombehandelingen, warme pleisters voor de keel en de borst en een welwillende en overtuigende houding tegenover de zieke. Iedereen prees de werking van haar medicijnen, al bereikte ze soms alleen maar dat de mensen zich beter voelden.

Nezzie zei dat ze altijd last hadden van voorjaarsverkoudheid, maar toen Mamut kort na haar de ziekte kreeg, negeerde Ayla haar eigen symptomen om voor hem te zorgen. Een ernstige keelontsteking kon voor hem dodelijk zijn. De oude man had echter, ondanks zijn hoge leeftijd, nog een opmerkelijke weerstand en hij was sneller beter dan sommige anderen in het huis. Hoewel hij genoot van haar toewijding, dwong hij haar om de anderen te helpen die haar zorg harder nodig hadden en dan te gaan rusten.

Niemand hoefde haar aan te sporen toen Fralie koorts en afmattende hoestbuien kreeg, maar het maakte niets uit of ze wou helpen. Frebec zou Ayla niet toelaten in de vuurplaats om Fralie te behandelen. Crozie voerde hevige woordenwisselingen met hem en iedereen in het kamp was het met haar eens, maar hij was niet te vermurwen. Crozie kreeg zelfs ruzie met Fralie omdat ze vergeefs probeerde haar over te halen om Frebec te negeren. De zieke vrouw schudde alleen het hoofd en hoestte.

'Maar waarom?' vroeg Ayla aan Mamut terwijl ze samen met hem iets warms te drinken nam en luisterde naar een nieuwe hoestaanval van Fralie. Tronie had Tasher, die qua leeftijd tussen Nuvie en Hartal zat, meegenomen naar haar vuurplaats. Crisavec sliep bij Brinan in de Oerosvuurplaats, zodat de zieke, zwangere vrouw kon rusten, maar Ayla voelde het iedere keer wanneer Fralie hoestte.

'Waarom wil hij niet dat ik haar help? Hij kan zien dat andere mensen opknappen en zij heeft het harder nodig dan wie ook. Zoals zij hoest is voor haar te erg, vooral nu.'

'Die vraag is niet zo moeilijk te beantwoorden, Ayla. Wanneer iemand gelooft dat de mensen van de Stam beesten zijn, is het onmogelijk te geloven dat ze verstand hebben van geneeskrachtige middelen. En als jij bij hen bent opgegroeid, hoe zou jij er dan iets van kunnen weten?'

'Maar het zijn geen beesten. Een medicijnvrouw van de Stam is heel bekwaam.'

'Dat weet ik, Ayla. Ik ken de bekwaamheid van een medicijnvrouw van de Stam beter dan wie ook. Ik denk dat iedereen het hier nu weet, ook Frebec. Ze waarderen in ieder geval je vaardigheid, maar Frebec wil na al die ruzies niet terugkrabbelen. Hij is bang voor gezichtsverlies.'

'Wat is belangrijker? Zijn trots of de baby van Fralie?'

'Fralie denkt zeker dat Frebecs trots belangrijker is.'

'Het is niet de schuld van Fralie. Frebec en Crozie proberen haar te dwingen tussen hen beiden te kiezen en ze wil niet kiezen.'

'Dat is de beslissing van Fralie.'

'Dat is juist de moeilijkheid. Ze wil geen beslissing nemen. Ze weigert te kiezen.'

Mamut schudde het hoofd. 'Ze maakt wel een keuze, of ze wil of niet. Maar ze kiest niet tussen Frebec en Crozie. Wanneer verwacht ze het kind?' vroeg hij. 'Het lijkt me toe dat ze zover is.'

'Ik weet het niet, maar ik geloof het niet. Ze lijkt zwaarder omdat ze zo mager is, maar ze draagt de baby nog te hoog. Daar maak ik me zorgen over. Ik denk dat het nog te vroeg is.'

'Jij kunt er niets aan doen, Ayla.'

'Maar wanneer Frebec en Crozie niet zo vaak ruzie zouden maken over alles...'

'Dat heeft er niets mee te maken. Dat is Fralies probleem niet, dat is iets tussen Frebec en Crozie. Fralie hoeft zich niet te laten betrekken in hun probleem. Ze kan haar eigen beslissingen nemen en in feite doet ze dat ook. Ze verkiest het om niets te doen. Of liever, als je vrees gegrond is – en ik geloof dat dat zo is – kiest ze tussen nu bevallen of later. Misschien kiest ze voor haar baby wel tussen leven en dood... en misschien brengt ze zichzelf ook nog in gevaar. Maar het is haar keuze en er kan wel meer achter zitten dan wij weten.'

Nadat het gesprek was afgelopen, hielden Mamuts opmerkingen Ayla nog lang bezig en toen ze naar bed ging moest ze er nog aan denken. Hij had natuurlijk gelijk. Het was Fralies probleem niet, ondanks haar gevoelens voor haar moeder en voor Frebec. Ayla probeerde een manier te bedenken om Fralie te overtuigen, maar dat had ze al eerder geprobeerd en nu Frebec haar weghield van de vuurplaats kreeg ze geen gelegenheid om erover te praten. Toen ze ging slapen, kon ze haar bezorgdheid nog niet van zich afzetten.

Ze werd midden in de nacht wakker en bleef stil liggen luisteren. Ze wist het niet zeker, maar ze dacht dat ze wakker was geworden door een kreunend geluid van Fralie. Toen het een tijd stil bleef, kwam ze tot de conclusie dat ze moest hebben gedroomd. Wolf jankte en ze stak haar hand uit om hem te troosten. Misschien had hij wel een angstige droom en was ze daar wakker van geworden. Voor haar hand Wolf had bereikt, meende ze een zacht gekreun te horen.

Ayla trok de vachten weg en stond op. Ze stapte voorzichtig om het kleed heen en zocht in het donker haar weg naar de mand om te plassen. Toen trok ze een tuniek over haar hoofd en ging naar de stookplaats. Ze hoorde gedempt hoesten, vervolgens een hoestbui die weer eindigde met een onderdrukt gekreun. Ayla pookte het vuur op, deed er wat takjes en beensplinters bij tot het goed brandde, legde er een paar kookstenen in en pakte de waterzak.

'Je kunt voor mij ook wel wat thee maken,' zei Mamut rustig vanuit de duisternis van zijn slaapruimte. Hij schoof zijn vachten opzij en ging rechtop zitten. 'Ik denk dat we allemaal wel gauw opstaan.'

Ayla knikte en ze deed extra water in de kookmand. Ze hoorde weer een hoestbui in de Kraanvogelvuurplaats, toen wat gestommel en gedempte stemmen.

'Ze moet iets hebben tegen de hoest en iets om de weeën te onderdrukken... als het niet te laat is. Ik zal mijn medicijnen maar eens nakijken,' zei Ayla. Ze zette haar kom neer en vervolgde aarzelend: '... voor het geval iemand erom vraagt.'

Ze pakte een brandend stuk hout en Mamut zag haar langs de rekken met gedroogde planten lopen die ze had meegebracht uit de vallei. Het is een wonder als je haar bezig ziet om de mensen te genezen, dacht Mamut. Maar ze is wel jong om al zo bekwaam te zijn. Als ik Frebec was, zou ik me meer zorgen maken over haar jeugd en mogelijke gebrek aan ervaring dan over haar achtergrond. Ik weet dat ze door de beste is opgeleid, maar hoe kan ze al zoveel weten? Ze moet het met haar geboorte hebben meegekregen en die medicijnvrouw, Iza, moet haar gave van het begin af hebben gezien. Zijn gepeins werd onderbroken door een nieuwe hoestbui in de Kraanvogelvuurplaats.

'Hier, Fralie, neem wat water,' zei Frebec bezorgd.

Fralie schudde het hoofd. Ze probeerde het hoesten te onderdrukken en kon niets zeggen. Ze lag op haar zij, steunend op een elleboog en ze hield een stukje zacht leer voor de mond. Ze had koortsige ogen en een rood gezicht van de inspanning. Ze wierp een blik op haar moeder, die op het andere bed naar haar zat te kijken.

Het was duidelijk te zien dat Crozie boos en verdrietig was. Ze had alles geprobeerd om haar dochter ervan te overtuigen dat ze hulp moest vragen, maar overreding, ruzie en felle kritiek – het hielp allemaal niets. Ze had zelf van Ayla wat medicijnen gekregen voor haar verkoudheid en het was dom van Fralie dat ze er ook niet iets van gebruikte. Het was allemaal de schuld van die domme man, die domme Frebec, maar het had geen zin om erover te praten. Crozie had besloten dat ze niets meer zou zeggen.

Fralies hoestbui zakte wat af en ze liet zich uitgeput achterover op het bed vallen. Misschien dat die andere pijn, waar ze niet over wou praten, nu ook niet kwam. Fralie wachtte angstig af. Ze hield haar adem in alsof ze toch vooral niets wou opwekken. Onder in haar rug kwam de pijn weer opzetten. Ze sloot de ogen, zuchtte diep en probeerde de pijn de baas te worden. Ze legde een hand tegen haar gezwollen buik en ze voelde de spieren samentrekken telkens als de pijn, en daarmee haar ongerustheid, toenam. Het is te vroeg, dacht ze. Er moet nog ten minste één cyclus van de maan komen voor de baby komt.

'Fralie? Voel je je wel goed?' vroeg Frebec, die daar nog met het water stond.

Ze probeerde tegen hem te glimlachen omdat ze zijn bezorgdheid en hulpeloosheid zag. 'Het is dat hoesten,' zei ze. 'Iedereen wordt ziek in het voorjaar.'

Er was niemand die hem begreep, dacht ze, en haar moeder zeker niet. Hij deed zo zijn best om iedereen te laten zien dat hij ook iets betekende. Daarom wou hij niet toegeven, daarom maakte hij zo vaak ruzie en voelde hij zich zo gauw beledigd. Hij bracht Crozie in verlegenheid. Hij begreep niet dat je betekenis afhing van het aantal verwanten en hun status, je invloed, hoeveel je op grond van je afkomst kon eisen en schenken en wel zo dat iedereen het kon zien. Haar moeder had geprobeerd het hem te laten zien door hem het recht op de Kraanvogelvuurplaats te geven, niet alleen de vuurplaats omdat hij met Fralie een verbintenis aanging, maar ook het recht om de Kraanvogelvuurplaats als zijn geboorterecht op te eisen.

Crozie had verwacht dat hij dankbaar zou instemmen met haar wensen en verlangens, om te laten zien dat hij het waardeerde en begreep dat de Kraanvogelvuurplaats, die in naam nog steeds van haar was hoewel ze verder weinig had, op den duur de zijne zou zijn. Maar ze kon ook te veel eisen. Ze had al zoveel verloren dat het moeilijk voor haar was om haar laatste rechten op status weg te geven en zeker aan iemand die zelf zo weinig had. Crozie was bang dat het door hem minder waarde kreeg en ze wou er voortdurend aan worden herinnerd dat het werd gewaardeerd. Het was toch geen schande als Fralie het hem probeerde uit te leggen. Het was heel eenvoudig, iets dat je van kind af aan wist... wanneer je het altijd had gehad. Maar Frebec had nooit iets gehad.

Fralie voelde de pijn in haar rug weer. Als ze rustig bleef liggen, ging het misschien wel weer weg... als ze maar niet hoefde te hoesten. Ze zou nu toch wel graag met Ayla willen praten, al was het maar om iets voor het hoesten te krijgen, maar ze wou niet dat Frebec dacht dat ze het met haar moeder hield. En als ze alles moest uitleggen, zou ze haar keel irriteren en Frebec zou er weer tegen ingaan. Ze begon weer te hoesten, net toen de wee het hevigst was. Ze onderdrukte een kreet van pijn.

'Fralie? Is het... niet alleen dat hoesten?' vroeg Frebec en hij keek haar ernstig aan. Hij kon zich niet voorstellen dat ze zo moest kreunen door dat hoesten.

Ze weifelde. 'Wat bedoel je daarmee?' vroeg ze.

'Nou, de baby... maar je hebt al twee kinderen, dus je weet er alles van, nietwaar?'

Fralie kreeg weer een hevige hoestbui en toen het wat zakte, ontweek ze de vraag.

Het eerste licht was te zien om de randen van de afdekking van de rookgaten toen Ayla weer naar haar bed liep om zich verder aan te kleden. De meesten hadden de halve nacht wakker gelegen. Ze waren wakker geworden van dat onophoudelijke hoesten van Fralie, maar ze hadden spoedig begrepen dat haar meer scheelde dan een verkoudheid. Tronie had moeilijkheden met Tasher die weer naar zijn moeder wou. Maar ze pakte hem op en bracht hem naar de Mammoetvuurplaats. Hij bleef jengelen, dus nam Ayla hem op de arm en droeg hem door de grote vuurplaats en liet hem dingen zien om hem af te leiden. De jonge wolf liep achter haar aan. Ze liep met Tasher door de Vossenvuurplaats en de Leeuwenvuurplaats naar de kookplaats.

Jondalar zag haar aankomen terwijl ze probeerde het kind te kalmeren en te troosten en zijn hart begon sneller te kloppen. Hij wou graag dat ze dichterbij kwam, maar hij was nerveus en bang. Ze hadden nauwelijks tegen elkaar gesproken sinds hij was weggegaan en hij wist niet wat hij moest zeggen. Hij keek om zich heen en probeerde iets te bedenken dat het kind tot bedaren zou brengen. Toen zag hij een botje liggen van een stuk vlees dat was overgebleven.

'Misschien wil hij hierop kauwen,' bood Jondalar aan toen ze de grote gemeenschappelijke ruimte binnenstapte. Hij reikte haar het botje aan. Ze pakte het aan en drukte het de jongen in de hand. 'Hier, vind je dat lekker, Tasher?'

Het vlees was eraf, maar er zat nog wat smaak aan. Hij stak het dikke eind in zijn mond, proefde, en hij werd eindelijk rustig omdat hij het wel lekker vond.

'Dat was een goed idee, Jondalar,' zei Ayla. Ze hield de driejarige kleuter vast en keek naar hem op.

'Mijn moeder deed dat altijd wanneer mijn zusje lastig was,' zei hij.

Ze keken elkaar aan en ze zeiden niets. Ze hadden er al zo lang naar verlangd elkaar te zien en ze namen iedere trek en iedere verandering goed in zich op. Hij is mager geworden, dacht Ayla. Hij ziet er afgetobd uit. Ze heeft zorgen, ze zit in de rats over Fralie, ze wil helpen, dacht Jondalar. O, Doni, wat is ze mooi.

Tasher liet het been vallen en Wolf pakte het.

'Laat vallen!' commandeerde Ayla. Met tegenzin legde hij het neer, maar hij ging er beschermend overheen staan.

'Nu kun je het hem net zo goed laten houden. Ik denk niet dat Frebec het zo leuk zou vinden wanneer je Tasher het been zou geven nadat Wolf het in zijn bek heeft gehad.'

'Ik wil niet dat hij dingen blijft pakken die niet van hem zijn.'

'Hij heeft het niet echt gepakt. Tasher liet het vallen. Wolf dacht waarschijnlijk dat het voor hem was,' zei Jondalar en het klonk heel redelijk.

'Misschien heb je gelijk. Ik denk dat het geen kwaad kan als ik het hem laat houden.' Ze gaf hem een teken en de jonge wolf veranderde van houding. Hij pakte het been weer op en liep regelrecht naar de vachten die Jondalar bij de werkplaats had uitgespreid. Hij ging erbovenop liggen en begon aan het been te knagen.

'Wolf, ga daar weg,' zei Ayla, die achter hem aan wou gaan.

'Het hindert niet, Ayla... wanneer jij het niet erg vindt. Hij komt hier zo vaak en dan voelt hij zich thuis. Ik... geniet er bijna van.'

'Nee, ik vind het niet erg,' zei ze en ze glimlachte. 'Je kon ook altijd goed met Renner opschieten. Ik denk dat dieren je graag mogen.'

'Maar bij jou is het anders. Ze houden van je. Ik...' Opeens zweeg hij. Hij kreeg diepe rimpels in zijn voorhoofd en hij sloot de ogen. Toen hij ze weer opende, ging hij rechtop staan en hij deed een stap achteruit. 'De Moeder heeft je een zeldzame gave geschonken,' zei hij, op een toon en met een houding die veel formeler waren.

Opeens voelde ze tranen in haar ogen en een brok in haar keel. Ze keek naar de grond en ze ging ook achteruit.

'Zo te horen geloof ik dat Tasher binnenkort een broertje of een zusje krijgt,' zei Jondalar, die over iets anders wou beginnen.

'Ik ben bang van wel,' zei Ayla.

'O? Vind je dat ze de baby niet zou moeten hebben?' vroeg Jondalar verbaasd.

'Natuurlijk wel, maar niet nu. Het is te vroeg.'

'Weet je dat zeker?'

'Nee. Ik mocht haar niet onderzoeken,' zei Ayla.

'Frebec?'

Ayla knikte. 'Ik weet niet wat ik moet doen.'

'Ik begrijp niet waarom hij nog altijd minachting heeft voor je vaardigheid.'

'Volgens Mamut gelooft hij niet dat "platkoppen" verstand hebben van genezen, dus gelooft hij niet dat ik iets van hen kan hebben geleerd. Ik geloof dat Fralie echt hulp nodig heeft, maar Mamut zegt dat ze erom moet vragen.'

'Mamut heeft waarschijnlijk gelijk, maar als het zover is vraagt ze je misschien wel.'

Ayla nam Tasher op de andere arm. Hij had een duim in de mond gestoken en hij scheen daar voorlopig genoegen mee te nemen. Ze zag Wolf op de bekende vachten van Jondalar liggen, die tot voor kort naast de hare hadden gelegen. De vachten en het feit dat hij zo dichtbij was deden haar weer denken aan de gevoelens die Jondalars aanraking bij haar opriepen. Ze wou dat zijn vachten nog op haar bed lagen. Toen ze hem weer aankeek, stond het verlangen in haar ogen te lezen en Jondalar voelde zo'n hevige reactie dat hij zich moest bedwingen om zijn armen niet uit te steken, maar hij deed het niet. Zijn reactie bracht Ayla in de war. Hij had haar eerst aangekeken met de blik die haar altijd dat zalige gevoel gaf. Waarom veranderde die blik plotseling? Ze was verslagen, maar ze had een moment het gevoel dat er iets... misschien... iets van hoop was. Misschien vond ze een manier om hem te bereiken, als ze volhield.

'Ik hoop het,' zei Ayla, 'maar dan is het misschien te laat om een eind te maken aan de weeën.' Ze maakte aanstalten om weg te gaan en Wolf stond op om haar te volgen. Ze keek naar het dier en toen naar de man. Toen vroeg ze: 'Als ze me roept, Jondalar, wil jij Wolf dan hier houden? Ik kan hem in de Kraanvogelvuurplaats niet voortdurend om me heen hebben.'

'Ja, natuurlijk wil ik dat,' zei hij, 'maar wil hij hier wel blijven?'

'Wolf, ga terug!' zei ze. Hij keek haar zachtjes jankend aan en leek een moment te twijfelen. 'Ga terug naar Jondalars bed!' zei ze en ze wees met haar arm. 'Ga naar Jondalars bed!' herhaalde ze. Wolf kroop in elkaar en met hangende staart ging hij terug. Hij ging op de vachten zitten en keek haar aan. 'Blijf daar!' commandeerde ze. De jonge wolf ging liggen, met zijn kop op de poten en zijn ogen volgden haar toen ze zich omdraaide en de vuurplaats verliet.

Crozie, die nog op haar bed zat, zag hoe Fralie het uitschreeuwde en op haar bed sloeg. Eindelijk zakte de pijn af en Fralie zuchtte diep, maar dat bracht een nieuwe hoestbui en haar moeder meende de wanhoop in haar ogen te zien. Crozie was ook wanhopig. Er moest iets gebeuren. Fralie had weeën en het hoesten matte haar af. Er was niet veel hoop meer voor de baby, die zou te vroeg worden geboren en te vroeg geboren zuigelingen bleven niet in leven. Maar Fralie had iets nodig om het hoesten en de pijn te verlichten en later zou ze iets moeten hebben om haar te troosten. Het had niet geholpen dat ze met

Fralie praatte, niet met die domme man om haar heen. Zag hij dan niet dat ze in gevaar verkeerde?

Crozie zag hoe Frebec wanhopig en bezorgd om Fralies bed draaide. Misschien zag hij het wel, dacht ze. Misschien moest ze het nog eens proberen, maar zou het helpen als ze met Fralie praatte?

'Frebec!' zei Crozie. 'Ik wil met je praten.'

De man keek verbaasd. Het gebeurde zelden dat Crozie hem bij zijn naam noemde of zei dat ze met hem wou praten. Gewoonlijk schreeuwde ze alleen maar tegen hem.

'Wat is er?'

'Fralie is te koppig om te luisteren, maar het moet je zo langzamerhand duidelijk zijn dat de baby komt...'

Fralie onderbrak haar met een hevige hoestbui.

'Fralie, spreek de waarheid,' zei Frebec toen het hoesten wat minder werd. 'Is het zover?'

'Ik... Ik denk het,' zei ze.

Hij grijnsde. 'Waarom heb je het me niet verteld?'

'Omdat ik hoopte dat het niet waar was.'

'Maar waarom?' vroeg hij, plotseling geschrokken. 'Wil je de baby niet?'

'Het is te vroeg, Frebec. Baby's die te vroeg worden geboren, kunnen niet leven,' antwoordde Crozie voor haar.

'Niet leven? Fralie, is er iets niet goed? Is het waar dat deze baby niet kan leven?' vroeg Frebec, geschokt door een plotseling opkomende angst. Hij had die dag steeds sterker het gevoel gekregen dat er iets verschrikkelijks aan de hand was, maar hij had het niet willen geloven en hij dacht niet dat het zo erg was.

'Dit is het eerste kind van mijn vuurplaats, Fralie. Jouw baby, geboren voor mijn vuurplaats.' Hij knielde naast het bed en hield haar hand vast. 'Deze baby moet blijven leven. Zeg dat deze baby zal leven,' smeekte hij. 'Fralie, zeg dat deze baby zal leven.'

'Dat kan ik niet. Ik weet het niet.' Haar stem klonk gespannen en hees.

'Ik dacht dat je er alles van wist, Fralie. Je bent moeder. Je hebt al twee kinderen.'

'Het is altijd weer anders,' fluisterde ze. 'Met deze was het van het begin af aan moeilijk. Ik was bang voor een miskraam. Er waren te veel problemen... Een plaats vinden om te wonen... Ik weet het niet. Ik denk alleen dat deze baby te vroeg wordt geboren.'

'Waarom heb je het me niet verteld, Fralie?'

'Wat had jij eraan willen doen?' vroeg Crozie, op een gematigde maar bijna wanhopige toon. 'Wat kon jij doen? Weet jij iets van zwangerschap? Geboorte? Hoesten? Pijn? Ze wou het je niet vertellen omdat jij niets anders hebt gedaan dan degene beledigen die haar kon helpen. Nu zal het kind sterven en ik weet niet hoe zwak Fralie is.'

Frebec draaide zich om naar Crozie. 'Fralie? Met Fralie kan niets gebeuren! Of wel? Er zijn zoveel vrouwen die baby's krijgen.'

'Ik weet het niet, Frebec. Kijk naar haar en oordeel zelf.'

Fralie probeerde een opkomende hoestbui te onderdrukken en ze voelde de pijn in haar rug ook weer. Ze had de ogen gesloten en haar gezicht was wat ingevallen, het vlassige haar zat in de war en haar gezicht glom van het zweet. Frebec sprong overeind en liep de vuurplaats uit. 'Waar ga je heen, Frebec?' vroeg Fralie.

'Ik ga Ayla halen.'

'Ayla? Maar ik dacht...'

'Zolang ze hier is, heeft ze al gezegd dat je moeilijkheden had. Daar had ze gelijk in. Als ze er zoveel van wist, is ze misschien wel een Genezer. Iedereen blijft zeggen dat ze er een is. Ik weet niet of het waar is, maar we moeten iets doen... tenzij jij het niet goedvindt.'

'Haal Ayla,' fluisterde Fralie.

De spanning verspreidde zich over het huis, terwijl Frebec met grote stappen naar de Mammoetvuurplaats liep.

'Ayla, Fralie is...' begon hij zielig en hij was te nerveus en van streek om nog een poging te doen om zijn gezicht te redden.

'Ja, ik weet het. Vraag iemand om Nezzie te halen. Dan kan ze me helpen, en neem die mand mee. Voorzichtig, hij is heet. Het is een aftreksel voor haar keel,' zei Ayla en ze haastte zich naar de Kraanvogelvuurplaats.

Toen Fralie de ogen opsloeg en Ayla zag, voelde ze zich meteen opgelucht.

'Het eerste wat we moeten doen is dit bed rechttrekken en zorgen dat je gemakkelijk ligt,' zei Ayla, die aan de vachten begon te trekken en haar steun gaf met vachten en kussens.

Fralie glimlachte en om de een of andere reden viel het haar plotseling op dat Ayla nog steeds met een accent sprak. Nee, niet echt een accent, dacht ze. Ze had alleen moeite met bepaalde klanken. Vreemd hoe gauw je aan zulke dingen went. Vervolgens verscheen Crozies hoofd boven het bed. Ze gaf Ayla een opgevouwen stuk leer.

'Hier is haar geboortedeken, Ayla.' Ze sloeg hem open en terwijl Fralie opschoof, spreidden ze hem uit onder de vrouw. 'Het werd tijd dat ze je gingen halen, maar het is te laat om de geboorte tegen te houden,' zei Crozie. 'Jammer, ik had zo'n gevoel dat dit een meisje zou worden. Het is jammer dat ze moet sterven.'

'Wees daar niet zo zeker van, Crozie,' zei Ayla.

'Deze baby komt te vroeg. Dat weet je toch?'

'Ja, maar je moet dit kind nog niet aan de volgende wereld geven. We kunnen nog wel wat doen, als het niet te vroeg is... en als de geboorte goed verloopt.' Ayla keek Fralie aan. 'Laten we rustig afwachten.'

'Ayla,' zei Fralie met glanzende ogen, 'denk jij dat er nog hoop is?'

'Er is altijd hoop. Drink dit nu maar op. Het helpt tegen de hoest en dan zul je je beter voelen. Dan zullen we zien hoe ver je bent.'

'Wat zit erin?' vroeg Crozie kortaf.

Ayla bekeek de vrouw even voor ze antwoord gaf. Er lag iets gebiedends in haar toon, maar Ayla begreep dat de vraag werd gesteld uit bezorgde belangstelling. De toon waarop was meer haar manier van spreken, dacht Ayla, alsof ze gewend was om opdrachten te geven. Maar het kon verkeerd worden opgevat, als onredelijk, wanneer iemand die niet de leiding had zo'n gebiedende toon aansloeg.

'De binnenste schors van een wilde zwarte kers, om haar rust te geven, en het hoesten en de pijn van de weeën te verminderen,' legde Ayla uit, 'gekookt met de gedroogde wortel van de blauwe bes, die eerst tot poeder is gemalen. Dat helpt om de spieren te activeren, zodat de bevalling sneller komt. Ze is al te ver om de weeën te keren.'

'Hmm,' was Crozies reactie, maar ze knikte goedkeurend. Ze was niet alleen belangstellend naar het resultaat van Ayla's onderzoek, maar ze wou ook precies weten wat er in het drankje zat. Crozie was tevreden met het antwoord omdat daaruit bleek dat Ayla niet zomaar iets klaarmaakte omdat ze het van een ander had gehoord, maar dat ze wist wat ze deed. Niet dat ze de eigenschappen van de planten kende, maar die kende Ayla wel.

In de loop van de dag kwam iedereen even op bezoek om wat morele steun te bieden, maar de bemoedigende glimlachjes hadden iets verdrietigs. Ze wisten allemaal dat Fralie voor een beproeving stond met weinig kans op een goede afloop. Voor Frebec kroop de tijd voorbij. Hij wist niet wat hij ervan moest denken en voelde zich verloren en onzeker. Hij kon zich niet herinneren van de keren dat hij in de buurt was geweest toen vrouwen een kind kregen dat het zo lang duurde en dat het voor andere vrouwen zo moeilijk was. Lagen ze allemaal zo te woelen en te gillen?

Er was geen ruimte voor hem in zijn eigen vuurplaats met al die vrouwen en ze hadden hem toch niet nodig. Hij zat op het bed van Crisavec te kijken en te wachten, maar ze zagen hem niet eens. Ten slotte stond hij op en liep hij weg zonder te weten waar hij heen moest. Hij merkte dat hij honger had en hij liep in de richting van de kookplaats in de hoop nog een restje vlees of iets anders te vinden. Hij dacht er eigenlijk aan om Talut op te zoeken. Hij voelde behoefte om met iemand te praten, iemand die misschien begrip had voor zijn situatie. Toen hij bij de Mammoetvuurplaats kwam, stonden Ranec, Danug en Tornec met Mamut bij het vuur te praten. Hij kon er bijna niet langs. Frebec wachtte even, hij wou ze eigenlijk niet vragen om opzij te gaan. Hij aarzelde, maar hij kon daar ook niet blijven staan. Hij liep door het middengedeelte van de Mammoetvuurplaats naar hen toe.

'Hoe is het met haar, Frebec?' vroeg Tornec.

De vriendelijke toon verraste hem enigszins. 'Ik wou dat ik het wist,' antwoordde hij.

'Ik weet hoe je je voelt,' zei Tornec met een wrange glimlach. 'Ik voel me nooit nuttelozer dan wanneer Tronie een kind krijgt. Ik vind het verschrikkelijk om haar pijn te zien lijden en ik zou graag iets willen doen om haar te helpen, maar ik zou niet weten wat. Een vrouw moet het alleen doen. Later verbaas ik me er altijd over dat ze de narigheid en de pijn vergeet zodra ze de baby ziet en weet dat...' Hij zweeg en hij besefte dat hij te veel had gezegd. 'Het spijt me, Frebec. Het was niet mijn bedoeling...'

Frebec fronste de wenkbrauwen, toen wendde hij zich tot Mamut. 'Fralie zei dat ze dacht dat deze baby te vroeg kwam. Ze zei dat baby's die te vroeg worden geboren niet kunnen leven. Is dat zo? Zal deze baby sterven?'

'Daar weet ik geen antwoord op, Frebec. Dat ligt in de handen van Mut,' zei de oude man, 'maar ik weet wel dat Ayla het niet opgeeft. Het hangt ervan af hoeveel te vroeg de baby wordt geboren. Zulke baby's zijn klein en zwak, dat is de reden waarom ze meestal sterven. Maar ze gaan niet altijd dood, zeker niet wanneer het niet veel te vroeg is, en hoe langer ze in leven blijven, hoe beter hun kansen worden. Ik weet niet wat ze kan doen, maar wanneer iemand iets kan doen, dan is het Ayla. Ze heeft een machtige gave ontvangen en ik kan je verzekeren dat geen enkele Genezer een betere opleiding had kunnen krijgen. Ik weet uit eigen ervaring hoe bekwaam medicijnvrouwen van de Stam zijn. Ik ben een keer door een van hen genezen.'

'Jij! Jij bent genezen door een platkopvrouw?' zei Frebec. 'Dat begrijp ik niet. Hoe? En wanneer dan?'

'Toen ik nog een jongeman was, op mijn Tocht,' zei Mamut.

De jonge mannen wachtten tot hij zijn verhaal zou voortzetten, maar

het werd weldra duidelijk dat hij er verder niets over wou vertellen.
'Oude man,' zei Ranec, met een brede glimlach, 'Ik vraag me af hoeveel verhalen en geheimen er verborgen zijn in de jaren van je lange leven.'
'Ik heb meer vergeten dan jij in je hele leven hebt meegemaakt, jongeman en ik herinner me nog veel. Ik was al oud toen jij werd geboren.'
'Hoe oud ben je?' vroeg Danug. 'Weet je dat?'
'Er is een tijd geweest dat ik het bijhield door een geheugensteuntje te tekenen op een huid, ieder voorjaar wanneer er iets belangrijks gebeurde. Ik heb er verscheidene vol getekend. Het scherm voor de ceremonies is er een van. Nu ben ik zo oud dat ik het niet langer bijhoud. Maar ik zal je vertellen, Danug, hoe oud ik ben. Mijn eerste vrouw had drie kinderen.' Mamut keek Frebec aan. 'De eerste, een zoon, stierf. Het tweede kind, een meisje, had vier kinderen. De oudste van die vier was een meisje en toen ze groot was, kreeg ze Tulie en Talut. Jij bent natuurlijk het eerste kind van Taluts vrouw. De vrouw van het eerste kind van Tulie zal om deze tijd een kind krijgen. Als Mut me nog een jaargetijde geeft, kan ik de vijfde generatie zien. Zo oud ben ik, Danug.'
Danug schudde het hoofd. Dat was nog ouder dan hij zich kon voorstellen.
'Zijn jij en Manuv geen verwanten, Mamut?' vroeg Tornec.
'Hij is het derde kind van de vrouw van mijn jongste broer, net zoals jij het derde kind bent van de vrouw van Manuv.'
Op dat ogenblik scheen er enige opwinding te ontstaan in de Kraanvogelvuurplaats en ze draaiden zich allemaal om om te kijken.
'Nu diep zuchten,' zei Ayla, 'en nog een keer persen. Je bent er bijna.'
Fralie hapte naar adem en ze perste flink terwijl ze Nezzies handen vasthield.
'Goed zo! Dat is goed!' moedigde Ayla aan. 'Daar komt het. Daar komt het! Goed zo! We zijn er!'
'Het is een meisje, Fralie!' zei Crozie. 'Ik heb je gezegd dat deze een meisje zou zijn!'
'Hoe is het met haar?' vroeg Fralie. 'Is ze...'
'Nezzie, wil jij haar helpen om de nageboorte eruit te persen?' zei Ayla, die het slijm van de mond van het kind verwijderde toen het worstelde om voor de eerste keer adem te halen. Er viel een afschuwelijke stilte. Toen klonk er een wonderbaarlijke schreeuw als teken van leven.
'Ze leeft! Ze leeft!' zei Fralie, met tranen van opluchting en hoop in de ogen.
Ja, ze leeft, dacht Ayla, maar ze was heel klein. Ze had nog nooit zo'n

kleine baby gezien. Maar ze leefde, ze trappelde en ademde. Ayla legde de baby met het gezicht naar beneden op Fralies buik en ze herinnerde zich dat ze alleen maar pasgeboren baby's bij de Stam had gezien. Baby's van de Anderen waren waarschijnlijk kleiner. Ze hielp
Nezzie met de nageboorte. Vervolgens draaide ze de zuigeling om en
bond de navelstreng op twee plaatsen af met de roodgekleurde stukjes
pees die ze klaar had liggen. Met een scherp vuurstenen mes sneed ze
de streng tussen de stukjes pees door. Nu was het een onafhankelijk
levend, ademend menselijk wezen, in voor- en tegenspoed. Maar de
eerstvolgende paar dagen zouden beslissend zijn.
Ayla bekeek de baby zorgvuldig terwijl ze haar schoonmaakte. Ze zag
er heel goed uit, alleen buitengewoon klein en het geluid was zwak.
Ze wikkelde haar in een zachte huid en gaf haar aan Crozie. Toen
Nezzie en Tulie de geboortedeken hadden weggehaald en Ayla zich
ervan had overtuigd dat Fralie schoon was en gemakkelijk lag op absorberende mammoetwol, legde ze de nieuwe dochter in Fralies armen. Toen gaf ze Frebec een wenk dat hij kon komen om de eerste
dochter van zijn vuurplaats te zien. Crozie bleef in de buurt.
Fralie sloeg de deken open en ze keek Ayla aan met tranen in de ogen.
'Ze is zo klein,' zei ze en ze wiegde de kleine zuigeling. Toen maakte ze
de voorkant van haar hemd open en legde de baby aan haar borst. Het
kleintje zocht even en vond de tepel. Aan de glimlach op Fralies gezicht zag Ayla dat ze zoog. Maar na een paar ogenblikken liet ze los en
ze leek uitgeput door de inspanning.
'Wat is ze klein... Zou ze blijven leven?' vroeg Frebec, maar het leek
meer op een smeekbede.
'Ze ademt. Als ze kan zuigen is er hoop, maar ze heeft hulp nodig om
in leven te blijven. Ze moet warm blijven en ze mag het beetje kracht
dat ze heeft alleen gebruiken om te zuigen. Daar moet ze van groeien,'
zei Ayla. Toen zei ze met een strenge blik naar Frebec en Crozie: 'Als
jullie willen dat ze blijft leven, mag er in deze vuurplaats geen ruzie
meer zijn. Daar wordt ze onrustig van en dat kan niet als ze moet
groeien. Eigenlijk mag ze niet eens huilen, daar heeft ze de kracht niet
voor. Dan helpt de voeding haar niet.'
'Hoe kan ik voorkomen dat ze huilt, Ayla? En hoe weet ik wanneer ik
haar moet voeden als ze niet huilt?' vroeg Fralie.
'Frebec en Crozie moeten je allebei helpen, omdat ze ieder moment
bij je moet zijn, net alsof je nog zwanger was, Fralie. Ik denk dat je het
beste een soort draagzak voor haar kunt maken zodat ze altijd tegen je
borst ligt. Op die manier kun je haar warm houden. Ze zal rustig blijven omdat je dicht bij haar bent en ze het geluid van je hart hoort,

want daar is ze aan gewend. Maar het belangrijkste is dat ze alleen maar haar hoofd hoeft te draaien om je tepel te vinden wanneer ze wil zuigen. Dan verspilt ze haar kracht die ze nodig heeft om te groeien niet met huilen.'

'En hoe moeten we haar verschonen?' vroeg Crozie.

'Doe maar wat van dat zachte smeersel op haar huid dat ik je heb gegeven. Ik maak nog wel wat. Gebruik schone, gedroogde mest om haar ontlasting op te vangen. Gooi het weg als ze moet worden verschoond, maar beweeg haar niet te veel. En jij moet rusten, Fralie en niet te veel met haar in beweging zijn. Dat is voor jou ook beter. We moeten proberen je hoest te genezen. Als ze de eerste paar dagen in leven blijft, wordt ze iedere dag sterker. Met de hulp van Frebec en Crozie heeft ze een kans.'

Toen de rode zon achter een wolkenbank aan de horizon verdween en de kleden werden gesloten, hing er een sfeer van gematigde hoop in het huis. De meeste mensen waren klaar met het avondeten. Ze stookten de vuren op, maakten hun spullen schoon, brachten de kinderen naar bed en gingen bij elkaar zitten om nog wat te praten. Er zaten verscheidene mensen om het vuur van de Mammoetvuurplaats, maar er werd zacht gepraat, alsof men het gevoel had dat ieder lawaai moest worden vermeden.

Ayla had Fralie een kalmerend drankje gegeven en haar alleen gelaten om te slapen. Ze zou de komende dagen toch al niet veel slaap krijgen. De meeste zuigelingen wenden aan de regelmaat om een redelijke tijd te slapen voor ze weer wakker werden voor een voeding, maar Fralies baby kon per voeding niet veel drinken, dus sliep ze niet lang voor ze weer wat moest hebben. Fralie kon dus ook maar korte poosjes slapen tot de baby sterker werd.

Het was bijna vreemd om te zien hoe Frebec en Crozie samen aan het werk waren, hoe ze elkaar hielpen om Fralie te helpen, hoe welgemanierd en beheerst ze met elkaar omgingen. Misschien bleef het niet zo, maar ze probeerden het en hun vijandigheid scheen iets af te nemen.

Crozie was vroeg naar bed gegaan. Het was een zware dag geweest en zo jong was ze ook niet meer. Ze was moe en ze verwachtte nog wel een keer te moeten opstaan om Fralie te helpen. Crisavec sliep nog bij de zoon van Tulie en Tronie had Tasher nog gehouden. Frebec zat alleen in de Kraanvogelvuurplaats. Hij zat met gemengde gevoelens in het vuur te staren. Hij maakte zich zorgen en hij was ongerust over de kleine zuigeling, die hij wilde beschermen, het eerste kind van zijn vuurplaats. Ayla had haar in zijn armen gelegd om haar even vast te houden terwijl ze met Crozie Fralie hielp. Hij had haar met ontzag bekeken, hoe iemand die zo klein was zo volmaakt kon zijn. Ze had zelfs nagels op haar kleine vingertjes. Hij durfde zich niet te bewegen omdat hij bang was dat ze zou breken en het was een hele opluchting toen Ayla haar weer overnam, al speet het hem toch om haar los te laten.

Opeens ging Frebec staan en hij liep het gangpad af. Hij wou deze avond niet alleen zijn. Hij bleef aan de ingang van de Mammoetvuurplaats staan en keek naar de mensen die bij het vuur zaten. Het waren de jongere mensen van het kamp en tot voor kort liep hij hen altijd voorbij, op weg naar de kookplaats om met Talut te praten en Nezzie, of Tulie en Barzec, of Manuv, Wymez, of de laatste tijd met Jondalar en soms met Danug. Ook al was Crozie vaak in de kookplaats, dan nog was het altijd gemakkelijker om haar te negeren dan te worden genegeerd door Deegie of geminacht door Ranec. Maar Tornec was vriendelijk geweest en hij had ook kinderen, dus wist hij wat het betekende. Na een diepe zucht liep Frebec naar het vuur.

Op het moment dat hij bij Tornec kwam, barstten ze in lachen uit en hij dacht dat ze hem uitlachten. Hij wou eigenlijk wel weer weggaan.

'Frebec! Daar ben je al!' zei Tornec.

'Ik geloof dat er nog wat thee is,' zei Deegie. 'Ik zal je wat inschenken.'

'Ik hoor van iedereen dat het een mooi meisje is,' zei Ranec. 'En Ayla zegt dat ze een kans heeft.'

'We hebben geluk dat Ayla hier is,' zei Tronie.

'Ja, dat is zo,' antwoordde Frebec. Even zei niemand iets. Het was het eerste positieve woord dat Frebec ooit over Ayla had gezegd.

'Misschien kan ze bij het Lentefeest een naam krijgen,' zei Latie. Frebec had haar niet opgemerkt omdat ze achter Mamut in de schaduw zat. 'Dat zou mooi zijn.'

'Ja, zeker,' zei Frebec. Hij pakte het kopje van Deegie aan en hij voelde zich al wat beter op zijn gemak.

'Ik zal ook deel hebben aan het Lentefeest,' zei ze, wat verlegen, maar ook trots.

'Latie is vrouw geworden,' zei Deegie tegen hem op de manier van een oudere zuster die een andere volwassene wat vertrouwelijke informatie geeft.

'Op de Zomerbijeenkomst van dit jaar krijgt ze haar Riten van het Eerste Genot,' voegde Tronie eraan toe.

Frebec knikte en hij glimlachte naar Latie, omdat hij niet goed wist wat hij moest zeggen.

'Slaapt Fralie nog?' vroeg Ayla.
'Toen ik wegging wel.'
'Ik denk dat ik ook naar bed ga,' zei ze en ze stond op. 'Ik ben moe.'
Ze legde haar hand op Frebecs arm. 'Zul je me roepen als Fralie wakker wordt?'
'Ja, Ayla... en... eh... bedankt,' zei hij zacht.

'Ayla, ik geloof dat ze groeit,' zei Fralie. 'Ik weet zeker dat ze zwaarder wordt en ze begint om zich heen te kijken. Ze zuigt ook langer, geloof ik.'
'Er zijn vijf dagen voorbij. Ik denk dat ze nu ook sterker wordt,' zei Ayla.
Fralie glimlachte met tranen in de ogen. 'Ayla, ik weet niet wat ik zonder jou had moeten doen. Ik heb het mezelf kwalijk genomen dat ik niet eerder bij je ben gekomen. Vanaf het begin was er iets niet goed met deze zwangerschap, maar toen moeder en Frebec ruzie kregen, kon ik geen partij kiezen.'
Ayla knikte alleen.
'Ik weet dat moeder moeilijk kan zijn, maar ze heeft zoveel verloren. Ze is leidster geweest, weet je.'
'Ik vermoedde al zoiets.'
'Ik was de oudste van vier kinderen. Ik had twee zusters en een broer – ik was ongeveer zo oud als Latie toen het gebeurde. Moeder nam me mee naar het Hertenkamp om de zoon van hun leidster te ontmoeten. Ze wou een verbintenis regelen. Ik wou er niet heen en ik mocht hem niet toen ik hem zag. Hij was ouder en hij had meer belangstelling voor mijn status dan voor mij, maar voor het einde van het bezoek slaagde ze erin mijn instemming te krijgen. Alles werd geregeld voor onze verbintenis, die de volgende zomer zou plaatsvinden. Toen we weer bij ons kamp kwamen... O, Ayla, het was afschuwelijk...' Fralie sloot de ogen en ze probeerde zich te beheersen.
'Niemand weet wat er is gebeurd... er was brand geweest. Het was een oud huis, gebouwd door de oom van mijn moeder. De mensen zeiden dat het riet, het hout en het been helemaal waren uitgedroogd. Ze dachten dat het 's nachts moest zijn begonnen... er is niemand uit gekomen...'
'Fralie, wat vind ik dat erg,' zei Ayla.
'We konden nergens heen, dus trokken we maar wat rond en kwamen ten slotte weer in het Hertenkamp terecht. Ze vonden het erg voor ons, maar ze waren er niet blij mee. Ze waren bang dat we ongeluk brachten en we hadden onze status verloren. Ze wilden de overeen-

komst verbreken, maar Crozie heeft een betoog gehouden voor de Raad van Zusters en heeft ze eraan gehouden. Het Hertenkamp zou invloed en status hebben verloren wanneer ze zich hadden teruggetrokken. Ik ging die zomer de verbintenis aan. Moeder zei dat ik moest. Het was alles wat we nog hadden. Maar de verbintenis bracht niet veel geluk, behalve dan Crisavec en Tasher. Moeder maakte altijd ruzie, vooral met mijn gezel. Ze was gewend om leidster te zijn, beslissingen te nemen en met ontzag te worden behandeld. Het was niet gemakkelijk voor haar om dat allemaal te moeten missen. Ze kon er geen afstand van doen. De mensen begonnen haar te zien als een verbitterde, klagende zeur en ze vermeden haar gezelschap.' Fralie wachtte even, toen ging ze verder.

'Toen mijn man door een oeros op de horens was genomen en gedood, zei het Hertenkamp dat we ongeluk brachten en dat we weg moesten gaan. Moeder probeerde een andere verbintenis voor me te regelen. Er was wel belangstelling. Ik had mijn geboortestatus nog. Ze kunnen je niet afnemen wat je van geboorte bent, maar niemand wou moeder hebben. Ze zeiden dat ze ongeluk bracht, maar ik denk dat ze gewoon een hekel hadden aan haar voortdurende geklaag. Maar ik kon het haar niet kwalijk nemen. Ze begrepen het gewoon niet.

De enige die zich aanbood was Frebec. Hij had niet veel te bieden,' zei Fralie glimlachend, 'maar hij bood alles aan wat hij had. Eerst wist ik niet wat ik moest doen. Hij heeft nooit veel status gehad, hij weet niet altijd hoe hij zich moet gedragen en hij kan niet met moeder opschieten. Hij zoekt waardering, dus probeert hij zichzelf belangrijk te maken door nare dingen over... andere mensen te zeggen. Ik besloot een poosje met hem weg te gaan om het te proberen. Moeder was verbaasd toen we terugkwamen en ik haar vertelde dat ik zijn aanbod aannam. Ze heeft het nooit begrepen...'

Fralie keek Ayla aan en ze glimlachte vriendelijk. 'Kun je je voorstellen hoe het was om een verbintenis te hebben met iemand die je van het begin af aan niet wou hebben en niets om je gaf. Toen vond ik een man die me zo graag wou hebben dat hij bereid was om alles te geven wat hij had en hij beloofde me alles wat hij ooit zou krijgen. Die eerste nacht behandelde hij me als een bijzondere schat. Hij kon niet geloven dat hij het recht had om me aan te raken. Hij gaf me het gevoel... ik kan het niet uitleggen... dat hij me graag wou hebben. Zo is het nog wanneer we alleen zijn, maar hij en moeder kregen meteen ruzie. Toen het tussen hen beiden een kwestie van trots werd of ik je wel of niet zou roepen, kon ik hem zijn zelfrespect niet ontnemen, Ayla.'

'Ik geloof dat ik het begrijp, Fralie.'

'Ik probeerde mezelf steeds wijs te maken dat het niet zo slecht ging en dat jouw medicijnen me wel hielpen. Ik bleef geloven dat hij van gedachten zou veranderen wanneer het zover was, maar ik wou dat hij het uit zichzelf deed. Ik wou hem niet dwingen.'

'Ik ben blij dat hij het heeft gedaan.'

'Maar ik weet niet wat ik had gedaan wanneer ik mijn baby had...'

'We weten het nog niet zeker, maar ik geloof dat je gelijk hebt. Ze lijkt wat sterker,' zei Ayla.

Fralie glimlachte. 'Ik heb al een naam voor haar bedacht. Ik hoop dat Frebec er blij mee is. Ik heb besloten om haar Bectie te noemen.'

Ayla stond bij een lege voorraadruimte en ze bekeek haar sortering gedroogde planten. Er lagen nog wat stapeltjes schors, wortels, hoopjes stengels, schalen met gedroogde bladeren, bloemen, vruchten, zaden en wat planten. Ranec kwam naar haar toe en hij probeerde onopvallend iets achter zijn rug te verbergen.

'Ayla, heb je het druk?' vroeg hij.

'Nee, niet echt, Ranec. Ik heb mijn medicijnen nagekeken om te zien wat ik nodig heb. Ik ben vandaag met de paarden naar buiten geweest. Het wordt nu echt lente en dat is voor mij het mooiste jaargetijde. Er komen groene knoppen en wilgenkatjes. Ik heb die kleine donzige bloemen altijd mooi gevonden. Het duurt niet lang, dan wordt alles groen.'

Ranec glimlachte om haar enthousiasme. 'Iedereen kijkt uit naar het Lentefeest. Dan vieren we het nieuwe leven en het nieuwe begin. En met de baby van Fralie en het feit dat Latie vrouw is geworden is er veel te vieren.'

Ayla fronste het voorhoofd. Ze wist niet zo zeker of ze wel uitkeek naar haar aandeel in het Lentefeest. Mamut had haar begeleid en er waren een paar interessante dingen gebeurd, maar ze zag er ook wel wat tegen op. Maar niet meer zo erg als in het begin. Het zou wel goed gaan. Ze glimlachte alweer.

Ranec had naar haar gekeken en hij had zich afgevraagd waar ze aan dacht. Hij probeerde iets te bedenken om tot het onderwerp te komen waar hij voor was gekomen. 'De ceremonie zou dit jaar bijzonder belangrijk kunnen worden...' Hij wachtte even om de juiste woorden te vinden.

'Ik denk dat je gelijk hebt,' zei Ayla, die nog dacht aan haar aandeel in het feest.

'Dat klinkt niet zo enthousiast,' zei Ranec met een glimlach.

'Niet? Ik kijk er echt naar uit dat Fralie de baby een naam gaat geven en ik ben erg blij voor Latie. Ik herinner me nog hoe blij ik was toen ik eindelijk een vrouw werd en wat een opluchting het voor Iza was. Alleen heeftt Mamut bepaalde plannen, en dat maakt me wat onzeker.'

'Ik vergeet telkens weer dat je nog niet zo lang tot de Mamutiërs behoort. Je weet nog niet precies wat een Lentefeest inhoudt. Geen wonder dat je er niet zo naar uitkijkt als de anderen.' Hij ging nerveus van het ene been op het andere staan, keek naar de grond en dan weer naar haar. 'Ayla, je zou er ook naar uit kunnen kijken, en ik ook, als...' Ranec zweeg. Hij besloot het anders aan te pakken en liet het voorwerp zien dat hij verborgen had gehouden. 'Ik heb dit voor je gemaakt.'

Ayla keek naar wat hij in de hand had. Ze keek Ranec aan, met grote verbaasde ogen en ze was verrukt toen ze het zag. 'Heb je dat voor mij gemaakt? Maar waarom?'

'Omdat ik het leuk vond. Het is voor jou, daarom. Beschouw het als een geschenk voor de lente,' zei hij, erop aandringend dat ze het zou aannemen.

Ze pakte het ivoren beeldje, hield het goed vast en bekeek het.

'Dit is een van je vrouw-vogelfiguren,' zei Ayla, en ze liet duidelijk haar bewondering merken, 'zoals het beeld dat je me hebt laten zien, maar het is niet hetzelfde.'

Zijn ogen lichtten op. 'Ik heb er speciaal een voor jou gemaakt, maar ik moet je waarschuwen,' zei hij met gespeelde ernst. 'Ik heb er toverkracht in gedaan opdat je... ervan zult houden, en ook van degene die het heeft gemaakt.'

'Daarvoor hoefde je er geen toverkracht in te doen, Ranec.'

'Dus je vindt het mooi? Zeg eens hoe je het vindt,' vroeg Ranec, hoewel hij gewoonlijk niet aan de mensen vroeg wat ze van zijn werk vonden; het kon hem niet schelen wat ze dachten. Hij werkte voor zichzelf en om de Moeder te behagen, maar deze keer wou hij vooral Ayla behagen. Hij had zijn hart, zijn verlangen en zijn dromen in het beeld gelegd, in ieder kerfje en in elke lijn, in de hoop dat dit beeld van de Moeder betoverend zou werken op de vrouw die hij liefhad.

Ze bekeek het beeldje van dichtbij en zag de driehoek, met de punt naar beneden, het symbool van de vrouw, zoals ze had geleerd, en een andere reden was dat drie het getal was van de scheppende kracht en heilig voor Mut. De hoeken werden in schuine strepen herhaald, op wat de voorkant zou zijn wanneer het een vrouw was, en de achterkant wanneer het een vogel voorstelde. Het hele beeld was versierd met schuine en evenwijdige lijnen in een boeiend geometrisch patroon, dat op zichzelf mooi was om te zien, maar een diepere betekenis had.

'Het is heel mooi gemaakt, Ranec. Vooral deze lijnen vind ik mooi. Het patroon doet me aan veren denken, maar ook aan water, zoals op de kaarten,' zei Ayla.

Ranecs glimlach ging over in een opgetogen grijns. 'Ik wist het! Ik wist dat je het zou zien! De veren van Haar geest wanneer Ze een vogel wordt en terugvliegt naar de lente en het vruchtwater van de Moeder dat de zeeën vult.'

'Het is prachtig, Ranec, maar ik kan het niet houden,' zei ze en ze probeerde het terug te geven.

'Waarom niet? Ik heb het voor jou gemaakt,' zei hij en hij weigerde het aan te pakken.

'Maar wat kan ik je teruggeven? Ik heb niets van gelijke waarde.'

'Als je je daar zorgen over maakt, heb ik een voorstel. Jij hebt iets dat veel meer waard is dan dit stuk ivoor,' zei Ranec met een glimlach en zijn ogen straalden van pret... en liefde. Hij werd ernstiger. 'Ga een verbintenis met me aan, Ayla. Word mijn gezellin. Ik wil een vuurplaats met je delen, ik wil dat jouw kinderen de kinderen van mijn vuurplaats worden.'

Ayla aarzelde met haar antwoord. Ranec zag het en hij bleef praten in een poging haar over te halen. 'Denk eens aan de vele dingen die we gemeenschappelijk hebben. Jij bent een vrouw van de Mamutiërs en ik ben een man van de Mamutiërs, maar we zijn allebei geadopteerd. Als we een verbintenis aangaan, hoeven we geen van beiden naar een ander kamp te verhuizen. We zouden samen in het Leeuwenkamp kunnen blijven en je zou voor Mamut en Rydag kunnen blijven zorgen en daar zou Nezzie blij om zijn. Maar het belangrijkste is dat ik van je houd, Ayla. Ik wil mijn leven met je delen.'

'Ik... Ik weet niet wat ik moet zeggen.'

'Zeg "ja", Ayla. Laten we het bekendmaken, een Belofteceremonie opnemen in het Lentefeest. Dan kunnen we de verbintenis deze zomer bevestigen, tegelijk met Deegie.'

'Ik weet het niet... Ik geloof niet...'

'Je hoeft nog niet te beslissen.' Hij had gehoopt dat ze meteen zou instemmen. Nu besefte hij dat er meer tijd voor nodig was, maar hij wou ook niet dat ze zou weigeren. 'Zeg dan maar dat je me de gelegenheid wilt geven om je te tonen hoeveel ik van je houd, hoe graag ik je wil hebben en hoe gelukkig we samen kunnen zijn.'

Ayla herinnerde zich wat Fralie had gezegd. Het gaf inderdaad een bijzonder gevoel wanneer je wist dat een man je wil hebben, dat hij om je geeft en je niet altijd probeert te ontwijken. En het idee om hier te blijven bij de mensen van wie ze hield en die van haar hielden, stond haar ook wel aan. Het Leeuwenkamp was nu bijna familie van haar. Jondalar zou nooit willen blijven. Dat wist ze al een hele tijd. Hij wou terug naar zijn eigen volk en er was een tijd dat hij haar mee wou nemen. Nu leek het wel of hij haar helemaal niet meer wou hebben.

Ranec was aardig, ze mocht hem graag en als ze met hem een verbintenis aanging, betekende dat dat ze hier bleef. En als ze nog een baby wou hebben, moest ze niet zo lang wachten. Ze werd er niet jonger op. Ondanks de woorden van Mamut vond ze achttien jaar al oud. Wat zou het heerlijk zijn om weer een baby te hebben, dacht ze. Zoals Fralie. Alleen sterker. Ze zou met Ranec een baby kunnen hebben. Zou hij op Ranec lijken, met die zwarte ogen, die zachte lippen, die korte, brede neus, heel anders dan de grote gebogen, spitse neuzen van de mannen van de Stam? Jondalars neus zat daartussenin. Wat grootte en vorm betreft... Waarom dacht ze aan Jondalar?

Toen kreeg ze een idee dat haar hart sneller deed kloppen van opwinding. Wanneer ik hier blijf en een verbintenis aanga met Ranec, dacht ze, zou ik Durc kunnen halen! Volgende zomer misschien. Dan is er geen Stambijeenkomst. En Oera dan? Waarom zouden we haar ook niet halen? Als ik met Jondalar wegga, weet ik dat ik Durc nooit meer zal zien. De Zelandoniërs wonen te ver weg en Jondalar zou niet teruggaan om Durc op te halen. Als Jondalar maar wou blijven en Mamutiër wou worden... maar hij wil niet. Ze keek de donkere man aan en ze zag de liefde in zijn ogen. Misschien moet ik erover nadenken om een verbintenis met hem aan te gaan.

'Ik heb gezegd dat ik erover zou nadenken, Ranec,' zei ze.

'Dat weet ik, maar als je langer wilt nadenken over het doen van een Belofte, kom dan alsjeblieft naar mijn bed, Ayla. Geef me een kans om je te laten zien hoeveel ik om je geef. Zeg dan dat je dat doet. Kom bij me slapen, Ayla.' En hij pakte haar hand.

Ze sloeg de ogen neer en ze probeerde tot een oplossing te komen. Ze voelde een sterke drang om gehoor te geven aan zijn verzoek. Hoewel ze het herkende, vond ze het moeilijk om er niet aan toe te geven. Bovendien vroeg ze zich af of ze hem niet een kans moest geven. Misschien moesten ze een proeftijd hebben, zoals Fralie met Frebec had gedaan.

Ayla knikte, terwijl ze nog steeds naar de grond keek. 'Ik kom naar je bed.'

'Vanavond?' vroeg hij, trillend van vreugde.

'Ja, Ranec. Als je dat wilt, kom ik vanavond bij je.'

26

Jondalar ging zo zitten dat hij het grootste deel van de Mammoet-vuurplaats kon overzien via het middenpad en de open ruimten van de vuurplaatsen die ertussen lagen. Het was zo'n gewoonte geworden om naar Ayla te kijken dat hij er nauwelijks meer over nadacht. Het hinderde hem ook niet meer, het was een deel van zijn bestaan geworden. Het maakte geen verschil wat hij deed, ze was altijd in zijn gedachten, zij het ook dat hij het zich vaak nauwelijks bewust was. Hij wist wanneer ze sliep en wanneer ze wakker was, wanneer ze at en wanneer ze met iets bezig was. Hij wist wanneer ze naar buiten ging, wie bij haar op bezoek kwamen en hoe lang ze bleven. Hij had zelfs een vermoeden waar ze over praatten.

Hij wist dat Ranec er het grootste deel van zijn tijd doorbracht. Hoewel hij het niet prettig vond om hen samen te zien, wist hij dat Ayla niet meer intiem met hem was geweest en elk nauw contact leek te willen vermijden. Haar manier van doen had hem de situatie tot op zekere hoogte doen accepteren en zijn zorgen wat doen afnemen, zodat het hem overviel toen hij haar met Ranec naar de Vossenvuur-plaats zag lopen terwijl iedereen zich gereedmaakte om naar bed te gaan. Hij kon het eerst niet geloven. Hij nam aan dat ze alleen iets ging halen en naar haar eigen bed terug zou gaan. Toen hij zag dat ze Wolf naar de Mammoetvuurplaats stuurde, drong het tot hem door dat ze van plan was om de nacht met de beeldhouwer door te brengen.

Op dat moment leek het wel of er in zijn hoofd een vuur begon te branden en de pijn en woede trokken door zijn lichaam. Dit was verschrikkelijk. Zijn eerste gedachte was om naar de Vossenvuurplaats te rennen en haar weg te sleuren. In zijn fantasie zag hij hoe Ranec hem bespotte en hij wou dat donkere, lachende gezicht wel in elkaar slaan en voorgoed een einde maken aan die spottende, geringschattende glimlach. Hij probeerde zich te beheersen en ten slotte pakte hij zijn anorak en rende naar buiten.

Jondalar zoog zo heftig de koude lucht naar binnen, in een poging om dat brandende jaloerse gevoel kwijt te raken, dat zijn longen pijn deden. Het was nog vroeg in het voorjaar en de temperatuur was weer onder het vriespunt gedaald, zodat de sneeuwbrij was bevroren en het moeilijk werd om over de hard bevroren grond te lopen. De stroompjes waren bedekt met een verraderlijk glad ijslaagje. Hij begon te lopen, maar hij had moeite om op de been te blijven en zijn evenwicht te bewaren. Toen hij bij het paardenverblijf kwam, ging hij weer naar binnen.

Whinney brieste bij wijze van groet en Renner brieste en stootte hem in het donker aan op zoek naar wat genegenheid. Hij had in de moeilijke winter heel wat tijd bij de paarden doorgebracht en nog meer tijdens de lente vol onzekerheid. Ze waren blij met zijn gezelschap en hij kwam tot rust door hun vriendelijke, ongecompliceerde aanwezigheid. Hij zag het binnenkleed bewegen. Toen voelde hij pootjes tegen zijn been en hoorde een smekend gejank. Hij bukte en pakte de kleine wolf.

'Wolf!' zei hij glimlachend, maar hij trok zijn hoofd terug toen het diertje begerig zijn gezicht likte. 'Wat doe jij hier?' Toen verdween zijn glimlach. 'Het is haar schuld dat je bent weggegaan, nietwaar? Je bent eraan gewend dat ze bij je blijft en nu mis je haar. Ik weet hoe je je voelt. Het valt niet mee om alleen te slapen wanneer je gewend bent dat ze naast je slaapt.'

Terwijl hij de kleine wolf aaide en streelde, voelde hij zijn spanning verminderen en hij wou hem niet neerzetten. 'Wat moet ik met je doen, Wolf? Ik wil je eigenlijk niet terugsturen. Ik denk dat je wel bij mij kunt slapen.'

Toen fronste hij zijn wenkbrauwen, omdat hij besefte dat hij voor een probleem kwam te staan. Hoe moest hij met de jonge wolf terug naar zijn bed? Het was koud buiten en hij wist niet of het kleine dier wel met hem naar buiten wou, maar als hij door de ingang van de Mammoetvuurplaats naar binnen ging, zou hij door de Vossenvuurplaats moeten lopen om bij zijn bed te komen. Op dit moment ging hij in geen geval door de Vossenvuurplaats. Jondalar wou dat hij zijn slaapvachten bij zich had. Het was in het nieuwe gedeelte wel koud zo zonder vuur, maar met de vachten tussen de paarden zou het warm genoeg zijn. Hij had geen keus. Hij zou de jonge wolf mee naar buiten moeten nemen en dan door de hoofdingang weer naar binnen.

Hij aaide de paarden, drukte de kleine wolf tegen zijn borst, duwde het kleed opzij en stapte naar buiten, de koude nacht in. De ijskoude wind prikte hem nu in het gezicht en rukte aan het bont van zijn anorak. Wolf jankte en probeerde dichter tegen hem aan te kruipen, maar hij deed geen poging om weg te komen. Jondalar liep voorzichtig over de ongelijke, bevroren grond en opgelucht bereikte hij de poort.

Het was rustig in het huis toen hij de kookplaats binnenstapte. Hij liep naar zijn slaapvachten en zette Wolf op de grond. Jondalar vond het prettig dat hij scheen te willen blijven. Hij trok snel zijn anorak en schoeisel uit. Toen kroop hij met de kleine wolf onder de vachten. Hij had wel gemerkt dat het over de vloer van de open kookplaats niet zo warm was als in de afgesloten slaapruimte en daarom hield hij zijn kleren aan, al raakten die wel vol kreukels. Hij moest even een gemakkelijke houding zoeken om te slapen, maar het warme, donzige bolletje naast hem sliep meteen in.

Dat geluk had Jondalar niet. Zodra hij de ogen sloot, hoorde hij de nachtelijke geluiden die hem beletten te slapen. Normaal schonk Jondalar geen aandacht aan de bekende geluiden in de nacht, zoals het ademhalen, mensen die zich omdraaiden, hoestten of fluisterden, maar nu hoorden Jondalars oren wat hij niet wilde horen.

Ranec legde Ayla op zijn vachten en keek naar haar. 'Wat ben je mooi, Ayla, zo volmaakt. Ik wil je zo graag hebben, ik wil dat je altijd bij me blijft. O, Ayla...' zei hij en hij boog voorover, blies zijn adem in haar oor en snoof haar vrouwelijke geur op. Ze voelde zijn zachte, volle lippen op de hare en dat riep een reactie bij haar op. Even later legde hij zijn hand op haar buik en met een zachte druk maakte hij langzaam draaiende bewegingen.

Weldra kwam de hand omhoog en omvatte een borst. Hij boog het hoofd, nam een stijf geworden tepel in zijn mond en zoog eraan. Ze kreunde toen ze het tintelende gevoel kreeg en drukte haar heupen tegen hem aan. Hij duwde zich tegen haar aan en ze voelde iets warms en stijfs tegen haar dij terwijl hij haar andere tepel in zijn mond nam. Hij zoog er flink aan en maakte genietende geluiden.

Zijn hand gleed naar beneden, langs haar zij, over haar heup en haar been, naar de binnenkant van haar dijen. Zijn vingers vonden de vochtige lippen en gingen naar binnen. Ze voelde hem zoeken en ze drukte zich tegen hem aan. Hij draaide zich om tot hij stijf tegen haar aan lag, zoog aan de ene borst en toen aan de andere en duwde vervolgens zijn mond ertussenin.

'O, Ayla, mijn mooie, volmaakte vrouw. Hoe komt het dat mijn driften bij jou zo snel ontwaken? Jij kent de geheimen van de Moeder. Jij bent de volmaakte vrouw...'

Hij zoog weer en ze voelde huiverend de spanning in haar lichaam toenemen terwijl zijn hand het plekje van haar Genot vond. Ze schreeuwde het uit terwijl hij het ritmisch streelde, steeds harder en sneller. Opeens kreeg ze een orgasme. Ze schreeuwde, bewoog haar heupen, drukte zich tegen hem aan en trok hem naar zich toe.

Hij ging tussen haar benen liggen, ze trok hem omhoog, hielp hem en slaakte een zucht van genot toen ze voelde dat hij bij haar binnendrong. Hij begon te stoten en voelde de spanning toenemen terwijl hij haar naam schreeuwde.

'O, Ayla, Ayla, ik wil je zo graag hebben. Word mijn vrouw, Ayla. Word mijn vrouw,' zei Ranec, op de steeds hoger wordende golven van genot. Zij stootte haar kreten uit in een ritmisch hijgen. Zijn bewegingen werden steeds sneller tot de warme golf met de onbeschrijflijke gewaarwording hen beiden bevrijdde en over hen heen spoelde.

Ayla hijgde snel en probeerde op adem te komen terwijl Ranec nog op haar lag. Het was lang geleden dat ze Genot had gedeeld. De laatste keer was geweest in de nacht van haar adoptie en ze besefte nu dat ze het had gemist. Ranec had zo naar haar verlangd en hij was zo heet dat het bijna te snel ging, maar ze had er meer aan gehad dan ze had verwacht en hoewel alles snel was gegaan, had ze geen onbevredigd gevoel.

'Voor mij was het volmaakt,' fluisterde Ranec. 'Ben jij tevreden, Ayla?'

'Ja, je geeft me veel Genot, Ranec,' zei ze. Ze hoorde hem zuchten.

Ze bleven stil liggen, nagenietend, maar Ayla dacht na over zijn vraag. Was ze tevreden? Ze was niet ontevreden. Ranec was een goede, zorgzame man en ze had Genot gevoeld, maar... er ontbrak iets. Het was niet hetzelfde als met Jondalar, maar ze wist niet wat het verschil was. Misschien was ze gewoon nog niet helemaal aan Ranec gewend, dacht ze, terwijl ze probeerde een wat gemakkelijker houding aan te nemen. Ze begon hem een beetje zwaar te vinden. Ranec voelde haar beweging. Hij kwam iets overeind, glimlachte tegen haar, draaide zich om en ging op zijn zij naast haar liggen, stijf tegen haar aan.

Hij streek met zijn mond over haar hals en fluisterde haar in het oor: 'Ik houd van je, Ayla. Ik wil je zo graag hebben. Zeg dat je mijn vrouw wilt worden.'

Ayla gaf geen antwoord. Ze kon geen ja en ze wou geen nee zeggen.

Jondalar greep knarsetandend zijn slaapvacht en maakte er een prop van terwijl hij, tegen zijn wil, luisterde naar het gemompel, het gehijg en de zware ritmische bewegingen in de Vossenvuurplaats. Hij trok de vachten over zijn hoofd, maar hij hoorde toch de gedempte kreten van Ayla. Hij beet op een stuk leer om te voorkomen dat iemand hem zou horen, maar hij kreunde van verdriet en diepe wanhoop. Wolf hoorde het. Hij jankte, kroop tegen hem aan en likte de zoute tranen weg die de man probeerde te onderdrukken.

Hij verdroeg het niet langer. Jondalar kon er niet meer tegen als hij eraan dacht dat Ayla bij Ranec was. Maar het was haar keus, en de zijne. En als ze weer naar het bed van de beeldhouwer ging? Hij verdroeg die geluiden niet langer. Maar wat kon hij doen? Weggaan. Hij kon weggaan. Hij moest weggaan. Morgen. Morgenochtend zou hij vertrekken, als het licht werd.

Jondalar sliep niet. Hij lag verstijfd van spanning tussen zijn vachten en hij besefte dat ze alleen maar lagen te rusten, het was nog niet afgelopen. Toen hij alleen nog maar geluiden van slapende mensen in het huis hoorde, kon hij nog niet slapen. In zijn verbeelding hoorde hij Ayla en Ranec telkens weer en dan zag hij hen weer samen.

Bij het eerste sprankje licht dat door het afgedekte rookgat viel, vóór iemand zich verroerde, stond hij al zijn slaapvachten in een rugzak te stoppen. Hij trok zijn anorak en schoeisel aan en pakte zijn speren en de speerwerper. Hij liep zachtjes naar de eerste poort en duwde het gordijn opzij. Wolf wou hem achterna, maar Jondalar fluisterde dat hij moest blijven en hij liet het gordijn achter zich neervallen.

Toen hij eenmaal buiten was, zette hij de capuchon op tegen de scherpe wind en trok hem strak om zijn gezicht zodat er alleen wat ruimte overbleef om te kunnen zien. Hij trok de wanten aan die met koorden aan zijn mouwen bungelden, deed de rugzak om en begon de helling op te lopen. Het ijs kraakte onder zijn voeten en hij strompelde vooruit in het flauwe licht van de grauwe morgen, verblind door hete tranen nu hij alleen was. Toen hij boven kwam, voelde hij hoe de scherpe koude wind hem bij vlagen in het gezicht sloeg. Hij bleef even staan en probeerde tot een besluit te komen welke richting hij zou kiezen. Toen volgde hij de rivier, naar het zuiden. Het lopen ging moeilijk. Het had hard genoeg gevroren om hier en daar een ijskorst over smeltende sneeuwlagen te vormen en hij zakte er tot zijn knieën in weg. Hij moest bij elke stap zijn voeten eruit trekken. Waar geen sneeuw lag, was de grond hard en ongelijk en vaak glad. Hij glibberde, gleed uit en viel een keer, waarbij hij zijn heup bezeerde.

Hoewel het al wat later werd, kwam de zon niet door de zware bewolking. Het enige bewijs van haar aanwezigheid was het grijze licht, zonder schaduwen, dat wel wat sterker werd. In gedachten verzonken ploeterde hij voort en hij lette er nauwelijks op waar hij heen ging.

Waarom kon hij de gedachte niet verdragen dat Ayla en Ranec bij elkaar waren? Wou hij haar alleen voor zichzelf hebben? Zouden andere mannen zich ook zo voelen? Dat verdriet? Kwam het doordat een andere man haar aanraakte? Was het de angst dat hij haar ging verliezen? Of was er meer dan dat? Had hij het gevoel dat hij het verdiende om haar te verliezen? Zij praatte gemakkelijk over haar leven bij de Stam en hij accepteerde dat net zo goed als ieder ander, tot hij eraan dacht wat zijn volk misschien zou denken. Dan raakte hij meestal in grote verlegenheid. Zou ze bij de Zelandoniërs ook zo openhartig over haar jeugd kunnen praten? Ze paste zo goed in het Leeuwenkamp. Ze accepteerden haar onvoorwaardelijk, maar zouden ze dat ook doen wanneer ze het wisten van haar zoon? Hij had er een hekel aan om op die manier te denken. Als hij zich zo voor haar schaamde, kon hij haar misschien beter opgeven, maar anderzijds moest hij er niet aan denken dat hij haar zou verliezen. Ten slotte begon de dorst het te winnen van zijn sombere overpeinzingen. Hij bleef staan, zocht naar zijn waterzak en kwam tot de ontdekking dat hij had vergeten die mee te nemen. Bij de volgende sneeuwlaag brak hij de ijskorst, stak een handvol sneeuw in zijn mond en wachtte tot die smolt. Dat deed hij instinctmatig. Hij hoefde er niet eens over na te denken. Als kind was hem geleerd geen sneeuw tegen de dorst te eten zonder deze eerst te smelten. Eigenlijk was het nog beter de sneeuw te smelten voor hij hem in zijn mond stak: het lichaam koelde te veel af wanneer sneeuw werd doorgeslikt. Zelfs het smelten in de mond werd alleen in geval van nood gedaan.

Het feit dat hij geen waterzak bij zich had, deed hem wel even nadenken over zijn situatie. Het drong tot hem door dat hij ook had vergeten eten mee te nemen, maar dat verdween weer uit zijn gedachten. Zijn geest werd totaal in beslag genomen door de herinnering aan de geluiden, de beelden en de gedachten die ze opriepen.

Hij kwam voor een witte uitgestrektheid te staan en bedacht zich nauwelijks voor hij verder ploeterde. Als hij beter om zich heen had gekeken, had hij misschien gezien dat dit meer was dan een sneeuwlaag, maar hij had maar één gedachte. Na de eerste paar stappen zakte hij door de korst, niet in de sneeuw, maar tot aan zijn knieën in een poel smeltwater. Zijn leren schoeisel, waar een laag vet op zat, was voldoende waterdicht om tot op zekere hoogte weerstand te bieden aan sneeuw, ook natte, smeltende sneeuw, maar niet aan water. De plotselinge gewaarwording van kou schudde hem wakker uit zijn gepeins over de problemen. Hij baande zich een weg door het ijs en waadde naar de kant. Toen merkte hij pas goed hoe koud de wind was.

Wat dom, dacht hij. Ik heb niet eens extra kleren bij me. Geen eten en geen waterzak. Ik moet terug. Ik heb me helemaal niet voorbereid op een reis. Waar zat ik met mijn gedachten? Dat weet je heel goed, Jondalar, zei hij bij zichzelf en hij sloot de ogen omdat hij weer werd overvallen door verdriet.

Hij voelde de kou door de natte kleding optrekken in zijn voeten en onderbenen. Hij vroeg zich af of hij zou proberen alles te drogen voor hij terugging, maar toen drong het tot hem door dat hij geen steen had meegenomen om vuur te slaan en ook geen ander materiaal en in zijn schoeisel zat een voering van vervilte mammoetwol. Zelfs als deze nat was, beschermde hij zijn voeten tegen bevriezing, als hij maar in beweging bleef. Hij begreep niet hoe hij zo dom had kunnen zijn, maar hij begon aan de terugweg, al deed hij iedere stap met tegenzin.

Terwijl hij zijn eigen spoor terug volgde, moest hij aan zijn broer denken. Hij herinnerde zich hoe Thonolan was vastgeraakt in het drijfzand bij de monding van de Grote Moederrivier en daar wou sterven. Voor het eerst kon Jondalar volledig begrijpen waarom Thonolan niet meer wou leven na de dood van Jetamio. Hij herinnerde zich dat zijn broer had verkozen om bij het volk te blijven van de vrouw die hij liefhad. Maar Jetamio was geboren bij het volk van de rivier, dacht hij. Voor de Mamutiërs was Ayla net zo goed een vreemde als hij. Nee, dat was niet zo. Ayla is nu een Mamutische.

Toen hij het huis naderde, zag hij een omvangrijke gestalte op zich afkomen.

'Nezzie was ongerust over je en ze heeft me erop uitgestuurd om je te zoeken. Waar ben je geweest?' vroeg Talut terwijl hij met hem meeliep.

'Ik heb een wandeling gemaakt.'

Het grote stamhoofd knikte. Dat Ayla bij Ranec had geslapen was geen geheim, net zomin als het verdriet van Jondalar, al dacht hij dat wel.

'Je hebt natte voeten.'

'Ik ben door het ijs van een plas gezakt. Ik dacht dat het een laag sneeuw was.'

Terwijl ze de helling naar het Leeuwenkamp af liepen, zei Talut: 'Je moest eigenlijk meteen andere laarzen aantrekken, Jondalar. Ik heb nog een extra paar, ik zal ze je geven.'

'Dank je wel,' zei de jongere man, die zich opeens bewust werd van het feit dat hij een echte buitenstaander was. Hij had zelf niets en hij was volkomen afhankelijk van de goede wil van het Leeuwenkamp, zelfs voor de noodzakelijke kleding en het voedsel om te reizen. Hij had er een hekel aan om meer te vragen, maar als hij van plan was te vertrekken had hij geen keus en als hij eenmaal weg was, zou hij niet meer van hen eten en hen verder niet lastigvallen.

'Daar ben je al,' zei Nezzie, toen hij het huis binnenkwam. 'Jondalar! Wat ben je koud en nat! Ik zal wat warm drinken halen en doe die laarzen uit.'

Nezzie bracht hem iets warms te drinken en Talut gaf hem een paar oude laarzen en een droge broek. 'Die kun je houden,' zei hij.

'Ik ben je dankbaar, Talut, voor alles wat je voor me hebt gedaan, maar ik moet je nog een gunst vragen. Ik moet weg. Ik moet weer naar huis. Ik ben al te lang weg geweest. Het wordt tijd dat ik terugga, maar ik heb een reisuitrusting nodig en wat voedsel. Als het wat warmer wordt, is het gemakkelijker om onderweg voedsel te vinden, maar ik moet wat hebben voor de eerste tijd.'

'Ik geef je graag alles wat je nodig hebt. Hoewel mijn kleren je wat te groot zijn, kun je ze dragen,' zei het grote stamhoofd. Toen voegde hij er grijnzend aan toe, terwijl hij zijn ruige rode baard gladstreek: 'Maar ik heb een beter idee. Waarom vraag je Tulie niet om een uitrusting?'

'Waarom Tulie?' vroeg Jondalar verbaasd.

'Haar eerste man was ongeveer zo groot als jij en ik weet zeker dat ze nog veel van zijn kleren heeft. Ze waren uitstekend, daar zorgde Tulie wel voor.'

'Maar waarom zou ze ze aan mij geven?'

'Je hebt nog altijd haar vrije inzet bij de weddenschap niet opgehaald en ze staat nog bij je in de schuld. Wanneer je zegt dat je het ingelost wilt zien in de vorm van een uitrusting voor de reis en een voorraadje voedsel, zorgt ze wel dat je het beste krijgt wat er is om aan haar verplichtingen te voldoen,' zei Talut.

'Dat is goed,' zei Jondalar glimlachend. Hij was de weddenschap vergeten die hij had gewonnen. Het was een prettig gevoel te weten dat hij niet helemaal zonder middelen was. 'Ik zal het haar vragen.'

'Maar je bent toch niet van plan om nu al weg te gaan?'

'Jawel, ik ga zo gauw ik kan,' zei Jondalar.

Het stamhoofd ging zitten om er serieus over te praten. 'Het is niet verstandig om nu te reizen. Alles begint te smelten. Je hebt gezien wat er gebeurde op een wandeling,' zei Talut, 'en ik rekende erop dat je met ons meeging naar de Zomerbijeenkomst.'

'Ik weet het niet,' zei Jondalar. Hij zag Mamut bij een van de stookplaatsen zitten eten en dat herinnerde hem aan Ayla. Hij geloofde niet dat hij nog een dag langer kon blijven. Hoe zou hij dan kunnen blijven tot de Zomerbijeenkomst?

'Je hoeft niet de hele zomer te blijven. Als we er zijn, wordt de eerste mammoetjacht al spoedig gehouden. Het begin van de zomer is een betere tijd om aan een lange reis te beginnen. Dat is veiliger. Je kunt beter wachten, Jondalar.'

'Ik zal erover nadenken,' zei Jondalar, hoewel het niet zijn bedoeling was om langer te blijven dan absoluut nodig was.

'Goed, doe dat,' zei Talut en hij ging staan. 'Nezzie heeft gezegd dat ik ervoor moet zorgen dat je wat van haar warme soep krijgt die ze voor het ontbijt heeft gemaakt. Ze heeft de laatste goede wortels erin gedaan.'

Jondalar bond Taluts laarzen dicht, stond op en liep naar de stookplaats, waar Mamut zijn kom soep bijna leeg had. Hij groette de oude man, pakte een van de kommen en schepte er wat voor zichzelf in. Hij ging naast de medicijnman zitten, trok zijn eetmes en stak het in een stuk vlees.

Mamut veegde met een vinger zijn kom schoon en zette hem neer. Toen wendde hij zich tot Jondalar. 'Ik hoorde toevallig dat je van plan bent om binnenkort weg te gaan.'

'Ja, morgen of overmorgen. Zodra ik alles klaar heb,' zei Jondalar.

'Dat is te gauw!' zei Mamut.

'Dat weet ik. Talut zei dat het een slechte tijd is om te reizen, maar ik heb eerder in slechte jaargetijden gereisd.'

'Dat bedoel ik niet. Je moet blijven tot het Lentefeest,' zei Mamut op ernstige toon.

'Ik weet dat het een hele gebeurtenis is. Iedereen praat erover, maar ik moet echt weg.'

'Je kunt niet weg. Het is niet veilig.'

'Waarom niet? Wat maken een paar dagen verschil uit? Dan is er ook nog smeltwater met overstromingen.' De jonge gast begreep niet waarom de oude man er zo op aandrong dat hij moest blijven voor een feest dat voor hem geen bijzondere betekenis had.

'Jondalar, ik twijfel er niet aan dat jij onder alle weersomstandigheden kunt reizen. Ik dacht ook niet aan jou, ik dacht aan Ayla.'

'Ayla?' zei Jondalar en hij fronste zijn wenkbrauwen terwijl zijn maag ineenkromp. 'Dat begrijp ik niet.'

'Ik heb haar een aantal gebruiken van de Mammoetvuurplaats geleerd en we willen voor dit Lentefeest met haar een bijzondere ceremonie houden. We willen een wortel gebruiken die ze heeft meegebracht van de Stam. Ze heeft hem een keer gebruikt... onder leiding van haar Mog-ur. Ik heb ervaring met verscheidene magische planten die je naar de wereld van de geesten kunnen leiden, maar ik heb die wortel nooit gebruikt en Ayla heeft hem nooit alleen gebruikt. Wat we gaan proberen is voor ons allebei nieuw. Ze schijnt zich zorgen te maken en... bepaalde veranderingen zouden haar volkomen van de wijs kunnen brengen. Als jij weggaat, zou dat een uitwerking op Ayla kunnen hebben die we niet kunnen voorzien.'

'Wou je zeggen dat die ceremonie met de wortel voor Ayla niet helemaal zonder gevaar is?' vroeg Jondalar met een angstige blik.

'Er zit altijd een element van gevaar in het contact met de wereld van de geesten,' legde de medicijnman uit, 'maar ze had daar alleen gereisd, zonder begeleiding en als het weer gebeurt, zou ze kunnen verdwalen. Daarom leid ik haar. De magische planten helpen, maar ik heb deze nog niet eerder geprobeerd, Jondalar. Ayla zal de hulp nodig hebben van degenen die haar goedgezind zijn en van haar houden. Het is erg belangrijk dat je erbij bent.'

'Waarom ik?' vroeg Jondalar. 'We zijn... niet meer bij elkaar. Er zijn wel anderen die haar goedgezind zijn... die van Ayla houden. Anderen die zij goedgezind is.'

De oude man stond op. 'Ik kan het je niet uitleggen, Jondalar. Het is een gevoel, een intuïtie. Ik kan alleen zeggen dat ik een verschrikkelijk somber voorgevoel kreeg toen ik je hoorde zeggen dat je weg wou gaan. Ik weet niet wat het betekent, maar ik had liever... Nee, ik wil het sterker uitdrukken. Ga niet weg, Jondalar. Als je van haar houdt, beloof me dan dat je blijft tot na het Lentefeest,' zei Mamut.

Jondalar stond op en keek naar het oude, ondoorgrondelijke gezicht van de medicijnman. Het was niets voor hem om zonder reden zo'n verzoek te doen, maar waarom was het dan zo belangrijk dat hij er zou zijn? Wat wist Mamut dat hij niet wist? Wat het ook was, het angstige vermoeden van Mamut vervulde hem met zorg. Hij kon niet vertrekken wanneer Ayla gevaar liep. 'Ik zal blijven,' zei hij. 'Ik beloof dat ik pas wegga na het Lentefeest.'

Het duurde een paar dagen voor Ayla weer naar Ranecs bed ging, hoewel hij haar wel voortdurend aanmoedigde om te komen. Het was moeilijk voor haar om te weigeren toen hij haar de eerste keer rechtstreeks vroeg. Haar opvoeding was zo streng geweest dat ze het gevoel had iets verschrikkelijks te doen door nee te zeggen en ze verwachtte bijna dat Ranec boos zou worden. Maar hij toonde begrip en zei dat hij wist dat ze tijd nodig had om na te denken.

Ayla had gehoord van Jondalars lange wandeling op de dag na haar nacht met de donkere beeldhouwer en ze vermoedde dat het iets met haar te maken had. Was dat zijn manier om te laten merken dat hij nog altijd om haar gaf? Hoe het ook zij, Jondalar hield zich nog meer op een afstand. Hij ontweek haar zoveel mogelijk en zei alleen iets wanneer het niet anders kon. Ze kwam tot de conclusie dat ze het verkeerd zag. Hij hield niet van haar. Ze was diepbedroefd toen het tot haar doordrong, maar ze probeerde het niet te laten merken.

Ranec, daarentegen, liet er geen enkele twijfel over bestaan dat hij van haar hield. Hij bleef druk op haar uitoefenen, zowel om bij hem te slapen als zijn vuurplaats te delen in een formeel erkende verbintenis; door zijn vrouw te worden. Ze stemde er ten slotte in toe om weer bij hem te slapen, voornamelijk door het begrip dat hij toonde, maar ze aarzelde nog wat de verbintenis betrof. Ze bracht verscheidene nachten bij hem door, maar toen besloot ze er weer een tijdje van af te zien en ze vond het ook gemakkelijker om te weigeren. Ze vond dat het allemaal te snel ging. Hij wou de aankondiging van hun verbintenis op het Lentefeest doen en dat was al over een paar dagen. Ze had tijd nodig om na te denken. Ze genoot van het vrijen met Ranec; hij hield van haar en hij wist hoe hij haar kon laten genieten en ze gaf ook wel om hem. Ze mocht hem heel graag, maar er ontbrak iets aan. Ze had een vaag gevoel dat het niet volmaakt was. Ze wou dat ze van hem kon houden, maar ze kon het niet.

Jondalar sliep niet wanneer Ayla bij Ranec was, en de spanningen waren hem aan te zien. Nezzie vond dat hij mager werd, maar het was moeilijk te zien met de oude kleren van Talut, die om hem heen hingen en de onverzorgde winterbaard. Het viel zelfs Danug op dat hij er slecht en vermoeid uitzag en hij dacht dat hij de reden wel wist. Hij wou dat hij iets kon doen om te helpen, want hij gaf veel om zowel Jondalar als Ayla, maar niemand kon hen helpen. Ook Wolf niet, hoewel het jonge dier meer troost bracht dan het wist. Telkens wanneer Ayla niet in de vuurplaats was, zocht de jonge wolf Jondalar op. Het gaf de man het gevoel dat hij niet alleen was met zijn verdriet. Hij merkte dat hij ook meer tijd bij de paarden doorbracht. Soms sliep hij zelfs bij ze om de pijnlijke ervaringen in het huis te ontlopen, maar hij zorgde er wel voor dat hij wegbleef wanneer Ayla in de buurt was.

Het werd de volgende paar dagen warmer en voor Jondalar dus moeilijker om haar te ontwijken. Ondanks de modder en het hoge water ging ze vaker rijden met de paarden en hoewel hij probeerde weg te glippen wanneer hij haar zag aankomen, gebeurde het verscheidene keren dat hij wat verontschuldigingen stamelde en snel wegging wanneer hij haar toevallig ontmoette. Als ze ging rijden, nam ze Wolf regelmatig mee en soms Rydag, maar wanneer ze helemaal vrij wou zijn, zonder dat ze op iemand hoefde te passen, liet ze het jonge dier achter onder de hoede van de jongen, wat hij ook fijn vond. Whinney en Renner waren helemaal aan de jonge wolf gewend en Wolf scheen te genieten van het gezelschap van de paarden, of hij nu met Ayla op Whinneys rug zat of dat hij meedraafde en probeerde ze bij te houden. Het was een goede oefening en voor haar een welkom excuus om het huis achter zich te laten, dat zo klein leek en een opgesloten gevoel gaf na de lange winter, maar ze kon niet ontkomen aan de hevige gevoelens die haar beroerden.

Ze begon Renner aan te moedigen en te leiden met fluiten, signalen en met haar stem terwijl ze op Whinney reed, maar telkens wanneer ze eraan dacht dat ze er maar eens mee moest beginnen hem te laten wennen aan een ruiter, moest ze aan Jondalar denken en dan stelde ze het weer uit. Het was minder een bewust genomen beslissing dan een vertragingstactiek en de vurige wens dat alles toch nog zou lopen zoals ze eens had gehoopt en dat Jondalar hem zou trainen en berijden.

Jondalar dacht ongeveer hetzelfde. Bij een van hun toevallige ontmoetingen had Ayla hem aangemoedigd met Whinney een rit te maken omdat zij het te druk had en het paard er behoefte aan had na de lange winter. Hij was de pure sensatie vergeten van het rennen in de wind op de rug van een paard. Toen hij Renner naast zich zag draven en vervolgens voor zijn moeder uit, droomde hij ervan om op de jonge hengst te rijden, naast Ayla en Whinney. Hoewel hij over het algemeen de merrie wel kon leiden, merkte hij best dat ze het alleen maar toeliet en dan nog met tegenzin. Whinney was Ayla's paard en hoewel hij de bruine hengst met grote genegenheid bekeek, wist hij dat Renner ook Ayla's paard was.

Naarmate het warmer werd, begon Jondalar meer aan zijn vertrek te denken. Hij besloot Taluts raad op te volgen en Tulie te vragen om haar vrije inzet, in de vorm van de hoognodige kleding en het een en ander voor de reis. Zoals het stamhoofd had geopperd, was Tulie blij dat ze zo gemakkelijk aan haar verplichtingen kon voldoen.

Jondalar was bezig een riem om zijn nieuwe donkerbruine tuniek te knopen toen Talut met grote stappen de kookplaats binnenkwam. Het Lentefeest zou overmorgen zijn. Iedereen stond mooie kleren te passen voor de grote dag en sommigen rustten uit na een zweetbad en een onderdompeling in de koude rivier. Voor het eerst sinds hij van huis was gegaan had Jondalar nu meer dan voldoende goede, prachtig versierde kleding, rugzakken, tenten en andere reisbenodigdheden. Hij had altijd gehouden van goede kwaliteit en zijn waardering was aan Tulie goed besteed. Ze had altijd al vermoed en nu was ze ervan overtuigd dat, wie de Zelandoniërs ook waren, Jondalar uit een volk met een hoge status kwam.

'Het lijkt wel of het voor je gemaakt is, Jondalar,' zei Talut. 'De kralen over de schouders vallen precies goed.'

'Ja, de kleren passen inderdaad goed en Tulie is meer dan royaal geweest. Bedankt voor de suggestie.'

'Ik ben blij dat je hebt besloten niet meteen weg te gaan. Je zult genieten van de Zomerbijeenkomst.'

'Wel... eh... ik ben niet... Mamut...' Jondalar zocht naar woorden om uit te leggen waarom hij niet was weggegaan toen het wel zijn bedoeling was.

'... en ik zal ervoor zorgen dat je wordt uitgenodigd voor de eerste jacht,' vervolgde Talut, die aannam dat Jondalar op zijn advies en uitnodiging was gebleven.

'Jondalar?' zei Deegie, enigszins geschrokken. 'Van achteren dacht ik dat je Darnev was!' Ze liep glimlachend om hem heen terwijl ze hem goed bekeek. Het beviel haar wel. 'Je hebt je geschoren,' zei ze.

'Het is lente. Ik vond dat het tijd werd,' zei hij met een glimlach en ze zag aan zijn ogen dat hij haar ook aantrekkelijk vond.

Ze werd getroffen door zijn blauwe ogen en zijn sterke aantrekkingskracht. Toen lachte ze, en ze kwam tot de conclusie dat het tijd werd dat hij zich wat opknapte en behoorlijke kleren ging dragen. Hij had er zo sjofel en verwilderd uitgezien met zijn onverzorgde baard, in de afdankertjes van Talut, dat ze was vergeten hoe knap hij was.

'Het staat je goed, Jondalar. Het past je. Wacht maar tot je op de Zomerbijeenkomst bent. Een vreemde krijgt altijd veel aandacht en ik denk dat de Mamutische vrouwen je graag het gevoel zullen geven dat je welkom bent,' zei Deegie met een plagend lachje.

'Maar...' Jondalar gaf zijn pogingen op om hun uit te leggen dat het niet zijn bedoeling was met hen mee te gaan naar de Zomerbijeenkomst. Hij kon het hun later wel vertellen, als hij wegging.

Hij paste nog iets anders toen ze weg waren, iets dat meer geschikt was voor iedere dag, wanneer hij op reis was en toen ging hij naar buiten om de leidster te zoeken, om haar nog een keer te bedanken en haar te laten zien hoe goed de kleren pasten. In de hal kwam hij Danug, Rydag en Wolf tegen, die net naar binnen gingen. Ze hadden een vacht om zich heen en hun haren waren nog nat. De jongeman had Rydag op de ene arm en Wolf op de andere. Danug had de jongen van de rivier naar boven gedragen, na hun zweetbad. Hij zette ze allebei neer.

'Jondalar, je ziet er netjes uit,' gebaarde Rydag. 'Alles klaar voor Lentefeest?'

'Ja. Jij ook?'

'Ik heb ook nieuwe kleren. Heeft Nezzie voor me gemaakt, voor Lentefeest,' antwoordde Rydag glimlachend.

'Ook voor de Zomerbijeenkomst,' voegde Danug eraan toe. 'Ze heeft nieuwe kleren voor mij gemaakt en voor Latie en Rugie.'

Jondalar merkte dat Rydags glimlach verdween toen Danug over de Zomerbijeenkomst praatte. Hij scheen er niet zo naar uit te kijken als de anderen.

Toen Jondalar het zware kleed openduwde en naar buiten stapte, fluisterde Danug tegen Rydag: 'Hadden we moeten zeggen dat Ayla buiten staat? Telkens als hij haar ziet, ontloopt hij haar.'

'Nee. Hij wil haar zien. Zij wil hem zien. Geven juiste signalen, gebruiken verkeerde woorden,' gebaarde Rydag.

'Je hebt gelijk, maar waarom zien ze het niet? Hoe zullen ze elkaar dan ooit begrijpen?'

'Woorden vergeten. Gebaren gebruiken,' antwoordde Rydag met zijn glimlach die niet aan de Stam herinnerde. Hij tilde de jonge wolf op en droeg hem naar binnen.

Op het moment dat Jondalar naar buiten stapte, ontdekte hij wat de jongelui hem niet hadden verteld. Ayla stond met de twee paarden voor de hoofdingang. Ze had net Wolf aan Rydag gegeven om op hem te passen en ze verheugde zich op een flinke lange rit om de spanningen te vergeten. Ranec wou haar instemming voor het Lentefeest en zij kon geen besluit nemen. Ze hoopte dat de rit haar zou helpen om eruit te komen. Toen ze Jondalar zag, was haar eerste reactie hem aan te bieden met Whinney te gaan rijden, zoals ze al eens eerder had gedaan. Ze wist dat hij ervan genoot en ze hoopte dat zijn liefde voor de paarden hem dichter bij haar zou brengen. Maar zij wou gaan rijden. Ze had ernaar uitgekeken en ze stond net klaar om te vertrekken.

Toen ze weer naar hem keek, hield ze de adem in. Hij had met een van zijn scherpe vuurstenen messen zijn baard afgeschoren en hij zag er weer bijna net zo uit als de vorige zomer in haar vallei. Haar hart bonsde en ze kreeg een kleur. Hij reageerde onbewust op de reacties van haar lichaam en ze voelde zich aangetrokken door die geheimzinnige kracht van zijn ogen.

'Je baard is eraf,' zei Ayla.

Zonder erbij na te denken had ze Zelandonisch gesproken. Het duurde even voor het verschil hem opviel en toen moest hij wel glimlachen. Hij had zijn eigen taal een hele tijd niet gehoord. De glimlach gaf haar moed en ze kreeg een idee.

'Ik zou net met Whinney gaan rijden en ik heb erover nagedacht dat iemand er een begin mee moet maken Renner aan een ruiter te laten wennen. Waarom ga je niet mee? Dan kun je proberen hem te berijden. Het is mooi weer. De sneeuw is bijna verdwenen, het nieuwe gras komt erdoor en de grond is nog niet zo hard voor het geval een van ons beiden eraf valt,' zei ze snel voor er iets kon gebeuren dat hem van gedachten deed veranderen en de afstand weer zou vergroten.
'Eh... Ik weet het niet,' zei Jondalar aarzelend. 'Ik dacht dat jij hem eerst zou berijden.'
'Hij is aan jou gewend, Jondalar, en het doet er niet toe wie hem eerst berijdt, het is altijd beter dat er twee mensen zijn. Een om hem te kalmeren terwijl de ander opstijgt.'
'Ik denk dat je gelijk hebt,' zei hij en hij fronste de wenkbrauwen. Hij wist niet of hij er goed aan deed met haar de steppen op te gaan, maar hij wist ook niet hoe hij moest weigeren en hij wou graag op het paard rijden. 'Ik denk dat ik wel kan, als je het echt wilt.'
'Ik zal een touw halen om hem te leiden en de halster die je voor hem hebt gemaakt,' zei Ayla en ze rende naar het nieuwe gedeelte voor hij van gedachten kon veranderen. 'Waarom ga je niet alvast met ze de helling op?'
Hij wilde terugkrabbelen, maar het was te laat om het besluit te herroepen, ze was al weg. Hij riep de paarden en ging op weg naar de wijde vlakte. Ayla haalde hen in toen ze bijna boven waren. Ze had een rugzak en een waterzak, het halster en een touw. Op de steppe aangekomen leidde Ayla Whinney naar een heuveltje dat ze vaker had gebruikt wanneer ze iemand van het Leeuwenkamp, vooral de jongeren, op de merrie liet rijden. Met een handige sprong zat ze op de rug van het lichtbruine paard.
'Stap op, Jondalar. We kunnen samen rijden.'
'Samen rijden?!' zei hij, bijna in paniek. Hij had er geen moment aan gedacht om samen met Ayla te rijden en hij stond op het punt om de benen te nemen.
'Tot we een mooi open stuk vinden met vlakke grond. Hier kunnen we het niet proberen. Dan zou Renner in een geul kunnen raken of de helling af rennen,' zei ze.
Hij voelde dat hij geen kant op kon. Hoe kon hij zeggen dat hij niet een stukje samen met haar wou rijden? Hij liep naar het heuveltje en ging voorzichtig op de merrie zitten. Hij probeerde zo ver mogelijk naar achteren te gaan zitten en Ayla niet aan te raken. Zodra hij zat, gaf ze Whinney het teken voor een snelle draf.
Er viel niet aan te ontkomen. Hij kon niet verhinderen dat hij op het

stotende paard naar haar toe gleed. Hij voelde de warmte van haar lichaam door hun kleren heen en hij rook de aangename geur van de
gedroogde bloemen die ze gebruikte bij het wassen, vermengd met
haar vertrouwde vrouwelijke geur. Bij iedere stap die het paard deed,
voelde hij haar benen, haar heupen en haar rug tegen zich aan drukken en hij voelde hoe zijn lid reageerde. Het duizelde hem en hij had
de grootste moeite zich te beheersen en haar nek niet te kussen of zijn
arm om haar heen te slaan en een volle stevige borst te pakken.
Waarom had hij ermee ingestemd? Waarom had hij zich er niet van
afgemaakt? Wat maakte het voor verschil of hij Renner ooit zou berijden? Ze zouden toch nooit samen rijden. Hij had de mensen horen
praten; Ayla en Ranec zouden op het Lentefeest hun verbintenis aankondigen en daarna zou hij vertrekken en aan zijn lange Tocht naar
huis beginnen.
Ayla gaf Whinney een teken om te stoppen. 'Wat denk je, Jondalar?
Daar voor ons ligt een goed vlak stuk.'
'Ja, dat ziet er goed uit,' zei hij vlug en hij trok zijn been terug en
sprong op de grond.
Ayla trok haar been op en gleed er aan de andere kant af. Ze ademde
snel, ze had een kleur en haar ogen schitterden. Ze had zijn mannelijke geur diep ingeademd en genoten van de warmte van zijn lichaam.
Ze had gehuiverd toen ze de harde, warme bobbel van zijn mannelijkheid voelde. Ik voelde hoe hij naar me verlangde, dacht ze. Waarom
had hij zo'n haast om achter me vandaan te komen? Waarom wil hij
me niet hebben? Waarom houdt hij niet meer van me?
Ze stonden tegenover elkaar, met de merrie tussen hen in en ze probeerden hun kalmte te herwinnen. Ayla floot Renner en dat klonk
anders dan wanneer ze Whinney floot. Tegen de tijd dat ze hem had
geaaid, gekrauwd en tegen hem had gepraat, was ze zover dat ze zich
weer tot Jondalar kon wenden.
'Wil je hem de leidsels omdoen?' vroeg ze terwijl ze de jonge hengst
naar een stapel grote botten leidde die ze zag liggen.
'Ik weet het niet. Wat zou jij doen?' vroeg hij. Hij had zijn zelfbeheersing ook weer terug en hij keek er met spanning naar uit het jonge
paard te berijden.
'Ik heb nooit iets gebruikt om Whinney te leiden, behalve mijn bewegingen, maar Renner is gewend aan leidsels. Ik geloof dat ik ze zou gebruiken,' zei ze.
Ze deden Renner samen de halster om. Omdat hij iets vermoedde,
was hij speelser dan normaal, en ze streelden en aaiden hem om hem
te kalmeren. Ze stapelden een paar mammoetbotten op zodat Jonda-

lar wat gemakkelijker kon opstijgen en toen leidden ze het jonge paard erheen. Op voorstel van Ayla streek Jondalar hem over de nek, de rug en langs zijn benen en leunde over hem heen terwijl hij hem krauwde en streelde tot hij volkomen vertrouwd was met de man.

'Als je op hem zit, sla dan meteen je armen om zijn nek. Hij kan steigeren om te proberen je van zijn rug te schudden,' zei Ayla, die probeerde nog een laatste raad te geven. 'Maar hij raakte er wel aan gewend om de vracht te dragen op de terugweg uit de vallei, dus misschien went hij ook wel aan jou. Houd het touw goed vast, zodat het niet op de grond valt en hij erover struikelt, maar verder zou ik hem gewoon laten rennen waar hij maar heen wil, tot hij moe wordt. Ik volg wel op Whinney. Ben je zover?'

'Ik geloof het wel,' zei hij met een nerveus glimlachje.

Jondalar stond op de grote botten, boog zich over het ruige, sterke dier en praatte ertegen terwijl Ayla zijn hoofd vasthield. Toen legde hij een been over de rug, ging zitten en sloeg zijn armen om Renners nek. Toen deze het gewicht voelde, legde de donkere hengst de oren in de nek. Ayla liet los. Hij ging meteen op de achterbenen staan, maar Jondalar bleef hangen. Toen kromde hij de rug in een poging de last af te schudden, maar Jondalar hield vol. Daarop deed het jonge paard zijn naam eer aan. Hij ging ervandoor in een snelle galop en rende over de steppe.

Jondalar kneep zijn ogen half dicht in de koude wind en hij werd overweldigd door een heerlijk gevoel van grote blijdschap. Hij zag de grond onder zich vervagen en hij kon het niet geloven. Hij reed echt op de jonge hengst en het was net zo opwindend als hij zich had voorgesteld. Hij voelde de ontzagwekkende kracht van de spieren die zich onder hem spanden en samentrokken. Het was voor hem een ongelooflijke belevenis, alsof hij voor het eerst van zijn leven deelde in het wonder en de schepping van de Grote Aardmoeder Zelf.

Hij voelde dat het jonge paard moe werd, en omdat hij andere hoefslagen hoorde, opende hij zijn ogen en zag Ayla met Whinney naast zich rennen. Zijn glimlach toonde verbazing en verrukking en haar glimlach deed zijn hart sneller kloppen. Al het overige was op dat moment onbelangrijk. Voor Jondalar bestond de wereld uit die onvergetelijke rit op de rug van de snelle hengst en de wonderlijk mooie glimlach op het gezicht van de vrouw die hij liefhad.

Eindelijk ging Renner langzamer lopen, tot hij bleef staan. Jondalar sprong eraf. Het jonge paard liet het hoofd bijna op de grond hangen. Hij stond met gespreide benen en ademde snel. Whinney bleef ook staan en Ayla sprong op de grond. Ze pakte een paar stukjes zacht leer uit de rugzak en gaf er een aan Jondalar om het bezwete dier droog te wrijven. Vervolgens deed ze hetzelfde bij Whinney. De paarden waren afgemat en ze zochten steun bij elkaar.

'Ayla, ik zal die rit nooit vergeten, zo lang ik leef,' zei Jondalar. Hij had zich in lange tijd niet zo ontspannen gevoeld en ze voelde hoe blij hij was. Ze keken elkaar lachend aan en ze genoten van het moment. Zonder erbij na te denken ging ze op haar tenen staan om hem te kussen. Eerst wou hij toegeven, toen opeens herinnerde hij zich Ranec. Hij verstijfde en trok haar armen weg van zijn hals.

'Je moet niet met me spelen, Ayla,' zei hij met een hese stem omdat hij moeite had zich te beheersen. Hij duwde haar van zich af.

'Spelen?' zei ze met een gepijnigde blik.

Jondalar sloot zijn ogen, hij klemde zijn tanden op elkaar en hij beefde van inspanning om zich te beheersen. Toen, opeens, werd het te veel, zoals bij een ijsdam die breekt. Hij greep haar vast en kuste haar zo heftig en vertwijfeld dat haar mond er pijn van deed. Het volgende moment lag ze op de grond en zijn handen trokken aan het koord onder haar tuniek.

Ze probeerde hem te helpen en het voor hem los te maken, maar hij kon niet wachten.

Hij pakte ongeduldig de tailleband van haar zachtleren broek met beide handen vast, en met de kracht van een hartstocht die niet langer kon worden verloochend, scheurde hij de naden los. Met moeite kreeg hij zijn eigen broek open en toen lag hij wild van opwinding boven op haar met zijn zoekende, stotende penis.

Ze probeerde hem te helpen terwijl haar eigen opwinding ook groeide omdat ze besefte wat hij zo wanhopig graag wou. Maar wat dreef hem tot zo'n vurige razernij? Wat was de oorzaak van deze hartstochtelijk hete begeerte? Zag hij dan niet dat zij ook wel wou? Ze wou de hele winter al. Ze had hem nooit geweigerd. Hij hoefde maar te willen en dan wou zij ook wel, alsof haar lichaam vanaf haar jeugd had geleerd te reageren op zijn behoefte, zijn teken. Dat was alles waar ze op had gewacht. Ze kreeg tranen in haar ogen van liefde en verlangen; ze had zo lang op hem gewacht.

Omdat ook zij haar hartstocht zo lang had verloochend, ontving ze hem zonder aarzeling en ze gaf hem wat hij dacht te nemen. Ze beefde toen ze voelde hoe zijn lange, stijve lid haar vagina zocht en bij haar binnendrong. Hij trok terug en ze hunkerde ernaar dat hij terugkwam en haar weer zou vullen. Ze duwde om hem tegemoet te komen, zijn warme penis op te vangen en voelde diep in zich de tinteling heviger worden. Ze spande haar rug om zijn beweging te voelen, haar plekje van Genot tegen hem aan te drukken en hem weer te ontmoeten. Hij schreeuwde het uit en dat maakte haar ongelooflijk blij. Dat had hij de eerste keer ook gedaan. Ze pasten bij elkaar, haar vagina en zijn penis, alsof zij voor hem was gemaakt en hij voor haar. O, Moeder. O, Doni, wat had hij haar gemist. Wat had hij naar haar verlangd. Hij had haar zo lief. Hij stootte en hij voelde hoe haar warme, vochtige streling hem opnam, nog dieper, tot zijn penis helemaal in haar verdween.

Hij werd overspoeld door hoge golven van Genot, in het ritme van zijn bewegingen. Hij stootte weer, en telkens weer, terwijl ze hem vol begeerte tegemoet kwam. Zonder enige zelfbeheersing kwam hij telkens weer, steeds sneller, en ze bleef zijn ritme volgen. Ook zij voelde de spanning stijgen, steeds hoger naar de top, tot de laatste golf van Genot over hen uit elkaar spatte.

Hij bleef op haar liggen, op de open steppe, waar het nieuwe leven weer begon. Toen greep hij haar krampachtig vast, met zijn hoofd tegen haar hals en hij schreeuwde haar naam. 'Ayla, o mijn Ayla, mijn Ayla.'

Hij kuste haar hals en haar keel; toen kuste hij haar mond en een ooglid. Toen hield hij plotseling op, zoals hij was begonnen. Hij kwam iets overeind en keek naar haar.

'Je huilt! Ik heb je pijn gedaan! O Grote Moeder, wat heb ik gedaan?' zei hij. Hij sprong overeind en keek naar haar. Ze lag op de kale grond en haar kleren waren gescheurd. 'Doni. O Doni, wat heb ik gedaan? Ik heb haar verkracht. Hoe kon ik haar zoiets aandoen, iemand die in het begin alleen die pijn heeft gekend? En nu heb ik het gedaan. O Doni! O Moeder! Hoe kon Je het toestaan?'

'Nee, Jondalar!' zei Ayla en ze ging rechtop zitten. 'Het was goed. Je hebt me geen pijn gedaan.'

Maar hij wou niet naar haar luisteren. Hij draaide zich om en sloeg de handen voor zijn gezicht omdat hij haar niet meer in de ogen durfde te kijken. Hij kon het niet. Hij liep weg, vol zelfverwijt en schaamte. Als hij er niet meer op kon vertrouwen dat hij haar geen pijn deed, moest hij bij haar uit de buurt blijven en zeker weten dat ze niet bij hem kwam. Ze heeft gelijk dat ze Ranec kiest, dacht hij. Ik verdien haar niet. Hij hoorde dat ze ging staan en naar de paarden liep. Toen hoorde hij dat ze naar hem toe kwam en hij voelde haar hand op zijn arm. 'Jondalar, je hebt me geen...'

Hij draaide zich om. 'Blijf uit mijn buurt!' snauwde hij vol schuldgevoel en zelfverwijt.

Ze deinsde terug. Wat had ze nu verkeerd gedaan? 'Jondalar...?' zei ze weer en ze deed weer een stap in zijn richting.

'Blijf uit mijn buurt! Heb je me niet gehoord? Als je niet uit mijn buurt blijft, kan ik mijn zelfbeheersing verliezen en je weer verkrachten!' Het klonk bijna als een dreigement.

'Je hebt me niet verkracht, Jondalar,' zei ze terwijl ze zich omdraaide en wegliep. 'Je kunt me niet verkrachten. Ik sta altijd voor je klaar...' Maar hij zat zo vol wroeging en zelfverwijt dat hij haar niet eens hoorde.

Hij liep door, terug naar het Leeuwenkamp. Ze keek hem een poosje na en probeerde haar gedachten te ordenen. Toen ging ze terug naar de paarden. Ze nam het touw van Renner in de hand, pakte Whinney bij de manen en steeg op. Ze haalde Jondalar snel in.

'Je bent toch niet van plan om helemaal terug te lopen?' vroeg ze.

Hij antwoordde niet meteen en hij keek haar ook niet aan. Als ze soms dacht dat hij weer samen met haar op Whinney zou rijden... dacht hij terwijl ze naast hem kwam rijden. Toen hij zag dat ze de jonge hengst aan een touw achter zich had, draaide hij zich eindelijk om en hij keek haar aan.

Hij keek haar aan met een blik vol tederheid en verlangen. Ze leek aantrekkelijker en begerenswaardiger en hij hield meer van haar dan ooit nu hij wist dat hij alles had bedorven. Ze was zo graag naar hem toe gegaan, om hem te vertellen hoe heerlijk het was geweest, wat een bevredigd gevoel ze had en hoe ze hem liefhad. Maar hij was zo kwaad en haar verwarring was zo groot dat ze niet wist wat ze moest zeggen. Ze keken elkaar aan, verlangden naar elkaar, voelden zich tot elkaar aangetrokken, maar hun schreeuw om liefde werd niet gehoord door de misverstanden en de door tradities ingewortelde overtuigingen.

27

'Ik denk dat je beter op Renner terug kunt rijden,' zei Ayla. 'Het is een heel eind lopen.'

Een heel eind, dacht hij. Hoe ver had hij gelopen van zijn volk? Maar hij knikte en hij volgde haar naar een rots aan een stroompje. Renner was nog niet gewend aan ruiters. Het was voorlopig beter om voorzichtig op te stappen. De hengst legde zijn oren in de nek en deed een paar schichtige stappen, maar hij kalmeerde gauw en volgde zijn moeder zoals hij al zo vaak had gedaan.

Ze zeiden niets onderweg en toen ze bij het huis kwamen, waren ze blij dat de mensen binnen waren of op enige afstand. Ze waren geen van beiden in de stemming voor een praatje. Zodra ze stilhielden, steeg Jondalar af en hij ging in de richting van de hoofdingang. Hij kwam weer terug op het moment dat Ayla het nieuwe gedeelte in ging omdat hij vond dat hij iets moest zeggen.

'Eh... Ayla?'

Ze bleef staan en keek hem aan.

'Ik meen het, hoor. Ik zal deze middag nooit vergeten. De rit, bedoel ik. Bedankt.'

'Je moet mij niet bedanken, Jondalar. Bedank Renner maar.'

'Ja, maar Renner heeft het niet alleen gedaan.'

'Nee, jij hebt het gedaan, samen met hem.'

Hij wou nog iets zeggen, maar hij veranderde van gedachten. Hij fronste zijn wenkbrauwen, keek naar de grond en ging door de poort naar binnen.

Ayla keek even naar de plaats waar hij had gestaan. Ze sloot haar ogen en probeerde een snik te onderdrukken die wel eens het begin kon zijn van een huilbui. Toen ze weer wat rustiger werd, ging ze naar binnen. Hoewel de paarden onderweg uit stroompjes hadden gedronken, goot ze nog wat water in hun drinkbakken. Ze pakte de zachtleren doeken en begon Whinney weer droog te wrijven. Het duurde maar even of ze had haar armen om de merrie heen. Ze drukte haar voorhoofd tegen de ruige nek van haar oude vriendin, de enige vriendin die ze had toen ze in de vallei woonde. Weldra leunde Renner tegen haar aan en zat ze klem tussen de beide paarden, maar het vertrouwde gevoel troostte haar.

Mamut had Jondalar aan de voorkant zien binnenkomen en hij hoorde Ayla bij de paarden. Hij had het onmiskenbare gevoel dat er iets niet in orde was. Toen hij haar de Mammoetvuurplaats zag binnenkomen, maakte haar gehavende verschijning op hem de indruk dat ze was gevallen en zich had bezeerd, maar er was meer aan de hand. Er zat haar iets dwars. Hij bekeek haar vanuit zijn hoekje bij het bed. Ze verkleedde zich en hij zag dat haar kleren waren gescheurd. Er moest iets gebeurd zijn. Wolf kwam naar binnen rennen, gevolgd door Rydag en Danug, die trots een net omhooghield met verscheidene vissen erin. Ayla glimlachte en ze prees de vissers, maar toen ze naar de Leeuwenvuurplaats gingen om hun vangst af te geven en nog wat complimentjes in ontvangst te nemen, pakte ze de jonge wolf op en hield hem wiegend in haar armen. De oude man maakte zich zorgen. Hij stond op en liep naar Ayla's bed.

'Ik zou het graag nog eens willen hebben over het Stamritueel met de wortel,' zei Mamut. 'Alleen om er zeker van te zijn dat we alles goed doen.'

'Wat?' vroeg ze en ze richtte een wazige blik op hem. 'O... zoals je wilt, Mamut.' Ze zette Wolf in de mand, maar hij sprong er onmiddellijk weer uit en liep naar de Leeuwenvuurplaats en Rydag. Hij had geen zin om te rusten.

Ze had kennelijk diep nagedacht over iets dat haar veel verdriet deed. Ze zag eruit of ze had gehuild of zou gaan huilen. 'Je zei dat Iza je had verteld hoe je het drankje moest klaarmaken,' begon hij, in een poging haar aan het praten te krijgen, wat haar misschien enige verlichting gaf. 'Ja.'

'En ze heeft je verteld hoe je je moet voorbereiden. Heb je alles wat je nodig hebt?'

'Ik moet helemaal schoon zijn. Ik heb niet precies dezelfde dingen, het is een ander jaargetijde, maar ik kan andere dingen gebruiken om me te reinigen.'

'Heeft jullie Mog-ur, Creb, de rituele ervaring geleid?'

Ze aarzelde. 'Ja.'

'Hij moet veel macht hebben gehad.'

'De Holenbeer was zijn totem. Die heeft hem gekozen en macht gegeven.'

'Waren er nog anderen betrokken bij het ritueel met de wortel?'

Ayla liet het hoofd hangen en knikte.

Er was iets dat ze hem niet had verteld, dacht Mamut en hij vroeg zich af of het belangrijk was. 'Hielpen ze hem bij de leiding?'

'Nee. De macht van Creb was groter dan van alle anderen. Dat weet ik, ik heb het gevoeld.'

'Hoe heb je dat gevoeld, Ayla? Dat heb je me nooit verteld. Ik dacht dat de vrouwen van de Stam waren uitgesloten van deelname aan de diepgaande rituelen.'

Ze sloeg de ogen weer neer. 'Dat is ook zo,' mompelde ze.

Ze hief het hoofd omhoog.

'Mischien kun je het me beter vertellen, Ayla.'

Ze knikte. 'Iza heeft me nooit laten zien hoe ze het maakte. Ze zei dat het te heilig was om te verspillen aan een proef, maar ze probeerde me precies te vertellen hoe het moest. Toen we naar de Stambijeenkomst gingen, wilden de Mog-urs niet dat ik de drank voor hen maakte. Ze zeiden dat ik niet tot de Stam behoorde. Misschien hadden ze wel gelijk,' voegde Ayla eraan toe en ze boog het hoofd weer. 'Maar er was niemand anders.'

Probeerde ze begrip te vinden? vroeg Mamut zich af.

'Ik denk dat ik het te sterk heb gemaakt, of te veel. Ze maakten niet alles op. Later, na de dans van de vrouwen, vond ik het. Ik was draaierig en het enige wat ik me herinnerde was dat Iza had gezegd dat het te heilig was om weg te gooien. Dus dronk ik het op. Wat er daarna gebeurde, weet ik niet meer, en toch zal ik het nooit vergeten. Op de een of andere manier vond ik Creb en de Mog-urs, en hij nam me mee, helemaal terug naar het begin van de herinneringen. Ik herinner me nog de warme adem van de zee, die zich een weg baande door de klei... De Stam en de Anderen, ze hebben beide dezelfde oorsprong, wist je dat?'

'Het verbaast me niet,' zei Mamut, die eraan dacht hoeveel die rituele ervaring hem waard was geweest.

'Maar ik was ook bang, vooral voor Creb me vond en me leidde. En sindsdien... ben ik niet dezelfde. Soms ben ik bang van mijn dromen. Ik denk dat hij me heeft veranderd.'

Mamut zat te knikken. 'Dat zou de verklaring kunnen zijn,' zei hij. 'Ik heb me afgevraagd hoe jij zoveel kon zonder opleiding.'

'Creb was ook veranderd. Een tijdlang was het niet meer hetzelfde tussen ons. Hij zag iets in me dat hij niet eerder had gezien. Ik had hem pijn gedaan, ik weet niet hoe, maar ik had hem pijn gedaan,' zei Ayla en ze kreeg tranen in de ogen.

Mamut legde zijn armen om haar heen terwijl ze zachtjes tegen zijn schouder huilde. Toen kwamen de tranen die ze had gevreesd en ze snikte en schokte om een verdriet dat ze nog niet zo lang kende. Haar verdriet om Creb bracht de tranen die ze had bedwongen, de tranen van verdriet, verwarring en onbeantwoorde liefde.

Jondalar had vanuit de kookplaats zitten kijken. Hij had naar haar toe willen gaan, het op de een of andere manier willen rechtzetten en hij probeerde te bedenken wat hij moest zeggen toen Mamut naar haar toe ging om met haar te praten. Toen hij Ayla zag huilen, wist hij dat ze het de oude medicijnman had verteld. Jondalar kreeg een kleur van schaamte. Hij moest steeds weer denken aan wat er op de steppe was gebeurd en hoe meer hij erover nadacht, hoe erger het werd.

En het enige wat je daarna hebt gedaan was weglopen, zei hij bij zichzelf. Je hebt niet eens geprobeerd haar te helpen; je hebt zelfs niet geprobeerd haar te zeggen dat het je speet of hoe ellendig je je voelde. Jondalar haatte zichzelf en hij wou vertrekken, alles inpakken en weggaan en Ayla of Mamut niet meer onder de ogen komen, en niemand, maar hij had Mamut beloofd dat hij zou blijven tot na het Lentefeest. Mamut moet me nu al verachtelijk vinden, dacht hij. Zou het breken van een belofte zoveel erger zijn? Maar het was niet alleen zijn belofte die hem tegenhield. Mamut had gezegd dat Ayla misschien gevaar zou lopen en hoezeer hij zichzelf ook haatte, hoe graag hij ook wegging, Jondalar kon Ayla niet alleen laten in dat gevaar.

'Voel je je nu wat beter?' vroeg Mamut toen ze rechtop ging zitten en de tranen wegveegde.
'Ja,' zei ze.
'En er is je geen kwaad gedaan?'
Ayla was verrast door zijn vraag. Hoe wist hij dat? 'Nee, helemaal niet, maar hij denkt van wel. Ik wou dat ik hem kon begrijpen,' zei ze terwijl de tranen weer opwelden. Toen probeerde ze te glimlachen. 'Toen ik bij de Stam woonde, huilde ik niet zoveel. Het verontrustte hen. Iza dacht dat ik zwakke ogen had omdat ze vochtig werden wanneer ik verdriet had en ze wou ze altijd met een speciaal middel behandelen als ik huilde. Ik vroeg me altijd af of ik dat alleen had of dat al de Anderen ogen hadden die vochtig werden.'
'Nu weet je het.' Mamut glimlachte. 'Tranen werden ons gegeven om de pijn te verlichten. Het leven is niet altijd gemakkelijk.'
'Creb zei altijd dat een krachtige totem niet altijd gemakkelijk is om mee te leven. Hij had gelijk. De Holenleeuw geeft machtige bescherming, maar ook moeilijke toetsen. Ik heb er altijd van geleerd en ik ben er altijd dankbaar voor geweest, maar het is niet gemakkelijk.'

'Maar noodzakelijk, denk ik. Jij bent gekozen met een speciale bedoeling.'

'Waarom ik, Mamut?' riep Ayla. 'Ik wil niet zo bijzonder zijn. Ik wil gewoon een vrouw zijn, een levensgezel vinden en kinderen krijgen, zoals elke andere vrouw.'

'Je zult moeten zijn wat je moet zijn, Ayla. Dat is je lot, je bestemming. Als je het niet kon, was je niet gekozen. Misschien is het iets dat alleen een vrouw kan doen. Maar wees niet ongelukkig, mijn kind. Je leven zal niet alleen bestaan uit beproevingen en toetsen. Het zal je ook veel geluk brengen. Het zal misschien alleen niet zo lopen als jij wilt of zoals je het had verwacht.'

'Mamut, Jondalars totem is nu ook de Holenleeuw. Hij is ook gekozen en getekend, net als ik.' Haar handen gingen onwillekeurig naar de littekens op haar been, maar ze werden bedekt door haar broek. 'Ik dacht dat hij voor mij was gekozen, omdat een vrouw met een krachtige totem een man moet hebben met een krachtige totem. Nu weet ik het niet. Denk jij dat hij mijn levensgezel wordt?'

'Het is aan de Moeder om te beslissen en dat kun je niet veranderen, wat je ook doet. Maar als hij werd gekozen, moet daar een reden voor zijn.'

Ranec wist dat Ayla was gaan rijden met Jondalar. Hij was met een paar anderen ook gaan vissen, maar hij had zich de hele dag zorgen gemaakt over de mogelijkheid dat de lange, knappe man haar terug zou winnen. In de kleren van Darnev was Jondalar een aantrekkelijke man en de beeldhouwer was zich, met zijn goed ontwikkeld gevoel voor schoonheid, wel bewust van de onmiskenbare aantrekkingskracht van de gast, in het bijzonder voor vrouwen. Hij was opgelucht toen hij zag dat ze nog altijd gescheiden waren en de afstand tussen hen leek groter dan ooit, maar toen hij haar vroeg om bij hem te komen slapen, zei ze dat ze moe was. Hij glimlachte en zei dat ze moest rusten, blij dat ze tenminste alleen sliep nu ze niet bij hem kwam slapen.

Toen Ayla naar bed ging, was ze meer geestelijk uitgeput dan lichamelijk en ze lag nog een hele tijd na te denken. Ze was blij dat Ranec niet in het huis was toen zij en Jondalar terugkwamen en ze was dankbaar dat hij niet boos was toen ze hem weigerde – ze verwachtte nog altijd boosheid en straf omdat ze ongehoorzaam durfde te zijn. Maar Ranec stelde geen eisen en zijn begrip deed haar bijna nog van gedachten veranderen.

Ze probeerde na te gaan wat er was gebeurd en vooral wat ze ervan vond. Waarom had Jondalar haar genomen als hij haar niet wou hebben? En waarom had hij zo ruw tegen haar gedaan? Hij leek Broud wel. Waarom was ze dan zo gewillig voor Jondalar? Toen Broud haar verkrachtte, was het een beproeving. Was het liefde? Gaf het haar Genot omdat ze van hem hield? Ranec liet haar ook genieten en ze hield niet van hem, of wel?

Misschien wel, in zeker opzicht, maar dat was het niet. Het ongeduld van Jondalar deed haar denken aan haar ervaring met Broud, maar het was niet hetzelfde. Hij was ruw en opgewonden, maar hij had haar niet verkracht. Ze wist het verschil. Broud had haar alleen maar willen kwetsen en aan zich willen onderwerpen. Jondalar wou haar hebben en haar reacties waren heftig geweest, met haar hele wezen en ze had een bevredigd en voldaan gevoel gehad. Dat was niet zo geweest wanneer hij haar had gekwetst. Zou hij haar hebben verkracht wanneer ze niet had gewild? Nee, dacht ze, dat had hij niet gedaan. Ze was ervan overtuigd dat hij niet had doorgezet wanneer ze bezwaar had gemaakt of hem had weggeduwd. Maar ze had zich niet verzet, ze had hem met open armen ontvangen en dat moest hij hebben gevoeld. Hij wou haar hebben, maar hield hij wel van haar? Het feit dat hij met haar wilde vrijen betekende nog niet dat hij nog van haar hield. Misschien ging het vrijen beter wanneer je van elkaar hield, maar het was mogelijk om het een te hebben zonder het ander. Dat zag ze aan Ranec. Ranec hield van haar, daar twijfelde ze niet aan. Hij wou een verbintenis met haar, een gezin stichten, met kinderen. Jondalar had nog nooit gevraagd een verbintenis met haar aan te gaan; hij had nog nooit gezegd dat hij kinderen van haar wou.

Toch had hij van haar gehouden. Misschien voelde ze Genot omdat ze nog van hem hield, ook als hij niet meer van haar hield. Maar hij wou haar toch nog hebben en hij had haar genomen. Waarom deed hij zo koud daarna? Waarom had hij haar weer afgewezen? Waarom hield hij niet meer van haar? Eens had ze gedacht dat ze hem begreep. Nu begreep ze hem helemaal niet. Ze draaide zich om, trok haar benen op en begon weer zachtjes te huilen. Ze huilde omdat ze wou dat Jondalar weer van haar hield.

'Ik ben blij dat ik eraan heb gedacht Jondalar uit te nodigen voor de eerste mammoetjacht,' zei Talut tegen Nezzie toen ze terugliepen naar de Leeuwenvuurplaats. 'Ik geloof dat hij er echt zin in heeft, want hij is de hele avond zo druk bezig geweest met die speer.'

Nezzie keek hem aan. Ze trok een wenkbrauw op en schudde het hoofd. 'De mammoetjacht is het laatste waar hij aan denkt,' zei ze, terwijl ze een vacht omhoogtrok rond het blonde hoofd van haar slapende jongste dochter en ze glimlachte met een teder gevoel van genegenheid toen ze het vrouwelijke figuur van haar oudste zag die in een boog naast haar jongere zuster lag. 'We zullen de volgende winter voor Latie een aparte plaats moeten vinden. Dan is ze een vrouw, maar Rugie zal haar missen.'

Talut keek achterom en hij zag de gast vuursteensplinters wegvegen, terwijl hij zijn best deed om Ayla via de tussenliggende vuurplaatsen in het oog te krijgen. Toen hij haar niet zag, keek hij naar de Vossenvuurplaats. Talut draaide zijn hoofd en hij zag Ranec alleen in bed stappen, maar hij bleef ook naar Ayla's bed kijken. Ik denk dat Nezzie gelijk heeft, dacht hij.

Jondalar was opgebleven tot de laatste de kookplaats verliet. Hij had gewerkt aan een lang vuurstenen mes, dat hij aan een stevige schacht wou bevestigen, op dezelfde manier als Wymez deed. Hij wou leren een speer te maken die de Mamutiërs op de mammoetjacht gebruikten door er eerst precies een na te maken. Voorzover hij zijn gedachten nog bij zijn werk had, dacht hij alweer aan mogelijke verbeteringen, of tenminste interessante experimenten, maar het werk was hem zo vertrouwd dat het weinig concentratie eiste en dat kwam hem goed uit. Hij kon nauwelijks aan iets anders denken dan aan Ayla en hij gebruikte het werk alleen als middel om gezelschap en gesprekken te vermijden en met zijn gedachten alleen te zijn.

Hij vond het een hele opluchting toen hij zag dat ze alleen naar bed ging en hij dacht niet dat hij het had kunnen verdragen als ze naar Ranecs bed was gegaan. Hij vouwde zijn nieuwe kleren zorgvuldig op en kroop tussen zijn nieuwe slaapvachten, die hij over de oude had uitgespreid. Hij vouwde zijn handen achter zijn hoofd en ging naar het overbekende plafond van de kookplaats liggen kijken. Hij had er al vele nachten naar liggen kijken. Hij voelde nog wel wroeging en schaamte, maar hij voelde deze avond niet die brandende pijn van de hartstocht en hoe hij zichzelf er ook om haatte, hij moest wel weer denken aan het Genot van die middag. Hij dacht erover na. Hij riep zorgvuldig ieder moment terug in zijn herinnering en deed in zijn geest alles nog een keer, langzaam genietend van alle dingen waar hij toen niet aan had gedacht omdat hij zichzelf de tijd niet gunde.

Hij voelde zich meer ontspannen dan hij sinds Ayla's adoptie was geweest en hij zakte half sluimerend weg in een dromerige illusie. Had hij zich kunnen voorstellen dat ze zo graag wou? Dat moest wel, anders had ze niet zo begerig kunnen zijn. Had ze echt met zoveel gevoel gereageerd? Hem vastgepakt alsof ze net zo sterk naar hem verlangde als hij naar haar? Hij voelde dat hij weer een erectie kreeg nu hij er weer aan dacht hoe hij bij haar binnendrong, hoe ze hem met haar warmte volledig omvatte. Maar de behoefte was minder sterk, het was meer een warm nagenieten, niet die stuwende pijn, die een combinatie was van een onderdrukt verlangen, een sterke liefde en brandende jaloezie. Hij dacht eraan om haar Genot te schenken – hij vond het heerlijk om haar Genot te schenken – en hij maakte aanstalten om weer op te staan en naar haar toe te gaan.

Pas toen hij de vachten terugschoof en wou reageren op het verlangen dat werd opgewekt door zijn dromerig gepeins, schoten de consequenties van die middag door zijn geest. Hij kon niet naar haar bed gaan. Nooit. Hij kon haar nooit meer aanraken. Hij was haar kwijt. Het was geen kwestie meer van kiezen. Hij had de laatste kans verspeeld dat ze hem zou kiezen. Hij had haar onder dwang genomen, tegen haar wil. Hij zat op de slaapvachten met zijn voeten op een mat. Zijn ellebogen steunden op zijn opgetrokken knieën en hij had het hoofd in de handen. Hij schaamde zich diep. Hij walgde van zichzelf. Van alle verachtelijke dingen die hij in zijn leven had gedaan was dit wel het ergste.

Er was geen ergere gruwel, zelfs niet het kind van gemengde afkomst, of de vrouw die het baarde, dan een man die een vrouw tegen haar wil nam. De Grote Aardmoeder Zelf keurde het af, Ze verbood het. Je hoefde alleen maar naar de dieren van Haar schepping te kijken om te weten hoe onnatuurlijk het was. Een mannetjesdier nam nooit een vrouwtje tegen haar wil.

In de bronsttijd vochten de hertenbokken soms met elkaar om de gunsten van de vrouwtjes, maar wanneer de bok het vrouwtje probeerde te dekken, hoefde ze alleen maar weg te lopen als ze hem niet wou hebben. Hij kon het telkens weer proberen, maar zij moest het toestaan, zij moest ervoor blijven staan. Hij kon haar niet dwingen en dat gold voor alle dieren. De wolvin of de leeuwin nodigde het mannetje van haar keuze uit. Ze schuurde langs hem heen en zorgde ervoor dat hij haar verleidelijke geur in zijn neus kreeg. Ze hield haar staart opzij wanneer hij haar dekte, maar ze zou zich nijdig verweren tegen ieder mannetje dat haar tegen haar wil probeerde te dekken. Zijn vrijpostigheid kwam hem duur te staan. Een mannetje kon blijven aandringen, maar de keuze was altijd aan het vrouwtje. Zo had de Moeder het bedoeld. Alleen de man verkrachtte soms een vrouw, en dan alleen een abnormale, gruwelijke man.

Degenen Die de Moeder Dienden hadden Jondalar vaak verteld dat hij door de Grote Aardmoeder was bevoorrecht en dat alle vrouwen het wisten. Een had hem zelfs gezegd dat hij Haar maar hoefde te vragen en het zou hem worden gegeven, omdat geen enkele vrouw hem kon weigeren, ook de Moeder Zelf niet. Dat was zijn gave. Maar zelfs Doni zou hem nu de rug toedraaien. Hij had Doni niet gevraagd, Ayla niet en niemand. Hij had haar verkracht, haar genomen tegen haar wil.

Onder de mensen van Jondalars volk werd iedere man die zo'n perverse daad beging gemeden, of erger. Toen hij nog jong was, hadden de jongens het er onder elkaar over dat ze dan op pijnlijke wijze werden ontmand. Hoewel hij nooit iemand had gekend wie dat was overkomen, vond hij het een passende straf. En nu was hij degene die behoorde te worden gestraft. Waar had hij zijn verstand gehad? Hoe was het mogelijk dat hij zoiets had gedaan?

En jij maakte je zorgen over de mogelijkheid dat ze niet zou worden geaccepteerd, zei hij bij zichzelf. Je was bang dat ze zou worden afgewezen en je wist niet of je daar wel mee kon leven. Wie zou nu worden afgewezen? Wat zouden ze nu van je denken als ze het wisten? Vooral na... wat er vroeger was gebeurd. Zelfs Dalanar zou je nu niet meer opnemen. Hij zou weigeren je op te nemen in zijn vuurplaats, je wegjagen en alle banden verbreken. Zolena zou schrikken als ze het hoorde. Marthona... hij moest er niet aan denken hoe zijn moeder zich zou voelen.

Ayla had met Mamut gepraat. Ze moet het hem hebben verteld. Daarom had ze gehuild. Hij legde zijn voorhoofd op de knieën en verborg zijn hoofd in zijn armen. Wat ze ook met hem deden, hij had het verdiend. Hij bleef een poosje ineengedoken zitten nadenken over de straffen die ze hem konden opleggen. Hij hoopte zelfs dat ze iets verschrikkelijks met hem zouden doen om de last van de schuld die op hem drukte wat te verlichten.

Maar uiteindelijk kreeg het gezonde verstand de overhand. Het drong tot hem door dat niemand er de hele avond een woord over had gezegd. Ook Mamut was er niet over begonnen en had met hem over het Lentefeest gepraat. Waarom had ze dan gehuild? Misschien had ze er wel om gehuild, maar had ze niets gezegd. Hij hief het hoofd op en keek door de donkere vuurplaatsen in haar richting. Zou dat kunnen? Zij had meer recht dan wie ook om schadeloosstelling te eisen. Ze had al meer dan haar deel gehad van abnormaal gedrag ten koste van haar, van die ruwe platkop... Welk recht had hij om kwaad te spreken van die andere man? Was hij soms beter?

Toch had ze het voor zichzelf gehouden. Ze klaagde hem niet aan en ze eiste niet dat hij werd gestraft. Ze was te goed voor hem. Hij was

haar niet waardig. Het was juist dat zij en Ranec de Belofte zouden afleggen, dacht Jondalar. Toen hij daaraan dacht, voelde hij de pijn omdat hij begreep dat dat zijn straf zou zijn. Doni had hem gegeven wat
hij het liefst wilde hebben. Ze had voor hem de enige vrouw gevonden van wie hij kon houden, maar hij kon haar niet accepteren. En nu
was hij haar kwijt. Het was zijn eigen schuld, hij zou zijn straf aanvaarden, maar niet zonder er verdriet van te hebben.

Zo lang hij zich kon herinneren, had Jondalar altijd zijn best gedaan
zich te beheersen. Andere mannen gaven veel gemakkelijker blijk van
hun emoties door te lachen, woedend te worden, of te huilen. Maar
hij probeerde vooral zijn tranen te bedwingen. Sinds die keer, toen hij
was weggestuurd en zijn onschuldige jeugd had verloren in een nacht
van huilen om het verlies van zijn thuis en zijn familie, had hij nog
maar één keer gehuild; dat was in de armen van Ayla, om het verlies
van zijn broer. Maar nu had hij weer verdriet. In het donkere huis van
de mensen die een jaar reizen van zijn volk woonden, huilde hij in
stilte om het verlies dat het hardst aankwam. Het verlies van de vrouw
die hij liefhad.

Het langverwachte Lentefeest was niet alleen een viering van de
komst van het nieuwe jaar, maar ook een dankfeest. Het werd niet
aan het begin maar tijdens het hoogtepunt van het jaargetijde gehouden, wanneer de eerste groene knoppen en spruiten goed waren ontwikkeld en konden worden geoogst. Dat was voor de Mamutiërs het
begin van de jaarlijkse kringloop. Met grote vreugde en stilzwijgende
opluchting, die alleen volledig kon worden begrepen door degenen
die de grootste moeite hadden gehad om te overleven, verwelkomden
ze het jonge groen dat het leven garandeerde voor henzelf en de dieren
die het land met hen deelden.

Tijdens de donkerste en koudste nachten van de strenge winter, wanneer het leek of zelfs de lucht zou bevriezen, kon de twijfel of de
warmte en het leven ooit zouden terugkeren ook rijzen in de harten
van de mensen die er het grootste vertrouwen in hadden. Op die momenten, wanneer het voorjaar het verst verwijderd leek, konden herinneringen en verhalen over voorgaande Lentefeesten de vrees wegnemen en nieuwe hoop geven dat de Aardmoeder de cyclus van de jaargetijden inderdaad zou voortzetten. Ze maakten elk Lentefeest zo opwindend en onvergetelijk mogelijk.

Op het grote Lentefeestmaal werd niets gegeten dat was overgebleven
van het afgelopen jaar. Enkelingen en kleine groepjes hadden dagen-
lang gevist, vallen gezet en planten verzameld. Jondalar had zijn

speerwerper goed benut en hij was blij dat hij helemaal alleen een drachtige bizon kon bijdragen, al was ze dan erg mager. Alles wat groen en eetbaar was werd gezocht en verzameld. Berken- en wilgenkatjes; niet alleen de jonge opgerolde bladeren van varens maar ook de oude wortelstokken, die konden worden geroosterd, geschild en fijngestampt; de sappige cambiumschors van dennen en berken, zoet van de opstijgende sappen; wat donkerrode wulpbessen, met harde zaden, die behalve de kleine roze bloemen aan de altijd doordragende lage struik zaten; en op beschutte plaatsen, waar ze onder de sneeuw hadden gezeten, de vuurrode hulstbessen, bevroren en weer ontdooid, zodat ze lekker zoet waren. Ze werden nog gevonden tussen de donkere, leerachtige bladeren.

De aarde gaf een overvloed aan heerlijk vers voedsel, zoals knoppen, spruiten, bollen, wortels, bladeren en bloemen van allerlei soort. De spruiten en jonge peulen van de wolfsmelk werden als groente gebruikt, terwijl de bloem, die rijk aan honing was, werd gebruikt om iets zoet te maken. Jonge groene blaadjes van klaver, meelganzenvoet, brandnetels, balsemwortel, paardebloem, wilde sla en zuring werden gekookt of rauw gegeten; er werd gezocht naar de stengels van de distel en vooral de zoete wortels. Bollen van de lelie waren een lekkernij, evenals de spruitjes van de kattenstaart en stengels van de lisdodde. Lekkere zoete wortels konden rauw worden gegeten of ze werden geroosterd in de as. Sommige planten werden verzameld om de voedingswaarde, andere om de smaak die ze aan het eten gaven en er werden er veel gebruikt voor thee. Van de meeste kende Ayla de geneeskrachtige eigenschappen en ze verzamelde ook wat voor eigen gebruik. Op de rotsachtige hellingen werden de kokervormige spruitjes van de wilde ui geplukt en op droge, open plekken de blaadjes van de citroenachtige zuring. Het hoefblad werd gevonden op open, vochtige plaatsen bij de rivier. De enigszins zoute smaak maakte het geschikt om te kruiden, hoewel Ayla wat verzamelde tegen hoest en astma. De daslook met zijn knoflooksmaak werd geplukt om de smaak en de geur, evenals de jeneverbes, de bollen van de tijgerlelie met hun peperachtige smaak, het smakelijke basilicum, de salie, tijm en munt, de linde, die als struikje groeide, en nog vele andere kruiden en planten. Sommige werden gedroogd en bewaard, andere werden gebruikt om de pasgevangen vis en het verse vlees voor het feestmaal te kruiden.

Er was een overvloed aan vis, en dat kwam goed uit, omdat de meeste dieren in deze tijd van het jaar nog mager waren door de ontberingen van de winter. Maar vers vlees was altijd een onderdeel van het feestmaal, al was het maar symbolisch. Dit jaar was het een mals bizonkalf.

Men gebruikte alleen verse producten voor het feestmaal, om te laten zien dat de Aardmoeder weer heel royaal was met Haar giften en dat Ze Haar kinderen zou blijven voeden en verzorgen.

Er werd al dagen gewerkt aan het Lentefeest met het verzamelen van voedsel voor het feestmaal. Zelfs de paarden hadden het gemerkt. Het viel Ayla op dat ze onrustig werden. Ze nam ze 's morgens mee naar buiten, naar een plaats op enige afstand van het huis om ze te roskammen en te borstelen. Het was een bezigheid die Whinney en Renner kalmeerde, en haarzelf ook, en het gaf haar een excuus om alleen te zijn en te kunnen nadenken. Ze wist dat ze Ranec vandaag een antwoord moest geven. Morgen was het Lentefeest.

Wolf lag dichtbij en hield haar in de gaten. Hij snuffelde, tilde zijn kop op en keek. Toen sloeg hij met zijn staart op de grond om te laten zien dat er een bekende naderde. Ayla draaide zich om en ze voelde haar hart bonzen terwijl ze een kleur kreeg.

'Ik hoopte dat ik je alleen zou treffen, Ayla. Ik wou graag met je praten als je er geen bezwaar tegen hebt,' zei Jondalar met een vreemde, zachte stem.

'Nee, ga je gang,' zei ze.

Hij had zich geschoren en zijn blonde haar in de nek bij elkaar gebonden. Hij droeg de nieuwe kleren die hij van Tulie had gekregen. Ze vond hem mooi – 'knap' was het woord dat Deegie gebruikte. Haar adem stokte en ze kon bijna geen woord uitbrengen. Maar het was niet alleen zijn uiterlijk dat Ayla trof. Ook wanneer hij Taluts afdankertjes droeg, vond ze hem mooi. Zijn uitstraling was als een gloeiend vuur dat haar verwarmde, ook van een afstand. Het was geen hitte, het was meer en ze wou die warmte voelen, ze wou er zo graag door worden opgenomen en ze boog zich in zijn richting. Maar er was iets in zijn ogen dat haar tegenhield, iets onnoemelijk droevigs, dat ze nog niet eerder had gezien. Ze wachtte rustig af tot hij iets zei.

Hij sloot even zijn ogen om na te denken, want hij wist niet goed hoe hij moest beginnen. 'Herinner je je nog dat je me iets belangrijks wou vertellen toen we samen in jouw vallei waren, maar dat je de woorden niet kon vinden omdat je toen nog niet goed kon praten? Je begon tegen me te praten met gebaren en ik herinner me dat je bewegingen bijna zo mooi waren als een dans.'

Ze herinnerde het zich maar al te goed. Ze had toen geprobeerd hem te vertellen wat ze hem nu zo graag zou willen vertellen: wat ze voor hem voelde, dat hij haar een gevoel gaf waar ze nog altijd geen woorden voor had. Zelfs wanneer ze tegen hem zei dat ze van hem hield, was dat niet genoeg.

'Ik weet niet of er woorden zijn om te zeggen wat ik moet zeggen. "Het spijt me" zijn maar klanken die uit mijn mond komen, maar ik weet niet hoe ik het moet zeggen. Het spijt me, Ayla, meer dan ik kan zeggen. Ik had het recht niet om je te dwingen, maar ik kan het niet ongedaan maken, het is gebeurd. Ik kan alleen zeggen dat het nooit weer zal gebeuren. Ik ga spoedig weg, zodra Talut denkt dat ik veilig kan reizen. Jij bent hier thuis. De mensen geven om je... Ze houden van je. Jij bent Ayla van de Mamutiërs. Ik ben Jondalar van de Zelandoniërs. Het wordt tijd dat ik naar huis ga.'

Ayla kon geen woord uitbrengen. Ze keek naar de grond en ze probeerde de tranen te verbergen die ze niet kon terugdringen. Toen draaide ze zich om en begon Whinney te rossen, omdat ze niet in staat was Jondalar aan te kijken. Hij ging weg. Hij ging naar huis en hij had haar niet gevraagd om mee te gaan. Hij had haar niet nodig. Hij hield niet van haar. Ze onderdrukte haar snikken terwijl ze het paard borstelde. Sinds ze bij de Stam had gewoond had ze niet meer zo gevochten om haar tranen in te houden, om ze niet te laten zien.

Jondalar stond daar maar en hij keek naar haar rug. Het kan haar niet schelen, dacht hij. Ik had veel eerder weg moeten gaan. Ze had hem de rug toegedraaid; hij wou zich omdraaien en haar alleen laten met de paarden, maar de taal van het lichaam en van haar bewegingen vertelde hem iets dat hij niet onder woorden kon brengen. Het was slechts een gevoel dat er iets niet goed was, maar het weerhield hem ervan om weg te gaan.

'Ayla...?'

'Ja,' zei ze, en ze bleef met haar rug naar hem toe staan terwijl ze haar best deed om haar stem niet schor te doen klinken.

'Kan ik... nog iets doen voor ik wegga?'

Ze gaf niet meteen antwoord. Ze wou iets zeggen om hem tot andere gedachten te brengen en ze deed verwoede pogingen om een middel te bedenken dat hem aan haar zou binden en zijn belangstelling gaande zou houden. De paarden, hij mocht Renner graag. Hij reed graag op hem.

'Ja,' zei ze eindelijk, en ze deed haar uiterste best om haar stem zo normaal mogelijk te laten klinken.

Hij had zich al omgedraaid om weg te gaan toen ze niet antwoordde, maar hij kwam snel terug.

'Je zou me kunnen helpen om Renner te trainen... zolang je hier nog bent. Ik heb niet genoeg tijd om met hem naar buiten te gaan.' Ze waagde het erop zich om te draaien en hem aan te kijken.

Was het verbeelding dat ze bleek was en beefde? 'Ik weet niet hoe lang ik hier nog ben,' zei hij, 'maar ik zal doen wat ik kan.' Hij wou nog iets zeggen. Hij wou haar zeggen dat hij van haar hield en dat hij wegging omdat ze beter verdiende. Ze verdiende iemand die onvoorwaardelijk van haar hield, iemand als Ranec. Hij keek naar de grond terwijl hij de juiste woorden zocht.

Ayla was bang dat ze haar tranen niet langer kon bedwingen. Ze draaide zich om naar de merrie en begon haar weer te borstelen. Toen liet ze de borstel vallen en sprong met een soepele beweging op het paard en reed weg. Jondalar keek op en deed verbaasd een paar stappen achteruit. Hij zag Ayla met de merrie de helling op galopperen, met Renner en de jonge wolf erachteraan. Hij bleef staan tot ze uit het gezicht verdwenen was en toen liep hij langzaam terug naar het huis.

Op de avond voor het Lentefeest waren de verwachtingen zo hooggespannen dat niemand kon slapen. Zowel de kinderen als de volwassenen bleven laat op. Latie was bijzonder opgewonden omdat ze het ene moment ongeduldig en het volgende nerveus uitkeek naar de korte puberteitsceremonie die zou aankondigen dat ze eraan toe was zich voor te bereiden op de Viering van de Vrouwelijke Volwassenheid, die zou plaatshebben op de Zomerbijeenkomst.

Hoewel ze lichamelijk volwassen was geworden, zou haar vrouw-zijn niet volledig zijn voor de ceremonie die zijn hoogtepunt zou bereiken in de Eerste Nacht van het Genot, wanneer een man haar zou openen, zodat ze de bevruchtende geesten van de Moeder zou kunnen ontvangen. Alleen wanneer ze in staat was om moeder te worden, werd ze in alle opzichten als vrouw beschouwd en was ze op grond daarvan beschikbaar om een vuurplaats in te richten en een verbintenis met een man aan te gaan. Tot dat moment zou ze in de tussenfase verkeren van niet langer een kind te zijn, maar ook nog geen vrouw. In die periode werd ze voorgelicht over het vrouw-zijn, het moederschap en mannen door oudere vrouwen en Degenen Die de Moeder Dienen.

De mannen, behalve Mamut, waren weggejaagd uit de Mammoetvuurplaats. Latie kreeg aanwijzingen voor de ceremonie van de volgende avond en alle vrouwen hadden zich verzameld om de aanstaande vrouw morele steun te bieden, te adviseren en bruikbare suggesties te doen. Hoewel Ayla geen meisje meer was, leerde ze er net zoveel van als de jonge vrouw.

'Je hoeft morgenavond niet veel te doen, Latie,' legde Mamut uit. 'Later zul je meer moeten leren, maar dit is alleen om het bekend te maken. Dat zal Talut doen en dan geef ik je de muta. Bewaar hem op een veilige plaats tot je zover bent dat je een eigen vuurplaats gaat inrichten.'

Latie zat tegenover de oude man. Ze knikte verlegen, maar ze genoot wel van al die aandacht.

'Je begrijpt dat je na morgen nooit alleen met een man moet zijn en ook niet met een man alleen moet praten, tot je volledig vrouw bent,' zei Mamut.

'Danug en Druwez ook niet?' vroeg Latie.

'Nee, zij ook niet,' zei hij. De oude medicijnman legde uit dat ze gedurende deze overgangstijd als heel gevoelig voor kwade invloeden werd beschouwd, omdat ze niet alleen de beschermende geesten van de jeugd miste, maar ook de volledige kracht van het vrouw-zijn. Ze moest voortdurend onder het wakend oog van een vrouw blijven en ze mocht niet eens alleen zijn met haar broer of haar neef.

'En Brinan dan? Of Rydag?' vroeg de jonge vrouw.

'Dat zijn nog kinderen,' zei Mamut. 'Kinderen zijn altijd betrouwbaar. Ze hebben voortdurend beschermende geesten om zich heen. Daarom moet je nu beschermd worden. De geesten die over je hebben gewaakt gaan je verlaten om plaats te maken voor de levenskracht, de kracht van de Moeder.'

'Maar Talut of Wymez zou me geen kwaad doen. Waarom kan ik niet met hen praten als ze alleen zijn?'

'De mannelijke geesten worden aangetrokken door de levenskracht, zoals je zult merken dat de mannen nu door jou worden aangetrokken. Sommige mannelijke geesten zijn jaloers op de kracht van de Moeder. Ze kunnen in deze tijd, nu je kwetsbaar bent, proberen hem van je af te nemen. Ze kunnen hem niet gebruiken om leven te scheppen, maar het is een sterke kracht. Zonder de gepaste voorzichtigheid kan er een mannelijke geest binnendringen en ook als hij je levenskracht niet steelt kan hij hem beschadigen of van te veel kracht voorzien. Dan krijg je misschien nooit kinderen, of je verlangens worden die van een man en dan wil je alleen nog vrijen met vrouwen.'

Latie zette grote ogen op. Ze wist niet dat het zo gevaarlijk was.

'Ik zal voorzichtig zijn. Ik zal geen enkele mannelijke geest te dicht bij me laten komen, maar... Mamut...'

'Wat is er, Latie?'

'En jij dan, Mamut? Je bent een man.'

Verscheidene vrouwen begonnen te giechelen en Latie kreeg een kleur. Misschien was het wel een domme vraag.

'Ik zou dezelfde vraag gesteld hebben,' merkte Ayla op en ze kreeg van Latie een dankbare blik.

'Dat is een goede vraag,' zei Mamut. 'Ik ben een man, maar ik Dien Haar. Je zult waarschijnlijk op ieder moment met me kunnen praten en uiteraard, voor bepaalde rituelen, wanneer ik optreed als Een Die Dient, zul je alleen met me moeten praten. Maar het lijkt me toch een goed idee om alleen maar op bezoek te komen of met me te praten in gezelschap van een vrouw.'

Latie knikte en ze dacht er serieus over na. Ze begon de verantwoordelijkheid te voelen voor een nieuwe verhouding tot de mensen die ze haar hele leven had gekend en liefgehad.

'Wat gebeurt er wanneer een mannelijke geest de levenskracht steelt?' vroeg Ayla die zeer nieuwsgierig was naar deze interessante opvattingen van de Mamutiërs, die wel enige gelijkenis hadden met de gebruiken van de Stam, maar toch ook weer heel anders waren.

'Dan heb je een machtige medicijnman,' zei Tulie.

'Of een die onheil brengt,' voegde Crozie eraan toe.

'Is dat zo, Mamut?' vroeg Ayla. Latie leek verrast en verbaasd en ook Deegie, Tronie en Fralie keken met belangstelling naar Mamut.

De oude man vatte zijn gedachten samen en probeerde zijn antwoord met zorg te formuleren. 'We zijn slechts Haar kinderen,' begon hij. 'Het is voor ons moeilijk te begrijpen waarom Mut, de Grote Moeder, met sommigen van ons een speciale bedoeling heeft. We weten alleen dat Ze Haar redenen heeft. Misschien heeft Ze soms behoefte aan iemand met uitzonderlijke krachten. Sommige mensen zijn misschien geboren met bepaalde gaven. Anderen worden misschien later gekozen. Maar niemand wordt gekozen zonder Haar medeweten.' Verscheidenen richtten de blik op Ayla, al probeerden ze het zo onopvallend mogelijk te doen.

'Zij is de Moeder van alles,' vervolgde hij. 'Niemand is in staat Haar volledig te kennen, in al Haar verschijningen. Daarom is het gezicht van de Moeder onbekend voor degenen die Haar vertegenwoordigen.' Mamut wendde zich tot de oudere vrouw van het kamp. 'Wat is onheil, Crozie?'

'Onheil is opzettelijk kwaad. Onheil is de dood,' antwoordde de oude vrouw met overtuiging.

'De Moeder is alles, Crozie. Het gezicht van Mut is de geboorte van de lente, de gulheid van de zomer, maar ook de kleine dood van de winter. Zij heeft de kracht van het leven, maar de andere kant van het leven is de dood. Wat is de dood anders dan de terugkeer naar Haar om opnieuw te worden geboren? Is de dood onheil? Zonder de dood kan er geen leven zijn. Is onheil opzettelijk kwaad? Misschien, maar ook zij die onheil brengen doen dat omdat Zij er haar redenen voor heeft. Onheil is een macht die Zij beheerst, een middel om Haar doel te bereiken; het is alleen een onbekende verschijning van de Moeder.'

'Maar wat gebeurt er wanneer een mannelijke kracht de levenskracht van een vrouw steelt?' vroeg Latie. Ze had geen behoefte aan wijsgerige beschouwingen, ze wou het weten.

De Mamut keek haar wat onzeker aan. Ze was bijna een vrouw, ze had er recht op dat het haar werd verteld. 'Dan zal ze sterven, Latie.' Het meisje huiverde.

'Ook wanneer hij wordt gestolen, kan er nog iets overblijven, genoeg om een nieuw leven te beginnen. De levenskracht die in een vrouw woont is zo sterk dat ze misschien niet weet dat hij is gestolen tot ze moet bevallen. Wanneer een vrouw bij de bevalling sterft, komt dat altijd doordat een mannelijke geest haar levenskracht heeft gestolen voor ze werd geopend. Daarom is het niet goed om te lang te wachten met de ceremonie. Als de Moeder jou in de herfst zover had gebracht, had ik er met Nezzie over gepraat om een bijeenkomst voor een paar kampen te organiseren en een ceremonie te houden opdat je niet onbeschermd de winter door zou moeten, al zou het wel betekenen dat je de opwindende gebeurtenis bij de viering op de Zomerbijeenkomst had gemist.'

'Ik ben blij dat ik dat niet hoef te missen, maar... ' Latie wachtte even, omdat ze zich toch meer zorgen maakte over de levenskracht dan over de viering, 'zal een vrouw altijd sterven?'

'Nee, soms voert ze een strijd om hem te behouden en als hij sterk genoeg is, kan ze niet alleen haar levenskracht houden, maar de mannelijke kracht erbij, of een deel ervan. Dan heeft ze beide krachten in één lichaam.'

'Dat worden de machtige medicijnmannen,' opperde Tulie.

Mamut knikte. 'Vaak wel, ja. Om te leren omgaan met de vrouwelijke en mannelijke kracht samen wenden velen zich tot een Mammoetvuurplaats om begeleiding te vragen en velen van hen worden geroepen om Haar te Dienen. Het zijn vaak heel goede Genezers, of Reizigers in de onderwereld van de Moeder.'

'En wat gebeurt er met de mannelijke geest die de levenskracht steelt?' vroeg Fralie, die haar baby over de schouder legde en zachte klopjes gaf. Ze wist dat haar moeder die vraag wou stellen.

'Dat is degene die onheil brengt,' zei Crozie.

'Nee,' zei Mamut en hij schudde het hoofd. 'Dat is niet waar. De mannelijke kracht wordt gewoon aangetrokken door de levenskracht van een vrouw. Hij kan er niets aan doen en gewoonlijk weten mannen niet dat hun mannelijke kracht de levenskracht van een jonge vrouw heeft genomen, tot ze ontdekken dat ze niet worden aangetrokken door vrouwen, maar de voorkeur geven aan het gezelschap van andere mannen. Dan zijn jonge mannen kwetsbaar. Ze willen niet anders zijn, ze willen niet dat iemand weet dat hun mannelijke geest misschien een vrouw kwaad heeft gedaan. Ze schamen zich meestal diep en verbergen het liever dan naar een Mammoetvuurplaats te gaan.'

'Maar er zitten onheilbrengers onder hen met een grote macht,' zei Crozie. 'Die hebben de macht om een heel kamp te vernietigen.'

'De kracht van een man en een vrouw in een lichaam is erg groot. Zonder begeleiding kan hij ontaarden en kwaadaardig worden en misschien ziekte, ongeluk en zelfs de dood willen brengen. Ook zonder die kracht kan iemand die een ander ongeluk toewenst dat veroorzaken. Met die kracht zijn de gevolgen bijna onvermijdelijk, maar met de juiste begeleiding kan een man met beide krachten net zo'n machtige medicijnman worden als een vrouw met beide krachten en dan past hij vaak beter op om ze alleen ten goede te gebruiken.'

'En wanneer zo iemand geen medicijnman wil worden?' vroeg Ayla. Ze kon wel zijn geboren met haar 'gaven', maar ze had nog steeds het gevoel dat ze in een richting werd geduwd die ze misschien niet wilde. 'Ze hoeven niet,' zei Mamut. 'Maar het is gemakkelijker voor hen om gezelschap te vinden bij anderen zoals zij, onder Degenen Die de Moeder Dienen.'

'Herinner je je nog die Sungaea-reizigers, die we vele jaren geleden ontmoetten, Mamut?' vroeg Nezzie. 'Ik was nog jong, maar ontstond er geen verwarring over een van hun vuurplaatsen?'

'Ja, ik herinner het me, nu je het zegt. We waren nog maar net op de terugweg van de Zomerbijeenkomst en er trokken verscheidene kampen samen op toen we hen troffen. Niemand wist precies wat er aan de hand was. Er waren een paar overvallen geweest, maar ten slotte hebben we een vriendschapsvuur met hen gestookt. Er ontstond enige verwarring onder een paar Mamutische vrouwen, omdat een Sungaea-man wou dat een van hen hun "moedersplaats" zou innemen. Er was heel wat uitleg voor nodig om duidelijk te maken dat de vuurplaats, die volgens ons bestond uit een vrouw en haar twee gezellen, in werkelijkheid een man met zíjn twee gezellen telde, van wie de een dan nog een man en de andere een vrouw was. De Sungaea zeiden "zij" als ze het over hem hadden. Hij droeg een baard, maar hij was gekleed in vrouwenkleren en hoewel hij geen borsten had, was hij voor een van de kinderen "moeder". Hij gedroeg zich zeker als de moeder van het kind. Ik weet niet of hij het kind had gekregen van de vrouw van die vuurplaats of van een andere vrouw, maar ze zeiden dat hij alle symptomen van een zwangerschap en de pijn van de bevalling had gevoeld.'

'Zijn verlangen om een vrouw te zijn moet erg groot zijn geweest,' merkte Nezzie op. 'Misschien had hij de levenskracht van een vrouw niet gestolen. Misschien werd hij in het verkeerde lichaam geboren. Dat kan ook gebeuren.'

'Maar had hij na iedere maancyclus buikpijn?' vroeg Deegie. 'Dat is het bewijs of je met een vrouw te maken hebt.' Iedereen lachte.

'Heb jij die pijnen, Deegie? Ik kan je er iets voor geven als je wilt,' zei Ayla.

'Misschien vraag ik er volgende keer wel om.'

'Als je eenmaal een kind hebt, is het niet meer zo erg, Deegie,' zei Tronie.

'En als je in verwachting bent, hoef je je ook geen zorgen te maken over absorberend verband en hoe je je er op de juiste manier van moet ontdoen,' zei Fralie. 'Maar je kijkt wel uit naar de baby,' voegde ze eraan toe met een glimlach naar het slapende gezichtje van haar kleine, maar gezonde dochter en ze veegde een druppel melk weg uit haar mondhoek. Ze keek Ayla aan en vroeg opeens benieuwd: 'Wat gebruikte jij... vroeger?'

'Stroken zacht leer. Dat helpt wel, vooral wanneer je moet reizen, maar soms vouwde ik ze dubbel, of vulde ze op met moeflonwol of bont, of dons van vogels. Soms zachte pluizen van planten die ik in elkaar perste. Ik heb nooit gedroogde mammoetmest gebruikt, maar dat kan ook.'

Mamut verstond de kunst om zijn aanwezigheid te doen vergeten en zich terug te trekken wanneer hij dat wou, zodat de vrouwen vergaten dat hij er was en vrijuit spraken zoals ze nooit zouden hebben gedaan wanneer er een andere man bij was geweest. Maar Ayla zag wel hoe hij rustig naar hen zat te kijken. Toen het gesprek ten slotte afliep, wendde hij zich weer tot Latie.

'Binnenkort zul je een plaats gaan zoeken voor je persoonlijk contact met Mut. Let op je dromen. Zij zullen je helpen om de juiste plaats te vinden. Voor je je persoonlijke vereringsplaats bezoekt, zul je moeten vasten en jezelf moeten reinigen. Je zult altijd erkentelijkheid moeten betuigen aan de vier richtingen, de onderwereld en de hemel en zult Haar offers moeten brengen, vooral wanneer je Haar hulp nodig hebt, of een van Haar zegeningen. Dat is bijzonder belangrijk wanneer de tijd komt dat je een kind wilt hebben, Latie, of wanneer je merkt dat je er een krijgt. Dan moet je naar je persoonlijke vereringsplaats gaan en voor Haar een offer verbranden, een geschenk dat naar Haar zal opstijgen in de rook.'

'Hoe weet ik wat ik Haar moet geven?' vroeg Latie.

'Het zou iets kunnen zijn wat je vindt of iets wat je maakt. Dat voel je wel aan. Dat zal niet moeilijk zijn.'

'Als je een speciale man wilt, kun je het Haar ook vragen,' zei Deegie met een lachje alsof het een samenzwering betrof. 'Ik kan je niet vertellen hoe vaak ik om Branag heb gevraagd.'

Ayla wierp een blik op Deegie en was vast van plan wat meer te weten te komen over persoonlijke vereringsplaatsen.

'Wat is er veel te leren!' zei Latie.

'Je moeder kan je helpen en Tulie ook,' zei Mamut.

'Nezzie heeft me gevraagd en ik heb ermee ingestemd om je dit jaar te begeleiden, Latie,' merkte Tulie op.

'O, Tulie! Wat ben ik daar blij om,' zei Latie. 'Dan voel ik me niet zo alleen.'

'Wel,' zei de leidster en ze moest glimlachen om de enthousiaste reactie van het meisje, 'het gebeurt niet elk jaar dat het Leeuwenkamp er een vrouw bij krijgt.'

Latie dacht diep na en toen vroeg ze zachtjes: 'Tulie, hoe gaat dat? In de tent, ik bedoel... die nacht.'

Tulie keek naar Nezzie en glimlachte. 'Ben je daar een beetje ongerust over?'

'Ja, wel een beetje.'

'Maak je geen zorgen. Het wordt je allemaal uitgelegd. Als het zover is, weet je wat je te wachten staat.'

'Is het zoiets als Druwez en ik speelden toen we nog kinderen waren? Dan wipte hij zo hard op en neer... dat ik dacht dat hij probeerde Talut na te doen.'

'Niet precies, Latie. Dat waren kinderspelletjes, jullie speelden maar wat en jullie probeerden groot te zijn. Jullie waren toen nog erg jong – te jong.'

'Dat is waar, we waren erg jong,' zei Latie, die zich nu veel ouder voelde. 'Dat zijn spelletjes voor kleine kinderen. Daar zijn we al lang geleden mee opgehouden. Eigenlijk spelen we helemaal niet meer. De laatste tijd willen Danug en Druwez nauwelijks meer met me praten.'

'Ze willen wel weer met je praten,' zei Tulie. 'Dat weet ik zeker, maar denk erom, je moet nu niet veel met hen praten en nooit alleen met hen zijn.'

Ayla pakte de grote waterzak die met een leren riem aan de haak hing die in een van de steunbalken was geslagen. Deze was gemaakt van de maag van een reuzenhert, een *megaceros*, en was zo behandeld dat hij waterdicht bleef. Hij werd gevuld door het onderste gat, dat was dichtgevouwen en afgesloten. Een kort stukje been van een voorpoot, met de natuurlijke holte in het midden, was aan het ene eind helemaal ingekerfd. Om een schenktuit te maken was de opening van de hertenmaag om het been stevig dichtgebonden met een koordje door de inkerving. Ayla trok de stop eruit – dat was een dun strookje leer met verscheidene knopen erin – en schonk wat water in de waterdichte mand die ze gebruikte om haar speciale ochtendthee te zetten en ze duwde de leren knoop weer in de tuit om hem af te sluiten. De gloeiendhete kooksteen siste toen ze hem in het water liet vallen. Ze rolde hem een paar keer om om er zoveel mogelijk hitte aan te onttrekken en viste hem toen weer op met twee platte stokjes om hem weer in het vuur te leggen. Ze pakte met de natte stokjes een andere hete steen en liet die in het water vallen. Toen het water aan de kook raakte, goot ze het op een afgemeten hoeveelheid gedroogde bladeren, wortels en vooral de dunne, wingerdachtige stengels van het driebladig kankerkruid en liet het even trekken.

Ze vergat nooit om Iza's geheime middel in te nemen. Ze hoopte dat het krachtige, magische middel haar net zo goed zou helpen als het Iza al die jaren had geholpen. Ze wou nu geen baby. Ze was te onzeker.

Nadat ze zich had aangekleed, schonk ze de kruidenthee in haar eigen kom en ging op een mat bij het vuur zitten. Ze nam een slokje van de vrij sterke, bittere drank. Ze was aan de smaak gewend geraakt. Ze werd er wakker van en het hoorde bij haar vaste bezigheden in de morgen. Terwijl ze af en toe een teugje nam, peinsde ze over de activiteiten die die dag zouden plaatsvinden. Het was zover, de veelbelovende dag waar iedereen zo lang naar had uitgekeken: de dag van het Lentefeest.

Voor haar zou de leukste gebeurtenis de naamgeving van de baby van Fralie zijn. De kleine zuigeling was voorspoedig gegroeid en hoefde niet langer voortdurend bij haar moeders borst te worden gehouden. Ze was nu sterk genoeg om te huilen en ze kon overdag alleen slapen, hoewel Fralie haar liever dicht bij zich hield en uit voorzorg nog vaak de draagzak gebruikte. De Kraanvogelvuurplaats was nu veel gelukkiger, niet alleen omdat ze van de baby genoten, maar ook omdat Frebec en Crozie begonnen te begrijpen dat ze konden samenleven zonder ieder moment ruzie te maken. Niet dat er geen problemen meer waren, maar ze konden ze beter aan en Fralie speelde een actievere rol in pogingen om te bemiddelen.

Ayla zat aan Fralies baby te denken toen ze opkeek en zag dat Ranec naar haar keek. Dit was ook de dag dat hij hun Belofte wou aankondigen en met een schok herinnerde ze zich dat Jondalar haar had gezegd dat hij zou vertrekken. Plotseling moest ze weer denken aan die verschrikkelijke nacht toen Iza stierf.

Je bent niet van de Stam, Ayla, had Iza gezegd. *Je bent geboren bij de Anderen en daar hoor je bij. Ga naar het noorden, Ayla. Zoek je eigen mensen. Zoek je eigen levensgezel.* Zoek je eigen levensgezel... dacht ze. Eens had ze gedacht dat Jondalar haar levensgezel zou worden, maar hij ging weg, naar zijn volk, zonder haar. Jondalar wou haar niet...

Maar Ranec wel. Ze werd er niet jonger op. Als ze ooit een baby wilde krijgen, moest ze niet te lang meer wachten. Ze nam nog een teug van Iza's middel en liet het laatste in de kom ronddraaien. Als ze Iza's middel niet meer innam en met Ranec zou vrijen, zou ze dan een baby krijgen? Ze kon het proberen. Misschien moest ze maar een verbintenis aangaan met Ranec. Bij hem gaan wonen en de kinderen van zijn vuurplaats krijgen. Zouden het mooie, donkere baby's worden, met donkere ogen en dik krulhaar? Of zouden ze blank zijn, zoals zij? Misschien wel van gemengd ras, zoals Durc.

Als ze hier bleef, bij Ranec, zou ze niet zo ver van de Stam zijn. Ze zou Durc kunnen halen en hem hier kunnen brengen. Ranec kon goed met Rydag opschieten en hij zou het niet erg vinden om in zijn vuurplaats een kind van gemengde afkomst te hebben. Misschien kon ze Durc formeel adopteren en een Mamutiër van hem maken.

Ze voelde een sterk verlangen bij de gedachte dat het echt mogelijk zou zijn om haar zoon te halen. Misschien was het wel zo goed dat Jondalar zonder haar wegging. Als ze met hem meeging, zou ze haar zoon nooit meer zien. Maar als hij zonder haar wegging, zou ze Jondalar nooit meer zien.

Wat haar betrof was de keuze gemaakt. Ze zou blijven. Ze zou een verbintenis aangaan met Ranec. Ze probeerde alle voordelen te bedenken om zichzelf ervan te overtuigen dat het beter zou zijn om te blijven. Ranec was een goede man. Hij hield van haar en hij wou haar hebben. En zij vond hem wel aardig. Het zou niet zo verschrikkelijk zijn om met hem te leven. Ze kon kinderen krijgen. Ze kon Durc opzoeken en hem meenemen om bij hen te wonen. Een goede man, haar eigen volk, en ze zou haar zoon weer hebben. Dat was meer dan ze ooit in een keer voor mogelijk had gehouden. Wat kon ze meer verlangen? Ja, wat meer, als Jondalar wegging?

Ik zal het hem vertellen, dacht ze. Ik zal Ranec vertellen dat hij onze Belofte vandaag bekend kan maken. Maar toen ze ging staan en naar de Vossenvuurplaats liep, had ze maar een gedachte: Jondalar ging zonder haar weg. Ze zou Jondalar nooit meer zien. Toen dat goed tot haar doordrong, voelde ze de loodzware last. Ze sloot de ogen om haar verdriet te verbergen.

'Talut! Nezzie!' Ranec rende het huis uit en zocht naar het stamhoofd en zijn adoptiemoeder. Toen hij hen zag, was hij zo opgewonden dat hij bijna geen woord kon uitbrengen. 'Ze stemt toe! Ayla heeft toege-stemd! De Belofte, we gaan hem afleggen! Ayla en ik!'
Hij zag Jondalar niet eens en als dat wel zo geweest was, had het voor hem niets uitgemaakt. Ranec kon nergens anders aan denken dan dat de vrouw die hij liefhad, de vrouw die hij liever had dan wie ook op de wereld, had toegestemd. Maar Nezzie zag Jondalar wel, ze zag hem verbleken, ze zag hoe hij steun zocht bij de gebogen slagtand van de mammoet bij de toegangspoort, en ze zag de smartelijke trek op zijn gezicht. Eindelijk liet hij los en liep naar beneden naar de rivier. Ze maakte zich even ongerust over hem. De rivier stond hoog. Het zou gemakkelijk zijn om te gaan zwemmen en te worden meegesleurd.
'Moeder, ik weet niet wat ik vandaag aan moet. Ik kan niet beslissen,' klaagde Latie, die zich zenuwachtig maakte over de eerste ceremonie die haar hogere status zou bevestigen.
'We zullen eens kijken,' zei Nezzie, die nog een laatste blik op de ri-vier wierp. Ze zag Jondalar niet.

28

Jondalar liep de hele morgen langs de rivier. Hij kon geen rust vinden. Hij hoorde telkens weer de woorden van Ranec waaruit zijn grote vreugde bleek. Ayla had toegestemd. Ze zouden die avond bij de ceremonie hun Belofte bekendmaken. Hij bleef zich voorhouden dat hij het al lang had verwacht, maar nu hij ermee werd geconfronteerd besefte hij wel dat het niet waar was. Het was voor hem een veel grotere schok dan hij zich ooit had voorgesteld. Hij wou ook niet meer leven, net zomin als Thonolan na de dood van Jetamio.

De vrees van Nezzie was niet helemaal ongegrond. Jondalar had er geen speciale bedoeling mee toen hij naar de rivier liep. Het was puur toeval dat hij die kant op ging, maar nu hij voor de woeste stroom stond, ging er een vreemde aantrekkingskracht van uit. Hij leek rust te bieden, verlichting van de pijn, het verdriet en de verwarring, maar hij bleef alleen maar staan kijken. Een kracht die even sterk was hield hem tegen. Ayla was niet dood zoals Jetamio en zolang ze leefde bleef er nog een sprankje hoop. Bovendien maakte hij zich zorgen over haar veiligheid. Hij vond een afgelegen plekje, omzoomd door struiken en kleine boompjes, met uitzicht op de rivier. Hij probeerde zich voor te bereiden op de beproeving van het feest van die avond met de Belofteceremonie. Hij probeerde zichzelf gerust te stellen met de gedachte dat ze die avond nog geen echte verbintenis met Ranec aanging. Ze beloofde alleen dat ze in de toekomst met hem een vuurplaats zou stichten, en hij had zelf ook een belofte gedaan. Jondalar had tegen Mamut gezegd dat hij zou blijven tot na het Lentefeest, maar het was niet de belofte die hem tegenhield. Hoewel hij geen idee had wat het kon zijn of wat hij ertegen zou kunnen doen, kon hij niet vertrekken in de wetenschap dat Ayla een of ander onbekend gevaar liep, al betekende het ook dat hij moest toezien wanneer ze Ranec haar Belofte gaf. Wanneer Mamut, die het gedrag van de geesten kende, het gevoel had dat ze gevaar liep, kon Jondalar alleen het ergste vrezen.

Omstreeks het middaguur zei Ayla tegen Mamut dat ze zich ging voorbereiden op de ceremonie met de wortel. Ze hadden de bijzonderheden al verscheidene keren doorgenomen, zodat ze er vrij zeker van was dat ze niets belangrijks had vergeten. Ze zocht schone kleren bij elkaar, een goed absorberende zachte hertenhuid en nog een paar dingen, maar in plaats van de nieuwe uitgang te nemen, liep ze in de richting van de kookplaats. Ze wou Jondalar graag zien, maar ze hoopte ook dat hij er niet was en ze was zowel teleurgesteld als opgelucht toen ze alleen Wymez aantrof in de werkruimte. Hij zei dat hij Jondalar die morgen vroeg voor het laatst had gezien, maar hij gaf haar graag de kleine vuursteenknol die ze nodig had.

Toen ze bij de rivier kwam, liep ze een heel eind stroomopwaarts op zoek naar een plaats die haar aanstond. Ze bleef staan op een punt waar een klein stroompje in de grote rivier uitmondde. Het riviertje had zoveel grond weggespoeld dat zich aan de overkant een hoge oever had gevormd die de wind tegenhield. Het jonge groen van de bomen en struiken omzoomde een beschutte ruimte met voldoende droog hout dat in de loop der jaren op de grond was gevallen.

Jondalar zag de rivier vanuit zijn eenzaam, maar gunstig gelegen plekje. Hij was echter zo in gedachten verzonken dat hij het modderige, snelstromende water nauwelijks zag. Het was hem niet eens opgevallen dat de schaduwen veranderden terwijl de zon steeds hoger kwam te staan en hij schrok toen hij iemand hoorde naderen. Hij was niet in de stemming om te praten, om vriendelijk en aardig te zijn op deze feestdag voor de Mamutiërs en hij verdween snel achter wat kreupelhout om, onopgemerkt, te wachten tot de persoon voorbij was. Toen hij zag dat het Ayla was, die duidelijk van plan was om te blijven, wist hij zich geen raad. Hij dacht eraan om er stilletjes tussenuit te knijpen, maar Ayla was een veel te goed jager. Ze zou hem horen, daar was hij van overtuigd. Toen dacht hij dat hij wel gewoon de bosjes uit kon komen met het excuus dat hij even had geplast, maar dat deed hij ook niet. Hij probeerde zo onopvallend mogelijk vanuit zijn schuilplaats te blijven kijken. Hij kon er niets aan doen. Hij kon zijn ogen niet afwenden, hoewel het spoedig tot hem doordrong dat ze zich voorbereidde op het komende ritueel, in de mening dat ze alleen was. Eerst was hij overweldigd door haar komst en toen raakte hij geboeid. Het was alsof hij móést kijken.

Ayla legde met behulp van haar stenen snel een vuur aan en ze legde er kookstenen in om warm te worden. Ze wou dat haar reinigingsritueel zoveel mogelijk overeenkwam met de wijze waarop het bij de Stam gebeurde, al lukte dat niet helemaal. Ze had er nog aan gedacht om vuur te maken zoals de Stam het deed, door een droog stokje snel rond te draaien tussen de handpalmen op een vlak stukje hout tot er een kooltje ging gloeien. Maar bij de Stam verwachtte men niet van vrouwen dat ze vuur meenamen en zeker niet voor rituele doeleinden en daarom had ze besloten dat, wanneer ze toch brak met de traditie en wel haar eigen vuur maakte, ze net zo goed haar vuursteen kon gebruiken. Ze had besloten dat ze een nieuw zakje voor haar amulet moest hebben. Het zakje dat ze nu gebruikte, met de versiering van de Mamutiërs, was niet geschikt voor een Stamritueel. Ze vond dat ze een mes van de Stam nodig had om een echt amuletzakje van de Stam te maken en daarom had ze Wymez om een hele vuursteenknol gevraagd. Ze zocht aan de waterkant en vond een ronde steen ter grootte van een vuist, die ze als klopsteen kon gebruiken. Ze sloeg de buitenste grijze kalklaag van de knol om de juiste vorm aan de vuursteen te kunnen geven. Het was al enige tijd geleden dat ze haar eigen gereedschap had gemaakt, maar ze was de techniek nog niet vergeten en ze ging weldra helemaal op in haar werk.

Toen dat klaar was had de donkere, glanzende steen een ruwe, ovale cilindervorm met afgeplatte kop. Ze bekeek hem, sloeg er nog een scherf af, mikte nauwkeurig en sloeg een stuk van de platte kant om een snijvlak te maken. Ze zette de steen in de juiste stand en sloeg er nog een stuk af zodat hij een vlijmscherpe rand kreeg.

Ze gebruikte geen ander gereedschap dan de klopsteen, maar uit het gemak en de snelheid waarmee ze werkte bleek haar ervaring. Ze had met de vereiste nauwkeurigheid een heel scherp mes gemaakt, dat uitstekend geschikt was voor het doel, maar het was niet haar bedoeling om het te bewaren. Het was een mes zonder heft, dat in de hand moest worden gehouden en nu ze al dat scherpe gereedschap met handvat had, wou ze een mes van de Stam alleen voor dit speciale doel gebruiken. Zonder zich de tijd te gunnen om de vlijmscherpe kant wat stomper te maken, zodat ze hem gemakkelijker en met minder gevaar kon vasthouden, sneed Ayla een lange smalle strook van de huid die ze had meegenomen. Ze sneed er een rond stuk uit en toen pakte ze de klopsteen weer. Ze sloeg heel voorzichtig een paar stukken van het mes af en nu had ze een priem met een scherpe punt. Ze gebruikte hem om gaten te steken langs de rand van het ronde stuk leer en daar trok ze een leren koord doorheen.

Ze pakte het versierde zakje dat ze om de hals droeg, maakte de knoop los en strooide haar heilige voorwerpen, de tekens van haar totem, in haar hand. Ze bekeek ze even en drukte ze tegen de borst voor ze ze in het nieuwe, eenvoudige zakje deed en het koord strak aantrok. Ze had de beslissing genomen om bij de Mamutiërs te blijven en een verbintenis met Ranec aan te gaan, maar om de een of andere reden verwachtte ze geen teken van de Holenleeuw om te bevestigen dat het de juiste beslissing was.

Nu de amulet klaar was, liep ze naar het stroompje en schepte wat water in de kookmand. Ze deed de hete stenen uit het vuur erbij. Het was nog te vroeg in het jaar om de schuimende zeepwortel te vinden en het was hier te open voor de paardenstaartvaren, die op beschaduwde, vochtige plaatsen groeide. Ze moest een vervanging zoeken voor de traditionele reinigingsmiddelen van de Stam.

Nadat ze de geurige, schuimende, gedroogde bloemen van de coelanthus in het hete water had gedaan, deed ze er varenblad en een paar bloemen van de akelei bij, die ze onderweg had geplukt. Verder nog wat jonge berkentakjes voor de geur van wintergroen en toen zette ze de mand opzij. Het had haar heel wat hoofdbrekens gekost om een vervanging te vinden voor het insectenbestrijdingsmiddel tegen vlooien en luizen dat ze altijd maakte van het zuur uit het aftreksel van varens. Toen Nezzie het hoorde, had ze het haar achteloos verteld. Ze kleedde zich snel uit, pakte de twee gevlochten manden met vloeistof en liep naar de rivier. In de ene zat het heerlijk geurende mengsel dat ze net had gemaakt en in de andere zat urine die ze had bewaard.

Jondalar had haar vroeger al eens gevraagd hem te laten zien hoe ze bij de Stam vuursteen klopten en het had wel indruk op hem gemaakt, maar hij had geboeid staan kijken toen ze zo rustig en bekwaam bezig was terwijl ze meende dat ze alleen was. Ze werkte zonder stenen hamers of doorslag, maar ze had het gereedschap dat ze nodig had snel gemaakt. Zo te zien kostte het haar geen enkele moeite, maar hij vroeg zich af of hij het met alleen een klopsteen ook zo goed zou kunnen. Hij wist dat er een enorme beheersing van het materiaal voor nodig was, maar ze had hem verteld dat de gereedschapmaker van de Stam, die het haar had geleerd, veel beter was dan zij. Zijn achting voor de bekwaamheid van de gereedschapmakers bij de platkoppen werd opeens veel groter.

Ze had het leren zakje ook snel klaar. Het was heel eenvoudig, maar ze had het knap gemaakt. Pas toen hij zag hoe ze de voorwerpen uit het zakje in de hand hield, viel het hem op dat uit haar hele houding iets droefgeestigs sprak, een uitstraling van verdriet en smart. Ze zou toch blij moeten zijn, maar ze leek ongelukkig. Hij moest het zich verbeelden.

Zijn adem stokte toen ze zich begon uit te kleden en bij de aanblik van haar volle, rijpe schoonheid werd hij bijna overweldigd door zijn verlangen naar haar. Maar de gedachte aan zijn afschuwelijke handelwijze de laatste keer dat hij haar wou hebben weerhield hem. Ze was in de loop van de winter weer vlechten gaan dragen, net zoals Deegie, en terwijl ze haar lange haar losmaakte moest hij denken aan de eerste keer dat hij haar naakt had gezien, midden in de zomer, in haar vallei, zo mooi en nat na het zwemmen. Hij vond dat hij niet moest kijken en toen ze de rivier in stapte, had hij de gelegenheid om weg te glippen, maar hij kon niet, al had zijn leven ervan afgehangen.

Ayla begon haar reinigingsproces met de oude urine. Het was een bijtende, ammoniakhoudende vloeistof met een sterke lucht, maar die loste het vet van de huid en het haar op en doodde alle luizen of vlooien die ze misschien had opgedaan. Je haar leek er ook iets lichter van te worden. Het water van de rivier was nog ijskoud, maar het werkte stimulerend en de kolkende, slibrijke rivier spoelde het vuil, het vet en de scherpe ammoniaklucht weg.

Haar lichaam had een roze kleur van het wassen en het koude water en ze huiverde toen ze eruit stapte, maar het heerlijk geurende mengsel was nog warm en ze wreef het gladde schuim, dat rijk was aan saponine, over haar hele lichaam en in het haar. Ze liep naar een plas bij de monding van het riviertje, waar het water minder modderig was dan in de rivier, om zich af te spoelen. Toen ze eruit kwam, sloeg ze de zachte huid om zich heen om zich af te drogen terwijl ze met een harde borstel en een ivoren haarspeld de klitten uit haar haar trok. Het was een lekker fris gevoel om schoon te zijn.

Hoewel hij graag naar haar toe wou en ernaar hunkerde om haar Genot te schenken, gaf het Jondalar al een zekere bevrediging om haar te zien. Het was niet alleen het kijken naar haar weelderige lichaam, met de vrouwelijke rondingen. Het was stevig en goed gevormd, met harde spieren die kracht suggereerden. Hij genoot ervan om naar haar te kijken, haar natuurlijke gracieuze bewegingen te zien, haar te zien werken met het gemak door ervaring en oefening verkregen. Of ze nu vuur maakte of gereedschap, ze wist precies hoe het moest, zonder overbodige handelingen. Jondalar had altijd bewondering gehad voor haar vaardigheid, deskundigheid en intelligentie. Dat was voor hem een deel van haar aantrekkingskracht. Bij al die andere emoties had hij haar gemist en alleen het kijken naar haar vergoedde al veel.

Ayla had bijna de kleren weer aan toen ze het gekef van de jonge wolf hoorde en ze moest glimlachen.

'Wolf! Wat doe jij hier? Ben je bij Rydag weggelopen?' vroeg ze terwijl het jonge dier opgewonden tegen haar op sprong om haar te begroeten, blij omdat hij haar had gevonden. Toen liep hij snuffelend weg terwijl zij haar spullen bij elkaar zocht.

'Wel, nu je me hebt gevonden kunnen we teruggaan. Kom, Wolf. We gaan. Wat zoek je daar in die struiken... Jondalar!'

Ayla was sprakeloos van verbazing toen ze merkte waar de jonge wolf naar had gezocht en Jondalar vond het te pijnlijk om iets te zeggen, maar ze bleven elkaar aankijken en hun ogen spraken een duidelijke taal, al konden ze niet geloven wat ze zagen. Ten slotte deed Jondalar een poging om het uit te leggen.

'Ik... eh... kwam toevallig voorbij en... eh...' Hij gaf het op en probeerde niet eens zijn onbeholpen poging om zich te verontschuldigen tot een goed einde te brengen. Hij draaide zich om en liep snel weg.

Ayla volgde hem langzaam terug naar het kamp. Jondalars gedrag bracht haar in verwarring. Ze wist niet hoe lang hij daar had gestaan, maar ze begreep wel dat hij naar haar had gekeken en ze vroeg zich af waarom hij zich voor haar verborgen had gehouden. Ze wist niet wat ze ervan moest denken, maar toen ze door het nieuwe gedeelte naar de Mammoetvuurplaats liep om Mamut te zoeken zodat hij haar voorbereidingen kon voltooien, herinnerde ze zich de manier waarop Jondalar haar had aangekeken.

Jondalar ging niet meteen naar het kamp terug. Hij wist niet of hij haar, of wie dan ook, op dat moment wel wou ontmoeten. Toen hij het pad van de rivier naar het huis naderde, draaide hij zich om en liep hij weer terug. Hij was weldra terug op dezelfde plaats.

Hij liep naar de restanten van het vuurtje, knielde en voelde met zijn hand de warmte. Hij kneep zijn ogen half dicht en haalde zich het beeld voor de geest dat hij in het geheim had gezien. Toen hij zijn ogen opende, zag hij het stuk vuursteen dat ze had laten liggen. Hij pakte het en bekeek het. Toen zag hij de splinters en scherven die ze eraf had geslagen en hij paste er weer een paar op elkaar om beter te kunnen zien hoe ze had gewerkt. Bij een paar stukjes leer zag hij de priem liggen. Hij raapte hem op en bekeek hem. Hij was anders gemaakt dan hij gewend was. Hij leek te simpel, bijna ruw, maar het was een goed, doelmatig stukje gereedschap. En scherp, dacht hij, toen hij in zijn vinger sneed.

Het gereedschap dat ze had gemaakt, deed hem aan Ayla denken. Het leek min of meer een afspiegeling van haar mysterie, de schijnbare tegenstellingen. Haar onschuldige openhartigheid, gehuld in geheimzinnigheid; haar eenvoud doordrenkt van oude waarheden; haar onvervalste naïveteit, omgeven door haar grote en rijke ervaring. Hij besloot het te bewaren, als blijvende herinnering aan haar en hij rolde het scherpe stukje gereedschap in de stukjes leer om het mee te nemen.

Het feestmaal werd 's middags gebruikt. Het was warm in de kookplaats, maar de kleden, ook van de nieuwe ruimte, waren opzij getrokken en opgebonden, zodat er voldoende frisse lucht naar binnen kwam en iedereen gemakkelijk in en uit kon lopen. Veel festiviteiten werden buiten gehouden, vooral de spelletjes en de wedstrijden – worstelen scheen een geliefde sport voor de lente te zijn – en het zingen en dansen.

Men wisselde geschenken en gelukwensen uit in navolging van de Grote Aardmoeder die het land weer leven en warmte bracht, om de waardering te tonen voor de geschenken die men van de aarde kreeg. De geschenken bestonden gewoonlijk uit kleine voorwerpen zoals riemen en scheden voor messen, doorboorde dierentanden die als hanger werden gedragen en strengen kralen die zo konden worden gebruikt of op kleding werden genaaid. Dit jaar was de draadtrekker een geliefd geschenk om te geven en te ontvangen, samen met naaldenkokertjes van ivoor of holle botjes van vogels. Nezzie had het eerste gemaakt en ze bewaarde het in haar versierde naaizakje, samen met een vierkant stukje mammoethuid dat ze als vingerhoed gebruikte. Verscheidene anderen hadden haar idee overgenomen.

De steen om vuur te maken, die elke vuurplaats had, werd beschouwd als magisch en heilig en werd in de nis bij het beeld van de Moeder bewaard, maar Barzec gaf verscheidene zakjes met licht ontvlambaar materiaal. Hij had het zelf bedacht en zijn geschenk werd met groot enthousiasme ontvangen. Ze waren handig mee te nemen en de inhoud was heel gemakkelijk aan te steken met de eerste vonken voor een vuur. Er zaten pluizige vezels in, geperste droge mest en houtsplinters; verder was er nog ruimte voor de vuurstenen wanneer men op reis ging.

Toen de avondwind kouder werd, gingen de mensen van het kamp naar binnen en de zware isolerende kleden werden gesloten. Er was even tijd om uit te rusten, andere kleding aan te trekken voor de ceremonie of de laatste versieringen aan te brengen. De kopjes werden nog eens gevuld met wat men lekker vond, verkwikkende kruidenthee of de drank van Talut. Toen gingen ze allemaal naar de Mammoetvuurplaats voor het plechtige gedeelte van het Lentefeest.

Ayla en Deegie wenkten Latie en nodigden haar uit om bij hen te komen zitten; ze was bijna een jonge vrouw en begon er al bij te horen. Danug en Druwez keken wat verlegen toen ze voorbijkwam. Ze hief het hoofd omhoog en trok de schouders naar achteren, maar zei niets. Ze keken haar na. Latie ging glimlachend tussen de beide vrouwen zitten. Ze had het gevoel dat ze er nu helemaal bij hoorde.

Toen ze nog kinderen waren, was Latie speelkameraadje en vriendin van de jongens, maar ze was nu geen kind meer en ook geen meisje dat de opgroeiende jongens konden negeren of minachten. Ze was toegetreden tot de mysterieuze vrouwenwereld, die een magische aantrekkingskracht had, maar ook iets bedreigends. Haar lichaam veranderde en ze kon onverwachte, moeilijk te beheersen gevoelens en reacties in hun lichaam opwekken door alleen maar voorbij te komen. Een enkele blik was soms voldoende om hen in verwarring te brengen.

Maar wat hun meer vrees aanjoeg, was iets dat ze alleen wisten door de verhalen van anderen. Ze kon bloed uit haar lichaam laten komen zonder wond en blijkbaar zonder pijn en op de een of andere manier scheen dat haar in staat te stellen om de toverkracht van de Moeder in zich op te nemen. Ze wisten niet hoe. Ze wisten alleen dat ze op zekere dag uit haar eigen lichaam nieuw leven zou voortbrengen; eens zou Latie kinderen maken. Maar eerst zou een man een vrouw van haar moeten maken. Dat zou hun rol worden – natuurlijk niet bij Latie, zij was een nicht en een te nabij familielid. Maar als ze ouder werden en meer ervaring hadden, konden ze worden gekozen om die belangrijke opdracht uit te voeren omdat een vrouwelijk wezen geen kinderen kon maken voor een man haar tot vrouw had gemaakt, ook al kon ze dan bloed maken.

De komende Zomerbijeenkomst zou voor de twee jonge mannen ook klaarheid brengen, in het bijzonder voor Danug, omdat hij ouder was. Er werd nooit druk op hen uitgeoefend, maar wanneer ze eraan toe waren zouden er vrouwen zijn die zich dat jaar in dienst stelden van de Moeder en beschikbaar waren voor de jonge mannen om hen ervaring op te laten doen en ze onderricht te geven over de geheimzinnige bron van vreugde voor de vrouw.

Tulie liep naar het midden van de groep. Ze hield de Spreekstaf omhoog en wachtte tot de mensen rustig werden. Toen ze ieders aandacht had, gaf ze de versierde ivoren staf aan Talut, die alle tekenen van zijn waardigheid droeg, waaronder het hoofddeksel dat van de slagtand van een mammoet was gemaakt. Mamut verscheen in een overdadig versierde witleren cape. Hij had een vreemd gevormde tak in de hand die uit een stuk leek te bestaan, ware het niet dat het ene eind kaal, droog en dood was terwijl het andere eind vol knoppen en groene blaadjes zat. Hij gaf hem aan Tulie. Als leidster moest zij het Lentefeest openen. De lente was de tijd van de vrouwen, de tijd van de geboorte en het nieuwe leven, de tijd van het nieuwe begin. Ze hield de tak met beide handen boven haar hoofd, wachtte even om de spanning te doen toenemen, legde hem over haar knie en brak hem in twee stukken. Daarmee symboliseerde ze het einde van het oude en het begin van het nieuwe jaar en het begin van het ceremoniële gedeelte van de avond.

'De Moeder was ons dit jaar gunstig gezind,' begon Tulie. 'We hebben zoveel te vieren dat het moeilijk vast te stellen is welke belangrijke gebeurtenis we zullen gebruiken om het jaar aan te duiden. Ayla werd geadopteerd als Mamutische, dus hebben we een nieuwe vrouw en het heeft de Moeder behaagd om Latie voor te bereiden op het vrouwzijn, dus krijgen we er spoedig nog een bij.' Het verraste Ayla dat ze ook werd genoemd. 'We hebben een nieuw meisje dat een naam moet hebben door ons wordt opgenomen en er wordt een nieuwe Verbintenis aangekondigd.' Jondalar sloot de ogen en hij moest iets wegslikken. Tulie vervolgde: 'We zijn goed gezond door de winter gekomen en nu begint er een nieuw jaar.'

Toen Jondalar opkeek zag hij dat Talut naar voren was gestapt. Hij had de Spreekstaf in de hand. Hij zag dat Nezzie Latie een wenk gaf. Ze ging staan en glimlachte wat nerveus naar de twee jonge vrouwen die haar een veilig gevoel hadden gegeven. Ze liep naar de grote man van haar vuurplaats met de rode haardos. Talut glimlachte haar, met grote genegenheid, bemoedigend toe. Ze zag Wymez naast haar moeder staan. Hoewel zijn glimlach minder aanstekelijk was, toonde hij duidelijk zijn trots en liefde voor de dochter van zijn zuster, en erfgename, die spoedig vrouw zou zijn. Het was voor hen allemaal een belangrijk ogenblik.

'Ik ben bijzonder trots te kunnen meedelen dat Latie, de eerste dochter van de Leeuwenvuurplaats, is voorbereid om vrouw te worden,' zei Talut, 'en aan te kondigen dat ze deze zomer, op de Bijeenkomst, zal worden opgenomen in de Viering van de Vrouwelijke Staat.'

Mamut stapte naar haar toe en gaf haar iets. 'Dit is je muta, Latie,' zei hij. 'Hiermee kun je eens een vuurplaats voor jezelf beginnen en dan kan de Moeder hierin wonen. Bewaar het op een veilige plaats.'

Latie pakte het uitgesneden ivoren voorwerp aan en liep terug naar haar plaats. Ze liet de muta opgetogen zien aan degenen die om haar heen zaten. Ayla toonde grote belangstelling. Ze wist dat Ranec het voorwerp had gemaakt omdat zij er ook zo een had en nu ze aan de woorden dacht die waren gesproken, begon ze te begrijpen waarom hij het haar had gegeven. Ze had een muta nodig om met hem een vuurplaats te beginnen.

'Ranec probeert zeker iets nieuws te maken,' zei Deegie, die de vogelvrouwfiguur bekeek. 'Zo een heb ik nog niet eerder gezien. Hij is heel bijzonder. Ik weet niet of ik het wel begrijp. De mijne lijkt meer op een vrouw.'

'Hij heeft mij er ook zo een gegeven,' zei Ayla. 'Ik zag er een vrouw in en een vogel. Het hangt ervan af hoe je ernaar kijkt.' Ayla pakte Laties muta en draaide hem zodat ze hem van verschillende kanten konden zien. 'Hij zei dat hij de Moeder in Haar geestelijke vorm wou uitbeelden.'

'Ja, nu zie ik het ook,' zei Deegie. Ze gaf het beeldje aan Latie terug, die het voorzichtig in de handen nam.

'Ik vind hem mooi. Hij is anders dan de andere en heeft een speciale betekenis,' zei Latie, die blij was dat Ranec haar zo'n bijzondere muta had gegeven. Hoewel hij nooit in de Leeuwenvuurplaats had gewoond, was Ranec toch haar broer, maar hij was zoveel ouder dan Danug dat hij zich eerder een oom voelde. Ze begreep hem niet altijd, maar ze keek naar hem op en ze wist dat alle Mamutiërs hem waardeerden als beeldhouwer. Ze was tevreden geweest met iedere muta die hij had gemaakt, maar ze was blij dat hij er voor haar een had gemaakt zoals die van Ayla. Aan Ayla gaf hij alleen een beeldje wanneer hij vond dat het heel goed was.

De ceremonie voor de naamgeving van Fralies baby was al begonnen en de drie jonge vrouwen richtten hun aandacht erop. Ayla herkende de ivoren plaat met inscripties die Talut in de hand hield. Hij deed haar denken aan haar adoptie. Maar deze ceremonie was niets bijzonders. Mamut wist precies wat hij moest doen. Terwijl ze zag hoe Fralie haar baby aan de medicijnman en het stamhoofd van het Leeuwenkamp gaf, werd Ayla opeens herinnerd aan een andere ceremonie met een naamgeving. Het was toen ook lente, maar zij was de moeder en ze had haar baby aangeboden, met angst voor de toekomst.

Ze hoorde Mamut zeggen: 'Welke naam heb je voor dit kind gekozen?' En ze hoorde Fralie antwoorden: 'Ze wordt Bectie genoemd.' Maar in gedachten hoorde Ayla Creb zeggen: 'Durc. De naam van de jongen is Durc.'

Ze kreeg weer tranen in de ogen van dankbaarheid en opluchting omdat Brun haar zoon had geaccepteerd en Creb hem een naam had gegeven. Ze keek op en zag Rydag tussen een aantal kinderen zitten, met Wolf op zijn schoot. Hij keek haar aan met zijn grote bruine ogen die haar zo sterk aan Durc deden denken. Ze voelde opeens een sterk verlangen om haar zoon weer te zien, maar toen schoot haar iets te binnen. Durc was, net als Rydag, van gemengde afkomst, maar hij was bij de Stam geboren, had er zijn naam gekregen en was door de Stam geaccepteerd en opgevoed. Haar zoon hoorde bij de Stam en zij was dood voor de Stam. Ze huiverde en probeerde de gedachte van zich af te zetten.

Het huilen van een geschrokken baby bepaalde Ayla's aandacht weer bij de ceremonie. Met een scherp mes was er een krasje gemaakt in haar armpje en een kerf in de ivoren plaat. Mamut goot wat van de bijtende oplossing op het sneetje, zodat de kleine baby, die nog nooit pijn had gevoeld, nog harder begon te krijsen, maar dat bracht een glimlach op Ayla's gezicht. Ondanks haar vroege geboorte was Bectie flink gegroeid. Ze was nu sterk genoeg om te huilen. Fralie stak haar armen uit, zodat iedereen Bectie kon zien en terwijl ze de zuigeling knuffelde, zong ze met een zachte, hoge stem een liedje om haar te troosten. Toen het uit was ging ze terug naar haar plaats bij Frebec en Crozie. Het duurde maar even of Bectie begon weer te huilen, maar toen dat plotseling ophield, begreep iedereen dat ze de beste troost kreeg die men voor een baby kan bedenken.

Deegie stootte haar aan en Ayla besefte dat het moment was aangebroken. Het was haar beurt. Ze kreeg een wenk om naar voren te komen. Ze voelde zich even verlamd. Toen wou ze wegrennen, maar waar moest ze heen? Ze wou Ranec de Belofte niet geven. Ze wou Jondalar; ze wou hem smeken niet zonder haar weg te gaan, maar toen ze opkeek en Ranecs gezicht zag, met de enthousiaste, blije glimlach, zuchtte ze diep en ging staan. Jondalar wou haar niet hebben en ze had tegen Ranec gezegd dat ze de Belofte zou afleggen. Met tegenzin liep Ayla naar de leiders van het kamp.

De donkere man zag haar uit de schaduw in het licht van het grote vuur komen en zijn adem stokte. Ze droeg de lichte leren kleding die Deegie haar had gegeven. Het stond haar uitstekend, maar ze had haar haar niet in vlechten of opgebonden, of ingewikkeld opgemaakt met kralen of andere versieringen die de Mamutische vrouwen gewoonlijk droegen. Uit respect voor de Stamceremonie met de wortel had ze het haar los laten hangen en de dikke, glanzende golven die over haar schouders vielen, fonkelden in het licht van het vuur en ga ven een gouden omlijsting aan haar bijzonder mooi gevormde gezicht. Op dat moment was Ranec ervan overtuigd dat ze de verpersoonlijking van de Moeder was, geboren uit het lichaam van de volmaakte Geestenvrouw. Hij wou haar zo graag als vrouw dat het bijna pijn deed, een pijn van verlangen, en hij kon nauwelijks geloven dat deze avond realiteit was.

Ranec was niet de énige die werd getroffen door haar schoonheid. Het viel het hele kamp op toen ze binnen de lichtkring van het vuur kwam. De bijzonder elegante kleding van de Mamutiërs en de prachtige, natuurlijke schoonheid van het haar vormden een verbluffende combinatie, wat nog werd versterkt door de indrukwekkende verlichting. Talut dacht aan de waardevermeerdering voor het Leeuwenkamp en Tulie was vastbesloten een zeer hoge Bruidsprijs te eisen opdat ieders status werd verhoogd, al zou ze zelf de helft moeten bijdragen. Mamut was er al van overtuigd dat ze was voorbestemd om de Moeder op de een of andere belangrijke wijze te dienen. Haar natuurlijke gevoel voor timing en dramatiek viel hem op en hij wist dat ze eens zoveel gezag zou krijgen dat men er rekening mee moest houden. Maar niemand was zo getroffen door haar verschijning als Jondalar. Hij was net zo onder de indruk van haar schoonheid als Ranec, maar Jondalars moeder was leidster geweest en zijn broer was haar opgevolgd. Dalanar had een nieuwe groep gevormd en was leider geworden. Zolena had de hoogste rang bereikt onder de zelandonia. Hij was opgegroeid te midden van de natuurlijke leiders van zijn volk en hij had gevoel voor de eigenschappen die de leiders en de medicijnman van het Leeuwenkamp waren opgevallen. Hij begreep plotseling wat hij had verloren, alsof iemand hem hardhandig had wakker geschud uit zijn nutteloze overpeinzingen.

Tulie begon zodra Ayla naast Ranec stond.

'Ranec van de Mamutiërs, zoon van de Vossenvuurplaats van het Leeuwenkamp, je hebt Ayla van de Mamutiërs, dochter van de Mammoetvuurplaats en beschermd door de Geest van de Holenleeuw, gevraagd een verbintenis met je aan te gaan en een vuurplaats te stichten. Is dat juist, Ranec?'

'Ja, dat is juist,' antwoordde hij en uit zijn glimlach naar Ayla bleek zijn volmaakte geluk.

Toen richtte Talut zich tot Ayla: 'Ayla van de Mamutiërs, dochter van de Mammoetvuurplaats van het Leeuwenkamp en beschermd door de Geest van de Holenleeuw, stem je in met deze verbintenis met Ranec van de Mamutiërs, zoon van de Vossenvuurplaats van het Leeuwenkamp?'

520

Ayla sloot de ogen en slikte voor ze antwoord gaf. 'Ja,' zei ze ten slotte, met nauwelijks verstaanbare stem, 'ik stem toe.'

Jondalar, die achterin tegen de wand zat, sloot zijn ogen en klemde zijn kaken op elkaar tot zijn slapen klopten. Het was zijn eigen schuld. Als hij haar niet had verkracht, had ze Ranec nu misschien niet genomen. Maar dat was voor die tijd al zo, ze was al met hem naar bed geweest. Dat had ze gedaan vanaf de eerste dag dat ze door de Mamutiërs was geadopteerd. Nee, hij moest toegeven dat dat niet helemaal waar was. Na die eerste nacht was ze niet meer met de beeldhouwer naar bed geweest, tot ze die domme ruzie kregen en hij de Mammoetvuurplaats had verlaten. Waarom hadden ze ruziegemaakt? Hij was niet boos op haar, hij was alleen ongerust. Waarom was hij dan weggegaan uit de Mammoetvuurplaats?

Tulie wendde zich tot Wymez, die met Nezzie naast Ranec stond. Ayla had hem niet eens opgemerkt. 'Aanvaard je deze verbintenis tussen de zoon van de Vossenvuurplaats en de dochter van de Mammoetvuurplaats?'

'Ik aanvaard deze verbintenis en ben er blij mee,' antwoordde Wymez.

'En jij, Nezzie?' vroeg Tulie. 'Wil jij een verbintenis aanvaarden tussen je zoon, Ranec en Ayla, wanneer er een passende Bruidsprijs kan worden overeengekomen?'

'Ik aanvaard de verbintenis,' antwoordde de vrouw.

Vervolgens richtte Talut het woord tot de oude man naast Ayla. 'Onderzoeker van de Geesten van de Mamutiërs, die afstand heeft gedaan van naam en vuurplaats, die werd geroepen en zich heeft gewijd aan de Mammoetvuurplaats, die met de Grote Moeder van ons allen spreekt en Mut dient,' zei het stamhoofd, dat zorgvuldig alle benamingen van de medicijnman noemde, 'stemt de Mamut in met een verbintenis tussen Ayla, dochter van de Mammoetvuurplaats, en Ranec, zoon van de Vossenvuurplaats?'

Mamut antwoordde niet meteen. Hij keek naar Ayla, die met gebogen hoofd stond. Ze wachtte en toen hij niets zei, keek ze hem aan. Hij nam haar scherp op en voelde haar uitstraling.

'De dochter van de Mammoetvuurplaats kan een verbintenis aangaan met de zoon van de Vossenvuurplaats, als ze dat wil,' zei hij eindelijk. 'Er is niets dat zo'n verbintenis in de weg staat. Ze heeft mijn goedkeuring of aanvaarding niet nodig, en ook niet die van een ander. De keuze is aan haar. Dat zal altijd zo zijn, ongeacht waar ze is. Wanneer ze ooit toestemming nodig heeft, zal ik die geven. Maar ze zal altijd de dochter van de Mammoetvuurplaats blijven.'

Tulie keek de oude man aan. Ze had het gevoel dat er meer achter zijn woorden zat dan eruit bleek. Zijn antwoord had iets dubbelzinnigs en ze vroeg zich af wat hij bedoelde, maar ze kwam tot de conclusie dat ze er later wel eens over kon nadenken.

'Ranec, zoon van de Vossenvuurplaats en Ayla, dochter van de Mammoetvuurplaats, hebben te kennen gegeven dat ze een verbintenis willen aangaan. Ze willen een eenheid vormen, hun geesten mengen en een vuurplaats delen. Allen die erbij betrokken zijn stemmen ermee in,' zei Tulie en toen wendde ze zich tot de beeldhouwer. 'Ranec, wanneer je een verbintenis bent aangegaan, wil je dan beloven Ayla de bescherming te geven van jezelf en je mannelijke geest, wil je voor haar zorgen wanneer ze door de Moeder met nieuw leven wordt gezegend en zul je haar kinderen aannemen als de kinderen van je vuurplaats?'

'Ja, dat beloof ik. Het is mijn liefste wens,' zei Ranec.

'Ayla, wanneer je een verbintenis bent aangegaan, wil je dan beloven dat je voor Ranec zult zorgen en hem de bescherming van je moederlijke kracht zult geven en zul je het Geschenk van het Leven dat de Moeder geeft onvoorwaardelijk ontvangen en zul je je kinderen met de man van je vuurplaats delen?' vroeg Tulie.

Ayla opende haar mond om te antwoorden, maar er kwam eerst geen geluid. Ze kuchte en schraapte haar keel. Ten slotte kwam het antwoord, maar het was nauwelijks te verstaan: 'Ja, ik beloof het.'

'Horen alle getuigen deze Belofte?' zei Tulie tegen de aanwezigen.

'Wij horen het en zijn getuige,' antwoordde de groep. Toen begonnen Deegie en Tornec met een langzaam ritme op hun benen instrumenten te spelen. De klank veranderde nauwelijks merkbaar om het gezang, dat begon, te begeleiden.

'Jullie verbintenis zal plaatsvinden op de Zomerbijeenkomst, zodat alle Mamutiërs getuige kunnen zijn,' zei Tulie. 'Loop nu drie keer om het vuur heen om jullie Belofte te bevestigen.'

Ranec en Ayla liepen langzaam, zij aan zij, om het vuur op de klanken van de muziek en de zingende mensen. Het was gebeurd. Ze hadden hun Belofte gedaan. Ranec was verrukt. Hij had het gevoel dat zijn voeten de grond nauwelijks raakten. Hij ging zo op in zijn geluk dat hij zich niet kon voorstellen dat Ayla dat gevoel niet deelde. Hij had wel enige terughoudendheid bemerkt, maar dat kon hij billijken door aan te nemen dat ze verlegen, of moe of nerveus was. Hij had haar zo lief dat het niet bij hem opkwam dat ze niet evenveel van hem hield.

Maar Ayla liep met een bezwaard gemoed om het vuur heen, hoewel ze haar best deed het niet te laten merken. Jondalar zonk ineen, hij kon niet langer rechtop blijven zitten, alsof zijn botten het begaven.

Hij voelde zich een afgedankte zak. Het liefst ging hij weg, dan hoefde hij niet meer te kijken naar de mooie vrouw die hij liefhad, die nu naast de gelukkig grijnzende donkere man liep.

Toen ze de derde ronde hadden afgelegd, werd de ceremonie onderbroken voor de gelukwensen en het geven van geschenken. Bij de geschenken voor Bectie was ook de ruimte die door de Oerosvuurplaats werd afgestaan aan de Kraanvogelvuurplaats. Verder een kettinkje van barnsteen en schelpen, en een mesje in een versierde schede. Dat was het begin van de rijkdom die ze gedurende haar leven zou verzamelen. Latie kreeg persoonlijke geschenken die belangrijk waren voor een vrouw en ontving van Nezzie een rijk versierde zomertuniek, die ze kon dragen tijdens de festiviteiten op de Zomerbijeenkomst. Ze zou nog veel meer geschenken krijgen van familie en naaste vrienden in andere kampen.

Ayla en Ranec kregen huishoudelijke voorwerpen: een lepel die uit een horen was gesneden, een krabber met dubbel handvat, om de binnenkant van huiden zachter te maken en met de mogelijkheid om er een ander mes in te zetten, gevlochten vloermatten, kopjes, kommen en schotels. Hoewel Ayla vond dat ze erg veel kregen, was dit nog maar symbolisch. Op de Zomerbijeenkomst zouden ze nog veel meer krijgen, maar er werd van hen en van het Leeuwenkamp verwacht dat ze ook geschenken zouden geven. Geschenken, groot of klein, gaven altijd verplichtingen en het was heel ingewikkeld, maar eindeloos boeiend, om na te gaan wie nog iets aan iemand schuldig was.

'O, Ayla, ik ben zo blij dat we in dezelfde tijd een verbintenis aangaan!' zei Deegie. 'Het zal leuk zijn om het met jou voor te bereiden, maar jij komt hier weer terug en ik ga weg om een nieuw huis te bouwen. Ik zal je volgend jaar missen. Het zou erg leuk zijn om te weten wie het eerst door de Moeder wordt gezegend. Jij of ik. Ayla, wat moet jij gelukkig zijn.'

'Ja, ik geloof van wel,' zei Ayla en ze glimlachte, maar niet van harte. Deegie vroeg zich af waarom ze niet enthousiaster was. Om de een of andere reden leek Ayla niet zo opgewonden over haar Belofte als zij destijds was geweest. Ayla verbaasde zich er ook over. Ze zou gelukkig moeten zijn en dat wou ze ook wel, maar ze voelde alleen verloren hoop.

Terwijl de mensen gezellig met elkaar praatten, glipten Ayla en Mamut weg naar de Oerosvuurplaats voor hun laatste voorbereidingen. Toen ze klaar waren, gingen ze terug langs het middenpad, maar Mamut wachtte even in de schaduwen tussen de Rendiervuurplaats en de

Mammoetvuurplaats. De mensen zaten in kleine groepjes druk te praten en de medicijnman wachtte tot niemand hun kant uit keek. Toen gaf hij Ayla een teken en liepen ze snel naar de ruimte voor de ceremonie, waar ze tot het laatste moment in het donker bleven staan. Mamut was ongemerkt voor het vuur bij het scherm gaan staan. Hij had de cape om zich heen geslagen, de armen gekruist op de borst. Hij had de ogen blijkbaar gesloten. Ayla zat met gebogen hoofd in kleermakerszit aan zijn voeten. Ze had ook een wijde cape over de schouders. Toen de mensen hen zagen, kregen ze het griezelige gevoel dat ze plotseling in hun midden waren verschenen. Niemand had hen zien komen. Ze waren er opeens. De mensen zochten met hoogge-spannen verwachtingen hun plaatsen weer op, benieuwd naar deze nieuwe ceremonie van de Mammoetvuurplaats, vol geheimzinnig-heid en magie.

Maar eerst wou Mamut voor degenen die er alleen van hadden ge-hoord, of misschien de uitwerking hadden gezien, de aanwezigheid van de geestenwereld bewijzen door de geïntensiveerde werkelijkheid van het veranderde zintuiglijke vermogen waar hij mee werkte te to-nen. De groep werd rustig. In de stilte was de ademhaling duidelijk te horen, evenals het knetteren van het vuur. Hoewel het niet te zien was kwam de lucht bij vlagen fluitend door de gaten bij het vuur en de wind huilde rond de gedeeltelijk geopende rookgaten. Hij nam de ge-luiden over in een eentonig lied en toen de verzamelde mensen invie-len en het aarzelende geluid versterkten, begon de oude medicijnman met een wiegende dansbeweging. Het ritme werd versterkt door de trommel en een rammelaar die uit een aantal armbanden bleek te be-staan.

Opeens wierp Mamut zijn cape af en hij stond spiernaakt voor de groep. Hij had geen zakken meer, geen mouwen en geen geheime plooien om iets te verbergen. Hij leek voor hun ogen nauwelijks merkbaar groter te worden terwijl zijn doorzichtige, stralende aanwe-zigheid de ruimte vulde. Ayla knipperde met haar ogen. Ze wist dat de oude medicijnman niet was veranderd. Als ze zich concentreerde kon ze de vertrouwde gestalte van de oude man zien, met de slappe huid en de lange, dunne armen en benen, maar het was moeilijk.

Hij kromp weer ineen tot zijn normale grootte, maar hij scheen iets van zijn stralende verschijning te hebben opgenomen, zodat er een gloed om hem hing die hem groter deed lijken. Hij stak zijn geopen-de handen uit. Ze waren leeg. Hij klapte een keer in de handen en hield ze tegen elkaar. Zijn ogen waren gesloten en hij stond eerst stil, maar begon weldra te trillen alsof hij zich verzette tegen een sterke macht. Met een grote krachtsinspanning trok hij zijn handen langzaam van elkaar en ertussenin verscheen een donkere, vormeloze gedaante die verscheidene toeschouwers deed sidderen. Het was het niet te omschrijven gevoel dat werd veroorzaakt door de aanwezigheid van het kwaad, iets weerzinwekkends, smerig en angstaanjagend. Ayla had het gevoel dat de haartjes in haar nek recht overeind stonden en ze hield de adem in.

Terwijl Mamut zijn gespreide handen strekte, werd de gedaante groter. Uit de groep steeg een scherpe angstgeur op. Iedereen zat rechtop, iets voorover, en het gezang kreeg iets klagends. De spanning was bijna ondraaglijk. De gedaante werd donkerder, zwol op als een ballon en leek een eigen leven te gaan leiden, of liever iets dat tegengesteld was aan het leven. De oude medicijnman spande zich zo in dat zijn lichaam schokte. Ayla concentreerde al haar aandacht op hem en ze maakte zich zorgen.

Volkomen onverwacht voelde Ayla zich erin betrokken en opeens was ze samen met Mamut in zijn geest. Ze zag het nu duidelijk, ze begreep het gevaar en de schrik sloeg haar om het hart. Iets bovenzinnigs en onverklaarbaars had hem in zijn macht. Mamut had haar erin betrokken, niet alleen om haar te beschermen, maar ook om hem te helpen. Ze was bij hem terwijl hij zijn best deed om het kwade onder controle te krijgen. Ze wist het en ze leerde ervan. Terwijl hij zijn handen weer met kracht bij elkaar bracht, werd de gedaante kleiner en ze zag dat hij hem terugdrong naar waar hij vandaan was gekomen. Toen zijn handen elkaar raakten, meende ze een luid gekraak te horen, als een donderslag.

Het was weg. Mamut had het kwade verdreven en Ayla merkte dat Mamut andere geesten had opgeroepen om het te bestrijden. Ze zag vage dierfiguren, beschermende geesten, de Mammoet en de Holenleeuw, misschien ook de Holenbeer, Ursus zelf. Toen zat ze weer op de mat en ze keek naar de oude man, die weer gewoon Mamut was. Lichamelijk was hij moe, maar zijn geestelijke vermogens waren sterker geworden, gescherpt in de strijd tussen de krachten. Ayla leek alles ook duidelijker te zien en ze voelde dat de beschermende geesten er nog waren. Ze had nu voldoende begeleiding gehad om te beseffen dat het zijn bedoeling was geweest alle nog bestaande onheilbrengende invloeden, die haar ceremonie in gevaar konden brengen, te elimineren. Ze zouden worden aangetrokken door het kwaad dat hij had opgeroepen en ermee verdwijnen.

Mamut vroeg met een gebaar om stilte. Het gezang en getrommel hield op. Voor Ayla was het moment aangebroken om de ceremonie te beginnen met de wortel van de Stam, maar de medicijnman wou erop wijzen hoe belangrijk het was dat het kamp hielp wanneer ze weer moesten zingen. Waar de ceremonie met de wortel hen ook heen zou voeren, het geluid van de zangers kon hen weer terugbrengen.

In de stilte van de avond luisterde iedereen vol verwachting naar de reeks ritmische geluiden die Ayla maakte op een instrument dat ze nog nooit hadden gezien. Het leek op een grote houten kom en dat was het ook. Hij was in zijn geheel uit één stuk hout gesneden en ze hield hem ondersteboven. Ze had hem meegebracht uit de vallei en niet alleen de grootte verbaasde iedereen, maar ook het feit dat hij als instrument werd gebruikt. Op de open, winderige steppen groeiden geen bomen die zo groot werden dat er een dergelijke kom uit ge-maakt kon worden. Zelfs in het dal van de rivier, dat regelmatig werd overstroomd, groeiden zelden grote bomen, maar de kleine vallei waar zij had gewoond lag beschermd tegen de snijdende wind en er was meer dan voldoende water voor een paar grote naaldbomen. Er was er een door de bliksem getroffen en daar had ze een stuk van ge-bruikt voor de kom.

Ayla gebruikte voor het geluid een gladde houten stok. Hoewel ze enige variatie in toon kon aanbrengen door op verschillende plaatsen te slaan, was het geen echt muziekinstrument, zoals het schouderblad en de resonerende schedel. Ze gebruikte het alleen om verschillende ritmes aan te geven. De mensen van het Leeuwenkamp luisterden ge-boeid, maar het was hun soort muziek niet en ze voelden zich er niet zo bij op hun gemak. Het waren vreemde ritmische geluiden die Ayla maakte, maar, zoals ze had gehoopt, riepen ze een sfeer op die bij de Stam paste. Mamut werd overweldigd door herinneringen aan de tijd die hij daar had doorgebracht. Haar laatste slagen gaven niet het ge-voel dat het was afgelopen, maar riepen meer de verwachting op dat er nog meer kwam.

De mensen van het kamp wisten niet wat ze konden verwachten, maar toen Ayla de cape afwierp en ging staan werden ze verrast door de figuren die op haar lichaam waren geschilderd, in rood en zwart. Behalve een paar tatoeëringen op het gezicht, van degenen die tot de Mammoetvuurplaats behoorden, versierden de Mamutiërs wel hun kleding maar niet hun lichaam. Voor het eerst kregen de mensen van het Leeuwenkamp enig begrip voor de wereld waar Ayla uit was geko-men, een cultuur die zo vreemd was dat ze hem niet volledig konden begrijpen. Het was niet alleen maar een ander model tuniek, andere kleuren die overheersten, de voorkeur voor een ander model speer of zelfs een andere taal. Het was een ook andere gedachtewereld, maar ze erkenden wel dat het een menselijke wijze van denken was.

Ze keken geboeid toe terwijl Ayla de houten kom, die ze aan Mamut had gegeven, met water vulde. Toen pakte ze een droge wortel, die ze nog niet hadden gezien, en begon erop te kauwen. Het viel eerst niet mee. De wortel was oud en droog, maar de sappen moesten in de kom worden gespuwd. Ze mocht er niets van doorslikken. Toen Mamut zich weer had afgevraagd of de wortel na zo'n lange tijd nog wel een krachtige werking zou hebben, had Ayla uitgelegd dat hij waarschijnlijk nog sterker zou zijn.

Voor haar gevoel duurde het erg lang voor ze de fijngekauwde pulp en de rest van de sappen in de kom kon spuwen, maar ze herinnerde zich dat het de eerste keer ook een hele tijd had geduurd. Ze roerde er met haar vinger in tot het een waterige witte vloeistof was. Toen ze vond dat het er goed uitzag, gaf ze de kom aan Mamut.

Met het slaan op zijn trommel en het schudden met de rammelaar gaf de medicijnman het juiste ritme aan voor de muzikanten en de zangers en toen gaf hij met een knikje naar Ayla te kennen dat hij gereed was. Ze was nerveus. Ze had onaangename herinneringen aan haar eerste ervaring met de wortel en ze ging in gedachten ieder detail van de voorbereidingen na en probeerde zich alles te herinneren wat Iza haar had verteld. Ze had alles gedaan wat ze kon bedenken om de ceremonie zoveel mogelijk te doen gelijken op het ritueel van de Stam. Ze knikte terug en Mamut hield de kom aan zijn lippen voor de eerste slok. Toen hij de kom halfleeg had, gaf hij de rest aan Ayla. Zij dronk de andere helft op.

De smaak deed aan vroegere tijden denken en riep herinneringen op aan vette klei in uitgestrekte, schaduwrijke wouden, met vreemde reusachtige grote bomen en een groen dak van bladeren dat het zonlicht temperde. Ze begon de uitwerking bijna onmiddellijk te voelen. Ze werd overvallen door een gevoel van misselijkheid en desoriëntatie, wat haar duizelig maakte. Terwijl het huis snel ronddraaide, werd haar blik verduisterd en haar hoofd werd te klein om haar steeds ruimer wordende geest te bevatten. Opeens verdween het huis en was ze ergens anders, in een donkere ruimte. Ze voelde zich verloren en raakte even in paniek. Toen merkte ze dat iemand de hand naar haar uitstak en ze besefte dat Mamut in dezelfde ruimte was. Het was voor Ayla een opluchting dat ze hem vond, maar Mamut was niet in haar geest zoals Creb was geweest en hij leidde haar niet zoals Creb had gedaan. Hij oefende geen enkele dwang uit. Hij was er alleen en wachtte op de dingen die gingen gebeuren. Ayla hoorde heel vaag het geluid van het gezang en de trommels, alsof ze buiten het huis was. Ze richtte haar aandacht op het geluid. Het had een kalmerende uitwerking omdat het een herkenningspunt was en haar het gevoel gaf dat ze niet alleen was. Er ging van Mamuts nabijheid ook een kalmerende invloed uit, maar ze verlangde naar de sterke begeleidende geest die haar de eerste keer de weg had gewezen.

De duisternis ging over in grijs, dat helder werd en vervolgens de kleuren van de regenboog kreeg. Ze merkte dat ze in beweging was, alsof ze met Mamut weer over het landschap vloog, maar er waren geen herkenbare punten, alleen het gevoel dat ze door de glanzende wolken ging die om haar heen hingen. Haar snelheid werd groter en geleidelijk aan smolten de wolken samen tot een dunne, glanzende laag in de kleuren van de regenboog. Ze gleed naar beneden in een lange doorzichtige tunnel. De wanden leken op de binnenkant van een zeepbel. Ze ging steeds sneller in de richting van een verschroeiend wit licht, als de zon, maar ijskoud. Ze gilde, maar gaf geen geluid en toen viel ze in het licht, en erdoorheen.

Ze bevond zich in een donkere, koude leegte en die kwam haar angstaanjagend bekend voor. Ze was er eerder geweest, maar toen had Creb haar gevonden en eruit gehaald. Ze voelde slechts vaag dat Mamut nog bij haar was, maar ze wist dat hij haar niet kon helpen. Het gezang van de mensen was nog slechts een zwakke echo. Ze wist dat ze haar weg terug nooit zou vinden wanneer het ophield, maar ze wist niet of ze nog wel terug wou. In deze ruimte was geen opwinding, geen gevoel, alleen een afstand waardoor ze haar verwarring zag, de liefde die haar pijn deed en haar wanhopig verdriet.

Ze voelde dat ze weer bewoog en de duisternis trok weg. Ze bevond zich nu weer in een nevelige wolk, maar het was anders, dichter en zwaarder. De wolken braken en er opende zich een nieuw perspectief, maar het zei haar niets. Het was niet het lieflijke, natuurlijke landschap dat ze kende. Het zat vol vreemde schimmen en vormen; vlak en regelmatig, met een hard strak oppervlak en rechte lijnen en grote hoeveelheden opzichtige, onnatuurlijke kleuren. Sommige dingen bewogen snel of misschien leek dat maar zo. Ze wist het niet, maar ze vond het niet mooi en ze probeerde het weg te duwen en zelf weg te komen.

Jondalar had gezien hoe Ayla het mengsel opdronk en hij keek bezorgd toen ze wankelde en bleek werd. Ze kokhalsde een paar keer en toen viel ze op de grond. Mamut was ook gevallen, maar dat gebeurde wel vaker met de medicijnman wanneer hij diep doordrong in de andere wereld van de geesten, of hij er iets voor innam of niet. Mamut en Ayla werden op hun rug gelegd terwijl het gezang en de trommels doorgingen. Hij zag dat Wolf probeerde bij haar te komen, maar het jonge dier werd tegengehouden. Jondalar begreep hoe Wolf zich voelde. Hij wou naar Ayla rennen en hij keek zelfs naar Ranec om te zien wat zijn reactie was, maar de mensen van het Leeuwenkamp schenen zich niet ongerust te maken en hij aarzelde om het heilige ritueel te verstoren. Hij begon ook maar te zingen. Mamut had er nadrukkelijk op gewezen hoe belangrijk dat was.

Toen er een hele tijd was verstreken en geen van beiden zich had bewogen, begon hij zich steeds meer zorgen te maken over Ayla en hij meende aan de gezichten van sommige mensen te zien dat ze zich ook ongerust maakten. Hij ging staan en probeerde haar te zien, maar de vuren brandden lager en het werd donkerder in het huis. Hij hoorde janken en keek naar Wolf. Het jonge dier jankte weer en keek hem smekend aan. Hij liep verscheidene keren in de richting van Ayla en dan kwam hij weer bij hem terug.

Hij hoorde Whinney in het nieuwe gedeelte hinniken. Het klonk angstig, alsof ze voelde dat er gevaar dreigde. De lange man ging kijken wat er aan de hand was. Het was niet waarschijnlijk, maar er zou een roofdier naar binnen kunnen glippen en de paarden kunnen bedreigen terwijl iedereen in beslag werd genomen door andere dingen. Whinney hinnikte zachtjes toen ze hem zag. Jondalar kon niets vinden dat het gedrag van de merrie kon verklaren, maar ze was duidelijk geschrokken van iets. Zijn liefkozingen en troostende woorden schenen haar ook niet te kunnen kalmeren. Ze wou telkens weer naar de ingang van de Mammoetvuurplaats, hoewel ze nooit eerder had geprobeerd naar binnen te gaan. Renner was ook niet op zijn gemak, misschien was hij gevoelig voor de onrust van zijn moeder. Wolf stond weer bij hem te janken. Hij rende naar de ingang van de Mammoetvuurplaats en kwam dan weer bij hem terug.

'Wat is er Wolf? Wat scheelt eraan?' En wat was er met Whinney, dacht hij. Toen drong het tot hem door wat de beide dieren misschien dwarszat. Ayla! Ze moesten het gevoel hebben dat Ayla in gevaar was! Jondalar ging met grote passen weer naar binnen en hij zag dat er nu verscheidene mensen om Mamut en Ayla heen stonden die probeerden hen wakker te maken. Hij was niet in staat zich nog langer afzijdig te houden en hij rende naar Ayla. Ze was stijf en koud en haar spieren waren gespannen. Ze ademde nauwelijks.

'Ayla!' schreeuwde Jondalar. 'O Moeder, het lijkt wel of ze dood is! Ayla! O Doni, laat haar niet sterven! Ayla, kom terug! Ga niet dood, Ayla! Ga alsjeblieft niet dood!'

Hij hield haar in zijn armen en riep telkens weer haar naam. Hij smeekte haar om niet te sterven.

Ayla voelde zich steeds verder wegglijden. Ze probeerde het gezang en de trommels te horen, maar het leek slechts een vage herinnering. Toen dacht ze dat ze haar naam hoorde. Ze spande zich in om te luisteren. Ja, daar was het weer, haar naam werd met grote aandrang uitgesproken. Ze voelde dat Mamut dichterbij kwam en ze richtten zich samen op het gezang. Ze hoorde een vaag gonzen van stemmen en voelde dat ze werd aangetrokken door het geluid. Toen hoorde ze in de verte het lage, vibrerende staccato van de trommels en het woord 'h-h-oe-m-m-m'. Ze hoorde nu duidelijker haar naam schreeuwen. Ze hoorde er angst, bezorgdheid en grote liefde in. Ze voelde dat iemand teder probeerde tot haar door te dringen en de gecombineerde geest van haar en Mamut aan te raken.
Plotseling was ze weer in beweging. Ze werd getrokken en geduwd langs een enkele gloeiende draad. Ze kreeg de indruk dat het ontzettend snel ging. De zware wolken om haar heen verdwenen weer. Ze was in een oogwenk door de leegte heen. De glinsterende regenboog werd een grijze nevel en het volgende ogenblik was ze in het huis. Onder zich zag ze haar lichaam op de grond liggen, onnatuurlijk stil en ziekelijk bleek. Ze zag de rug van een blonde man die zich over haar heen boog en haar vasthield. Toen voelde ze dat Mamut haar duwde.

Ayla knipperde met haar oogleden. Toen opende ze de ogen en ze zag hoe Jondalar naar haar keek. De diepe angst in zijn blauwe ogen veranderde in grote opluchting. Ze probeerde te spreken, maar haar tong was stijf en ze was door en door koud.
'Ze zijn terug!' hoorde ze Nezzie zeggen. 'Ik weet niet waar ze zijn geweest, maar ze zijn terug. En ze hebben het koud! Breng vachten en iets warms te drinken.'
Deegie bracht een armvol vachten van haar bed en Jondalar ging opzij zodat ze Ayla kon instoppen. Wolf kwam aanrennen, sprong boven op haar en likte haar gezicht. Ranec bracht een kop hete thee. Talut hielp haar overeind. Ranec hield de warme drank voor haar mond en ze glimlachte dankbaar. Ze hoorde Whinney hinniken en herkende angst in het geluid. De vrouw ging rechtop zitten. Ze maakte zich bezorgd en hinnikte zachtjes terug om de merrie te kalmeren en gerust te stellen. Toen vroeg ze naar Mamut. Ze wou hem beslist zien.
Ze werd overeind geholpen en met een vacht om de schouders geslagen werd ze bij de oude medicijnman gebracht. Hij was ook in vach-

ten gewikkeld en hij had een kop warme thee in de hand. Hij glimlachte naar haar, maar er lag ook enige bezorgdheid in zijn blik. Omdat hij de mensen van het kamp niet te bang wou maken, probeerde hij niet te veel aandacht te schenken aan hun gevaarlijke experiment maar hij wou dat Ayla goed begreep hoe ernstig hun situatie was geweest. Zij wou er ook over praten, maar ze vermeden het om rechtstreekse toespelingen op hun ervaringen te maken. Nezzie begreep meteen dat ze behoefte hadden om te praten en ze werkte heel tactvol iedereen weg en liet hen alleen.

'Waar zijn we geweest, Mamut?' vroeg Ayla.

'Ik weet het niet, Ayla. Ik ben er niet eerder geweest. Het was een andere plaats, misschien een andere keer. Misschien was het geen echte plaats,' zei hij peinzend.

'Dat moet het wel geweest zijn,' zei ze. 'Die dingen leken echt en hadden iets bekends. Die lege ruimte, waar het zo donker was, daar ben ik geweest met Creb.'

'Ik neem aan dat je gelijk hebt wanneer je zegt dat Creb veel macht had. Misschien wel meer dan je denkt, wanneer hij die ruimte kon beheersen.'

'Ja, maar...' Er schoot haar iets te binnen, maar ze wist niet of ze het onder woorden kon brengen. 'Creb beheerste die ruimte en hij liet me zijn herinneringen en ons begin zien, maar ik geloof niet dat Creb ooit geweest is waar wij waren, Mamut. Ik geloof niet dat hij dat kon. Misschien was dat mijn bescherming. Hij had bepaalde machten en hij kon ze beheersen, maar ze waren anders. De ruimte waar we nu waren, was nieuw. Hij kon niet naar een nieuwe ruimte. Hij kon alleen naar plaatsen waar hij eerder was geweest. Maar misschien zag hij dat ik het wel kon. Ik vraag me af of dat hem zo verdrietig heeft gemaakt.'

Mamut knikte. 'Misschien, maar wat veel belangrijker is, het was er veel gevaarlijker dan ik me had voorgesteld. Ik probeerde er voor het kamp wat luchtig over te praten. Als we nog langer waren weggebleven, hadden we niet meer terug kunnen komen. En we zijn niet op eigen kracht teruggekomen. We zijn geholpen door... door iemand die zo graag... wou dat we terugkwamen dat hij alle hindernissen overwon. Wanneer zo'n wilskracht vastberaden zijn doel wil bereiken, laat hij zich door niets weerhouden, behalve misschien door de dood.'

Ayla fronste de wenkbrauwen en Mamut vroeg zich af of ze wist wie hen had teruggebracht en of ze begreep waarom diegene zo'n sterke wil voor haar bescherming had kunnen aanwenden. Ze zou er wel achter komen, maar het lag niet op zijn weg om het haar te vertellen. Dat moest ze zelf ontdekken.

'Ik ga daar nooit meer heen,' vervolgde hij. 'Ik ben te oud. Ik wil mijn geest niet in die leegte achterlaten. Misschien dat jij er nog eens heen wilt, later, wanneer je je krachten hebt ontwikkeld. Ik kan het je niet aanraden, maar als je gaat, wees er dan zeker van dat je een goede bescherming hebt. Zorg ervoor dat er iemand op je wacht die je terug kan roepen.'

Toen Ayla terugliep naar haar bed, keek ze of ze Jondalar zag, maar toen Ranec thee bracht had hij zich teruggetrokken en hij hield zich nu op een afstand. Hoewel hij niet had geaarzeld naar haar toe te gaan toen hij voelde dat ze in gevaar verkeerde, was hij nu onzeker. Ze had net haar Belofte uitgesproken tegenover de Mamutische beeldhouwer. Welk recht had hij om haar in zijn armen te houden? En iedereen scheen te weten wat er moest gebeuren gezien het feit dat ze haar warm drinken en vachten brachten. Hij had het gevoel dat hij misschien op een bijzondere manier had geholpen, omdat hij haar niet kon missen, maar als hij erover nadacht begon hij te twijfelen. Waarschijnlijk kwam ze op dat moment toch alweer bij. Het was een samenloop van omstandigheden. Het was toeval dat ik daar was. Ze zal het zich niet eens herinneren.

Toen Ayla met Mamut klaar was, ging Ranec naar haar toe om haar te vragen bij hem te komen slapen, opdat hij haar warm kon houden en verder niets. Maar ze hield vol dat ze zich in haar eigen bed prettiger zou voelen. Ten slotte gaf hij toe, maar hij bleef een hele tijd liggen nadenken. Ondanks het feit dat Jondalar de Mammoetvuurplaats had verlaten, had hij nog altijd belangstelling voor haar, maar het was voor iedereen duidelijk dat hij dat kon negeren. Na deze avond kon Ranec echter niet ontkennen dat de lange man nog steeds veel voor haar voelde, nu hij had gezien hoe Jondalar de Moeder smeekte om haar leven.

Het stond voor hem vast dat Jondalars hulp belangrijk was geweest bij het terugbrengen van Ayla, maar hij kon niet geloven dat haar gevoelens voor hem net zo sterk waren. Ze had hem die avond de Belofte gegeven. Ayla zou zijn gezellin worden en zijn vuurplaats delen. Hij had zich ook ongerust gemaakt en de gedachte dat hij haar door een of ander risico, of aan een andere man, kon verliezen, deed hem alleen nog meer naar haar verlangen.

Jondalar zag Ranec naar haar toe gaan en hij haalde verlicht adem toen de donkere man alleen naar zijn vuurplaats terugging. Toen draaide hij zich om en trok de vachten over zijn hoofd. Wat maakte het uit of ze vanavond met hem meeging of niet? Ze zou uiteindelijk naar hem toe gaan. Ze had beloofd een verbintenis met hem aan te gaan.

29

In de regel telde Ayla haar jaren aan het eind van de winter, wanneer het nieuwe jaar begon, met nieuw leven. Haar achttiende lente was heel mooi geweest, met een overvloed aan weidebloemen en fris jong groen. Ze waren nergens zo welkom als in een ijzig winterlandschap, maar na het Lentefeest kwam alles snel tot volle wasdom. De vrolijke steppebloemen verdwenen en hun plaats werd ingenomen door het snel groeiende, sappige jonge gras en de rondzwervende graseters. De jaarlijkse trek was begonnen.

Verschillende diersoorten trokken in grote aantallen over de open vlakten. Sommige verzamelden zich tot ontelbare hoeveelheden en andere vormden kleine kudden of familiegroepen, maar ze hadden allemaal hun voedsel en hun leven te danken aan de winderige, uitgestrekte, maar ongelooflijk rijke weidegebieden en de door de gletsjers gevoede rivieren die erdoor liepen.

Enorme horden bizons, met grote horens, bedekten de heuvels en dalen. De onrustig brullende, golvende massa liet een kale, vertrapte aarde achter. Wilde oerossen trokken in lange rijen noordwaarts door de grotere rivierdalen, soms samen met een kudde elanden of reuzenherten met hun zware geweien. De schuwe reeën volgden in groepjes de rivieroevers in bosrijke streken, op weg naar de weidegronden voor de lente en zomer, samen met de teruggetrokken levende Amerikaanse eland, die ook vaak te vinden was bij moerassen en meertjes op de steppen. Wilde geiten en moeflons, die gewoonlijk in de bergen verblijven, trokken naar de open vlakte in het koude noorden en mengden zich bij de drinkplaatsen tussen groepjes saiga-antilopen en grotere kudden steppepaarden.

De woldragende dieren legden niet zulke grote afstanden af. Met hun dikke vetlaag en zware dubbele vacht konden ze minder goed tegen de warmte en ze hadden zich beter aangepast aan het leven bij de gletsjer. Ze leefden het hele jaar in de omgeving van de gletsjers, waar het wel kouder was maar ook droger, met minder sneeuw. Ze voedden zich in de winter met het grove, droge gras dat was blijven staan. De muskusossen waren de vaste bewoners van het koude noorden en ze trokken in kleine groepen binnen een beperkt gebied. De wolharige neushoorn, die gewoonlijk in familiegroepjes leefde, en de grotere kudden wolharige mammoeten trokken verder, maar in de winter bleven ze in het noorden. Op de iets warmere en vochtigere steppen in het zuiden lag hun voedsel bedolven onder een dik pak sneeuw en dan zouden de zware dieren moeten ploeteren om erbij te komen. In het voorjaar gingen ze naar het zuiden om zich vol te eten aan het malse jonge gras, maar zodra het warmer werd trokken ze weer naar het noorden.

De mensen van het Leeuwenkamp verheugden zich erop om de vlakte weer vol leven te zien en elke soort die verscheen werd opgemerkt, vooral de dieren die goed bestand waren tegen de strenge winters. Dat waren de soorten waar ze het meeste profijt van hadden om te overleven. De aanblik van de enorme, onberekenbare neushoorn met twee horens ontlokte hun altijd weer uitroepen van verbazing. De voorste, lange horen was laag geplaatst en het dier had een dubbele, rossige vacht: een zachte, donzige ondervacht en een beschermende laag lang haar.

De opwinding onder de Mamutiërs steeg echter ten top bij het zien van mammoeten. Wanneer de tijd naderde dat ze voorbij konden komen, stond er altijd iemand van het Leeuwenkamp op de uitkijk. Sinds de tijd dat Ayla bij de Stam woonde, had ze alleen op grote afstand een mammoet gezien en ze was net zo opgewonden als alle anderen toen Danug op een middag de helling af kwam rennen en schreeuwde: 'Mammoeten! Mammoeten!'

Ze was bij de eersten die vlug naar buiten kwamen om ze te zien. Talut, die Rydag vaak op zijn schouders droeg, was bij Danug op de steppe geweest en ze zag dat Nezzie, met de jongen op haar heup, achterbleef. Ze wou teruggaan om te helpen toen ze zag dat Jondalar hem overnam van de vrouw en hem op zijn schouders tilde. Hij kreeg van hen beiden een vriendelijke glimlach als beloning en Ayla glimlachte ook, maar hij zag haar niet. De glimlach was nog niet verdwenen toen ze zich omdraaide naar Ranec, die haar op een sukkeldrafje had ingehaald. Haar mooie, lieve glimlach wekte in hem een diep gevoel van warmte en de vurige wens dat ze al van hem zou zijn. Ze moest wel reageren op zijn glimlach en zijn donkere, schitterende ogen, die liefde uitstraalden. Haar glimlach was ook voor hem bedoeld.

Op de steppe stond het Leeuwenkamp vol ontzag te kijken naar de enorme, ruigharige beesten. Het waren de grootste dieren in hun omgeving, sterker nog, ze zouden het in bijna iedere omgeving zijn geweest. De kudde, met verscheidene jongen, passeerde op korte afstand en het oude hoofd van de kudde hield de mensen goed in de gaten. Haar schouders waren ongeveer drie meter boven de grond en ze had een hooggewelfde kop en bulten op de schoften, waarin de voorraad vet voor de winter werd opgeslagen. Ze waren onmiddellijk te herkennen aan de korte rug die steil afliep naar het bekken. De schedel was groot in verhouding tot haar afmetingen en was meer dan half zo lang als de betrekkelijk korte slurf met de twee gevoelige, beweeglijke vingertjes, een bovenste en een onderste. De staart was ook kort en de oren waren klein om de warmte vast te houden.

Mammoeten pasten uitstekend in hun koude omgeving. Hun huid was erg dik, met een isolerende laag van wel acht centimeter of meer onderhuids vetweefsel, bedekt door een centimetersdikke zachte ondervacht. De stugge, roodbruine bovenvacht, met haar tot wel een halve meter lengte, hing in lagen over de dikke winterwol als een vochtwerende deken en bescherming tegen de wind. Met hun doelmatige kiezen, die op raspen leken, aten ze in de winter net zo gemakkelijk het stugge, droge gras en de takken en schors van berken, wilgen en lariksen, als in de zomer het groene gras, zegge en kruiden.

Het meest indrukwekkend waren de reusachtige slagtanden van de mammoet, die verbazing en ontzag wekten. Ze kwamen vlak naast elkaar uit de bovenkaak en wezen eerst naar beneden. Dan gingen ze met een scherpe bocht naar buiten en omhoog en ten slotte weer naar binnen. Bij oudere mannetjes konden de slagtanden wel vijf meter lang worden, maar dan groeiden de punten kruislings over elkaar. Bij jonge dieren waren de slagtanden doelmatige wapens en een bij de geboorte meegekregen middel om bomen met wortel en al uit de grond te trekken of de sneeuw te verwijderen van gras en ander voedsel, maar wanneer de punten over elkaar groeiden, zaten ze in de weg en hadden ze er meer last van dan gemak.

Toen Ayla de enorme dieren zag, kwam er een stroom van herinneringen aan de eerste keer dat ze mammoeten had gezien. Ze wist nog dat ze toen graag met de mannen van de Stam was meegegaan op de jacht en ze herinnerde zich dat Talut haar had uitgenodigd voor de eerste mammoetjacht met de Mamutiërs. Ze hield van de jacht en de gedachte dat ze deze keer echt met de jagers mee mocht, deed haar er met spanning naar uitkijken. Ze verheugde zich echt op de Zomerbijeenkomst.

De eerste jacht van het seizoen had een belangrijke symbolische betekenis. Hoe indrukwekkend en majestueus de wolharige mammoeten ook waren, de gevoelens van de Mamutiërs voor hen gingen veel verder dan verbazing over hun afmetingen. Ze waren voor veel meer dingen dan alleen voedsel van de mammoeten afhankelijk en omdat ze er veel belang bij hadden dat de dieren niet uitstierven, meenden ze dat ze een bijzondere relatie met hen hadden. Ze hielden ze in ere door hun eigen identiteit op de mammoeten te baseren.

Mammoeten hadden geen echte natuurlijke vijanden; er waren geen vleeseters die van hen afhankelijk waren voor voedsel. De enorme holenleeuwen, die twee keer zo groot waren als andere katachtigen, zochten gewoonlijk hun prooi onder de grote graseters – oerossen, bizons, reuzenherten, elanden of paarden – en ze konden een volwassene doden. Ze velden af en toe een jonge, een zieke of een heel oude mammoet, maar er was geen roofdier dat alleen of met een groep, een volwassen mammoet in de kracht van zijn leven, kon doden. Alleen de Mamutiërs, de mensenkinderen van de Grote Aardmoeder hadden het vermogen gekregen om op het grootste van Haar schepsels te jagen. Zij waren de uitverkorenen. Zij waren uitzonderlijk onder al Haar scheppingen. Zij waren de mammoetjagers.

Toen de kudde mammoeten voorbij was, gingen de mensen van het Leeuwenkamp er begerig achteraan. Niet om te jagen. Dat kwam later. Het ging hun om de zachte, donsachtige wol van de ondervacht die in grote plukken door de stugge dekharen werd afgeschud. De van nature donkerrode wol die van de grond werd opgeraapt en van de doornstruiken werd geplukt waar hij aan was blijven hangen, werd beschouwd als een bijzonder geschenk van de Mammoetgeest.

Wanneer de gelegenheid zich voordeed, werd de witte moeflonwol, die normaal door de wilde schapen in de lente werd afgeworpen, ook met groot enthousiasme verzameld, evenals de buitengewoon zachte, donkerbruine wol van de muskusos en de lichtbruine ondervacht van de neushoorn. In gedachten dankten en waardeerden ze de Grote Aardmoeder, die Haar kinderen uit Haar overvloed alles gaf wat ze nodig hadden, planten en dieren en materiaal als vuursteen en klei. Ze moesten alleen weten waar en wanneer.

De Mamutiërs aten graag verse groenten, maar er werd in de lente en de voorzomer weinig gejaagd, ondanks de rijke verscheidenheid aan dieren, tenzij de vleesvoorraad erg klein werd. De dieren waren te mager. De lange strenge winter had ze beroofd van hun energiebron in de vorm van vet. Hun trektochten waren noodzakelijk om de voorraden weer aan te vullen. Er werden een paar bizonstieren gedood wanneer de vacht in de nek nog zwart was, wat erop wees dat het dier nog voldoende vet had, en van een aantal soorten een paar drachtige vrouwtjes, voor het malse vlees van het jong en de zachte huid, die werd gebruikt voor babykleertjes en ondergoed. De voornaamste uitzondering waren de rendieren.

Er trokken grote kudden rendieren naar het noorden. De vrouwtjes hadden geweien. Ze liepen met de jongen van het vorige jaar voorop langs de bekende paden naar de traditionele gebieden waar de kalveren werden geboren. De mannetjes volgden. Zoals andere kuddedieren werden ze onderweg aangevallen door wolven, die de zwakke en oude dieren eruit zochten, maar ook door verscheidene katachtigen, zoals grote lynxen, slanke panters en een enkele reusachtige holenleeuw. De grote vleeseters traden op als gastheer en lieten de resten liggen voor een grote verscheidenheid aan kleinere vleeseters en aaseters, zowel viervoeters als vogels: vossen, hyena's, bruine beren, civetkatten, kleine steppekatten, veelvraten, wezels, raven, haviken en vele andere.

De menselijke jagers beschouwden ze allemaal als prooi. Het bont en de veren van hun concurrenten bij de jacht werden niet hooghartig afgewezen, hoewel de rendieren het eerste wild waren voor het Leeuwenkamp – niet voor het vlees, hoewel ze het niet lieten liggen. Ze vonden de tong een lekkernij en er werd veel vlees gedroogd als voedsel voor onderweg, maar het ging hun om de huiden. Deze waren gewoonlijk geelbruin, maar ze varieerden in kleur van roomwit tot bijna zwart, met een roodbruine tint bij de jongen. De vacht van de rendieren die het verst naar het noorden trokken, was niet alleen licht in gewicht maar ook warm. Omdat hij van nature isoleerde, was er geen betere bescherming tegen het koude weer dan kleding gemaakt van rendierhuid en deze vond zijn gelijke niet voor beddengoed en onderlakens. Het Leeuwenkamp jaagde ieder jaar op ze met valkuilen en versperringen, om in hun eigen behoeften te voorzien en om mee te nemen als geschenk wanneer ze zelf in de zomer op reis gingen.

Terwijl het Leeuwenkamp voorbereidingen trof voor de Zomerbijeenkomst, werd de opwinding voortdurend groter. Er ging geen dag voorbij of iemand vertelde Ayla hoe leuk ze het vond om familie of vrienden te ontmoeten, of hoe leuk ze het zouden vinden om haar te ontmoeten. De enige die niet enthousiast scheen te zijn over de bijeenkomst van de kampen, was Rydag. Ayla had de jongen nog nooit zo somber gezien en ze maakte zich zorgen over zijn gezondheid.

Ze hield hem een paar dagen goed in de gaten en toen hij op een buitengewoon warme middag buiten naar een groepje zat te kijken dat een rendierhuid spande, ging ze naast hem zitten.

'Ik heb nieuwe medicijnen voor je gemaakt, Rydag, om mee te nemen naar de Zomerbijeenkomst,' zei Ayla. 'Ze zijn verser en misschien sterker. Je zult me wel moeten vertellen of je ook verschil voelt,' zei ze en ze praatte met woorden en gebaren, zoals ze meestal bij hem deed. 'Hoe voel je je nu? Is er de laatste tijd iets veranderd?'

Rydag vond het prettig wanneer Ayla met hem praatte. Hoewel hij erg dankbaar was voor het feit dat hij nu in staat was om met de mensen van zijn kamp te communiceren, was hun begrip en gebruik van de gebarentaal heel simpel. Hij verstond hun gesproken taal al jaren, maar wanneer ze tegen hem praatten deden ze dat in eenvoudige bewoordingen om zo dicht mogelijk bij de gebarentaal te blijven die ze gebruikten. Haar gebaren benaderden in nuancering en gevoel de gesproken taal en ze ondersteunden haar woorden.

'Nee, voel me hetzelfde,' gebaarde de jongen.

'Niet moe?'

'Nee... Ja. Altijd beetje moe.' Hij glimlachte. 'Niet zo erg.'

Ayla knikte. Ze bekeek hem nauwkeurig om te zien of er ook zichtbare symptomen waren en ze probeerde zich ervan te overtuigen dat er geen verandering in zijn toestand was, althans niet ten kwade. Ze zag niets dat erop wees dat hij lichamelijk achteruitging, maar hij leek terneergeslagen.

'Rydag, zit je iets dwars? Heb je verdriet?'

Hij trok de schouders op en wendde zijn blik af. Toen keek hij haar weer aan. 'Wil er niet heen,' gebaarde hij.

'Waar wil je niet heen? Ik begrijp het niet.'

'Wil niet naar Bijeenkomst,' zei hij, en hij wendde de blik weer af.

Ayla fronste haar wenkbrauwen, maar ze vroeg niet verder. Rydag scheen er niet over te willen praten en hij ging gauw naar binnen. Ze probeerde hem onopvallend te volgen en vanuit de kookplaats kon ze zien dat hij op zijn bed ging liggen. Ze maakte zich zorgen over hem. Hij ging overdag zelden uit eigen beweging naar bed. Ze zag Nezzie binnenkomen. Ze probeerde het voorste kleed op te binden. Ayla haastte zich om haar te helpen.

'Nezzie, weet jij wat Rydag scheelt? Hij lijkt zo... somber,' zei Ayla.

'Ik weet het. Dat heeft hij ieder jaar om deze tijd. Dat komt door de Zomerbijeenkomst. Daar heeft hij een hekel aan.'

'Dat zei hij, ja. En waarom?'

Nezzie wachtte even en ze keek Ayla recht in de ogen. 'Weet je dat echt niet?' De jonge vrouw schudde haar hoofd. Nezzie haalde haar schouders op. 'Zit er maar niet over in, Ayla. Je kunt er toch niets aan doen.'

Ayla wierp nog een blik op de jongen terwijl ze door het huis liep. Hij had zijn ogen dicht, maar ze wist dat hij niet sliep. Ze schudde het

hoofd en ze wou dat ze kon helpen, maar zolang ze niet wist wat eraan
scheelde kon ze alleen maar afwachten.

Ze liep snel door de lege Vossenvuurplaats naar de Mammoetvuurplaats. Opeens kwam Wolf haar met grote sprongen achterna en
sprong speels tegen haar op. Ze gaf hem een teken om te kalmeren.
Hij gehoorzaamde, maar keek zo beledigd dat ze medelijden kreeg en
hem het fijngekauwde stuk zacht leer toewierp dat eens een van haar
mooiste schoenen was geweest. Ze had hem die ten slotte maar gegeven, omdat het de enige mogelijkheid bleek om te voorkomen dat hij
de schoenen en laarzen van de anderen stukbeet. Hij had gauw genoeg van zijn oude speelgoed en ging kwispelstaartend met zijn voorpoten op de grond liggen en kefte tegen haar. Ayla moest wel lachen
en ze kwam tot de conclusie dat het een veel te mooie dag was om
binnen te blijven. Ze pakte in een opwelling haar slinger en een zakje
met ronde stenen die ze had verzameld en gaf Wolf een teken haar te
volgen. Toen ze Whinney in het nieuwe gedeelte zag staan, besloot ze
de merrie ook mee te nemen.

Ayla liep naar buiten, gevolgd door het lichtbruine paard en de jonge
grijze wolf. De tekening van zijn vacht was typerend voor zijn soort en
heel anders dan die van zijn zwarte moeder. Ze zag Renner halverwege
de helling naar de rivier. Jondalar was bij hem. Hij had zijn hemd uitgetrokken in de warme zon en hij leidde de jonge hengst aan een touw.
Zoals beloofd had hij Renner getraind. Hij had er het grootste deel van
zijn tijd aan besteed en ze schenen er allebei plezier in te hebben.

Hij zag haar en gaf haar een wenk om even te wachten terwijl hij naar
haar toe liep. Ze was niet gewend dat hij naar haar toe kwam of liet
merken dat hij met haar wou praten. Jondalar was veranderd na wat
er op de steppen was gebeurd. Hij ontweek haar niet meer, maar hij
deed zelden een poging om met haar te praten en als hij het deed leek
hij wel een vreemde, gereserveerd en beleefd. Ze had gehoopt dat de
jonge hengst hen dichter bij elkaar zou brengen, maar de afstand leek
eerder groter te zijn geworden.

Ze wachtte en zag de knappe, gespierde man naderen. Onwillekeurig
moest ze denken aan haar vurige reactie op zijn behoefte, toen op de
steppen. Ze kreeg onmiddellijk weer het gevoel dat ze hem wou hebben. Het was een reactie van haar lichaam, ze kon er niets aan doen,
maar toen Jondalar dichterbij kwam zag ze dat hij een kleur kreeg en
ze zag die bijzondere uitdrukking in zijn mooie blauwe ogen. Hoewel
het niet haar bedoeling was ernaar te kijken, zag ze de bobbel in zijn
broek en ze voelde dat ze een kleur kreeg.

'Neem me niet kwalijk, Ayla. Ik wil je niet storen, maar ik dacht dat ik je deze nieuwe toom moest laten zien die ik voor Renner heb gemaakt. Misschien kun je er ook zo een voor Whinney gebruiken,' zei Jondalar met een stem die heel normaal klonk. Hij wou dat hij de rest van zijn lichaam ook zo kon beheersen.

'Je stoort me helemaal niet,' zei Ayla, hoewel het wel zo was. Ze bekeek de toom die was gemaakt van gevlochten en gedraaide smalle stroken leer.

De merrie was dit jaar al een keer willig geweest. Algauw nadat ze het had gezien, hoorde ze het kenmerkende gehinnik van een hengst op de steppe. Hoewel Ayla haar de eerste keer had teruggevonden toen de merrie met een hengst en zijn kudde was opgetrokken, moest ze er niet aan denken dat ze Whinney zou moeten afstaan aan een hengst. Misschien zou ze haar vriendin deze keer niet terugkrijgen. Ayla had de merrie een soort halster omgedaan en een touw om de hals om haar in bedwang te houden. De jonge hengst toonde ook al grote belangstelling en opwinding. Als ze niet bij ze kon zijn, had ze ze binnengehouden. Sinds die tijd was ze af en toe een halster blijven gebruiken, hoewel ze Whinney liever de vrijheid gaf om te komen en te gaan wanneer ze wilde.

'Hoe werkt dat?' vroeg Ayla.

Hij liet het zien bij Whinney, want hij had er een extra voor haar gemaakt. Ayla stelde, op een schijnbaar rustige toon, een paar vragen, maar ze had haar gedachten er nauwelijks bij. Ze was zich veel meer bewust van Jondalars warmte en zijn aangenaam mannelijke geur toen ze naast hem stond. Het lukte haar niet haar ogen af te wenden van zijn handen, de bewegingen van zijn borstspieren en de bobbel in zijn broek. Ze hoopte dat haar vragen tot een gesprek zouden leiden, maar zodra hij alles had uitgelegd, ging hij meteen weg. Ayla zag dat hij zijn hemd pakte, Renner besteeg en hem met de nieuwe toom de helling op stuurde. Ze dacht er even aan om hem met Whinney achterna te gaan, maar ze zag ervan af. Als hij graag bij haar weg wou, moest dat wel betekenen dat hij haar niet om zich heen wou hebben. Ayla bleef Jondalar nakijken tot hij uit het gezicht was verdwenen en toen keek ze naar de plaats waar ze hem het laatst had gezien. Het enthousiaste gekef van Wolf bracht haar ten slotte tot de werkelijkheid terug. Ze wikkelde de slinger om haar hoofd. Ze controleerde de stenen in het zakje, pakte het jonge dier op en zette hem op Whinneys schoften. Toen steeg ze zelf op en ze ging de helling op in een andere richting dan Jondalar was ingeslagen. Ze had het plan om met Wolf te gaan jagen en dat zou ze ook maar doen. Wolf was in zijn eentje al begonnen muizen en klein wild te besluipen en hij probeerde ze te vangen en zij had ontdekt dat hij heel goed was in het opjagen van wild voor haar slinger. Hoewel het in het begin bij toeval gebeurde, leerde Wolf snel en hij was al bijna zover dat hij wachtte met opjagen tot zij hem opdracht gaf.

Ayla had in één opzicht gelijk. Jondalar had zo'n haast om weg te komen omdat hij op dat moment niet bij haar wou zijn – maar dat was alleen omdat hij altijd bij haar wou blijven. Hij moest weg vanwege zijn reacties op Ayla's nabijheid. Ze had nu haar Belofte aan Ranec gedaan en hij kon nu geen enkele aanspraak meer op haar maken, voorzover hij dat al ooit had gekund. De laatste tijd ging hij rijden wanneer hij een moeilijke situatie wou ontlopen, of de spanningen van tegenstrijdige gevoelens, of gewoon om na te denken. Hij begon te begrijpen waarom Ayla zo vaak op Whinney was weggereden wanneer haar iets dwarszat. Het rijden op de hengst over de open grasvlakten, met de wind in het gezicht, had niet alleen een opbeurende maar ook een kalmerende uitwerking.

Toen hij eenmaal op de steppe was, gaf hij Renner een teken om in galop over te gaan en hij boog zich over de sterke uitgestrekte nek. Het was erg meegevallen om het paard te doen wennen aan een berijder, maar zowel Ayla als Jondalar had hem er al enige tijd op verschillende manieren vertrouwd mee gemaakt. Het was moeilijker om Renner duidelijk te maken waar zijn berijder heen wilde en hem te dwingen die kant op te gaan.

Jondalar begreep dat de wijze waarop Ayla Whinney stuurde zich heel natuurlijk had ontwikkeld, zodat ze haar aanwijzingen nog grotendeels onbewust gaf, maar hij had het plan opgevat om het paard te trainen. Zijn aanwijzingen waren veel meer doelgericht en terwijl hij met het paard oefende, leerde hij er zelf ook van. Hij leerde hoe hij op het paard moest zitten, hoe hij gebruik moest maken van de sterke spieren van de hengst en niet moest schokken onder het rijden. Verder ontdekte hij dat het paard gevoelig was voor druk van zijn bovenbenen en veranderingen in de houding van zijn lichaam, zodat het gemakkelijker werd om hem te leiden.

Naarmate hij meer zelfvertrouwen kreeg en zich meer op zijn gemak voelde, ging hij meer rijden en dat was nu juist de beste oefening. Maar hoe beter de omgang met Renner werd, hoe meer hij voor het dier begon te voelen. Hij had het van het begin af aan een lief dier gevonden, maar het was nog altijd Ayla's paard. Hij besefte heel goed dat hij Renner voor haar trainde, maar hij moest er niet aan denken dat hij de jonge hengst moest achterlaten.

Jondalar was van plan geweest om onmiddellijk na het Lentefeest weg te gaan, maar hij was er nog steeds en hij wist zelf niet waarom. Hij bedacht verschillende redenen – het was nog te vroeg en het weer was nog onbetrouwbaar en hij had Ayla beloofd om Renner te trainen – maar hij wist wel dat het uitvluchten waren. Talut dacht dat hij bleef om met hen naar de Zomerbijeenkomst te gaan en Jondalar deed geen moeite om die indruk weg te nemen, hoewel hij vast van plan was om voor die tijd te vertrekken. Elke avond wanneer hij naar bed ging, en vooral wanneer Ayla naar de Vossenvuurplaats ging, zei hij bij zichzelf dat hij de volgende dag wegging en iedere dag stelde hij het uit. Hij voerde een strijd met zichzelf, maar wanneer hij er serieus aan dacht om te pakken en weg te gaan, herinnerde hij zich hoe ze daar koud en onbeweeglijk op de vloer van de Mammoetvuurplaats had gelegen en dan kon hij niet vertrekken.

Mamut had de dag na het feest met hem gepraat en gezegd dat de wortel zo sterk was geweest dat hij er geen macht meer over had. Het was te gevaarlijk, zei de medicijnman, hij zou hem nooit meer gebruiken. Hij had Ayla de raad gegeven hem ook niet te gebruiken en hij had haar gewaarschuwd dat ze krachtige bescherming nodig had wanneer ze het ooit toch deed. Zonder het echt te zeggen liet de oude man doorschemeren dat Jondalar op de een of andere manier vat op Ayla had gekregen en verantwoordelijk was voor haar terugkomst.

De woorden van de medicijnman brachten Jondalar in verwarring, maar hij putte er ook een zekere troost uit. Wanneer de man van de Mammoetvuurplaats niet kon instaan voor Ayla's veiligheid, waarom had hij hem dan gevraagd om te blijven? En waarom zei Mamut dat hij haar had teruggebracht? Ze had Ranec de Belofte gedaan en er viel niet te twijfelen aan de gevoelens van de beeldhouwer voor haar. Als Ranec er was, waarom had Mamut hem dan nodig? Waarom had Ranec haar niet teruggebracht? Wist de oude man iets dat hij niet wist? Hoe het ook zij, Jondalar kon de gedachte niet verdragen dat hij er niet zou zijn als ze hem weer nodig had, of dat ze, zonder hem, een ernstig gevaar zou lopen, maar hij moest er ook niet aan denken dat ze met een andere man ging leven. Hij kon niet beslissen of hij zou gaan of zou blijven.

'Wolf! Laat los!' schreeuwde Rugie boos en geschrokken. Ze speelde met Rydag in de Mammoetvuurplaats, waar Nezzie hen had heen gestuurd zodat zij kon pakken. 'Ayla! Wolf heeft mijn pop en hij wil hem niet neerleggen.'

Ayla zat midden op haar bed met haar spullen in keurige stapeltjes om zich heen. 'Wolf! Laat los!' riep ze. 'Kom hier,' beduidde ze met een gebaar.

Wolf liet de pop vallen, die van stukjes leer was gemaakt, en kroop met zijn staart tussen de poten naar Ayla. 'Kom op,' zei ze en ze klopte op het plekje bij het hoofdeind van haar bed waar hij gewoonlijk sliep. De jonge wolf sprong erheen. 'Nu gaan liggen en Rugie en Rydag niet meer plagen.' Hij ging met zijn kop op zijn poten liggen en keek haar aan met een heel beklagenswaardige en berouwvolle blik.

Ayla ging weer door met het sorteren van haar spullen, maar ze hield spoedig op om naar de twee kinderen te kijken die samen op de vloer van de Mammoetvuurplaats speelden. Het was niet haar bedoeling naar hen te kijken, maar haar belangstelling was gewekt. Ze speelden 'vuurplaatsje' en deden alsof ze een vuurplaats deelden zoals volwassen mannen en vrouwen dat doen. Hun 'kind' was de leren pop, die de vorm van een mens had, met een rond hoofd, een romp, armen en benen en die in een dekentje van zachte huid was gewikkeld. Ayla was vooral geboeid door de pop. Zij had nooit een pop gehad. De mensen van de Stam maakten helemaal geen afbeeldingen, geen tekeningen, geen beelden en ook niet van leer, maar ze moest plotseling denken aan een gewond konijn dat ze eens had meegenomen naar de grot, opdat Iza het kon genezen. Ze had het konijn net zo geknuffeld en gewiegd als Rugie nu met de pop deed.

Ayla wist dat Rugie meestal met de spelletjes begon. Soms speelden ze dat ze een verbintenis aangingen, maar deze keer waren ze 'leiders', als broer en zuster in hun eigen kamp. Ayla bekeek het blonde meisje en de jongen met het bruine haar en opeens viel het haar weer op dat hij typische trekken van de Stam had. Rugie beschouwt hem als haar broer, dacht Ayla, maar ze betwijfelde of ze ooit samen leiders van een kamp zouden worden.

Rugie gaf Rydag de pop om erop te passen. Ze stond op en liep weg voor de een of andere denkbeeldige boodschap. Rydag keek haar na en legde de pop neer. Hij keek naar Ayla en glimlachte. Toen Rugie niet zo gauw terugkwam, had de jongen geen belangstelling meer voor de denkbeeldige baby. Hij gaf de voorkeur aan echte baby's, hoewel hij het niet erg vond om met Rugies spel verder te gaan wanneer ze terugkwam. Na een poosje stond Rydag op en ging ook weg. Rugie had het spel en de pop even vergeten en Rydag ging haar zoeken of misschien vond hij iets anders om te doen.

Ayla probeerde weer beslissingen te nemen over wat ze zou meenemen naar de Zomerbijeenkomst. Ze had het afgelopen jaar al te vaak haar spullen bekeken en besloten wat ze zou meenemen en wat ze zou

achterlaten. Deze keer ging ze pakken voor een reis en zou ze niet
meer meenemen dan ze kon dragen. Tulie had het er al met haar over
gehad om de paarden en de slee te gebruiken voor de geschenken; dat
zou haar status en die van het Leeuwenkamp verhogen. Ze pakte de
huid die ze rood had geverfd en schudde hem uit. Ze wist nog niet of
ze hem wel nodig had. Ze had nog altijd niet kunnen besluiten wat ze
van de rode huid zou maken. Ze had er nog geen goede bestemming
voor, maar rood was heilig voor de Stam en bovendien, ze vond de
kleur mooi. Ze vouwde de huid op en legde hem bij nog een paar dingen die ze beslist wou meenemen: het beeldje van het paard dat ze zo
mooi vond en dat Ranec haar had gegeven bij haar adoptie, en de
nieuwe muta; de prachtige vuurstenen speerpunt van Wymez; wat
sieraden, kralen en kettingen; haar kleding die ze van Deegie had gekregen, de witte tuniek die ze had gemaakt en Durcs cape.
Terwijl ze nog een paar voorwerpen bekeek, dwaalden haar gedachten
af naar Rydag. Zou hij ooit een echte levensgezellin krijgen, zoals
Durc? Ze dacht niet dat er ook meisjes zouden zijn zoals hij op de Zomerbijeenkomst. Ze realiseerde zich dat ze er niet eens zeker van was
of hij wel volwassen zou worden. Ze was dankbaar dat haar zoon sterk
en gezond was en dat hij een levensgezellin zou krijgen. De Stam van
Broud zou zich nu zo ongeveer gereedmaken om naar de Stambijeenkomst te gaan, als ze al niet waren vertrokken. Oera zou erop rekenen
dat ze met hen terugging om uiteindelijk met Durc een verbintenis
aan te gaan en waarschijnlijk zou ze ertegen opzien om haar eigen
stam te verlaten. Arme Oera, het zou haar zwaar vallen om de mensen
te verlaten die ze kende en in een vreemde omgeving bij een vreemde
stam te gaan wonen. Ayla vroeg zich opeens af of ze Durc wel aardig
zou vinden. En zou hij haar wel aardig vinden? Ze hoopte het maar,
omdat ze waarschijnlijk geen andere keus zouden hebben.
Terwijl ze aan haar zoon dacht, pakte Ayla een zakje dat ze uit de vallei had meegebracht. Ze maakte het open en schudde het leeg. Haar
hart bonsde toen ze het ivoren beeldje zag. Ze nam het in de hand.
Het was een beeldje van een vrouw, maar heel anders dan de beeldjes
die ze eerder had gezien en ze besefte nu hoe ongewoon het was. De
meeste muta's, met uitzondering van Ranecs beeld van de vogelvrouw,
waren volle, ronde, moederlijke types met slechts een knobbel, zij het
soms versierd, die het hoofd voorstelde. Ze waren allemaal bedoeld als
symbool van de Moeder, maar dit was een beeldje van een slanke
vrouw, met het haar in vlechtjes, zoals zij het meestal droeg. Het
meest verrassende was dat het gezicht nauwkeurig was uitgesneden,
met een mooie neus en kin en een aanduiding van de ogen.

Ze hield het beeldje in haar hand en het begon voor haar ogen te vervagen terwijl al de herinneringen terugkwamen. Zonder dat ze het zich bewust was, liepen de tranen over haar gezicht. Jondalar had het gemaakt, in de vallei. Toen hij het maakte zei hij dat hij haar geest wou vangen zodat ze nooit gescheiden zouden zijn. Daarom had hij een beeldje gemaakt dat zo op haar leek, hoewel niemand ooit een beeld maakte van een levende persoon uit vrees diens geest te zullen vangen. Hij zei dat zij het beeldje moest bewaren, opdat niemand het met verkeerde bedoelingen tegen haar kon gebruiken. Ze besefte dat dit haar eerste muta was. Hij had het haar gegeven na haar Eerste Riten, toen hij van haar een echte vrouw had gemaakt.

Ze zou die zomer in de vallei nooit vergeten, toen ze daar samen waren. Maar Jondalar zou zonder haar weggaan. Ze drukte het ivoren beeldje aan haar borst en wou dat ze met hem mee kon. Wolf jankte zachtjes terwijl hij naar haar keek, en kroop voorzichtig naar haar toe omdat hij wel wist dat hij eigenlijk moest blijven waar hij was. Ze boog zich over hem heen en verborg haar gezicht in zijn vacht, terwijl hij probeerde haar zoute tranen weg te likken.

Ze hoorde iemand het gangpad af komen en ging vlug rechtop zitten. Ze veegde haar gezicht af en ze deed haar best om zich te beheersen. Ze draaide zich om alsof ze iets achter zich zocht toen Barzec en Druwez voorbijkwamen. Ze waren druk in gesprek. Ze deed het beeldje weer in de zak en legde die voorzichtig op de leren huid die ze rood had geverfd. Ze zou hem zeker meenemen, want ze kon haar eerste muta niet achterlaten.

Later op de avond, toen het Leeuwenkamp op het punt stond om gezamenlijk te eten, begon Wolf opeens dreigengd te grommen en hij rende naar de hoofdingang. Ayla sprong overeind en liep hem achterna. Ze vroeg zich af wat er aan de hand was. Verscheidene anderen volgden haar. Toen ze het kleed openduwde, zag ze tot haar verbazing een vreemde staan, die geschrokken terugdeinsde voor een halfvolwassen wolf in dreigende houding.

'Wolf! Kom!' beval Ayla. De jonge wolf trok zich met tegenzin terug, maar hij bleef grommend en met ontblote tanden naar de vreemde man kijken.

'Ludeg!' zei Talut. Hij stapte naar voren met een brede grijns en ontving de man met een onstuimige omhelzing. 'Kom binnen. Kom erin. Het is koud.'

'Ik... Eh... Ik weet niet,' zei de man, die naar de jonge wolf keek. 'Zijn er binnen nog meer van dat soort?'

'Nee. Niet meer,' zei Ayla. 'Wolf doet je niets. Daar zorg ik wel voor.'
Ludeg keek Talut aan en wist niet of hij de onbekende vrouw kon geloven. 'Waarom hebben jullie een wolf in huis?'

'Dat is een lang verhaal, maar dat kan ik je beter bij een warm vuur
vertellen. Kom binnen, Ludeg. De jonge wolf doet je niets, dat beloof
ik je,' zei Talut met een veelbetekenende blik naar Ayla, terwijl hij de
jonge man mee naar binnen nam.

Ayla wist precies wat die blik inhield. Wolf kon deze vreemde maar
beter niet aanvallen. Ze volgde hen en gaf het jonge dier een teken dat
hij naast haar moest blijven, maar ze wist niet hoe ze hem moest laten
ophouden met grommen. Dit was een nieuwe situatie. Ze wist dat
wolven heel goedaardig en aanhankelijk waren tegenover hun eigen
troep, maar ze stonden erom bekend dat ze vreemden die hun gebied
binnendrongen aanvielen en doodden. Wolfs gedrag was dus heel be-
grijpelijk, maar daarom kon ze het nog niet toestaan. Hij zou aan
vreemden moeten wennen, of hij het leuk vond of niet. Nezzie begroette de zoon van haar neef hartelijk. Ze pakte zijn rugzak en anorak en gaf ze aan Danug om ze naar een leeg bed in de Mammoetvuurplaats te brengen. Toen vulde ze een bord en zocht een plaatsje
voor hem. Ludeg bleef de wolf in de gaten houden. Hij voelde zich
niet op zijn gemak en telkens wanneer Wolf hem zag kijken, begon
hij harder te grommen. Als Ayla zei dat hij stil moest zijn, legde hij de
oren in de nek en kroop in elkaar, maar het volgende moment gromde hij weer tegen de vreemde. Ze dacht eraan om Wolf vast te zetten
met een touw om zijn nek, maar ze geloofde niet dat het iets zou oplossen. Het zou het waakse dier alleen maar angstiger maken en de
man op zijn beurt onrustiger.

Rydag was op de achtergrond gebleven omdat hij wat verlegen was tegenover de vreemde, al kende hij hem wel. Maar hij begreep het probleem meteen. Hij voelde dat de gespannen houding van de man bijdroeg aan de moeilijkheden. Ludeg zou zich misschien beter op zijn
gemak voelen wanneer hij zag dat Wolf vriendelijk was. De meeste
mensen zaten bij elkaar in de kookplaats en toen Rydag hoorde dat
Hartal wakker was, kreeg hij een idee. Hij liep naar de Rendiervuurplaats en troostte de dreumes. Toen nam hij hem bij de hand en liep
naar de kookplaats, maar niet naar zijn moeder. In plaats daarvan
ging hij naar Ayla en Wolf.

Hartal had de laatste tijd een warme genegenheid opgevat voor het
speelse jonge dier en toen hij het harige grijze beest zag, kraaide hij
van pret. Hartal liep opgetogen naar de wolf toe, maar zijn kleine
stapjes waren nog onzeker. Hij struikelde en viel boven op hem. Wolf

jankte, maar hij likte alleen maar het gezicht van de kleine, zodat Hartal begon te kirren. Hij duwde de warme natte tong weg en stak zijn mollige handjes tussen de lange kaken vol scherpe tanden. Vervolgens sloeg hij zijn handjes in Wolfs vacht en probeerde hem naar zich toe te trekken.

Ludeg vergat zijn nervositeit en zag met grote ogen van verbazing hoe de dreumes de wolf niet bepaald zachtzinnig behandelde, maar vooral hoe de kwaadaardige vleeseter er geduldig en vriendelijk in berustte. Wolf moest zijn waakzame houding ook wel laten varen onder deze aanval en hij was nog maar een halfvolwassen wolf en nog niet in staat tot de volharding van de volwassen leden van zijn soort. Ayla glimlachte naar Rydag en ze begreep waarom hij Hartal had gehaald. Hij had precies zijn doel bereikt. Toen Tronie kwam om haar zoon te halen, pakte Ayla Wolf op. Ze vond dat dit het juiste moment was om hem met de vreemde te laten kennismaken.

'Ik denk dat Wolf sneller aan je went wanneer je hem je geur laat ruiken,' zei ze tegen de jonge man.

Ayla sprak de taal uitstekend, maar Ludeg hoorde wel enig verschil in de uitspraak van sommige woorden. Hij nam haar voor de eerste keer goed op en hij vroeg zich af wie ze was. Hij wist dat ze niet bij het Leeuwenkamp was geweest toen ze vorig jaar vertrokken. Hij kon zich eigenlijk niet herinneren haar ooit gezien te hebben en hij wist zeker dat hem dat bij zo'n mooie vrouw niet zou zijn ontgaan. Waar kwam ze vandaan? Hij keek op en zag dat een grote, blonde vreemdeling naar hem stond te kijken.

'Wat moet ik doen?' vroeg hij.

'Ik denk dat het al helpt wanneer je hem gewoon aan je hand laat ruiken. Hij vindt het ook fijn om te worden geaaid, maar ik zou het niet overdrijven de eerste keer. Hij heeft wat tijd nodig om aan je te wennen,' zei Ayla.

Ludeg stak wat aarzelend zijn hand uit. Ayla zette Wolf neer om hem eraan te laten snuffelen, maar ze bleef er wel bij staan om te kunnen ingrijpen wanneer het nodig was. Ze dacht niet dat Wolf zou aanvallen, maar ze was er niet zeker van. Na een poosje stak de man zijn hand uit om de dikke, verharende vacht aan te raken. Hij had nog nooit een levende wolf aangeraakt en hij vond het nogal spannend. Hij glimlachte naar Ayla en het viel hem weer op hoe knap ze was toen ze zijn glimlach beantwoordde.

'Talut, ik geloof dat ik mijn nieuws beter vlug kan vertellen,' zei Ludeg, 'want ik denk dat het Leeuwenkamp verhalen heeft die ik graag wil horen.'

Het grote stamhoofd glimlachte. Hij genoot van dit soort belangstelling. Boodschappers kwamen meestal nieuws brengen en ze werden niet alleen gekozen omdat ze een goed verhaal konden vertellen, maar ook omdat ze in staat waren snel te lopen.

'Vertel het ons maar. Wat voor nieuws kom je brengen?' vroeg Talut.

'Het belangrijkste is de plaats van samenkomst voor de Zomerbijeen-komst. Het Wolvenkamp treedt op als gastheer. De plaats die vorig jaar werd gekozen, is weggespoeld. Ik heb ook ander nieuws, droevig nieuws. Ik ben een nacht in een Sungaea-kamp gebleven. Daar heerst ziekte, een dodelijke ziekte. Er waren er al een paar gestorven en toen ik wegging waren de zoon en de dochter van de leidster ook ernstig ziek. Men twijfelde of ze het zouden overleven.'

'O, dat is verschrikkelijk!' zei Nezzie.

'Wat voor ziekte hebben ze?' vroeg Ayla.

'Het schijnt in de borst te zitten. Hoge koorts, zware hoest en be-nauwdheid.'

'Hoe ver is dat hiervandaan?' vroeg Ayla.

'Weet je dat niet?'

'Ayla was een gast, maar ze is geadopteerd,' zei Tulie. Vervolgens wendde ze zich tot Ayla. 'Het is niet zo ver.'

'Kunnen we erheen, Tulie? Of kan iemand me erheen brengen? Als die kinderen ziek zijn, kan ik hen misschien helpen.'

'Ik weet het niet. Wat denk jij ervan, Talut?'

'Het is een hele omweg als de Zomerbijeenkomst bij het Wolven-kamp wordt gehouden en we hebben er niet eens verwanten, Tulie.'

'Ik geloof dat Darnev verre familie in dat kamp had,' zei Tulie. 'Het is wel erg voor die kinderen om zo ziek te zijn.'

'Misschien moesten we wel gaan, maar dan moeten we wel zo gauw mogelijk vertrekken,' zei Talut.

Ludeg had met grote belangstelling geluisterd. 'Nu ik mijn nieuws heb verteld, zou ik graag iets willen horen over de nieuwe bewoonster van het Leeuwenkamp, Talut. Is ze echt een Genezer? En waar is de wolf vandaan gekomen? Ik heb nog nooit gehoord dat iemand een wolf in huis heeft.'

'En dat is nog niet alles,' zei Frebec. 'Ayla heeft ook twee paarden, een merrie en een jonge hengst.'

De bezoeker keek Frebec ongelovig aan. Toen ging hij er rustig bij zit-ten om te luisteren naar de verhalen die het Leeuwenkamp te vertel-len had.

Nadat hij tot diep in de nacht had geluisterd naar de verhalen, zag Lu-deg de volgende morgen nog een staaltje van Ayla's en Jondalars rijkunst en hij was er zeer van onder de indruk. Hij vertrok naar het volgende kamp om daar het nieuws te brengen over de gewijzigde plaats van samenkomst en om te vertellen over de nieuwe vrouw van de Mamutiërs. Het Leeuwenkamp zou de volgende morgen vertrekken en de rest van de dag werd besteed aan de laatste voorbereidingen.

Ayla besloot meer medicijnen mee te nemen dan ze gewoonlijk in haar tas had en ze bekeek nauwkeurig haar voorraad kruiden terwijl ze met Mamut praatte, die ook aan het pakken was. Ze moest vaak aan de Stambijeenkomst denken en toen ze zag hoe de oude medicijnman zijn stijve gewrichten ontzag, herinnerde ze zich hoe de oude mensen die de lange reis niet konden maken door de Stam werden achtergelaten. Hoe zou Mamut een lange reis kunnen maken? Ze maakte zich er zorgen over en ging naar buiten om Talut te zoeken.

'Ik draag hem het grootste gedeelte op mijn rug,' legde Talut uit.

Ze zag dat Nezzie nog een pak bij de stapel dingen legde die door de paarden op de slee zouden worden vervoerd. Rydag zat er dichtbij op de grond en keek triest om zich heen. Opeens ging Ayla weg om Jondalar te zoeken. Toen ze hem vond, was hij bezig de spullen in te pakken die Tulie hem had gegeven.

'Jondalar! Ben je hier?' zei ze.

Hij keek geschrokken op. Zij was de laatste die hij op dat moment verwachtte te zien. Hij had net aan haar gedacht, hoe hij afscheid moest nemen. Hij was tot de conclusie gekomen dat dit voor hem ook het juiste moment was om te vertrekken, nu iedereen het huis verliet. Maar in plaats van met het Leeuwenkamp naar de Zomerbijeenkomst te gaan, zou hij de andere kant op gaan en aan zijn lange reis naar huis beginnen.

'Weet jij hoe Mamut op de Zomerbijeenkomst moet komen?' vroeg Ayla.

De vraag overviel hem. Het was wel het laatste waar hij aan dacht en hij begreep niet goed waar ze het over had. 'Eh... nee,' zei hij.

'Talut moet hem op zijn rug dragen. En dan is Rydag er ook nog. Die moet ook gedragen worden. Ik had gedacht, Jondalar, jij hebt Renner getraind en die is er nu aan gewend om iemand op zijn rug te hebben, of niet?'

'Ja.'

'En hij luistert naar je. Je kunt hem sturen waarheen je wilt, nietwaar?'

'Ja, ik denk het wel.'

'Goed zo. Dan zie ik geen reden waarom Mamut en Rydag niet op de paarden naar de Bijeenkomst kunnen rijden. Zij kunnen ze niet leiden, maar dat kunnen jij en ik wel. Het zou zoveel gemakkelijker zijn voor iedereen en Rydag is de laatste tijd zo somber, misschien vrolijkt het hem wat op. Weet je nog hoe heerlijk hij het vond toen hij de eerste keer op Whinney reed? Je vindt het toch niet erg, Jondalar? Wij hoeven niet te rijden, ze lopen allemaal,' zei Ayla.

Ze was zo blij en enthousiast over het plan en het was duidelijk dat ze er niet eens aan had gedacht dat hij niet mee zou gaan. Hoe zou hij het kunnen weigeren, dacht hij. Het was een goed idee en het was wel het minste wat hij kon doen na alles wat het Leeuwenkamp voor hem had gedaan.

'Nee, ik vind het niet erg om te lopen,' zei Jondalar. Hij kreeg een vreemd gevoel van opluchting toen hij Ayla naar Talut zag gaan om het hem te vertellen, alsof er een verschrikkelijke last van zijn schouders was genomen. Hij haastte zich om de laatste spullen in te pakken en nam alles mee naar de anderen. Ayla hield toezicht bij het laden van de beide sleden. Ze waren bijna klaar om te vertrekken.

Nezzie zag hem aankomen en glimlachte. 'Ik ben blij dat je hebt besloten om mee te gaan en Ayla te helpen met de paarden. Mamut zal het veel gemakkelijker hebben en moet je Rydag eens zien. Ik heb hem nog nooit zo enthousiast gezien om naar een Zomerbijeenkomst te gaan.'

Jondalar vroeg zich af waarom hij het gevoel had dat Nezzie wist dat hij naar huis had willen gaan.

'En bedenk eens wat een indruk het zal maken wanneer we niet alleen met twee paarden aankomen, maar ook met twee mensen die erop zitten,' zei Barzec.

'Jondalar, we stonden op je te wachten. Ayla wist niet wie op welk paard moest rijden,' zei Talut.

'Ik geloof niet dat het iets uitmaakt,' zei Jondalar. 'Whinney is wat gemakkelijker te berijden. Ze schokt niet zo.'

Hij zag dat Ranec Ayla hielp om de vracht te verdelen. Inwendig kromp hij ineen toen hij hen samen zag lachen en hij besefte hoe tijdelijk zijn gevoel van opluchting was. Hij had het onvermijdelijke slechts uitgesteld, maar hij zat er nu aan vast. Nadat Mamut geheimzinnige gebaren had gemaakt en alleen voor ingewijden begrijpelijke woorden had gesproken, stak hij voor de ingang van het huis een muta in de grond om het te bewaken en toen besteeg hij Whinney, met hulp van Ayla en Talut. Hij leek nerveus, maar dat was moeilijk te zien. Jondalar vond dat hij het goed wist te verbergen.

Rydag was echter niet nerveus. Hij had eerder op de rug van een paard gezeten. Hij was alleen maar enthousiast toen de grote man hem optilde en op Renners rug zette. Hij had nog nooit op de hengst gereden. Hij grijnsde naar Latie die met gemengde gevoelens naar hem keek. Ze maakte zich zorgen over zijn veiligheid, maar ze was ook blij en een beetje jaloers op hem om deze nieuwe belevenis. Ze had Jondalar bezig gezien met het trainen van het paard, voorzover dat van een afstand mogelijk was. Het was moeilijk om een andere vrouw mee te krijgen en het van dichtbij te bekijken. Er zaten ook nadelen aan het volwassen worden. Ze was tot de conclusie gekomen dat er niet per se toverij voor nodig was om een jong paard te trainen. Er was gewoon geduld bij nodig, en natuurlijk, een paard.

Het kamp werd voor de laatste keer gecontroleerd en toen vertrokken ze, de helling op. Halverwege bleef Ayla staan. Wolf ook en hij keek afwachtend naar haar omhoog. Ze keek naar het verblijf waar ze een thuis had gevonden en was geaccepteerd door haar eigen soort. Ze miste nu al de gezellige geborgenheid, maar als ze terugkwamen zou die er weer zijn om hen te beschermen tegen een lange, koude winter. De wind rimpelde het kleed voor de toegangspoort van mammoet- slagtanden en ze zag de schedel van de holenleeuw erboven. Het Leeuwenkamp leek eenzaam zonder mensen. Het gaf Ayla van de Mamutiërs opeens een verdrietig gevoel.

30

De uitgestrekte grasvlakten, die een overvloedige bron van leven vormden in het koude land, boden toch alweer een andere aanblik toen het Leeuwenkamp erdoorheen trok. De paarsblauwe en gele bloemen van de laatste dwergirissen waren nog kleurig, maar begonnen al te verdwijnen en de pioenen met het varenachtige blad stonden in volle bloei. Een wijd veld met donkerrode bloemen bedekte het hele dal tussen twee heuvels en ontlokte verbaasde en waarderende uitroepen aan de reizigers. Maar het jonge beemdgras en het rijpende zwenkgras en vedergras overheersten en veranderden de steppe in een zacht golvend zilver, dat werd geaccentueerd door de schaduwen van de blauwe salie. Pas later, wanneer het jonge gras begon te rijpen en het vedergras zijn pluimen verloor, zouden de vruchtbare vlakten hun zilverkleur verliezen en goudkleurig worden.

De jonge wolf genoot ervan om de veelheid aan kleine dieren te ontdekken die op de uitgestrekte grasvlakte leefden en opgroeiden. Hij rende achter bunzings en wezels aan, hermelijnen in hun bruine zomervacht, en deinsde terug wanneer de onbevreesde roofdieren hun gebied verdedigden. Wanneer veldmuizen en spitsmuizen, met hun fluweelzachte huidjes, zich naar de holen vlak onder de grond haastten, omdat ze gewend waren voor vossen weg te vluchten, jaagde Wolf achter ratten, hamsters en stekelige egels aan. Ayla moest lachen als ze hem verbaasd van schrik zag kijken naar een springmuis met dikke staart, korte voorpootjes en lange achterpoten met drie tenen, die wegsprong en het hol in dook waar hij had overwinterd. Hazen, reuzenhamsters en flinke springmuizen waren groot genoeg voor een maaltijd en ze smaakten goed wanneer ze gevild boven een vuur aan het spit werden geroosterd. Ayla legde er met haar slinger verscheidene neer die Wolf had opgejaagd. De in holen wonende knaagdieren waren nuttig voor de steppe omdat ze de bovengrond losmaakten en omkeerden, maar sommige soorten veranderden de aard van het landschap met hun vele holen. Terwijl het Leeuwenkamp door het land trok, zagen ze overal talloze holen van de gevlekte grondeekhoorn en op sommige plaatsen moesten ze hun weg zoeken om honderden met gras bedekte heuveltjes heen, tot wel een meter hoog, waar kolonies steppemarmotten woonden.

Grondeekhoorns waren geliefde prooidieren voor zwarte haviken, hoewel ze zich ook voedden met andere knaagdieren, aas en insecten. De sierlijke vogels overvielen gewoonlijk de nietsvermoedende grondeekhoorns van grote hoogte, maar de havik kon ook staan bidden als een torenvalk, of heel laag vliegen om zijn prooi bij verrassing te grijpen. Behalve de haviken en valken gaven ook de steppearenden de voorkeur aan de overvloedig voorkomende knaagdieren. Een keer zag Ayla Wolf een houding aannemen die haar deed besluiten erheen te gaan en toen zag ze een van de grote donkerbruine roofvogels landen op zijn nest dat op de grond lag. Hij bracht een grondeekhoorn bij zijn jong. Ze keek er met belangstelling naar, maar ze viel ze verder niet lastig.

Een heleboel andere vogels leefden van de overvloed van het open landschap. Overal op de steppen waren leeuweriken en graspiepers, korhoenders, sneeuwhoenders en patrijzen, grote trapganzen en prachtige jufferkraanvogels, grijsblauw met zwarte koppen en witte plukjes veren achter de ogen. Ze kwamen in de lente broeden, voedden zich met insecten, hagedissen en slangen en trokken in het najaar weg, trompetterend in grote V-formaties.

Talut was begonnen in een tempo dat hij gewend was aan te houden wanneer hij met het hele kamp reisde, zodat de langzaamsten van de groep niet werden opgejaagd. Maar hij merkte dat ze veel sneller opschoten dan anders. Het maakte een groot verschil dat de paarden er waren. De lasten waren voor iedereen lichter geworden omdat de geschenken, ruilmiddelen en huiden voor de tenten op de sleden werden vervoerd, en ze hadden de mensen die hulp behoefden op hun rug. Het stamhoofd was blij met het hogere tempo, vooral omdat ze een omweg zouden maken, maar het bracht ook problemen mee. Hij had de route die ze zouden volgen en de stopplaatsen zo gepland dat ze gebruik konden maken van bepaalde plaatsen met water die ze kenden. Nu moest hij dat tijdens de reis herzien.

Ze hadden halt gehouden bij een riviertje, hoewel het nog vroeg was. In de nabijheid van water maakten de steppen soms plaats voor bos en ze sloegen het kamp op in het open veld, gedeeltelijk omringd door bomen. Nadat Ayla de slee van Whinney had losgemaakt, besloot ze Latie mee te nemen voor een rit. Het meisje genoot ervan om te helpen bij de paarden en ze kreeg er warme genegenheid voor terug. Toen ze samen door een bosje reden, met sparren, berken, steenbeuken en lariksen, kwamen ze op een open plek met bloemen, een weelderig stukje weidegrond omgeven door bomen. Ayla stopte en fluisterde de jonge vrouw, die voor haar zat, zachtjes in het oor: 'Je moet heel stil zijn, Latie, maar kijk daar eens, bij het water.'

Latie keek in de richting die door Ayla werd aangeduid. Eerst fronste ze de wenkbrauwen omdat ze niets zag, maar ze glimlachte toen ze een saiga-antilope zag met twee jongen, die behoedzaam en onzeker de kop ophief. Toen zag Latie nog verscheidene andere. De spiraalvormige horens staken recht omhoog uit de kop van de kleine antilope en waren aan het eind iets gebogen. De grote neus hing iets over en dat gaf het dier een opvallend lang gezicht.

Omdat ze zo stil op de rug van het paard zaten te kijken, hoorden ze de geluiden van de vogels beter: het koeren van de duiven, het vrolijke melodietje van een woudzanger, de roep van een specht. Ayla hoorde het prachtige gefluit van een goudmerel en ze bootste het zo goed na dat de vogel in de war raakte. Latie wou ook wel dat ze zo goed kon fluiten.

Ayla stuurde Whinney voorzichtig naar de opening in het bos. Latie trilde bijna van opwinding toen ze dichter bij de antilope kwamen en ze nog een hinde met twee jongen zag. Plotseling draaide de wind iets en de saiga-antilopen staken de kop omhoog. In een oogwenk gingen ze er springend vandoor naar de open steppe. Er ging een grijze flits achter hen aan en Ayla begreep wie ze op de vlucht had gejaagd.

Tegen de tijd dat Wolf hijgend bij hen terugkwam en zich neer liet ploffen, liep Whinney vreedzaam te grazen en zaten de twee vrouwen in de zonnige weide en plukten wilde aardbeien. Naast Ayla stond een groepje vuurrode bloemen met lange, dunne kroonbladeren die wel in rode kleurstof gedoopt konden zijn en bossen grote, goudgele bloemhoofdjes, met donzige witte bolletjes ertussen.

'Ik wou dat er genoeg was om wat mee te nemen,' zei Ayla, die nog een kleine, maar buitengewoon lekkere en geurige aardbei in haar mond stak.

'Er zouden er veel meer moeten zijn. Ik wou dat er voor mij nog meer waren,' zei Latie glimlachend. 'Ik beschouw dit als een speciaal plekje alleen voor ons, Ayla.' Ze stak een aardbei in haar mond en sloot de ogen om van de smaak te genieten. Ze dacht even na en zei: 'Die kleine antilopen waren erg jong, nietwaar? Ik heb zulke kleintjes nog nooit van zo dichtbij gezien.'

'Dat komt door Whinney. Daarom kunnen we zo dichtbij komen. Antilopen zijn niet bang voor paarden. Maar Wolf daar...' zei Ayla, en ze keek naar het dier. Hij keek op toen hij zijn naam hoorde. 'Hij heeft ze weggejaagd.'

'Ayla, kan ik je wat vragen?'

'Natuurlijk. Je kunt altijd alles vragen.'

'Denk je dat ik ooit een paard zou kunnen vinden? Ik bedoel een kleintje, waar ik voor zou kunnen zorgen zoals jij voor Whinney hebt gezorgd, zodat hij aan me zou wennen?'

'Ik weet het niet. Ik heb er geen moeite voor gedaan om Whinney te vinden. Het gebeurde gewoon. Ik denk dat het moeilijk zal zijn om een veulen te vinden. Alle moeders beschermen hun jongen.'

'Als jij nog een paard zou willen hebben, een kleintje, hoe zou je dat dan doen?'

'Daar heb ik nooit over nagedacht... Wanneer ik een jong paard zou willen hebben... Ja, ik denk dat ik dan zijn moeder zou moeten vangen. Herinner je je nog de bizonjacht van de vorige herfst? Als je op paarden zou jagen en je zou een kudde in zo'n omheining drijven, hoefde je ze niet allemaal te doden. Je zou een of twee veulens kunnen houden. Misschien zou je ook een veulen van de andere kunnen scheiden en de rest laten gaan wanneer je ze niet nodig hebt.' Ayla glimlachte. 'Ik vind het nu moeilijker om op paarden te jagen.'

Toen ze terugkwamen, zaten de meeste mensen om een groot vuur te eten. De twee jonge vrouwen schepten ook wat op en gingen zitten.

'We hebben een paar saiga-antilopen gezien,' zei Latie. 'Ook kleintjes.'

'Ik geloof dat je ook aardbeien hebt gezien,' merkte Nezzie droog op, die de rode handen van haar dochter zag. Latie bloosde, want ze wist nog best dat ze ze allemaal zelf had willen houden.

'Er waren er niet genoeg om mee te nemen,' zei Ayla.

'Dat zou ook niet hebben uitgemaakt. Ik weet alles van Latie en aardbeien. Als ze de kans kreeg, zou ze een heel veld alleen leegeten.'

Ayla merkte dat Latie er verlegen onder werd en veranderde van onderwerp. 'Ik heb ook wat klein hoefblad geplukt tegen de hoest, voor de zieke mensen in het kamp, en een plant met rode bloemen waarvan ik de naam niet weet. De wortel is heel goed voor zware hoest en maakt het slijm los,' zei ze.

'Ik wist niet dat je die bloemen daarvoor plukte,' zei Latie. 'Hoe weet je dat ze die ziekte hebben?'

'Dat weet ik niet, maar toen ik de planten zag, dacht ik dat ik er wel een paar kon meenemen omdat wij die ziekte ook hebben gehad. Hoe lang duurt het nog voor we er zijn, Talut?'

'Dat is moeilijk te zeggen,' zei het stamhoofd. 'We reizen sneller dan anders. Ik denk dat we het kamp van de Sungaea binnen enkele dagen bereiken. De kaart die Ludeg voor me heeft gemaakt was heel goed, maar ik hoop dat we niet te laat komen. Hun ziekte is ernstiger dan ik dacht.'

Ayla fronste de wenkbrauwen. 'Hoe weet je dat?'

'Ik heb tekens gevonden die door iemand zijn achtergelaten.'

'Tekens?' vroeg Ayla.

'Kom maar mee. Ik zal het je laten zien,' zei Talut. Hij zette zijn kopje neer en stond op. Hij nam haar mee naar een berg botten aan de waterkant. Overal op de vlakte waren botten te vinden, vooral grote, zoals schedels, maar toen ze dichterbij kwamen werd het Ayla duidelijk dat deze er niet toevallig lagen. Ze waren met een zekere bedoeling opgestapeld. Boven op de hoop lag een omgekeerde mammoetschedel met afgebroken slagtanden.

'Dat is een teken voor slecht nieuws,' zei Talut terwijl hij op de schedel wees. 'Heel slecht. Zie je die onderkaak met de twee wervels ertegenaan? De punt van de kaak wijst de richting aan en het kamp ligt op twee dagen afstand.'

'Ze moeten hulp nodig hebben, Talut! Hebben ze daarom dat teken hier geplaatst?'

Talut wees op een stuk zwartgeblakerde berkenbast aan de linkerslagtand. 'Zie je dat?' vroeg hij.

'Ja. Het is zwart, alsof het in brand heeft gestaan.'

'Dat betekent ziekte, een dodelijke ziekte. Er is iemand gestorven. De mensen zijn bang voor dat soort ziekte en dit is een plaats waar de mensen vaak overnachten. Dat teken is hier niet geplaatst om hulp te vragen, maar om de mensen te waarschuwen weg te blijven.'

'O, Talut! Ik moet erheen. De anderen hoeven niet mee, maar ik moet erheen. Ik kan nu wel op Whinney vertrekken.'

'En wat wil je tegen hen zeggen wanneer je daar aankomt?' vroeg Talut. 'Nee, Ayla. Ze zullen je hulp niet accepteren. Ze kennen je niet. Het zijn niet eens Mamutiërs, het zijn Sungaea. We hebben het besproken. We wisten dat je erheen wou. We zijn eraan begonnen en we gaan met je mee. Ik denk dat we het, dankzij de paarden, in één dag halen in plaats van twee.'

De zon stond laag boven de horizon toen de groep reizigers van het Leeuwenkamp een grote nederzetting naderde die op een breed natuurlijk terras lag, ongeveer tien meter boven een brede, snelstromende rivier. Ze stopten toen ze werden opgemerkt door een paar mensen, die hen verbaasd aanstaarden voor ze naar een van de tenten renden. Er kwamen een man en een vrouw naar buiten. Ze hadden hun gezichten rood gekleurd met een smeersel van oker en ze hadden as in hun haar.

Het is te laat, dacht Talut, terwijl hij met Tulie het Sungaea-kamp naderde, gevolgd door Nezzie en Ayla, die Whinney leidde met Mamut op haar rug. Het was duidelijk dat ze stoorden bij iets belangrijks. Toen de bezoekers tot op ongeveer drie meter waren genaderd, hief de man met het roodgekleurde gezicht een arm op en stak zijn hand uit met de palm naar voren. Het was een duidelijk teken om te stoppen. Hij praatte tegen Talut in een andere taal, maar Ayla hoorde er wel iets bekends in. Ze dacht dat ze het wel kon verstaan; het leek waarschijnlijk veel op het Mamutisch. Talut antwoordde in zijn eigen taal. Toen sprak de man weer.

'Waarom is het Leeuwenkamp van de Mamutiërs hier op dit moment gekomen?' vroeg hij en hij sprak nu Mamutisch. 'Er is ziekte en grote droefenis in dit kamp. Hebben jullie de tekens niet gezien?'

'Ja, we hebben de tekens gezien,' zei Talut. 'We hebben een dochter van de Mammoetvuurplaats bij ons, een bekwaam Genezer. De boodschapper Ludeg, die hier een paar dagen geleden langskwam, heeft ons over jullie problemen verteld. We zouden op reis gaan naar onze Zomerbijeenkomst, maar Ayla, onze Genezer, wou eerst hierheen om haar diensten aan te bieden. Een van onze mensen was nog familie van een van jullie; we zijn verwanten. Daarom zijn we gekomen.'

De man keek de vrouw aan die naast hem stond. Het was duidelijk dat ze verdriet had en ze deed haar best zich te beheersen.

'Het is te laat,' zei ze. 'Ze zijn dood.' Haar stem stierf weg in een gejammer en ze riep in diepe smart: 'Ze zijn dood. Mijn kinderen, mijn leven, ze zijn dood.' Er kwamen twee mensen naast de vrouw staan en ze namen haar mee.

'Mijn zuster heeft veel verdriet,' zei de man. 'Ze heeft een dochter en een zoon verloren. Het meisje was bijna vrouw en de jongen was een paar jaar jonger. We treuren er allemaal om.'

Talut schudde vol medelijden het hoofd. 'Dat is inderdaad een groot verdriet. We voelen met jullie mee en we willen jullie steunen voorzover dat mogelijk is. Als het niet in strijd is met jullie gebruiken, willen we graag blijven om samen het verdriet te dragen wanneer ze worden teruggestuurd naar de Moederborst.'

'Jullie vriendelijkheid wordt op prijs gesteld en die zullen we nooit vergeten, maar we hebben nog zieken onder ons. Het kan voor jullie gevaarlijk zijn om te blijven. Het is misschien al gevaarlijk dat jullie zijn gekomen.'

'Talut, vraag hem of ik degenen die ziek zijn kan onderzoeken. Misschien kan ik hen helpen,' zei Ayla zachtjes.

'Ja, Talut. Vraag of Ayla de zieken mag zien,' voegde Mamut eraan toe. 'Ik denk dat ze wel kan zeggen of het voor ons gevaarlijk is om te blijven.'

De man met het rode gezicht nam de oude man op het paard scherp op. Hij was al verbaasd geweest toen hij de paarden zag, maar hij wou de schijn vermijden dat het een buitengewoon diepe indruk op hem maakte en het verdriet van zijn zuster had hem zo aangegrepen dat hij zijn nieuwsgierigheid even had onderdrukt zolang hij optrad als woordvoerder voor zijn zuster en zijn kamp. Maar toen Mamut iets zei, werd hij zich opeens weer bewust van het feit dat hij het maar een vreemd gezicht vond, die man die op de rug van een paard zat.

'Hoe krijgt die man het voor elkaar om op een paard te zitten?' flapte hij er eindelijk uit. 'Waarom blijft het paard stilstaan om erop te komen? En die andere, daarachter?'

'Dat is een lang verhaal,' zei Talut. 'De man is onze Mamut en de paarden luisteren naar onze Genezer. Als er tijd voor is, zullen we je er graag alles over vertellen, maar Ayla wil eerst graag jullie zieken onderzoeken. Misschien is ze in staat hen te helpen. Ze zal ons kunnen vertellen of de boze geesten er nog zijn en of ze in staat is om ze te bedwingen en onschadelijk te maken zodat het voor ons geen kwaad kan om te blijven.'

'Je zegt dat ze bekwaam is. Ik moet je geloven. Als ze de geest van de paarden kan beheersen, moet ze over een sterke toverkracht beschikken. Ik zal even praten met de mensen binnen.'

'Je moet weten dat er nog een dier is,' zei Talut en hij wendde zich tot de vrouw. 'Roep hem eens, Ayla.'

Ze floot en nog voor Rydag hem kon laten gaan, had Wolf zich losgeworsteld. De man van de Sungaea en een paar anderen schrokken toen de jonge wolf op hen af kwam rennen, maar hun verbazing was nog groter toen hij voor Ayla bleef staan en vol verwachting naar haar opkeek. Op een teken van haar ging hij op zijn buik liggen, maar de vreemden voelden zich niet op hun gemak onder zijn waakzame blik. Tulie had scherp opgelet hoe de mensen van het Sungaea-kamp reageerden en ze besefte weldra welk een diepe indruk de handelbare dieren hadden gemaakt. Ze hadden het aanzien van de mensen bij wie ze hoorden vergroot en dat gold voor het hele Leeuwenkamp. Mamut had prestige ontleend aan het simpele feit dat hij op de rug van een paard zat. Ze wierpen bedachtzame blikken op hem en er werd naar hem geluisterd, maar hun reacties op Ayla waren nog veelzeggender. Ze bekeken haar met ontzag en een soort eerbiedige verering.

De leidster besefte dat zij aan de paarden gewend was geraakt, maar ze herinnerde zich haar eigen onzekerheid toen ze Ayla voor het eerst met haar paarden had gezien en het was voor haar niet moeilijk zich in hun situatie te verplaatsen. Zij was erbij toen Ayla dat kleine wolvenjong meebracht en ze had hem zien opgroeien, maar ze besefte dat een vreemde Wolf niet als een leuk jong diertje zag. Hij mocht dan jong zijn, maar hij was in alle opzichten bijna een volwassen wolf en het paard was een volwassen merrie. Wanneer Ayla overgevoelige paarden haar wil kon opleggen en de geest van onafhankelijke wolven kon beheersen, welke andere machten zou ze dan ook kunnen bedwingen? Vooral wanneer erbij werd verteld dat ze de dochter van de Mammoetvuurplaats en een Genezer was.

Tulie was benieuwd hoe ze op de Zomerbijeenkomst zouden worden ontvangen, maar het verbaasde haar niets dat Ayla werd uitgenodigd om de zieke leden van het kamp te onderzoeken. De Mamutiërs wachtten rustig af. Toen Ayla naar buiten kwam, ging ze naar Mamut, Talut en Tulie.

'Ik denk dat ze de voorjaarsziekte hebben, zoals Nezzie het noemt, met koorts, benauwdheid op de borst en moeilijkheden met ademhalen, alleen zij hebben het later gekregen en ernstiger,' legde Ayla uit. 'Twee oudere mensen zijn al eerder gestorven, maar het is erg triest wanneer kinderen sterven. Ik weet niet hoe dat is gekomen. Jonge mensen zijn over het algemeen sterk genoeg om van deze ziekte te herstellen. Alle anderen schijnen het ergste te hebben gehad. Sommigen hoesten veel en daar kan ik wel wat aan doen, maar zo te zien is er niemand meer ernstig ziek. Ik wil graag iets klaarmaken om de moeder te helpen. Ze trekt het zich erg aan. Dat kan ik me voorstellen. Ik ben er niet helemaal zeker van, maar ik geloof niet dat het voor ons gevaar oplevert wanneer we blijven voor de begrafenis. Ik vind het echter niet verstandig om bij hen te logeren.'

'Ik had willen voorstellen dat we onze eigen tenten opzetten als we besluiten te blijven,' zei Tulie. 'Het is al moeilijk genoeg voor hen zonder voortdurend vreemden in hun midden te hebben en het zijn ook geen Mamutiërs. Sungaea zijn... anders.'

Ayla werd de volgende morgen gewekt door het geluid van stemmen niet ver van de tent. Ze stond vlug op, kleedde zich aan en keek naar buiten. Er waren verscheidene mensen bezig met het graven van een lange, smalle geul. Tronie en Fralie zaten buiten bij een vuur hun baby's te voeden. Ayla glimlachte en ging bij hen zitten. Uit een kookmand steeg de geur van saliewater op. Ze schepte er een kopje uit en nam af en toe een teugje van de hete vloeistof.

'Gaan ze hen vandaag begraven?' vroeg Fralie.

'Ik denk het,' zei Ayla. 'Ik geloof niet dat Talut het rechtstreeks wou vragen, maar ik kreeg de indruk van wel. Ik kan hun taal niet verstaan, al vang ik hier en daar een paar woorden op.'

'Dan zijn ze het graf aan het graven. Ik vraag me af waarom ze het zo lang maken,' zei Tronie.

'Ik weet het niet, maar ik ben blij dat we gauw vertrekken. Ik weet dat het goed is om te blijven, maar ik houd niet van begrafenissen,' zei Fralie.

'Daar houdt niemand van,' zei Ayla. 'Ik wou dat we hier een paar dagen eerder waren geweest.'

'Je weet anders niet of je iets voor die kinderen had kunnen doen,' zei Fralie.

'Ik vind het zo erg voor de moeder,' merkte Tronie op. 'Het moet al erg genoeg zijn om een kind te verliezen, maar twee tegelijk... Ik weet niet of ik daar wel overheen zou komen.' Ze drukte Hartal tegen zich aan, maar dat had alleen tot gevolg dat de dreumes probeerde los te komen.

'Ja. Het is erg om een kind te verliezen,' zei Ayla. Haar stem klonk zo triest dat Fralie haar verbaasd aankeek. Ayla zette haar kopje neer en stond op. 'Ik heb hier in de buurt wat alsem zien groeien. Van de wortel kan ik een heel sterk middel maken. Ik gebruik het niet vaak, maar ik wil iets maken om de moeder wat te kalmeren en dat zal sterk moeten zijn.'

Het Leeuwenkamp merkte de verschillende activiteiten en ceremoniën op die in de loop van de dag plaatsvonden of ze namen er zijdelings deel aan, maar tegen de avond veranderde de sfeer en toen gingen ook de bezoekers helemaal op in de diepe concentratie. De opgelaaide emoties ontlokten de Mamutiërs oprechte kreten van rouw en verdriet toen de twee kinderen op lijkbaren, die de vorm van een hangmat hadden, plechtig naar buiten werden gedragen en bij iedereen langs werden gebracht voor een laatste afscheid.

Terwijl de mensen die de baren droegen langzaam langs de rouwende bezoekers liepen, zag Ayla dat de kinderen prachtig vervaardigde en versierde kleding aanhadden, alsof ze voor een belangrijk feest waren gekleed. Ze kon er niets aan doen, maar ze raakte ervan onder de indruk en het intrigeerde haar. Voor de tunieken en de lange broeken waren stukjes leer en bont in verschillende, ook natuurlijke, kleuren en ingewikkelde geometrische figuren nauwkeurig aan elkaar genaaid, afgezet met opvallende aaneengesloten stukken die met duizenden ivoren kraaltjes waren bezet. Haar gedachten dwaalden even af. Zouden ze voor al dat werk alleen een scherpe priem hebben gebruikt? Misschien dat iemand wel graag de kleine ivoren draadtrekker met de scherpe punt en het gat aan het andere eind zou willen hebben.

Ze zag ook hoofdbandjes en riemen en over de schouders van het meisje een cape met boeiende figuren die waren aangebracht in een stof die leek te zijn gemaakt uit draden van de wol die door de trekkende dieren was afgeworpen. Ze wou het kledingstuk aanraken en nauwkeurig bekijken om erachter te komen hoe het was gemaakt, maar dat was ongepast geweest. Ranec, die naast haar stond, zag het ook en hij maakte een opmerking over het ingewikkelde patroon van rechthoekige spiralen. Voor ze weggingen hoopte Ayla meer te weten te komen over de manier waarop ze het maakten, misschien wel in ruil voor een van haar ivoren punten met een gat.

De beide kinderen hadden ook sieraden om, gemaakt van schelpen, hoektanden van dieren en been. De jongen had zelfs een grote vreemde steen die was doorboord om als hanger te dragen. Het haar van de volwassenen zat in de war en was bedekt met as, maar hun haar was keurig gekamd en volgens een ingewikkeld model opgemaakt, de jongen met vlechten en het meisje met grote knotten aan beide zijden van haar hoofd.

Ayla kon het gevoel niet van zich afzetten dat de kinderen alleen maar sliepen en ieder moment wakker konden worden. Ze leken te jong, te gezond, met hun ronde wangen en gladde gezichten, om dood te zijn en te zijn overgegaan naar het rijk van de geesten. Ze voelde een huivering en ze keek onwillekeurig naar Rydag. Ze ving Nezzies blik en keek de andere kant op.

Ten slotte werden de lichamen van de twee kinderen naar de lange, smalle geul gebracht. Ze werden er, met de hoofden naar elkaar toe, in neergelaten. Een vrouw met een eigenaardige hoofdtooi en een lange, met kralen versierde tuniek ging staan en begon met een hoge stem aan een lijkzang die iedereen deed huiveren. Ze had veel hangers en kettingen om haar hals, die rinkelden en tegen elkaar tikten wanneer ze zich bewoog, en verscheidene losse ivoren armbanden aan haar armen, die bestonden uit een aantal afzonderlijke smalle banden. Ayla realiseerde zich dat ze op de armbanden leken die sommige Mamutiërs droegen.

Naast het bekende geluid van trommelslagen op een mammoetschedel klonk de weergalm van een harde trommelslag. Terwijl ze zong begon de vrouw heen en weer te bewegen en te wiegen, ze ging op haar tenen staan en tilde haar voeten van de grond, soms keek ze in verschillende richtingen, maar ze bleef op haar plaats. Als ze danste, zwaaide ze ritmisch met de armen zodat haar armbanden ratelden. Ayla had haar al ontmoet en hoewel ze niet met elkaar konden praten, voelde ze zich tot haar aangetrokken. Mamut had uitgelegd dat ze geen medicijnvrouw was zoals Ayla, maar iemand die kon communiceren met de wereld van de geesten. Ayla realiseerde zich met een schok dat zij voor de Sungaea was wat Mamut voor de Mamutiërs was en Creb voor de Stam. Maar het was nog wel moeilijk voor haar om zich een vrouwelijke Mog-ur voor te stellen.

De man en de vrouw met de rode gezichten strooiden poeder van rode oker over de kinderen en dat deed Ayla denken aan de rode okerzalf die Creb op Iza's lichaam had gesmeerd. Er werden verscheidene andere dingen op plechtige wijze in het graf gelegd: rechte staven van de slagtand van de mammoet, speren, vuurstenen messen en dolken, beeldjes van een mammoet, een bizon en een paard – niet zo goed gemaakt als die van Ranec, dacht Ayla. Ze was verbaasd toen ze een lange ivoren staf zag, versierd met een wiel met spaken waaraan veren en andere voorwerpen waren bevestigd. Ze legden naast elk kind een staf. Toen de mensen van de nederzetting de klaagzang van de vrouw overnamen, boog Ayla zich iets vooraf en fluisterde tegen Mamut: 'Die staven lijken op die van Talut. Zijn het Spreekstaven?'

'Ja. De Sungaea zijn verwant aan de Mamutiërs en veel nauwer dan sommigen willen toegeven,' zei Mamut. 'Er zijn wel wat verschillen, maar deze begrafenisplechtigheid lijkt heel veel op de onze.'

'Waarom zouden ze Spreekstaven in een graf bij kinderen leggen?'

'Ze krijgen de dingen die ze nodig zullen hebben wanneer ze in de geestenwereld ontwaken. Als de dochter en de zoon van de leidster zijn ze een zuster en broer die waren voorbestemd om samen leiders te worden, is het niet in dit leven, dan in het volgende,' legde Mamut uit. 'Het is noodzakelijk om hun rang te laten zien zodat ze daar hun status niet verliezen.'

Ayla bleef even kijken en toen ze begonnen de grond er weer in te gooien stelde ze de volgende vraag aan Mamut: 'Waarom worden ze zo begraven, met de hoofden naar elkaar toe?'

'Omdat ze broer en zuster zijn,' zei hij, alsof de rest voor zichzelf sprak. Toen zag hij de verbaasde uitdrukking op haar gezicht en vervolgde: 'Het kan een lange, moeilijke reis worden naar de wereld van de geesten, vooral omdat ze nog zo jong zijn. Ze moeten met elkaar kunnen communiceren, elkaar kunnen helpen en troosten, maar het is een gruwel voor de Moeder wanneer een broer en een zus met elkaar het Genot delen. Als ze naast elkaar wakker worden, kunnen ze zijn vergeten dat ze broer en zus zijn en bij vergissing paren omdat ze denken dat ze bij elkaar sliepen omdat ze een verbintenis aan zouden gaan. Met de hoofden naar elkaar toe kunnen ze elkaar tijdens de reis bemoedigen en zich toch niet vergissen in hun relatie wanneer ze de andere plaats bereiken.'

Ayla knikte. Het leek logisch, maar terwijl ze keek hoe het graf werd dichtgegooid, had ze de vurige wens dat ze een paar dagen eerder waren gekomen. Misschien had ze niet kunnen helpen, maar ze had het in elk geval kunnen proberen.

Talut stopte aan de oever van een riviertje. Hij keek eerst stroomopwaarts toen stroomafwaarts en raadpleegde het stukje ivoor dat hij in zijn hand had. Hij keek naar de stand van de zon en een paar wolkenformaties in het noorden. Hij snoof de wind op en bekeek ten slotte de naaste omgeving.

'Hier blijven we vannacht,' zei hij terwijl hij zijn rugzak en draagstel van zich af schudde. Hij liep naar zijn zuster, die een beslissing nam over de plaats van de hoofdtent, zodat er nog voldoende vlakke grond overbleef voor de bijtentjes die van dezelfde steunen gebruikmaakten. 'Tulie, wat vind je ervan om hier te blijven en wat te handelen? Ik heb de kaarten bekeken die Ludeg heeft gemaakt. Het kwam eerst niet bij me op, maar nu ik zie waar we zijn, kijk,' zei hij en hij liet haar twee verschillende stukjes ivoor zien waar tekentjes op waren aangebracht, 'hier is de kaart die de weg aangeeft naar het Wolvenkamp, de nieuwe plaats voor de Zomerbijeenkomst en hier is de andere, die hij snel nog even maakte met de weg naar het Sungaea-kamp. Hier vandaan zou het niet zo'n grote omweg zijn als we het Mammoetkamp bezoeken.'

'Je bedoelt het Muskusoskamp,' zei Tulie geërgerd en op minachtende toon. 'Het was arrogant van hen om hun kamp een andere naam te geven. Iedereen heeft een Mammoetvuurplaats, maar niemand zou een kamp naar de mammoet noemen. Zijn we niet allemaal mammoetjagers?'

'Maar de kampen worden altijd naar de vuurplaats van het stamhoofd genoemd en hun nieuwe stamhoofd is hun Mamut. Bovendien betekent dat niet dat we niet met hen kunnen handelen – als ze niet voor de zomer zijn vertrokken. Je weet dat ze verwant zijn aan het Amberkamp en ze hebben altijd wel wat barnsteen om te ruilen,' zei Talut, die wist dat zijn zuster een zwak had voor de goudkleurige versteende hars. 'Wymez zegt dat ze ook goed vuursteen weten te vinden. Wij hebben veel rendierhuiden, om maar te zwijgen van een paar mooie vachten.'

'Ik begrijp niet hoe iemand een vuurplaats kan beginnen wanneer hij niet eens een vrouw heeft, maar ik zei al dat ze arrogant zijn. Maar daarom kunnen we wel met hen handelen. Natuurlijk stoppen we hier, Talut.' Er kwam een ondoorgrondelijke glimlach op het gezicht van de leidster. 'Dat moeten we in ieder geval doen. Ik denk dat het voor het "Mammoet"kamp interessant zal zijn om ónze Mammoet-vuurplaats te ontmoeten.'

'Goed. Laten we dan maar vroeg vertrekken,' zei Talut, maar hij keek haar verbaasd aan en schudde zijn hoofd. Hij vroeg zich af wat zijn listige en intelligente zuster in de zin had.

Toen het Leeuwenkamp een brede, bochtige rivier bereikte die een diepe geul had uitgeslepen tussen de steile oevers die uit lössgrond bestonden, zoals bij hun huis, liep Talut naar een vooruitspringend stuk grond en bekeek nauwkeurig de omgeving. Hij zag in het dal beneden herten en oerossen grazen op een weide met hier en daar wat boompjes. Wat verder weg zag hij in een scherpe bocht van de rivier tegen de hoge oever een grote stapel botten liggen. Kleine figuurtjes bewogen zich tussen de verzameling gedroogde botten en hij zag dat een aantal van hen beenderen meenam.

'Ze zijn er nog,' riep hij. 'Ze moeten aan het bouwen zijn.'

De reizigers liepen gezamenlijk de helling af naar het kamp, dat op een breed terras lag, niet meer dan vijf meter boven de rivier. Ayla was verrast geweest toen ze het huis van het Leeuwenkamp zag, maar haar verbazing was nog veel groter toen ze het Mammoetkamp zag. In plaats van een enkel, lang, halfonderaards huis, dat met plaggen was bedekt en voor Ayla veel gelijkenis vertoonde met een grot of een hol voor mensen, had dit kamp op het terras een aantal afzonderlijke ronde verblijven. Ze waren ook verstevigd met een dikke laag plaggen met klei eroverheen en er groeide gras om de randen, maar niet op het dak. Ze deden Ayla nog het meest denken aan de enorme, kale marmottenheuvels.

Toen ze dichterbij kwamen, begreep ze waarom de daken kaal waren. Het Mammoetkamp gebruikte ze ook als plaats om uit te kijken. Op twee daken stond een groep toeschouwers en hoewel ze nu hun aandacht op de bezoekers richtten, was dat niet de reden waarom ze daar stonden. Toen het Leeuwenkamp om een van de huizen trok dat hun uitzicht belemmerde, zag Ayla waar ze zoveel belangstelling voor hadden en ze was stomverbaasd.

Talut had gelijk gehad. Ze waren aan het bouwen. Ayla had Tulies opmerkingen gehoord over de naam die deze mensen voor hun kamp hadden gekozen, maar nu ze het huis zag dat ze bouwden leek de naam heel toepasselijk. Als het klaar was zou het er misschien net zo uitzien als de andere, maar de manier waarop zij de mammoetbotten als geraamte voor het huis gebruikten, leek een bijzondere eigenschap van het dier uit te drukken. Zeker, het Leeuwenkamp had ook mammoetbotten gebruikt bij het bouwen van hun huis, maar de beenderen die voor deze woning werden gebruikt hadden ook nog een andere functie. Ze waren zo uitgezocht en geplaatst dat het geraamte het wezen van de mammoet overbracht en wel zo dat het geloof van de Mamutiërs erin werd uitgedrukt.

Om te beginnen brachten ze eerst grote aantallen van hetzelfde soort botten uit de berg beneden. Ze maakten daarmee een halve cirkel met een doorsnede van ongeveer vijf meter. Daar werden mammoetschedels op geplaatst en wel zo dat het stevige oppervlak van het voorhoofd naar binnen wees. De opening werd de bekende poort, gemaakt van twee grote, kromme slagtanden die werden vastgezet in het gat van een mammoetschedel en aan de top met elkaar werden verbonden. Aan de buitenkant kwam een ronde muur van misschien wel honderd onderkaken van mammoeten, in vier lagen, waarbij de spitse kin steeds tussen twee andere kaken paste.

Het was een indrukwekkende constructie met een diepere betekenis. Al die onderkaken samen, met hun V-vorm, deden een zigzagpatroon ontstaan dat op de kaarten werd gebruikt om water aan te geven. Bovendien was het zigzagsymbool voor water ook het meest diepzinnige symbool voor de Grote Moeder, de Schepper van alle leven. Ayla had van Mamut geleerd dat de driehoeken, met de punt naar beneden, Haar heuvel voorstelden, het uitwendige kenmerk van Haar baarmoeder. Omdat het symbool vele keren werd herhaald was het een voorstelling van al het leven; niet zomaar water, maar het vruchtwater van de Moeder, dat over de aarde was gestroomd en de zeeën en rivieren had gevuld toen Ze al het leven op aarde schiep. Er was geen twijfel mogelijk. Dit moest het verblijf van de Mammoetvuurplaats worden.

De ronde muur was nog niet klaar, maar ze waren bezig met de rest van het huis. Er werden schouderbladen, bekkens en wervels geplaatst in een regelmatige, symmetrische volgorde. Aan de binnenkant zorgde een geraamte van hout voor voldoende steun en zo te zien werd het dak gemaakt van slagtanden.

'Dit is het werk van een echte kunstenaar!' zei Ranec, die ernaartoe liep en blijk gaf van zijn bewondering voor hun werk.

Ayla begreep dat hij zijn goedkeuring wou uitspreken. Ze zag Jondalar op een afstandje staan. Hij hield Renner aan het touw. Ze besefte dat hij niet minder onder de indruk was en waardering had voor de geïnspireerde geest die het idee tot uitdrukking had gebracht. Eigenlijk stond het hele Leeuwenkamp sprakeloos. Maar, zoals Tulie had vermoed, het Mammoetkamp was net zo verbaasd over hun bezoekers – of liever over de makke dieren die ze bij zich hadden.

Ze bleven elkaar over en weer even aanstaren zonder een woord te zeggen en toen kwamen een man en een vrouw, die iets jonger waren dan de leiders van het Leeuwenkamp, naar voren om Tulie en Talut te begroeten. De man had zware mammoetbotten de helling op gedragen en zijn bovenlichaam was bloot en bezweet. Dit waren geen tijdelijke onderkomens die konden worden verplaatst, maar een blijvende nederzetting. Zijn gezicht was zwaar getatoeëerd en Ayla had moeite hem niet aan te staren. Hij had niet alleen een V-vormige tatoeage op zijn linkerwang, zoals de Mamut van het Leeuwenkamp, maar ook symmetrische zigzaglijnen, driehoeken, ruiten en rechthoekige spiralen in twee kleuren, blauw en rood.

De vrouw was blijkbaar ook aan het werk geweest en zij liep ook met ontbloot bovenlichaam, maar in plaats van een broek droeg ze een omslag die tot net onder de knieën viel. Zij had geen tatoeëringen, maar haar neusvleugel was doorboord en ze droeg door het gat een sieraad van een stukje bewerkt barnsteen.

'Tulie, Tulie, wat een verrassing! We hadden jullie niet verwacht, maar in de naam van de Moeder verwelkomen we het Leeuwenkamp,' zei de vrouw.

'In de naam van Mut danken we jullie daarvoor, Avarie,' zei Tulie. 'Het was niet onze bedoeling om op een ongelegen moment te komen.'

'We waren in de buurt, Vincavec,' voegde Talut eraan toe, 'en we konden niet doortrekken zonder langs te komen.'

'Een bezoek van het Leeuwenkamp komt nooit ongelegen,' zei de man, 'maar hoe komen jullie zo in de buurt? Dit is voor jullie niet de weg naar het Wolvenkamp.'

'De boodschapper die ons kwam vertellen dat de plaats van samenkomst was gewijzigd, was ook bij het kamp van de Sungaea geweest en hij zei dat ze daar ernstig ziek waren. We hebben een nieuwe vrouw, een Genezer, Ayla van de Mammoetvuurplaats,' zei Talut, en hij gaf haar een wenk om naar voren te komen, 'en ze wou erheen om te zien of ze kon helpen. We komen er net vandaan.'

'Ja, ik ken dat Sungaea-kamp,' zei Vincavec en toen draaide hij zich om naar Ayla. Ze kreeg even het gevoel dat zijn ogen dwars door haar heen gingen – ze was er nog altijd niet aan gewend om een recht-streekse blik van een vreemde te beantwoorden – maar ze voelde dat dit niet het moment was om de verlegenheid of bescheidenheid van een vrouw van de Stam te tonen en ze ontweek zijn doordringende blik niet. Opeens begon hij te lachen en zijn fonkelende lichtgrijze ogen gaven haar een goedkeurende en waarderende blik. Toen viel het haar op dat het een bijzonder aantrekkelijke man was, niet omdat hij knap was of bijzondere trekken had – hoewel de tatoeages hem wel deden opvallen – maar door zijn sterke wil en intelligentie. Hij keek naar Mamut, die op Whinney zat.

'Dus je bent nog altijd bij ons, oude man,' zei hij, duidelijk verheugd, en hij voegde er glimlachend aan toe: 'en je komt nog altijd met ver-rassingen. Sinds wanneer ben je een Roeper geworden? Of moeten we een andere naam bedenken? Twee paarden en een wolf die met het Leeuwenkamp reizen? Dat is meer dan een Gave van Roepen.'

'Een andere naam zou toepasselijk kunnen zijn, Vincavec, maar het is mijn gave niet. De dieren luisteren naar Ayla.'

'Ayla? Het lijkt erop dat de oude Mamut een waardige dochter heeft gevonden.' Hij bekeek Ayla nog eens en hij was duidelijk geïnteres-seerd. Hij zag Ranecs boze blik niet, maar Jondalar wel. Hij had be-grip voor het gevoel en voor het eerst voelde hij een soort vreemde verwantschap met de beeldhouwer.

'We hebben nu lang genoeg staan praten,' zei Avarie. 'Daar hebben we nog tijd genoeg voor. De reizigers zullen wel moe en hongerig zijn. Ik ga een maaltijd voor jullie regelen en een plaats om uit te rusten.'

'We zien dat jullie een nieuw huis bouwen, Avarie. Je hoeft voor ons geen drukte te maken. Het is voldoende wanneer we een plaats heb-ben om onze tenten op te zetten,' zei Tulie. 'We zullen later graag een keer met jullie eten en dan kunnen we misschien een paar mooie ren-dierhuiden en vachten laten zien die we toevallig bij ons hebben.'

'Ik heb een beter idee,' bromde Talut, die zijn draagstel ter plekke af-schudde. 'Waarom helpen we jullie niet? Je moet me waarschijnlijk wel vertellen waar ik ze moet neerleggen, maar mijn rug is breed ge-noeg om een paar mammoetbotten te dragen.'

'Ja, ik wil ook graag helpen,' bood Jondalar aan, die Renner naar zich toe trok en Rydag eraf hielp. 'Dat wordt een bijzonder huis. Ik heb nog nooit zoiets gezien.'

'Maar natuurlijk. We nemen jullie aanbod om te helpen graag aan. Enkelen van ons hebben haast om naar de Zomerbijeenkomst te gaan, maar een huis kan alleen in de zomer behoorlijk worden ge-bouwd, dus moeten we het afmaken voor we weggaan. Dit is een heel royaal aanbod van het Leeuwenkamp,' zei Vincavec en hij vroeg zich af hoeveel stukken barnsteen hun edelmoedigheid ging kosten wanneer het handelen begon. Maar hij kwam tot de slotsom dat het wel de moeite waard was om het huis klaar te krijgen en een paar mopperaars tevreden te stellen.

Vincavec had de grote blonde man eerst niet opgemerkt tussen al die mensen, maar hij keek nog eens en toen richtte hij zijn blik weer op Ayla, die bezig was om de slee van Whinney los te maken. Het was een vreemde, net als Ayla, en hij leek net zo vertrouwd met de paarden als zij. Maar de kleine platkop kon blijkbaar heel goed opschieten met de wolf en hij was geen vreemde meer. Het moest iets te maken hebben met de vrouw. Het Mamut-stamhoofd van het Mammoetkamp richtte zijn aandacht weer op Ayla. Het viel hem op dat de donkere beeldhouwer voortdurend om haar heen draaide. Ranec had altijd al oog gehad voor het mooie en bijzondere, dacht hij. Zijn houding had eigenlijk iets bezitterigs, maar wie was die vreemde dan? Hoorde hij niet bij die vrouw? Vincavec wierp een vluchtige blik op Jondalar en het viel hem op dat deze naar Ranec en Ayla stond te kijken.

Vincavec kwam tot de slotsom dat hier iets aan de hand was en hij moest glimlachen. Hoe de verhoudingen ook waren, wanneer ze allebei zo geïnteresseerd waren, was de vrouw waarschijnlijk nog geen verbintenis aangegaan. Hij bekeek haar nog eens goed. Het was een aantrekkelijke vrouw en een dochter van de Mammoetvuurplaats, een Genezer, zoals ze beweerden en ze ging beslist op een unieke wijze met dieren om. Ongetwijfeld een vrouw met een hoge status, maar waar kwam ze vandaan? En waarom was het altijd het Leeuwenkamp dat met iets bijzonders voor den dag kwam?

De beide leidsters stonden in een bijna afgebouwd, maar nog leeg nieuw huis. Hoewel de buitenkant was afgedekt, was het zigzagpatroon aan de binnenkant nog duidelijk te zien.

'Weet je zeker dat jullie niet met ons meereizen, Avarie?' zei Tulie, die een nieuwe ketting met grote barnstenen kralen om de hals droeg.

'We willen graag nog een paar dagen wachten tot jullie klaar zijn.'

'Nee, jullie moeten gaan. Ik weet hoe graag iedereen naar de Bijeenkomst wil en jullie hebben al te veel gedaan. Het huis is bijna klaar en zonder jullie waren we nooit zover gekomen.'

'We vonden het leuk om jullie te helpen. Ik moet toegeven dat het een indrukwekkend nieuw huis is. Het is een eer voor de Moeder. Je broer is echt heel bijzonder. Je voelt hier binnen bijna de aanwezigheid van de Moeder.' Ze meende het oprecht en dat wist Avarie.

'Dank je wel, Tulie, en we zullen jullie hulp niet vergeten. Daarom willen we jullie niet langer vasthouden. Jullie zijn al te laat omdat jullie zijn gebleven om ons te helpen. Alle beste plaatsen zullen wel bezet zijn.'

'Het kost ons niet veel tijd meer om er te komen. Onze vracht is aanzienlijk lichter geworden. Het Mammoetkamp heeft goed handel gedreven.'

Avarie wierp een blik op de nieuwe ketting van de grote leidster. 'Maar lang niet zo goed als het Leeuwenkamp,' zei ze.

Tulie was het er wel mee eens. Ze dacht dat het Leeuwenkamp er beter was afgekomen, maar het was ongepast het toe te geven. Ze ging op een ander onderwerp over: 'Nou, we zullen naar jullie uitkijken. Als het kan, zullen we proberen een plaats voor jullie open te houden.'

'Dat zullen we op prijs stellen, maar ik vermoed dat we de laatsten zullen zijn. We zullen moeten accepteren wat we kunnen krijgen. Maar we zoeken jullie wel op,' zei Avarie, terwijl ze naar buiten liepen.

'Dan vertrekken we morgenochtend,' zei Tulie. De twee vrouwen omhelsden elkaar en drukten de wangen tegen elkaar. Toen ging de leidster van het Leeuwenkamp in de richting van de tenten.

'O, Tulie, voor het geval ik Ayla niet meer zie: wil je haar alsjeblieft nog een keer bedanken voor de vuursteen?' zei Avarie, en ze voegde er schijnbaar terloops aan toe: 'Hebben jullie al een Bruidsprijs voor haar vastgesteld?'

'We hebben erover nagedacht, maar ze heeft zoveel aan te bieden dat het moeilijk is,' zei Tulie en toen draaide ze zich om, maar na een paar stappen bleef ze weer staan en zei glimlachend: 'Zij en Deegie kunnen zo goed met elkaar opschieten dat Ayla bijna een dochter voor me is.'

Tulie kon nauwelijks een glimlach onderdrukken toen ze wegliep. Ze meende al te hebben opgemerkt dat Vincavec bijzondere aandacht aan Ayla besteedde en ze begreep dat het van Avarie niet zomaar een losse opmerking was. Hij had zijn zuster ertoe aangezet. Het zou geen slechte partij zijn, dacht Tulie. En banden met het Mammoetkamp konden voordeel opleveren. Natuurlijk heeft Ranec het eerste recht. Ze hebben elkaar ten slotte de Belofte gegeven, maar wanneer iemand als Vincavec een bod zou doen, zou dat geen beletsel zijn om het in overweging te nemen. Haar waarde kon er alleen maar hoger door worden. Ja, het was een goed idee van Talut toen hij voorstelde om hier te stoppen en wat handel te drijven.

Avarie keek haar na. Dus Tulie gaat zelf onderhandelen over de Bruidsprijs. Dat dacht ik al. Misschien was het wel goed om onderweg bij het Amberkamp te stoppen. Ik weet waar moeder het ruwe steen bewaart en als Vincavec van plan is een poging te doen om Ayla te krijgen, zal hij alles nodig hebben wat hij kan krijgen. Ik heb nog nooit een vrouw gezien die zo goed kan handelen als Tulie, dacht Avarie met enige afgunst. De grote leidster van het Leeuwenkamp was haar vroeger niet zo opgevallen. Deze laatste paar dagen was ze echter in de gelegenheid geweest haar beter te leren kennen en ze had respect voor haar gekregen en haar meer leren waarderen. Tulie had hard meegewerkt en ze was royaal met haar lof wanneer die verdiend was, en ze was misschien wel een geweldig goede handelaarster, maar dat hoorde bij een leidster. Als ze zelf nog jong was en op het punt stond een verbintenis aan te gaan, zou ze er geen bezwaar tegen hebben dat iemand als Tulie voor haar over de Bruidsprijs onderhandelde, dacht Avarie.

Vanuit het Mammoetkamp trok het Leeuwenkamp voornamelijk in noordelijke richting en ze volgden voor het grootste gedeelte de rivier. In de buurt van de grote rivieren die door het continent stroomden, veranderde het noordelijke landschap voortdurend en het toonde een rijke verscheidenheid aan planten. Op hun tocht kwamen ze door toendra's en lössvlakten. Ze zagen bosmeren vol riet, rijkelijk begroeide moerassen, winderige heuvels en grazige weiden vol zomerbloemen. Hoewel de noordelijke planten in hun groei werden belemmerd, waren de bloemen vaak groter en feller van kleur dan die van de soorten die meer naar het zuiden groeiden. Ayla kende de meeste wel, maar ze wist de namen niet altijd. Wanneer ze er voorbij kwamen, of als ze alleen uit rijden ging of wandelde, plukte ze er vaak een paar om ze mee te nemen naar Mamut, Nezzie, Deegie of iemand anders die haar de naam kon vertellen.

Hoe dichter ze bij de plaats van de Zomerbijeenkomst kwamen, hoe vaker Ayla een reden bedacht om een uitstapje te maken. De zomer was steeds de tijd geweest dat ze de eenzaamheid zocht. Dat had ze altijd gedaan, zover ze zich kon herinneren. 's Winters accepteerde ze, genoodzaakt door het slechte weer, het langdurig binnenblijven, of het nu in de grot van de Stam van Brun was of in haar vallei of in het huis van de Mamutiërs. Maar 's zomers had ze er vaak van genoten om overdag alleen te zijn, hoewel ze dat 's nachts niet prettig vond. Dan had ze tijd om over alles na te denken en te doen wat ze leuk vond, zonder het gevoel te hebben dat er te veel op haar werd gelet, of dat nu uit argwaan was of uit liefde.

Als ze 's avonds stopten, was het heel eenvoudig om te zeggen dat ze planten wou zoeken of jagen, en dat deed ze ook. Ze gebruikte zowel de speerwerper als haar slinger om vers vlees te halen, maar ze ging echt graag alleen. Ze had tijd nodig om na te denken. Ze zag tegen het moment op dat ze zouden aankomen en ze wist niet goed waarom. Ze had nu genoeg mensen ontmoet en men had haar gemakkelijk geaccepteerd, dus ze wist wel dat dat het probleem niet was. Maar hoe verder ze kwamen, hoe enthousiaster Ranec werd, terwijl Jondalar steeds somberder leek te worden. En haar verlangen om deze bijeenkomst van de kampen te ontlopen werd steeds groter.

De laatste avond dat ze onderweg waren, kwam Ayla van een lange wandeling terug met een handvol bloemen. Ze zag dat er een stukje grond bij het vuur vlak was gemaakt en dat Jondalar er met een mes tekens in aanbracht. Tornec bekeek de tekens. Hij had een stuk ivoor en een scherp mes in de hand.

'Daar is ze,' zei Jondalar. 'Ayla kan het je beter uitleggen dan ik. Ik weet niet of ik de weg wel zou kunnen vinden van het Leeuwenkamp naar de vallei en ik weet zeker dat ik het hiervandaan niet zou vinden. We hebben te veel omwegen gemaakt.'

'Jondalar probeerde een kaart te tekenen van de weg naar de vallei om te laten zien waar jullie de stenen hebben gevonden om vuur te maken,' zei Talut.

'Ik heb goed opgelet sinds we vertrokken, maar ik heb er niet een gezien,' voegde Tornec eraan toe. 'Ik zou daar wel eens heen willen om er nog een paar te halen. De stenen die we hebben kunnen we niet altijd blijven gebruiken. In de mijne zit al een diepe groef.'

'Ik vind het moeilijk om de afstand te schatten,' zei Jondalar. 'Wij reisden met de paarden, dus is het moeilijk te zeggen hoeveel dagen je nodig hebt te voet. We hebben het gebied goed verkend en we stopten wanneer we er zin in hadden. We hebben niet de kortste weg genomen. Ik weet bijna zeker dat we op de terugweg, verder naar het noorden, de rivier zijn overgestoken die door jullie dal loopt. Misschien vaker dan een keer. Toen we teruggingen, was het bijna winter en het landschap was sterk veranderd, zodat we ons moeilijk konden oriënteren.'

Ayla legde de bloemen neer. Ze pakte het mes en probeerde te bedenken hoe ze de weg naar de vallei moest tekenen. Ze begon met een lijn en toen aarzelde ze.

'Doe maar geen moeite om het hiervandaan te tekenen,' zei Talut. 'Probeer het maar gewoon vanaf het Leeuwenkamp.'

Ayla dacht diep na en ze fronste de wenkbrauwen. 'Ik weet dat ik je de weg zou kunnen wijzen vanaf het Leeuwenkamp,' zei ze, 'maar ik begrijp nog steeds niet veel van kaarten. Ik geloof niet dat ik weet hoe ik er een moet tekenen.'

'Ach, maak je geen zorgen,' zei Talut. 'We hebben geen kaart nodig als jij ons de weg kunt wijzen. Als we terug zijn van de Zomerbijeenkomst, kunnen we misschien wel een tocht daarheen maken.' Toen wees hij met zijn rode baard in de richting van de bloemen. 'Wat heb je deze keer meegebracht, Ayla?'

'Dat wou ik jullie vragen. Ik ken ze wel, maar ik weet niet hoe jullie ze noemen.'

'Ik weet dat die rode een geranium is,' zei Talut. 'En dit is een klaproos.'

'Nog meer bloemen?' vroeg Deegie, die bij hen kwam zitten.

'Ja. Talut heeft me verteld hoe deze twee heten,' zei Ayla.

'Laat eens kijken, dat is struikheide en dat is dopheide,' zei Deegie, die de andere twee kende. 'We zijn er bijna. Talut zegt dat we morgen in de loop van de dag aankomen. Ik kan nauwelijks langer wachten. Morgen zie ik Branag en dan duurt het niet lang meer voor de verbintenis is gesloten. Ik weet niet of ik vannacht wel zal kunnen slapen.'

Ayla glimlachte. Deegie was zo opgewonden dat het moeilijk was haar enthousiasme niet te delen, maar het herinnerde haar er wel aan dat zij ook spoedig een verbintenis zou aangaan. Toen Jondalar over de vallei en de weg erheen praatte, was haar verlangen naar hem opnieuw sterk toegenomen. Ze had haar best gedaan om niet te laten merken dat ze naar hem keek en ze had duidelijk het gevoel dat hij naar haar keek. Ze keken elkaar even in de ogen, waarna ze beiden hun blik afwendden.

'O, Ayla, ik wil je met zoveel mensen kennis laten maken en ik ben zo blij dat we bij dezelfde plechtigheid een verbintenis zullen aangaan. Dat is een mooie herinnering voor later.'

Jondalar ging staan. 'Ik moet weg... en... eh... mijn slaapplaats klaarmaken,' zei hij en hij ging er snel vandoor.

Deegie zag dat Ayla hem nakeek en ze was er bijna zeker van dat haar ogen vochtig werden. Ze schudde het hoofd. Ayla leek nu niet bepaald een vrouw die op het punt stond een verbintenis aan te gaan en een nieuwe vuurplaats in te richten met de man van wie ze hield. Er was geen blijdschap en geen opwinding. Er ontbrak iets en dat iets heette Jondalar.

31

De volgende morgen trok het Leeuwenkamp verder stroomopwaarts. Ze bleven op de vlakte en zagen links, beneden in het dal, af en toe een glimp van de snelstromende rivier. Het water was troebel van gletsjerpuin en slib.

Toen ze een plaats bereikten waar twee brede rivieren samenvloeiden, namen ze de linkertak. Ze staken twee brede zijrivieren over waarbij ze het meeste van hun spullen in een kano legden die ze voor dat doel hadden meegenomen en ze trokken verder door het dal met bossen en groene weiden.

Talut lette op de inhammen en kloven in de hoge rivieroever aan de overkant en hij vergeleek het landschap met de tekens op zijn stuk ivoor, die Ayla nog altijd niet duidelijk waren. Voor hen uit lag, in een scherpe bocht, het hoogste punt van de andere oever, zo'n zestig meter boven het water. Aan hun kant liep een wijde grasvlakte met stukjes bos tot kilometers ver het land in. Toen ze dichterbij kwamen, zag Ayla een kegelvormige stapel botten met de schedel van een wolf erbovenop. Talut liep in de richting van een vreemde formatie keien dwars over de rivier.

Het water was daar breed en ondiep en je had er wel doorheen kunnen waden, maar de oversteek was nog gemakkelijker gemaakt. Keien, grind en wat botten waren zo geplaatst en verdeeld dat er van stapstenen een pad was gemaakt voor mensen die de rivier wilden oversteken, terwijl het water ertussendoor kon stromen.

Jondalar bleef even staan om het beter te bekijken. 'Knap bedacht!' merkte hij op. 'Je kunt de rivier hier zelfs zonder natte voeten oversteken.'

'De beste plaatsen om onderkomens te bouwen liggen aan die kant — die diepe inhammen geven een goede beschutting tegen de wind — maar de beste jachtgronden liggen aan deze kant,' legde Barzec uit. 'Dit pad wordt door het hoge water weggespoeld, maar het Wolvenkamp maakt ieder jaar een nieuw. Het schijnt dat ze dit jaar extra moeite hebben gedaan, waarschijnlijk om het de bezoekers gemakkelijk te maken.'

Talut ging voorop. Ayla merkte dat Whinney buitengewoon onrustig was en ze dacht dat het paard zo nerveus werd door het pad van stapstenen met de open stukjes water ertussen, maar de merrie volgde haar zonder dat er iets bijzonders gebeurde.

Toen ze over de helft waren, bleef het stamhoofd staan. 'Op deze plaats kun je goed vissen,' zei hij. 'Het is hier diep omdat er veel stroom staat. Hier komt de zalm en ook steur en andere vissen zoals snoek, forel en meerval.' Hij richtte zijn opmerkingen in het bijzonder tot Ayla en Jondalar, maar ook tot de jongeren die er nog niet eerder waren geweest. Het was al een paar jaar geleden dat het Leeuwenkamp als groep het Wolvenkamp had bezocht.

Terwijl Talut hen aan de overkant naar een brede kloof leidde, wel een paar honderd meter breed op het hoogste punt, hoorde Ayla een vreemd geluid. Het leek wel een gezoem of een gedruis. Ze klommen geleidelijk aan de heuvel op. Toen de rivier ongeveer twintig meter onder hen lag en ze honderd meter hadden afgelegd, liepen ze een brede kloof in. Ayla keek en haar adem stokte. Beschermd door de steile wanden stonden een stuk of zes ronde onderkomens knus op een rij in het dal dat wel een kilometer lang was. Ayla's verbazing betrof niet de ronde onderkomens, maar de mensen. Ze had er in haar hele leven nog niet zoveel gezien. Ruim duizend mensen van meer dan dertig kampen waren bij elkaar gekomen voor de Zomerbijeenkomst van de Mamutiërs. Het hele gebied stond vol tenten. Er waren ten minste vier of vijf keer zoveel mensen als bij de Stambijeenkomsten en ze staarden haar allemaal aan.

Of liever haar paarden en Wolf. Het jonge dier drukte zich tegen haar been en was net zo overdonderd als zij. Ze voelde de panische angst van Whinney en wist dat het met Renner niet veel beter zou zijn. Door haar bezorgdheid om hen overwon ze haar eigen hevige schrik bij de aanblik van zoveel mensen. Ze zag Jondalar aan het touw hangen. Hij probeerde te voorkomen dat Renner steigerde, terwijl de angstige jongen zich stevig vasthield.

'Nezzie, pak Rydag!' riep ze. De vrouw had het gevaar al gezien en ze had de aansporing van Ayla nauwelijks nodig. Ayla hielp Mamut afstijgen en ze sloeg haar arm om de hals van de merrie. Ze leidde haar naar de jonge hengst om die te kalmeren. De wolf volgde haar.

'Het spijt me, Ayla. Ik had erom moeten denken hoe de paarden zouden reageren op zoveel mensen,' zei Jondalar.

'Wist jij dat er zoveel zouden zijn?'

'Nee... dat wist ik niet, maar ik vermoedde dat er ongeveer zoveel zouden zijn als er op een Zomerbijeenkomst van de Zelandoniërs komen.'

'Ik geloof dat we moeten proberen het Kattenstaartkamp een beetje buiten de drukte op te slaan,' zei Tulie met een luide stem zodat iedereen het kon horen. 'Misschien hier, aan de rand van het kamp. We staan dan wat verder van alles af,' zei ze terwijl ze om zich heen keek, 'maar er loopt dit jaar een stroompje door het dal van het Wolvenkamp en dat komt deze kant op.' Tulie had de reactie van de mensen verwacht en ze was niet teleurgesteld. Ze hadden hen de rivier zien oversteken en ze stonden dicht bij elkaar naar de aankomst van het Leeuwenkamp te kijken. Maar Tulie had niet verwacht dat de dieren zouden worden geïmponeerd door hun eerste kennismaking met een grote groep mensen.

'Wat vinden jullie ervan, daar bij de wand?' stelde Barzec voor. 'Het is er wat ongelijk, maar dat kunnen we vlak maken.'

'Het lijkt me een mooi plekje. Heeft niemand bezwaar?' vroeg Talut met de blik gericht op Ayla. Op dat moment leidde ze samen met Jondalar de dieren die kant op om ze vast te zetten. Het Leeuwenkamp begon keien en struiken te verwijderen en een stuk grond vlak te maken waar ze hun grote gemeenschappelijke dubbeldakstent konden opzetten.

Het leven in een tent werd een stuk prettiger door het gebruik van twee lagen huiden. De isolerende luchtlaag ertussen hield de warmte vast en als het 's avonds koud werd, liep het condensatievocht langs de binnenkant van de buitenste huid naar beneden. De binnenste huid werd vastgezet met plaggen grond en dat hield de tocht ook tegen. Hoewel het lang niet zo'n permanent onderkomen was als het huis van het Leeuwenkamp, was het steviger dan de enkelwandige tent die ze onderweg gebruikten. Als ze erover spraken noemden ze hun onderkomen voor de zomer het Kattenstaartkamp, waar het ook stond, ter onderscheiding van hun winterverblijf, hoewel ze zich als groep het Leeuwenkamp bleven noemen.

De tent was verdeeld in vier met elkaar in verbinding staande kegelvormige ruimten, met elk een afzonderlijke stookplaats. Deze werden ondersteund door stevige, jonge bomen, hoewel er ook wel mammoetribben of andere lange botten voor werden gebruikt. Het middengedeelte was het grootst. Dat was de ruimte voor de Leeuwenvuurplaats, de Vossenvuurplaats en de Mammoetvuurplaats. Omdat de tent niet zo groot was als het huis, werd hij in de eerste plaats gebruikt om in te slapen en het gebeurde maar zelden dat ze allemaal tegelijk in de tent sliepen. Andere activiteiten, in groepen of individueel, vonden meestal buiten plaats, zodat men er bij het opzetten van de tent rekening mee moest houden dat er voldoende ruimte overbleef. Het zoeken van een geschikte plaats voor het Kattenstaartkamp was dus wel belangrijk, ook met het oog op de grote kookplaats die buiten werd ingericht.

Terwijl ze hun tent opzetten en het terrein afbakenden, waren de anderen aardig bekomen van hun stomme verbazing. Ze begonnen opgewonden met elkaar te praten en nu ontdekte Ayla ook de oorzaak van dat vreemde gedruis. Ze herinnerde zich nog hoe druk ze het had gevonden wanneer iedereen tegelijk praatte toen ze de eerste keer in het Leeuwenkamp aankwam. Dit lawaai was vele malen sterker; het was het geluid van de stemmen van de hele menigte samen.

Geen wonder dat Whinney en Renner zo schichtig waren, dacht Ayla. Zij was ook geschrokken van dat aanhoudende gegons van stemmen. Ze was het niet gewend. De Stambijeenkomst was niet zo groot, maar ook als dat wel het geval was geweest, was er nooit zo'n lawaai geweest. Zij gebruikten weinig woorden om te communiceren; bijeenkomsten van de mensen van de Stam verliepen rustig. Maar bij de mensen die woorden gebruikten om zich uit te drukken was het, behalve bij hoge uitzondering, altijd lawaaiig in een kamp. De stemmen zwegen nooit, ze varieerden alleen in kracht, zoals de wind op de steppen.

Er waren veel mensen die zich haastten om het Leeuwenkamp te begroeten en hulp aan te bieden bij het opzetten van de tent en het inrichten van het verblijf. Ze werden hartelijk begroet, maar Talut en Tulie wisselden verscheidene blikken van verstandhouding. Ze konden zich niet herinneren dat er ooit zoveel bekenden waren geweest die wilden helpen. Met hulp van Latie, Jondalar en Ranec bouwde Ayla een onderkomen voor de paarden. Talut hielp ook een handje. De twee jonge mannen werkten rustig samen, maar ze zeiden weinig. Ayla wees ieder aanbod van nieuwsgierigen af en legde uit dat de paarden schuw waren en onrustig werden met vreemden in de buurt. Zij was kennelijk degene die de dieren in bedwang kon houden en dat wekte nog meer nieuwsgierigheid. Alles wat ze zei, werd snel doorverteld.

Aan de buitenste rand van het kamp, in een bocht van de kloof met uitzicht op het dal van de rivier, maakten ze een soort luifel van de tent die zij en Jondalar hadden gebruikt toen ze nog samen reisden. Als steun gebruikten ze boompjes en stevige takken. De plaats lag wat verborgen voor de mensen in het dal, maar er was een ruim uitzicht over de rivier en de prachtige graslanden met bomen.

Ze waren nog bezig met het inrichten van de tent en de slaapplaatsen toen een delegatie van het Wolvenkamp, met een aantal anderen, hen officieel kwam verwelkomen en hoewel niet anders werd verwacht, was het meer dan hoffelijk dat alle bezoekers voor het vissen het gebruik van de waterkering werd aangeboden, die van oudsher het eigendom van het Wolvenkamp was, evenals de velden met bessen, noten, zaden en wortels en de jachtgronden. Ook al duurde de Zomerbijeenkomst dan niet het hele seizoen, het verlenen van gastvrijheid aan zo'n grote groep zou toch zijn tol eisen en het was noodzakelijk om te bekijken of een bepaald gebied niet moest worden uitgesloten om te voorkomen dat er een te grote aanslag werd gepleegd op de natuurlijke hulpbronnen van de streek.

Talut was zeer verbaasd geweest toen hij hoorde dat de plaats voor de Zomerbijeenkomst was gewijzigd. Als regel kwamen de Mamutiërs niet bij elkaar in een bestaand kamp. Gewoonlijk kozen ze een plaats op de steppen of in een breed rivierdal, waar meer ruimte was voor zulke grote groepen mensen.

'In de naam van de Grote Moeder van allen heten we het Leeuwenkamp welkom,' zei een magere vrouw met grijs haar.

Tulie schrok toen ze haar zag. Ze was een buitengewoon charmante vrouw geweest, met een sterke gezondheid, die de verantwoordelijkheid van haar medeleiderschap met gemak had gedragen, maar het afgelopen jaar leek ze wel tien jaar ouder te zijn geworden. 'Marlie, we waarderen je gastvrijheid. We danken je in de naam van Mut.'

'Ik zie dat het je weer is gelukt,' zei een man die Taluts handen bij wijze van groet vastgreep.

Valez was jonger dan zijn zuster, maar het was de eerste keer dat het Tulie opviel dat ook hij ouder werd. Ze werd zich opeens bewust van haar eigen sterfelijkheid. Ze had altijd gedacht dat Marlie en Valez ongeveer van haar leeftijd waren.

'Maar ik geloof dat dit je grootste verrassing is,' vervolgde Valez. 'Toen Toran binnen kwam rennen en iets schreeuwde over paarden die met jullie door de rivier liepen, moest iedereen gaan kijken. En toen ontdekte iemand de wolf...'

'We zullen je niet vragen om ons nu alles te vertellen,' zei Marlie, 'hoewel ik moet toegeven dat ik er wel nieuwsgierig naar ben. Maar dan zou je het te vaak moeten herhalen. We kunnen net zo goed wachten tot vanavond, dan kun je het in één keer aan iedereen vertellen.'

'Marlie heeft natuurlijk gelijk,' zei Valez, hoewel hij het verhaal graag meteen had gehoord. Hij vond ook dat zijn zuster er vermoeid uitzag. Hij vreesde dat dit haar laatste Zomerbijeenkomst zou zijn. Daarom had hij er ook mee ingestemd om als gastheer op te treden toen de plaats, die oorspronkelijk was gekozen, door een verandering in de loop van de rivier was weggespoeld. Ze zouden hun leiderschap deze zomer overdragen.

'Gebruik alsjeblieft alles wat je nodig hebt. Hebben jullie een goed plaatsje gevonden? Het spijt me dat jullie zo ver weg moeten staan, maar jullie zijn laat. Ik wist niet eens of jullie nog wel kwamen,' zei Marlie.

'We hebben een omweg gemaakt,' zei Talut. 'Maar het is de beste plaats. Het is beter voor de dieren. Ze zijn niet gewend aan zoveel mensen.'

'Ik zou wel eens willen weten hoe ze aan één konden wennen,' riep iemand. Tulies ogen lichtten op toen er een grote jongeman naderde, maar Deegie was de eerste die naar hem toe liep.

'Tarneg! Tarneg!' riep ze, terwijl ze hem omhelsde. De anderen van de Oerosvuurplaats kwamen snel achter haar aan. Hij omarmde zijn moeder en toen Barzec en ze hadden allemaal tranen in de ogen. Vervolgens eisten Druwez, Brinan en Tusie zijn aandacht op. Hij sloeg zijn armen om de schouders van de beide jongens, omarmde hen en zei dat ze zo waren gegroeid. Toen tilde hij Tusie op. Na wat wederzijds geknuffel en gekietel, wat haar verrukt deed giechelen, zette Tarneg haar weer neer.

'Tarneg!' brulde Talut.

'Talut, ouwe heer!' antwoordde Tarneg, met net zo'n krachtige stem, terwijl de beide mannen elkaar omarmden. Het was duidelijk te zien dat ze familie waren – hij was bijna net zo'n beer als zijn oom – maar Tarneg had het donkere haar van zijn moeder. Hij boog vooróver om Nezzies wang te wrijven en toen sloeg hij met een ondeugende grijns zijn armen om de mollige vrouw en tilde haar op.

'Tarneg! Wat doe je nou? Zet me neer,' foeterde ze.

Hij zette haar voorzichtig op de voeten en gaf haar een knipoogje. 'Nu weet ik dat ik ook een man ben, net als jij, Talut,' zei Tarneg luid lachend. 'Weet je wel hoe ik ernaar heb verlangd om dat te doen? Alleen om te bewijzen dat ik het kon?'

'Het is niet nodig om...' begon Nezzie.

Talut gooide het hoofd in de nek en brulde van het lachen. 'Daar is meer voor nodig, jongeman. Pas wanneer je me kunt evenaren tussen de vachten ben je een man zoals ik.'

Nezzie gaf het op om te proberen haar waardigheid te herwinnen en ze keek haar reus van een metgezel alleen maar aan terwijl ze uit geprikkelde genegenheid het hoofd schudde.

'Waarom willen oude mannen met de Zomerbijeenkomst toch altijd bewijzen dat ze weer jong zijn?' zei ze. 'Maar het geeft mij tenminste wat rust.' Ze zag dat Ayla met belangstelling naar hen keek.

'Daar zou ik maar niet te zeker van zijn!' zei Talut. 'Ik ben nog niet zo oud dat ik het pad naar de Leeuwin van mijn vuurplaats niet meer kan schoonhouden omdat ik hier en daar een ander paadje veeg.'

'Poeh,' zei Nezzie schouderophalend, terwijl ze zich hooghartig van hem afwendde.

Ayla stond bij de paarden en ze hield de wolf dicht bij zich opdat hij de mensen niet zou laten schrikken met zijn gegrom, maar ze had alles met grote belangstelling gevolgd, ook de reacties van de mensen die eromheen stonden. Danug en Druwez leken enigszins in verlegenheid gebracht. Hoewel ze nog geen ervaring hadden, begrepen ze heel goed waar het over ging en dat was iets wat hen ook vaak bezighield. De gezichten van Tarneg en Barzec toonden een brede grijns. Latie bloosde en probeerde zich achter Tulie te verschuilen, die keek alsof al die onzin beneden haar stand was. De meeste mensen glimlachten toegeeflijk, ook Jondalar, wat Ayla verbaasde. Ze had zich afgevraagd of de reden voor zijn gedrag tegenover haar iets te maken had met gebruiken die heel anders waren. Misschien waren de Zelandoniërs, anders dan de Mamutiërs, niet van oordeel dat mensen het recht hadden om hun eigen partners te kiezen, maar hij liet geen afkeuring blijken.

Ayla zag een begrijpend glimlachje op het gezicht van Nezzie toen ze langs haar liep op weg naar de tent. 'Dat gebeurt ieder jaar,' zei ze zachtjes. 'Hij houdt zich groot en vertelt iedereen wat voor man hij is. De eerste paar dagen vindt hij ook wel wat, hoewel ze altijd op mij lijkt, blond en stevig. Als hij dan denkt dat niemand meer naar hem omkijkt, is hij er weer best tevreden mee de meeste nachten in het Kattenstaartkamp door te brengen en dan vindt hij het niet zo leuk als ik er niet ben.'

'Waar ga jij dan heen?'

'Wie weet? Met zo'n grote Bijeenkomst ken je iedereen wel of tenminste ieder kamp, maar je kent niet iedereen even goed. Ieder jaar is er wel iemand die je beter wilt leren kennen. Al moet ik toegeven dat het vaak een andere vrouw met opgroeiende kinderen is die een nieuw middel weet om mammoetvlees te kruiden. Soms waag ik wel eens een oogje aan een man, of hij aan mij, maar ik hoef er niet zo'n toestand van te maken. Laat Talut maar opscheppen, maar om de waarheid te zeggen geloof ik niet dat hij het leuk zou vinden wanneer ik dat ook deed.'

'Dus doe je het niet,' zei Ayla.

'Het is niet zo moeilijk om in de vuurplaats de goede sfeer te handhaven... en hem te behagen.'

'Je houdt echt van hem, nietwaar?'

'Die ouwe beer!' Nezzie wou ertegen ingaan, maar haar ogen kregen een zachte uitdrukking. 'In het begin was het wel eens moeilijk, je weet hoe hij kan brullen, maar ik heb me nooit op mijn kop laten zitten en ik denk dat hij dat in me waardeert. Talut zou iemand kunnen breken als hij wou, maar zo is hij niet. Hij kan soms boos worden, maar wreedheid kent hij niet. Hij zal nooit iemand pijn doen die zwakker is dan hij – en dat zijn ze bijna allemaal! Ja, ik houd van hem, en wanneer je van een man houdt, wil je alles doen om het hem naar de zin te maken.'

'Wanneer je aandacht werd getrokken door een andere man, zou je dan niet met hem naar bed gaan om Talut een plezier te doen? Ook niet als je wel zou willen?'

'Op mijn leeftijd is dat niet zo moeilijk, Ayla. Trouwens, om de waarheid te zeggen heb ik niet zoveel om over op te scheppen. Toen ik jonger was, keek ik nog uit naar de Zomerbijeenkomst om wat nieuwe gezichten te zien en ook wel eens een avontuurtje te beleven, maar ik geloof dat Talut op een punt gelijk heeft. Er zijn niet veel mannen die tegen hem op kunnen. Niet vanwege al "de paadjes die hij kan schoonhouden", maar door de manier waarop hij het doet.'

Ayla knikte begrijpend. Toen fronste ze de wenkbrauwen en dacht na. Wat moet je doen wanneer er twee mannen zijn die om je geven?

'Jondalar!'

Ayla keek op toen ze de vreemde stem zijn naam hoorde roepen. Ze zag hem glimlachend naar een vrouw lopen en haar hartelijk begroeten.

'Dus je bent nog bij de Mamutiërs? Waar is je broer?' vroeg de vrouw. De vrouw leek sterk, niet groot, maar gespierd.

Jondalars gezicht vertrok van pijn. Ayla zag aan de vrouw dat ze het begreep.

'Hoe is het gebeurd?'

'Een leeuwin pakte zijn jachtbuit en hij joeg haar terug naar haar hol. Het mannetje pakte hem en verwondde mij ook,' zei Jondalar met zo weinig mogelijk woorden.

De vrouw knikte en toonde haar medegevoel. 'Was je gewond? Hoe ben je dan weggekomen?'

Jondalar keek in de richting van Ayla en zag dat ze naar hen stond te kijken. Hij nam de vrouw mee naar haar toe. 'Ayla, dit is Brecie van de Mamutiërs, leidster van het Wilgenkamp... of liever het Elandenkamp. Talut zei dat dat de naam van jullie winterkamp is. Dit is Ayla van de Mamutiërs, dochter van de Mammoetvuurplaats van het Leeuwenkamp.'

Brecie reageerde wat terughoudend. Dochter van de Mammoetvuurplaats! Waar kwam ze vandaan? Vorig jaar was ze niet bij het Leeuwenkamp en Ayla was ook geen Mamutische naam.

'Brecie,' zei Ayla, 'Jondalar heeft me over jou verteld. Jij bent degene die hem en zijn broer uit het drijfzand van de Grote Moederrivier heeft gered en je bent een vriendin van Tulie. Ik ben blij je te ontmoeten.'

Dat is beslist geen Mamutisch accent en ook niet van de Sungaea, dacht Brecie. Het is ook niet het accent van Jondalar. Ik weet eigenlijk niet of het wel een accent is. Ze spreekt heel goed Mamutisch, maar ze heeft een vreemde manier om sommige woorden in te slikken.

'Ik ben ook blij jou te ontmoeten... Ayla, zei je toch?' vroeg Brecie.

'Ja, Ayla.'

'Dat is een ongewone naam.' Toen er verder geen uitleg kwam, vervolgde Brecie, 'Jij schijnt degene te zijn die eh... voor die dieren zorgt.' Het drong tot haar door dat ze nog nooit zo dicht bij een levend dier was geweest, tenminste niet een dat stil bleef staan en niet probeerde weg te rennen.

'Dat komt doordat ze haar gehoorzamen,' zei Jondalar spontaan.

'Maar zag ik jou er ook niet mee? Ik moet zeggen dat ik stomverbaasd was toen ik je zag, Jondalar. Ik dacht even dat je Darnev was, in die kleren, en toen je een paard aan een touw had dacht ik dat ik het me verbeeldde of dat Darnev was teruggekomen uit de wereld van de geesten.'

'Ik leer van Ayla hoe ik met die dieren moet omgaan,' zei Jondalar. 'Zij heeft me ook gered van de holenleeuw. Geloof me, ze heeft een speciale manier van omgaan met dieren.'

'Dat blijkt wel,' zei Brecie en ze keek naar Wolf, die niet meer zo onrustig was; er ging nu dreiging uit van zijn waakse blik. 'Is ze daarom aangenomen door de Mammoetvuurplaats?'

'Dat is een van de redenen,' zei Jondalar.

Het was van Brecie een gok om aan te nemen dat Ayla kortgeleden was geadopteerd door de Mamut van het Leeuwenkamp. Het antwoord van Jondalar bevestigde haar veronderstelling. Maar het gaf nog geen oplossing over de plaats waar ze vandaan kwam. De meesten namen aan dat ze met de grote blonde man was meegekomen, misschien als iemand van zijn vuurplaats of een zuster, maar zij wist dat Jondalar met alleen zijn broer in hun gebied was aangekomen. Waar had hij deze vrouw getroffen?

'Ayla! Wat leuk dat we elkaar weer ontmoeten.'

Ze keek op en zag Branag arm in arm met Deegie. Ze begroetten elkaar met een hartelijke omhelzing en wreven de wangen tegen elkaar. Hoewel ze hem pas één keer had ontmoet, leek hij wel een oude vriend en het was prettig om op deze Bijeenkomst althans iemand te kennen.

'Moeder vraagt of je komt. Dan kun je de leidster en het stamhoofd van het Wolvenkamp ontmoeten,' zei Deegie.

'Natuurlijk,' zei Ayla en ze was blij dat ze een excuus had om niet langer bij Brecie met haar scherpziende blik te blijven. Aan de schrandere veronderstellingen van de vrouw had Ayla wel gemerkt hoe snel haar geest werkte en ze voelde zich bij haar niet zo op haar gemak. 'Jondalar, wil jij hier bij de paarden blijven?' Ze had wel gemerkt dat er nog een paar mensen met Branag en Deegie waren meegekomen en die gingen steeds dichter bij de dieren staan. 'Het is allemaal nog nieuw voor ze en ze zijn rustiger wanneer er iemand in de buurt is die ze kennen. Waar is Rydag? Hij kan wel op Wolf passen.'

'Hij is binnen,' zei Deegie.

Ayla draaide zich om en zag de jongen verlegen bij de ingang staan. 'Tulie vraagt of ik bij de leidster kom. Wil jij op Wolf passen?' vroeg Ayla met gebaren en woorden.

'Ik pas op,' seinde hij en hij wierp een bezorgde blik op de groep mensen. Rydag kwam wat traag naar buiten. Hij ging naast Wolf zitten en sloeg zijn arm om hem heen.

'Kijk eens! Ze praat ook tegen platkoppen. Dan moet ze wel goed met dieren om kunnen gaan!' riep een spottende stem uit de menigte. Verscheidene mensen begonnen te lachen.

Ayla draaide zich snel om en zocht met een boze blik naar degene die dat had gezegd.

'Daar kan iedereen tegen praten – je kunt ook tegen een kei praten – het is de kunst om hen terug te laten praten,' zei een ander en dat veroorzaakte nog meer gelach.

Ayla keek in die richting en stamelde wat. Ze was zo boos dat ze bijna geen woord kon uitbrengen.

'Is hier iemand die probeert te zeggen dat die jongen een dier is?' Die stem klonk bekender. Ayla fronste de wenkbrauwen terwijl er een lid van het Leeuwenkamp naar voren kwam.

'Ja, ik, Frebec. Waarom niet? Hij begrijpt niet wat ik zeg. Platkoppen zijn dieren, dat heb je vaak genoeg gezegd.'

'En nu zeg ik dat ik ongelijk had, Chaleg. Rydag begrijpt precies wat je zegt en het is niet zo moeilijk om hem te laten antwoorden. Je moet alleen zijn taal leren.'

'Wat voor taal? Platkoppen kunnen niet praten. Wie vertelt jou die verhalen?'

'Gebarentaal. Hij praat met zijn handen,' zei Frebec. Er werd spottend gelachen. Ayla was benieuwd hoe Frebec zou reageren. Hij hield er niet van te worden uitgelachen.

'Geloof me dan niet,' zei hij. Hij haalde zijn schouders op alsof het hem niet kon schelen. Toen wendde hij zich tot de man die Rydag had bespot. 'Maar ik zal je nog wat anders vertellen. Hij kan ook met die Wolf praten en wanneer hij tegen die wolf zegt dat hij jou moet pakken zou ik niet graag in je schoenen staan.'

Chaleg wist niet dat Frebec de jongen tekens had gegeven; de handgebaren hadden voor de vreemde geen betekenis. Rydag had op zijn beurt Ayla gevraagd. Het hele Leeuwenkamp keek toe en had er plezier in, omdat ze wisten wat er ging gebeuren door middel van de geheimtaal, die ze in aanwezigheid van al die mensen konden gebruiken zonder dat dezen er iets van begrepen.

Zonder zich om te draaien vervolgde Frebec: 'Waarom laat je het hem niet zien, Rydag?'

Plotseling zat Wolf niet langer rustig met de arm van het kind om zich heen. Met een soepele sprong stond de wolf voor de man, met ontblote tanden en de nekharen overeind. Zijn gegrom deed de toeschouwers de rillingen over de rug lopen. De man zette grote ogen op en hij sprong hevig geschrokken achteruit. De meeste mensen om hem heen sprongen ook weg, maar Chaleg bleef rennen. Op een teken van Rydag liep Wolf rustig terug naar zijn plekje naast de jongen en hij maakte de indruk tamelijk tevreden over zichzelf te zijn. Hij draaide een paar keer in het rond en ging met zijn kop op zijn poten naar Ayla liggen kijken.

Ayla moest toegeven dat ze een risico hadden genomen. Het teken dat ze hadden gegeven was echter niet precies een teken om aan te vallen. Het was een spel dat de kinderen met Wolf speelden: een onverwachte schijnaanval doen, wat jonge wolven vaak met elkaar doen, behalve dan dat Wolf had geleerd niet door te bijten. Ayla gebruikte bijna hetzelfde teken wanneer ze met hem op jacht ging en ze wou dat hij het wild voor haar opjaagde. Hoewel het er soms mee eindigde dat hij de dieren doodde, was het teken om iemand echt aan te vallen heel anders en Wolf had de man niet aangeraakt. Hij was alleen naar hem toe gesprongen. Toch bestond het gevaar dat hij het had kunnen doen.

Ayla wist hoe wolven hun gebied of hun groep beschermden. Ze konden doden om zich te verdedigen. Maar toen ze hem zag teruglopen, dacht ze, als wolven konden lachen zou hij lachen. Ze kon zich niet aan de indruk onttrekken dat hij wist wat er aan de hand was. Dat het slechts de bedoeling was om te bluffen en dat hij precies wist hoe dat moest. Het was niet zomaar een schijnaanval, er zat niets speels in zijn beweging. Het leek een echte aanval. Hij had zich alleen op het laatste moment ingehouden. De plotselinge confrontatie met een massa mensen was moeilijk voor de jonge wolf, maar hij had zich uitstekend gedragen. Toen ze de uitdrukking op het gezicht van die man zagen, hadden ze er geen spijt van dat ze het risico hadden genomen. Rydag was geen dier!

Branag leek enigszins geschrokken, maar Deegie grinnikte toen ze zich bij Tulie, Talut en een paar anderen voegden. Ayla werd officieel voorgesteld aan de leiders van het ontvangende kamp en ze zag onmiddellijk wat iedereen al wist: Marlie was ernstig ziek. Ze zou hier niet eens moeten staan, vond Ayla, die in gedachten al medicijnen voor haar klaarmaakte. Toen ze haar kleur, de blik in haar ogen en de conditie van haar haar en haar huid zag, vroeg ze zich af of er wel iets was dat haar kon helpen, maar ze voelde de wilskracht van de vrouw; ze zou het niet gemakkelijk opgeven. Dat kon wel eens belangrijker zijn dan medicijnen.

'Dat was met recht een demonstratie, Ayla,' zei Marlie, die de interessante afwijking in haar uitspraak al had opgemerkt. 'Was jij of de jongen degene die de Wolf in bedwang hield?'

'Ik weet het niet,' zei ze met een glimlach. 'Wolf luistert naar tekens, maar we gaven ze allebei.'

'Wolf? Je zegt het alsof het een naam is,' zei Valez.

'Dat is het ook.'

'Hebben de paarden ook namen?' vroeg Marlie.

'De merrie is *whinney*,' zei Ayla, en het klonk als het geluid van een paard. Toen Whinney ook hinnikte, moesten de meesten glimlachen, sommigen echter niet van harte.

'De meeste mensen zeggen gewoon Whinney. De hengst is haar zoon. Jondalar heeft hem de naam Renner gegeven. Het is een woord uit zijn taal en het is iemand die graag hard loopt, sneller dan de anderen.'

Marlie knikte. Ayla keek de vrouw een moment scherp aan en toen wendde ze zich tot Talut. 'Ik ben zo moe van dat werk aan het onderdak voor de paarden. Zie je dat grote blok hout? Zou je dat hier willen brengen zodat ik erop kan zitten?'

Het grote stamhoofd stond even perplex. Dit was heel vreemd. Ayla zou zoiets nooit vragen en zeker niet midden in een gesprek met de leidster van het kamp dat gastvrijheid verleende. Wanneer iemand een zitplaats nodig had, was het Marlie. Toen drong het opeens tot hem door. Natuurlijk! Waarom had hij er niet eerder aan gedacht? Hij haastte zich en sjouwde het blok zelf naar hen toe.

Ayla ging zitten. 'Ik hoop niet dat je het erg vindt. Ik ben echt moe. Wil je niet bij me komen zitten, Marlie?'

Marlie ging zitten. Ze beefde een beetje. Even later glimlachte ze. 'Dank je wel, Ayla. Ik was niet van plan om hier zo lang te blijven. Hoe wist je dat ik duizelig werd?'

'Ze is een Genezer,' zei Deegie.

'Een Roeper en een Genezer? Dat is een ongebruikelijke combinatie. Geen wonder dat de Mammoetvuurplaats haar opeiste.'

'Ik wil iets voor je klaarmaken, als je het wilt innemen,' zei Ayla.

'Er zijn Genezers bij me geweest, maar je mag het wel proberen, Ayla. O ja, voor we het vergeten, ik wou je nog iets vragen. Was je er zeker van dat Wolf die man geen kwaad zou doen?'

Ayla aarzelde slechts heel even. 'Nee, daar was ik niet zeker van. Hij is nog erg jong en niet altijd volledig betrouwbaar. Maar ik dacht dat ik er dicht genoeg bij stond om zijn aanval te keren wanneer hij had doorgezet.'

Marlie knikte. 'Mensen zijn ook niet altijd volledig te vertrouwen en dat zou ik ook niet van dieren verwachten. Wanneer je het tegendeel had beweerd, had ik je niet geloofd. Zodra Chaleg van de schrik bekomen is, zal hij wel komen klagen, om zijn gezicht te redden. Hij zal het voorleggen aan de Raad van Broeders en die geven het door aan ons.'

'Aan ons?'

'De Raad van Zusters,' zei Tulie. 'De Zusters hebben het hoogste gezag. Ze staan dichter bij de Moeder.'

'Ik ben blij dat ik hier ben geweest om het zelf te zien. Nu hoef ik me geen zorgen te maken dat ik eerst allerlei ongeloofwaardige, tegenstrijdige verhalen moet uitzoeken,' zei Marlie. Ze liet haar blik over de paarden en de wolf dwalen. 'Het lijken volkomen normale dieren, geen geesten of andere magische wezens. Vertel eens, wat eten de dieren als ze bij je zijn, Ayla? Ze eten toch wel?'

'Hetzelfde wat ze altijd eten. Wolf eet voornamelijk vlees, rauw of gekookt. Net als ieder ander in het huis eet hij gewoonlijk wat ik ook eet, zelfs groente. Soms ga ik voor hem jagen, maar hij leert al muizen en kleine dieren voor zichzelf te vangen. De paarden eten gras en graan. Ik heb overwogen ze binnenkort naar die wei aan de overkant van de rivier te brengen en ze daar een poosje te laten blijven.'

Valez keek over het water en toen naar Talut. Ayla zag dat hij nadacht.

'Ik vind het niet prettig om het te zeggen, Ayla, maar het zou wel eens gevaarlijk kunnen zijn om ze daar alleen achter te laten.'

'Waarom?' vroeg ze en er klonk angst in haar stem.

'Jagers. Ze zien er net zo uit als andere paarden, vooral de merrie. De donkere kleur van de hengst is minder algemeen. We zouden kunnen doorgeven dat niemand bruine paarden moet doden en zeker niet als ze erg mak lijken. Maar die andere... Ieder ander paard op de steppe heeft die kleur en ik geloof niet dat we de mensen kunnen vragen geen paarden te doden. Sommige mensen eten ze graag,' legde Valez uit.

'Dan zal ik bij haar moeten blijven,' zei Ayla.

'Dat kun je niet doen!' riep Deegie. 'Dan mis je alles.'

'Ik kan niet toestaan dat haar iets overkomt,' zei Ayla. 'Dan moet ik maar wat missen.'

'Dat zou jammer zijn,' zei Tulie.

'Kun je niet iets bedenken?' zei Deegie.

'Nee... Als ze nou ook bruin was,' zei Ayla.

'Nu, waarom maken we haar niet bruin?'

'Haar bruin maken? Hoe?'

'We kunnen toch wat kleuren mengen, zoals ik doe voor het leer? En dan wrijven we dat in haar vacht.'

Ayla dacht even na. 'Ik geloof niet dat het zal helpen. Het is een goed idee, Deegie, maar de moeilijkheid is dat het niet veel verschil zal maken wanneer we haar bruin maken. Renner is ook in gevaar. Een bruin paard ziet er nog altijd uit als een paard en wanneer iemand op paarden jaagt, zal het niet meevallen om te onthouden dat je geen bruine moet doden.'

'Dat is waar,' zei Talut. 'Jagers denken alleen aan jagen en twee bruine paarden die niet bang voor mensen zijn zouden een heel verleidelijke prooi zijn.'

'En als we een andere kleur nemen, bijvoorbeeld... rood. Waarom maken we Whinney niet rood? Een vuurrood paard, dat zou echt opvallen.'

Ayla trok een raar gezicht. 'Ik vind het niet leuk om haar rood te maken, Deegie. Wat zou ze er vreemd uitzien. Maar het is wel een goed idee. Dan zou iedereen begrijpen dat het geen gewoon paard is. Ik geloof dat we het moeten doen, maar een vuurrood paard... Wacht! Ik heb een ander plan.' Ayla rende de tent in. Ze gooide haar reistas leeg op haar slaapvachten en ze vond wat ze zocht. Het lag bijna op de bodem. Ze liep er snel mee naar buiten.

'Kijk, Deegie! Ken je dit nog?' vroeg Ayla en ze sloeg de helderrode huid open die ze zelf had geverfd. 'Ik wist nooit wat ik ervan moest maken. Ik vond de kleur gewoon mooi. Dit kan ik op Whinneys rug binden wanneer ze alleen buiten op de wei is.'

'Dat is vuurrood!' zei Valez. Hij glimlachte en knikte. 'Ik denk dat het zal helpen. Als ze dat draagt, begrijpt iedereen dat het een bijzonder paard is en dan zullen ze er waarschijnlijk niet zo gauw op jagen, ook niet als ze het niet hebben gehoord. We kunnen vanavond bekendmaken dat er niet moet worden gejaagd op het paard met het rode dek en het bruine.'

'Het zou geen kwaad kunnen om Renner ook iets op te binden,' zei Talut. 'Het hoeft niet zo'n felle kleur te zijn, maar iets dat iemand heeft gemaakt, zodat iedereen die er dicht genoeg bij komt om een speer te werpen kan zien dat het geen gewoon paard is.'

'Ik heb een voorstel,' voegde Marlie eraan toe. 'Omdat niet alle mensen volledig te vertrouwen zijn, is alleen uitleggen soms niet voldoende. Misschien is het wel verstandig wanneer jij en jullie Mamut een soort verbod uitvaardigen om de paarden te doden. Het uitspreken van een vloek zou iedereen kunnen afschrikken die in de verleiding mocht komen om te onderzoeken hoe sterfelijk die dieren zijn.'

'Je kunt altijd zeggen dat Rydag Wolf zal sturen om iedereen te pakken die ze iets doet,' zei Branag met een glimlach. 'Dat verhaal zal iedereen nu wel hebben bereikt en het wordt steeds mooier.'

'Dat is misschien niet zo'n slecht idee,' zei Marlie, die opstond om weg te gaan. 'Jullie zouden het in ieder geval als gerucht kunnen verspreiden.'

Ze keken de leiders van het Wolvenkamp na. Tulie schudde bedroefd het hoofd en ging de tent verder inrichten. Talut besloot uit te gaan zoeken wie wedstrijden met de speerwerper zou organiseren en bleef even met Brecie en Jondalar praten. Ze gingen samen weg. Deegie en Branag liepen met Ayla naar de paarden.

'Ik weet wel iemand die ervoor kan zorgen dat het gerucht de ronde gaat doen,' zei Branag. 'Met de verhalen die al worden verteld denk ik dat ze de paarden wel zullen mijden, ook al geloven ze niet alles. Ik geloof niet dat iemand het risico wil lopen dat Rydag de wolf achter hen aan stuurt. Ik had nog willen vragen hoe Rydag wist dat hij de wolf een teken moest geven.'

Deegie keek de man die ze de Belofte had gedaan verbaasd aan. 'Ik geloof dat je het echt niet weet, of wel? Waarom zou ik ook moeten aannemen dat jij iets weet omdat ik het weet? Frebec heeft niet zomaar iets verzonnen om het Leeuwenkamp te verdedigen. Hij sprak de waarheid. Rydag verstaat alles wat iedereen zegt. Dat is altijd zo geweest.

We hebben het alleen nooit geweten, tot Ayla ons zijn gebarentaal heeft geleerd zodat we hem kunnen verstaan. Toen Frebec net deed alsof hij wegliep, heeft hij het Rydag verteld en Rydag vroeg het aan Ayla. Wij begrepen allemaal wat ze tegen elkaar zeiden, dus wisten wij wat er ging gebeuren.'

'Is dat zo?' vroeg Branag. 'Jullie spraken met elkaar en niemand merkte het!' Hij moest lachen. 'Wel, als ik deel wil hebben aan de verrassingen van het Leeuwenkamp, moet ik die geheime taal ook maar leren.'

'Ayla!' riep Crozie, die de tent uit kwam. Ze bleven staan om op haar te wachten. 'Tulie heeft me net verteld wat je wilt doen om de paarden te laten opvallen,' zei ze terwijl ze naar hen toe kwam. 'Dat is slim bedacht en rood steekt goed af bij een paard met een lichte kleur, maar je hebt geen twee helderrode huiden. Toen ik aan het uitpakken was, vond ik iets dat ik je graag zou willen geven.' Ze maakte een pak open, haalde er een opgevouwen huid uit en sloeg die open.

'O, Crozie! Dat is prachtig!' riep Ayla, vol bewondering voor de krijtwitte leren cape, versierd met ivoren kralen in telkens herhaalde driehoeken en roodgekleurde stekels van stekelvarkens, die er in rechthoekige spiralen en zigzagfiguren op waren genaaid.

Crozies ogen begonnen te schitteren bij haar bewondering. Omdat Ayla een tuniek had gemaakt, wist ze hoe moeilijk het was om leer wit te maken. 'Deze is voor Renner. Ik denk dat wit wel zal afsteken bij zijn donkerbruine haar.'

'Crozie, daar is hij veel te mooi voor. Hij wordt vuil en stoffig en als hij ermee probeert te rollen, gaan de versieringen eraf. Ik kan Renner dit niet laten dragen buiten op het veld,' zei Ayla.

Crozie keek haar strak aan. 'Wanneer iemand op paarden jaagt en hij ziet een bruin paard met een wit versierd dek op de rug, geloof je dan dat hij een speer op hem richt?'

'Nee, maar je hebt er te veel werk aan gehad om hem te laten vernielen.'

'Dat is al zoveel jaar geleden,' zei Crozie, Haar ogen werden vochtig en kregen een zachte uitdrukking. Ze voegde eraan toe: 'Ik had de cape gemaakt voor mijn zoon, Fralies broer. Ik heb hem nooit aan een ander kunnen geven. Ik kon er niet tegen dat iemand anders hem droeg en ik kon hem ook niet weggooien. Ik heb hem gewoon meegesleept van de ene plaats naar de andere en het werk is vergeefs geweest. Als deze huid dat dier kan beschermen, heeft hij weer enig nut en dan heeft het werk nog waarde gehad. Ik wil dat jij de cape krijgt voor wat je mij hebt gegeven.'

Ayla nam het aangeboden pakje aan, maar ze keek verbaasd. 'Wat heb ik jou gegeven, Crozie?'

'Dat doet er niet toe,' zei ze kortaf. 'Pak maar aan.'

Frebec, die zich naar de tent haastte, zag hen staan en glimlachte zelf-voldaan voor hij naar binnen ging. Ze glimlachten terug.

'Ik was heel verbaasd toen Frebec naar voren kwam om Rydag te ver-dedigen,' merkte Branag op. 'Ik had gedacht dat hij de laatste was om dat te doen.'

'Hij is erg veranderd,' zei Deegie. 'Hij mag nog graag iemand tegen-spreken, maar hij is niet meer zo koppig. Hij is soms bereid om te luisteren.'

'Hij is nooit bang geweest om voor zijn mening uit te komen,' zei Branag.

'Misschien is het dat wel geweest,' zei Crozie. 'Ik heb nooit begrepen wat Fralie in hem zag. Ik heb mijn best gedaan om het haar uit het hoofd te praten een verbintenis met hem aan te gaan. Hij had niets aan te bieden. Zijn moeder had geen status en hij had geen bijzonde-re gaven. Ik vond dat ze zichzelf weggooide. Misschien pleit het wel voor hem dat hij de moed had haar te vragen en hij wou haar echt hebben. Ik denk achteraf dat ik meer vertrouwen in haar oordeel had moeten hebben, ze is per slot van rekening mijn dochter. Al is iemand arm begonnen, betekent dat nog niet dat hij niet mag proberen voor-uit te komen.'

Branag keek naar Deegie en toen, over Crozie heen, naar Ayla. Vol-gens hem was Crozie nog meer veranderd dan Frebec.

32

Ayla was alleen in de tent. Ze bekeek de ruimte waar ze zou wonen zolang ze daar bleven en ze probeerde nog iets te vinden om op te vouwen of op te ruimen, een reden om zo lang mogelijk binnen de grenzen van het Kattenstaartkamp te blijven. Mamut had gezegd dat hij haar, zodra ze klaar was, wou meenemen naar de mamuti, de mensen met wie ze zich op een unieke wijze verbonden moest voelen, degenen die behoorden tot de Mammoetvuurplaatsen.

Ze beschouwde de ontmoeting als een vuurproef. Ze zouden haar natuurlijk uithoren en taxeren en beoordelen of ze het recht had tot hun klasse te worden toegelaten. In haar hart geloofde ze er niet in. Ze had niet het gevoel dat ze over unieke talenten en bijzondere gaven beschikte. Ze was Genezer, omdat ze van Iza de vaardigheid en de kennis van een medicijnvrouw had gekregen. Er zat ook geen grote magie achter het feit dat ze dieren had. De merrie gehoorzaamde haar omdat ze in haar vallei een moederloos veulen als gezelschap had genomen, toen ze eenzaam en alleen was, en Renner was daar geboren. Ze had Wolf gered omdat ze dat als haar plicht zag tegenover zijn moeder en ze wist inmiddels dat dieren tam werden wanneer ze tussen de mensen opgroeiden. Dat was niet zo'n groot mysterie.

Rydag was nog even bij haar in de tent gebleven nadat ze hem had onderzocht. Ze had hem nog eens duidelijk gevraagd hoe hij zich voelde en ze had zich voorgenomen zijn medicijnen aan te passen. Toen ging hij naar buiten om samen met Wolf naar de mensen te kijken. Nezzie was het met haar eens dat hij in een veel betere stemming leek te verkeren. De vrouw was opgetogen en vol lof over Frebec, die al zoveel goede woorden had gehoord dat hij er verlegen onder werd. Ayla had hem nog nooit zoveel zien glimlachen en ze wist dat het gedeeltelijk voortkwam uit het gevoel geaccepteerd te worden en erbij te horen. Ze kende dat gevoel.

Ayla keek nog een keer om zich heen, pakte een zakje van ongelooide huid, maakte het vast aan haar riem en liep naar buiten. Iedereen scheen weg te zijn, behalve Mamut die met Rydag stond te praten.

Wolf zag haar en stak de kop omhoog toen ze naderde, zodat Mamut en Rydag ook keken.

'Is iedereen weg? Misschien kan ik beter hier blijven om op Rydag te passen tot er iemand terugkomt,' zei ze heel bereidwillig.

'Wolf past op mij,' gebaarde Rydag met een grijns. 'Niemand blijft lang wanneer ze Wolf zien. Ik zei Nezzie gaan. Jij gaan, Ayla.'

'Hij heeft gelijk. Wolf schijnt graag bij Rydag te willen blijven en ik kan me geen betere bescherming voorstellen,' zei Mamut.

'En als hij niet goed wordt?' vroeg Ayla.

'Als ik niet goed word, zeg ik tegen Wolf: "Haal Ayla."' Rydag maakte het gebaar dat ze al eerder hadden geoefend en gespeeld. Wolf sprong op, legde zijn poten op Ayla's borst en rekte zich uit om haar gezicht te likken en haar aandacht te vragen.

Ze glimlachte, krauwde hem in de nek en gaf hem een teken om te gaan liggen.

'Ik wil hier blijven, Ayla. Ik vind het leuk om te kijken. Rivier. Paarden in de wei. Mensen die voorbijkomen.' Rydag grijnsde. 'Ze zien mij niet altijd, kijken naar tent, kijken naar plaats voor paarden. Zien dan Wolf. Vreemde mensen.'

Mamut en Ayla moesten glimlachen om zijn plezier in de verbaasde reacties van de mensen.

'Nu, ik geloof dat het wel goed is. Nezzie had hem niet achtergelaten wanneer ze niet dacht dat alles in orde was,' zei Ayla, die haar laatste argument om niet te gaan liet varen. 'Ik ben klaar, Mamut.'

Terwijl ze samen in de richting van de permanente verblijven van het Wolvenkamp liepen, zag Ayla wel dat de tenten en kampen steeds dichter op elkaar stonden en dat er veel meer mensen rondliepen. Ze was blij dat zij aan de buitenkant stonden, waar ze kon uitkijken over de rivier en de wei, de bomen en het gras. Verscheidene mensen knikten of zeiden iets tegen hen als ze voorbijkwamen. Ayla keek hoe Mamut hun groet beantwoordde en deed het op dezelfde manier.

Het laatste huis in de wat onregelmatige rij van zes scheen het middelpunt te zijn van de activiteiten. Ayla zag een open ruimte, zonder tenten, bij het huis en ze begreep dat dat de plaats was waar de mensen bij elkaar kwamen. De kampen die onmiddellijk aan die ruimte grensden, toonden niet het gebruikelijke beeld van de woonkampen. Er was een kamp bij dat een afscheiding had gemaakt van ruim geplaatste mammoetbotten, takken en gedroogde pluimen. Toen ze er voorbij kwamen, hoorde Ayla haar naam roepen. Ze bleef verbaasd staan. Wie kon haar hebben geroepen vanachter de afscheiding?

'Latie!' zei ze en toen herinnerde ze zich wat Deegie haar had verteld.

Zolang Latie nog thuis was, in het Leeuwenkamp, hadden de beperkende bepalingen voor de omgang met mannen haar bewegingen en activiteiten niet zo belemmerd. Toen ze echter de plaats van de Bijeenkomst hadden bereikt, moest ze in afzondering blijven. Er waren verscheidene andere jonge vrouwen bij haar die allemaal lachten en giechelden. Ze werd voorgesteld aan Laties leeftijdgenoten die wel wat ontzag voor haar leken te hebben.

'Waar ga je naartoe, Ayla?'

'Naar de bijeenkomst van Mammoetvuurplaatsen,' antwoordde Mamut voor haar.

Latie knikte, alsof ze het had kunnen weten. Ayla zag Tulie in de afgesloten ruimte bij een tent staan die was versierd met geschilderde figuren in rode oker. Ze stond met een paar andere vrouwen te praten. Ze wuifde en lachte.

'Latie, kijk! Een roodvoet!' fluisterde een van haar vriendinnen opgewonden. Ze bleven allemaal staan kijken en de jonge vrouwen giechelden. Ayla merkte dat ze met grote belangstelling naar de vrouw keek die voorbijwandelde en ze zag dat haar voetzolen helderrood waren. Ze had er wel van gehoord, maar dit was de eerste die ze zag. Ze leek een volkomen normale vrouw, vond Ayla. Toch had ze iets dat de aandacht trok.

De vrouw naderde een groepje jonge mannen die Ayla nog niet eerder had gezien. Ze hingen wat rond bij een bosje aan de andere kant van de open ruimte. Ayla vond dat haar gang iets gekunstelds kreeg toen ze in de buurt van de jongens kwam en haar glimlach werd wat zwoeler. Haar rode voeten leken opeens ook meer op te vallen. De vrouw bleef staan om met de jongens te praten en haar heldere lach klonk over de open ruimte. Terwijl Ayla en de oude man doorliepen, herinnerde ze zich het gesprek op de avond voor het Lentefeest tussen de vrouwen en Mamut.

Al de jonge vrouwen die in de overgangsfase verkeerden, stonden voortdurend onder toezicht – maar niet alleen van de geleidsters. Ayla zag nu verscheidene groepjes meest jonge mannen aan de rand van het verboden gebied staan waar Latie en haar leeftijdsgenoten verbleven, in de hoop een glimp van de begeerlijke jonge vrouwen op te vangen. Dat was de tijd dat een vrouw de meeste belangstelling van de mannelijke bevolking trok. De jonge vrouwen genoten van hun unieke status en de bijzondere aandacht die ze eraan ontleenden. Ze waren al net zo geïnteresseerd in het andere geslacht, hoewel ze het beneden hun waardigheid achtten het openlijk te laten merken. Ze brachten het grootste deel van hun tijd door met gluren uit de tent of binnen de omheining, terwijl ze over de verschillende mannen praatten die schijnbaar toevallig langskwamen en even bleven hangen.

Hoewel de jonge mannen, die stonden te kijken en op hun beurt werden bekeken, uiteindelijk misschien een vuurplaats zouden stichten met degenen die nu vrouw zouden worden, waren zij waarschijnlijk niet degenen die werden gekozen voor de eerste, belangrijke inwijding. De jonge vrouwen en de oudere die bij hen woonden en hen adviseerden, bespraken de verschillende mogelijkheden om te kiezen uit de oudere en meer ervaren mannen. Degenen die in aanmerking kwamen werden meestal persoonlijk benaderd voor de uiteindelijke keuze werd gemaakt.

De jonge vrouwen, die samen in een tent verbleven – soms waren er te veel voor een tent en dan werden er twee kampen ingericht – gingen de dag voor de ceremonie als groep naar buiten. Als ze een man vonden met wie ze de nacht door wilden brengen, omsingelden ze hem en 'namen hem gevangen'. De mannen die zo werden gevangen, moesten met de nieuwelingen mee. Er waren enkelen die bezwaar maakten. Die avond gingen ze, na enige voorbereidende rituelen, allemaal samen de verduisterde tent in. Ze vonden elkaar op de tast en brachten de nacht door met experimenteren en elkaar Genot schenken. Er werd aangenomen dat noch de jonge vrouwen noch de mannen wisten bij wie ze uiteindelijk terechtkwamen, maar in de praktijk was dat meestal wel zo. De oudere vrouwen, die toezicht hielden, zorgden ervoor dat er niet overdreven ruw werd opgetreden en ze waren beschikbaar voor de zeldzame gevallen dat er om raad werd gevraagd. Wanneer om de een of andere reden een van de jonge vrouwen niet was geopend, kon het bij een rustig ritueel in een tweede nacht worden geregeld, zonder dat iemand daar openlijk op werd aangekeken.

Danug en Druwez zouden niet worden uitgenodigd in Laties tent. In de eerste plaats niet omdat ze naaste familie waren, en ze waren ook nog te jong. Andere vrouwen, die hun Eerste Riten in voorgaande jaren hadden gevierd, vooral degenen die nog geen kinderen hadden, konden vrijwillig de plaats van de Grote Moeder innemen en jonge mannen inwijden. Na een speciale ceremonie die hun die waardigheid gaf en hen voor dat seizoen scheidde van de rest, kregen die vrouwen donkerrode verf op hun voetzolen, die er met water niet af ging maar er uiteindelijk af sleet, om aan te geven dat zij beschikbaar waren om jonge mannen ervaring op te laten doen. Er waren er ook die roodleren banden om hun bovenarm, hun enkel of hun middel droegen.

Hoewel een beetje plagerij onvermijdelijk was, hadden de vrouwen een serieuze opvatting van hun taak. Ze hadden begrip voor de aangeboren verlegenheid en de hevige drang achter de begeerte van de jonge man en ze behandelden hem met toegeeflijkheid en probeerden hem een vrouw te leren begrijpen, zodat hij eens kon worden gekozen om van een meisje een vrouw te maken zodat zij misschien eens een kind zou krijgen. Mut zegende veel van deze vrouwen om te tonen hoezeer hun opoffering op prijs werd gesteld. Ook degenen die al enige tijd geleden een verbintenis waren aangegaan en nog nooit leven in hun baarmoeder hadden verwekt, waren tegen het eind van het seizoen vaak zwanger.

Naast de meisjes die nog geen vrouw waren, waren de vrouwen met de rode voeten de meest begeerlijke voor mannen van alle leeftijden. Een man van de Mamutiërs raakte de rest van zijn leven door niets zo opgewonden als door de aanblik van een rode voet wanneer er een vrouw voorbijkwam. Omdat de vrouwen dat wisten gaven ze hun voeten vaak een rood tintje om zichzelf aantrekkelijker te maken. Hoewel een vrouw, die deze opdracht had aanvaard, de vrijheid had om iedere willekeurige man te kiezen, was haar dienstverlening voor de jongeren bedoeld, en iedere oudere man die erin slaagde haar over te halen met hem naar bed te gaan voelde zich bevoorrecht.

Mamut leidde Ayla naar een kamp niet ver van het kamp van de jonge vrouwen. Op het eerste gezicht leek het haar een gewone tent in een gezinskamp. Het enige verschil dat ze opmerkte was dat iedereen getatoeëerd was. Sommigen, zoals de oude Mamut, hadden alleen een eenvoudig V-patroon op het rechterjukbeen; drie of vier gebroken lijnen, zoals de onderste delen van driehoeken op de punt. Ze deden haar denken aan de beenderen van onderkaken van mammoeten, die gebruikt werden om het huis van Vincavec te bouwen. Ayla zag wel dat de tatoeëringen van anderen, vooral van de mannen, veel uitgebreider waren. De figuren bestonden niet alleen uit V-vormen, maar ook driehoeken, zigzaglijnen, parallellogrammen en rechthoekige spiralen, zowel rood als blauw.

Ayla was blij dat ze bij het Mammoetkamp hadden overnacht voor ze naar de Bijeenkomst gingen. Als ze Vincavec nog niet had ontmoet, was ze beslist geschrokken van hun versierde gezichten. Hoe boeiend en gecompliceerd de tatoeëringen op de gezichten van deze mensen ook waren, de zijne waren nog ingewikkelder. Het volgende dat haar opviel was dat er geen kinderen waren, hoewel er een groot aantal vrouwen in dit kamp was. Ze waren blijkbaar onder iemands hoede achtergelaten in de gezinskampen. Ayla begreep spoedig dat dit niet werd beschouwd als een plaats voor kinderen. Dit was een ruimte waar volwassenen bij elkaar kwamen, voor serieuze vergaderingen, besprekingen en rituelen, maar ook om te spelen. Sommigen deden buiten de tent spelletjes met gemerkte botjes, stokjes en stukjes ivoor. Mamut liep naar de ingang van de tent, die openstond, en krabde aan het leer. Ayla keek over zijn schouder in de schemerige ruimte en probeerde niet te veel op te vallen voor degenen die buiten zaten, maar die probeerden ook ongemerkt haar beter op te nemen. Ze waren benieuwd naar de jonge vrouw die de oude Mamut niet zomaar had aangenomen om haar op te leiden, maar die hij had geadopteerd als dochter. Ze was een vreemde, werd er gezegd, en ook geen Mamutische. Er was zelfs niemand die wist waar ze vandaan kwam.

Velen van hen waren speciaal langs het Kattenstaartkamp gelopen om de paarden en de wolf te zien en ze waren verbaasd en onder de indruk toen ze de dieren zagen, hoewel ze het niet wilden laten merken. Hoe kon iemand een hengst in bedwang houden? Of zorgen dat een merrie zo rustig bleef staan met al die mensen – en een wolf – om haar heen? Waarom was de wolf zo gedwee tegenover de mensen van het Leeuwenkamp? Zodra er iemand anders in in de buurt kwam, gedroeg hij zich als een normale wolf. Niemand anders kon hem benaderen, of zonder uitnodiging de grenzen van hun kamp passeren en er werd beweerd dat hij Chaleg had aangevallen.

De oude man wenkte Ayla naar binnen en ze gingen beiden bij een grote stookplaats zitten, hoewel er aan een kant maar een klein vuurtje in brandde, aan de kant waar een vrouw zat. Het was een zware vrouw. Ayla had nog nooit zo'n dikke vrouw gezien en ze vroeg zich af hoe ze zo'n eind had kunnen lopen om hier te komen.

'Ik heb mijn dochter meegebracht om kennis te maken, Lomie,' zei de oude Mamut.

'Ik vroeg me al af wanneer jullie zouden komen,' antwoordde ze.

Zonder verder iets te zeggen haalde ze met een paar stokken een gloeiend hete steen uit het vuur. Ze maakte een pakje bladeren open, liet er een paar op de steen vallen en boog voorover om de opstijgende rook in te ademen. Ayla rook salie en, iets minder sterk, koningskaars en lobelia. Ze nam de vrouw scherp op en merkte dat ze moeite had met ademhalen, maar dat werd snel beter. Ze begreep dat ze aan een chronische hoest leed, waarschijnlijk astma.

'Maak je ook een hoestsiroop van de wortel van de koningskaars?' vroeg Ayla. 'Dat helpt soms.' Ze had niet als eerste willen praten en ze wist niet waarom ze het deed zonder te zijn voorgesteld, maar ze wou helpen en dat vond ze eigenlijk het beste wat ze kon doen.

Lomie hief met een ruk het hoofd op. Ze was verbaasd en keek de jonge blonde vrouw belangstellend aan. Er gleed een glimlachje over Mamuts gezicht.

'Is ze ook Genezer?' vroeg Lomie aan Mamut.

'Ik geloof dat er geen betere is, jij ook niet, Lomie.'

Lomie wist dat dit niet zomaar werd gezegd. De oude Mamut had diep respect voor haar bekwaamheid. 'En ik dacht dat je alleen maar een knappe jonge vrouw had geadopteerd om je laatste jaren te ver- aangenamen, Mamut.'

'Ah, maar dat is ook zo, Lomie. Ze heeft wat aan mijn jicht en andere kwalen kunnen doen,' zei hij.

'Ik ben blij te horen dat ze tot meer in staat is dan op het eerste ge- zicht lijkt. Maar ze is er nog wel wat jong voor.'

'Ze is tot meer in staat dan jij denkt, Lomie, ondanks haar jonge leef- tijd.'

Toen wendde Lomie zich tot haar. 'Jij bent dus Ayla.'

'Ja. Ik ben Ayla van het Leeuwenkamp van de Mamutiërs, dochter van de Mammoetvuurplaats... en beschermd door de Holenleeuw,' voegde Ayla eraan toe, zoals Mamut haar had opgedragen.

'Ayla van de Mamutiërs. Hmm. Er zit een vreemde klank in, maar dat doet je stem. Niet onaangenaam. Het valt op. Zorgt ervoor dat de mensen je opmerken. Ik ben Lomie, Mamut van het Wolvenkamp en Genezer van de Mamutiërs.'

'Eerste Genezer,' verbeterde Mamut.

'Hoe kan ik de Eerste Genezer zijn, oude Mamut, wanneer zij mijn gelijke is?'

'Ik heb niet gezegd dat Ayla je gelijke is, Lomie. Ik zei dat er geen be- tere is. Haar achtergrond is... ongewoon. Ze is opgeleid door... ie- mand met een diepgaande kennis van bepaalde Geneeswijzen. Had jij zo gauw de zwakke geur van koningskaars herkend bij de sterke lucht van salie als je niet had geweten dat het erin zat? En ook nog geweten wat jou scheelt?'

Lomie wou iets zeggen, maar ze aarzelde en antwoordde niet. Mamut vervolgde: 'Ik denk dat ze het al had geweten door je alleen maar aan te kijken. Ze heeft daar een zeldzame gave voor en beschikt over een verbazingwekkende kennis van middelen en behandelingen, maar ze weet nog te weinig van de manier om het probleem te ontdekken en op te lossen waardoor de ziekte ontstaat, en daar ben jij zo kundig in. Ze zou veel van je kunnen leren en ik hoop dat je bereid bent om haar te helpen, maar ik denk dat jij ook veel van haar kunt leren.'

Lomie wendde zich tot Ayla. 'En wil je dat wel?'

'Dat wil ik graag.'

'Als je al zoveel weet, wat denk je dan nog van mij te kunnen leren?'

'Ik ben medicijnvrouw. Dat is... mijn wezen... mijn leven. Ik zou niet anders kunnen. Ik ben opgeleid door iemand die... de Eerste was, maar ze heeft me van het begin af geleerd dat er altijd meer te leren valt. Ik zou dankbaar zijn als ik van je kan leren,' zei Ayla. Ze meende het oprecht. Ze verlangde ernaar om te leren en met iemand te praten, ideeën uit te wisselen en behandelingen te bespreken.

Lomie zweeg. Medicijnvrouw? Waar had ze die naam voor Genezer eerder gehoord? Ze zette die gedachte even van zich af. Ze zou er later wel op komen.

'Ayla heeft een geschenk voor je,' zei Mamut. 'Je kunt iedereen binnenroepen die je wilt, maar dan moet je het kleed dichtdoen.'

Iedereen die buiten zat was al binnengekomen of stond bij de ingang terwijl ze zaten te praten. Ze kwamen nu allemaal binnen. Niemand wilde iets missen. Toen iedereen zat en het kleed voor de ingang was dichtgebonden, pakte Mamut een handvol grond en doofde het vuurtje, maar het daglicht kon niet helemaal worden buitengesloten. Het viel naar binnen door het rookgat en schemerde door de wanden van huiden. Het zou in de schemerige tent niet zo'n indrukwekkende demonstratie worden als in het donkere huis, maar alle mamuti zouden de mogelijkheden kunnen zien.

Ayla maakte het zakje los van haar gordel. Zij en Mamut hadden Barzec gevraagd het te maken. Ze pakte het tondel en de stenen om vuur te maken. Toen alles klaarlag, wachtte Ayla even en voor het eerst na lange tijd dacht ze in stilte aan haar totem. Het was geen speciaal verzoek, maar ze dacht aan een grote, indrukwekkende vonk, zodat het effect zou zijn als Mamut wenste. Toen pakte ze de vuursteen en sloeg hard tegen het pyriet. De vonk lichtte fel op in de tent en ging toen uit. Ze sloeg nog een keer en spoedig brandde het vuurtje in de stookplaats weer.

De mamuti wisten veel van trucs en ze waren gewend aan het oproepen van effecten en ze waren er trots op te kunnen tonen hoe kundig ze waren. Er was weinig dat hen verraste, maar Ayla's truc met het vuur maakte hen sprakeloos.

'De toverkracht zit in de steen zelf,' zei de oude Mamut, terwijl Ayla de spullen weer in het zakje deed en aan Lomie gaf. Toen veranderden de klank en het karakter van zijn stem: 'Maar hoe ze het vuur uit de steen moest halen werd aan Ayla getoond. Ik hoefde haar niet te adopteren, Lomie. Ze werd geboren voor de Mammoetvuurplaats, gekozen door de Moeder. Ze kan alleen haar bestemming volgen, maar nu weet ik waarom ik ervoor werd gekozen en waarom ik zoveel jaren kreeg.'

Zijn woorden bezorgden iedereen in de tent van de Mammoetvuurplaatsen huiveringen. Hij had het ware mysterie terloops aangeroerd, de hogere roeping die ieder van hen in zekere mate voelde, boven het uiterlijk vertoon en de oppervlakkige cynische houding. De oude Mamut was een fenomeen. Zijn hele bestaan was magisch. Er had nog nooit iemand zo lang geleefd. In de loop der jaren was zelfs zijn naam verdwenen. Ze waren allemaal Mamuts van hun kamp, maar hij was eenvoudig Mamut, zijn naam en zijn roeping waren een geworden. Niemand van de aanwezigen twijfelde eraan dat er een speciale bedoeling achter zijn hoge leeftijd zat. Als hij zei dat Ayla daar de reden van was, dan was zij beroerd door de diepe, onverklaarbare mysteries van het leven en de wereld om hen heen en elk van hen voelde zich geroepen om ermee te worstelen.

Ayla was in gedachten verzonken, toen zij en Mamut de tent verlieten. Zij had ook spanning gevoeld en toen de oude Mamut over haar bestemming praatte, had ze kippenvel gekregen. Ze wou niet het onderwerp van intense belangstelling zijn voor krachten die ze niet beheerste. Dat was angstaanjagend, al dat gepraat over een bestemming. Ze was niet anders dan anderen en dat wou ze ook niet. Ze vond het ook niet leuk wanneer er opmerkingen werden gemaakt over haar spraak. In het Leeuwenkamp viel die niemand meer op. Ze was vergeten dat er een paar woorden waren die ze niet goed kon uitspreken, hoe ze ook haar best deed.

'Ayla! Daar ben je. Ik heb je gezocht.'

Ze keek op en zag de donkere, fonkelende ogen en de brede, stralende glimlach van de man met de donkere huid die ze haar Belofte had gedaan. Ze glimlachte terug. Hij was precies degene die ze nodig had om die verwarrende gedachten uit haar hoofd te zetten. Ze keek naar Mamut om te zien of hij haar nog nodig had. Hij glimlachte en zei dat ze met Ranec wel een kijkje in het kamp kon nemen.

'Ik wou je meenemen naar een paar beeldhouwers. Sommigen van hen maken mooie dingen,' zei Ranec, terwijl hij een arm om haar middel sloeg. 'Wij hebben altijd een kamp bij de tent van de Mammoetvuurplaatsen. Niet alleen beeldhouwers, ook andere kunstenaars.'

Hij was opgewonden en Ayla bemerkte dezelfde blijdschap die zij had gevoeld toen ze besefte dat Lomie een Genezer was. Ook al was er dan misschien enige wedijver met betrekking tot de bekwaamheid en de status die elk was toebedacht, niemand begreep de nuances van een vak of vaardigheid beter dan een andere beoefenaar. Alleen met een andere Genezer kon ze de waarde van alsem in vergelijking met die van wintergroen voor de behandeling van, bijvoorbeeld, een verkoudheid bespreken en dat soort gesprekken had ze gemist. Ze had gezien hoe Jondalar, Wymez en Danug ongelooflijk veel tijd konden besteden aan gesprekken over vuursteen en het maken van gereedschap en ze begreep dat Ranec ook genoot van het contact met anderen die met ivoor werkten.

Toen ze de open ruimte overstaken, zag Ayla Danug en Druwez bij een aantal andere jonge mannen staan. Ze lachten en schuifelden nerveus met hun voeten terwijl ze in gesprek waren met een vrouw met rode voeten. Danug keek om zich heen. Hij zag Ayla en glimlachte. Hij bedacht een smoesje en kwam met een paar sprongen over het vertrapte en droge gras op hen af. Ze wachtten even op hem.

'Ik zag je met Latie praten en wilde een paar vrienden meebrengen om kennis te maken, Ayla, maar wij kunnen niet zo dicht bij het Meisjes-giechelkamp... eh, ik bedoel, eh...' Danug bloosde omdat hij besefte dat hij de spotnaam had verraden die de jonge mannen gaven aan de plaats waar zij niet mochten komen.

'Het hindert niet, Danug. Ze giechelen inderdaad veel.'

De lange jongeman ontspande zich. 'Er steekt ook helemaal geen kwaad in. Hebben jullie haast? Kunnen jullie meekomen en hen nu ontmoeten?'

Ayla wierp een vragende blik op Ranec.

'Ik wilde haar ook net meenemen naar een paar mensen,' zei Ranec. 'Maar daar is geen haast bij. We kunnen eerst jouw vrienden wel ontmoeten.'

Toen ze naar de groep jonge mannen terugliepen, zag Ayla dat de vrouw met de rode voeten er nog stond.

'Ik wou je graag ontmoeten, Ayla,' zei de vrouw nadat Danug hen aan elkaar had voorgesteld. 'Iedereen heeft het over jou en vraagt zich af waar je vandaan bent gekomen en waarom die dieren naar je luisteren. Ik weet zeker dat we nog jaren zullen praten over het mysterie dat je ons hebt getoond.' Ze glimlachte en gaf Ayla stiekem een knipoogje. 'Neem mijn raad aan. Vertel niemand waar je vandaan komt. Laat ze maar raden. Dat is veel leuker.'

Ranec lachte. 'Misschien heeft ze wel gelijk, Ayla,' zei hij. 'Vertel eens Mygie, waarom heb jij dit jaar rode voeten?'

'Nadat Zacanen en ik de vuurplaats hadden opgegeven, wou ik niet langer in zijn kamp blijven, maar ik wist ook niet of ik wel terug wou naar mijn moeders kamp. Dit leek me gewoon het beste. Ik heb nu een plekje om een tijdje te blijven en ik zou het niet erg vinden wanneer de Moeder me er een kind voor geeft. O, daar schiet me iets te binnen. Wist je al dat de Moeder weer een andere vrouw een baby van jouw geest heeft gegeven, Ranec? Herinner je je Tricie nog? De dochter van Marlie? Die hier in het Wolvenkamp woont? Verleden jaar had zij rode voeten. Dit jaar heeft ze een jongen. Het meisje van Toralie was donker, zoals jij, maar deze niet. Ik heb hem gezien. Hij is heel blank, met rood haar, nog lichter dan het hare, maar hij lijkt sprekend op jou. Dezelfde neus en zo. Ze noemt hem Ralev.'

Ayla keek Ranec aan met een vreemde glimlach om de mond en ze zag dat hij donkerder werd. Hij bloost, dacht ze, maar je moet hem goed kennen om het te zien. Ik weet zeker dat hij zich Tricie nog herinnert.

'Ik geloof dat we beter kunnen gaan, Ayla,' zei Ranec, die zijn arm om haar middel sloeg alsof hij haar wou dwingen mee te gaan over de open ruimte. Maar ze bleef nog even staan.

'Het was heel interessant om met je te praten, Mygie. Ik hoop dat we elkaar nog eens spreken,' zei Ayla, en toen wendde ze zich tot de zoon van Nezzie. 'Ik ben blij dat je me hebt gevraagd om je vrienden te ontmoeten, Danug.' Druwez en Danug kregen een lieve, adembenemende glimlach. 'En ik ben blij dat ik jullie allemaal heb ontmoet,' voegde ze eraan toe terwijl ze ieder van de jongens even aankeek. Toen ging ze met Ranec weg. Danug keek haar na en zuchtte diep. 'Ik wou dat Ayla rode voeten had,' zei hij. Hij hoorde verscheidene instemmende opmerkingen.

Toen Ranec en Ayla langs het grote huis kwamen dat aan drie kanten aan de open ruimte grensde, hoorde ze trommels en andere interessante geluiden die ze nog niet eerder had gehoord. Ze keek naar de ingang, maar die was gesloten. Op het moment dat ze een ander kamp in zouden gaan, kwam er iemand voor hen staan.

'Ranec,' zei een vrouw. Ze was vrij klein en had een roomblanke huid vol zomersproeten. Haar bruine ogen, met een gouden glans, schoten vuur. 'Dus je bent toch aangekomen met het Leeuwenkamp. Toen je niet bij ons aankwam om ons te begroeten, dacht ik dat je misschien in de rivier was gevallen of onder de voet was gelopen door een kudde.' Haar stem klonk venijnig.

'Tricie! Ik... eh... Ik was op weg... eh... We moesten ons kamp opzetten,' zei Ranec. Ayla had de vlotte, welbespraakte man nog nooit zo naar woorden zien zoeken en zijn gezicht zou zo rood zijn geworden als de voeten van Mygie wanneer zijn bruine huid het niet had verborgen.

'Zou je me niet eens aan je vriendin voorstellen, Ranec?' zei Tricie sarcastisch. Het was duidelijk dat ze zich ergerde.

'Ja,' zei Ranec, 'ik wil je graag aan haar voorstellen. Ayla, dit is Tricie, een... een... vriendin van me.'

'Ik had je iets willen laten zien, Ranec,' zei Tricie, die het voorstellen eenvoudig negeerde, 'maar ik neem aan dat het nu niet belangrijk meer is. Halve Beloften hebben niet veel waarde. Ik neem aan dat dit de vrouw is met wie je deze zomer een verbintenis aan zult gaan.' Aan haar stem was te horen dat ze beledigd en boos was.

Ayla vermoedde wat het probleem was en ze had er wel begrip voor, maar ze wist niet goed hoe ze deze moeilijke situatie moest oplossen. Ze stapte naar voren en stak haar beide handen uit.

'Tricie, ik ben Ayla van de Mamutiërs, dochter van de Mammoet-vuurplaats van het Leeuwenkamp, beschermd door de Holenleeuw.'

Deze formele begroeting herinnerde Tricie eraan dat zij de dochter van een leidster was en dat het Wolvenkamp gastvrijheid verleende aan de Zomerbijeenkomst. Ze had een zekere verantwoordelijkheid.

'In de naam van Mut, de Grote Moeder, verwelkomt het Wolven-kamp je, Ayla van de Mamutiërs,' zei ze.

'Ik hoorde dat Marlie je moeder is.'

'Ja, ik ben een dochter van Marlie.'

'Ik heb haar al ontmoet. Ze is een opmerkelijke vrouw. Ik vind het prettig kennis met je te maken.'

Ayla hoorde van Ranec een zucht van verlichting. Ze wierp een blik op hem en zag over zijn schouder Deegie, die in de richting van het huis liep waar ze de trommels had gehoord. Als bij ingeving besloot ze Ranec zelf zijn probleem met Tricie te laten oplossen.

'Ranec, ik zie Deegie daar en ik moet nog een paar dingen met haar bespreken. Ik kom later wel naar de beeldhouwers,' zei Ayla en ze liep snel weg.

Ranec stond perplex omdat ze zo overhaast wegliep en opeens besefte hij dat hij alleen tegenover Tricie stond en haar een verklaring schuldig was, of hij het leuk vond of niet. Hij keek de knappe jonge vrouw aan, die boos maar ook kwetsbaar afwachtte. Ze had rood haar en de bijzonder heldere tint, die hij nog niet eerder had gezien, had haar de vorige zomer, samen met haar rode voeten, dubbel aantrekkelijk ge-maakt en ze was ook nog kunstenares. Hij was onder de indruk ge-raakt van haar werk. Ze maakte prachtige manden en de bijzonder mooie mat op zijn vloer was ook van haar afkomstig. Maar ze had haar offer aan de Moeder zo serieus opgevat dat ze aanvankelijk niet eens aan een man met ervaring wou denken. Haar onwil had zijn ver-langen naar haar alleen maar groter gemaakt.

Maar hij had haar niet echt een Belofte gedaan. Zeker, hij had het serieus overwogen en zou het hebben gedaan wanneer ze zich niet in dienst had gesteld van de Moeder. Zij was degene die een formele Belofte had geweigerd uit vrees dat het Mut zou hebben verstoord en dat het voor Haar een aanleiding kon zijn om Haar zegen in te trekken. Wel, dacht Ranec, zo boos kon de Moeder niet zijn geweest wanneer Ze zijn geest had gebruikt om Tricies baby te maken. Hij vermoedde dat dat het was wat ze hem wilde laten zien: dat ze al een kind had om mee te brengen naar zijn vuurplaats en bovendien was het van zijn geest. Onder andere omstandigheden was de verleiding niet te weerstaan geweest, maar hij hield van Ayla. Als hij genoeg te bieden had, zou het misschien een overweging waard zijn hen allebei te vragen, maar nu hij moest kiezen was het voor hem geen probleem. Alleen al de gedachte om zonder Ayla te moeten leven vervulde hem met angst. Hij had haar liever dan iedere andere vrouw die hij ooit had willen hebben.

Ayla riep Deegie en toen ze haar had ingehaald, liepen ze samen verder.

'Ik zag dat je met Tricie kennis hebt gemaakt,' zei Deegie.

'Ja, maar ze scheen met Ranec te moeten praten, dus was ik blij dat ik jou zag. Dat gaf mij de gelegenheid om weg te komen en hen alleen te laten,' zei Ayla.

'Ik twijfel er niet aan dat ze met hem wou praten. Verleden jaar had het hele kamp het erover dat ze van plan waren elkaar de Belofte te doen.'

'Weet je dat ze een kind heeft? Een zoon.'

'Nee, dat wist ik niet! Ik heb nauwelijks de gelegenheid gehad om de mensen te begroeten en ik heb nog met niemand gepraat. Dat zal haar waarde verhogen, evenals de Bruidsprijs. Wie heeft het je verteld?'

'Mygie, een van de vrouwen met rode voeten. Ze zegt dat het een jongen is van Ranecs geest.'

'Die geest dwaalt maar rond! Er zijn nogal wat kleintjes van zijn geest. Van de andere mannen kun je niet altijd met zekerheid zeggen van wiens geest het is, maar bij hem wel. Zijn kleur overheerst,' zei Deegie.

'Mygie zei dat dit jongetje heel blank is en rood haar heeft, maar hij lijkt op Ranec.'

'Dat lijkt me interessant! Ik geloof dat ik Tricie binnenkort eens moet opzoeken,' zei Deegie glimlachend. 'De dochter van een leidster behoort een bezoek te brengen aan de dochter van een andere leidster, vooral van het ontvangende kamp. Wil je mee als ik ga?'

'Ik weet het niet... Ja, ik denk dat ik meega,' zei Ayla.

Ze hadden de gebogen toegangspoort bereikt van het huis waar de vreemde geluiden uit kwamen. 'Ik was van plan naar het Muziekhuis te gaan. Ik denk dat je het wel leuk zult vinden,' zei Deegie en ze krabde aan de leren toegangsdeur. Ayla keek om zich heen terwijl ze wachtten tot iemand het kleed aan de binnenkant losmaakte.

Aan de zuidoostkant stond een afscheiding die was gemaakt van zeven mammoetschedels en andere beenderen. De openingen waren ter versteviging opgevuld met samengeperste klei. Waarschijnlijk een windscherm, dacht Ayla. In de kloof, waar de nederzetting lag, kwam de wind alleen uit het dal van de rivier. Aan de noordoostkant telde ze vier grote stookplaatsen, die buiten lagen, en twee afzonderlijke werkruimten. De ene scheen te worden gebruikt voor het maken van gereedschap en werktuigen van ivoor en in de andere was men voornamelijk bezig met het bewerken van vuursteen dat in de buurt werd gevonden. Ayla zag Jondalar en Wymez met een aantal mannen en vrouwen – steenbewerkers, vermoedde ze. Ze had kunnen weten dat ze hem daar kon vinden.

Het kleed werd opzij getrokken en Deegie wenkte Ayla om haar te volgen, maar er stond iemand aan de ingang die haar tegenhield.

'Deegie, je weet dat we hier geen bezoekers binnenlaten,' zei ze. 'We zijn aan het oefenen.'

'Maar, Kylie, ze is een dochter van de Mammoetvuurplaats,' zei Deegie verbaasd.

'Ik zie geen tatoeëring. Hoe kan zij een Mamut zijn zonder tatoeëring?'

'Dit is Ayla, de dochter van de oude Mamut. Hij heeft haar aangenomen als dochter van de Mammoetvuurplaats.'

'O. Een ogenblik, ik ga het vragen.'

Deegie werd ongeduldig omdat ze weer moesten wachten, maar Ayla bekeek het huis wat nauwkeuriger en kreeg de indruk dat het wat verzakt en vervallen was.

'Waarom heb je niet gezegd dat zij degene met de dieren is,' zei Kylie toen ze terugkwam. 'Kom binnen.'

'Je weet toch wel dat ik niet iemand meebreng die niet kan worden toegelaten,' zei Deegie.

Het was niet donker in het huis, het rookgat was wat groter dan normaal, zodat er licht naar binnen kon vallen, maar het duurde even voor je ogen zich hadden aangepast na het heldere zonlicht buiten. Eerst dacht Ayla dat degene die met Deegie praatte een kind was. Maar toen ze haar zag, besefte Ayla dat ze waarschijnlijk wat ouder was dan haar grote, stevige vriendin en zeker niet jonger. De verkeerde indruk werd veroorzaakt door het verschil in lengte tussen de beide vrouwen. Kylie was klein. Ze had een slank postuur, bijna tenger en vergeleken bij Deegie kon je haar gemakkelijk voor een kind houden, maar haar elegante, soepele bewegingen getuigden van het zelfvertrouwen en de ervaring van een volwassene.

Hoewel het onderkomen aan de buitenkant groot leek, was er binnen minder ruimte dan Ayla zich had voorgesteld. Het plafond was lager dan gebruikelijk en de helft van de bruikbare ruimte werd in beslag genomen door vier mammoetschedels, die gedeeltelijk waren ingegraven, met de gaten van de slagtanden omhoog. In die gaten waren boomstammetjes geplaatst om het plafond te steunen, dat iets was verzakt. Toen Ayla om zich heen keek, viel het haar op dat dit huis lang niet nieuw was. Het hout en de dakbedekking waren grijs van ouderdom. Ze zag nergens iets dat op een normale bewoning wees en ook geen grote kookplaatsen. Alleen een kleine stookplaats. De vloer was schoongeveegd en er waren alleen wat zwarte sporen achtergebleven van de vroegere vuurplaatsen.

Tussen de steunbalken waren touwen en kleden gespannen, die konden worden gebruikt om de ruimte te verdelen. Ze waren aan één kant opgetrokken. Over de touwen en aan de haken van de steunbalken hing de vreemdste verzameling voorwerpen die Ayla ooit had gezien. Kleurige uitrustingsstukken, fantastische en sierlijke hoofddeksels, snoeren met ivoren kralen en schelpen, hangers van been en barnsteen en wat dingen die ze helemaal niet kende.

Er waren verscheidene mensen in het huis. Sommigen zaten om een kleine stookplaats en dronken uit hun kopjes; er zaten er ook een paar kleren te naaien in het licht dat door het rookgat naar binnen viel. Links van de ingang zat een aantal mensen, geknield op matten op de vloer, bij grote mammoetbotten die waren versierd met rode strepen en zigzaglijnen. Ayla herkende het bot van een poot, een schouderblad, twee onderkaken, een bekken en een schedel. Ze werden hartelijk begroet, maar Ayla had het gevoel dat ze stoorden. Het leek of iedereen naar hen keek alsof ze wilden horen waarom ze waren gekomen.

'Jullie moeten voor ons niet ophouden met oefenen,' zei Deegie. 'Ik heb Ayla meegebracht om kennis te maken, maar we willen jullie niet storen. We wachten wel tot jullie klaar zijn.' De mensen gingen weer aan hun werk, terwijl Deegie en Ayla bij hen op de matten gingen zitten.

Een vrouw die voor het grote dijbeen knielde, tikte er regelmatig op met een stuk rendiergewei dat op een hamer leek, maar de geluiden die ze produceerde waren niet alleen ritmisch. Terwijl ze het been op verschillende plaatsen raakte, kwam er een resonerend, melodieus geluid uit, dat varieerde in toonhoogte. Ayla bekeek het van meer nabij en vroeg zich af wat het vreemde timbre veroorzaakte. Het bot was bijna een meter lang en rustte op twee steunen die het vrij van de grond hielden. Het gewricht aan het boveneind was verwijderd en er was ook wat van het sponzige materiaal aan de binnenkant weggehaald zodat de holle ruimte groter werd. Het been was aan de bovenkant beschilderd met zigzaglijnen, op gelijke afstanden, in rode oker, gelijk aan de patronen die zo vaak voorkwamen op allerlei voorwerpen, van schoeisel tot bouwmateriaal, maar deze schenen niet alleen een decoratieve of symbolische functie te hebben. Nadat Ayla een poosje had gekeken, meende ze zeker te weten dat de vrouw die het benen instrument bespeelde, het lijnenpatroon gebruikte om te weten waar ze moest slaan om de toon te krijgen die ze wilde hebben.

Ayla had op schedels horen trommelen en ze kende Tornecs spel op het schouderblad. Er zat wel enige variatie in de klank, maar ze had nog nooit zo'n grote verscheidenheid aan muzikale klanken gehoord. Deze mensen schenen te geloven dat zij magische gaven bezat, maar dit leek magischer dan alles wat zij ooit had gedaan. Er begon een man op het schouderblad van een mammoet te tikken zoals Tornec met een stuk van een gewei deed. Het timbre en de toon hadden een andere resonantie, scherper, maar het geluid vulde de muziek die de vrouw op het been speelde goed aan.

Het grote, driehoekige schouderblad was bijna een meter lang met een smalle kraag aan de top, die breder uitliep langs de onderkant. Hij hield het instrument vast bij de kraag, in verticale stand, met de brede onderkant op de grond. Het was ook beschilderd met helderrode evenwijdige zigzagstrepen. Elke streep was ongeveer zo breed als een pink en was verdeeld in gelijke stukjes. In het midden van het onderste gedeelte, waar het meest op werd geslagen, waren de rode strepen weggesleten en het bot glom door het vele gebruik.

Toen de overige benen instrumenten invielen, hield Ayla de adem in. Eerst luisterde ze alleen, overweldigd door het complexe geluid van de muziek, maar na enige tijd concentreerde ze zich op ieder instrument afzonderlijk.

Een oudere man speelde op de grootste van de onderkaken, maar in plaats van een stuk gewei gebruikte hij het eind van een mammoetslagtand, van ongeveer dertig centimeter lengte, met een groef aan het dikste eind zodat hij een handvat had. De kaak had dezelfde beschilderingen als de andere instrumenten, maar alleen op de rechterhelft. Hij lag gedraaid op de linkerkant, die niet beschilderd was, zodat de helft die bespeeld werd los van de grond bleef en een helder, vol geluid gaf. De man tikte op de evenwijdige, rode zigzaglijnen die op de binnenkant en de buitenkant van de kaak waren geschilderd. Hij streek met het stuk ivoor ook over het geribbelde oppervlak van de kiezen, wat een raspend geluid veroorzaakte.

Een vrouw bespeelde de andere kaak, die van een jonger dier was. Hij had een lengte van een halve meter en was iets minder breed. Op de rechterkant waren ook rode zigzaglijnen geschilderd. Een diep gat, waar een kies was verwijderd, veranderde de resonantie en versterkte de hoge tonen.

De vrouw die op het bekken speelde, hield het ook met één kant op de grond. Ze sloeg met een stuk gewei voornamelijk op het middengedeelte van het bot, waar een kleine natuurlijke inkeping zat. Op die plaats klonk het geluid sterker en de wisseling van toon was duidelijker te horen. De rode strepen waren daar bijna helemaal weggesleten. Ayla was beter bekend met de lage, krachtig resonerende tonen van de mammoetschedel waar een jonge man op speelde. Deze leek veel op de trommels die Deegie en Mamut zo knap bespeelden. Hij was ook beschilderd op het voorhoofd en het schedeldak, maar in dit geval met een duidelijk ander patroon van lijnen, die zich splitsten in losse tekens en stippen.

Toen de mensen na de laatste bevredigende klanken ophielden met spelen raakten ze in gesprek. Deegie nam er wel deel aan, maar Ayla beperkte zich tot luisteren. Ze probeerde de vreemde woorden te begrijpen, maar ze wou zich niet ongevraagd in het gesprek mengen.

'Het stuk heeft niet alleen behoefte aan evenwicht, maar ook aan harmonie,' zei de vrouw die op het bot van de poot had gespeeld. 'Ik denk dat we er nog wel een rietfluit bij kunnen hebben voor Kylie gaat dansen.'

'Ik weet zeker dat Barzec dat gedeelte wel wil zingen, Tharie, wanneer je het hem vraagt,' zei Deegie.

'Misschien is het beter om hem er later bij te nemen. Kylie en Barzec samen zou wel eens te veel kunnen zijn. De een zou afbreuk doen aan de ander. Nee, ik geloof dat een vijftonige fluit het beste zou zijn. Laten we het eens proberen, Manen,' zei ze tegen een man met een keurig verzorgde baard die zich bij hen had gevoegd.

Tharie begon weer te spelen en dit keer kwamen de klanken Ayla bekender voor. Ze was blij dat ze erbij kon zijn en wou niets liever dan rustig genieten van deze nieuwe ervaring. Bij de introductie van de betoverende klanken van de fluit, die was gemaakt van het holle bot van een kraanvogelpoot, werd Ayla opeens herinnerd aan het mysterieuze geluid van Ursus, de Grote Holenbeer, op de Stambijeenkomst. Er was maar één Mog-ur die dat geluid kon maken. Het geheim bleef in zijn familie, maar Ayla wist wel dat hij iets voor zijn mond hield. Dat moet ook zoiets zijn geweest, dacht ze.

Ayla werd echter het meest getroffen door het dansen van Kylie. Ayla zag meteen dat ze aan iedere arm losse armbanden droeg, net als de danseres van de Sungaea. Elke armband was gemaakt van vijf dunne stroken mammoetivoor, van misschien een centimeter breed. Vanuit een centrale ruitfiguur liepen diagonale inkervingen in verschillende richtingen en wel zo dat er een zigzagpatroon ontstond wanneer de vijf stroken tegen elkaar werden gehouden. Door de uiteinden waren gaatjes geboord om ze aan elkaar te binden, zodat ze samen ratelden wanneer Kylie op een bepaalde manier bewoog.

Kylie bleef vrijwel op één plaats. Nu eens nam ze bijna onmogelijke houdingen aan, dan weer maakte ze acrobatische bewegingen, waarbij de losse armbanden die ze aan elke arm droeg met hun geratel het effect versterkten. De bewegingen van de lenige, sterke vrouw waren zo sierlijk en soepel dat het leek of het heel gemakkelijk was, maar Ayla wist wel dat zij het nooit zou kunnen. Ze was verrukt over het optreden en ze merkte dat ze spontaan reageerde toen het was afgelopen, zoals de Mamutiërs zo vaak deden.

'Hoe doe je dat? Het was schitterend! Alles. Het geluid, de bewegingen. Ik heb nog nooit zoiets gezien,' zei Ayla. Uit de waarderende glimlachjes bleek wel dat haar opmerkingen op prijs werden gesteld.

Deegie merkte dat de muzikanten tevreden waren en dat ze zich niet meer zo sterk hoefden te concentreren. Ze waren nu meer ontspannen en wilden even rusten om hun nieuwsgierigheid te bevredigen omtrent de mysterieuze vrouw, die uit de lucht leek te zijn gevallen en nu een Mamutische was. De kolen in de stookplaats werden opgepookt. Er kwam wat hout bij en een paar kookstenen. In een houten schaal werd water gegoten voor de thee.

'Je hebt vast wel eens íéts gezien dat erop lijkt, Ayla,' zei Kylie.

'Nee, beslist niet,' protesteerde Ayla.

'En de ritmes dan die je mij hebt geleerd?' zei Deegie.

'Dat is heel wat anders. Dat zijn heel eenvoudige Stamritmes.'

'Stamritmes?' vroeg Tharie. 'Wat zijn Stamritmes?'

'Bij de mensen van de Stam ben ik opgegroeid,' begon Ayla uit te leggen.

'Ze zijn bedrieglijk eenvoudig,' onderbrak Deegie, 'maar ze roepen krachtige gevoelens op.'

'Kunnen jullie ons wat laten horen?' vroeg de jonge man die de schedel had bespeeld.

Deegie keek Ayla aan. 'Zullen we, Ayla?' vroeg ze, en ze legde aan de anderen uit: 'We hebben er een beetje mee geoefend.'

'We kunnen het wel proberen,' zei Ayla.

'We doen het,' zei Deegie. 'We hebben iets nodig voor een diepe, gedempte klank, zonder resonantie, alsof er iets op de grond stoot. Als Ayla jouw trommel mag gebruiken, Marut?'

'Ik denk dat het helpt wanneer we hier een stukje leer omheen wikkelen,' zei Tharie, die haar lange instrument aanbood.

De muzikanten waren benieuwd. Ze vonden het altijd interessant om iets nieuws te horen. Deegie knielde op de mat en nam Tharies plaats in, terwijl Ayla in kleermakerszit achter de trommel ging zitten. Ze tikte op de schedel om te horen hoe het klonk. Deegie sloeg op verschillende plaatsen op haar instrument tot Ayla beduidde dat de klank goed was.

Toen ze klaar waren, begon Deegie in een langzaam, regelmatig tempo. Toen ze Ayla zag knikken veranderde ze het tempo iets, maar de klank niet. Ayla sloot de ogen en toen ze het ritme van Deegies regelmatige slag voldoende aanvoelde, viel ze in. Het timbre van de schedel resoneerde toch nog te veel om precies de geluiden weer te geven die Ayla zich herinnerde. Het was bijvoorbeeld moeilijk om het gevoel bij een krakende donderslag op te wekken; de felle staccato slagen klonken meer als een gedempt gerommel, maar ze had al eens met zo'n soort trommel geoefend. Weldra improviseerde ze een contrapuntisch ritme rond de krachtige, regelmatige slag, in een schijnbaar zweverig patroon van staccato geluiden, variërend in tempo. De twee ritmes waren zo verschillend dat ze niet bij elkaar leken te horen, maar alsof het toevallig zo uitkwam viel iedere vijfde slag van Deegie samen met een luidere slag van Ayla's ritme.

De beide ritmes wekten de verwachting dat ze na enige tijd zouden samenvallen, hetgeen ook gebeurde, hoewel dat eerst onmogelijk leek. Na iedere variatie steeg de spanning opnieuw, tot die bijna ondraaglijk werd. Na een afrondende slag van Deegie en Ayla bleef er een sterk gevoel van verwachting achter. Tot ieders verbazing, ook van Deegie, klonk toen een betoverend, mysterieus geluid, als van een fluit, dat de luisteraars deed huiveren. Het eindigde met een afsluitende toon, maar er bleef een onwerkelijke sfeer hangen.

Het bleef even doodstil. Eindelijk zei Tharie: 'Wat een vreemde, fascinerende muziek met die ongelijke ritmes.' Vervolgens vroegen verscheidene mensen aan Ayla om hun de ritmes nog eens voor te doen omdat ze het ook graag wilden proberen.

'Wie speelde er op de fluit?' vroeg Tharie, want ze wist wel dat het Manen niet was. Die had naast haar gestaan.

'Niemand,' zei Deegie. 'Dat was geen instrument. Ayla heeft gefloten.'

'Gefloten? Hoe kan iemand zo fluiten?'

'Ayla kan alle fluitende vogels nabootsen,' zei Deegie. 'Dat zouden jullie eens moeten horen. De vogels denken dan zelfs dat zij een vogel is. Ze kan ze roepen en uit haar hand laten eten. Dat hoort bij haar manier van omgaan met dieren.'

'Wil je ons het fluiten van een vogel laten horen, Ayla?' vroeg Tharie, wat ongelovig.

Ayla vond het niet zo'n geschikte plaats, maar ze liet snel een aantal vogelgeluiden horen, die de verbaasde blikken tot gevolg hadden die Deegie had verwacht.

Ayla aanvaardde dankbaar het aanbod van Kylie om haar het een en ander te laten zien. Ze kreeg een paar kostuums te zien met bijbehorende attributen en ze ontdekte dat een aantal hoofddeksels eigenlijk maskers waren. De meeste dingen hadden felle kleuren, en wanneer ze 's avonds bij het licht van het vuur werden gedragen, zouden de kostuums wel opvallen maar heel normaal lijken. Er was iemand die rode oker fijnmaakte en met vet vermengde. Ze herinnerde zich met een huivering dat Creb een papje van rode oker op Iza's lichaam had gesmeerd voor ze werd begraven, maar ze hoorde dat de stof werd gebruikt om de gezichten en de lichamen van de spelers en danseressen te versieren en meer kleur te geven. Ze zag ook houtskool en krijt.

Ayla keek naar een man die kralen op een tuniek naaide met een priem en het viel haar op hoeveel gemakkelijker het zou gaan met een draadtrekker. Ze besloot Deegie er een te laten brengen. Anders kreeg zij te veel aandacht en dat vond ze niet prettig. Ze bekeken halssnoeren met kralen en andere sieraden. Kylie hield twee taps toelopende spiraalvormige schelpen tegen haar ogen.

'Jammer dat je geen gaatjes in je oren hebt,' zei ze. 'Deze zouden je leuk staan.'

'Ze zijn mooi,' zei Ayla. Toen zag ze de gaatjes in Kylies oren en ook in haar neus. Ze vond Kylie aardig en bewonderde haar. De verstandhouding was goed en dat kon wel eens tot vriendschap leiden.

'Waarom neem je ze niet? Je kunt Deegie of Tulie wel vragen om er gaatjes in te maken. En je moet eigenlijk ook een tatoeëring hebben.

Dan kun je overal heen en hoef je niet steeds uit te leggen dat je bij de Mammoetvuurplaats hoort.'

'Maar ik ben eigenlijk geen Mamut,' zei Ayla.

'Ik vind van wel, Ayla. Ik weet niet precies wat de riten zijn, maar ik weet wel dat Lomie niet zou aarzelen wanneer je tegen haar zei dat je bereid bent om je in dienst te stellen van de Moeder.'

'Ik weet niet of ik wel zover ben.'

'Misschien niet, maar dat komt wel. Ik voel het.'

Toen zij en Deegie weggingen, besefte Ayla dat ze een heel bijzondere ervaring had opgedaan, een blik achter de schermen, waar maar weinig mensen mochten komen. Het bleef voor haar iets geheimzinnigs, ook al had ze het nu van nabij meegemaakt en was haar het een en ander uitgelegd, maar voor een buitenstaander moest het nog veel vreemder lijken, vol magie. Toen ze weggingen wierp Ayla nog een blik op de ruimte voor de steenbewerkers, maar Jondalar was er niet.

Ze volgde Deegie, die het kamp door liep naar het einde van de kloof, op zoek naar vrienden en familie. Ze wou zien waar alle verschillende kampen lagen. Aan de rand van een open ruimte lagen tussen de struiken drie kampen. Ayla kon niet meteen zeggen wat het was, maar er hing een andere sfeer. Toen begonnen haar allerlei kleinigheden op te vallen. De tenten waren versleten en niet goed opgezet. Voorzover de gaten waren gerepareerd was dat slordig gedaan. Er lag een rottend stuk vlees tussen twee tenten en de vieze lucht trok een zwerm vliegen aan. Ze zag nog meer afval liggen dat zomaar ergens was neergegooid. Ze wist dat kinderen zich gauw vuilmaakten, maar degene die naar hen stonden te kijken zagen eruit alsof ze al een hele tijd niet waren gewassen. Hun kleren waren goor, de haren niet gekamd en ze hadden vuile gezichten. Alles bij elkaar maakte het een onsmakelijke, vieze indruk. Ayla zag Chaleg bij een tent rondhangen. Ze overviel hem en zijn eerste reactie was een boze blik vol haat. Ze schrok ervan. Broud was de enige die haar zo wel eens had aangekeken. Chaleg beheerste zich, maar de huichelachtige, boosaardige glimlach vond ze bijna nog erger dan ongeveinsde haat.

'Laten we hier weggaan,' zei Deegie, en ze trok minachtend haar neus op. 'Het is altijd goed om te weten waar ze zitten, dan weet je tenminste waar je níét heen moet gaan.'

Er klonk opeens een luid gegil en geschreeuw toen twee kinderen, een jongen en een meisje van goed tien jaar, uit een van de tenten kwamen rennen.

'Geef dat terug! Hoor je me? Je moet het teruggeven!' schreeuwde het meisje terwijl ze de jongen achternarende.

'Pak me dan, als je kan,' riep de jongen treiterend, terwijl hij haar iets voorhield en ermee slingerde.

'Jij... O, jij... Geef dat terug!' schreeuwde het meisje weer en ze probeerde hem opnieuw te pakken.

Aan de glimlach van de jongen was duidelijk te zien dat hij veel plezier had in de woede van het meisje, maar toen hij omkeek lette hij niet op een boomwortel die boven de grond uitstak. Hij struikelde en maakte een flinke smak terwijl het meisje boven op hem sprong en hem raakte waar ze maar kon. Hij gaf haar een harde klap in haar gezicht en het bloed spatte haar uit de neus. Ze schreeuwde het uit en ze sloeg hem zo hard op de mond dat zijn lip scheurde.

'Help even, Ayla!' zei Deegie, terwijl ze naar de twee kinderen liep die over de grond rolden. Ze was niet zo sterk als haar moeder, maar ze was een grote, sterke vrouw en toen ze de jongen vastgreep, die op dat moment toevallig boven op zijn zusje lag, moest hij zich wel overgeven. Ayla hield het meisje vast, dat probeerde zich los te worstelen om weer op de jongen af te gaan.

'Wat denken jullie wel?' zei Deegie streng. 'Jullie moesten je schamen om elkaar zo te slaan. En dan ook nog broer en zus. Jullie gaan met mij mee. We zullen dit meteen even regelen,' zei ze terwijl ze de jongen aan de arm meetrok. Ayla volgde met het meisje, dat nu worstelde om weg te komen.

De mensen keken verbaasd toen ze voorbijkwamen met de kinderen met de bebloede gezichten in een stevige greep. Sommigen gingen erachteraan. Tegen de tijd dat Ayla en Deegie met de kinderen bij de huizen midden in het kamp aankwamen, hadden ze het daar al gehoord en er stond een groepje vrouwen te wachten. Ayla zag dat Tulie erbij was en Marlie en Brecie, de leidsters die deel uitmaakten van de Raad van Zusters.

'Zij is begonnen...' schreeuwde de jongen.

'Hij heeft mijn...' begon het meisje terug te schreeuwen.

'Stil!' zei Tulie, met een krachtige luide stem en een woedende blik.

'Het valt nooit goed te praten wanneer je een ander slaat,' zei Marlie, net zo luid en boos als Tulie. 'Jullie zijn allebei oud genoeg om dat te weten en zo niet, dan weet je het nu. Haal de leren riemen,' gebood ze. Een jonge man rende een van de huizen in en spoedig kwam Valez naar buiten met een aantal riemen in de hand. Het meisje keek ontzet en de jongen sperde zijn ogen wijdopen. Hij worstelde om los te komen, wat hem ook lukte en hij zette het op een lopen, maar Talut, die net van het Kattenstaartkamp kwam, greep hem met een snelle sprong en bracht hem terug.

611

Ayla maakte zich zorgen. De wonden van de beide kinderen moesten worden verzorgd en wat belangrijker was: wat zouden ze met hen doen? Het waren per slot van rekening nog maar kinderen.

Terwijl Talut de jongen vasthield, bond een andere man zijn rechterarm vast langs zijn lichaam. Het zat niet zo strak dat de bloedsomloop werd bemoeilijkt, maar hij kon zijn arm niet gebruiken. Toen pakte iemand het meisje, dat begon te huilen toen haar rechterarm werd vastgebonden.

'Maar... Maar hij pakte mijn...'

'Het doet er niet toe wat hij pakte,' zei Tulie.

'Er zijn andere manieren om het terug te krijgen,' zei Brecie. 'Je had naar de Raad van Zusters kunnen komen. Daar zijn we voor.'

'Wat dacht je dat er zou gebeuren wanneer iedereen een ander maar mocht slaan omdat iemand een andere mening heeft, of plaagt, of iets wegpakt?' zei een andere vrouw.

'Jullie moeten leren dat er geen band zo sterk is als de band tussen een broer en een zus,' zei Marlie, terwijl de linkerenkel van de jongen werd vastgebonden aan de rechterenkel van het meisje. 'Het is de band van het bloed. Opdat jullie dat goed zullen onthouden, blijven jullie twee dagen aan elkaar gebonden en de handen waar je elkaar mee hebt geslagen zitten vast, zodat jullie ze niet in woede kunnen opheffen. Jullie moeten elkaar nu helpen. Wanneer een van jullie ergens heen wil, moet de andere mee. De een kan niet slapen zonder dat de ander gaat liggen. Zonder de ander kun je niet eten, drinken, je wassen of iets anders doen. Jullie zullen leren dat je afhankelijk bent van elkaar, nu en je hele verdere leven.'

'En iedereen die jullie ziet zal begrijpen dat jullie elkaar iets ergs hebben aangedaan,' zei Talut luid zodat iedereen het kon horen.

'Deegie,' zei Ayla rustig, 'ze moeten worden geholpen. De neus van het meisje bloedt nog en de jongen heeft een dikke lip.'

Deegie liep naar Tulie en fluisterde haar iets in het oor. De vrouw knikte en deed een stap naar voren. 'Voor jullie naar je kamp teruggaan, ga je met Ayla mee naar de Mammoetvuurplaats, waar ze de wonden zal behandelen die jullie elkaar hebben toegebracht.'

De eerste les in samenwerking was hoe ze hun stappen moesten aanpassen om te kunnen lopen met hun enkels aan elkaar gebonden. Deegie ging met Ayla en de jongelui naar de Mammoetvuurplaats en de twee jonge vrouwen zagen hen samen weghobbelen nadat ze waren schoongemaakt en behandeld.

'Ze waren echt aan het vechten,' zei Ayla toen ze terugliepen naar het Kattenstaartkamp, 'maar de jongen had wel iets van het meisje afgepakt.'

'Dat doet er niet toe,' zei Deegie. 'Slaan is niet de manier om het terug te krijgen. Ze moeten leren dat vechten niet kan worden toegelaten. Het is duidelijk dat ze dat in hun eigen kamp niet hebben geleerd, dus moeten ze het hier leren. Nu kun je ook begrijpen waarom Crozie er zo op tegen was dat Fralie een verbintenis aanging met Frebec.'

'Nee, waarom?'

'Wist je dat niet? Die drie kampen zijn nauw verwant aan elkaar. Chaleg is een neef van Frebec.'

'Nou, dan is Frebec wel veranderd.'

'Dat is waar, maar ik moet je eerlijk zeggen dat ik nog altijd niet weet wat ik van hem moet denken. Ik geloof dat ik met mijn oordeel wacht tot hij echt op de proef wordt gesteld.'

Ayla moest telkens aan de kinderen denken. Ze vond het een leerzame ervaring. Er was snel en onverbiddelijk gestraft, zonder verhaal. Ze hadden niet eens de kans gekregen iets uit te leggen en eerst had niemand zich iets aangetrokken van hun wonden – ze wist nu nog hun namen niet. Maar ze waren niet ernstig gewond en er was geen twijfel aan dat ze hadden gevochten. Hoewel ze snel waren gestraft en het waarschijnlijk niet zouden vergeten, was het niet zo erg, maar ze zouden zich nog jaren de vernedering en de spot herinneren.

'Deegie,' zei Ayla, 'die kinderen hebben hun linkerarm nog vrij. Wie zal hun beletten om die banden los te maken?'

'Dat merkt iedereen. Hoe vernederend het ook kan zijn om aan elkaar gebonden door het kamp te moeten lopen, het zou nog veel erger zijn wanneer ze de banden zouden losmaken. Dan zou men wel eens kunnen zeggen dat ze worden beheerst door de boze geesten van de woede, dat ze zich niet eens voldoende kunnen beheersen om de waarde van elkaars hulp te leren kennen. Dan zouden ze nog meer worden gemeden en te schande gemaakt.'

'Ik denk niet dat ze dit ooit zullen vergeten,' zei Ayla.

'En heel wat andere jongelui ook niet. Er zal een tijdje ook minder ruzie worden gemaakt, al hindert het niet wanneer ze eens tegen elkaar tekeergaan,' zei Deegie.

Ayla wou graag terug naar de vertrouwde omgeving van het Kattenstaartkamp. Ze had zoveel mensen ontmoet en zoveel gezien dat ze even tijd nodig had om alles te verwerken, maar ze kon het niet laten om even te kijken toen ze weer langs de ruimte kwamen waar de steenkloppers werkten. Deze keer zag ze Jondalar, maar ze zag nog iemand die ze er niet had verwacht. Daar stond Mygie en ze keek hem vol bewondering in zijn verbijsterend mooie blauwe ogen. Ayla vond haar houding wel erg overdreven. Jondalar glimlachte heel ontspannen, zoals ze al een hele tijd niet van hem had gezien, evenmin als die uitdrukking in zijn ogen.

'Ik meende dat die vrouwen met rode voeten jonge mannen moesten voorlichten,' zei Ayla, en ze dacht erbij dat niemand Jondalar iets hoefde te leren.

Deegie merkte wel hoe Ayla dat zei en ze zag meteen de reden van haar afkeurende toon. Ze had er begrip voor, maar aan de andere kant was het voor hem ook een lange, moeilijke winter geweest.

'Hij heeft ook zijn behoeften, Ayla, net als jij.'

Opeens kreeg Ayla een kleur. Zij was per slot van rekening degene die bij Ranec had geslapen, terwijl Jondalar alleen lag. Waarom moest zij het zich aantrekken wanneer hij hier op de Zomerbijeenkomst een vrouw vond om mee te vrijen? Dat had ze kunnen verwachten, maar daar ging het ook niet om. Ze wou dat hij met haar Genot zou delen. Het was niet zozeer omdat hij Mygie koos, maar omdat hij haar niet had gekozen.

'Als hij een vrouw zoekt is het het beste wanneer hij een gewillige roodvoet vindt,' vervolgde Deegie. 'Het geeft geen verplichtingen. Tegen het eind van de zomer is alles weer voorbij, tenzij ze heel veel voor elkaar voelen. Ik geloof niet dat hij zulke diepgaande gevoelens voor Mygie zal hebben, Ayla, en misschien kan ze hem helpen zich wat te ontspannen en tot klaarheid te komen.'

'Je hebt gelijk, Deegie. Wat maakt het uit? Hij zegt dat hij na de mammoetjacht weggaat... en ik heb beloofd met Ranec een verbintenis aan te gaan,' zei Ayla.

Dan ga ik terug naar de Stam. Ik zoek Durc op en neem hem mee hierheen, dacht ze, terwijl ze tussen de mensen door liepen. Hij kan een Mamutiër worden, in onze vuurplaats wonen en een vriend van Rydag worden. En hij kan Oera ook meenemen, zodat hij een levensgezellin heeft... en ik zal hier bij al mijn nieuwe vrienden wonen en bij Ranec, die van me houdt, en bij Durc, mijn zoon... mijn enige kind... en Rydag, en de paarden en Wolf... En ik zal Jondalar nooit meer zien, dacht Ayla, en dat gaf haar een kil, somber gevoel.

33

Rugie en Tusie kwamen giechelend het hoofdgedeelte van de tent binnenrennen.

'Daar is er weer een,' zei Rugie.

Ayla ging snel kijken, Nezzie en Tulie wisselden een blik van verstandhouding, Fralie glimlachte en Frebec grijnsde.

'Wat bedoel je?' vroeg Nezzie, hoewel ze begreep wat de kinderen bedoelden.

'Weer een "legatie",' zei Tusie, op een toon alsof ze genoeg begon te krijgen van al die onzin.

'Je hebt een drukke zomer, Tulie, met die delegaties en je plichten als beschermster van een aanstaande vrouw,' zei Fralie, die wat vlees fijnsneed voor Tasher. Maar ze wist dat de leidster ervan genoot om in het middelpunt van de belangstelling te staan die het Leeuwenkamp werd geschonken.

Tulie liep met Ayla naar buiten en Nezzie kwam mee om te helpen omdat bijna iedereen al weg scheen te zijn. Fralie en Frebec liepen naar de opening van de tent om te zien wie er waren gekomen. Frebec volgde de drie vrouwen naar buiten, maar Fralie bleef binnen om de kinderen bezig te houden. Er stond een groepje mensen buiten het terrein dat Wolf als het zijne beschouwde. Hij had de onzichtbare grenzen gemarkeerd met zijn geur en deed regelmatig de ronde. Iedereen kon tot zo ver komen, maar geen stap verder zonder de duidelijke instemming van iemand die hij kende.

Het dier stond in een afwerende houding tussen de mensen en de tent, en dat betekende ontblote tanden en een diep gegrom, zodat geen enkele bezoeker bereid was om hem op de proef te stellen. Ayla riep hem bij zich en gaf hem het teken voor 'goed volk'. Ze had er een hele morgen aan besteed om hem dat te leren begrijpen van haar en alle anderen in het Leeuwenkamp. Hoewel het in strijd was met zijn instinct, betekende het dat hij vreemden moest toelaten binnen de grenzen van het gebied van zijn troep. Hoewel regelmatige bezoekers gemakkelijker werden toegelaten dan volslagen vreemden, liet hij duidelijk merken dat het hem niet aanstond en hij vond het altijd een opluchting wanneer ze weer vertrokken.

Ayla nam hem af en toe mee door het kamp om hem te laten wennen aan grote groepen mensen, maar dan hield ze hem wel vlak bij zich. Ze werd altijd aangegaapt wanneer ze, vol zelfvertrouwen, met Wolf op de hielen liep en dat vond ze niet prettig, maar ze vond dat het moest gebeuren. Al was er veel overeenkomst tussen de gedragingen van mensen en wolven, hij moest toch aan een aantal dingen wennen wanneer zijn troep uit mensen zou bestaan. Mensen hadden graag gezelschap, ook van vreemden en ze vonden het prettig om in grote groepen bij elkaar te zijn.

Maar Wolf bracht niet al zijn tijd door in het Kattenstaartkamp. Hij ging vaak met de paarden naar de weide, of trok er alleen op uit, of met anderen. Meestal met Ayla, maar soms met Jondalar of Danug, of vreemd genoeg met Frebec.

Frebec riep het dier en dan liepen ze samen naar het onderdak voor de paarden om hem uit de buurt te houden. De mensen werden nerveus van Wolf en dat kon wel eens een minder positieve uitwerking hebben op de delegaties die ten behoeve van een man bij Ayla in de gunst probeerden te komen. Het was niet de bedoeling van de mannen om met Ayla een verbintenis aan te gaan, want ze wisten dat ze Ranec de Belofte had gedaan. Ze zochten geen levensgezellin maar een zuster. De delegaties kwamen met aanbiedingen om haar op te nemen.

Zelfs Tulie had niet aan die mogelijkheid gedacht, ondanks haar slimheid en haar kennis van de aard en de gebruiken van haar volk. Maar toen ze de eerste keer werd benaderd door een vrouw die ze kende, met alleen zoons, die haar vroeg of ze een aanbod van haar vuurplaats en kamp in overweging wou nemen om Ayla te adopteren, trok Tulie meteen haar conclusie.

'Ik had van het begin af aan kunnen weten,' had Tulie later uitgelegd, 'dat een ongebonden vrouw met een hoge status, met schoonheid en talenten, een buitengewoon begeerlijke zuster is, vooral nu ze is geadopteerd door de Mammoetvuurplaats. Die wordt gewoonlijk niet beschouwd als een gewone vuurplaats. We hoeven, of liever Ayla hoeft die aanbiedingen natuurlijk niet aan te nemen, tenzij ze het zelf wil, maar ze doen haar waarde in ieder geval stijgen.'

Tulies ogen schitterden van vreugde als ze eraan dacht hoeveel Ayla bijdroeg aan de status en de waarde van het Leeuwenkamp. In haar hart wenste ze wel dat Ayla geen Belofte had gedaan aan Ranec. Haar Bruidsprijs zou verbazingwekkend hoog zijn wanneer ze vrij was. Anderzijds zou dat betekenen dat het Leeuwenkamp haar zou verliezen en het bewaren van de schat was misschien beter dan die te verliezen, zij het ook voor een hoge prijs. Zolang er geen waarde was vastgesteld, zouden de speculaties die altijd verhogen. Maar de aanbiedingen die ze voor haar adoptie kregen openden een wereld aan mogelijkheden. Ze kon in naam worden aangenomen, zonder dat ze het Leeuwenkamp verliet. Ze kon zelfs leidster worden wanneer haar eventuele broer de juiste relaties en ambities had. En wanneer Ayla en Deegie beiden leidster werden, konden de rechtstreekse banden met het Leeuwenkamp hun invloed enorm vergroten. Al deze gedachten speelden door Tulies hoofd terwijl ze naar deze nieuwe delegatie liepen. Ayla begon te begrijpen dat de variaties die werden toegepast bij het versieren van kleding en schoeisel kenmerkend waren voor de identiteit van de groep. Hoewel ze allemaal dezelfde geometrische basisfiguren gebruikten, was de overheersing van bepaalde figuren, zoals V-vormen over ruiten en de wijze waarop ze werden gecombineerd, kenmerkend voor de banden met andere kampen. Maar ze kende de mensen en de patronen nog niet goed genoeg om, zoals Tulie, onmiddellijk de plaats in het systeem van rangen en standen binnen de groep te herkennen.

Van sommige kampen was de status zo hoog dat Tulie tevreden zou zijn geweest met minder materiële goederen vanwege de waarde die de relaties inbrachten. Andere konden een overweging waard zijn wanneer ze bereid waren genoeg te betalen. Op grond van de aanbiedingen die ze al had gekregen, viel deze groep voor Tulie onmiddellijk af. Ze waren nauwelijks de moeite waard om mee te praten. Ze hadden eenvoudig niet genoeg te bieden om een eventuele relatie in overweging te nemen. Het gevolg was dat Tulie hen buitengewoon vriendelijk ontving, maar hen niet uitnodigde om binnen te komen en ze begrepen dat ze te weinig hadden en te laat waren gekomen. Maar alleen al het doen van een bod had zijn voordelen. Het was een manier om in verbinding te komen met het Leeuwenkamp, wat hun invloed vergrootte en een gunstige herinnering achterliet.

Terwijl ze voor de tent gezellig stonden te praten, zag Frebec dat Wolf een afwerende houding aannam en begon te grommen in de richting van de rivier. Opeens was hij verdwenen.

'Ayla!' riep Frebec. 'Wolf is achter iets aan!'

Ze floot luid en doordringend en haastte zich naar het pad dat naar de rivier leidde. Ze zag Wolf terugkomen, gevolgd door een nieuwe groep mensen. Maar dit waren geen vreemden.

'Het is het Mammoetkamp,' zei Ayla. 'Ik zie Vincavec.'

Tulie wendde zich tot Frebec. 'Wil jij eens kijken of je Talut kunt vinden? We moeten hen behoorlijk ontvangen en misschien kun je tegen Marlie of Valez zeggen dat ze eindelijk zijn aangekomen.'

Frebec knikte en vertrok.

De delegatie die was gekomen om een bod te doen was te nieuwsgierig om nu weg te gaan. Vincavec was het eerst bij hen en toen hij Ayla, Tulie en de delegatie zag, begreep hij meteen wat er gaande was. Hij liet zijn draagstel vallen en stapte met een glimlach naar voren.

'Tulie, het moet een goed voorteken zijn dat jij de eerste bent die we ontmoeten omdat jij ook degene bent die ik het eerst wou zien,' zei Vincavec terwijl hij haar beide handen pakte en zijn wang tegen de hare wreef als twee goede oude vrienden die elkaar tegenkomen.

'Waarom zou ik de eerste zijn die je wilt ontmoeten?' vroeg Tulie, die onwillekeurig moest glimlachen. Hij was een charmeur.

Hij negeerde haar vraag. 'Zeg eens: waarom hebben je gasten hun beste spullen aan? Is het soms een delegatie?'

Een vrouw nam het woord. 'We hebben een aanbod gedaan om Ayla te adopteren,' zei ze heel waardig, alsof het bod nog niet volledig was afgewezen. 'Mijn zoon heeft geen zuster.'

Ook Ayla kon Vincavecs gedachten bijna wel raden. Hij begreep de hele situatie meteen en aarzelde niet om erop in te spelen.

'Wel, ik wil ook een aanbod doen. Ik zal het later meer formeel doen, maar ik wil je nu al iets geven om over na te denken, Tulie. Ik heb een voorstel voor een verbintenis.' Hij wendde zich tot Ayla en pakte haar beide handen. 'Ik wil met jou een verbintenis aangaan, Ayla. Ik wil dat je van mijn Mammoetvuurplaats meer dan een naam maakt. Dat kun alleen jij me geven, Ayla. Jij brengt de naam van je vuurplaats mee en ik kan je het Mammoetkamp geven.'

Het voorstel overweldigde Ayla en ze schrok ervan. Vincavec wist dat ze al een verplichting was aangegaan. Waarom zou hij haar vragen? Zelfs al zou ze willen, kon ze dan zomaar van gedachten veranderen en met hem een verbintenis aangaan? Was het zo gemakkelijk om een Belofte te breken?

'Ze heeft al een Belofte aan Ranec gedaan,' zei Tulie.

Vincavec keek de grote leidster met een slim lachje aan. Hij stak zijn hand in een zak en toen hij hem eruit trok lagen er twee prachtige, gladde stukken barnsteen in. 'Ik hoop dat hij een goede Bruidsprijs heeft, Tulie.'

Tulie zette grote ogen op. Zijn aanbod was genoeg om haar de adem te doen inhouden. Hij had haar in feite gevraagd haar prijs te noemen, in barnsteen zo ze dat wenste, hoewel ze dat natuurlijk niet zou doen. Ze kneep de ogen bijna dicht. 'Het is niet aan mij om te beslissen, Vincavec. Ayla maakt haar eigen keuze.'

'Dat weet ik, maar neem deze stenen aan als een geschenk, Tulie, voor al de hulp bij het bouwen van mijn huis,' zei hij en hij drong ze haar op.

Tulie stond in tweestrijd. Ze zou moeten weigeren. Als ze ze aannam, zou hij overwicht over haar krijgen, maar het bleef Ayla's beslissing en Belofte of niet, ze was vrij om die keuze te maken. Waarom zou ze ertegen ingaan? Terwijl ze haar hand om de stenen sloot, zag ze een triomfantelijke uitdrukking op Vincavecs gezicht en Tulie kreeg het gevoel dat ze zich had laten omkopen voor twee stukken barnsteen. Hij wist dat ze geen ander aanbod in overweging zou nemen. Als hij Ayla kon overhalen, was ze de zijne. Maar Vincavec kent Ayla niet, dacht ze. Niemand kent haar. Ze mocht zich dan een Mamutische noemen, maar ze was nog altijd een vreemde en wie kon zeggen wat haar dreef? Ze zag hoe de man met het indrukwekkend getatoeëerde gezicht al zijn aandacht op de jonge vrouw richtte en hoe Ayla reageerde. Er was geen twijfel aan, ze toonde belangstelling.

'Tulie! Wat leuk om je weer te zien!' Avarie naderde met uitgestoken handen. 'We zijn zo laat, alle goede plaatsen zijn bezet. Weet jij een goed plekje om ons kamp op te zetten? Waar staan jullie?'

'Hier,' zei Nezzie, die naderbij kwam om als tweede de leidster van het Mammoetkamp te begroeten. Ze had met belangstelling het gesprek tussen Tulie en Vincavec gevolgd en zijn blik was haar ook opgevallen. Ranec zou er niet blij mee zijn wanneer hij hoorde dat Vincavec een bod ging doen voor Ayla, maar Nezzie was er lang niet zeker van dat Ayla zo gemakkelijk kon worden overgehaald door de leider van het Mammoetkamp, onverschillig wat hij aanbood.

'Staan jullie hier? Zo ver van alles af?' vroeg Avarie.

'Met de dieren is het de beste plaats voor ons. Ze worden nerveus tussen al die mensen,' zei Tulie, alsof ze met opzet die plaats hadden gekozen.

'Vincavec, als het Leeuwenkamp hier is, waarom gaan wij dan niet in de buurt staan?' zei Avarie.

'Het is geen slechte plaats. Er zijn voordelen, hier is meer ruimte,' zei Nezzie. Wanneer niet alleen het Leeuwenkamp maar ook het Mammoetkamp hier stond, zouden hier ook wel wat interessante dingen uit het midden van het kamp komen, dacht ze.

Vincavec glimlachte naar Ayla. 'Ik kan niets leukers bedenken dan dicht bij het Leeuwenkamp te gaan staan,' zei hij.

Toen kwam Talut met grote stappen het kamp in en hij begroette met zijn dreunende stem de leiders van het Mammoetkamp. 'Vincavec! Avarie! Jullie zijn er eindelijk! Wat heeft jullie zo opgehouden?'

'We hebben de reis een paar keer onderbroken,' zei Vincavec.

'Vraag Tulie maar om te laten zien wat hij voor haar heeft meegebracht,' zei Nezzie.

Tulie was er nog een beetje beduusd van en ze wou dat Nezzie niets had gezegd, maar ze opende haar hand en liet haar broer het barnsteen zien.

'Dat zijn prachtige stukken,' zei Talut. 'Dus jullie hebben al wat gehandeld, zie ik. Wisten jullie dat het Wilgenkamp witte, spiraalvormige schelpen heeft?'

'Vincavec wil meer dan schelpen,' zei Nezzie. 'Hij wil een bod doen voor Ayla... voor zijn vuurplaats.'

'Maar zij heeft een Belofte gedaan aan Ranec,' zei Talut.

'Een Belofte is slechts een Belofte,' zei Vincavec.

Talut keek eerst Ayla aan, toen Vincavec en ten slotte Tulie. Toen begon hij te lachen. 'Wel, deze Zomerbijeenkomst zal men niet gauw vergeten.'

'Maar het was niet alleen de onderbreking in het Amberkamp,' zei Avarie. 'Nu ik jou zie, Talut, met je grote rode manen, moet ik er weer aan denken. We hebben steeds geprobeerd om een holenleeuw met rode manen heen te trekken, maar hij scheen dezelfde richting te volgen als wij. Ik heb geen troep gezien, maar ik geloof dat we de mensen beter kunnen waarschuwen dat er leeuwen in de buurt zijn.'

'Er zijn altijd leeuwen in de buurt,' zei Talut.

'Ja, maar deze gedroeg zich vreemd. Gewoonlijk houden leeuwen zich niet zo met mensen bezig, maar ik had een tijdje het gevoel dat hij ons volgde. Ik kon er een nacht slecht van slapen. Het was de grootste holenleeuw die ik ooit heb gezien. Ik beef nog van angst als ik eraan denk,' zei Avarie.

Ayla luisterde aandachtig, maar toen schudde ze het hoofd. Nee. Gewoon toeval, dacht ze. Er zijn zoveel grote holenleeuwen.

'Als jullie klaar zijn met opzetten, kom dan naar de open ruimte. We gaan de mammoetjacht bespreken en de Mammoetvuurplaats zal de Jachtceremonie regelen. Het kan geen kwaad om nog een goede Roeper te hebben. Ik weet zeker dat je mammoetvlees voor het Verbintenisfeest wilt hebben, nu je van plan bent om er deel van uit te maken, Vincavec,' zei Talut. Hij wou weggaan, maar toen wendde hij zich tot Ayla. 'Waarom ga je niet met me mee als je van plan bent om met ons op de mammoetjacht te gaan. Neem je speerwerper mee. Ik had je trouwens toch opgehaald.'

'Ik loop met jullie mee,' zei Tulie. 'Ik moet naar het kamp van de aanstaande vrouwen om met Latie te praten.'

'Dit is een goede kwaliteit. Vooral voor dun gereedschap, zoals beitels, krabbers en boren,' zei Jondalar, die knielde en de fijne structuur van het gladde grijze vuursteen bekeek. Hij had een stuk gewei met een speciale vorm gebruikt om te graven. Het was sterk en veerkrachtig genoeg om niet te breken en verder had hij een hefboom gebruikt om het brok kiezelzuur uit de krijtlaag los te wrikken. Toen brak hij het open met een klopsteen.
'Wymez zegt dat de beste soorten vuursteen hiervandaan komen,' zei Danug.
Jondalar wees op de loodrechte rotswand die in de loop der tijd was ontstaan door het kolkende water. Er zaten nog meer brokken hard vuursteen, omgeven door matwitte korsten die naar voren staken uit het zachtere krijtgesteente. 'Het beste vuursteen vind je altijd aan de bron. Dit lijkt veel op Dalanars vuursteengroeve en hij heeft het beste steen in onze omgeving.'
'Het Wolvenkamp is beslist van mening dat dit het beste vuursteen is,' zei Tarneg. 'Toen ik hier de eerste keer kwam, was ik samen met Valez. Je had moeten horen hoe opgetogen hij was. Omdat deze plaats zo dicht bij hun kamp ligt, beschouwen ze de groeve als de hunne. Het was verstandig dat je toestemming vroeg, Jondalar.'
'Louter uit beleefdheid. Ik weet hoe Dalanar over zijn groeve denkt.'
'Wat is er zo bijzonder aan dit steen? Ik heb zo vaak vuursteen zien liggen in rivierdalen,' zei Tarneg.
'Soms vind je er goede knollen die nog maar kortgeleden zijn losgespoeld en je komt er een stuk gemakkelijker aan. Het is een heel werk om ze uit de rots te graven. Maar vuursteen heeft de neiging uit te drogen wanneer het lang aan de lucht wordt blootgesteld,' zei Jondalar. 'Dan springen er bij de bewerking te snel kleine scherven af.'
'Als het te lang aan de oppervlakte heeft gelegen, begraaft Wymez het soms een tijdje in vochtige grond; dan is het gemakkelijker te bewerken,' zei Danug.
'Dat heb ik ook wel gedaan. Het helpt soms, maar het hangt van de grootte en de droogte van de knol af. Als het een groot stuk is, mag het niet te lang hebben gelegen. Het helpt het meest bij kleine stukken, desnoods niet groter dan een ei, maar die zijn minder geschikt om te bewerken, tenzij ze van heel goede kwaliteit zijn.'
'Wij doen iets soortgelijks met slagtanden van de mammoet,' zei Tarneg. 'Om te beginnen wikkelen we de slagtand in vochtige huiden en

dan begraven we hem in hete as. Dan verandert het ivoor. Het wordt compacter en gemakkelijker te bewerken en te buigen. Dat is de beste manier om een hele slagtand recht te buigen.'

'Ik vroeg me al af hoe jullie dat deden,' zei Jondalar en hij keek nadenkend voor zich uit. 'Mijn broer had dat graag willen leren. Hij maakte speren. Hij kon een goede rechte schacht maken, maar hij kende de eigenschappen van hout, hoe je het kunt buigen en in model brengen. Ik denk dat hij ook wel had begrepen hoe jullie dat doen. Misschien heeft jullie methode Wymez wel zo snel op het idee gebracht om vuursteen te verhitten, zodat het beter te bewerken is. Hij is een van de beste steenbewerkers die ik ooit heb ontmoet.'

'Jij kunt ook goed met vuursteen omgaan, Jondalar,' zei Tarneg. 'Ook Wymez is vol lof over je en hij prijst iemands werk niet zo gauw. Weet je, ik heb er eens over nagedacht. Ik heb straks een goede steenbewerker nodig voor het Oeroskamp. Ik weet dat je gezegd hebt dat je weer naar huis wilt, maar het lijkt me een hele reis. Zou je niet willen blijven als je een goed plaatsje had? Ik bedoel, wat zou je ervan vinden om je aan te sluiten bij mijn kamp?'

Jondalar fronste het voorhoofd terwijl hij erover nadacht hoe hij Tarnegs aanbod kon weigeren zonder hem te beledigen. 'Ik weet het niet. Ik moet er eens over nadenken.'

'Ik weet dat Deegie je wel mag en ze zal er vast mee instemmen. Het zou geen enkel probleem zijn om iemand te vinden met wie je een vuurplaats kunt stichten,' zei Tarneg. 'Ik heb al die vrouwen wel om je heen gezien, ook die met de rode voeten. Het begon met Mygie en nu bedenken alle anderen ook al een reden om een kijkje te nemen in de hoek van de steenbewerkers. De reden zal wel zijn dat jij hier nieuw bent. Vrouwen zijn altijd nieuwsgierig naar mannen die ze niet kennen.' Hij glimlachte. 'Ik heb al meer dan één man de wens horen uitspreken dat hij een grote, blonde vreemde was. Ze zouden allemaal wel weer eens de aandacht willen trekken van een vrouw met rode voeten, maar Danug is nu aan de beurt.' Tarneg grijnsde veelbetekenend naar zijn jongere neef.

Ze vonden het allebei niet zo leuk. Jondalar ging staan en keek de andere kant op om de aandacht wat af te leiden. Het viel hem op dat hij naast deze twee mannen niet zo abnormaal groot was. Ze waren alle drie bijna even lang en Danug zou nog wel wat groter worden. Hij zou de lengte van Talut wel krijgen. Er waren grote en kleine mannen op de Bijeenkomst, net zoals bij de Zomerbijeenkomsten van de Zelandoniërs.

'Nou, ik hoop dat je nog eens wilt nadenken over het Oeroskamp,

Jondalar. Nu Deegie en Branag de verbintenis aangaan, gaan we dit najaar bouwen, hoewel ik het er nog niet over eens ben of ik een groot huis maak, zoals het Leeuwenkamp, of een aantal kleinere, voor elk gezin apart. Ik houd me liever bij het oude. Ik heb het liefst een groot huis, maar veel jonge mensen wonen liever apart met hun naaste verwanten en ik moet toegeven, wanneer de mensen ruzie krijgen kan het prettig zijn om naar je eigen huisje te kunnen gaan.'

'Ik waardeer je aanbod, Tarneg,' zei Jondalar. 'Dat meen ik, maar ik wil er niet omheen draaien. Ik ga naar huis. Ik moet terug. Ik zou je heel wat redenen kunnen noemen, bijvoorbeeld dat ik hun het bericht moet brengen van de dood van mijn broer, maar de waarheid is dat ik niet precies weet waarom ik moet gaan. Ik moet gewoon.'

'Is het om Ayla?' vroeg Danug met een bezorgde blik.

'Gedeeltelijk, ja. Ik moet toegeven dat ik me er niet op verheug haar een vuurplaats met Ranec te zien delen, maar toen we jullie ontmoetten, probeerde ik haar al over te halen met mij mee te gaan naar mijn volk. Nu ziet het er trouwens naar uit dat ik alleen terug zal gaan... en dat lokt me ook niet aan, maar dat verandert niets aan de zaak. Ik zal toch moeten gaan.'

'Ik weet niet of ik het wel begrijp, maar ik wens je veel geluk en ik hoop dat de Moeder je op je Tocht goedgezind zal zijn. Wanneer dacht je te vertrekken?' vroeg Tarneg.

'Als de mammoetjacht voorbij is.'

'Nu we het toch over de mammoetjacht hebben, we moesten maar teruggaan. Ze praten er vanmiddag over,' zei Tarneg.

Ze liepen langs een zijrivier van de grote stroom bij de nederzetting en begonnen over keien te klauteren op een plaats waar de wanden dichter bij elkaar kwamen. Toen ze via een steile rand het ravijn verlieten, stootten ze op een groep jonge mannen die twee van hen, die aan het vechten waren, uitscholden of aanmoedigden. Druwez stond tussen de toeschouwers.

'Wat gebeurt hier?' vroeg Tarneg, die zich een weg baande door de groep en de twee vechtenden uit elkaar trok. De een bloedde uit de mond en de ander had een gezwollen oog.

'Ze houden gewoon een... wedstrijd,' zei er een.

'Ja, ze zijn... eh... aan het oefenen... voor de worstelwedstrijden.'

'Dit is geen wedstrijd,' zei Tarneg. 'Dit is een vechtpartij.'

'Nee, echt niet, we waren niet aan het vechten,' zei de jongen met het gezwollen oog, 'we stoeiden maar wat.'

'Dus dat noemen jullie stoeien, met gebroken tanden en een blauw oog? Als jullie maar wat oefenen hoef je niet naar zo'n plek helemaal achteraf te gàan waar niemand je ziet. Nee, dit was menens. Ik vind dat jullie me beter kunnen vertellen wat er aan de hand is.'

Niemand antwoordde uit eigen beweging, maar ze schuifelden wat met de voeten.

'En jullie dan?' vroeg Tarneg, terwijl hij naar de overige jongelui keek. 'Wat doen jullie hier? Jij ook, Druwez. Wat dacht je dat moeder en Barzec doen wanneer ze horen dat jij hier was om vechtende jongens aan te moedigen? Ik denk dat jullie maar beter kunnen vertellen wat hier aan de hand is.'

Er was nog steeds niemand die iets wilde zeggen.

'Ik geloof dat we jullie mee moeten nemen en laat de leden van de Raad maar beslissen wat ze met jullie moeten doen. De Zusters vinden wel ander werk voor jullie in plaats van vechten en dan kunnen ze bovendien een voorbeeld stellen. Misschien sluiten ze jullie allemaal wel uit van de mammoetjacht.'

'Je moet het hun niet vertellen, Tarneg,' pleitte Druwez. 'Dalen probeerde hen alleen maar tegen te houden.'

'Tegenhouden? Misschien moest je me toch maar eens vertellen wat dit gevecht te betekenen heeft,' zei Tarneg.

'Ik denk dat ik het weet,' zei Danug. Iedereen keek naar de grote jongeman. 'Het heeft te maken met de overval.'

'Welke overval?' vroeg Tarneg. Dit leek ernstig.

'Een paar mensen hadden het over het plegen van een overval op een kamp van de Sungaea,' legde Danug uit.

'Jullie weten dat overvallen verboden zijn. De leden van de Raad proberen een vriendschapsvuur te regelen en handel te drijven met de Sungaea. Ik moet er niet aan denken wat voor moeilijkheden er door een overval zouden kunnen ontstaan,' zei Tarneg. 'Van wie kwam het plan voor die overval?'

'Dat weet ik niet,' zei Danug. 'Op zekere dag had iedereen het erover. Er is iemand die een Sungaea-kamp heeft ontdekt op een paar dagreizen hiervandaan. Ze waren van plan te zeggen dat ze op jacht gingen, maar in plaats daarvan zouden ze het kamp vernielen, hun voedsel stelen en hen verjagen. Ik zei dat ik geen belangstelling had en dat ik het dom vond wat ze wilden. Ze zouden alleen zichzelf en alle anderen in moeilijkheden brengen. Bovendien hebben wij een Sungaea-kamp aangedaan op weg hierheen. Daar waren pas een broer en een zus gestorven. Misschien is het niet hetzelfde kamp, maar waarschijnlijk lijden ze er allemaal onder. Ik vond het niet goed om een overval op hen te plegen.'

'Dat kan Danug doen,' zei Druwez. 'Niemand zal hem een lafaard noemen omdat niemand er zin in heeft met hem te vechten. Maar toen Dalen zei dat hij ook niet mee wilde doen aan een overval zei een hele groep dat hij bang was om te vechten. Toen zei hij dat hij niet bang was om te vechten. Wij zeiden dat we met hem mee zouden gaan om te voorkomen dat ze hem allemaal aanvielen.'

'Wie van jullie is Dalen?' vroeg Tarneg. De jongen met de gebroken tand en de bloedende mond stapte naar voren. 'En wie ben jij?' zei hij tegen de andere, wiens oog al blauw begon te worden. Hij weigerde te antwoorden.

'Ze noemen hem Cluve. Hij is een neef van Chaleg,' zei Druwez uit eigen beweging.

'Ik begrijp je bedoeling wel,' zei Cluve nors. 'Je bent van plan om alle schuld op mij te schuiven omdat Druwez je broer is.'

'Nee, ik ben niet van plan om iemand de schuld te geven. Ik laat de beslissing over aan de Raad van Broeders. Jullie kunnen allemaal ver-wachten dat je bij hen moet komen, mijn broer ook. Ik denk dat jul-lie je nu beter wat kunnen opknappen. Als jullie zo teruggaan naar de Bijeenkomst, begrijpt iedereen dat jullie hebben gevochten en dan kan niemand het buiten de Raad van Zusters houden. Ik hoef jullie niet te vertellen wat er met jullie gaat gebeuren wanneer ze merken dat jullie hebben gevochten naar aanleiding van een overval.'

De jongelui gingen er snel vandoor voor Tarneg nog van gedachten kon veranderen, maar ze gingen in twee groepen, de ene met Cluve en de andere met Dalen. Tarneg lette goed op wie met wie meeging. Toen vervolgden de drie hun weg naar de Bijeenkomst.

'Er is toch nog iets dat ik graag zou willen weten, als je het niet erg vindt,' zei Jondalar. 'Waarom zou je de Raad van Broeders laten be-slissen wat ze met deze jongens moeten doen? Zouden ze het echt bui-ten de Raad van Zusters houden?'

'De Zusters staan het vechten beslist niet toe en accepteren geen enkel excuus, maar veel Broeders hebben overvallen gedaan toen ze nog jong waren, of ze hebben wel eens gevochten omdat ze het spannend vonden. Heb jij nooit gevochten terwijl het niet mocht, Jondalar?'

'Nou ja, ik denk van wel. En ze hebben me ook wel eens betrapt.'

'De Broeders zijn toleranter, vooral tegenover degene die een goede reden had om te vechten hoewel Dalen beter iemand had kunnen in-lichten over de overval dan te gaan vechten om te laten zien dat hij niet bang was. Een man schijnt dat soort dingen gemakkelijker door de vingers te zien. De Zusters zeggen dat gevechten altijd nieuwe ge-vechten uitlokken en dat zal wel waar zijn, maar Cluve had op één punt gelijk,' zei Tarneg. 'Druwez is mijn broer. Hij heeft zijn vriend niet aangemoedigd om te vechten, hij probeerde hem alleen te helpen. Het zou me spijten wanneer hij daardoor in moeilijkheden zou raken.'

'Heb jij ooit met iemand gevochten, Tarneg?' vroeg Danug.

Het toekomstige stamhoofd keek zijn jongere neef even aan en knikte. 'Eén of twee keer, maar er waren niet zoveel mannen die me uitdaagden. Ik was groter dan de meesten, net als jij. Maar bij die wedstrijden wordt soms meer gevochten dan men wil toegeven.'

'Dat weet ik,' zei Danug diepzinnig.

'Maar er is tenminste toezicht. Dat voorkomt dat er iemand ernstig gewond raakt en er wordt later geen wraak genomen.' Tarneg keek naar de lucht. 'Het loopt al tegen de middag, het is later dan ik dacht. We mogen wel opschieten als we nog iets over de mammoetjacht willen horen.'

Toen Ayla en Talut bij de open ruimte kwamen, nam hij haar mee naar een flauwe helling die heel geschikt was als plaats van samenkomst voor kleinere groepen en gebruikt werd voor toevallige bijeenkomsten, maar ook voor bijzondere vergaderingen.

Ze waren al begonnen en Ayla keek of ze tussen de mensen een glimp van Jondalar zag. Dat was het enige wat ze de laatste tijd van hem zag. Vanaf het moment dat ze waren aangekomen leek hij te verdwijnen in de mensenmassa. Hij verliet het Kattenstaartkamp vroeg in de morgen en hij kwam laat terug, áls hij terugkwam. Als ze hem zag was hij vaak samen met een vrouw, meestal steeds een andere. Ze betrapte zichzelf erop dat ze tegenover Deegie en anderen geringschattende opmerkingen maakte over zijn vrouwelijk gezelschap. Ze was niet de enige. Ze had ook een opmerking van Talut gehoord, die zich afvroeg of Jondalar probeerde in een korte zomer compensatie te zoeken voor de hele winter. Er werd door velen in de kampen over zijn prestaties gepraat, vaak met humor en een soort dubbelzinnige bewondering, zowel voor zijn uithoudingsvermogen als voor zijn aantrekkingskracht. Het was niet de eerste keer dat zijn aantrekkelijkheid voor vrouwen onderwerp van gesprek was, maar hij had zich er nog nooit zo weinig van aangetrokken.

Ayla lachte ook om de opmerkingen, maar 's avonds, in het donker, bedwong ze haar tranen en vroeg ze zich af wat er aan haar mankeerde. Waarom koos hij haar nooit? Toch gaf het haar een vreemde voldoening dat ze hem met zoveel verschillende vrouwen zag. Ze wist tenminste dat hij er nog niet een had gevonden die haar plaats innam. Ze wist niet dat Jondalar probeerde zoveel mogelijk uit de buurt van het Kattenstaartkamp te blijven. In de beperkte ruimte van de tent was hij zich veel meer bewust van het feit dat zij en Ranec bij elkaar sliepen – niet iedere nacht in hetzelfde bed, omdat ze soms behoefte had aan de privacy van haar eigen bed, maar toch dicht bij elkaar. Het was niet zo moeilijk om overdag in de ruimte van de steenbewerkers te blijven en dat leidde tot uitnodigingen om bij mensen te komen eten. Sinds zijn jeugd was dit de eerste keer dat hij zelf vrienden maakte, zonder hulp van zijn broer, en hij merkte dat het niet zo moeilijk was.

De vrouwen gaven hem een excuus om ook 's nachts weg te blijven, of tenminste tot heel laat als het niet de hele nacht was. Er was er niet één bij van wie hij echt hield, maar hij voelde zich schuldig omdat hij gebruikmaakte van hun gastvrijheid en hij probeerde dat weer goed te maken op de wijze die hem het best lag, wat hem nog onweerstaanbaarder maakte. Veel vrouwen hadden de ervaring dat een man die zo knap was als Jondalar zich er meer om bekommerde dat hij zelf werd bevredigd dan zij, maar hij was bedreven genoeg om iedere vrouw het gevoel te geven dat ze voldoende aandacht kreeg. Het was voor hem een opluchting dat hij niet hoefde te vechten tegen zijn sterke behoeften en ook niet het hoofd hoefde te bieden aan zijn verwarde gevoelens. Hij genoot van de vrouwen en liet hen ook genieten, maar het bleef allemaal heel oppervlakkig. Hij hunkerde naar de diepere gevoelens, die hij altijd had gezocht en die geen vrouw in hem opwekte, behalve Ayla.

Ayla zag hem samen met Tarneg en Danug terugkomen van de vuursteengroeve van het Wolvenkamp en ze voelde haar hart bonzen, zoals vaker gebeurde wanneer ze hem zag. Ze zag dat Tulie naar de drie mannen liep en met Jondalar wegging. Talut wenkte Tarneg en Danug om bij hen te komen.

'Ik wil je wat vragen over de gebruiken van jouw volk, Jondalar,' zei Tulie toen ze een rustig plekje hadden gevonden om te praten. 'Ik weet dat jullie de Moeder eren en dat strekt jou en de Zelandoniërs tot eer, maar hebben jullie ook een ceremoniële inwijding tot het vrouw-zijn, met alle bijbehorende begrip en tederheid?'

'De Eerste Riten? Ja, natuurlijk. Hoe zou het iemand onverschillig kunnen laten hoe een jonge vrouw de eerste keer wordt geopend? Onze rituelen zijn niet helemaal dezelfde als die van jullie, maar ik denk dat de bedoeling gelijk is,' zei Jondalar.

'Ik heb met een paar vrouwen gepraat. Ze zijn vol lof over je en je bent al verscheidene keren aanbevolen. Dat is belangrijk, maar het is belangrijker dat Latie naar je heeft gevraagd. Zou jij haar willen inwijden?'

Jondalar besefte dat hij had kunnen weten wat er kwam. Niet dat hij nooit eerder was gevraagd, maar om de een of andere reden dacht hij dat ze alleen iets wou weten over de gebruiken bij zijn volk. In het verleden had hij altijd graag deelgenomen aan de inwijding. Volgens de vrouwen deed hij niets liever dan een jonge vrouw van haar angst afhelpen en haar de vreugde leren kennen van de Gave van het Genot van de Grote Aardmoeder, maar deze keer aarzelde hij. Hij had na afloop ook altijd een vreselijk schuldgevoel omdat hij de heilige ceremonie had gebruikt om zijn eigen behoeften te bevredigen, ondanks de diepere gevoelens die deze opriep. Hij wist niet of hij die gemengde gevoelens nu wel aankon en zeker niet met iemand die hij zo graag mocht als Latie.

'Tulie, ik heb aan soortgelijke rituelen deelgenomen en ik voel me vereerd door het aanbod van jou en Latie, maar ik geloof dat ik moet weigeren. Ik weet dat we niet echt verwanten zijn, maar ik heb de hele winter in het Leeuwenkamp gewoond en in die tijd ben ik Latie als een zuster gaan beschouwen,' zei Jondalar, 'een jongere zuster.'

Tulie knikte. 'Dat is jammer, Jondalar. Je was in veel opzichten de beste geweest. Je komt van zo ver dat er geen enkele verwantschap tussen jullie kan bestaan. Maar ik begrijp dat je haar als een zuster bent gaan zien. Jullie hebben niet in dezelfde vuurplaats gewoond, maar Nezzie heeft je behandeld als een zoon en Latie is een veelbelovend meisje. Voor de Moeder is niets afschuwelijker dan het inwijden van een vrouw door een man die dezelfde moeder heeft. Wanneer jij gevoelens voor haar hebt als een broer, vrees ik dat het de ceremonie zou bederven. Ik ben blij dat je me dit hebt verteld.'

Ze liepen samen terug naar de mensen die op de helling stonden of zaten en vanaf de open ruimte zag Jondalar dat Talut aan het woord was, en wat nog interessanter was: Ayla stond naast hem met haar speerwerper.

'Jullie hebben gezien hoe ver Ayla met dit wapen een speer kan werpen,' zei Talut, 'maar ik zou graag willen dat ze het jullie samen laat zien, onder betere omstandigheden, zodat jullie echt kunnen zien wat de mogelijkheden zijn. Ik weet dat de meesten van ons graag een grotere speer gebruiken, met een punt die Wymez heeft ontwikkeld voor de mammoetjacht, maar dit wapen heeft een paar duidelijke voordelen. Een aantal van ons, in het Leeuwenkamp, heeft ermee geoefend. Je kunt er een flinke speer mee werpen, maar daar is oefening voor nodig, net als voor het werpen met de hand. De meesten zijn opgegroeid bij het werpen met de hand, bij het spel en op jacht. Ze zijn eraan gewend, maar wanneer ze zouden zien hoe goed dit werkt, weet ik zeker dat heel wat mensen het willen proberen. Ayla zegt dat ze van plan is om hem op de mammoetjacht te gebruiken en ik ben er zeker van dat Jondalar het ook zal doen zodat een aantal mensen kan zien hoe het werkt. We hebben het over een wedstrijd gehad, maar dat idee is nog niet helemaal uitgewerkt. Als we terugkomen van de jacht, geloof ik dat we een grote wedstrijd moeten organiseren, met verschillende onderdelen.'

Er was veel bijval voor dit voorstel en toen zei Brecie: 'Ik vind zo'n grote wedstrijd een goed idee, Talut. Ik zou er geen bezwaar tegen hebben wanneer we er twee of drie dagen aan besteden. Wij hebben gewerkt aan een werpstok. Sommigen van ons hebben met een worp al verscheidene vogels uit een zwerm neergehaald. Ondertussen geloof ik dat we de mamuti de beste dag moeten laten uitzoeken om te vertrekken en ze de mammoeten laten Roepen. En als we niets meer te bespreken hebben, moet ik terug naar mijn kamp.'

De vergadering liep ten einde, maar de belangstelling leefde plotseling weer op toen Vincavec in de open ruimte verscheen, gevolgd door de mensen van zijn kamp, de delegatie die een adoptie van Ayla had besproken en de laatsten van het Leeuwenkamp, Nezzie en Rydag. De mensen van de delegatie begonnen het nieuwtje te verspreiden dat het stamhoofd van het Mammoetkamp bereid was om iedere Bruidsprijs te betalen die Tulie voor Ayla vroeg, ondanks het feit dat ze al een Belofte had gedaan.

'Je weet dat hij het recht opeist om zijn kamp naar de Mammoetvuurplaats te noemen, alleen omdat hij Mamut is,' hoorde Jondalar een vrouw tegen een andere vrouw zeggen, 'maar zolang hij geen verbintenis heeft aangegaan, kan hij geen rechten doen gelden. Het is de vrouw die de vuurplaats sticht. Hij wil haar alleen omdat ze een dochter van de Mammoetvuurplaats is en dat maakt zijn zogenaamde Mammoetkamp meer acceptabel.'

Jondalar stond toevallig bij Ranec in de buurt toen hij opving dat iemand het hem vertelde. Tot zijn verbazing voelde hij een opwelling van medelijden toen hij de uitdrukking op het gezicht van de donkere man zag. Het drong tot hem door dat wanneer iemand wist hoe Ranec zich op dat ogenblik voelde, hij het wel was. Maar hij wist tenminste dat de man, die Ayla had overgehaald om bij hem te komen wonen, van haar hield. Het leek duidelijk dat Vincavec Ayla alleen wilde om zijn eigen doel te dienen, niet omdat hij iets om haar gaf.

Ayla ving ook flarden van gesprekken op waarin haar naam werd genoemd. Bij de Stam had ze haar ogen kunnen afwenden om niets te horen, maar waar men uitsluitend woorden gebruikte om te communiceren kon ze haar oren niet sluiten.

En toen hoorde ze opeens niets meer behalve de honende stemmen van een aantal oudere kinderen en het woord 'platkop'.

'Moet je dat beest zien, helemaal verkleed als mens,' zei een oudere jongen die lachend met zijn vinger naar Rydag wees.

'Ze kleden de paarden aan, dus waarom de platkop niet?' voegde iemand eraan toe en dat veroorzaakte nog meer gelach.

'Ze beweert dat hij een mens is, weet je. Ze zeggen dat hij alles verstaat wat je zegt en dat hij ook kan praten,' zei een van de jongelui.

'Natuurlijk, en wanneer ze de wolf op zijn achterpoten kon laten lopen zou ze hem waarschijnlijk ook een mens noemen.'

'Misschien kun je beter oppassen met wat je zegt. Chaleg zegt dat die platkop de wolf op je af kan sturen. Hij zegt dat de platkop heeft gezorgd dat de wolf hem aanviel en hij brengt het voor de Raad van Broeders.'

'Nou, is dat niet het bewijs dat hij een dier is, wanneer hij een ander dier een aanval kan laten doen?'

'Mijn moeder zegt dat ze het niet goed vindt dat ze dieren meebrengen naar een Zomerbijeenkomst.'

'Mijn oom zegt dat hij niet zoveel bezwaar heeft tegen de paarden en ook niet tegen de wolf, zolang ze ze op een afstand houden, maar hij vindt dat het verboden moest worden om die platkop mee te nemen naar bijeenkomsten en ceremoniën die bedoeld zijn voor mensen.'

'Hé, platkop! Ga weg, smeer 'm. Ga terug naar je troep, bij de andere beesten, waar je hoort.'

Eerst was Ayla te verbluft om te reageren op de vernederende opmerkingen. Toen zag ze dat Rydag de ogen neersloeg en terug wou gaan naar het Kattenstaartkamp. Ze stormde razend van woede op de jongelui af.

'Wat mankeert jullie? Hoe kunnen jullie Rydag een beest noemen. Zijn jullie soms blind?' vroeg Ayla, met nauwelijks ingehouden woede. Er bleven verscheidene mensen staan om te zien wat er aan de hand was. 'Zien jullie niet dat hij alles verstaat wat jullie zeggen? Hoe kunnen jullie zo wreed zijn? Schaam je je niet?'

'Waar zou mijn zoon zich voor moeten schamen?' vroeg een vrouw die haar zoon in bescherming nam. 'Die platkop is een dier en behoort niet te worden toegelaten tot ceremoniën die heilig zijn voor de Moeder.'

Er kwamen nu verscheidene mensen omheen staan, onder wie de

meesten van het Leeuwenkamp. 'Ayla, schenk er geen aandacht aan,' zei Nezzie in een poging haar wat te kalmeren.

'Een dier! Hoe durf je te zeggen dat hij een dier is! Rydag is net zo goed een mens als jij,' schreeuwde Ayla tegen de vrouw.

'Ik hoef me niet zo te laten beledigen,' zei de vrouw. 'Ik ben geen platkopvrouw.'

'Nee, dat ben je zeker niet. Die is menselijker dan jij bent. Ze zou meer gevoel hebben, meer begrip.'

'Hoe weet je dat zo goed?'

'Niemand weet dat beter dan ik. Ze hebben me opgenomen en grootgebracht toen ik mijn volk kwijt was en niemand anders had. Ik zou gestorven zijn wanneer een vrouw van de Stam geen medelijden had getoond,' zei Ayla. 'Ik was er trots op om een vrouw van de Stam te zijn en een moeder.'

'Nee! Ayla, niet doen!' hoorde ze Jondalar zeggen, maar ze trok zich nergens meer iets van aan.

'Het zijn mensen en dat is Rydag ook. Ik weet het, omdat ik een zoon heb zoals hij.'

'O, nee.' Jondalar kromp ineen terwijl hij naar voren drong om naast haar te gaan staan.

'Zei ze dat ze ook zo'n zoon had?' zei een man. 'Een zoon van gemengde geesten?'

'Ik ben bang dat je het nu hebt verknoeid,' zei Jondalar ernstig.

'Heeft zij een gruwel gebaard? Dan kun je beter uit haar buurt blijven.' Er kwam een man naar de vrouw die ruzie had gemaakt met Ayla. 'Als zij zo'n soort geest aantrekt, kan die ook in een andere vrouw binnendringen.'

'Dat is zo! Jij kunt ook beter bij haar vandaan gaan,' zei een man tegen de zwangere vrouw die naast hem stond en hij nam haar mee. Er waren meer mensen die zich terugtrokken en op hun gezichten stond duidelijk afschuw en angst te lezen.

'De Stam?' zei een van de muzikanten. 'Zei ze niet dat de ritmes die ze speelde van de Stam waren? Bedoelde ze die? Platkoppen?'

Terwijl ze om zich heen keek, voelde Ayla even paniek en de drang om weg te lopen van al die mensen die haar met zo'n afkeer bekeken. Toen sloot ze haar ogen en ademde diep. Ze stak haar kin omhoog en daagde iedereen uit. Welk recht hadden ze om te zeggen dat haar zoon geen mens was? Ze zag Jondalar schuin achter zich staan en dat gaf haar meer steun dan ze kon zeggen.

Toen stapte aan de andere kant nog een man naar voren. Ze draaide zich om en glimlachte tegen Mamut, en ook naar Ranec. Toen kwamen Nezzie en Talut bij haar staan en, wat niemand verwachtte, ook Frebec. Het hele Leeuwenkamp kwam, als één man, naast haar staan. 'Jullie hebben ongelijk,' zei Mamut tegen de menigte, met een stem die te krachtig leek voor zo'n oude man. 'Platkoppen zijn geen dieren. Het zijn mensen, en kinderen van de Moeder, net als jullie. Ik heb ook een tijdje bij hen gewoond en met hen gejaagd. Hun medicijn-vrouw heeft mijn arm genezen en door hen heb ik de weg naar de Moeder gevonden. De Moeder mengt geen geesten, er zijn geen paard-wolven of leeuw-herten. De mensen van de Stam zijn anders, maar het verschil is niet belangrijk. Kinderen als Rydag en Ayla's zoon zouden niet worden geboren als het geen mensen waren. Het zijn geen gruwels. Het zijn gewoon kinderen.'

'Het kan me niet schelen wat je zegt, oude Mamut,' zei de zwangere vrouw. 'Ik wil geen platkopkind hebben, of een van gemengde gees-ten. Als zij er al een heeft gekregen, kan die geest wel om haar heen hangen.'

'Vrouw, Ayla is geen bedreiging voor je,' antwoordde de oude medi-cijnman. 'De geest die voor jouw kind heeft gekozen is er al. Die kan nu niet meer worden veranderd. Het was niet Ayla's werk dat ze een baby kreeg met de geest van een platkopman, zij heeft die geest niet aangetrokken. Het was de keus van de Moeder. Jullie moeten goed onthouden dat de geest van een man zich nooit ver verwijdert van die man. Ayla is opgegroeid bij de Stam. Ze werd vrouw terwijl ze bij hen woonde. Toen Mut besloot haar een kind te geven, kon Ze alleen kie-zen uit de mannen die in de buurt waren en dat waren allemaal man-nen van de Stam. Natuurlijk werd de geest van een van hen gekozen om bij haar binnen te gaan, maar jullie zien hier toch geen mannen van de Stam om je heen?'

'Oude Mamut, wat zou er gebeuren wanneer er een paar platkop-mannen in de buurt waren?' riep een vrouw uit de menigte.

'Ik geloof dat ze heel dichtbij zouden moeten komen, zelfs de vuur-plaats zouden moeten delen, voor hun geest werd gekozen. Het volk van de Stam bestaat uit mensen, maar er zijn een paar verschillen. Omdat leven voor de Moeder beter is dan geen leven, kreeg Ayla een kind toen ze dat wou, maar het is niet gemakkelijk om die twee te mengen. Met zoveel Mamutische mannen om ons heen zou een van hen eerst worden gekozen.'

'Jij zegt het, oude man,' riep een ander. 'Ik ben er niet zo zeker van. Ik houd mijn vrouw uit haar buurt.'

'Geen wonder dat ze zo goed met dieren kan omgaan, ze is erbij opge-groeid.' Ayla draaide zich om en zag dat Chaleg dit zei.

'Betekent het dat hun magie sterker is dan de onze?' zei Frebec. Er ontstond wat onrustig geschuifel in de menigte.

'Ik heb haar horen zeggen dat het geen magie is. Ze zegt dat iedereen het kan.' Frebec herkende de stem van de Mamut van het kamp van Chaleg.

'Waarom heeft een ander het dan nog niet gedaan?' vroeg Frebec. 'Jij bent Mamut. Als iedereen het kan, laat dan eens zien dat je weggaat en terugkomt op de rug van een paard. Waarom heb je geen wolf in je macht? Ik heb gezien dat Ayla de vogels bij zich floot.'

'Waarom kom jij voor haar op, Frebec, tegen je eigen familie en je eigen kamp?' vroeg Chaleg.

'Wat is mijn kamp? Het kamp dat me uitwees of dat wat me opnam? Mijn vuurplaats is de Kraanvogelvuurplaats en mijn kamp is het Leeuwenkamp. Ayla heeft de hele winter bij ons gewoond. Ayla was erbij toen Bectie werd geboren en zij is niet gemengd. Zonder Ayla was de dochter van mijn vuurplaats er niet eens geweest.'

Jondalar luisterde naar Frebec met een brok in zijn keel. Afgezien van wat hij zei was er echt moed voor nodig om zijn eigen neef, zijn familie en het kamp waar hij was geboren af te bluffen. Jondalar kon bijna niet geloven dat dit dezelfde man was die zoveel moeilijkheden had veroorzaakt. In het begin had hij zo snel een oordeel gehad over Frebec, maar wie was degene die het gevoel had dat hij door Ayla in verlegenheid werd gebracht? Wie was degene die bang was voor wat de mensen zouden zeggen wanneer ze iets over haar achtergrond vertelde? Wie was bang dat hij zou worden uitgestoten door zijn familie en zijn volk wanneer hij voor haar opkwam? Frebec had hem laten zien wat een lafaard hij was. Frebec en Ayla samen.

Toen hij zag dat ze haar vrees van zich afschudde en de kin omhoogstak om hen allemaal uit te dagen, kreeg hij het gevoel dat hij nog nooit op iemand zo trots was geweest. Toen kwam het hele Leeuwenkamp achter haar staan en hij kon het nauwelijks geloven. Alleen diegenen waren belangrijk die iets om je gaven. Jondalar dacht met trots aan Ayla en het Leeuwenkamp en hij vergat dat hij de eerste was geweest die naar haar toe was gerend.

34

Het Leeuwenkamp keerde terug naar het Kattenstaartkamp om de onverwachte crisis te bespreken. Een aanvankelijk voorstel om onmiddellijk te vertrekken werd algauw teruggenomen. Ze waren per slot van rekening Mamutiërs en dit was de Zomerbijeenkomst. Tulie was bij Latie aangegaan, zodat ze kon deelnemen aan de besprekingen en zich kon voorbereiden op eventuele onvriendelijke opmerkingen aan het adres van haar, Ayla of het Leeuwenkamp. Men vroeg haar of ze haar Eerste Riten wou uitstellen. Latie verdedigde Ayla fel en ze besloot dat ze zou terugkeren naar het speciale kamp voor de ceremonie en het ritueel en dan moest iemand maar proberen om iets nadeligs te zeggen van Ayla of het Leeuwenkamp.

Toen vroeg Tulie aan Ayla waarom ze niet eerder over haar zoon had gepraat. Ayla legde uit dat ze liever niet over hem praatte omdat ze er nog te veel verdriet van had en Nezzie verklaarde meteen dat ze het haar in het begin al had verteld. Mamut zei ook dat hij ervan wist. Hoewel de leidster wou dat ze het had geweten en zich afvroeg waarom men het haar niet had verteld, nam ze het Ayla niet kwalijk. Ze dacht erover na of ze anders tegenover de jonge vrouw zou hebben gestaan wanneer ze het had geweten, en ze moest toegeven dat ze haar misschien niet die eventuele waarde en status had toegekend. Toen betwijfelde ze weer of die mening juist was. Waarom zou het enig verschil maken? Was Ayla veranderd?

Rydag was heel verdrietig en terneergeslagen en wat Nezzie ook zei of deed, niets hielp. Hij wou niet eten en hij wou de tent niet uit. Hij nam ook geen deel aan gesprekken, behalve dan om een rechtstreeks aan hem gerichte vraag te beantwoorden. Hij wou alleen maar zitten, met zijn armen om de wolf. Nezzie was blij dat het dier zo rustig bleef. Ayla besloot eens te gaan kijken of zij iets kon doen. Ze vond hem in een donker hoekje, met de wolf op zijn slaapvacht. Toen ze dichterbij kwam, stak Wolf de kop omhoog en sloeg hij met de staart op de grond.

'Is het goed als ik bij je kom zitten, Rydag?' vroeg ze. Hij trok zijn schouders op om te laten zien dat hij het goedvond. Ze ging naast hem zitten en vroeg hoe hij zich voelde. Ze sprak hardop, maar ze maakte automatisch ook de bijbehorende gebaren, tot ze besefte dat het waarschijnlijk te donker was om die te zien. Toen viel het haar op dat het wel degelijk een voordeel was wanneer je in staat was om te spreken. Niet dat je minder goed kon communiceren met tekens en handgebaren, maar omdat je niet beperkt was tot wat je kon zien.

Het was net zoiets als het verschil bij het jagen door de speer te stoten, zoals de Stam deed, of hem te werpen. Beide wapens hadden ten doel met vlees thuis te komen, maar het ene had een groter bereik en meer mogelijkheden. Ze had gezien hoe bruikbaar gebaren en tekens konden zijn die niet door iedereen werden begrepen in het bijzonder voor geheim of persoonlijk contact, maar over het algemeen had het spreken met woorden die werden verstaan en begrepen grote voordelen. Met het gesproken woord kon je iemand bereiken die zich achter een wand of in een andere ruimte bevond. Je kon ook roepen, op afstand, of tegen een grote groep. Je kon met iemand spreken die met zijn rug naar je toe stond, of wanneer je iets vasthield, omdat je de handen vrijhield voor andere doeleinden, en je kon in het donker rustig praten.

Ayla bleef een poosje zwijgend bij de jongen zitten zonder iets te vragen, alleen als gezelschap. Na enige tijd begon ze tegen hem te praten en vertelde ze Rydag over haar tijd bij de Stam.

'In sommige opzichten doet deze Bijeenkomst me denken aan de Stambijeenkomst,' zei Ayla. 'Hier voel ik me ook anders, al zie ik er net zo uit als ieder ander. Daar was ik anders... groter dan al de mannen... Gewoon een grote, lelijke vrouw. Het was afschuwelijk toen we daar aankwamen. Ze wilden Bruns stam bijna niet toelaten omdat ze mij bij zich hadden. Ze zeiden dat ik niet bij de Stam hoorde, maar Creb hield vol van wel. Hij was de Mog-ur en ze durfden hem niet tegen te spreken. Het was maar goed dat Durc nog een baby was. Toen ze hem zagen, dachten ze dat hij misvormd was en ze gaapten hem allemaal aan. Je weet wat dat voor een gevoel is. Maar hij was niet misvormd. Hij was alleen van gemengde afkomst, net als jij. Of misschien lijk jij meer op Oera. Haar moeder was van de Stam.'

'Je hebt al eens gezegd dat Oera met Durc een verbintenis zal aangaan,' zei Rydag en hij draaide zich naar het vuur zodat ze zijn gebaren kon zien. Ondanks alles interesseerde het hem.

'Ja. Haar moeder is bij me gekomen en we hebben het geregeld. Ze was zo blij toen ze hoorde dat er nog zo'n kind was, een jongen. Ze was bang dat Oera nooit een levensgezel zou vinden. Om eerlijk te zijn had ik daar niet zo over nagedacht. Ik was al dankbaar dat Durc door de Stam werd geaccepteerd.'

'Hoort Durc bij de Stam? Hij is gemengd, maar wel van de Stam?' vroeg de jongen.

'Ja, Brun heeft hem opgenomen en Creb gaf hem de naam. Zelfs Broud kan die niet van hem afnemen. En iedereen houdt van hem – behalve Broud – ook Oga, de gezellin van Broud. Ze heeft hem gevoed toen ik geen melk meer had, tegelijk met haar eigen zoon, Grev. Ze groeiden samen op als broers en het zijn goede vrienden. De oude Grod maakte voor Durc een kleine speer, precies groot genoeg voor hem.' Ayla moest nog glimlachen bij de herinnering. 'Maar ik geloof dat Oeba het meest van hem houdt. Oeba is mijn zuster, zoals jij en Rugie. Zij is nu de moeder van Durc. Ik heb hem aan Oeba gegeven toen ik van Broud moest vertrekken. Hij ziet er misschien iets anders uit, maar ja, Durc hoort bij de Stam.'

'Ik vind het hier afschuwelijk,' gebaarde Rydag, en hij werd kwaad. 'Ik wou dat ik Durc was en bij de Stam woonde.'

Rydags opmerking deed Ayla schrikken. Ook nadat ze nog wat hadden gepraat en ze hem had overgehaald om iets te eten voor ze hem instopte, bleven zijn woorden haar bezighouden.

Ranec bleef de hele avond op Ayla letten. Hij zag hoe ze soms plotseling ophield wanneer ze met iets bezig was, bijvoorbeeld wanneer ze een hap eten naar haar mond bracht. Ze staarde afwezig voor zich uit of haar voorhoofd kreeg diepe rimpels van het nadenken. Hij begreep dat ze ergens mee zat en hij wou haar graag tot steun zijn.

Iedereen bleef die nacht in het Kattenstaartkamp en de tent was vol. Ranec wachtte tot Ayla eindelijk naar bed wou gaan en toen liep hij vlug naar het zijne.

'Wil je vannacht bij me slapen, Ayla?' Ranec zag dat ze haar ogen sloot en haar wenkbrauwen fronste. 'Ik bedoel niet om Genot te delen,' voegde hij er snel aan toe, 'tenzij je dat wilt. Ik weet dat het een moeilijke dag voor je was...'

'Ik denk dat het voor het Leeuwenkamp moeilijker was,' zei Ayla.

'Dat geloof ik niet, maar dat doet er niet toe. Ik wil je alleen maar iets geven, Ayla. Mijn bed om je warm te houden en mijn liefde om je te troosten. Ik wil vannacht dicht bij je zijn.'

Ze knikte berustend en kroop bij hem in bed. Maar ze kon niet slapen en ook geen rust vinden en hij merkte het wel.

'Ayla, wat zit je dwars? Wil je er niet over praten?' vroeg Ranec.

'Ik heb nagedacht over Rydag en over mijn zoon, maar ik weet niet of ik erover kan praten. Ik moet er gewoon over nadenken.'

'Je ligt zeker liever in je eigen bed?' vroeg hij ten slotte.

'Ik weet dat je me wilt helpen, Ranec, en dat alleen al betekent voor mij meer dan ik kan zeggen. Je weet niet wat het me deed toen ik jou daar naast me zag staan. Ik ben het Leeuwenkamp ook erg dankbaar. Iedereen is zo goed voor me geweest, zo fantastisch, bijna te goed. Ik heb zoveel van hen geleerd en ik was zo trots dat ik een Mamutische was, dat ik kon zeggen dat ze mijn volk zijn. Ik dacht dat al de Anderen – zoals ik ze vroeger noemde – zo waren als het Leeuwenkamp, maar nu weet ik dat het niet waar is. Net als bij de Stam zijn de meeste mensen goed, maar niet allemaal, en ook de goede mensen zijn niet goed in alles. Ik had een paar ideeën... een plan... maar nu moet ik er nog eens over nadenken.'

'En dat kun je beter in je eigen bed, waar je meer ruimte hebt dan hier? Ga gerust, Ayla, daar lig je nog dicht bij me,' zei Ranec.

Ranec was niet de enige die op Ayla had gelet en toen Jondalar haar naar haar eigen bed zag gaan, werd hij overvallen door gemengde gevoelens. Hij was opgelucht omdat hij niet knarsetandend hoefde te luisteren naar de geluiden wanneer ze vrijden, maar hij kreeg ook opeens medelijden met Ranec. Als hij in de plaats van de donkere beeldhouwer was geweest, had hij Ayla willen vasthouden, haar willen troosten en proberen haar verdriet te delen. Het had hem pijn gedaan wanneer ze was weggegaan om alleen te slapen.

Toen Ranec sliep en er een diepe stilte over het kamp was neergedaald stond Ayla voorzichtig op. Ze trok een dunne anorak aan tegen de nachtelijke koelte en liep naar buiten onder de donkere sterrenhemel. Wolf kwam meteen bij haar. Ze liepen naar het afdak voor de paarden en werden verwelkomd door een zacht gehinnik van Renner en het briesen van Whinney. Na wat aaien, krabben en zachte woordjes sloeg Ayla de armen om Whinneys hals en leunde tegen haar aan. Hoe vaak was de hooikleurige merrie haar vriendin al geweest wanneer ze er een nodig had? Ayla glimlachte. Wat zou de Stam van haar vrienden vinden? Twee paarden en een wolf! Ze was dankbaar voor hun gezelschap, voor het feit dat ze er waren, maar ze voelde toch nog een grote leegte. Er ontbrak nog iemand, degene aan wie ze het meest behoefte had. Maar hij was er geweest. Nog voor het Leeuwenkamp voor haar opkwam. Ze wist niet eens waar hij vandaan was gekomen. Opeens stond Jondalar daar naast haar, tegenover hen allemaal. Tegenover hun afkeer en hun walging. Het was verschrikkelijk, nog erger dan de Stambijeenkomst. Het was niet alleen omdat ze anders was. Ze waren bang voor haar, ze haatten haar. Dat had hij haar al zo lang willen vertellen. Maar ook als ze het had geweten, had het geen enkel verschil gemaakt. Ze kon niet toestaan dat ze afgaven op Rydag of iets ten nadele van haar zoon zeiden.

Uit de tentopening werd ze gadegeslagen door een paar ogen. Jondalar kon ook niet slapen. Hij had gezien dat ze opstond en was haar stilletjes gevolgd. Hoe vaak had hij haar zo al bij Whinney zien staan. Hij was blij dat ze de dieren had om naartoe te gaan, maar hij had zo graag op de plaats van de merrie gestaan. Maar het was te laat. Ze had hem niet meer nodig en hij kon het haar niet kwalijk nemen. Hij werd het zich opeens bewust en hij begreep zijn emotionele gemoedstoestand. Hij zag zijn daden in een ander licht en besefte dat het zijn eigen schuld was. In het begin was hij niet helemaal eerlijk geweest door te vinden dat ze haar eigen keuze moest maken. Hij had zich uit kleingeestige jaloezie van haar afgewend. Hij had zich gekwetst gevoeld en hij wou haar ook kwetsen.

Maar er was meer, geef het maar toe, Jondalar, zei hij bij zichzelf. Je voelde je gekwetst, maar je wist hoe ze was opgevoed. Ze begreep niet eens waarom je jaloers was. Toen ze die avond naar Ranecs bed ging, was ze alleen maar een 'goede vrouw van de Stam' geweest. Dat was het eigenlijke probleem, haar achtergrond als meisje bij de Stam. Daar schaamde je je voor. Je schaamde je omdat je van haar hield en je was bang dat je zou worden geconfronteerd met dingen waar zij vandaag tegenover kwam te staan. Je wist niet of je wel voor haar kon opkomen. Het doet er niet toe dat je hebt gezegd dat je veel van haar hield, je was bang dat je haar ook zou laten vallen. Het is geen schande om van haar te houden, je moet je schamen voor je eigen lafheid. En nu is het te laat. Ze had je niet nodig. Ze kwam voor zichzelf op en toen stond het hele Leeuwenkamp achter haar. Ze heeft je helemaal niet nodig en je verdient haar niet.

Ten slotte dreef de koude lucht Ayla weer naar binnen. Ze keek naar Jondalars plekje toen ze de tent binnenkwam. Hij lag op zijn zij, met zijn gezicht naar de andere kant. Ze gleed haar bed in en voelde een zware uitgestoken hand van iemand die sliep. Ranec hield wel van haar, dat wist ze. En op haar eigen manier hield ze ook wel van hem. Ze bleef stil liggen luisteren naar Ranecs regelmatige ademhaling. Na een poosje draaide hij zich om en was de hand weg.

Ayla probeerde te slapen, maar haar gedachten lieten haar niet met rust. Ze had naar Durc willen gaan en hem mee willen nemen naar het Leeuwenkamp om bij haar te wonen. Nu vroeg ze zich af of dat voor hem wel het beste zou zijn. Zou hij hier bij haar gelukkiger zijn dan wanneer hij bij de Stam bleef? Zou hij gelukkig kunnen zijn bij mensen die hem haatten. Die hem een platkop zouden noemen, of nog erger: een halfdierlijke gruwel? Bij de Stam kenden ze hem en ze hielden van hem; hij was een van hen. Misschien dat Broud hem haatte, maar zelfs op de Stambijeenkomst zou hij vrienden hebben. Hij werd geaccepteerd en hij zou mee mogen doen aan de wedstrijden en de ceremoniën – zou Durc de herinneringen van de Stam hebben? vroeg ze zich af.

En als ze hem niet kon meenemen, zou ze dan terug kunnen gaan naar de Stam en daar blijven? Zou ze ooit de gebruiken van de Stam weer kunnen aanvaarden nu ze mensen als zij had gevonden? Ze zouden nooit toestaan dat ze haar dieren hield. Zou ze bereid zijn om Whinney en Renner en Wolf op te geven en alleen Durcs moeder te zijn? Heeft Durc wel een moeder nodig? Hij was een kleuter toen ik wegging, maar hij is nu geen kleuter meer. Brun zal hem nu wel leren jagen.

Hij heeft waarschijnlijk zijn eerste jachtbuit al gemaakt en meegenomen om Oeba te laten zien. Ayla moest glimlachen om het beeld dat ze zich voorstelde. Oeba zou hem enorm prijzen en zeggen dat hij een dappere, sterke jager was.

Durc heeft een moeder! besefte ze. Oeba is zijn moeder. Oeba heeft hem grootgebracht, voor hem gezorgd, zijn schrammen en builen behandeld. Hoe zou ik hem bij haar weg kunnen halen? Wie zou er voor haar moeten zorgen als ze oud wordt? Zelfs toen hij een baby was, waren de andere vrouwen van de Stam meer zijn moeder dan ik omdat ik geen melk meer had.

Hoe zou ik trouwens kunnen teruggaan om hem te halen? Ik ben vervloekt. Voor de Stam ben ik dood! Als Durc me zag, zou hij alleen maar schrikken en de anderen ook. Ook wanneer ik geen doodvloek had gekregen, zou hij dan blij zijn als hij me zag? Zou hij me eigenlijk nog wel kennen?

Hij was bijna nog een kleuter toen ik wegging. En nu zal hij wel zo ongeveer op de Stambijeenkomst zijn en Oera hebben ontmoet.

Hij is nog jong, maar hij moet er toch aan denken wanneer hij een verbintenis zal aangaan. Hij heeft ook plannen om een vuurplaats te stichten – net als ik, dacht ze. Ook al zou ik hem ervan kunnen overtuigen dat ik geen geest ben, Durc zou Oera mee moeten nemen en ze zou zich hier ellendig voelen. Het zou al moeilijk genoeg voor haar zijn om haar eigen stam te verlaten en bij Durc en zijn stam te gaan wonen, maar het was nog veel erger om naar een wereld te verhuizen die niets bekends had. Vooral naar een wereld vol onbegrip, waar ze zou worden gehaat.

En als ik terugging naar de vallei? En dan Durc en Oera haalde om daar te wonen? Maar Durc heeft behoefte aan mensen... en ik ook. Ik wil niet alleen wonen, waarom zou Durc alleen willen wonen in een vallei, samen met mij?

Ik heb aan mezelf gedacht en niet aan Durc. Het zou voor hem niet beter zijn als hij hier kwam. Dat zou hem niet gelukkig maken. Het zou alleen mij gelukkig maken. Maar ik ben Durcs moeder niet meer. Oeba is zijn moeder. Ik ben voor hem niets meer dan een herinnering aan een moeder die stierf, en misschien is het beter zo. De Stam is zijn wereld en dit is de mijne, of ik het leuk vind of niet. Ik kan niet terug naar de Stam en Durc kan hier niet komen. Er is op deze wereld geen plaats waar mijn zoon en ik samen kunnen wonen en gelukkig zijn.

Ayla werd de volgende morgen vroeg wakker. Ook toen ze ten slotte in slaap was gevallen, had ze geen rustige slaap gehad. Ze werd herhaaldelijk wakker na een droom over een trillende aarde en grotten die instortten. Ze voelde zich niet lekker en was terneergeslagen. Ze hielp Nezzie bij het water koken voor de soep en het malen van graan voor het ontbijt. Ze was blij dat ze de gelegenheid had om met haar te praten.

'Ik vind het verschrikkelijk dat ik zoveel moeilijkheden heb veroorzaakt, Nezzie. Het hele Leeuwenkamp wordt gemeden en dat is mijn schuld,' zei Ayla.

'Dat moet je niet zeggen. Het is jouw schuld niet, Ayla. We konden kiezen en dat hebben we gedaan. Jij verdedigde alleen Rydag en hij hoort ook bij het Leeuwenkamp, tenminste bij ons.'

'Al die narigheid heeft me één ding duidelijk gemaakt,' vervolgde Ayla. 'Sinds ik de Stam heb verlaten, heb ik er altijd aan gedacht om eens terug te gaan om mijn zoon op te halen. Nu weet ik dat het nooit zal kunnen. Ik kan hem hier niet brengen en ik kan daar niet meer heen. Maar nu ik weet dat ik hem nooit meer zal zien, heb ik het gevoel dat ik hem weer helemaal kwijt ben. Ik wou dat ik kon huilen, om hem kon treuren of verdrietig zijn, maar ik voel me alleen droog en leeg.'

Nezzie zocht de bessen uit die de vorige dag vers waren geplukt en trok de steeltjes eraf. Ze hield op en keek Ayla doordringend aan. 'Iedereen ondervindt teleurstellingen in het leven. Iedereen verliest mensen van wie hij houdt. Soms is het een echte tragedie. Jij hebt je volk verloren toen je nog jong was. Dat was tragisch, maar je kon er niets aan doen. Het is erger wanneer je er schuld aan hebt of denkt te hebben. Wymez acht zich iedere dag van zijn leven nog schuldig aan de dood van de vrouw die hij liefhad. Ik geloof dat Jondalar zich schuldig voelt aan de dood van zijn broer. Jij hebt een zoon verloren. Het is erg voor een moeder om een kind te verliezen, maar je hebt nog iets. Je weet dat hij waarschijnlijk nog leeft. Rydag heeft zijn moeder verloren... en eens zal ik hem verliezen.'

Na het ontbijt ging Ayla naar buiten. De meesten bleven in de buurt van het Kattenstaartkamp. Ze keek in de richting van het centrale punt van de Bijeenkomst en toen naar het Larikskamp, het zomerverblijf van het Mammoetkamp, dat pas was opgezet. Ze was verrast toen ze zag dat Avarie naar haar keek. Ze vroeg zich af hoe die zich vandaag voelden nu ze hun kamp zo dicht bij het Leeuwenkamp hadden opgeslagen.

Avarie ging naar de tent die haar broer had bestemd als Mammoet-vuurplaats en krabde aan het leer. Zonder op antwoord te wachten ging ze naar binnen. Vincavec had zijn slaapvacht zo uitgespreid dat deze bijna de helft van de vloer in beslag nam. Hij zat met zijn rug tegen een leuning, die in het midden was opgesteld en was gemaakt van rijk versierde huid die over een mammoetbot was gespannen.

'De meningen zijn verdeeld,' zei ze, zonder inleiding.

'Dat kan ik me voorstellen,' antwoordde Vincavec. 'Het Leeuwenkamp heeft bij ons hard gewerkt aan de bouw van het huis. Toen ze weggingen was iedereen hUn goedgezind en men was in de ban van Ayla, met haar paarden en de wolf – en men had wel wat ontzag voor haar. Maar wanneer we geloof mogen hechten aan oude verhalen en gebruiken, herbergt het Leeuwenkamp nu een gruwel, een mateloos slechte vrouw, die de dierlijke geesten van platkoppen aantrekt, zoals het vuur 's avonds de nachtvlinders aantrekt, en ze over de andere vrouwen verspreidt. Wat denk jij ervan, Avarie?'

'Ik weet het niet, Vincavec. Ik mag Ayla wel en volgens mij ziet ze er niet uit als een gevaarlijke vrouw. Die jongen lijkt ook niet op een dier. Hij is alleen zwak en hij kan niet praten, maar ik geloof wel dat hij ons verstaat. Misschien is hij een mens en misschien zijn de andere platkoppen dat ook wel. Mogelijk heeft de oude Mamut gelijk. De Moeder heeft gewoon een geest gekozen van de enige mannen die bij Ayla in de buurt waren toen Ze haar een baby gaf. Maar ik wist niet dat zij en de oude man vroeger bij een troep platkoppen hadden gewoond.'

'Die oude man heeft al zo lang geleefd dat hij meer is vergeten dan heel wat jongere mannen ooit hebben geleerd en hij heeft vaak gelijk. Ik heb zo'n gevoel, Avarie, dat wat er gebeurd is geen blijvende nadelige gevolgen zal hebben. Ayla heeft iets dat mij doet geloven dat de Moeder over haar waakt. Ik denk dat ze hier sterker uit komt dan ze voor die tijd was. Laten we eens zien wat het Mammoetkamp ervan vindt als we partij kiezen voor het Leeuwenkamp.'

'Waar is Tulie?' vroeg Fralie terwijl ze om zich heen keek in de tent.
'Ze is met Latie teruggegaan naar het kamp van de aanstaande vrouwen,' zei Nezzie. 'Waarom?'
'Herinner je je nog dat kamp dat een aanbod kwam doen om Ayla te adopteren, vlak voor het Mammoetkamp hier aankwam?'
Ayla keek Fralie vragend aan.
'Ja,' zei Nezzie. 'Dat kamp waarvan Tulie dacht dat ze niet genoeg te bieden hadden.'
'Ze staan buiten en vragen weer naar Tulie.'
'Ik ga wel even kijken wat ze willen,' zei Nezzie.
Ayla bleef binnen. Ze wou hen eigenlijk niet ontmoeten als het niet hoefde. Even later kwam Nezzie terug.
'Ze willen je nog steeds adopteren, Ayla,' zei ze. 'De leidster van dat kamp heeft vier zonen. Ze willen je hebben als zuster. Ze zegt dat je hebt bewezen dat je kinderen kunt krijgen omdat je al een zoon hebt. Ze hebben hun bod verhoogd. Misschien moest je toch maar naar buiten gaan om hen, in naam van de Moeder, te begroeten.'

Tulie en Latie liepen resoluut door het kamp, zij aan zij, recht vooruit kijkend, zonder aandacht te besteden aan de nieuwsgierige blikken van de mensen die ze passeerden.
'Tulie! Latie! Wacht even,' riep Brecie, die hen probeerde in te halen. 'Het Elandenkamp stond net op het punt een boodschapper te sturen, Tulie. We wilden jullie uitnodigen om vanavond bij ons te komen eten in het Wilgenkamp.'
'Dank je, Brecie. Ik waardeer jullie uitnodiging. Natuurlijk komen we. Ik had moeten weten dat we op jullie konden rekenen.'
'We zijn al zo lang vrienden, Tulie. Soms worden oude verhaaltjes alleen al geloofd omdat ze oud zijn. Ik vind dat Fralies baby er heel goed uitziet.'
'En ze is toch te vroeg geboren. Als Ayla er niet was geweest, had Bectie niet eens kunnen leven,' zei Latie, die meteen klaarstond om haar vriendin te verdedigen.
'Maar ik vroeg me wel af waar ze vandaan is gekomen. Iedereen dacht dat ze met Jondalar was gekomen. Ze zijn allebei groot en blond, maar ik wist wel beter. Ik weet nog wel dat we hem en zijn broer uit de modder bij de Zwarte Zee trokken. Daar was zij toen niet bij en ik begreep ook wel dat ze geen Mamutisch of Sungaea-accent had. Maar ik begrijp nog steeds niet wat voor macht ze over die paarden en die wolf heeft.'
Tulie voelde zich veel prettiger toen ze hun weg vervolgden door het dal in de richting van het Wolvenkamp.

'Hoeveel zijn het er nu?' vroeg Tarneg aan Barnec, toen er weer een delegatie vertrok.

'Bijna de helft van de kampen heeft een verzoenend gebaar gemaakt,' zei Barzec. 'Ik denk dat er nog wel een paar zullen besluiten zich bij ons te voegen.'

'Maar dan blijft toch nog ongeveer de helft van de kampen over,' zei Talut. 'Er zijn er een paar bij die nogal wat bezwaren tegen ons hebben. Sommigen zeggen zelfs dat we maar moeten vertrekken.'

'Ja, maar kijk eens wie dat zijn. Chaleg is de enige die ik heb horen zeggen dat we moeten vertrekken,' zei Tarneg.

'Maar dat zijn ook Mamutiërs en één rotte appel kan de hele mand aansteken,' zei Nezzie.

'Ik houd niet van die verdeeldheid,' zei Talut. 'Er zijn aan beide kanten te veel goede mensen. Ik wou dat ik iets kon bedenken om het weer goed te krijgen.'

'Ayla vindt het ook verschrikkelijk. Ze zegt dat zij de oorzaak is van de problemen voor het Leeuwenkamp. Zagen jullie die uitdrukking op haar gezicht toen de jongelui die hadden gevochten haar "dierenvrouw" noemden?'

'Bedoel je degenen die we pakten bij de ri...?' begon Danug, maar Tarneg viel hem snel in de rede.

'Hij bedoelt de broer en zus die Ayla en Deegie hebben gepakt omdat ze elkaar sloegen.' Danug moest voorzichtig zijn. Hij had zich bijna versproken en iets verteld over de jongens die aan het vechten waren, dacht Tarneg.

'Ik heb Rydag nog nooit zo verdrietig gezien,' vervolgde Nezzie. 'Ieder jaar zijn ze minder aardig tegen hem. Hij vindt het niet leuk hoe de mensen hem behandelen, maar dit jaar is het erger... misschien omdat hij het in het Leeuwenkamp nu zoveel beter naar zijn zin heeft. Ik ben bang dat dit alles hem geen goed zal doen, maar ik weet niet wat ik eraan moet doen. Ayla maakt zich ook zorgen over hem en dat vind ik nog veel erger.'

'Waar is Ayla nu?' vroeg Danug.

'Weg met de paarden,' zei Nezzie.

'Ik vind dat ze het als een compliment zou kunnen beschouwen wanneer ze haar "dierenvrouw" noemen. Je moet toegeven dat ze goed met dieren kan omgaan,' zei Barzec. 'Sommigen denken zelfs dat ze met hun geesten uit de andere wereld kan praten.'

'Anderen zeggen dat het alleen een bewijs is dat ze bij dieren heeft gewoond,' bracht Tarneg hem in herinnering. 'En die beschuldigen haar ervan dat ze verschillende geesten aantrekt die niet zo welkom zijn.'

'Ayla zegt nog altijd dat iedereen dieren mak tam krijgen,' zei Talut.
'Ze maakt er zo weinig mogelijk drukte over,' zei Barzec. 'Daarom vinden sommigen het misschien ook niet zo belangrijk. De mensen vinden het normaler om iemand als Vincavec te zien, die je goed laat merken hoe belangrijk hij zichzelf vindt.'

Nezzie keek naar Tulies man en ze vroeg zich af waarom hij niet zoveel met Vincavec op leek te hebben. Het Mammoetkamp was een van de eerste geweest die hun partij hadden gekozen.

'Misschien heb je wel gelijk, Barzec,' zei Tarneg. 'Het is vreemd hoe snel je eraan went om dieren om je heen te hebben, vooral wanneer je er geen last van hebt. Je ziet er niets bijzonders aan. Ze zijn precies als andere dieren, alleen kun je er dichterbij komen en ze aanraken. Maar als je erover nadenkt is het onbegrijpelijk. Waarom zou die wolf een zwak kind gehoorzamen dat hij gemakkelijk zou kunnen verscheuren? Waarom zouden die paarden zich door iemand laten berijden? En hoe komt iemand op het idee het te proberen?'

'Het zou me niets verbazen als Latie het ook een keer probeert,' zei Talut.

'Als iemand het doet, is zij het,' zei Danug. 'Hebben jullie het gezien toen ze hier was? Het eerste waar ze heen ging was het afdak voor de paarden. Ze heeft hen het meest gemist. Ik geloof dat ze verliefd is op die paarden.'

Jondalar had alleen maar geluisterd zonder een opmerking te maken. De situatie waar Ayla in terecht was gekomen omdat ze haar achtergrond niet had verzwegen, was pijnlijk en vernederend, maar het was in veel opzichten lang niet zo erg als hij zich had voorgesteld. Hij was verbaasd dat ze haar niet meedogenlozer aan de kaak hadden gesteld. Hij had verwacht dat ze belasterd, uitgestoten en volledig verbannen zou worden. Zou het onder zijn volk dan erger zijn geweest of meende hij dat alleen maar?

Toen het Leeuwenkamp voor haar opkwam, dacht hij dat ze een hoge uitzondering waren. Misschien waren ze meer vergevingsgezind door Rydag. Maar toen Vincavec en Avarie van het Mammoetkamp hun steun kwamen aanbieden, begon Jondalar zijn mening te herzien en toen er steeds meer kampen uit eigen beweging het Leeuwenkamp hun steun aanboden moest hij wel gaan twijfelen aan zijn overtuiging.

Jondalar was meer een man voor materiële dingen. Hij kende begrippen als liefde, medelijden en woede en die kennis was gebaseerd op zijn eigen gevoelens, al kon hij die moeilijk tot uitdrukking brengen.

Hij kon heel verstandig praten over abstracte onderwerpen en immateriële zaken, maar ze hadden zijn belangstelling niet en hij accepteerde zijn plaats in de gemeenschap zonder al te veel bespiegelingen. Maar Ayla was de menigte tegemoet getreden met een waardigheid en kracht die respect afdwongen. Dat gaf hem een heel andere kijk op de dingen.

Hij begon te begrijpen dat een bepaald gedrag nog niet verkeerd hoefde te zijn alleen omdat sommige mensen dat vonden. Een mens kon zich verzetten tegen algemeen verbreide opvattingen en voor zijn persoonlijke mening uitkomen en dan hoefde alles nog niet beslist verloren te zijn, al kon het consequenties hebben. Het resultaat kon belangrijk zijn, ook al was het alleen voor hemzelf. Ayla was niet verbannen door het volk dat haar nog zo kortgeleden had geadopteerd. De helft was bereid haar te accepteren en te geloven dat ze een vrouw met zeldzame gaven en moed was.

De andere helft had een andere mening, maar niet allemaal om dezelfde reden. Sommigen zagen het als een gelegenheid om hun invloed en status te vergroten door stelling te nemen tegen het machtige Leeuwenkamp op een moment dat hun positie werd bedreigd. Anderen waren echt verbolgen over het feit dat zo'n verdorven vrouw in hun midden zou mogen leven. Volgens hen was ze de personificatie van het kwaad, temeer omdat ze er niet naar uitzag. Zo te zien was ze gelijk aan iedere andere vrouw, aantrekkelijker dan de meeste, maar ze had hen erin laten lopen met haar zogenaamde macht over dieren en dat moest ze hebben geleerd toen ze bij die beestachtige platkopgruwels woonde die zelfs sommige mensen hadden wijsgemaakt dat ze ook mensen waren.

Velen waren bang voor haar. Ze had zelf toegegeven dat ze een van die bastaards, zo'n halfdier, had uitgebroed en nu was ze een bedreiging voor alle andere vrouwen op de Zomerbijeenkomst. Het deed er niet toe wat de oude Mamut zei, iedereen wist dat bepaalde mannelijke geesten constant werden aangetrokken door dezelfde vrouw. Het Leeuwenkamp had Nezzie toegestaan om dat dierlijke kind te houden en kijk eens wat ze nu hadden! Nog meer dieren en een gruwel van een vrouw, die waarschijnlijk door hem was aangetrokken. Het hele Leeuwenkamp behoorde te worden verbannen.

De Mamutiërs waren een volk met hechte familiebanden. Bijna iedereen had wel een of meer verwanten of vrienden in ieder kamp. Maar nu werd de structuur van de samenleving bedreigd en dat beangstigde velen, onder wie Talut. De Raden kwamen bij elkaar, maar de besprekingen eindigden in een ruzie. Een dergelijke situatie had zich nooit eerder voorgedaan en ze misten de middelen of de methode om het op te lossen.

De stralende middagzon kon weinig doen om de sombere stemming in het kamp te verjagen. Terwijl ze met Whinney het pad op liep naar het Kattenstaartkamp, zag Ayla de plek waar de rode aarde was uitgegraven en dat herinnerde haar aan haar bezoek aan het Muziekhuis. Hoewel ze nog steeds oefenden en plannen maakten voor een groot feest na de mammoetjacht, was er toch niet meer datzelfde gevoel van spanning en verwachting. Ook de blijdschap van Deegie om haar Verbintenisceremonie en van Latie om haar bevordering tot de status van vrouw waren aardig bekoeld door de geschillen die de hele Zomerbijeenkomst dreigden te verstoren.

Ayla had het over weggaan, maar Nezzie zei dat dat niets zou oplossen. Zij had het probleem niet veroorzaakt. Haar aanwezigheid had alleen een diepgaand meningsverschil tussen de beide groepen aan het licht gebracht. Nezzie zei dat het probleem al bestond sinds zij Rydag had opgenomen. Veel mensen waren het er nog altijd niet mee eens dat hij bij hen mocht wonen.

Ayla maakte zich zorgen over Rydag. Hij glimlachte zelden en ze merkte ook niets meer van zijn vriendelijke humor. Hij had geen eetlust en ze geloofde dat hij niet voldoende slaap kreeg.

Hij vond het blijkbaar prettig als ze vertelde over haar leven bij de Stam, maar hij mengde zich zelden in een gesprek.

Ze bracht Whinney onder het afdak en zag Jondalar op Renner over de weide rijden in de richting van de oversteek door de rivier. Hij leek de laatste tijd anders. Niet meer zo afstandelijk, maar wel somber.

Ayla liep in een opwelling naar de open ruimte, midden in het kamp, om te zien of er iets te doen was. Omdat ze gastvrijheid verleenden aan de Bijeenkomst, nam het Wolvenkamp het standpunt in dat ze geen partij konden kiezen, maar Ayla dacht dat hun sympathie uitging naar het Leeuwenkamp. Ze was niet van plan om zich te verschuilen. Ze was geen 'gruwel', het volk van de Stam bestond uit mensen en dat waren Rydag en haar zoon ook. Ze wou iets doen, zich vertonen. Misschien ging ze wel naar de Mammoetvuurplaats, of het Muziekhuis, of met Latie praten.

Ze ging vastberaden op weg, knikte naar degenen die haar groetten en negeerde degenen die dat niet deden en toen ze bij het Muziekhuis kwam, zag ze Deegie naar buiten komen.

'Ayla! Wat goed dat ik je tref. Heb je een speciaal doel?'

'Ik heb alleen besloten om niet in het Leeuwenkamp te blijven.'

'Goed zo! Ik was van plan om Tricie te bezoeken en haar baby te zien. Ik had dat al eerder willen doen, maar telkens wanneer ik het probeerde was ze weg. Kylie heeft me net verteld dat ze er nu is. Ga je mee?'
'Ja.'
Ze liepen naar het huis van de leidster. 'We kwamen je bezoeken, Tricie,' legde Deegie uit bij de ingang, 'en je baby bekijken.'
'Kom binnen,' zei Tricie. 'Ik heb hem net neergelegd, maar ik denk niet dat hij al slaapt.'
Ayla bleef op een afstandje staan terwijl Deegie hem oppakte en vasthield. Ze maakte zachte geluidjes en praatte tegen hem.
'Wil jij hem niet zien, Ayla,' vroeg Tricie ten slotte. Het was bijna een uitdaging.
'Ik wil hem graag zien.'
Ze nam de baby van Deegie over en bekeek hem aandachtig. Zijn blanke huid was bijna doorschijnend en het blauw van zijn ogen was zo licht dat het nauwelijks een kleur was. Zijn haar had een oranjerode kleur, maar het was vol en krullend als dat van Ranec. Wat haar het meest opviel was zijn gezicht. Hij leek sprekend op Ranec. Er was voor haar geen twijfel aan dat Ralev een baby was van Ranec. Het was net zo zeker dat Ranec hem had verwekt als dat Broud Durc bij haar had verwekt. Ze kon er niets aan doen, maar ze was benieuwd of ze ook zo'n baby zou krijgen wanneer ze een verbintenis met hem aanging.
Ayla praatte tegen de zuigeling in haar armen. Hij keek belangstellend alsof zijn aandacht werd getrokken. Hij glimlachte en toen klonk er een kirrend lachje. Ayla hield hem tegen zich aan. Ze sloot de ogen en genoot van zijn zachte wangetje tegen de hare.
'Is hij niet prachtig, Ayla?' zei Deegie.
'Ja, is hij niet prachtig?' vroeg Tricie, en haar toon klonk scherper.
Ayla keek de jonge moeder aan. 'Nee, hij is niet prachtig.'
Deegie staarde haar verbaasd aan. 'Niemand zal ooit kunnen zeggen dat hij prachtig is, maar hij is de... liefste baby die ik ooit heb gezien. Geen vrouw op de wereld zou hem kunnen weerstaan. Hij hoeft niet mooi te zijn. Hij heeft iets bijzonders, Tricie. Ik denk dat je heel gelukkig met hem bent.'
De glimlach van de moeder werd vriendelijker. 'Ik geloof dat ik dat ook wel ben, Ayla. En ik geef toe, hij is niet mooi, maar hij is zoet en zo lief.'
Opeens was er een groot tumult buiten. Er werd geschreeuwd en gejammerd. De drie jonge vrouwen haastten zich naar de ingang.
'O, Grote Moeder! Mijn dochter! Iemand moet haar helpen!' jammerde een vrouw.

'Wat is er dan? Waar is ze?' vroeg Deegie.

'Een leeuw! Een leeuw heeft haar! Daar in de wei. Iemand moet haar helpen, alsjeblieft!'

Er renden al verscheidene mannen met speren in de richting van het pad.

'Een leeuw? Nee, dat kan niet!' zei Ayla, terwijl ze de mannen achternarende.

'Ayla! Waar ga je heen?' riep Deegie haar na en ze probeerde haar in te halen.

'Naar dat meisje,' riep Ayla.

Ze rende naar het pad. Daar stond een groep mensen te kijken naar de mannen met speren die het pad af draafden. Aan de overkant van de rivier was op de grasvlakte duidelijk een enorme holenleeuw te zien, met ruige rossige manen, die om een lang, jong meisje draaide, dat verlamd van schrik bleef staan. Ayla keek nog eens goed naar het dier en toen rende ze het Leeuwenkamp in. Wolf sprong haar tegemoet.

'Rydag!' riep ze. 'Kom en houd Wolf vast! Ik moet naar dat meisje.' Toen Rydag de tent uit kwam, gaf ze de wolf op strenge toon het bevel: 'Blijf!', en zei tegen de jongen dat hij hem niet mocht laten gaan. Toen pas floot ze Whinney.

Ze sprong op de rug van de merrie en rende het pad af. De mannen met de speren staken de rivier al over toen ze Whinney om hen heen leidde. Zodra ze de overkant had bereikt, dwong ze Whinney tot een galop en ze ging op de leeuw en het meisje af. De mensen die aan het begin van het pad stonden waren stomverbaasd.

'Wat wil ze eigenlijk?' zei iemand boos. 'Ze heeft niet eens een speer. Tot nu toe schijnt het meisje ongedeerd, maar als je met een paard op een leeuw af rent, kan hem dat ook wel ophitsen. Als dat kind iets overkomt, is het haar schuld.'

Jondalar ving de opmerking op, net als verscheidene anderen van het Leeuwenkamp, die hem vragend aankeken. Hij zag alleen Ayla en onderdrukte de twijfel die in hem rees. Hij was niet helemaal zeker van zijn zaak, maar zij blijkbaar wel, anders was ze er nooit heen gegaan met Whinney.

Toen Ayla en Whinney naderden, bleef de reusachtige holenleeuw staan en keek haar aan. Hij had een litteken op zijn neus en dat kende ze. Ze herinnerde zich wanneer hij het had gekregen.

'Whinney, het is Kleintje! Het is echt Kleintje!' schreeuwde ze, terwijl ze het paard tot staan bracht en eraf gleed.

Ze rende naar de leeuw zonder er een moment aan te denken dat hij haar misschien niet zou herkennen. Dit was haar Kleintje. Zij was zijn moeder. Ze had hem grootgebracht vanaf de tijd dat hij nog een welp was. Ze had voor hem gezorgd en met hem gejaagd.

Hij herkende haar omdat ze helemaal niet bang was. Hij liep naar haar toe terwijl het meisje angstig toekeek. Voor ze het wist had de leeuw Ayla tegen de grond gewerkt en ze sloeg haar armen om zijn dikke, ruige nek terwijl hij zijn voorpoten om haar heen sloeg in een poging haar te omhelzen.

'O, Kleintje, je bent teruggekomen. Hoe heb je me kunnen vinden?' zei ze huilend en ze veegde haar vreugdetranen af aan zijn ruige manen.

Ten slotte ging ze rechtop zitten en ze voelde dat hij met zijn ruwe tong haar gezicht likte. 'Houd daarmee op!' zei ze glimlachend. 'Ik houd geen huid meer over.' Ze krabde hem op zijn geliefde plekjes en hij liet haar met een zacht gegrom merken dat hij ervan genoot. Hij ging op zijn rug liggen, zodat ze zijn buik kon krabben. Ayla zag dat het meisje met het lange blonde haar met wijdopen ogen naar hen stond te kijken.

'Hij zocht mij,' zei Ayla tegen haar. 'Ik denk dat hij jou voor mij aanzag. Je kunt nu weggaan, maar lopen, niet rennen.'

Ayla krabde Kleintje op zijn buik en achter zijn oren, tot het meisje werd opgevangen door een man, die haar met zichtbare opluchting in de armen sloot en haar meenam het pad op. De anderen stonden op een afstand en hielden hun speren klaar. Ze zag Jondalar onder hen, die zijn speerwerper gereed hield, en naast hem een kleinere man met een donkere huid. Talut stond aan de andere kant van Ranec, met Tulie naast zich.

'Je moet gaan, Kleintje. Ik wil niet dat ze je iets doen. Al ben je ook de grootste holenleeuw op aarde, één speer kan er een eind aan maken,' zei Ayla in het speciale taaltje dat was ontstaan uit woorden van de Stam, gebaren en diergeluiden en dat ze gebruikte toen ze alleen in de vallei woonde. Kleintje kende die geluiden en de gebaren zeker. Hij rolde zich om en ging staan. Ayla sloeg de armen om zijn nek en toen kon ze de verleiding niet weerstaan. Ze sloeg haar been over hem heen, ging op zijn rug zitten en hield zich vast aan zijn rossige manen. Het was niet de eerste keer dat ze dit deed.

Ze voelde de harde, sterke spieren onder zich samentrekken en toen ging hij er met een sprong vandoor. In een ogenblik had hij de volle snelheid bereikt van een leeuw die op jacht is. Hoewel ze de leeuw eerder had bereden, had ze hem nooit tekens kunnen leren om hem te sturen. Hij ging waar hij heen wou, maar ze mocht wel mee. Het was

649

altijd een spannende, wilde rit en daarom vond ze het heerlijk. Ayla hield zich goed vast, terwijl de wind haar in het gezicht sloeg en ze snoof zijn sterke geur op.

Ayla voelde dat hij keerde en langzamer ging lopen – de leeuw was een sprinter, anders dan de wolf, hij had geen uithoudingsvermogen voor de lange afstand – en ze zag Whinney rustig staan grazen. Het paard hinnikte toen ze naderden en gooide het hoofd omhoog. De leeuwengeur van Kleintje was doordringend en verontrustend, maar de merrie had het dier mede grootgebracht toen het nog een welp was en had het op haar eigen wijze bemoederd. Hoewel hij bijna tot haar schoften reikte en langer en zwaarder was, was het paard voor deze leeuw niet bang en zeker niet wanneer Ayla erbij was.

Toen de leeuw bleef staan, liet Ayla zich van zijn rug glijden. Ze sloeg de armen om zijn hals en krabde hem nog een keer. Toen maakte ze een gebaar alsof ze een steen wegslingerde en beduidde hem dat hij moest gaan. De tranen liepen haar over de wangen toen ze hem met zwaaiende staart weg zag lopen. Ze snikte toen ze zijn gegrom hoorde, dat ze overal zou herkennen. Toen de grote bruine kat met de rossige manen in het hoge gras verdween, werd haar blik door tranen vertroebeld. Om de een of andere reden wist ze dat ze nooit meer op hem zou rijden en dat ze haar vreemde, wilde leeuwenkind nooit meer zou zien. Het gegrom ging door, tot de enorme holenleeuw, die een reus was in vergelijking met zijn latere soortgenoten, ten slotte een oorverdovend gebrul liet horen, dat tot kilometers ver doordrong. Hij liet de aarde trillen door zijn afscheidsgroet.

Ayla gaf Whinney een teken en liep met haar terug. Hoe graag ze ook op de merrie reed, ze wou het gevoel van die laatste wilde rit zo lang mogelijk vasthouden.

Jondalar wendde ten slotte zijn blik af van het fascinerende gebeuren en hij zag de uitdrukking op de gezichten van de anderen. Hij kon hun gedachten wel raden. Paarden, dat kon nog, een wolf misschien ook, maar een holenleeuw? Hij straalde en toonde een brede, zelfvoldane grijns van trots en opluchting. Wie twijfelde er nu nog aan zijn verhalen?

De mannen kwamen achter Ayla het pad op en ze voelden zich bijna belachelijk met hun speren, die ze niet hoefden te gebruiken. De mensen die hadden staan kijken gingen achteruit toen ze naderde. Ze maakten ruimte voor de vrouw en het paard. Ze stonden perplex en keken haar vol ongeloof en ontzag na. Ook de leden het Leeuwenkamp, die Jondalars verhalen hadden gehoord en wisten van haar leven in de vallei, konden hun ogen niet geloven.

35

Ayla had de kleren uitgezocht die ze wou meenemen op de jacht – het kon 's nachts erg koud zijn, hadden ze haar gezegd. Ze zouden in de buurt van de reusachtige ijsmuur komen die de voorste begrenzing van de gletsjer vormde. Tot haar verbazing bracht Wymez haar een aantal knap gemaakte speren en hij legde haar de verdiensten uit van de speerpunten die hij voor de mammoetjacht had ontworpen. Het was een onverwacht geschenk en na alle pluimstrijkerij en ander vreemd gedrag van de Mamutiërs wist ze niet goed hoe ze moest reageren. Maar hij stelde haar gerust met zijn bijzonder warme glimlach en zei dat hij haar dit geschenk al had willen geven vanaf het moment dat ze de Belofte had gedaan een verbintenis aan te gaan met de zoon van zijn vuurplaats. Ze had hem net gevraagd hoe ze de speren moest aanpassen voor de speerwerper, toen Mamut de tent binnenkwam.

'De mamuti willen met je praten. Ze willen dat je helpt om de mammoeten te Roepen, Ayla,' zei hij. 'Ze geloven dat wanneer jij met de Geest van de Mammoet spreekt, Ze bereid zal zijn ons er veel te geven.'

'Maar ik heb je al gezegd dat ik geen bijzondere macht heb,' zei Ayla. 'Ik wil niet met hen praten.'

'Dat weet ik, Ayla. Ik heb uitgelegd dat je misschien wel een gave hebt om te Roepen, maar dat je die niet hebt ontwikkeld. Ze willen toch dat ik je vraag. Nadat ze hebben gezien dat je op de leeuw reed en hem wegstuurde, zijn ze ervan overtuigd dat je een sterke invloed op de Geest van de Mammoet hebt, ontwikkeld of niet.'

'Dat was Kleintje, Mamut. De leeuw die ik heb grootgebracht. Dat zou ik niet met elke willekeurige leeuw kunnen.'

'Waarom spreek je over die leeuw alsof je zijn moeder bent?' sprak een stem bij de ingang. Daar stond een grote gestalte. 'Bén je zijn moeder?' vroeg Lomie, die op een wenk van Mamut de tent in kwam.

'In zeker opzicht wel, denk ik. Toen ik hem vond, was hij een welpje. Hij was gewond, onder de voet gelopen door een op hol geslagen kudde. Ik noem hem Kleintje, omdat hij nog zo klein was toen ik hem vond. Ik heb hem nooit een andere naam gegeven. Hij is altijd gewoon Kleintje gebleven, ook toen hij groot werd,' legde Ayla uit. 'Ik weet niet hoe ik dieren moet Roepen, Lomie.'

'Waarom verscheen die leeuw dan op zo'n wonderbaarlijk moment als je hem niet hebt geroepen?' vroeg Lomie.

'Dat was gewoon toeval. Daar is niets geheimzinnigs aan. Hij heeft waarschijnlijk mijn geur, of die van Whinney, opgevangen en kwam me zoeken. Hij kwam soms wel eens even terug, ook toen hij een ge- zellin en een eigen troep had. Vraag Jondalar maar.'

'Als hij niet onder een speciale invloed stond, waarom heeft hij dat meisje dan niets gedaan? Zij had geen enkele "moederrelatie" met hem. Ze zei dat hij haar op de grond wierp en ze dacht dat hij haar zou gaan opeten, maar hij likte alleen haar gezicht.'

'Ik denk dat hij dat meisje alleen maar omverwierp omdat ze een beetje op mij lijkt. Ze is groot en ze heeft blond haar. Hij is bij een mens opgegroeid en niet bij andere leeuwen, dus beschouwt hij de mensen als zijn familie. Als ik hem niet tegenhield, duwde hij me al- tijd tegen de grond wanneer hij me een tijdje niet had gezien. Dat is zijn manier van spelen. Dan wou hij dat ik mijn armen om hem heen sloeg en hem krauwde,' legde Ayla uit. Ze zag dat de tent inmiddels vol mamuti was.

Wymez trok zich terug met een spottend glimlachje. Ze wou niet naar hen, dus kwamen ze bij haar, dacht hij. Hij fronste de wenkbrau- wen toen hij Vincavec voorzichtig dichterbij zag komen. Het zou voor Ranec moeilijk zijn wanneer Ayla besloot hem te kiezen. Hij had de zoon van zijn vuurplaats nog nooit zo verslagen gezien als toen hij hoorde dat Vincavec een aanbod had gedaan. Wymez moest toegeven dat hij er ook van was geschrokken.

Vincavec had Ayla gadegeslagen terwijl ze de vragen beantwoordde. Hij raakte niet zo snel onder de indruk. Hij was per slot van rekening stamhoofd en Mamut en was niet alleen bekend met het systeem van aardse machten, maar ook met de verschijningsvorm van de bovenna- tuurlijke macht. En net als de andere mamuti was hij tot de Mam- moetvuurplaats geroepen omdat hij een drang voelde om kwaliteiten met een grotere diepgang te onderzoeken en de oorzaken achter ver- schijnselen te ontdekken en te verklaren en zo kon hij worden getrof- fen door een werkelijk onverklaarbaar mysterie of een duidelijke de- monstratie van macht.

Al bij hun eerste ontmoeting had hij rondom Ayla iets mysterieus ge- voeld dat hem intrigeerde, een stille kracht die al op de proef was ge- steld. Zijn verklaring was dat de Moeder over haar waakte en dat daarom haar probleem zou worden opgelost. Maar hij had geen flauw idee van de manier waarop en hij was werkelijk verbaasd over het resultaat. Hij begreep dat niemand het nu nog in zijn hoofd zou halen om stelling te nemen tegen haar of tegen degenen die haar onderdak verleenden. Er zou ook niemand meer bezwaar maken tegen haar achtergrond of de zoon die ze had. Haar macht was te groot. Of ze die ten goede of ten kwade gebruikte, was een bijkomstigheid – het waren twee kanten van hetzelfde wezen, zoals zomer en winter, of dag en nacht – behalve dan dat niemand zich haar persoonlijke vijandschap op de hals wou halen. Wie wist wat ze allemaal kon als ze een holenleeuw in bedwang kon houden?

Zowel Vincavec als de oude Mamut en de andere mamuti waren in hetzelfde milieu opgegroeid en opgevoed in dezelfde cultuur. Ze hadden hun levenswijze aangepast aan een vaste overtuiging en die vormde een deel van hun geestelijke en morele kracht.

Omdat ze er weinig invloed op hadden, beschouwden ze hun leven voor een groot deel als voorbestemd. Ziekten sloegen zomaar toe en als er een behandeling mogelijk was, konden sommigen sterven terwijl anderen bleven leven. Ongelukken waren evenmin te voorzien en als ze gebeurden wanneer je alleen was, waren ze vaak noodlottig. De nabijheid van de enorme gletsjers veroorzaakte een ruw klimaat met snelle weersomslagen. Droogte of overstromingen konden het gevolg zijn met een directe uitwerking op het natuurlijke milieu waarvan ze afhankelijk waren. Een te koude zomer of te veel regen kon de plantengroei belemmeren, het aantal dieren doen verminderen en hun migratiepatroon wijzigen wat weer kon leiden tot ontberingen voor de mammoetjagers.

De structuur van hun metafysische wereld liep parallel met de materiële en was bruikbaar om een oplossing te vinden voor moeilijk te beantwoorden vragen – vragen die zonder redelijke verklaring uitgaande van hun grondregels grote angsten konden oproepen. Maar iedere structuur, hoe nuttig ook, had zijn beperkingen. In hun wereld zwierven de dieren in vrijheid en groeiden de planten op willekeurige plaatsen. De mensen waren daaraan gewend. Ze wisten waar bepaalde planten groeiden en ze kenden het gedrag van de dieren, maar het kwam nooit bij hen op dat die patronen konden veranderen; dat dieren, planten en mensen het natuurlijke vermogen in zich hadden om te veranderen en zich aan te passen. Ze dachten dat ze niet konden overleven wanneer ze dat niet hadden.

Ayla's macht over de dieren die ze had grootgebracht werd niet als normaal beschouwd; niemand had ooit eerder geprobeerd om een

dier te temmen of aan zich te onderwerpen. De mamuti, die wel zagen aankomen dat er behoefte zou bestaan aan hun uitleg om de angsten weg te nemen die dit nieuwe verschijnsel opriep, hadden in hun
metafysische wereld gezocht naar bevredigende verklaringen. Wat zij
had gedaan was iets anders dan het simpele temmen van dieren. Ayla
had een bovennatuurlijke kracht gedemonstreerd, die hun fantasie
ver te boven ging. Het leek duidelijk dat haar macht over dieren alleen kon worden verklaard door haar toegang tot het oorspronkelijke
wezen van de Geest en daarom tot de Moeder Zelf.
Vincavec was er nu, net als de oude Mamut en de rest van de mamuti,
van overtuigd dat Ayla niet alleen Mamut was – Een Die de Moeder
Diende – maar ze moest ook nog iets meer zijn. Misschien belichaam-
de ze een bovennatuurlijke geest; misschien was ze wel een incarnatie
van Mut zelf. Dit was des te geloofwaardiger omdat ze er niet mee te
koop liep. Maar wat haar macht ook was, Vincavec was ervan overtuigd dat ze een belangrijke bestemming had. Er was een reden voor
haar bestaan en hij wenste vurig er deel van uit te maken. Ze was uitverkoren door de Grote Aardmoeder.
'Al je verklaringen hebben hun waarde,' zei Lomie overredend, nadat
ze alle tegenwerpingen van Ayla had aangehoord, 'maar zou je willen
deelnemen aan de ceremonie van het Roepen, ook al ben je van mening dat je er geen Gave voor hebt? Veel mensen hier zijn ervan overtuigd dat je de mammoetjacht geluk zult brengen wanneer je deel-
neemt aan de Roep en geluk brengen kan je toch geen kwaad doen? Je
zou de Mamutiërs er heel blij mee maken.'
Ayla zag geen mogelijkheid om te weigeren, maar ze vond het niet
prettig dat ze haar zo ophemelden. Ze had er nu al bijna een hekel aan
om door het kamp te lopen en ze keek met spanning uit naar de
mammoetjacht, die de volgende dag zou beginnen. Dan kreeg ze eindelijk de kans om een poosje bij iedereen uit de buurt te blijven.

Ayla werd wakker en keek naar buiten door de open driehoek aan het
eind van de tent die ze tijdens het reizen gebruikten. Aan de oostelijke
horizon begon het al licht te worden. Ze stond voorzichtig op. Ze
deed haar best om Ranec of de anderen niet wakker te maken en
sloop naar buiten. Er hing nog een koude ochtendnevel, maar er waren geen zwermen insecten en daar was ze blij om. De vorige avond
was het verschrikkelijk geweest.
Ze liep naar de rand van een donkere poel met stilstaand water, vol
slik en stuifmeel; broedplaats voor de zwermen muggen, vliegen en
muskieten, die als een gonzende zwarte rookwolk op hen af waren ge-

komen. De insecten kropen onder hun kleren. Ze lieten een spoor van rode bulten achter en zwermden om de ogen en de monden van de jagers en de paarden.

De vijftig mannen en vrouwen die waren uitgekozen voor de eerste mammoetjacht van het seizoen waren in moerassig gebied aangekomen; niemand vond het prettig, maar het was onvermijdelijk. De bovenlaag van de grond werd zacht door het smeltwater van de lente en de zomer en de permanent bevroren onderlaag maakte een behoorlijke afwatering onmogelijk. Op plaatsen waar zich meer smeltwater verzamelde dan door verdamping kon verdwijnen, vormden zich poelen. In het warme jaargetijde was de kans groot dat ze bij elke langere tocht voor uitgestrekte gebieden met drassige grond kwamen te staan, variërend van grote ondiepe meren met smeltwater tot poelen waarin de hemel werd weerspiegeld.

Het was al te laat in de middag geweest om nog te beslissen of ze een poging zouden doen het moeras over te steken of eromheen te trekken. Het kamp werd snel opgezet en toen werden vuren ontstoken om de zwermen insecten af te schrikken. De eerste avond lieten degenen die Ayla's vuurstenen nog niet eerder hadden gezien de gebruikelijke verbaasde uitroepen horen, maar nu vond men het al vanzelfsprekend dat zij de vuren ontstak. De tenten die ze gebruikten waren heel eenvoudige onderkomens, gemaakt van een aantal huiden die aan elkaar waren genaaid om een groot dekkleed te maken. De vorm hing af van het materiaal dat ze vonden of hadden meegenomen. Een mammoetschedel met grote slagtanden die nog heel waren kon worden gebruikt om het kleed omhoog te houden. Een buigzame dwergwilg kon ook wel dienstdoen. Zelfs de speren konden, zo nodig, dienstdoen als stokken voor de tent. Soms werd het kleed alleen gebruikt als extra grondzeil. Deze keer was het kleed dat onderdak bood aan de jagers van het Leeuwenkamp en een paar anderen over een schuine nokbalk gegooid die aan één kant in de grond was vastgezet en met het andere eind aan een boomtak was gebonden.

Nadat het kamp was opgeslagen, ging Ayla op zoek tussen de dichte begroeiing aan de rand van het moeras en tot haar vreugde vond ze bepaalde plantjes met handvormige, donkergroene bladeren. Ze groef verscheidene geelgroene wortels en wortelstokken uit en kookte ze om een vloeistof te maken die de pijn in de ogen en kelen van de paarden zou verzachten en die de insecten op een afstand hield. Toen ze hem ook voor haar eigen muggenbeten gebruikte, vroegen ook verscheidene anderen erom en ten slotte behandelde ze de insectenbeten van het hele jachtgezelschap. Ze mengde nog wat van de fijngemaakte wortel met vet om zalf te maken voor de volgende dag. Toen vond ze nog een stukje grond begroeid met vlooienkruid en ze nam verscheidene planten mee om op het vuur te gooien. Samen met de normale rook zou de geur de directe omgeving van het vuur betrekkelijk vrij van insecten houden.

In de koele ochtendnevel hield de vliegende plaag zich echter rustig. Ayla huiverde en wreef haar armen, maar ze maakte geen aanstalten om terug te keren naar het warme onderdak. Ze staarde naar het donkere water en merkte nauwelijks dat vanuit het oosten het licht de hele lucht deed opklaren. De wirwar van struiken stak er scherp tegen af. Ze voelde dat er een warme vacht over haar schouders werd gelegd. Ze trok die dankbaar om zich heen en voelde dat iemand de armen om haar middel legde.

'Je bent koud, Ayla. Je staat hier al een hele tijd,' zei Ranec.

'Ik kon niet slapen,' antwoordde ze.

'Is er iets?'

'Ik weet het niet. Alleen een onrustig gevoel. Ik kan het niet uitleggen.'

'Na de ceremonie van het Roepen heb je je niet meer op je gemak gevoeld, of wel?' vroeg Ranec.

'Ik heb er niet over nagedacht. Misschien heb je wel gelijk.'

'Maar je hebt niet meegedaan. Je hebt alleen gekeken.'

'Ik wou er niet aan meedoen, maar ik weet het niet. Misschien is er toch iets gebeurd,' zei Ayla.

Onmiddellijk na het ontbijt pakten de jagers alles in en gingen ze weer verder. Eerst deden ze een poging om het moerassige gebied te ontwijken, maar dat bleek niet mogelijk zonder een grote omweg te maken. Talut onderzocht met een aantal jagers het dichte kreupelhout en de drassige grond waar de koude nevel boven hing. Hij overlegde met een paar anderen en besloot ten slotte een weg te kiezen die de gemakkelijkste doorgang leek te bieden. De doordrenkte grond veranderde spoedig in een moeras en veel jagers trokken hun schoeisel uit en gingen blootsvoets door het koude, modderige water. Ayla en Jondalar waren wat voorzichtiger met het leiden van de onrustige paarden. Slingerplanten die goed tegen de kou konden en lange grijsgroene baarden van korstmos hingen aan berken, wilgen en elzen, die zo dicht bij elkaar stonden dat ze een klein arctisch oerwoud vormden. Het was moeilijk om een betrouwbare steun voor je voeten te vinden. Bij gebrek aan een stevige grond voor de wortels groeiden de bomen onder de vreemdste hoeken en lagen soms op de grond. De jagers hadden de grootste moeite om hun weg te vinden over boomstammen en gedeeltelijk onder water liggende wortels en takken, waar hun voeten achter bleven haken. Stukjes riet en zegge leken ogenschijnlijk betrouwbaarder dan ze waren en stinkende poelen lagen verborgen onder mos en varens.

Ze vorderden maar langzaam en het was zo vermoeiend dat ze halverwege de ochtend stopten om te rusten. Iedereen was bezweet en ze vonden het zelfs in de schaduw warm. Toen ze weer verdergingen, stootte Talut op een bijzonder hardnekkige elzentak en in een van zijn zeldzame woede-uitbarstingen zette hij zijn enorme bijl in de boom. Er sijpelde een helderoranje vloeistof uit de diepe wonden van de boom die de ergernis had opgewekt. Het deed Ayla aan bloed denken en dat gaf haar een onaangenaam voorgevoel.

Niets was zo welkom als de vaste grond aan het eind van het moeras. Op de open ruimte groeiden hoge varens en meer dan manshoog gras. Ze gingen in oostelijke richting om de vochtige gebieden die zich naar het westen uitstrekten te vermijden. Ze beklommen een heuveltje dat boven de laagten met hun moerassen uitstak, en zagen de samenvloeiing van een brede rivier en een zijrivier. Talut, Vincavec en de leiders van enkele andere kampen bleven staan om de kaarten te raadplegen die op ivoor waren getekend en ze krasten met hun messen nog een paar tekens op de grond.

Op weg naar de rivier trokken ze dwars door een berkenbos. Het was geen bos met hoge, flinke bomen, zoals in gebieden met een warmer klimaat. Deze berken waren klein gebleven onder de ruwe klimatologische omstandigheden in de buurt van de gletsjers, maar ze hadden toch een zekere schoonheid. Met hun gedrongen vorm hadden ze zich aangepast, maar de afzonderlijke vormen van iedere boom waren eindeloos boeiend en gracieus. De dunne, hangende takken waren echter misleidend. Toen Ayla probeerde er een af te breken, bleek hij zo taai als haar te zijn en als het waaide, sloegen ze de planten die hen bedreigden stuk.

'Ze worden de "Oude Moeders" genoemd.'

Ayla draaide zich om en zag Vincavec.

'Een toepasselijke naam, denk ik. Ze herinneren ons eraan dat we ons nooit moeten vergissen in de kracht van een oude vrouw. Dit is een heilig bosje en het zijn de bewakers van de somuti,' zei hij terwijl hij naar de grond wees.

De trillende lichtgroene berkenblaadjes keerden het zonlicht niet helemaal en op de dikke laag bladaarde dansten de schaduwvlekjes. Toen zag Ayla op het mos onder bepaalde bomen de grote vuurrode paddestoelen met witte stippen.

'Noemen jullie die paddestoelen somuti? Ze zijn giftig. Ze kunnen dodelijk zijn,' zei Ayla.

'Ja, natuurlijk. Tenzij je het geheim kent hoe je ze moet klaarmaken. Alleen degenen die zijn gekozen, mogen de wereld van de somuti onderzoeken.'

'Hebben ze geneeskrachtige eigenschappen? Ik ken er niet één,' zei ze.

'Ik weet het niet. Ik ben geen Genezer. Dat zou je Lomie moeten vragen,' zei Vincavec en voor ze het wist had hij haar handen vastgepakt. Hij keek haar doordringend aan. 'Waarom heb je je tegen me verzet op de ceremonie van het Roepen, Ayla? Ik had de weg voor je vrijgemaakt naar de wereld van de geesten, maar je wou niet.'

Ayla kreeg een vreemd tegenstrijdig gevoel. Vincavec had een vriendelijke, innemende stem en ze voelde een sterk verlangen zich te laten gaan in de zwarte diepte van zijn ogen, die koele donkere poelen, en alles te doen wat hij wou. Maar ze voelde ook een overweldigende behoefte zich los te rukken, zelfstandig te blijven en haar eigen identiteit te behouden. Met een uiterste wilsinspanning maakte ze haar blik los van de zijne en ze zag een glimp van Ranec, die naar hen keek. Hij wendde zijn blik snel af. 'Jij had misschien wel een weg vrijgemaakt, maar ik was er niet op voorbereid,' zei Ayla, die Vincavecs blik ontweek. Ze keek op toen hij lachte. Zijn ogen waren niet zwart, maar grijs.

'Je bent geweldig! Je bent sterk, Ayla. Ik heb nog nooit zo iemand ontmoet. Je bent heel geschikt voor de Mammoetvuurplaats, voor het Mammoetkamp. Zeg maar dat je mijn vuurplaats wilt delen,' zei Vincavec en hij legde al zijn overredingskracht en gevoel in zijn stem.

'Ik heb Ranec de Belofte gedaan,' zei ze.

'Dat hindert niet, Ayla. Breng hem mee als je dat wilt. Ik zou geen bezwaar hebben tegen zo'n bekwame beeldhouwer in mijn vuurplaats. Neem ons allebei! Of ik neem jullie allebei.' Hij lachte weer. 'Dat zou niet de eerste keer zijn. Een man heeft ook een bepaalde aantrekkingskracht!'

'Ik... Ik weet het niet,' zei ze en ze keek op omdat ze het gedempte geluid van paardenhoeven hoorde.

'Ayla, ik neem Renner mee naar de rivier om zijn benen schoon te boenen. Er zit een laag modder op en die droogt op. Zal ik Whinney ook meenemen?' vroeg Jondalar.

'Dat doe ik zelf wel,' zei Ayla, die blij was met dit excuus om weg te kunnen gaan. Ze vond Vincavec wel boeiend, maar ook een beetje beangstigend.

'Ze loopt daar, bij Ranec,' zei Jondalar en hij liep in de richting van de rivier.

Vincavec volgde met zijn ogen de grote blonde man. Ik vraag me af welke rol hij hierin speelt, dacht het Mamut-stamhoofd. Ze zijn samen aangekomen en hij kan bijna net zo goed met haar dieren omgaan als zij, maar ze schijnen niets met elkaar te hebben en dat is niet omdat hij moeite met vrouwen zou hebben. Avarie zegt dat ze hem graag mogen, maar hij raakt Ayla nooit aan, hij slaapt nooit bij haar. Men zegt dat hij de Eerste Riten voor een vrouw heeft afgewezen omdat zijn gevoelens meer die van een broer waren. Zou hij ook zo tegenover Ayla staan? Als een broer? Zou hij ons daarom hebben onderbroken en haar weer naar de beeldhouwer hebben gestuurd? Vincavec fronste zijn wenkbrauwen en toen plukte hij voorzichtig een aantal van de grote paddestoelen. Hij bond ze ondersteboven aan de takken van de 'Oude Moeders' om ze te drogen. Het was zijn bedoeling ze op de terugweg mee te nemen.

Toen ze de zijrivier waren overgestoken, kwamen ze in een droger gebied, waar de kale, boomloze moerassen verder uit elkaar lagen. Het gesnater, geklepper en gekrijs van de watervogels maakte hen opmerkzaam op het grote meer dat voor hen lag. Daar in de buurt zetten ze het kamp op en verscheidenen liepen naar de waterkant om te proberen iets te vangen voor het avondeten. Omdat het maar tijdelijke meren waren met smeltwater, werd er geen vis gevonden, tenzij ze toevallig in verbinding stonden met een grote rivier. Maar tussen de rietwortels, de lisdodden en kattenstaarten zwommen de dikkopjes van eetbare kikkers en vuurpadden. Op een of ander mysterieus teken kwam er ieder jaar een grote verzameling vogels, voornamelijk watervogels, naar het noorden om zich te voegen bij de sneeuwhoender, de goudarend en de sneeuwuil. De dooi in de lente, die weer nieuwe plantengroei bracht, en de grote moerassen met riet trokken ontelbare trekvogels aan om te nestelen en te broeden. Veel vogels voedden zich met de amfibieën die nog niet volgroeid waren, maar ook wel met watersalamanders en slangen, zaden, bollen, de onvermijdelijke insecten en zelfs met kleine zoogdieren.
'Wolf zou het hier heerlijk vinden,' zei Ayla tegen Brecie, terwijl ze met de slinger in de hand naar enkele rondcirkelende vogels keek. Ze hoopte dat ze wat dichter bij de oever kwamen, zodat ze niet zo ver het water in hoefde om ze te halen. 'Hij is er heel goed in om ze voor me te halen.'
Brecie had Ayla beloofd te laten zien hoe de werpstok werkte en ze wou de hooggeprezen vaardigheid van de jonge vrouw met de slinger wel eens zien. Ze waren beiden onder de indruk. Het wapen van Bre-

cie leek wel iets op een langwerpige ruit met een kruis van botjes. De knobbels aan de uiteinden waren verwijderd en de randen waren scherp gemaakt. Het maakte een boog door de lucht en wanneer het in een vlucht vogels terechtkwam, konden in één keer verscheidene vogels worden gedood. Ayla vond de werpstok voor de jacht op vogels veel beter dan haar slinger, maar die had weer meer mogelijkheden. Ze kon hem ook gebruiken bij de jacht op andere dieren.

'Je hebt de paarden meegenomen. Waarom heb je de wolf achtergelaten?' vroeg Brecie.

'Wolf is nog zo jong. Ik wist niet hoe hij zich zou gedragen bij een mammoetjacht en ik wou niet het risico lopen dat er iets verkeerd gaat. De paarden kunnen echter helpen om op de terugweg het vlees te dragen. Bovendien denk ik dat Rydag het erg eenzaam zou hebben gevonden zonder Wolf,' zei Ayla. 'Ik mis hen allebei.'

Voor Brecie was de verleiding groot om Ayla te vragen of ze echt een zoon had als Rydag, maar ze zag ervan af. Het was gewoon een te gevoelig onderwerp.

Terwijl ze de volgende paar dagen verder naar het noorden trokken, kreeg het landschap duidelijk een ander karakter. De moerassen verdwenen en toen ze eenmaal de drukke vogels achter zich hadden gelaten, vulde het angstaanjagende, klagende gehuil van de wind de boomloze, open vlakte met een gevoel van verlatenheid. De zon verdween achter een somber egaal grijs wolkendek, dat 's nachts de sterren aan het gezicht onttrok, maar het regende zelden. De lucht werd droger en kouder en de scherpe wind leek zelfs het vocht uit de uitgeademde lucht te trekken. Een enkele keer brak 's avonds de bewolking en dan won een schitterende zonsondergang het van de sombere eentonigheid. De reizigers hadden geen woorden voor de schoonheid van de weerkaatsing van het zonlicht tegen de wolken.

Het was een land met een wijde horizon. In het zacht golvende landschap ontbraken bergtoppen, die nuttig kunnen zijn voor het perspectief en het schatten van afstanden. Er waren ook geen groene, met riet begroeide moerassen meer die het eindeloze grijsbruin konden opvrolijken. Er leek geen einde aan de vlakten te komen, in welke richting je ook keek, behalve in het noorden. Daar verdween de lange golflijn in een dichte nevel, die de wereld erachter verborg en het moeilijk maakte om de afstand te schatten.

Het landschap bestond uit een combinatie van steppen en bevroren toendra's. De tere paarse bloempjes van de alpiene heide werden overheerst door grassen en kruiden die minder gevoelig waren voor vorst en droogte, houtachtige alsemstruikjes, arctische witte dopheide, dwergrododendron en de roze bloemen van de kraaiheide. De bosbesstruikjes waren slechts tien centimeter hoog, maar ze beloofden een overvloed aan grote bessen. De berken kropen over de grond alsof het klimplanten waren.

Maar zelfs die kleine boompjes waren schaars, omdat twee factoren het groeiproces belemmerden. Op de noordelijke toendra is de zomertemperatuur te laag voor het kiemen van boomzaden. Over de steppe raast een huilende wind, die alle vocht absorbeert en de boomgroei ook onmogelijk maakt. Deze beide factoren houden het land bevroren en droog.

Het landschap werd nog kaler terwijl de groep jagers in de richting van de dikke, witte mist trok. Kale rotsen kwamen aan de oppervlakte, maar er groeide nog korstmos op, met plekjes geel, grijs, bruin en helderoranje, die meer op stukjes steen dan op plantjes leken. Een paar bloeiende kruiden en struikjes hadden het volgehouden en de taaie grassen en zegge bedekten nog flinke stukken grond. Zelfs in deze woeste, sombere omgeving was nog leven, ondanks de koude, droge wind die niet bij machte leek het leven te dragen.

Maar ze kregen aanwijzingen dat er in de mist een geheim verborgen lag. In de rotsen waren diepe groeven uitgesleten, er lagen lange zandruggen, met stenen en grind en grote keien, die van hun plaats waren geraakt alsof ze door een onzichtbare reuzenhand uit de lucht waren neergesmeten. Over de rotsachtige bodem stroomde het water in kleine beekjes, maar ook in een gutsende stortvloed, zonder duidelijk waarneembaar patroon. Toen ze dichterbij kwamen voelden ze eindelijk de koude, vochtige lucht. In beschaduwde hoeken lag nog vuile sneeuw en in een kuil naast een groot rotsblok lag sneeuw om een kleine plas. Op enige diepte lagen ijsrichels met een mooie, helderblauwe tint.

In de loop van de middag draaide de wind en tegen de tijd dat de reizigers hun kamp hadden opgeslagen, sneeuwde het. Het was een droge sneeuwjacht. Talut overlegde met de anderen. Ze waren verontrust. Vincavec had de Geest van de Mammoet al verscheidene keren aangeroepen, echter zonder resultaat. Ze hadden al eerder verwacht de grote beesten te vinden.

In de nacht, terwijl ze rustig in haar bed lag, werd Ayla zich bewust van mysterieuze geluiden die uit het binnenste van de aarde leken te komen: ze meende geknars en geknal te horen, gegrinnik en gemurmel. Ze kon de geluiden niet goed thuisbrengen. Ze had geen idee waar ze vandaan kwamen en ze werd er nerveus van. Ze probeerde te slapen, maar ze bleef wakker liggen. Eindelijk, tegen de morgen, viel ze uitgeput in een lichte slaap.

Ayla wist dat het al laat was toen ze wakker werd. Het leek een ongewoon heldere lucht en iedereen was al buiten de tent. Ze pakte haar anorak, maar ze ging niet verder dan de ingang. Toen ze naar buiten keek, bleef ze van verbazing met open mond staan. Omdat de wind gedraaid was, was de zomernevel, die van het verdampende ijs kwam, tijdelijk opgetrokken. Ze keek naar de ijsmuur, die zo hoog en zo ongelooflijk groot was dat het bovenste deel in de wolken verdween.

Door de enorm steile hoogte leek hij dichterbij dan in werkelijkheid het geval was, maar op zo'n driehonderd meter afstand lagen een paar reusachtige brokken die eens langs de steile gekartelde wand naar beneden waren getuimeld. Er stonden verscheidene mensen omheen. Ze besefte dat zij de schaal waren die haar een juist beeld gaven van de ware grootte van de immense ijsbarrière. De gletsjer bood een ongelooflijk mooi schouwspel. In de zon – Ayla merkte opeens dat de zon scheen – schitterde hij met miljoenen ijskristallen, die glinsterden in de tinten van de regenboog, maar de diep onderliggende kleur had dezelfde sprekende tinten blauw die ze in de plas had gezien. Woorden schoten tekort om dit te beschrijven; bij deze pracht, deze grootsheid en macht had het woord 'overweldigend' geen enkele betekenis.

Ayla kleedde zich snel verder aan, omdat ze het gevoel had dat ze iets miste wanneer ze niet naar buiten ging. Ze schonk zich een kop in van wat haar overgebleven thee leek. Er vormde zich al een laagje ijs op en toen zag ze dat het vleesbouillon was. Ze vond het toch wel lekker en dronk het op. Vervolgens schepte ze een lepel gekookt graan uit een bakje, legde het tussen twee dikke plakken gebraden vlees en haastte zich naar de andere jagers.

'Ik vroeg me af of je ooit nog wakker zou worden,' zei Talut toen hij haar zag aankomen.

'Waarom heb je me niet gewekt?' vroeg Ayla en ze nam haar laatste hap.

'Het is niet verstandig iemand wakker te maken die zo rustig slaapt, behalve in noodgevallen,' antwoordde Talut.

'De geest heeft tijd nodig om 's nachts te reizen; dan kan hij weer opgefrist terugkomen,' voegde Vincavec eraan toe, die haar kwam begroeten. Hij deed een poging haar beide handen te pakken, maar ze ontweek hem. Ze streek snel met haar wang langs de zijne en was al weg om het ijs te bekijken.

De enorme brokken waren kennelijk met grote kracht neergekomen. Ze waren een eind in de grond gezakt. Het was ook wel duidelijk dat ze daar al verscheidene jaren hadden gelegen. Het gruis dat om het ijs lag was door de wind verzameld en meegevoerd. Er lag een dikke, grauwe laag op de brokken, hier en daar onderbroken door een dikke laag compacte sneeuw. Het oppervlak was ruw doordat het in de loop der jaren telkens was ontdooid en weer bevroren en er hadden waarachtig een paar volhardende plantjes op het ijs geworteld.

'Kom maar boven, Ayla,' riep Ranec. Ze keek omhoog en zag hem boven op een blok staan dat een beetje scheef was gezakt. Ze zag tot haar verbazing dat Jondalar naast hem stond. 'Het is niet moeilijk als je eromheen loopt.'

Ayla liep om de rommelige hoop ijsblokken heen en klauterde omhoog over een reeks brokken. Het oppervlak was minder glad dan normaal, dankzij het steengruis, zodat ze redelijk veilige steunpunten voor haar voeten kon vinden. Met wat zorg was het niet zo moeilijk om te klimmen en vooruit te komen. Toen ze het hoogste punt had bereikt, ging Ayla staan en sloot haar ogen. De wind beukte haar lichaam alsof hij haar weerstand tegen zijn kracht wou testen en ze hoorde heel dichtbij het gerommel, gekreun en gekraak van de grote ijsmuur. Ze draaide haar hoofd in de richting van het helle licht boven haar, dat ze zelfs met gesloten oogleden kon zien en ze voelde op haar gezicht de kosmische worsteling tussen de hitte van de vuurbol aan de hemel en de koude van de indrukwekkende ijswal. De lucht zelf trilde van besluiteloosheid.

Toen opende ze de ogen. Het ijs beheerste haar hele uitzicht, het vulde het hele beeld. De enorm machtige, formidabele uitgestrektheid aan ijs, die tot aan de hemel reikte, liep over de volledige breedte van het land, zo ver ze kon zien. Bergen vielen erbij in het niet. De aanblik gaf haar een gevoel van nederigheid en diep respect. Haar glimlach werd door Jondalar en Ranec beantwoord.

'Ik heb het al eens eerder gezien,' zei Ranec, 'maar ik krijg er nooit genoeg van, al zou ik het zoveel keren zien als er sterren aan de hemel staan.' Ayla en Jondalar knikten beiden instemmend.

'Maar het kan gevaarlijk zijn,' voegde Jondalar eraan toe.

'Hoe is dat ijs hier gekomen?' vroeg Ayla.

'Het ijs verplaatst zich,' zei Ranec. 'Soms breidt het zich uit en dan wijkt het weer terug. Dit stuk is losgeraakt toen de muur hier lag. Het was toen veel groter, maar het is kleiner geworden, net als de wand.' Ranec keek naar de gletsjer. 'Ik geloof dat hij de vorige keer verder weg lag. Misschien breidt het ijs zich weer uit.'

Ayla liet haar blik over het open landschap dwalen en ze merkte hoe- veel verder ze kon kijken vanaf haar hoge waarnemingspost. 'O, kijk eens!' riep ze, terwijl ze naar het zuidoosten wees. 'Mammoeten! Ik zie een kudde mammoeten!'

'Waar?' vroeg Ranec, die meteen opgewonden raakte.

Het nieuws verspreidde zich onder de jagers als een lopend vuurtje. Toen Talut het woord 'mammoeten' hoorde, was hij al om de brokken ijs heen gelopen en hij was nu op de helft van de weg omhoog. Met een paar grote stappen was hij boven. Hij hield zijn hand boven zijn ogen en keek in de richting waarin Ayla had gewezen.

'Ze heeft gelijk! Daar zijn ze! Mammoeten!' brulde hij. Hij was niet in staat zijn opwinding of het volume van zijn stem te beheersen.

Er kwamen verscheidene anderen naar boven, die allemaal een plaats- je zochten om de grote dieren met de slagtanden te zien. Ayla ging opzij zodat Brecie op haar plaats kon staan.

Het gaf niet alleen een zekere opluchting dat ze de mammoeten za- gen, maar ook opwinding. Ze lieten zich eindelijk zien. Waar de Geest van de Mammoet ook op had gewacht, hij had haar schepsels van deze wereld eindelijk toegestaan zich te vertonen aan degenen die door Mut waren uitverkoren om op mammoeten te jagen.

Een van de vrouwen van Brecies kamp zei tegen een van de mannen dat ze Ayla met gesloten ogen op de top van de ijsberg had zien staan. Ze draaide haar hoofd alsof ze iets Zocht of misschien Riep en toen ze de ogen opende, waren de mammoeten er. De man knikte begrijpend.

Ayla keek naar beneden, naar de vorm van de ijsberg. Ze stond op het punt af te dalen toen Talut naast haar kwam staan met een bredere grijns dan ze ooit had gezien.

'Ayla, je hebt van dit stamhoofd een heel gelukkig mens gemaakt,' zei de reus met de rode baard.

'Ik heb helemaal niets gedaan,' zei Ayla. 'Ik zag ze toevallig.'

'Dat is genoeg. Iedereen die ze toevallig het eerst zag zou me heel ge- lukkig hebben gemaakt. Maar ik ben blij dat jij het was,' zei Talut.

Ayla glimlachte naar hem. Ze hield echt van het grote stamhoofd. Ze beschouwde hem als een oom, of een broer, of een vriend en ze voelde dat hij ook veel om haar gaf.

'Waar keek je naar, Ayla?' vroeg Talut, die haar volgde naar beneden.

'Niets bijzonders. Ik zag dat je de vorm van deze berg hiervandaan kunt zien. Kijk maar: hij heeft een inham aan de kant waar we naar boven klimmen en dan komt er weer een bocht naar buiten.'

Talut wierp er een vluchtige blik op en toen bekeek hij het wat nauw- keuriger.

'Ayla! Het is je weer gelukt!'

'Wat dan?'

'Je hebt dit stamhoofd weer gelukkig gemaakt!'

Zijn glimlach werkte aanstekelijk. Ze lachte terug. 'Wat maakt je nu weer gelukkig, Talut?' vroeg ze.

'Jij hebt me opmerkzaam gemaakt op de vorm van deze ijsberg. Het is net een doodlopend ravijn. Niet helemaal, maar dat kunnen we ervan maken. Nu weet ik hoe we die mammoeten moeten vangen!'

Ze lieten geen tijd verloren gaan. De mammoeten konden wegtrekken of het weer kon veranderen. De jagers moesten de kans meteen benutten. De leiders overlegden met elkaar en stuurden snel een aantal verkenners om het terrein te onderzoeken en te zien hoe groot de kudde was. Terwijl ze weg waren, werd er een muur van ijs en keien gebouwd om de open ruimte aan één kant van het koude ravijn af te sluiten. Zo maakten ze voor de ijsberg een omheining met slechts één opening. Toen de verkenners terug waren, kwamen de jagers bijeen om een plan te ontwerpen waarmee ze de reusachtige wollige dieren in de val konden drijven.

Talut vertelde hoe Ayla en Whinney hadden geholpen om bizons in een val te drijven. Velen hadden wel belangstelling, maar ze kwamen tot de conclusie dat één enkele ruiter met paard niet in staat zou zijn de enorme kolossen op te drijven. Misschien zou het wel helpen. Er zou nog een ander middel gevonden moeten worden om ze naar de val te jagen.

De oplossing was vuur. Zelfs de reusachtige mammoeten, die niet gauw bang waren, hadden er een diep respect voor, omdat er vaak brand ontstond op de droge velden, bij onweersbuien in de nazomer. Maar in deze tijd van het jaar zou het wel eens moeilijk kunnen worden het gras in brand te steken. De drijvers zouden het vuur in de hand moeten hebben, in de vorm van brandende fakkels.

'Wat voor fakkels zullen we gebruiken?' vroeg iemand.

'Als we droog gras en mammoetmest bij elkaar binden en in vet dopen, branden ze goed,' zei Brecie.

'En we kunnen Ayla's vuursteen gebruiken om ze vlug aan te steken,' voegde Talut eraan toe. Er werd instemmend geknikt.

'We zullen op meer dan één plaats vuur nodig hebben en in de juiste volgorde,' zei Brecie.

'Ayla heeft alle vuurplaatsen van het Leeuwenkamp een vuursteen gegeven. We hebben er verscheidene bij ons. Ik heb er een en Ranec. Jondalar heeft er ook een,' zei Talut, die zich wel bewust was van het extra aanzien dat ze door zijn mededeling kregen. Jammer dat Tulie er niet is, dacht hij. Zij zou dit moment naar waarde hebben geschat. Ayla's vuurstenen waren onbetaalbaar, vooral nu er blijkbaar niet zoveel waren.

'Als we de mammoeten eenmaal in beweging hebben, hoe krijgen we ze dan in de richting van de omheining?' vroeg de vrouw van Brecies kamp. 'Het is hier open veld.'

Ze werkten een goed en eenvoudig plan uit. Vanaf de opening in de omheining bouwden ze twee hagen van brokken ijs en keien, in trechtervorm. Talut sloeg met zijn enorme bijl de grote brokken ijs snel in stukken die klein genoeg waren om te kunnen dragen. Achter iedere stapel werd een aantal fakkels klaargezet. Van de vijftig jagers kozen enkelen een plaats achter beschermende brokken ijs binnen de omheining, voor de eerste aanval. Anderen verspreidden zich achter de steenhopen. De rest, voornamelijk de snelste en sterkste lopers – ondanks hun enorme omvang konden mammoeten over een korte afstand een flinke snelheid ontwikkelen – zou in twee groepen worden gesplitst om de kudde aan twee kanten te omsingelen.

Brecie begon de jongere jagers, die nog nooit op de grote, ruige beesten hadden gejaagd, enkele van hun eigenaardigheden en zwakke punten uit te leggen en te vertellen hoe erop moest worden gejaagd. Ayla luisterde aandachtig en ze liep mee binnen de omheining. De leidster van het Elandenkamp zou de frontale aanval van binnenuit leiden en ze wou de val inspecteren en haar plaats uitkiezen.

Zodra ze tussen de ijswanden kwamen, voelde Ayla hoe koud het er was. Bij het vuur dat ze hadden aangelegd om het vet te smelten en door de inspanning bij het gras snijden en het dragen van de brokken ijs was de kou haar niet opgevallen. Toch waren ze zo dicht bij de grote gletsjer dat er, zelfs in de zomer, 's morgens een laagje ijs op het water lag wanneer ze het 's nachts buiten lieten staan en overdag konden ze niet zonder anorak. Het was binnen de bevroren ruimte doordringend koud, maar toen Ayla in de ijsberg om zich heen keek, had ze het gevoel dat ze in een andere wereld was, in wit en blauw, van een beklemmende schoonheid.

Net als in de rotsachtige ravijnen bij haar vallei lagen er grote brokken verspreid over de grond. Ze waren niet lang geleden losgeraakt van de wanden en in stukken uiteengevallen. Scherpe pieken en hoge, schitterend witte spitsen staken boven hen uit. In de spleten en hoeken die in de schaduw lagen hadden ze een helderblauwe glans, die haar opeens aan de ogen van Jondalar deed denken. De zachtere, ronde randen van de oude brokken, die in stukken op de grond lagen en in de loop van de tijd kleiner waren geworden, door de wind met een laagje gruis bedekt, nodigden ertoe uit om erop te klimmen en alles beter te zien.

Dat deed Ayla ook, uit pure nieuwsgierigheid, terwijl de anderen een goede positie zochten voor de jacht. Zij zou hier niet op de mammoeten wachten. Ze zou met Whinney helpen de wolharige dieren op te jagen, evenals Jondalar en Renner. Zij en Jondalar zouden elke groep drijvers een vuursteen brengen en daarbij kon de snelheid van de paarden nuttig zijn. Ayla zag dat er zich meer mensen bij de ingang verzamelden en ze haastte zich naar buiten. Whinney volgde Jondalar en Renner, die uit het kamp kwamen. Ayla floot en de merrie galoppeerde al voor hen uit.

De twee groepen drijvers gingen op pad in de richting van de kudde mammoeten. Ze maakten een wijde omtrekkende beweging om de dieren niet te storen. Ranec en Talut stonden elk achter een van de rijen steenhopen die naar het ravijn liepen. Ze stonden gereed om snel voor vuur te zorgen wanneer dat nodig was. Ayla wuifde naar Talut en glimlachte tegen Ranec terwijl ze passeerde. Ze zag dat Vincavec aan dezelfde kant stond als Ranec. Ze beantwoordde zijn glimlach ook.

Ayla liep voor Whinney uit. Haar speren en de speerwerper zaten goed vast in de houders van de draagmanden, bij de fakkels van de groep. Er liepen verscheidene jagers in de buurt, maar er werd niet veel gesproken. Iedereen concentreerde zich op de mammoeten en hoopte vurig dat de jacht een succes zou worden. Ayla keek over haar schouder naar Whinney en toen naar de kudde. Ze graasden nog in hetzelfde grasveld waar ze ze voor het eerst had gezien. Ze besefte dat het niet zo erg lang geleden was. Alles was zo snel gegaan dat ze nauwelijks tijd had gehad om na te denken. Ze hadden in een korte tijd heel wat gedaan.

Ze had altijd al op mammoeten willen jagen en ze kreeg een koude rilling bij het vooruitzicht dat ze nu echt ging deelnemen aan de eerste mammoetjacht van haar leven. Hoewel het iets volkomen belachelijks had, als ze er even over nadacht. Hoe konden zulke kleine, zwakke wezens de reusachtige, ruige beesten met slagtanden uitdagen en dan ook nog hopen dat ze succes zouden hebben? Toch was ze hier, bereid het op te nemen tegen het grootste dier dat op aarde rondliep, met niets anders dan een paar mammoetsperen. Nee, dat was niet helemaal waar. Ze had ook de schranderheid, de ervaring en medewerking van de andere jagers. En Jondalars speerwerper.

Zou de nieuwe speerwerper die hij had ontwikkeld voor de grotere speren het goed doen? Ze hadden ze geprobeerd, maar ze was er nog niet helemaal mee vertrouwd.

Ayla zag Renner en de andere groep door het droge gras naar hen toe komen en er scheen meer beweging in de kudde mammoeten te komen. Begonnen ze onrustig te worden door de mensen die voorzichtig om hen heen probeerden te trekken? Het tempo van haar groep werd versneld; de anderen maakten zich ook zorgen. Er werd een teken doorgegeven om de fakkels te pakken. Ayla pakte ze snel uit Whinneys draagmanden en deelde ze uit. Ze wachtten ongeduldig en zagen de andere groep de fakkels pakken. Toen gaf de leider van de jacht het teken.

Ayla trok haar wanten uit en hurkte boven een hoopje pluis van het wilgenroosje met verpulverde mest. De anderen stonden er vlakbij te wachten. Ze sloeg haar vuursteen tegen het grijze pyriet. De vonk doofde. Ze sloeg nog een keer. Het scheen te lukken. Ze sloeg weer om meer vonken op het smeulende materiaal te laten vallen en ze probeerde een vlammetje aan te blazen. Toen kwam een onverwachte windvlaag haar te hulp en de vlam sloeg eruit. Ze deed er wat talg bij om het vuur feller te laten branden en toen hielden de eerste jagers hun fakkels bij de vlammen. Ze staken elkaars fakkels aan en begonnen zich te verspreiden.

Er was geen teken afgesproken om met de drijfjacht te beginnen. Het begon langzaam met uitvallen van afzonderlijke jagers in de richting van de reusachtige beesten. Ze schreeuwden en zwaaiden met hun rokerige, bewegende vuren. Maar de meeste Mamutiërs waren ervaren mammoetjagers en ze waren gewend samen te jagen. Weldra kwam er meer onderlinge samenwerking toen de groepen drijvers aansluiting vonden en de ruige olifanten in de richting van de steenhopen begonnen te lopen.

Een grote wijfjesmammoet, de leidster van de kudde, scheen de bedoeling achter de verwarring te zien en draaide zich om. Ayla rende schreeuwend en zwaaiend met de fakkel op haar af. Ze herinnerde zich plotseling dat ze eens, in haar eentje, had geprobeerd een kudde paarden op te jagen met alleen wat rokende fakkels. Alle paarden waren ontsnapt behalve één – nee, twee, dacht ze. De zogende merrie kwam in haar valkuil terecht, maar het veulentje niet. Ze keek achterom naar Whinney.

Het krijsende getrompetter van de wijfjesmammoet overviel haar. Ze draaide zich nog op tijd om en zag dat de oude leidster naar de zwakke, onbeduidende wezens keek die de geur van het gevaar droegen. Toen begon ze in Ayla's richting te rennen. Maar deze keer was de jonge vrouw niet alleen. Ze zag dat Jondalar naast haar stond, met verscheidene anderen, meer dan het enorme dier met de slagtanden durfde aan te vallen. Ze hief haar slurf omhoog en trompetterde waarschuwend tegen het vuur, ging op de achterpoten staan en brulde nog een keer en toen trok ze zich terug.

Het stuk grond met het droge gras lag wat hoger en werd niet bereikt door het dooiwater van de gletsjer. Er hing soms mist, maar er was in geen dagen regen gevallen. Men had verder geen aandacht besteed aan de vuren die waren gebruikt om de fakkels aan te steken en aangewakkerd door de krachtige wind verspreidde het vuur zich snel door het rus en het gras. De mammoeten hadden de brand het eerst opgemerkt. Niet alleen de lucht van brandend gras, maar ook van verschroeide aarde en smeulend hout – de bekende lucht van een steppebrand, die nog bedreigender was. De oude leidster van de kudde trompetterde weer en het geluid werd versterkt door het gebrul van alle roodbruine ruige beesten, die in paniek wegvluchtten in de richting van een onbekend, maar veel groter gevaar.

Een draaiwind dreef een deken van rook in de richting van de jagers, die zich haastten om de kudde bij te houden. Ayla stond op het punt om Whinney te bestijgen. Ze keek achterom en toen ze de vuurzee zag, begreep ze de oorzaak van de paniek onder de kolossen. Ze zag nog even hoe de gretige vlammen zich knetterend een weg baanden door het veld, met spattende vonken en dichte rookwolken. Maar ze wist dat het vuur geen echte bedreiging was. Zelfs als de brand over de stukken kale rotsgrond heen kon komen, zou hij worden gekeerd door de ijsmassa. Ze zag dat Jondalar op Renner al dicht achter de vluchtende mammoeten reed en ze haastte zich om hem in te halen.

Ayla passeerde de jonge vrouw uit het kamp van Brecie en hoorde haar snelle ademhaling. Ze had het hele eind achter de grote beesten aan gerend. Het werd moeilijker voor ze om te ontkomen wanneer ze eenmaal in de val gedreven waren en de beide vrouwen glimlachten naar elkaar toen de kudde de doorgang tussen de steenhopen koos. Ayla reed door; het was nu haar beurt om ze op te jagen.

Ze zag dat er achter de steenhopen vuren begonnen te branden, opzij van en iets voor de logge reuzen. Ze wilden de fakkels niet te ver voor hen uit ontsteken, want dan liepen ze het risico dat de kudde zou uitwijken. Opeens zag ze de opening in het ijs voor zich. Ze dwong Whinney te stoppen, greep haar speren en sprong op de grond. Ze voelde de grond trillen toen de laatste mammoet de omheining binnenstormde. Ze voegde zich bij de drijvers, vlak op de hielen van een oude stier met slagtanden die over elkaar heen waren gegroeid. Bij de opening werden nog meer vuurtjes van brandbaar materiaal gestookt in een poging de angstige dieren binnen te houden. Ayla liep rustig om een vuur heen en ging de koude ruimte weer in. Het was nu geen plaats meer van zuivere schoonheid en rust. Het schelle lawaai van de mammoeten werd weerkaatst door de harde ijswanden. Het deed pijn aan je oren en werkte op je zenuwen. De spanning werd voor Ayla bijna ondraaglijk. Ze was opgewonden, maar ook een beetje bang. Ze onderdrukte haar angst en legde haar eerste speer in de groef van de speerwerper.

De wijfjesmammoet was naar het eind gelopen en zocht een uitweg voor de kudde, maar daar stond Brecie te wachten, op een blok ijs. De oude leidster van de kudde hief de slurf omhoog en trompetterde teleurgesteld terwijl de leidster van het Elandenkamp haar een speer in de open keel slingerde. De schreeuw werd gesmoord in een golf warm rood bloed die uit de bek spoot en op het koude ijs spatte.

De jonge man van Brecies kamp wierp een tweede speer. De lange, scherpe punt drong door de taaie huid en bleef diep in de onderbuik steken. Er volgde nog een speer in de zachte onderbuik, die door het gewicht van de schacht een grote gapende wond veroorzaakte. De mammoet stootte nog een gerochel van pijn uit terwijl het bloed uit de wond stroomde en de glanzende witte darmen naar buiten kwamen. Ze raakte met haar achterpoten verstrikt in haar eigen ingewanden. Toch werd er nog een speer gegooid naar het dier dat ten dode was opgeschreven, maar die raakte een rib en stootte af. De volgende vond voor de lange, dunne punt de ruimte tussen twee ribben.

De oude wijfjesmammoet zakte op de knieën, probeerde nog een keer op te staan en viel toen op haar zij. De slurf ging nog een keer omhoog in een poging om te waarschuwen en zakte vervolgens langzaam, bijna gracieus, naar de grond. Brecie tikte de dappere oude mammoet met een speer op de kop, uit respect voor haar moedige strijd en als dank aan de Grote Moeder voor het offer dat de Aardkinderen in staat stelde te overleven.

Brecie was niet de enige die bij een dappere mammoet stond en de Moeder dankte. Er hadden zich willekeurige groepjes jagers gevormd voor een gezamenlijke aanval op elk dier. Omdat er speren werden geworpen, waren ze in staat buiten bereik van de slagtanden, de slurf en de zware poten te blijven van de mammoet die ze hadden uitgekozen, maar ze moesten in de beperkte ruimte wel oppassen voor de dieren die door de andere jagers werden aangevallen. Het bloed dat uit de gewonde en stervende beesten stroomde maakte het ijs op de gedeeltelijk bevroren grond zacht. Omdat het weer bevroor, ontstonden er gladde rode plekken, die het moeilijk maakten om op de been te blijven. De ruimte tussen het ijs werd gevuld met het geschreeuw van de jagers en het gebrul van de mammoeten, dat door de glimmende wanden versterkt werd teruggekaatst.

Nadat ze even om zich heen had gekeken, ging Ayla achter een jonge stier aan die zijn zware gebogen slagtanden nog als wapen kon gebruiken. Ze zette de zware speer vast in de nieuwe werper en probeerde het juiste evenwicht te vinden. Ze herinnerde zich dat Brecie had gezegd dat de buik een van de kwetsbare plaatsen van een mammoet was en Ayla was er nog van onder de indruk hoe ze de buik van de leidster van de kudde hadden opengereten. Ze mikte en met een krachtige worp vloog het dodelijke wapen door de ijskoude ruimte. Het drong snel en zuiver de buikholte binnen. Maar zonder de onmiddellijke hulp van anderen had ze met haar machtige wapen op een dodelijker plaats moeten mikken. Een speer in de buik was niet meteen fataal. De wond was dodelijk en de stier bloedde hevig, maar de pijn maakte hem woedend en dat gaf hem de kracht zich tegen zijn aanvaller te keren. De stier trompetterde uitdagend, boog de kop en stormde op de jonge vrouw af.

Het enige voordeel voor Ayla was het grote bereik van de speerwerper. Ze liet haar speren vallen en rende naar een blok ijs. Maar haar voet gleed uit toen ze probeerde erop te klimmen. Ze kroop erachter op het moment dat de enorme mammoet zich er met al zijn kracht op wierp. Zijn enorme slagtanden braken het reusachtige brok ijs in twee stukken en duwden het achteruit, zodat Ayla klem kwam te zitten. Hij prikte gillend van pijn in het stuk ijs en probeerde het te verplaatsen om het levende wezen te pakken dat erachter zat. Opeens vlogen er twee speren snel achter elkaar door de lucht en ze troffen de dolle stier. De ene kwam in zijn hals terecht en de andere brak een rib, met zo'n enorme kracht dat hij doordrong tot het hart.

De mammoet zakte in elkaar naast de brokken ijs. Zijn bloed vormde donkerrode plassen waar de damp af kwam. Het koelde af en stolde op het koude ijs. Ayla beefde nog toen ze achter het blok vandaan kroop.

'Alles goed?' vroeg Talut, die op tijd kwam om haar overeind te helpen.

'Ja, ik geloof het wel,' zei ze, maar ze had nog wat moeite met ademhalen.

Talut pakte de speer die uit de borst van de mammoet stak, rukte hem met kracht omhoog en trok hem eruit. Er kwam nog een stroom bloed terwijl Jondalar hen naderde.

'Ayla, ik was ervan overtuigd dat hij je te pakken had!' zei Jondalar.

Hij keek buitengewoon bezorgd. 'Je had moeten wachten tot ik kwam... of een ander om je te helpen. Weet je zeker dat je niets mankeert?'

'Ja, maar ik ben erg blij dat jullie samen in de buurt waren,' zei ze. Toen zei ze glimlachend: 'De mammoetjacht kan heel spannend zijn.' Talut wierp een onderzoekende blik op haar. Het was op het nippertje. Die mammoet had haar bijna gepakt, maar ze leek niet bijzonder geschokt. Wat buiten adem en opgewonden, maar dat was normaal. Hij grijnsde en knikte. Toen bekeek hij de punt en de schacht van zijn speer. 'Ha! Die is nog goed!' zei hij. 'Met deze prikker kan ik er nog wel een pakken!' Hij mengde zich weer in de strijd.

Ayla volgde met haar ogen het grote stamhoofd, maar Jondalar bleef naar haar kijken. Zijn hart bonsde nog van angst. Hij had haar bijna verloren! Die mammoet had haar bijna gedood! Haar capuchon was van haar hoofd gegleden en haar haar zat in de war. Haar ogen schitterden van opwinding. Ze had een kleur en ze ademde snel. Ze was mooi in haar opwinding en dat had onmiddellijk een overweldigende uitwerking op hem.

Zijn mooie vrouw, dacht hij. Zijn bewonderenswaardige, opwindende Ayla, de enige vrouw die hij ooit had liefgehad. Wat had hij moeten doen wanneer hij haar had verloren? Hij voelde dat hij een erectie kreeg. Zijn angst bij de gedachte dat hij haar kon verliezen en zijn liefde wekten zijn behoefte op en hij voelde een sterk verlangen om haar vast te houden. Hij wou haar hebben. Hij verlangde sterker naar haar dan ooit tevoren. Hij had haar meteen kunnen nemen, hier op de koude, bloederige vloer van de ijskoude ruimte.

Ze keek hem aan en zag zijn blik. Ze voelde de onweerstaanbare aantrekkingskracht van zijn ogen, die zo blauw waren als het ijs in de berg, maar veel warmer. Hij wou haar hebben. Ze wist dat hij haar wou hebben, en zij verlangde naar hem met een vuur dat haar verteerde en niet geblust kon worden. Ze hield meer van hem dan ze ooit voor mogelijk had gehouden. Ze stak haar armen uit, verlangend naar zijn kus, zijn aanraking en zijn liefde.

'Talut heeft het me net verteld!' zei Ranec, die snel naar hen toe kwam. Er klonk angst in zijn stem. 'Is dat de stier?' Hij stond versteld. 'Weet je zeker dat je niets mankeert, Ayla?'

Ayla keek Ranec even niet-begrijpend aan en toen zag ze Jondalars blik verduisteren terwijl hij zich terugtrok. Toen drong de betekenis van Ranecs vraag tot haar door.

'Nee, ik mankeer niets, Ranec. Alles is goed,' zei Ayla, maar ze wist niet of ze dat wel meende. Allerlei gedachten schoten door haar heen terwijl ze zag hoe Jondalar zijn speer uit de hals van de mammoet rukte en wegliep. Ze bleef hem nakijken.

Ze is mijn Ayla niet meer en dat is mijn eigen schuld, dacht Jondalar. Opeens herinnerde hij zich wat er op de steppe was gebeurd toen hij de eerste keer op Renner reed, en de wroeging en schaamte die erna waren gekomen. Hij wist hoe erg dat was geweest en toch had hij het weer kunnen doen. Ranec was een betere man voor haar. Hij had haar de rug toegekeerd en toen had hij haar verkracht. Hij verdiende haar niet. Hij had gehoopt dat hij het onvermijdelijke zou kunnen accepteren en dat hij Ayla misschien eens zou vergeten wanneer hij naar zijn volk terugkeerde. Hij was zelfs in staat om tot op zekere hoogte vriendschappelijk met Ranec om te gaan. Maar nu wist hij dat de pijn nooit zou verdwijnen wanneer hij Ayla zou verliezen, hij zou er nooit overheen komen.

Hij zag een laatste mammoet staan, een jonge die op de een of andere manier aan de slachting was ontkomen. Jondalar gooide zijn speer met zo'n enorme kracht naar het dier dat het op de knieën zakte. Toen verliet hij stilletjes de ijskoude ruimte. Hij moest weg, hij wou alleen zijn. Hij liep door tot hij wist dat hij buiten het gezicht van de overige jagers was. Toen sloeg hij de handen voor zijn gezicht. Hij knarsetandde en probeerde zich te beheersen. Hij liet zich op de grond vallen en sloeg met zijn vuisten op de aarde.

'O Doni,' schreeuwde hij en hij probeerde zijn pijn en verdriet kwijt te raken. 'Ik weet dat het mijn schuld is. Ik heb haar de rug toegekeerd en haar afgestoten. Het was niet alleen jaloezie. Ik schaamde me voor mijn liefde. Ik was bang dat ze niet goed genoeg zou zijn voor mijn volk, bang dat ze niet zou worden geaccepteerd en dat ik door haar zou worden uitgestoten. Maar dat kan me nu niet meer schelen. Ik ben degene die niet goed genoeg is voor haar, maar ik houd van haar. O Grote Moeder, ik houd van haar en ik wil haar hebben. Doni, wat verlang ik naar haar! Andere vrouwen betekenen niets voor mij. Ik kom er met lege handen vandaan. Doni, ik wil haar terug. Ik weet dat het nu te laat is, maar ik wil mijn Ayla terug.'

36

Talut was nooit meer in zijn element dan bij het slachten van mammoeten. Hij zweette overdadig en met ontbloot bovenlichaam zwaaide hij met zijn enorme bijl alsof het een stuk kinderspeelgoed was. Hij kraakte botten en ivoor, hakte pezen door en sneed dwars door de taaie huid. Hij genoot van het werk en omdat hij wist dat hij zijn volk ermee hielp, had hij er plezier in zijn sterke lichaam te gebruiken en het werk voor een ander wat minder zwaar te maken. Hij grijnsde van genoegen, terwijl hij zijn krachtige spieren gebruikte op een manier die voor een ander onmogelijk was en iedereen die hem bezig zag moest ook glimlachen.

Er waren echter heel wat mensen voor nodig om de dikke huiden van de enorme dieren te verwijderen. Dat zou ook zo zijn bij het bewerken en kleuren van de huiden, wanneer ze weer terug waren. Ook het meenemen van de huiden vereiste een gezamenlijke inspanning en daarom zochten ze alleen de beste uit. Dat gold ook voor alle andere delen van de reusachtige dieren, van de slagtanden tot de staarten. Ze waren buitengewoon kritisch bij de keuze van het vlees en zochten alleen de beste bouten uit, waarbij ze de voorkeur gaven aan de vette stukken. De rest lieten ze liggen.

Maar de verspilling was minder groot dan het leek. De Mamutiërs moesten alles op hun rug dragen en het vervoer van een slechte kwaliteit mager vlees kostte hun meer calorieën dan ze ervoor terugkregen. Door een nauwkeurige selectie zou het vlees dat ze meebrachten aan veel mensen gedurende lange tijd voedsel verschaffen en ze hoefden niet zo gauw weer op jacht te gaan. Degenen die jaagden en er voor hun voedsel afhankelijk van waren, doodden niet zonder noodzaak. Ze maakten er een verstandig gebruik van. Ze leefden in nauw contact met de Grote Aardmoeder en ze wisten dat ze van Haar afhankelijk waren. Ze verspilden Haar hulpbronnen niet.

Het bleef opvallend helder weer terwijl de jagers aan het slachten waren en dat veroorzaakte flinke temperatuurverschillen tussen dag en nacht. Zelfs zo dicht bij de grote gletsjer kon het overdag aardig warm worden in de stralende zomerzon – warm genoeg om in de sterk drogende wind nog wat van het magere vlees geschikt te maken om mee te nemen. Maar 's nachts was het ijs weer heer en meester. Op de dag van hun vertrek draaide de wind. In het westen kwamen wolken opzetten en het werd merkbaar kouder.

Ayla's paarden waren nog nooit zo gewaardeerd als toen ze ging laden voor de terugreis. Elke jager maakte zijn vracht klaar en begreep onmiddellijk het voordeel van de pakdieren. De slee trok bijzondere belangstelling. De twee palen lagen gekruist boven de schoften en de andere einden sleepten licht over de grond met de lading ertussen. Verscheidenen hadden zich afgevraagd waarom Ayla beslist die lange palen mee wou hebben; het waren duidelijk geen speren. Nu knikten ze goedkeurend. Een van de mannen pakte bij wijze van grap een gedeeltelijk beladen slee en sleepte hem zelf weg.

Ze stonden vroeg op omdat ze graag terug wilden, maar de halve morgen was om voor ze onderweg waren. In het begin van de middag beklommen de jagers een lange, smalle heuvel van zand, grind en keien, die daar lang geleden was neergelegd door de voorste begrenzing van de gletsjer, die toen verder zuidwaarts lag. Toen ze de afgeplatte top van de rug hadden bereikt, rustten ze even en toen Ayla omkeek, zag ze de gletsjer voor het eerst op afstand, vrij van mist. Ze kon er niet genoeg van krijgen. De doorlopende ijsbarrière strekte zich uit over het land zo ver ze kon zien, zo hoog als een gebergte. Hij lag te glanzen in de zon met in het westen een paar wolken die de bovenste rand wat verduisterden. Het was een grens die niemand kon passeren. Het moest het eind van de aarde zijn.

De voorkant was ruw met plaatselijke oneffenheden en een klim naar de top zou aan het licht hebben gebracht dat er daar boven inzinkingen en richels waren, ijstorens en spleten, die naar menselijke maatstaven heel groot waren, maar in verhouding tot de afmetingen van de barrière toonde het oppervlak weinig hoogteverschil. Het overtrof ieders voorstellingsvermogen, maar de enorme, meedogenloze gletsjer bedekte een kwart van het aardoppervlak met een glinsterende ijskorst. Toen ze weer vertrokken, bleef Ayla achteromkijken en ze zag dat de bewolking uit het westen kwam opzetten en het ijs mysterieus in de mist verdween.

Ondanks hun zware bepakking schoten ze sneller op dan op de heenreis. Ieder jaar veranderde het landschap tijdens de winter dusdanig dat de route, zelfs naar bekende plaatsen, opnieuw moest worden ontdekt. Maar de weg naar de noordelijke gletsjer en terug was nu bekend. Iedereen was in een opperbeste stemming door de geslaagde jacht en men wou graag snel terug naar de Bijeenkomst. Niemand scheen gebukt te gaan onder een last, behalve Ayla. Het voorgevoel dat ze op hun weg naar het noorden had gehad, kwam op de terugreis nog sterker terug, maar ze wou niet over haar bange vermoedens praten.

De beeldhouwer was zo ongeduldig dat hij zich nauwelijks kon beheersen. Dat kwam grotendeels door de voortdurende belangstelling van Vincavec voor Ayla, hoewel hij ook een vaag gevoel had dat de problemen dieper zaten. Maar hij had nog altijd Ayla's Belofte en ze droegen het vlees voor het Verbintenisfeestmaal. Ook Jondalar scheen de verbintenis te hebben geaccepteerd en hoewel het niet openhartig was besproken, had Ranec het gevoel dat de grote man aan zijn kant stond tegenover Vincavec. De man van de Zelandoniërs had veel bewonderenswaardige eigenschappen en er ontwikkelde zich een begin van vriendschap. Niettemin voelde Ranec de aanwezigheid van Jondalar onbewust als een bedreiging voor zijn verbintenis met Ayla en het kon wel eens een obstakel zijn voor zijn volmaakt geluk. Ranec zou blij zijn als hij eindelijk vertrok.

Ayla keek helemaal niet uit naar de Verbintenisceremonie, hoewel ze wist dat dat wel zo zou moeten zijn. Ze wist hoeveel Ranec van haar hield en ze geloofde dat ze wel gelukkig met hem kon worden. Het idee een baby te krijgen als die van Tricie stemde haar blij. Ayla was er voor zichzelf van overtuigd dat Ralev een kind van Ranec was. Het had niets te maken met het mengen van geesten. Ze was er zeker van dat hij het kind met zijn eigen wezen had verwekt toen hij met Tricie het Genot had gedeeld. Ayla mocht de vrouw met het rode haar erg graag en ze had medelijden met haar. Ze vond het niet erg om Ranec en de vuurplaats met haar en Ralev te delen als Tricie dat wou.

Alleen in het holst van de nacht durfde Ayla toe te geven dat ze misschien niet minder gelukkig zou zijn wanneer ze helemaal niet in Ranecs vuurplaats ging wonen. Ze had het tijdens de reis over het algemeen vermeden om bij hem te slapen, op een paar keer na toen hij bijzonder behoefte aan haar scheen te hebben, niet lichamelijk, maar omdat hij haar nabijheid zocht en zekerheid. Op de terugweg had ze het niet kunnen opbrengen om met Ranec te vrijen. Ze kon 's nachts in haar bed alleen aan Jondalar denken. Dezelfde vragen hielden haar voortdurend bezig, maar ze kon geen besluit nemen.

Als ze dacht aan de jacht, toen ze ternauwernood aan de stier ontsnapte, en aan Jondalars blik vol verlangen, vroeg ze zich af of hij toch nog van haar hield. Waarom had hij zich de hele winter dan zo op een afstand gehouden? Waarom was hij opgehouden Genot met haar te delen? Waarom had hij de Mammoetvuurplaats verlaten? Ze moest denken aan die dag op de steppe toen hij voor het eerst op Renner reed. Toen ze aan zijn verlangen en zijn behoefte dacht en hoe zij hem met begeerte had ontvangen, kon ze niet meer slapen, zo verlangde ze naar hem, maar de herinnering werd vertroebeld door zijn afwijzende houding en haar gevoelens van smart en verwarring.

Na een bijzonder lange dag en een late maaltijd was Ayla bij de eersten die opstonden van het vuur en naar de tent gingen. Ze had Ranecs hoopvolle, stilzwijgende verzoek om bij hem te slapen met een glimlach afgewimpeld en gezegd dat ze moe was na de tocht van die dag en toen ze zijn teleurstelling zag voelde ze zich niet prettig. Maar ze was inderdaad moe en onzeker wat haar gevoelens betrof. Voor ze de tent in ging, zag ze Jondalar nog bij de paarden staan. Hij stond met de rug naar haar toe en zonder dat ze het wou, werd ze geboeid door zijn figuur en de manier waarop hij zich bewoog. Ze kende hem zo goed dat ze hem wel kon herkennen aan zijn schaduw, dacht ze. Toen merkte ze dat haar lichaam ook onbedoeld op hem had gereageerd. Ze ademde sneller en ze kreeg een kleur. Ze voelde zich zo tot hem aangetrokken dat ze naar hem toe wou gaan.

Maar het heeft geen zin, dacht ze. Als ik naar hem toe zou gaan om met hem te praten, zou hij zich toch terugtrekken, zich verontschuldigen en dan iemand anders zoeken om mee te praten. Ayla ging de tent in, nog vol van de gevoelens die hij bij haar had opgewekt en ze kroop tussen de vachten.

Ze was moe geweest, maar nu kon ze niet slapen. Ze draaide zich voortdurend om en probeerde haar verlangen naar hem te loochenen. Wat mankeerde er aan haar? Hij scheen haar niet te willen hebben, waarom zou zij hem dan willen hebben? Maar waarom keek hij haar dan soms op die manier aan? Waarom had hij haar dan zo graag willen hebben die keer op de steppe? Het was net of hij zo sterk door haar werd aangetrokken dat hij er niets aan kon doen. Toen flitste er een gedachte door haar heen. Misschien werd hij wel net zo door haar aangetrokken als zij door hem, maar misschien wou hij dat niet. Was dat misschien al die tijd het probleem geweest?

Ze voelde dat ze weer een kleur kreeg, maar deze keer van verdriet. Nu ze erover nadacht, leek het opeens allemaal duidelijk, dat ontwijken en dat weglopen van haar. Was het omdat hij niet wílde dat hij haar wou hebben? Als ze dacht aan al die keren dat ze had geprobeerd hem te benaderen, met hem te praten, hem te begrijpen terwijl hij haar alleen maar wou mijden, voelde ze zich vernederd. Hij wil me niet, dacht ze. Niet zoals Ranec. Jondalar heeft gezegd dat hij van me hield en toen we in de vallei waren heeft hij het erover gehad dat hij me zou meenemen, maar hij heeft me nooit gevraagd een verbintenis met hem aan te gaan. Hij heeft nooit gezegd dat hij een vuurplaats met me wou delen of dat hij mijn kinderen wilde.

Ayla voelde hete tranen in haar ooghoeken. Waarom zou ik me iets van hem aantrekken als hij niet echt om me geeft? Ze snikte en veeg- de met de rug van haar hand haar ogen af. Al die tijd dat ik aan hem heb gedacht en hem wou hebben, wou hij me alleen maar vergeten. Ranec wil me wel hebben en hij laat me ook genieten. En hij is zo aar- dig tegen me. Hij wil een vuurplaats met me delen en ik ben niet eens zo lief voor hem geweest. En hij maakt ook leuke baby's, tenminste Tricies baby is leuk. Ik geloof dat ik maar eens wat aardiger tegen Ra- nec moet zijn en Jondalar uit mijn hoofd moet zetten, dacht ze. Maar bij die gedachte kwamen de tranen weer en wat ze ook probeerde, ze kon de gedachte niet van zich afzetten die diep uit haar binnenste kwam. Ja, Ranec is lief voor me, maar Ranec is Jondalar niet en ik houd van Jondalar.

Ayla lag nog wakker toen de mensen de tent in kwamen. Ze zag Jon- dalar door de ingang komen. Hij keek aarzelend in haar richting. Ze keek even in zijn richting. Toen stak ze haar kin omhoog en wendde haar blik af. Op dat moment kwam Ranec binnen. Ze ging rechtop zitten en glimlachte tegen hem.

'Ik dacht dat je moe was. Daarom ging je zo vroeg naar bed,' zei de beeldhouwer.

'Dat dacht ik ook, maar ik kon niet slapen. Ik denk dat ik toch maar liever bij je kom slapen,' zei ze.

Als de zon had geschenen, was hij verduisterd door Ranecs glimlach.

'Het is maar goed dat er niets is dat mij wakker kan houden wanneer ik moe ben,' zei Talut met een opgewekte grijns terwijl hij op zijn bed ging zitten om zijn laarzen los te maken. Maar Ayla zag wel dat Jon- dalar niet glimlachte. Hij had zijn ogen dicht, maar dat verborg niet de trek van verdriet op zijn gezicht en zijn houding op weg naar zijn slaapplaats drukte nederlaag uit. Opeens draaide hij zich om en hij haastte zich de tent weer uit. Ranec en Talut wisselden een blik, maar toen keek de donkere man naar Ayla.

Toen ze bij het moeras kwamen, besloten ze een weg eromheen te zoe- ken. Hun vracht was te zwaar om er weer doorheen te worstelen. De ivoren kaart van vorig jaar werd geraadpleegd en ze besloten de vol- gende morgen een andere richting te kiezen. Talut was er zeker van dat de lange weg eromheen niet meer tijd zou kosten, hoewel het hem enige moeite kostte Ranec te overtuigen, die zich niet kon neerleggen bij een vertraging.

De vorige avond, toen ze besloten de andere route te nemen, had Ayla zich buitengewoon gespannen gevoeld. De paarden waren de hele dag ook al schichtig geweest en zelfs de extra aandacht bij het borstelen en roskammen had ze niet op hun gemak gesteld. Er was iets niet in orde. Ze wist niet wat het was en had alleen een vreemd, onrustig gevoel. Ze liep de open steppe op en probeerde zich te ontspannen. Ze zwierf bij het kamp vandaan.

Haar oog viel op een koppel sneeuwhoenders. Ze wou haar slinger pakken, maar die was ze vergeten. Opeens vlogen ze, zonder duidelijke reden, in paniek op. Toen verscheen er een steenarend boven de horizon. Hij scheen niet veel haast te hebben, want hij bewoog zijn vleugels bedrieglijk langzaam, gebruikmakend van de luchtstroom. Toch haalde de arend de laagvliegende hoenders veel sneller in dan ze besefte. In een snelle duik greep de arend zijn slachtoffer met de sterke klauwen en hij kneep het sneeuwhoen dood.

Ayla huiverde en ze haastte zich terug naar het kamp. Ze bleef lang op en probeerde afleiding te vinden door met de mensen te praten. Maar toen ze naar bed ging, kon ze maar moeilijk in slaap komen en werd ze geplaagd door nare dromen. Ze werd vaak wakker en tegen het aanbreken van de dag kon ze niet meer slapen. Ze gleed haar bed uit, liep naar buiten en legde een vuur aan om water te koken.

Terwijl het licht begon te worden, nam ze een teugje van haar ochtendthee. Ze keek in gedachten naar een dunne stengel met een droog bloemscherm die dicht bij het vuur stond. Boven het vuur was een driepoot van speren geplaatst. Bovenin hing nog een stuk koud mammoetvlees, buiten het bereik van de dieren. Ze herkende de plant en toen ze een gebroken tak met een scherpe punt zag liggen, gebruikte ze die als graafstok om de wortel op te graven. Toen zag ze nog een aantal droge bloemschermen en terwijl ze de wortels uitgroef, zag ze wat distels staan die knapperig en sappig waren wanneer de doorns werden verwijderd. Niet ver van de distels vond ze een grote witte stuifzwam die nog vers was en daglelies met frisse jonge knoppen. Tegen de tijd dat de anderen opstonden, hing er een grote pot soep, gebonden met graan, te sudderen.

'Dit is heerlijk!' zei Talut, die voor de tweede keer opschepte met een ivoren lepel. 'Hoe kwam je op het idee om vanmorgen zo'n heerlijk ontbijt klaar te maken?'

'Ik kon niet slapen en toen zag ik al die planten in de buurt. Het was ook een goede... afleiding,' zei ze.

'Ik heb geslapen als een beer in de winter,' zei Talut. 'Hij bekeek haar nog eens goed en zou wel willen dat Nezzie er was. 'Zit je iets dwars, Ayla?'

Ze schudde het hoofd. 'Nee... Nou, ja. Maar ik weet niet wat het is.'

'Ben je ziek?'

'Nee, dat is het niet. Ik heb alleen een... vreemd gevoel. De paarden hebben het ook. Renner is moeilijk te leiden en Whinney is onrustig...'

Opeens liet Ayla haar kom vallen, sloeg de armen om zichzelf heen alsof ze zich wou beschermen en staarde angstig naar het zuidoosten. 'Talut! Kijk!' In de verte steeg een donkere rookkolom op en de hemel werd verduisterd door een enorme donkere wolk. 'Wat is dat?'

'Ik weet het niet,' zei het stamhoofd. Hij keek al net zo angstig als zij zich voelde. 'Ik zal Vincavec halen.'

'Ik weet het ook niet.' Ze draaiden zich om toen ze de stem van de getatoeëerde man hoorden. 'Het komt uit de bergen in het zuidoosten.' Vincavec deed zijn best om zijn kalmte te bewaren. Er werd van hem niet verwacht dat hij angst toonde, maar het was niet gemakkelijk. 'Het moet een teken van de Moeder zijn.'

Ayla was ervan overtuigd dat er een vreselijke ramp gebeurde wanneer de aarde met zo'n kracht iets uitbraakte. De grauwe kolom moest ontzettend groot zijn als hij van zo'n afstand zo duidelijk te zien was en de angstaanjagende, kolkende wolk werd steeds groter. Hij werd door een hoge wind naar het westen gedreven.

'Het is de melk van Doni's Borst,' zei Jondalar, die ongemerkt een woord uit zijn eigen taal gebruikte. Iedereen stond nu buiten en keek met grote ogen naar de beangstigende uitbarsting en de enorme wolk gloeiende vulkanische as.

'Wat betekent... dat woord dat je zei?' vroeg Talut.

'Het is een berg, een bijzondere berg die spuit. Ik heb er een gezien toen ik nog heel jong was,' zei Jondalar. 'Wij noemen ze de "Borsten van de Moeder". Oude Zelandoniërs hebben ons het verhaal verteld. Die ik heb gezien lag ver weg in het binnenland. Later heeft een man, die op reis was en er dichterbij kwam, ons verteld wat hij had gezien. Het was een spannend verhaal, maar hij was wel geschrokken. Na een paar lichte aardbevingen was de top van de berg er zomaar af gevlogen. Er kwam ook zo'n hevige uitbarsting met een grote zwarte wolk. Maar het is geen gewone wolk. Hij zit vol fijn stof, het lijkt wel as.' Hij maakte een gebaar naar de reusachtige zwarte wolk die naar het westen dreef. 'Die daar schijnt van ons af te drijven. Ik hoop dat de wind niet draait. Wanneer die as naar beneden komt, wordt alles bedekt en soms onder een dikke laag.'

'Het moet ver weg zijn,' zei Brecie. 'We kunnen hiervandaan de bergen niet eens zien en je merkt niets, geen gerommel en geen trillingen van de grond. Alleen die hevige uitbarsting en de grote donkere wolk.'

'Daarom zal het wel meevallen, ook wanneer hier wat as naar beneden komt. We zitten er ver genoeg vandaan.'

'Je zei dat er aardbevingen waren? Aardbevingen zijn altijd tekens van de Moeder. Dan moet dit er ook een zijn. De mamuti zullen hierover moeten nadenken en proberen de betekenis te begrijpen,' zei Vincavec, die niet de schijn wilde wekken dat hij er minder van wist dan de vreemde.

Ayla hoorde bijna alleen het woord 'aardbeving'. Er was niets waar ze zo bang voor was als voor aardbevingen. Toen ze vijf jaar was, was de aarde gescheurd en had ze haar familie verloren en later, toen Broud haar uit de Stam had gestoten, was Creb omgekomen bij een aardbeving. Aardbevingen waren altijd een voorbode geweest voor een vreselijk groot verlies, een verandering die pijn veroorzaakte. Ze kon zich maar nauwelijks beheersen.

Toen meende ze een bekende beweging te zien. Het volgende ogenblik rende er iets grijs op haar af en sprong tegen haar op. Ze voelde twee natte, modderige poten op haar borst en een ruwe tong op haar wang. 'Wolf! Wolf! Wat moet jij hier?' zei ze, terwijl ze met haar hand door zijn nekharen streek. Toen hield ze, vreselijk geschrokken, op en riep: 'O, nee! Er is iets met Rydag! Wolf is me komen halen voor Rydag! Ik moet weg. Ik moet onmiddellijk weg!'

'Je zult de sleden en de vrachten van de paarden achter moeten laten en terug moeten rijden,' zei Talut. Het was duidelijk te zien dat het hem ook verdriet deed. Rydag was net zo goed de zoon van zijn vuurplaats als de andere kinderen van Nezzie en het stamhoofd hield van hem. Als het had gekund, wanneer hij niet zo zwaar was, had Ayla hem aangeboden om op Renner met haar mee te gaan.

Ze rende de tent in om zich te verkleden en ze zag Ranec. 'Er is iets met Rydag,' zei ze.

'Ik weet het. Ik heb je net gehoord. Laat me je even helpen. Ik zal je wat eten en water meegeven. Heb je je slaapzak nodig? Die zal ik ook inpakken,' zei hij terwijl hij haar laarzen dichtbond.

'O, Ranec,' zei Ayla. Hij was zo goed voor haar. 'Hoe kan ik je bedanken!'

'Het is mijn broer, Ayla.'

Natuurlijk, dacht ze. Ranec houdt ook van hem. 'Het spijt me, ik kan niet goed meer nadenken. Wil je mee? Ik dacht eraan om Talut te vragen, maar hij is te zwaar om op Renner te rijden. Maar jij zou wel mee kunnen.'

'Ik? Op een paard? Nooit!' zei Ranec, die duidelijk schrok en een stap achteruit deed.

Ayla fronste de wenkbrauwen. Het was haar nooit opgevallen dat hij zo afwijzend tegenover de paarden stond, maar bij nader inzien wist ze wel dat hij een van de weinigen was die haar nooit hadden gevraagd een ritje te mogen maken. Ze vroeg zich af waarom niet.

'Ik zou geen flauw idee hebben hoe ik hem moest leiden en... ik ben bang dat ik eraf zou vallen, Ayla. Jij gaat je gang maar, en het is een van de dingen die ik in je bewonder, maar ik zal nooit op een paard rijden,' zei Ranec. 'Ik blijf liever met mijn voeten op de grond. Ik heb zelfs een hekel aan boten.'

'Maar er moet iemand met haar mee. Ze kan niet alleen,' zei Talut, die vlak bij de ingang stond.

'Dat gebeurt ook niet,' zei Jondalar. Hij had zijn reiskleding al aan en stond bij Whinney met Renners tuig in de hand.

Ayla slaakte een zucht van verlichting en toen fronste ze de wenkbrauwen. Waarom ging hij met haar mee? Hij wou nooit ergens alleen met haar heen. Hij gaf niet echt om haar. Ze was blij dat hij meeging, maar ze was niet van plan het te zeggen. Ze had zich al te vaak vernederd.

Terwijl ze Whinney de draagmanden opbond, zag ze dat Wolf water dronk uit Ranecs bord. Hij had ook een stuk vlees opgeschrokt.

'Bedankt dat je hem wat hebt gegeven, Ranec,' zei ze.

'Dat ik niet op een paard wil rijden betekent nog niet dat ik niet van dieren houd, Ayla,' zei de beeldhouwer, die het gevoel had dat zijn reputatie werd aangetast. Hij had niet willen zeggen dat hij te bang was om op een paard te rijden.

Ze knikte glimlachend. 'Tot ziens in het Wolvenkamp,' zei Ayla. Ze omhelsden en kusten elkaar. Ayla vond dat hij haar bijna te vurig vasthield. Voor ze opsteeg omhelsde ze Talut en Brecie ook en ze wreef haar wang langs die van Vincavec. De wolf liep meteen achter Whinney aan.

'Ik hoop dat Wolf niet te moe is, nu hij helemaal hierheen is gerend,' zei Ayla.

'Als hij moe wordt, kan hij bij jou op Whinney zitten,' zei Jondalar, die op Renner zat en probeerde de onrustige hengst in bedwang te houden.

'Dat is zo. Daar had ik niet aan gedacht.'

'Pas goed op haar, Jondalar,' zei Ranec. 'Wanneer ze zich zorgen maakt over een ander vergeet ze op zichzelf te passen. Ik wil haar goed gezond zien op onze Verbintenisceremonie.'

'Ik zal goed op haar passen. Maak je geen zorgen. Er zal haar niets mankeren wanneer je haar meeneemt naar je vuurplaats,' antwoordde Jondalar.

Ayla keek van de een naar de ander en die blik zei meer dan woorden konden doen.

Ze reden flink door tot het middaguur. Toen stopten ze om te rusten en wat te eten van het voedsel dat ze hadden meegenomen. Ayla was zo ongerust over Rydag dat ze liever was doorgereden, maar de paarden hadden hun rust nodig. Ze vroeg zich af of hij Wolf zelf had gestuurd. Dat was wel waarschijnlijk. Ieder ander had een man gestuurd. Alleen Rydag kon veronderstellen dat Wolf verstandig genoeg was om de boodschap te begrijpen en haar spoor zou volgen om haar te vinden. Maar hij had het niet gedaan als het niet heel belangrijk was.

De beroering in het zuidoosten beangstigde haar. De grote uitbarsting was voorbij, maar de wolk hing er nog en breidde zich uit. De vrees voor vreemde bewegingen van de aarde zat er zo diep in dat ze helemaal uit haar doen was. Alleen haar allesoverheersende bezorgdheid om Rydag gaf haar de kracht zich te beheersen.

Maar ondanks al haar angsten was Ayla zich heel goed bewust van Jondalars aanwezigheid. Ze was bijna vergeten hoe blij ze kon zijn met zijn gezelschap. Ze had ervan gedroomd om samen met hem op Whinney en Renner te rijden, zonder anderen erbij, behalve Wolf. Terwijl ze rustten bekeek ze hem heimelijk, met de vaardigheid van een vrouw van de Stam, die onopvallend kon kijken zonder gezien te worden. Als ze alleen maar naar hem keek, kreeg ze al een warm gevoel en het verlangen dicht bij hem te zijn, maar nu ze sinds kort zijn onverklaarbaar gedrag scheen te begrijpen en ze zich niet bij hem wou opdringen als hij dat niet wenste, werd ze ervan weerhouden haar belangstelling te tonen. Als hij haar niet nodig had, had zij hem ook niet nodig, ze was althans niet van plan hem te laten merken dat het anders was.

Jondalar keek ook naar haar en zocht een manier om met haar te praten, om haar te vertellen hoeveel hij van haar hield en te proberen haar weer voor zich te winnen. Maar ze leek hem te ontwijken, ze keek hem niet aan. Hij wist hoe ongerust ze over Rydag was – hij vreesde zelf het ergste – en hij wou zich niet aan haar opdringen. Hij wist niet of het wel het juiste moment was om over zijn persoonlijke gevoelens te praten en na al die tijd wist hij ook niet precies hoe hij moest beginnen. Onder het rijden had hij de wildste visioenen, om niet eens te stoppen bij het Wolvenkamp en met haar door te rijden, misschien wel helemaal naar zijn volk. Maar hij begreep dat dat onmogelijk was. Rydag had haar nodig en ze had Ranec haar Belofte gedaan. Zij zouden een verbintenis aangaan. Waarom zou ze met hem mee willen?

Ze rustten niet lang. Zodra Ayla vond dat de paarden lang genoeg hadden gerust, reden ze weer verder. Maar ze hadden nog niet lang gereden toen ze iemand zagen aankomen. Hij begroette hen al op een afstand en toen ze dichterbij kwamen, zagen ze dat het Ludeg was, die hun de boodschap had gebracht dat de Zomerbijeenkomst op een andere plaats werd gehouden.

'Ayla! Jou moet ik hebben. Nezzie heeft me gestuurd om je te halen. Ik ben bang dat ik slecht nieuws voor je heb. Rydag is ernstig ziek,' zei Ludeg. Toen keek hij om zich heen. 'Waar zijn de anderen?'

'Ze zijn onderweg. Toen we merkten wat er aan de hand was, zijn we meteen vooruitgegaan,' zei Ayla.

'Maar hoe konden jullie dat weten? Ik ben de enige boodschapper die is uitgestuurd,' zei Ludeg.

'Nee,' zei Jondalar. 'Jij bent de enige menselijke boodschapper, maar wolven lopen sneller.'

Opeens zag Ludeg de jonge wolf. 'Hij is niet met jullie meegegaan op jacht, hoe is Wolf daar dan gekomen?'

'Ik denk dat Rydag hem heeft gestuurd,' zei Ayla. 'Hij vond ons aan de andere kant van het moeras.'

'Dat is maar goed ook,' voegde Jondalar eraan toe. 'Je had de jagers wel eens kunnen missen. Ze hebben besloten op de terugweg om het moeras heen te trekken. Je kunt met die zware last beter op droge grond blijven.'

'Dus ze hebben mammoeten gevonden. Goed zo, daar zal iedereen blij om zijn,' zei Ludeg. Toen keek hij Ayla aan. 'Ik denk dat je maar beter kunt opschieten. Het is een geluk dat jullie al zo dichtbij zijn.'

Ayla voelde het bloed uit haar gezicht wegtrekken.

'Wil je mee terugrijden, Ludeg?' vroeg Jondalar voor ze wegreden. 'Er kunnen er twee op een paard.'

'Nee. Jullie moeten opschieten. Jullie hebben me al een lange tocht bespaard. Ik vind het niet erg om terug te lopen.'

Ayla zette Whinney de hele weg terug tot spoed aan. Voor iemand wist dat ze terug was, was ze van het paard af en de tent in.

'Ayla! Daar ben je al! Je hebt het gehaald, Ik was bang dat je te laat zou komen,' zei Nezzie. 'Ludeg moet wel snel hebben gereisd.'

'Ludeg heeft ons niet gevonden, maar Wolf,' zei Ayla die haar anorak uitgooide en snel naar Rydags bed liep.

Ze moest even haar ogen dichtdoen om van de schrik te bekomen. De stand van zijn kaak en de trek op zijn gezicht zeiden haar duidelijker dan wat ook dat hij vreselijke pijn leed. Hij was bleek en had donkere kringen om de ogen. Zijn jukbeenderen en wenkbrauwbogen staken scherp naar voren. Iedere ademhaling kostte hem inspanning en bezorgde hem pijn. Ze keek op en zag Nezzie naast het bed staan.

'Wat is er gebeurd, Nezzie?' Ze probeerde voor hem haar tranen te bedwingen.

'Ik wou dat ik het wist. Het ging goed met hem en toen opeens kreeg hij die pijn. Ik heb alles geprobeerd wat je had gezegd en ik heb hem de medicijnen gegeven. Het hielp allemaal niets,' zei Nezzie.

Ayla voelde een zwak tikje op haar arm. 'Ik ben blij dat je bent gekomen,' gebaarde de jongen.

Waar had ze dat eerder gezien? Die inspanning om iets duidelijk te maken met een lichaam dat te zwak was om zich te bewegen? Iza. Zo was ze toen ze stierf. Ayla was toen juist teruggekeerd van een lange reis en een lang verblijf op de Stambijeenkomst. Maar deze keer was ze alleen maar op mammoetjacht geweest. Ze waren niet zo lang weggebleven. Wat was er met Rydag gebeurd? Hoe kon hij zo snel zo ernstig ziek worden? Of was hij al een hele tijd langzaam achteruitgegaan?'

'Jij hebt Wolf gestuurd, nietwaar?' vroeg Ayla.

'Ik wist dat hij jullie zou vinden. Wolf is slim.'

Toen sloot Rydag zijn ogen en Ayla moest haar blik afwenden en haar ogen sluiten. Het deed haar verdriet om zijn zwoegende ademhaling en zijn pijn te zien.

'Wanneer heb je voor het laatst medicijnen gehad?' vroeg Ayla toen hij zijn ogen opende en ze hem aan kon kijken.

Rydag schudde voorzichtig het hoofd. 'Helpt niet. Niets helpt.'

'Wat bedoel je, niets helpt. Jij bent geen medicijnvrouw. Hoe weet je dat? Ik ben de enige die dat kan weten,' zei Ayla, die probeerde het overtuigend en positief te doen klinken.

Hij schudde het hoofd weer. 'Ik weet het.'

'Kom, ik zal je onderzoeken, maar eerst wil ik wat medicijnen voor je halen,' zei Ayla, meer omdat ze bang was dat ze zich tegenover Rydag niet langer goed kon houden. Hij raakte haar hand aan toen ze weg wou gaan.

'Niet weggaan.' Hij sloot zijn ogen weer en ze zag hem machteloos worstelen om lucht te krijgen. 'Wolf hier?' gebaarde hij ten slotte.

Ayla floot en het bleek opeens onmogelijk voor iemand om hem buiten de tent te houden, wie het ook was. Wolf was er al. Hij sprong bij de jongen op bed en probeerde zijn gezicht te likken. Rydag glimlachte. Het was voor Ayla bijna te veel, die glimlach op een gezicht van de Stam. Het was zo typisch Rydag. Het uitgelaten jonge dier kon wel eens te veel voor hem zijn. Ayla gaf hem een teken dat hij moest gaan liggen. 'Ik stuurde Wolf. Had Ayla nodig,' gebaarde Rydag. 'Ik wil...'

Hij scheen het woord niet te kennen in gebarentaal.

'Wat wil je, Rydag?' vroeg Ayla en ze probeerde hem te helpen.

'Hij heeft geprobeerd om het mij te vertellen,' zei Nezzie. 'Maar ik begreep hem niet. Ik hoop dat jij het begrijpt. Het schijnt heel belangrijk voor hem te zijn.'

Rydag sloot zijn ogen. Hij trok een wenkbrauw omhoog en Ayla kreeg de indruk dat hij zich iets probeerde te herinneren.

'Durc heeft geluk. Hij... hoort. Ayla, ik wil... Mog-ur.'

Hij deed zo zijn best en het kostte hem zoveel moeite, maar Ayla kon alleen proberen hem te begrijpen. 'Mog-ur?' De jongen reageerde niet. 'Je bedoelt een man van de geestenwereld?' vroeg Ayla.

Rydag knikte met nieuwe moed. Maar de uitdrukking op Nezzies gezicht was ondoorgrondelijk. 'Is dat het wat hij me probeerde uit te leggen?' vroeg de vrouw.

'Ja, ik denk het,' zei Ayla. 'Lost het iets op?'

Nezzie knikte en probeerde haar woede te verbijten. 'Ik weet wat hij wil. Hij wil geen dier zijn, hij wil naar de wereld van de geesten. Hij wil worden begraven... als een mens.'

Nu knikte Rydag instemmend.

'Natuurlijk,' zei Ayla. 'Hij is een mens.' Ze keek stomverbaasd.

'Nee, dat is hij niet. Hij is nooit tot de Mamutiërs gerekend. Ze wilden hem niet accepteren. Ze zeiden dat hij een dier was,' zei Nezzie.

'Je bedoelt dat hij geen begrafenis kan krijgen? Dat hij niet naar de geestenwereld kan? Wie zegt dat?' Ayla's ogen fonkelden van woede.

'De Mammoetvuurplaatsen,' zei Nezzie. 'Ze willen het niet toestaan.'

'Zo, en ben ik geen dochter van de Mammoetvuurplaats? Ik sta het wél toe!' zei Ayla.

'Dat zal niet helpen. Mamut zou het ook wel willen. De Mammoetvuurplaatsen moeten het eens zijn en dat is niet zo,' zei Nezzie.

Rydag had hoopvol geluisterd, maar nu verflauwde zijn hoop weer. Ayla zag zijn teleurstelling en ze werd bozer dan ze ooit was geweest.

'De Mammoetvuurplaatsen hoeven het er niet mee eens te zijn. Zij zijn niet degenen die de beslissing nemen of iemand een mens is of niet. Rydag is een mens. Hij is net zomin een dier als mijn zoon. De Mammoetvuurplaatsen kunnen hun begrafenis houden. Hij heeft ze niet nodig. Als het zover komt, zal ik het doen, op de manier van de Stam, zoals ik het voor Creb heb gedaan, de Mog-ur. Rydag zal naar de wereld van de geesten gaan, met of zonder de goedkeuring van de Mammoetvuurplaatsen!'

Nezzie wierp een blik op de jongen. Hij scheen zich nu te ontspannen. Nee, ze zag een vredige trek op zijn gezicht. De spanning was weg. Hij raakte Ayla's arm aan.

'Ik ben geen dier,' gebaarde hij.

Hij leek nog iets te willen zeggen. Ayla wachtte. Toen besefte ze opeens dat ze niets meer hoorde, geen moeilijke poging meer om te ademen. Hij had geen pijn meer.

Maar Ayla wel. Ze keek op en zag Jondalar staan. Hij had daar steeds gestaan en ze zag aan zijn gezicht dat hij net zo gepijnigd werd door verdriet als zij en Nezzie. Opeens sloegen ze de armen om elkaar heen en probeerden bij elkaar troost te vinden.

Toen gaf nog iemand blijk van zijn verdriet. Van de vloer, onder Rydags bed klonk een zacht gejank en gekef dat overging in en aanzwol tot Wolfs eerste doordringend gehuil. Toen hij geen adem meer had, begon hij opnieuw. Hij jankte het verdriet uit om zijn verlies, op de onmiskenbare, angstaanjagende manier van een wolf. Er verzamelden zich mensen aan de ingang van de tent om te kijken, maar ze aarzelden om binnen te komen. Ook de drie die werden overspoeld door hun eigen verdriet luisterden verbaasd. Jondalar dacht bij zichzelf dat niemand, mens of dier, een aangrijpender of indrukwekkender klaagzang kon wensen.

Na de eerste tranen van smart ging Ayla stil naast het magere lichaampje zitten. Ze liet haar tranen de vrije loop. Ze staarde voor zich uit en dacht aan haar leven bij de Stam, aan haar zoon en aan de eerste keer dat ze Rydag zag. Ze had van Rydag gehouden. Hij was voor haar net zoveel gaan betekenen als Durc en in zekere zin had hij zijn plaats ingenomen. Hoewel haar haar zoon was afgenomen, had Rydag haar de gelegenheid gegeven meer over hem te weten te komen, hoe hij waarschijnlijk opgroeide en volwassen werd, hoe hij eruit zou zien en hoe zijn gedachten waren. Als ze lachte om Rydags vriendelijke humor of blij was met zijn scherpzinnigheid en intelligentie, kon ze zich voorstellen dat Durc ook zo was. Nu was Rydag er niet meer en nu was ze ook haar zwakke schakel met Durc kwijt. Ze treurde om allebei.

Nezzies verdriet was niet minder groot, maar de levenden stelden ook hun eisen. Rugie klom op haar schoot. Ze was verward en verbijsterd dat haar speelkameraadje, vriend en broer, niet meer kon spelen en ook geen woorden meer kon maken met zijn handen. Danug lag languit op zijn bed te snikken, met zijn hoofd onder een vacht en iemand moest het toch Latie gaan vertellen.

'Ayla? Ayla,' zei Nezzie ten slotte, 'wat moeten we doen als we hem willen begraven zoals bij de Stam gebeurt? We zullen toch voorbereidingen moeten treffen.'

Het duurde even voor het tot Ayla doordrong dat iemand iets tegen haar zei. Ze fronste de wenkbrauwen en keek Nezzie aan. 'Wat?'

'We moeten voorbereidingen treffen voor zijn begrafenis. Wat moeten we doen? Ik weet niets van begrafenissen bij de Stam.'

Nee, daar weet niet een van de Mamutiërs iets van, dacht ze. De Mammoetvuurplaatsen zeker niet. Maar zij wel. Ze dacht aan de begrafenissen die ze bij de Stam had gezien en overwoog wat er voor Rydag moest worden gedaan. Voor hij kan worden begraven zoals het bij de Stam gebeurt, moet hij tot de Stam behoren. Dat betekent dat hij een naam en een amulet moet hebben met een stukje rode oker erin. Ayla ging opeens staan en ze haastte zich naar buiten.

Jondalar ging haar achterna. 'Waar ga je heen?'

'Als Rydag tot de Stam moet behoren, moet ik een amulet voor hem maken,' zei ze. Ayla liep met opgeheven hoofd het kamp door. Het was duidelijk te zien dat ze zich ergerde. Ze keek recht voor zich uit toen ze de Mammoetvuurplaats passeerde en liep rechtstreeks naar de ruimte van de steenkloppers. Jondalar volgde. Hij had wel een vermoeden wat ze ging doen. Ze vroeg om een vuursteenknol, die niemand haar durfde te weigeren. Vervolgens keek ze om zich heen en vond een klopsteen. Ze maakte wat ruimte om te werken.

Toen ze, op de manier van de Stam, de steen begon te bewerken en de Mamutiërs in de gaten kregen waar ze mee bezig was, werden ze nieuwsgierig en kwamen ze om haar heen staan, al hielden ze een eerbiedige afstand in acht. Niemand wou haar boosheid doen toenemen, maar het was een zeldzame gelegenheid om dit te zien. Jondalar had al eens geprobeerd de techniek van de Stam uit te leggen nadat Ayla's achtergrond algemeen bekend was geworden, maar zijn opleiding was anders geweest. Hij miste de nodige beheersing van het materiaal om hun methode toe te passen. Ook als het hem lukte, dachten ze dat het zijn eigen vaardigheid was en niet de ongewone werkwijze.

Ayla besloot om twee afzonderlijke stukken gereedschap te maken, een scherp mes en een puntige priem, en ze mee te nemen naar het

Kattenstaartkamp om de amulet te maken. Ze slaagde erin een bruikbaar mes te maken, maar ze was zo boos en verdrietig dat haar handen trilden. Bij haar eerste poging om een dunne scherpe punt aan de priem te maken, brak ze hem en toen ze zag dat er heel wat mensen stonden te kijken werd ze zenuwachtig. Bij de tweede poging brak hij weer. Ze kreeg het gevoel dat de Mamutische steenbewerkers zich een oordeel wilden vormen over het gereedschapmaken bij de Stam en dat ze het niet goed deed. Tranen van ergernis en teleurstelling rolden haar over de wangen. Ze probeerde ze weg te vegen, maar opeens zat Jondalar op zijn knieën voor haar.

'Heb je dit nodig, Ayla?' vroeg hij en hij hield de scherpe priem omhoog die ze speciaal had gemaakt voor het Lentefeest.

'Dat is een stuk gereedschap van de Stam! Hoe kom je daar... Die heb ik gemaakt!' zei ze.

'Dat weet ik. Ik ben die dag teruggegaan en heb hem gehaald. Ik hoop dat je het niet erg vindt.'

Ze was stomverbaasd, maar ook blij. 'Nee, ik vind het niet erg. Ik ben er blij om, maar waarom deed je dat?'

'Ik wou... hem bekijken,' antwoordde hij. Hij kon er niet toe komen te zeggen dat hij hem wilde hebben als herinnering aan haar als hij zonder haar weg zou gaan. Hij wou niet zonder haar weg.

Ze nam haar gereedschap mee naar het Kattenstaartkamp en vroeg Nezzie om een stukje zacht leer. Ze gaf het haar en keek toe hoe Ayla het eenvoudige zakje maakte.

'Het lijkt wat minder goed afgewerkt, maar dat gereedschap is heel goed te gebruiken,' merkte Nezzie op. 'Waar is dat zakje voor?'

'Dat is Rydags amulet, zoals ik er een heb gemaakt voor het Lentefeest. Ik moet er een stukje rode oker in doen en hem een naam geven zoals de Stam het doet. Hij zou ook een totem moeten hebben, om hem te beschermen op zijn weg naar de wereld van de geesten.' Ze wachtte even en trok een wenkbrauw op. 'Ik weet niet wat Creb deed om de totem van iemand te ontdekken, maar het was altijd goed... Misschien kan ik mijn totem met Rydag delen. De Holenleeuw is een krachtige totem, soms moeilijk om mee te leven, maar hij werd al vele keren beproefd. Rydag verdient een sterke totem, die hem beschermt.'

'Kan ik iets doen? Moet ik hem kleden?' vroeg Nezzie.

'Ja, ik wil ook graag helpen,' zei Latie. Ze stond bij de ingang met Tulie.

'En ik ook,' voegde Mamut eraan toe.

Ayla keek op en zag dat bijna het hele Leeuwenkamp klaarstond om te helpen en wachtte op een aanwijzing van haar. Alleen de jagers ontbraken. Ze kreeg een warm gevoel voor deze mensen die een vreemd weeskind hadden opgenomen en geaccepteerd als een van hen en ze maakte zich terecht kwaad over de leden van de Mammoetvuurplaatsen die hem niet eens een begrafenis wilden geven.

'Ja, eerst kan iemand wat rode oker halen en het fijnmaken, zoals Deegie doet om leer te kleuren. Dan mengen met wat gesmolten vet om er een balsem van te maken. Daar moet hij helemaal mee worden ingesmeerd. Voor een echte Stambegrafenis zou het vet van de Holenbeer moeten zijn. De Holenbeer is heilig voor de Stam.'

'Wij hebben geen vet van de Holenbeer,' zei Tornec.

'Er zijn hier niet veel Holenberen,' voegde Manuv eraan toe.

'Waarom geen mammoetvet, Ayla?' stelde Mamut voor. 'Rydag behoorde niet alleen tot de Stam, hij was gemengd. Hij was voor een deel ook Mamutiër en voor ons is de mammoet heilig.'

'Ja, ik denk dat we dat wel kunnen gebruiken. Hij was ook Mamutiër. Dat moeten we niet vergeten.'

'En welke kleren moet hij aan, Ayla?' vroeg Nezzie. 'Hij heeft de nieuwe kleren die ik dit jaar voor hem heb gemaakt nog niet eens gedragen.'

Ayla dacht even na, toen knikte ze instemmend. 'Waarom niet? Als hij met rode oker is gekleurd zoals de Stam dat doet, kan hij zijn beste kleren aanhebben, zoals de Mamutiërs doen bij begrafenissen. Ja, ik vind dat een goed idee, Nezzie.'

'Ik had nooit gedacht dat rode oker ook een heilige kleur bij hun begrafenissen zou zijn,' zei Frebec.

'Ik wist niet eens dat ze hun doden begroeven,' zei Crozie.

'De Mammoetvuurplaatsen blijkbaar ook niet,' zei Tulie. 'Ze zullen wel verbaasd zijn.'

Ayla vroeg Deegie om een van de houten schalen die ze haar bij de adoptie had gegeven. Hij was gemaakt zoals men dat bij de Stam deed en ze gebruikte hem om de rode oker en het mammoetvet te mengen tot een gekleurde balsem. Maar de drie oudste vrouwen van het Leeuwenkamp, Nezzie, Crozie en Tulie, smeerden hem in en kleedden hem. Ayla zette een beetje rode balsem opzij voor later en deed een stuk rode oker in het zakje dat ze had gemaakt.

'Wat moeten we om hem heen doen?' vroeg Nezzie. 'Moet er niet iets om hem heen, Ayla?'

'Ik weet niet wat dat betekent,' zei Ayla.

'Wij gebruiken een huid of een vacht of iets anders om hem naar buiten te dragen en die slaan we om hem heen voor hij in het graf wordt gelegd,' legde Nezzie uit.

Dat was weer een Mamutisch gebruik, begreep Ayla, maar het leek haar toe dat het al meer op een begrafenis van de Mamutiërs dan van de Stam begon te lijken, nu hij zo mooi werd gekleed en met al die sieraden. De drie vrouwen keken vol verwachting. Ze keek Tulie aan en toen Nezzie. Ja, misschien had Nezzie wel gelijk. Ze moesten iets hebben om hem te dragen, een soort deken of een vacht. Toen keek ze Crozie aan.

Ze had er al een tijd niet meer aan gedacht, maar opeens schoot haar iets te binnen, de cape van Durc. De cape die ze had gebruikt om haar zoon te dragen toen hij nog een zuigeling was en later als kleuter. Het was het enige wat ze van de Stam had meegenomen zonder dat ze er een speciale bedoeling mee had. Maar tijdens de vele eenzame nachten had Durcs cape haar nog een gevoel gegeven verbonden te zijn met de enige plaats waar ze geborgenheid had gekend en met de mensen die ze had liefgehad. Hoeveel nachten had ze met die cape geslapen? Erin gehuild? Hem in haar armen gehad? Het was het enige wat ze van haar zoon had en ze wist niet of ze er afstand van kon doen, maar had ze hem echt nodig? Was ze van plan om de cape haar hele leven bij zich te houden?

Ayla zag dat Crozie weer naar haar keek en ze herinnerde zich de witte cape die Crozie voor haar zoon had gemaakt. Ze had hem vele jaren bewaard omdat hij zoveel voor haar betekende. Maar ze had hem afgestaan voor een goed doel, om Renner te beschermen. Was het niet belangrijker voor Rydag om in iets gewikkeld te worden dat afkomstig was van de Stam, op zijn reis naar de geestenwereld, dan voor haar om Durcs cape steeds mee te nemen? Crozie had ten slotte de herinnering aan haar zoon losgelaten. Misschien was voor haar ook de tijd gekomen om Durc los te laten en gewoon dankbaar te zijn dat hij meer dan een herinnering was.

'Ik heb iets om hem in te wikkelen,' zei Ayla. Ze haastte zich naar haar slaapplaats en trok onder uit een stapel een opgevouwen huid en sloeg hem uit. Ze hield het zachte, soepele leer van de cape van haar zoon nog een keer in gedachten tegen haar wang en sloot de ogen. Toen liep ze terug en gaf hem aan Rydags moeder.

'Hier is een omslag,' zei ze tegen Nezzie, 'een omslag van de Stam. Hij is van mijn zoon geweest. Nu zal hij Rydag helpen in de geestenwereld. En bedankt, Crozie,' voegde ze eraan toe.

'Waarom moet je mij bedanken?'

'Voor alles wat je voor me hebt gedaan en omdat je me hebt geleerd dat alle moeders eens afstand moeten doen.'

'Hmm!' bromde de oude vrouw en ze probeerde streng te kijken, maar haar ogen werden vochtig. Nezzie nam de cape van Ayla aan en legde hem over Rydag.

Het was inmiddels donker geworden. Ayla was van plan geweest om in de tent een eenvoudige plechtigheid te houden, maar Nezzie vroeg haar tot de volgende morgen te wachten om de plechtigheid buiten te houden, zodat iedereen op de Bijeenkomst kon zien dat Rydag een mens was. Misschien waren de jagers dan ook terug. Niemand wou dat Talut en Ranec Rydags begrafenis zouden missen, maar ze konden niet te lang wachten.

Tegen het eind van de volgende morgen droegen ze het lichaam naar buiten en legden het op de cape. Er hadden zich al veel mensen verzameld en er kwamen er nog meer. Men had gehoord dat Ayla Rydag een platkopbegrafenis zou geven en iedereen was benieuwd. Ze had het schaaltje met rode balsem en de amulet bij zich en ze was begonnen de Geesten op te roepen, zoals Creb altijd deed. Toen hoorde ze een hele drukte. Tot grote opluchting van Nezzie waren de jagers teruggekeerd en ze hadden al het mammoetvlees meegebracht. Ze hadden om beurten de twee sleden getrokken en al plannen gemaakt om sleden te maken die mensen gemakkelijker zouden kunnen trekken.

De plechtigheid werd uitgesteld tot het mammoetvlees was opgeslagen en Talut en Ranec was verteld wat er was gebeurd. Maar ze hadden er geen bezwaar tegen dat het snel gebeurde. De dood van het kind van gemengde afkomst op de Zomerbijeenkomst van de Mamutiërs plaatste velen voor een waar dilemma. Hij was een gruwel genoemd en een dier, maar dieren werden niet begraven; hun vlees werd opgeslagen. Alleen mensen werden begraven en ze hielden er niet van om daar lang mee te wachten. Hoewel de Mamutiërs er niet veel voor voelden om Rydag de menselijke status toe te kennen, wisten ze ook wel dat hij eigenlijk geen dier was. Niemand eerde de geest van platkoppen zoals die van herten, bizons of mammoeten en niemand was bereid om Rydags lichaam naast de karkassen van de mammoeten te leggen. Hij was een gruwel, juist omdat ze iets menselijks in hem zagen, maar ze keken erop neer en weigerden het te erkennen. Ze waren blij dat Ayla en het Leeuwenkamp het lichaam van Rydag opruimden op een manier die het probleem leek op te lossen.

Ayla ging op een heuveltje staan om weer met de plechtigheid te beginnen. Ze probeerde zich de gebaren te herinneren die Creb bij dit onderdeel gebruikte. Ze wist niet precies wat ze allemaal betekenden, want ze werden alleen aan Mog-urs geleerd, maar ze kende de algemene strekking en de bedoeling wel en ze legde het uit voor het Leeuwenkamp en de andere Mamutiërs die stonden te kijken.

'Ik roep nu de Geesten op,' zei ze. 'De Geest van de Grote Holenbeer, de Holenleeuw, de Mammoet, al de andere en de oergeesten ook, van de Wind, de Mist en de Regen.' Toen pakte ze het schaaltje. 'Nu ga ik hem zijn naam geven en hem deel van de Stam maken,' zei ze en ze doopte haar vinger in de rode balsem. Ayla trok een streep over zijn voorhoofd tot aan zijn neus. Toen ging ze staan en zei met gebaren en woorden: 'De naam van de jongen is Rydag.'

Ze had iets over zich, de klank van haar stem, haar gelaatsuitdrukking terwijl ze zich de juiste gebaren en bewegingen probeerde te herinneren, zelfs haar vreemde uitspraak, dat de mensen boeide. Het verhaal dat ze op het ijs had gestaan en de mammoeten had geroepen, had snel de ronde gedaan. Niemand twijfelde eraan dat deze dochter van de Mammoetvuurplaats het volste recht had om deze plechtigheid te leiden, of welke plechtigheid ook, of ze nu een Mamut-tatoeëring had of niet.

'Nu heeft hij zijn naam gekregen op de manier zoals het bij de Stam gebeurt,' legde Ayla uit, 'maar hij moet ook een totem hebben, die hem helpt om de wereld van de geesten te vinden. Ik ken zijn totem niet, dus zal ik mijn totem met hem delen, de Geest van de Holenleeuw. Het is een heel krachtige, beschermende totem, maar hij is het waard.'

Vervolgens maakte ze Rydags magere rechterbeentje bloot en trok met de rode balsem vier evenwijdige lijnen op zijn dij. Toen stond ze op en zei, in woorden en gebaren: 'Geest van de Holenleeuw, de jongen Rydag is aan je bescherming toevertrouwd.' Vervolgens liet ze het koord met de amulet om zijn hals glijden. 'Rydag heeft nu een naam en is door de Stam aangenomen,' zei ze en ze hoopte vurig dat het zo was.

Ayla had een plaats gekozen op enige afstand van het kamp en het Leeuwenkamp had van het Wolvenkamp toestemming gekregen Rydag daar te begraven. Nezzie wikkelde het stijve lichaampje in Durcs cape. Vervolgens tilde Talut de jongen op en droeg hem naar de plek waar hij zou worden begraven. Hij schaamde zich niet voor zijn tranen toen hij Rydag in het ondiepe graf legde.

De mensen van het Leeuwenkamp gingen om de kuil staan en keken toe hoe een aantal dingen bij hem in het graf werd gelegd. Nezzie zette wat voedsel naast hem neer. Latie legde zijn lievelingsfluitje erbij. Tronie bracht een ketting van botjes en wervels van herten die hij de afgelopen winter had gebruikt als hij de baby's en kleine kinderen van het Leeuwenkamp bezighield. Dat deed hij het liefst, omdat hij zich dan nuttig kon maken. Toen dribbelde, geheel onverwacht, Rugie naar het graf en liet haar lievelingspop erin vallen.

Op een teken van Ayla pakte iedereen van het Leeuwenkamp een steen en legde die voorzichtig op de kleine gestalte in de cape. Dat was het begin van de steenhoop op zijn graf. Toen begon Ayla met de begrafenisceremonie. Ze probeerde niets meer uit te leggen. De bedoeling leek duidelijk genoeg. Ze gebruikte dezelfde gebaren die ze zich herinnerde van Creb bij Iza's begrafenis en die ze had gebruikt ter ere van Creb toen ze hem onder het puin van de grot had gevonden. Ayla's bewegingen gaven inhoud aan een begrafenisritueel dat veel ouder was dan de aanwezigen konden weten en mooier dan ze zich hadden voorgesteld.

Ze gebruikte niet de vereenvoudigde gebarentaal die ze het Leeuwenkamp had geleerd. Dit was de ingewikkelde, rijke taal van de Stam, waarbij de bewegingen en houdingen van het hele lichaam een betekenis hadden. Hoewel veel van de gebaren alleen voor ingewijden te begrijpen waren – ook Ayla kende niet altijd de betekenis – waren er ook gebaren bij die het Leeuwenkamp wel kende. Ze begrepen de essentie, dat het een ritueel was om iemand naar een andere wereld te sturen. Voor de rest van de Mamutiërs leken de bewegingen van Ayla een mysterieuze dans, met veel expressie, vol verschillende hand- en armbewegingen, houdingen en gebaren. In haar stille gratie drukte ze de liefde en het verlies uit, het verdriet en de mythische hoop van de dood.

Jondalar was overweldigd door verdriet. Hij liet zijn tranen de vrije loop, net als alle anderen van het Leeuwenkamp. Toen hij haar mooie dans zag, moest hij denken aan die keer in haar vallei – het leek nu zo lang geleden – toen ze ook met hetzelfde soort sierlijke bewegingen had geprobeerd hem iets te vertellen. Hoewel hij niet begreep dat het een taal was, had hij toen ook een diepere betekenis gevoeld achter haar expressieve gebaren. Nu hij er meer van wist, was hij verbaasd omdat er nog zoveel was dat hij niet begreep, hoe mooi hij Ayla's bewegingen ook vond.

Hij herinnerde zich nog de houding die ze had aangenomen toen ze elkaar voor het eerst ontmoetten, in kleermakerszit, met gebogen hoofd wachtend op een tikje op haar schouder. Ook later, toen ze kon praten, gebruikte ze die houding soms nog. Het had hem altijd in verlegenheid gebracht, vooral toen hij wist dat het een gebaar van de Stam was, maar ze had hem verteld dat het haar manier was om iets te zeggen waar ze geen woorden voor wist. Hij moest er even om glimlachen. Het was nauwelijks te geloven dat ze niet had kunnen praten toen hij haar voor het eerst ontmoette. Nu sprak ze twee talen vloeiend: Zelandonisch en Mamutisch, drie, wanneer hij de taal van de

Stam meetelde. Ze had ook wat opgepikt van de taal van de Sungaea in de korte tijd dat ze bij hen was.

Terwijl hij haar het Stamritueel zag uitvoeren, kwamen de herinneringen aan de vallei en hun liefde en hij verlangde meer naar haar dan hij ooit naar iets had verlangd. Maar Ranec stond vlak bij haar en hij was net zo onder de indruk van haar. Telkens als Jondalar naar haar keek, moest hij de man met de donkere huid ook wel zien. Vanaf het moment dat hij was aangekomen had Ranec zijn best gedaan om bij haar in de buurt te blijven en hij liet Jondalar duidelijk merken dat haar Belofte aan hem nog altijd bestond. En Ayla leek zo afstandelijk, zo moeilijk te bereiken. Hij had een paar keer geprobeerd met haar te praten, blijk te geven van zijn verdriet, maar na die eerste momenten van gezamenlijke smart leek ze geen behoefte te hebben aan zijn pogingen om haar te troosten. Hij vroeg zich af of hij het zich eerst had verbeeld. Wat kon hij anders verwachten nu ze zo van streek was?

Opeens hoorden ze getrommel en iedereen keek waar het geluid vandaan kwam. Marut was naar het Muziekhuis gegaan en had zijn trommel, die van een mammoetschedel was gemaakt, gehaald. Bij begrafenissen van Mamutiërs werd gewoonlijk muziek gespeeld, maar de geluiden die hij maakte hadden niet het gebruikelijke ritme van de Mamutiërs. Het was het onbekende, boeiende ritme van de Stam, dat Ayla hem had geleerd. Toen begon de muzikant Manen, met de baard, de simpele fluittonen te spelen die zij had gefloten. De muziek paste op onverklaarbare wijze bij de bewegingen van de vrouw, die een ritueel danste dat net zo ijl was als het geluid van de muziek.

Ayla was bijna klaar met het ritueel, maar ze besloot het te herhalen omdat ze klanken van de Stam speelden. De tweede keer begonnen de muzikanten te improviseren. Met hun kennis en vaardigheid veranderden ze de eenvoudige klanken van de Stam in iets anders, dat niet van de Stam was en ook niet van de Mamutiërs, maar een mengsel van beide. Volmaakte muziek, dacht Ayla, bij de begrafenis van een jongen van gemengde afkomst.

Ayla deed nog een laatste herhaling met de muzikanten en ze wist niet precies wanneer bij haar de tranen kwamen, maar ze zag wel dat ze niet de enige was. Er waren veel betraande ogen en niet alleen van mensen van het Leeuwenkamp.

Toen ze na de derde keer ophield, begon een dikke, zwarte wolk uit het zuidoosten de zon te verduisteren. Het was de tijd voor onweersbuien en sommige mensen zochten een schuilplaats, maar in plaats van water daalde er een lichte stofregen neer. Toen werd de vulkanische as van de eruptie dichter.

Ayla stond bij Rydags graf en ze voelde de vederlichte vulkanische as op haar neerkomen, op haar haren, haar schouders, haar armen en haar wenkbrauwen, zelfs op haar wimpers. Ze veranderde in een lichtgrijze gestalte. Alles werd bedekt door het fijne stof: het graf, het gras en ook de bruine modder van het pad. Boomstammen en struiken kregen allemaal dezelfde tint. Er kwam ook een laagje op de mensen die bij het graf stonden en voor Ayla begonnen ze er allemaal eender uit te zien. Bij zulke ontzagwekkende krachten als het bewegen van de aarde en de dood verdwenen alle verschillen.

37

'Dit spul is verschrikkelijk!' klaagde Tronie terwijl ze een deken uit-
sloeg aan de rand van een greppel, waardoor er nog meer as opsteeg.
'We zijn al dagen aan het schoonmaken, maar het zit in het eten, in
het water, de kleren en de bedden. Het zit overal in en je raakt het niet
kwijt.'
'We moeten eens een goede regenbui hebben,' zei Deegie, die wat water weggooide dat ze had gebruikt om de buitenkant van de tent te
wassen. 'Of een goede sneeuwstorm. Dan was het opgelost. Met zo'n
zomer zou je uitkijken naar de winter.'
'Dat wil ik wel geloven,' zei Tronie grijnzend terwijl ze haar zijdelings
bekeek. 'Maar ik denk dat dat komt doordat je dan je verbintenis
bent aangegaan en bij Branag woont.'
Er kwam een gelukzalige glimlach op Deegies gezicht toen ze aan het
komende feest dacht. 'Dat wil ik niet ontkennen, Tronie,' zei ze.
'Is het waar dat de Mammoetvuurplaatsen het erover hebben gehad
om de Verbinteniscceremonie uit te stellen in verband met die asre-
gen?' vroeg Tronie.
'Ja, en ook de Riten voor de aanstaande vrouwen, maar iedereen was
erop tegen. Ik weet dat Latie niet wil wachten, en ik ook niet. Ze hebben ten slotte toegegeven. Ze willen niet meer onenigheid. Heel wat
mensen vonden dat ze ongelijk hadden wat Rydags begrafenis betreft,' zei Deegie.
'Maar sommigen waren het wel met hen eens,' zei Fralie, die met een
mand vol as naderde. Ze gooide hem leeg in de greppel. 'Wat ze ook
hadden besloten, er was altijd wel iemand geweest die het er niet mee
eens was.'
'Ik denk dat je bij Rydag had moeten wonen om het te begrijpen,' zei
Tronie.
'Ik weet het niet,' zei Deegie. 'Hij heeft een hele tijd bij ons gewoond,
maar ik heb hem nooit helemaal als een mens beschouwd, tot Ayla
kwam.'
'Ik geloof niet dat zij net zo verlangend uitkijkt naar de Verbintenisce-

remonie als jij, Deegie,' zei Tronie. 'Ik vraag me af of er iets met haar is. Is ze ziek?'

'Dat geloof ik niet,' zei Deegie. 'Waarom?'

'Ze gedraagt zich niet zoals je zou verwachten. Ze bereidt zich wel voor, maar ik krijg niet de indruk dat ze ernaar uitkijkt. Ze krijgt veel geschenken en zo, maar ze lijkt me niet gelukkig. Ze zou net zo moeten zijn als jij. Telkens wanneer iemand het woord "verbintenis" gebruikt, begin jij te glimlachen en dan krijg je zo'n dromerige blik in je ogen.'

'Niet iedereen kijkt op dezelfde wijze uit naar de verbintenis,' zei Fralie.

'Ze voelde zich erg nauw betrokken bij Rydag,' merkte Deegie op. 'En ze heeft er net zoveel verdriet van als Nezzie. Als hij een Mamutiër was geweest, was de Verbinteniscaremonie waarschijnlijk uitgesteld.'

'Ik vind het ook erg van Rydag en ik mis hem – hij was zo lief voor Hartal,' zei Tronie. 'We vinden het allemaal erg, hoewel hij zoveel pijn had dat het een uitkomst was. Ik geloof dat Ayla iets anders dwarszit.'

Ze zei er niet bij dat ze vanaf het begin haar twijfels had gehad over een verbintenis van Ayla met Ranec. Er was geen reden om erover te beginnen, maar ondanks Ranecs gevoelens voor haar meende Deegie nog steeds dat Ayla meer voor Jondalar voelde, hoewel ze hem de laatste tijd scheen te negeren. Ze zag de grote Zelandoniër de tent uit komen en naar het midden van het kamp lopen. Hij leek in gedachten verzonken.

Jondalar knikte terug naar mensen die hem groetten terwijl hij passeerde, maar hij had zijn hoofd er niet bij. Was het inbeelding of ontweek Ayla hem echt? Nadat hij al die tijd had geprobeerd uit haar buurt te blijven, kon hij niet geloven dat ze hem ontweek nu hij met haar wou praten. Ondanks haar Belofte aan Ranec had hij altijd ergens het gevoel gehad dat hij maar naar haar toe hoefde te gaan om haar terug te krijgen. Niet dat hij de indruk had dat zij zo naar hem verlangde, maar ze leek wel bereid om te praten. Dat leek nu niet meer zo te zijn. Hij had besloten dat de enige manier om erachter te komen zou zijn naar haar toe te gaan, maar het viel niet mee om haar op een moment en een plaats te treffen waar ze konden praten.

Hij zag Latie op hem af komen. Hij glimlachte en bleef staan om haar te bekijken. Ze liep heel zelfverzekerd en glimlachte vol zelfvertrouwen naar de mensen die haar groetten. Dat is een heel verschil, dacht hij. Hij was altijd verbaasd als hij de verandering zag die de Eerste Ri-

ten brachten. Latie was geen kind meer, en ook geen nerveus giechelend meisje. Hoewel ze nog jong was, had ze de zelfverzekerde houding van een vrouw.

'Hallo, Jondalar,' zei ze glimlachend.

'Hallo, Latie. Je kijkt zo blij.' Een mooie jonge vrouw, dacht hij bij
zichzelf en hij glimlachte. Zijn blik drukte zijn gevoelens uit. Ze hield
de adem in en reageerde met grote ogen op zijn onbewuste uitnodiging.

'Dat ben ik ook. Ik kreeg er genoeg van om steeds op dezelfde plaats
te moeten blijven. Dit is de eerste keer dat ik weer alleen weg kan... of
met wie ik maar wil.' Ze kwam wat dichterbij terwijl ze hem aankeek.
'Waar ga je heen?'

'Ik zoek Ayla. Heb jij haar gezien?'

Latie zuchtte en toen glimlachte ze weer vriendelijk.

'Ja, ze heeft een poosje op Tricies baby gepast. Mamut zoekt haar
ook.'

'Je moet het hun niet allemaal kwalijk nemen, Ayla,' zei Mamut. Ze
zaten buiten, in de schaduw van een grote elzenstruik. 'Verscheidenen
waren het er niet mee eens – ik ook niet.'

'Ik neem het jou niet kwalijk, Mamut. Ik weet niet of ik het iemand
kwalijk neem, maar waarom begrijpen ze het niet? Waarom haten de
mensen hem zo?'

'Misschien omdat ze zien hoeveel we op elkaar lijken, dus zoeken ze
naar verschillen.' Hij wachtte even en vervolgde: 'Je moet voor morgen naar de Mammoetvuurplaats gaan, Ayla. Eerder kun je geen verbintenis aangaan. Je bent de laatste, weet je.'

'Ja, dat zal wel moeten,' zei Ayla.

'Je weifelende houding geeft Vincavec hoop. Hij heeft me vandaag
weer gevraagd of ik dacht dat je zijn aanbod in overweging wilde nemen. Hij zei dat hij met Ranec wou praten en hem ook in zijn vuurplaats wou opnemen wanneer je je Belofte niet wou breken. Zijn aanbod zou je Bruidsprijs aanzienlijk verhogen en jullie allemaal een zeer
hoge status geven. Wat zou jij ervan vinden, Ayla? Zou je Vincavec en
Ranec beiden accepteren?'

'Vincavec heeft zoiets gezegd tijdens de jacht. Ik zou met Ranec moeten praten om te zien wat hij ervan vindt,' zei Ayla.

Mamut vond dat ze voor beide mogelijkheden opvallend weinig enthousiasme toonde. Het was geen goed moment voor een verbintenis
nu ze nog zo'n verdriet had, maar met al die aanbiedingen en belangstelling was het moeilijk om uitstel te adviseren. Hij zag dat ze opeens

werd afgeleid en hij draaide zich om om te zien waar ze naar keek. Jondalar kwam in hun richting. Ze leek nerveus en maakte aanstalten om snel weg te gaan, maar ze kon het gesprek met Mamut niet zo abrupt afbreken.

'Daar ben je dan, Ayla. Ik heb je overal gezocht. Ik zou graag met je willen praten.'

'Ik ben nu met Mamut bezig,' zei ze.

'Ik geloof dat we klaar zijn. Als je met Jondalar wilt praten...' zei Mamut.

Ayla keek naar de grond en toen naar de oude man, terwijl ze Jondalars bezorgde blik ontweek en ze zei zachtjes: 'Ik geloof niet dat we elkaar iets te zeggen hebben, Mamut.'

Jondalar voelde het bloed uit zijn gezicht wegtrekken en toen werd hij vuurrood. Ze ontweek hem! Ze wou niet eens met hem praten. 'Eh... Nou, eh... Het spijt me dat ik jullie heb lastiggevallen,' zei hij en hij trok zich terug. Vervolgens haastte hij zich om weg te komen en hij zou willen dat hij zich ergens kon verbergen.

Mamut bekeek haar aandachtig. Ze keek Jondalar na toen hij wegging en haar blik was nog bezorgder dan de zijne. Hij schudde het hoofd, maar hij zag ervan af om erover te praten toen ze samen terugliepen naar het Leeuwenkamp.

Toen ze dichterbij kwamen, zag Ayla Nezzie en Tulie naar hen toe komen. De dood van Rydag was voor Nezzie een zware slag geweest. De vorige dag had ze de rest van zijn medicijnen teruggebracht en ze hadden samen gehuild. Nezzie had er alleen maar droevige herinneringen aan, maar ze wist niet of ze ze moest weggooien. Ayla besefte dat er met de dood van Rydag ook een eind was gekomen aan de noodzaak om Nezzie te helpen bij de verzorging.

'We zochten je, Ayla,' zei Tulie. Ze leek net zo opgetogen als iemand die een grote verrassing in petto heeft en dat was iets bijzonders voor de grote leidster. De twee vrouwen sloegen iets open dat zorgvuldig was opgevouwen. Ayla zette grote ogen op en de beide vrouwen keken elkaar grijnzend aan. 'Iedere bruid moet een nieuwe tuniek hebben. Meestal maakt de moeder van de man die, maar ik wou Nezzie helpen.'

Het was een ongelooflijk mooi kledingstuk van goudgeel leer, prachtig rijk versierd; op bepaalde delen waren patronen van ivoren kralen aangebracht, geaccentueerd door een groot aantal kraaltjes van barnsteen.

'Wat is dat prachtig, en wat een werk! In de kralen alleen al zit dagen werk. Wanneer hebben jullie dat gemaakt?' vroeg Ayla.

'We zijn ermee begonnen nadat je je Belofte had gedaan en we hebben het hier afgemaakt,' zei Nezzie. 'Kom in de tent om te passen.'

Ayla keek Mamut aan. Hij glimlachte en knikte. Hij wist van het plan en had het samen met hen geheimgehouden. De drie vrouwen gingen de tent in naar Tulies slaapruimte. Ayla kleedde zich uit, maar ze wist niet precies hoe ze het kledingstuk moest dragen. De vrouwen hielpen haar. Het was een bijzondere tuniek die aan de voorkant open kon en gesloten werd met een geweven sjerp van rode mammoetwol.

'Je kunt hem gesloten dragen wanneer je hem iemand wilt laten zien,' zei Nezzie, 'maar op de ceremonie moet je hem open dragen – kijk zo,' zei Nezzie. Ze trok de voorkant open en maakte de sjerp los. 'Een vrouw toont trots haar borsten wanneer ze een verbintenis aangaat met een man.'

De beide vrouwen deden een stap achteruit om de aanstaande bruid te bewonderen. Ze heeft borsten om trots op te zijn, dacht Nezzie. De borsten van een moeder, om te voeden. Jammer dat ze geen moeder heeft om erbij te zijn. Elke vrouw zou trots op haar zijn.

'Kunnen we nu binnenkomen?' vroeg Deegie, die naar binnen gluurde. Alle vrouwen van het kamp kwamen naar binnen om Ayla in haar mooie kleding te bewonderen. Ze schenen allemaal van de verrassing te weten.

'We zullen hem nu maar dichtdoen; dan kun je naar buiten en hem aan de mannen laten zien,' zei Nezzie, die de goed passende tuniek weer sloot. 'Je moet hem in het openbaar maar dichthouden tot de ceremonie.'

Ayla stapte de tent uit en ze zag de goedkeurende glimlachjes van de mannen van het Leeuwenkamp. Anderen, die niet van het Leeuwenkamp waren, keken ook naar haar. Vincavec wist ook van de verrassing en wou er beslist bij zijn. Toen hij haar zag was hij vastbesloten dat hij hoe dan ook een verbintenis met haar zou aangaan, al moest hij er tien mannen bij nemen.

Er stond nog een man te kijken die niet van het Leeuwenkamp was, al beschouwden de meesten hem wel als zodanig. Jondalar was hen gevolgd omdat hij haar afwijzing niet kon accepteren en er ook niet in geloofde. Danug had het hem verteld en hij wachtte samen met de anderen. Toen ze naar buiten kwam, nam hij eerst haar beeld in zich op; toen sloot hij de ogen en zijn gezicht kreeg een verdrietige uitdrukking. Hij was haar kwijt. Ze liet zien dat het haar bedoeling was de volgende dag met Ranec een verbintenis aan te gaan. Hij zuchtte diep en klemde de tanden op elkaar. Hij kon niet blijven om haar verbintenis te zien met de donkerhuidige beeldhouwer van het Leeuwen-kamp. Het werd tijd dat hij wegging.

Toen Ayla haar dagelijkse kleding weer aanhad en met Mamut was weggegaan, haastte Jondalar zich de tent in. Hij was blij dat er niemand was. Hij pakte zijn spullen voor de reis en was Tulie in gedachten nog dankbaar. Hij legde alles klaar wat hij wou meenemen en legde er een slaapvacht overheen. Hij wou tot de volgende morgen wachten, van iedereen afscheid nemen en meteen na het ontbijt vertrekken. Voor die tijd wou hij er met niemand over praten.

In de loop van de dag bezocht Jondalar speciale vrienden die hij had gemaakt tijdens de Bijeenkomst. Hij nam geen afscheid in woorden, alleen in gedachten. Die avond bracht hij bij ieder lid van het Leeuwenkamp enige tijd door. Hij beschouwde hen als familie. Het zou moeilijk worden om weg te gaan in de wetenschap dat hij hen nooit meer zou zien. Het was nog moeilijker om een manier te vinden om nog één keer met Ayla te praten. Hij hield haar in de gaten en toen ze met Latie naar de paarden ging, volgde hij hen snel.

Ze wisselden wat oppervlakkige woorden en ze voelden zich niet op hun gemak, maar zijn krachtige uitstraling gaf Ayla een onaangenaam gespannen gevoel. Toen ze weer naar binnen ging, bleef hij bij de jonge hengst, die hij borstelde tot het donker werd. Hij dacht er weer aan hoe Ayla Whinney had geholpen bij de verlossing toen hij haar de eerste keer zag. Hij had nog nooit zoiets gezien. Het zou ook moeilijk zijn om hem achter te laten. Jondalar voelde meer voor Renner dan hij ooit voor mogelijk had gehouden.

Eindelijk ging hij de tent in en kroop onder zijn vacht. Hij sloot de ogen, maar kon niet slapen. Hij lag wakker en dacht aan Ayla, aan hun tijd in de vallei en aan hun liefde, die langzaam was gegroeid, nee, niet zo langzaam. Hij had van het begin af aan van haar gehouden, het had alleen lang geduurd voor hij het erkende, voor hij het waardeerde, zo lang dat hij haar kwijt was geraakt. Hij had haar liefde verspeeld en daar moest hij de rest van zijn leven voor boeten. Hoe had hij zo stom kunnen zijn? Hij zou haar nooit vergeten en ook niet het verdriet omdat hij haar kwijt was en hij zou het zichzelf nooit vergeven.

Het was een lange, moeilijke nacht en toen de eerste ochtendschemering door de ingang van de tent viel, hield hij het niet langer uit. Hij kon geen afscheid nemen, van haar niet en ook niet van de anderen, hij moest gewoon weggaan. Hij zocht stilletjes zijn reiskleren bij elkaar, zijn bagage en zijn slaapzak en sloop naar buiten.

'Je hebt besloten om niet te wachten. Dat had ik al gedacht,' zei Mamut.

Jondalar draaide zich om. 'Ik... Eh... Ik moet weg. Ik kan niet langer blijven. Het wordt tijd dat ik... eh...' stamelde hij.

'Ik begrijp het, Jondalar. Ik wens je een goede Tocht. Het is een hele reis. Je moet zelf beslissen wat het beste is, maar onthoud dit: een keuze kan alleen worden gemaakt als er iets te kiezen is.' De oude man dook de tent in.

Jondalar fronste de wenkbrauwen en liep naar het afdak voor de paarden. Wat bedoelde Mamut? Waarom gebruikten Degenen Die de Moeder Dienen altijd woorden die je niet kon begrijpen?

Toen hij Renner zag, kreeg Jondalar even een ingeving om op hem weg te rijden, om hem tenminste mee te nemen, maar het was Ayla's paard. Hij aaide ze beide, sloeg de armen om de hals van de bruine hengst en toen zag hij Wolf en haalde hem nog eens flink aan. Toen ging hij vlug staan en liep het pad af.

Het zonlicht stroomde de tent binnen toen Ayla wakker werd. Het beloofde een prachtige dag te worden. Toen schoot het haar te binnen dat het de dag was van de Verbinteniceremonie en de dag leek haar niet zo prachtig meer toe. Ze ging rechtop zitten en keek om zich heen. Er klopte iets niet. Het was haar gewoonte om in Jondalars richting te kijken als ze wakker werd. Hij was er niet. Jondalar is vanmorgen vroeg op, dacht ze. Ze kon het gevoel niet van zich afzetten dat er iets niet in orde was.

Ze stond op, kleedde zich aan en ging naar buiten om zich te wassen en een takje te zoeken voor haar tanden. Nezzie stond bij het vuur en haar blik had iets vreemds. Ayla's onrust nam alleen maar toe. Ze keek naar het afdak voor de paarden. Met Whinney en Renner leek alles goed en daar was Wolf ook. Ze ging de tent weer in en keek nog eens om zich heen. Er waren al heel wat mensen opgestaan en naar buiten gegaan. Toen zag ze dat Jondalars plaats leeg was. Hij was niet zomaar even weg. Zijn slaapzak en reistassen – alles was weg. Jondalar was vertrokken!

Ayla rende in paniek naar buiten. 'Nezzie! Jondalar is weg! Hij is niet even het Wolvenkamp in, hij is weg. En hij heeft mij achtergelaten!'

'Dat weet ik, Ayla. Ik had het wel verwacht, jij niet?'

'Maar hij heeft niet eens afscheid genomen! Ik dacht dat hij zou blijven tot na de Verbinteniceremonie.'

'Dat is wel het laatste wat hij wou, Ayla. Hij heeft nooit gewild dat je een verbintenis met een ander aangaat.'

'Maar... Maar... Nezzie, hij wou me niet hebben. Wat kon ik anders doen?'

'Wat wil je doen?'

'Ik wil met hem mee! Maar hij is vertrokken. Hoe kon hij me verlaten? Hij zou me meenemen. Dat was ons plan. Wat is er met onze plannen gebeurd, Nezzie?' vroeg ze en ze barstte opeens in tranen uit. Nezzie sloeg de armen om haar heen en troostte de snikkende jonge vrouw.

'Plannen kunnen veranderen, Ayla. Levens ook. En hoe moest het dan met Ranec?'

'Ik ben niet de juiste vrouw voor hem. Hij zou met Tricie een verbintenis moeten aangaan. Zij houdt van hem,' zei Ayla.

'Houd jij niet van hem? Hij houdt wel van jou.'

'Ik wou van hem houden, Nezzie. Ik heb het geprobeerd, maar ik houd van Jondalar. En nu is Jondalar weg.' Ayla begon opnieuw te snikken. 'Hij houdt niet van me.'

'Weet je dat zo zeker?' vroeg Nezzie.

'Hij is weggegaan en hij heeft niet eens afscheid genomen. Nezzie, waarom is hij zonder mij vertrokken? Wat heb ik verkeerd gedaan?' vroeg Ayla en keek haar smekend aan.

'Denk je dat je iets verkeerd hebt gedaan?'

Ayla wachtte even en dacht na. 'Hij wou gisteren met me praten en toen wou ik niet met hem praten.'

'Waarom wou je niet met hem praten?'

'Omdat... Omdat hij me niet wou hebben. De hele winter, toen ik zoveel van hem hield en bij hem wou zijn, wou hij me niet hebben. Hij wou niet eens met me praten.'

'Dus toen hij wel met je wou praten, wou jij niet. Zo gaat het soms,' zei Nezzie.

'Maar ik wil wel met hem praten, Nezzie. Ik wil bij hem zijn. Ook als hij niet van me houdt, wil ik bij hem zijn. Maar nu is hij weg. Hij is gewoon opgestaan en weggewandeld. Hij kan niet weg zijn! Hij kan niet ver... weg zijn...'

Nezzie keek haar aan en ze moest bijna glimlachen.

'Hoe ver zou hij kunnen zijn, Nezzie? Lopend? Ik kan snel lopen, misschien kan ik hem inhalen. Misschien zou ik hem achterna moeten gaan om te horen wat hij me wou vertellen. O, Nezzie, ik wil bij hem zijn. Ik houd van hem.'

'Ga hem dan achterna, kind. Als je hem wilt hebben en je houdt van hem, ga hem dan achterna. Zeg hoe je erover denkt en geef hem tenminste de kans je te vertellen wat hij wou zeggen.'

'Je hebt gelijk!' Ayla veegde met de hand haar tranen weg en probeerde na te denken. 'Dat zou ik moeten doen. Ik doe het. Nu meteen!'

zei ze en voor Nezzie nog iets kon zeggen rende ze het pad af. Ze haastte zich over de stapstenen van de rivier de weide in. Toen bleef ze staan. Ze wist niet welke kant ze op moest gaan. Ze zou zijn spoor moeten volgen, en zo zou het een eeuwigheid duren voor ze hem inhaalde.

Opeens hoorde Nezzie twee doordringende fluittonen. Ze glimlachte toen de wolf langs haar heen schoot en Whinney spitste de oren en volgde hem. Renner ging erachteraan. Ze keek langs de helling en zag de wolf naar de jonge vrouw rennen.

Toen hij dichterbij kwam, gaf Ayla een teken en zei: 'Zoek Jondalar, Wolf. Zoek Jondalar!'

De wolf besnuffelde de grond, stak de neus in de lucht en toen hij op weg ging zag Ayla aan het gras en gebroken takjes dat er iemand langs was gegaan. Ze sprong op Whinneys rug en volgde Wolf.

Ze was nog maar net vertrokken of er rezen allerlei vragen. Wat zal ik tegen hem zeggen? Hoe kan ik hem vertellen dat hij had beloofd me mee te nemen? En als hij niet naar me wil luisteren? Als hij me niet wil hebben?

De regen had de vulkanische as van de bomen en de bladeren gespoeld, maar Jondalar stapte door de weiden en bosgebieden in het rivierdal en had geen oog voor de zeldzaam mooie zomerdag. Hij wist niet precies waar hij heen ging. Hij volgde gewoon de rivier, maar bij iedere stap die hem verder weg bracht nam zijn bezorgdheid toe.

Waarom ga ik zonder haar weg? Waarom reis ik alleen? Misschien moest ik teruggaan en haar vragen met me mee te gaan. Maar ze wil niet met me mee. Ze is een Mamutische. Dat is haar volk. Ze heeft Ranec gekozen en jou niet, Jondalar, zei hij bij zichzelf. Ja, ze heeft Ranec gekozen, maar heb je haar wel laten kiezen? Toen bleef hij staan. Wat had Mamut gezegd? Iets over een keuze? 'Een keuze kan alleen worden gemaakt als er iets te kiezen is.' Wat bedoelde hij daarmee?

Jondalar schudde geërgerd het hoofd en toen drong het tot hem door; hij begreep het. Hij had haar nooit een kans gegeven. Ayla had Ranec niet gekozen, tenminste, eerst niet. Misschien had ze die avond van haar adoptie de keuze... of misschien niet. Ze was opgevoed door de Stam. Niemand had haar ooit verteld dat ze kon kiezen. En toen heb ik haar afgestoten. Waarom liet ik haar niet kiezen voor ik wegging? Omdat ze niet met je wou praten.

Nee, omdat je bang was dat ze jou niet zou kiezen. Houd toch op jezelf iets wijs te maken. Na al die tijd had ze ten slotte besloten niet meer met je te praten en jij was bang dat ze jou niet zou kiezen, daarom, Jondalar. Dus je gaf haar geen kans en ben je nu beter af?

Waarom ga je niet terug om haar te laten kiezen? Bied het haar tenminste aan. Maar wat wil je tegen haar zeggen? Ze is bijna klaar voor de grote ceremonie. Wat wil je haar aanbieden? Wat kun je haar aanbieden?

Je zou kunnen aanbieden om te blijven. Je zou zelfs kunnen aanbieden om samen met haar en Ranec te leven. Zou je dat kunnen? Zou je haar met Ranec kunnen delen? Als er geen andere keus was, zou je dan hier blijven en haar met een ander delen?

Jondalar bleef staan. Hij sloot zijn ogen en dacht diep na. Alleen als hij geen keus had. Hij zou haar het liefst mee naar huis nemen en zorgen dat ze zich er thuis voelde. De Mamutiërs hadden haar geaccepteerd, waren de Zelandoniërs minder gastvrij? Sommigen misschien, maar niet allemaal. Maar hij kon het niet beloven.

Ranec heeft het Leeuwenkamp, en daarbuiten nog veel verwanten. Jij kunt haar niet eens je volk, je verwanten, aanbieden. Je weet niet of ze haar en jou zullen accepteren. Je hebt niets aan te bieden, behalve jezelf. Als dat alles was wat hij haar kon bieden, wat moesten ze dan doen wanneer zijn volk hen niet zou accepteren? We zouden ergens anders heen kunnen gaan. We zouden ook hier terug kunnen komen. Hij fronste de wenkbrauwen. Dat is een heel gereis. Misschien moest hij maar gewoon aanbieden om hier te blijven en zich hier vestigen. Tarneg had gezegd dat hij voor zijn nieuwe kamp een steenklopper nodig had. En Ranec dan? Maar wat belangrijker was: wat zou Ayla zeggen? Als ze hem eens niet wilde hebben?

Jondalar werd zo door zijn gedachten in beslag genomen dat hij het doffe hoefgetrappel niet hoorde, tot Wolf opeens tegen hem op sprong. 'Wolf? Wat doe je...' Hij keek op en staarde Ayla ongelovig aan terwijl ze van Whinneys rug gleed.

Ze liep naar hem toe, wat schuchter omdat ze bang was dat hij haar de rug weer zou toekeren. Hoe kon ze het hem vertellen? Hoe kon ze hem laten luisteren? Toen herinnerde ze zich die eerste dagen zonder woorden, hoe ze, lang geleden, had geleerd iemand te vragen naar haar te luisteren. Ze ging gracieus op de grond zitten, boog het hoofd en wachtte af.

Jondalar gaapte haar aan. Hij begreep het niet meteen en toen herinnerde hij het zich. Het was haar teken. Wanneer ze hem iets belangrijks wou vertellen maar de woorden niet wist, gebruikte ze dat teken van de Stam. Maar waarom gebruikte ze nu de taal van de Stam tegen hem? Wat voor belangrijks wou ze hem vertellen?

'Sta op,' zei hij. 'Dat hoef je niet te doen.' Toen herinnerde hij zich de juiste reactie. Hij tikte haar op de schouder. Toen Ayla opkeek, had ze tranen in de ogen. Hij knielde om ze weg te vegen. 'Ayla, waarom doe je dit? Waarom ben je hier?'

'Jondalar, gisteren probeerde je me iets te vertellen en ik wou niet naar je luisteren. Nu wil ik jou iets vertellen. Het is moeilijk, maar ik wil dat je luistert. Daarom vraag ik het je op deze manier. Wil je luisteren en je niet afwenden?'

Jondalars vurige hoop belette hem het spreken. Hij knikte alleen maar en hield haar handen vast.

'Er is een tijd geweest dat je me wou meenemen,' begon ze, 'en ik wou de vallei niet uit.' Ze wachtte even om adem te halen. 'Nu wil ik met je mee, waar je ook heen gaat. Je hebt me eens gezegd dat je van me hield, dat je me wou hebben. Nu denk ik dat je niet van me wilt houden, maar ik wil toch nog met je mee.'

'Sta alsjeblieft op, Ayla,' zei hij en hij hielp haar overeind. 'En Ranec dan? Ik dacht dat je hem wou hebben.' Hij had zijn armen nog om haar heen.

'Ik houd niet van Ranec. Ik houd van jou, Jondalar. Ik ben altijd van je blijven houden. Ik weet niet waarom jij niet meer van mij houdt.'

'Je houdt van me? Je houdt nog altijd van me? O, Ayla, mijn Ayla,' zei Jondalar en hij drukte haar stijf tegen zich aan. Toen keek hij haar aan alsof hij haar voor het eerst zag en zijn ogen stonden vol liefde. Ze richtte zich op en zijn mond vond de hare. Ze hielden elkaar vast en vonden elkaar in een vurige, maar tedere hartstocht, vol verlangen.

Ayla kon niet geloven dat hij haar na al die tijd in zijn armen had, haar vasthield en haar wou hebben. Dat hij van haar hield. Ze kreeg tranen in de ogen en probeerde ze te onderdrukken omdat ze bang was dat hij het weer verkeerd zou begrijpen. Maar toen kon het haar niet meer schelen en liet ze ze de vrije loop.

Hij keek naar haar mooie gezicht. 'Je huilt, Ayla.'

'Alleen omdat ik van je houd. Ik moet huilen. Het heeft zo lang geduurd en ik houd zoveel van je,' zei ze.

Hij kuste haar ogen, haar tranen en haar mond, die ze voor hem opende.

'Ayla, ben je het werkelijk?' vroeg hij. 'Ik dacht dat ik je kwijt was en ik wist dat het mijn eigen schuld was. Ik houd van je, Ayla. Ik heb altijd van je gehouden. Dat moet je geloven. Ik ben nooit opgehouden van je te houden, al begrijp ik wel waarom je dat dacht.'

'Maar je wou niet van me houden, of wel?'

Hij sloot zijn ogen en kreeg diepe rimpels in zijn voorhoofd omdat ze de waarheid had gesproken. Hij knikte. 'Ik schaamde me omdat ik van iemand hield die uit de Stam kwam en ik kreeg een hekel aan mezelf omdat ik me schaamde voor de vrouw van wie ik hield. Ik ben nog nooit met iemand zo gelukkig geweest als met jou. Ik houd van je en als we samen waren was alles volmaakt. Maar als we bij andere mensen waren... Telkens wanneer je iets deed dat je bij de Stam had geleerd, raakte ik in verlegenheid. En ik was altijd bang dat je iets zou vertellen en dat iedereen dan zou weten dat ik van een vrouw hield die een... gruwel had.' Hij kon het woord nauwelijks over de lippen krijgen.

'Vroeger zei iedereen dat ik iedere vrouw kon krijgen die ik wou hebben. Ze zeiden dat geen enkele vrouw me kon weigeren, ook de Moeder Zelf niet. Het scheen zo te zijn. Wat ze niet wisten was dat ik nooit een vrouw had leren kennen die ik echt wou hebben, tot ik jou ontmoette. Maar wat zouden ze zeggen wanneer ik je meebracht? Als Jondalar elke vrouw kon krijgen, waarom zou hij dan de... moeder van een platkop... een gruwel meebrengen? Ik was bang dat ze je niet zouden accepteren en mij ook zouden afwijzen, tenzij... ik me tegen je zou keren. Ik was bang dat ik dat zou doen wanneer ik moest kiezen tussen mijn volk en jou.'

Ayla dacht na. Ze sloeg de ogen neer. 'Ik heb het nooit begrepen. Dat zou een moeilijke beslissing voor je zijn.'

'Ayla,' zei Jondalar en hij dwong haar hem aan te kijken: 'Ik houd van je. Misschien besef ik nu pas hoe belangrijk dat voor me is. Niet alleen dat jij van mij houdt, maar dat ik van jou houd. Nu weet ik dat er voor mij maar één keus is. Jij bent voor mij belangrijker dan mijn volk, of wie ook. Ik wil bij je zijn, waar je ook bent.' Ze kreeg weer tranen in haar ogen en ze kon er niets aan doen. 'Als je wilt dat ik hier blijf, bij de Mamutiërs, zal ik blijven en Mamutiër worden. Als je wilt dat ik je deel met Ranec... doe ik dat ook.'

'Wil je dat echt?'

'Als jij het wilt...' begon Jondalar en toen herinnerde hij zich de woorden van Mamut. Misschien moest hij haar laten kiezen en haar vertellen wat hij het liefste zou doen. 'Ik wil bij je zijn, dat is het belangrijkste, geloof me. Ik wil hier wel blijven als jij dat wilt, maar wanneer je me vraagt wat ik echt wil, ik wil naar huis en jou meenemen.'

'Mij meenemen? Schaam je je niet meer voor me? En je schaamt je niet meer voor de Stam, en Durc?'

'Nee. Ik schaam me niet voor je. Ik ben trots op je. En ik schaam me ook niet voor de Stam. Jij en Rydag hebben me iets heel belangrijks geleerd en misschien wordt het tijd te proberen dat ook aan anderen te leren. Ik heb zoveel dingen geleerd die ik mijn volk wil leren. Ik wil hun de speerwerper laten zien en de manier van Wymez om vuursteen te bewerken, en jouw vuurstenen en de draadtrekker, en de paarden en Wolf. En dan zijn ze misschien ook wel bereid te luisteren naar iemand die probeert hun uit te leggen dat de mensen van de Stam ook kinderen van de Aardmoeder zijn.'

'De Holenleeuw is je totem, Jondalar,' zei Ayla met een beslistheid waaruit haar vaste overtuiging bleek.

'Dat heb je al eens eerder gezegd. Hoe weet je dat zo zeker?'

'Herinner je je nog dat ik je heb verteld hoe moeilijk het is om met een krachtige totem te leven? De proeven zijn heel zwaar, maar de gaven, wat je ervan leert, zijn het waard. Je hebt een zware proef afgelegd, maar heb je er nu spijt van? Dit is een moeilijk jaar geweest, voor ons allebei, maar ik heb zoveel geleerd, over mezelf en over de Anderen. Ik ben niet meer bang voor hen. Jij hebt ook veel geleerd, over jezelf en over de Stam. Ik denk dat je er ook bang voor was, op een andere manier. Nu heb je die angst overwonnen. De Holenleeuw is een totem van de Stam en je haat hen niet meer.'

'Ik denk dat je gelijk hebt en ik ben blij dat een Holenleeuwtotem van de Stam me heeft gekozen, als dat betekent dat je me kunt accepteren. Ik heb je niets aan te bieden, Ayla, behalve mezelf. Ik kan je geen verwanten beloven, zelfs mijn volk niet. Ik kan niets beloven, omdat ik niet weet of mijn volk, de Zelandoniërs, je zullen accepteren. Zo niet, dan zullen we een andere plaats moeten zoeken. Ik ben bereid Mamutiër te worden als je dat wilt, maar ik zou je liever mee naar huis nemen en van ons een eenheid laten maken door Zelandoni.'

'Is dat zoiets als een verbintenis aangaan?' vroeg Ayla. 'Je hebt me nooit eerder gevraagd een verbintenis met je aan te gaan. Je hebt me gevraagd met je mee te gaan, maar je hebt me nooit gevraagd een vuurplaats met je te stichten.'

'Ayla, Ayla, wat mankeert me toch? Waarom vind ik het vanzelfsprekend dat je alles al weet? Misschien omdat je zoveel weet dat ik niet weet en omdat je zo vlug zoveel hebt geleerd dat ik vergeet dat je het nog maar zo kort weet. Misschien zou ik een teken moeten leren om dingen te zeggen waar ik geen woorden voor heb.'

Toen hurkte hij tegenover haar, met één knie op de grond, en glimlachte geamuseerd. Hij zat niet helemaal met gebogen hoofd in kleermakerszit, zoals zij altijd deed, maar hij keek haar aan. Het was duidelijk dat Ayla in verwarring raakte en zich niet op haar gemak voelde en dat vond hij wel leuk, omdat hij dat gevoel ook altijd kreeg wanneer zij het deed.

'Wat ga je nu doen, Jondalar? Mannen doen zoiets niet. Ze hoeven geen toestemming te vragen om te spreken.'

'Maar ik moet het wel vragen, Ayla. Wil je met me meegaan, en een verbintenis met me aangaan en ons tot een eenheid laten maken door Zelandoni, een vuurplaats met me stichten en een paar kinderen voor me maken?'

Ayla begon weer te huilen en ze vond het maar dwaas van zichzelf dat ze zoveel tranen had gestort. 'Jondalar, ik heb nooit iets anders gewild. Mijn antwoord is ja, op al die vragen. Sta nu alsjeblieft op.'

Hij ging staan en nam haar in zijn armen. Hij voelde zich gelukkiger dan ooit tevoren. Hij kuste haar en hield haar vast alsof hij bang was haar los te laten en haar misschien kwijt te raken, wat bijna was gebeurd.

Hij kuste haar weer en zijn verlangen naar haar groeide door het wonder van haar aanwezigheid. Ze voelde het en haar lichaam reageerde bereidwillig. Maar hij wou haar deze keer niet nemen. Hij wou haar helemaal, in volledige overgave. Hij deed een stap achteruit en schudde de rugzak af die hij nog droeg. Toen pakte hij een deken en spreidde die uit op de grond. Wolf kwam meteen op hem af springen.

'Jij moet een poosje uit de buurt blijven,' zei hij en hij glimlachte naar Ayla.

Ze stuurde Wolf weg en beantwoordde Jondalars glimlach. Hij ging op de deken zitten en reikte haar de hand. Ze kwam bij hem zitten en ze verlangde zo naar hem dat ze al een tinteling voelde.

Hij kuste haar en zocht haar borst. Hij genoot al toen hij de volle, ronde vorm door haar dunne tuniek voelde. Ze herinnerde het zich en nog veel meer. Ze trok snel de tuniek uit. Hij stak zijn beide handen naar haar uit en het volgende ogenblik lag ze op haar rug met zijn mond stevig op de hare gedrukt. Zijn hand streelde een borst en vond de tepel en zijn warme, vochtige mond vond de andere. Ze kreunde toen de gewaarwording van het zuigen prikkels stuurde naar de plaats die naar hem verlangde. Ze streelde zijn armen en zijn brede rug, toen zijn nek en zijn haar. Ze was heel even verbaasd dat er niet zoveel krullen in zaten, maar die gedachte verdween even snel als hij was gekomen.

Hij kuste haar weer en duwde zachtjes met zijn tong. Ze opende haar mond en stak ook haar tong uit. Ze wist wel dat hij nooit te wild of te haastig was, maar heel gevoelig en begrijpend. Ze genoot van de herinnering en van het feit dat het weer werkelijkheid was geworden. Het was bijna als de eerste keer, toen ze hem leerde kennen en ze herinnerde zich nog hoe goed hij haar begreep. Hoeveel nachten had ze naar hem verlangd?

Hij proefde de warmte van haar mond en het zout van haar keel. Ze voelde rillingen over haar kaak en in haar hals. Hij kuste haar schouder. Hij hapte en zoog en bespeelde haar gevoelige plekjes, die hij kende. Hij pakte onverwacht haar tepel weer. Haar adem stokte bij het plotselinge sterke gevoel. Toen zuchtte ze en kreunde van genot terwijl hij met beide tepels speelde.

Hij ging zitten en keek haar aan. Hij sloot zijn ogen alsof hij haar beeld wilde vasthouden. Toen hij ze weer opende, glimlachte ze tegen hem.

'Ik houd van je, Jondalar, en ik heb zo naar je verlangd.'

'O, Ayla, ik heb geleden onder mijn verlangen naar jou en toch had ik je bijna opgegeven. Hoe kon ik dat doen als ik zoveel van je houd?' Hij kuste haar weer en hield haar stevig vast, alsof hij bang was dat hij haar toch nog zou verliezen. Zij klemde zich net zo hartstochtelijk aan hem vast. En opeens konden ze niet langer wachten. Hij had een hand aan haar borst en maakte haar riem los. Ze wipte met haar heupen en duwde haar korte zomerbroek uit, terwijl hij de zijne losmaakte. Hij trok zijn hemd en zijn schoeisel uit.

Hij sloeg zijn armen om haar middel, met zijn hoofd op haar buik en kuste haar venusheuvel. Toen wachtte hij even. Hij duwde haar benen van elkaar en opende met beide handen haar vagina. Hij bekeek de donkerroze schaamlippen, die op zachte, vochtige bloembladen leken. Toen duwde hij zijn tong ertegenaan als een bij. Ze schreeuwde het uit en drukte zich tegen hem aan, terwijl hij ieder bloemblaadje onderzocht, elke plooi. Hij hapte, zoog en plaagde. Hij gaf haar het Genot waar ze zo eindeloos lang naar had verlangd.

Dit was Ayla. Dit was zijn Ayla. Dit was haar smaak, haar honing en zijn lid was zo heet en begerig. Hij wou wachten en dit zo lang mogelijk laten duren, maar opeens kon hij niet meer. Ze ademde snel, ze hijgde, hapte naar adem en riep zijn naam. Ze pakte zijn hoofd en trok hem omhoog. Toen leidde ze hem haar warme vagina binnen.

Met een diepe zucht gleed hij naar binnen tot ze zijn hele penis volledig omsloot. Dit was zijn Ayla. Dit was de vrouw bij wie hij paste, die bij hem paste, die hem helemaal omvatte. Hij bleef er even ten volle van genieten. Zo was het de eerste keer al bij haar geweest en telkens weer. Hoe kon hij ervan hebben gedroomd haar op te geven? De Moeder moet Ayla speciaal voor hem hebben gemaakt, opdat ze Haar volledig konden vereren en Haar laten genieten van hun Genot, zoals Zij het had bedoeld.

Hij trok terug en voelde haar omhoogkomen toen hij stootte. Hij trok terug en stootte weer, telkens opnieuw. Toen, opeens, kwam hij klaar en ze schreeuwde het uit. Ze stootten nog een keer en toen bereikte de golf het hoogtepunt en spatte uiteen, hen onderdompelend in een huivering van genot.

Het rusten was ook een deel van het Genot. Ze vond het heerlijk dat hij op haar lag. Hij was nooit te zwaar. Gewoonlijk stond hij pas op wanneer haar orgasme voorbij was. Ze rook haar geur aan hem en dat herinnerde haar aan het Genot dat ze net hadden gedeeld. Ze voelde zich pas volmaakt bevredigd wanneer hij nog even bleef liggen, met zijn penis in haar.

Hij genoot van haar lichaam onder zich en het was zo lang geleden, zo waanzinnig lang geleden. Maar ze hield van hem. Hoe kon ze nog van hem houden na alles wat er gebeurd was? Hij kon zijn geluk niet op. Hij zou haar nooit meer laten gaan.

Eindelijk trok hij zich terug, ging op zijn rug liggen en glimlachte.

'Jondalar?' zei Ayla na een poosje.

'Ja.'

'Zullen we gaan zwemmen? De rivier is niet ver. Laten we gaan zwemmen voor we teruggaan naar het Wolvenkamp, zoals we in de vallei deden.'

Hij zat rechtop naast haar en glimlachte. 'Kom!' zei hij en hij hielp haar overeind. Wolf kwam kwispelstaartend bij hen staan.

'Ja, jij kunt met ons mee,' zei Ayla. Ze pakten hun spullen en liepen naar de rivier. Wolf sprong enthousiast achter hen aan.

Nadat ze hadden gezwommen en met Wolf in de rivier hadden gespeeld, en de paarden hadden liggen rollen en zich hadden ontspannen, ver van de mensen, kleedden Ayla en Jondalar zich aan. Ze voelden zich opgefrist en hadden honger.

'Jondalar?' zei Ayla, die bij de paarden stond.

'Ja.'

'Laten we samen op Whinney rijden. Ik wil je graag dicht tegen me aan voelen.'

De hele weg terug dacht Ayla erover na hoe ze het Ranec zou vertellen. Ze zag er wel tegen op. Toen ze aankwamen, stond hij op haar te wachten en hij was duidelijk uit zijn humeur. Hij had haar gezocht. Alle anderen hadden zich voorbereid op de Verbinteniscermonie van die avond, omdat ze erbij wilden zijn of omdat ze eraan deelnamen. Het stond hem ook niet aan dat ze samen op Whinney reden, terwijl Renner erachteraan liep.

'Waar heb je gezeten? Je had al verkleed moeten zijn.'

'Ik moet met je praten, Ranec.'

'We hebben geen tijd om te praten,' zei hij razend.

'Het spijt me, Ranec. We moeten praten. Ergens waar we alleen kunnen zijn.'

Hij moest er zich wel bij neerleggen. Ayla ging eerst de tent in en pakte iets uit haar zak. Ze liepen de helling af naar de rivier en volgden toen een stukje de oever. Eindelijk bleef Ayla staan en haalde vanonder haar tuniek het beeldje tevoorschijn van de vrouw die in een vogel overging, de muta die Ranec voor haar had gemaakt.

'Ik moet je dit teruggeven, Ranec,' zei Ayla terwijl ze haar hand uitstak.

Ranec sprong achteruit alsof hij zich had gebrand. 'Wat bedoel je? Die kun je niet teruggeven! Je hebt hem nodig om een vuurplaats te stichten. Je hebt hem nodig voor onze Verbinteniceremonie,' zei hij en ze kon de groeiende angst in zijn stem horen.

'Daarom moet ik hem je teruggeven. Ik kan geen vuurplaats met je stichten. Ik ga weg.'

'Weg? Dat kan niet, Ayla. Je hebt de Belofte gedaan. Alles is geregeld. Vanavond is de ceremonie. Je hebt gezegd dat je een verbintenis met me aangaat. Ik houd van je, Ayla. Begrijp je het niet? Ik houd van je.' Zijn vertwijfeling nam toe bij alles wat hij zei.

'Ik weet het,' zei Ayla zacht. Zijn schrik en verdriet deden haar pijn. 'Ik heb de Belofte gedaan en alles is geregeld. Maar ik moet weg.'

'Maar waarom? Waarom nu, zo opeens?' zei Ranec, met een bijna verstikte, schelle stem.

'Omdat ik nu weg moet. Het is de beste tijd om te reizen en het wordt een lange Tocht. Ik ga met Jondalar mee. Ik houd van hem. Ik heb altijd van hem gehouden. Ik dacht dat hij niet meer van mij hield...'

'Was ik goed genoeg toen je dacht dat hij niet van je hield? Zat het zo?' vroeg Ranec. 'Al die tijd die je met mij doorbracht, wou je dat hij het was. Je hebt nooit van me gehouden.'

'Ik wou van je houden, Ranec. Ik geef wel om je. Ik heb niet altijd naar Jondalar verlangd als ik bij je was. Je hebt me vele keren gelukkig gemaakt.'

'Maar niet altijd. Ik was niet goed genoeg. Jij was volmaakt, maar ik was niet altijd volmaakt voor jou.'

'Ik heb het volmaakte nooit gezocht. Ik houd van hem, Ranec. Hoe lang zou je van me blijven houden als je weet dat ik van een ander houd?'

'Ik zou tot mijn dood van je kunnen houden, Ayla, en ook nog in de volgende wereld. Begrijp je het niet? Ik zal nooit meer zo van iemand kunnen houden. Je kunt niet weggaan.' De buitengewoon aantrekkelijke, donkere kunstenaar smeekte haar, met tranen in zijn ogen; hij had nooit eerder om iets gesmeekt.

Ayla voelde zijn smart en ze wou dat ze iets kon doen om de pijn te verlichten. Maar wat hij wou, kon ze hem niet geven. Ze kon niet van hem houden zoals ze van Jondalar hield.

'Het spijt me, Ranec. Neem alsjeblieft de muta aan.' Ze reikte hem weer aan.

'Houd hem maar!' zei hij, zo venijnig als hij kon. 'Misschien ben ik niet goed genoeg voor jou, maar ik heb je niet nodig. Ik heb het hier voor het uitzoeken. Ga je gang met je steenklopper. Het kan me niet schelen.'

'Ik kan hem niet houden,' zei Ayla en ze zette de muta voor zijn voeten op de grond. Ze boog het hoofd en draaide zich om om weg te gaan.

Ze liep terug langs de rivier en het deed haar verdriet dat ze zoveel pijn veroorzaakte. Het was niet haar bedoeling geweest om hem zo te kwetsen. Als er een andere mogelijkheid was geweest, had ze die gekozen. Ze hoopte dat ze nooit meer liefde van iemand zou ontvangen die ze niet kon beantwoorden.

'Ayla?' riep Ranec. Ze draaide zich om en wachtte tot hij haar had ingehaald. 'Wanneer ga je weg?'

'Zodra ik alles heb ingepakt.'

'Het is niet waar, weet je. Het kan me wel schelen.' Zijn gezicht was getekend door verdriet en pijn. Ze wou naar hem toe rennen, hem troosten, maar ze durfde hem geen hoop te geven. 'Ik heb altijd geweten dat je van hem hield, vanaf het begin,' zei hij. 'Maar ik hield zoveel van je, ik wou je zo graag hebben, dat ik het niet wou zien. Ik probeerde mezelf ervan te overtuigen dat je van me hield en ik hoopte dat het na verloop van tijd ook zou gebeuren.'

'Ranec, het spijt me zo,' zei ze. 'Als ik al niet van Jondalar had gehouden, had ik van jou kunnen houden. Ik had gelukkig met je kunnen worden. Je was zo lief voor me en ik moest altijd om je lachen. Ik houd wel van je, maar niet zoals jij het wilt. Maar ik zal altijd van je blijven houden.'

Zijn donkere ogen stonden heel verdrietig. 'Ik zal altijd van je blijven houden, Ayla. Ik zal je nooit vergeten. Ik neem die liefde mee het graf in,' zei Ranec.

'Dat mag je niet zeggen! Je verdient meer geluk.'

Hij lachte bitter. 'Maak je geen zorgen, Ayla. Daar ben ik nog niet aan toe. Althans niet meteen. En eens ga ik misschien een verbintenis aan met een vrouw en ze zal kinderen krijgen. Misschien zal ik ook wel van haar houden. Maar geen enkele vrouw zal zo zijn als jij en ik zal nooit zoveel voor een andere vrouw kunnen voelen als voor jou. Dat gebeurt maar één keer in het leven van een man.' Ze wandelden terug.

'Wordt het Tricie?' vroeg Ayla. 'Ze houdt van je.'

Ranec knikte. 'Misschien wel. Als ze me wil hebben. Nu ze een zoon heeft, zullen er nog meer mannen om haar komen en ze had al zoveel aanbiedingen.'

Ayla bleef staan en ze keek Ranec aan. 'Ik geloof dat Tricie je wel wil hebben. Ze voelt zich nu gekwetst, maar dat komt doordat ze zoveel van je houdt. Maar er is nog iets dat je moet weten. Haar zoon, Ralev, dat is jouw zoon, Ranec.'

'Je bedoelt dat hij de zoon van mijn geest is? Misschien heb je wel gelijk.'

'Nee, ik bedoel niet dat hij de zoon van jouw geest is. Ik bedoel dat Ralev jouw zoon is, Ranec. Hij is de zoon van jouw lichaam, jouw wezen. Ralev is net zo goed de zoon van jou als van Tricie. Jij hebt hem in haar verwekt toen je met haar Genot deelde.'

'Hoe weet jij dat ik met haar Genot heb gedeeld?' vroeg Ranec, een beetje verlegen. 'Verleden jaar was ze een buitengewoon toegewijde vrouw met rode voeten.'

'Ik weet het omdat Ralev geboren is en hij is jouw zoon. Zo begint alle leven. Daarom dient het Genot de Moeder. Het is het begin van het leven. Ik weet het, Ranec. Ik zweer je dat het zo is en daar hoef je niet aan te twijfelen,' zei Ayla.

Ranec dacht diep na. Het was een vreemde, nieuwe gedachte. Vrouwen waren moeders. Ze baarden kinderen, dochters en zoons. Maar kon een man een zoon hebben? Kon Ralev zijn zoon zijn? Toch zei Ayla het. Dan moest het zo zijn. Zij droeg het wezen van Mut in haar. Zij was de Geestenvrouw. Ze kon de Grote Aardmoeder Zelf wel zijn.

Jondalar controleerde de zakken nog een keer en toen leidde hij Renner naar het begin van het pad, waar Ayla afscheid nam. Whinney was al beladen en stond geduldig te wachten, maar Wolf rende opgewonden heen en weer. Hij begreep dat er iets bijzonders aan de hand was. Het was moeilijk geweest voor Ayla toen ze werd verdreven uit de Stam en de mensen moest achterlaten van wie ze hield, maar ze had toen geen keus. Het was nog moeilijker om vrijwillig afscheid te nemen van de mensen van het Leeuwenkamp, van wie ze hield, terwijl ze

wel wist dat ze hen nooit meer zou zien. Ze had die dag al zoveel gehuild dat ze verbaasd stond dat ze nog tranen over had, maar telkens
wanneer ze weer een vriend omarmde werden haar ogen vochtig.

'Talut,' snikte ze, terwijl ze haar armen om het grote, roodharige
stamhoofd sloeg. 'Heb ik je ooit verteld dat ik door jou en je lach ben
meegegaan naar jullie huis? Ik was zo bang voor de Anderen dat ik op
het punt stond meteen terug te rijden naar de vallei, tot ik jou zag lachen.'

'En nu maak je mij aan het huilen, Ayla. Ik wil niet dat je weggaat.'

'Ik huil al,' zei Latie. 'Ik wil ook niet dat je weggaat. Weet je nog die
eerste keer dat je me Renner liet strelen?'

'Ik herinner me nog dat ze Rydag op Whinney liet rijden,' zei Nezzie.
'Ik denk dat het de gelukkigste dag van zijn leven was.'

'Ik zal de paarden ook missen,' jammerde Latie, terwijl ze Ayla vasthield.

'Misschien krijg je eens een veulen voor jezelf, Latie,' zei Ayla.

'Ik zal de paarden ook missen,' zei Rugie.

Ayla tilde haar op en haalde haar even aan. 'Misschien moet jij dan
ook wel een veulen hebben.'

'O, Nezzie,' zei Ayla huilend. 'Hoe kan ik jou bedanken? Voor alles.
Je weet dat ik mijn moeder heb verloren toen ik nog klein was, maar
ik heb veel geluk gehad. Ik heb er twee moeders voor in de plaats gehad. Iza heeft voor me gezorgd toen ik nog een meisje was, maar jij
bent de moeder die ik nodig had om een vrouw te worden.'

'Hier,' zei Nezzie, terwijl ze haar een pakje gaf en haar best deed om
haar tranen zo goed mogelijk te bedwingen. 'Het is de tuniek voor je
Verbintenis. Ik wil dat je die krijgt voor je verbintenis met Jondalar.
Ik beschouw hem ook als een zoon. En jij bent mijn dochter.'

Ayla omhelsde Nezzie nog een keer en toen keek ze op naar haar flinke, grote zoon. Danug beantwoordde haar omhelzing zonder terughoudendheid. Ze voelde zijn mannelijke kracht en de warmte van
zijn lichaam, en hij liet even merken wat hij voor haar voelde toen hij
haar in het oor fluisterde: 'Ik wou dat jij voor mij de vrouw met de rode voeten was geweest.'

Ze deed een stap achteruit en glimlachte. 'Danug! Je wordt een gewel-
dige man! Ik wou dat ik hier kon blijven om je net zo groot en sterk te
zien worden als Talut.'

'Als ik ouder ben, ga ik misschien een lange Tocht maken en dan kom
ik je opzoeken!'

Vervolgens omhelsde ze Wymez en ze zocht Ranec, maar hij was er
niet. 'Het spijt me, Wymez,' zei ze.

'Mij ook. Ik had je graag bij ons gehouden. Ik had graag de kinderen willen zien die jij naar zijn vuurplaats had gebracht. Maar Jondalar is een goede man. Ik hoop dat de Moeder jullie zal beschermen op jullie Tocht.'

Ayla nam Hartal over uit Tronies armen en ze had plezier in zijn ge-giechel. Toen tilde Manuv Nuvie op en Ayla kuste haar.

'Ze is hier alleen dankzij jou. Dat zal ik nooit vergeten, en zij ook niet,' zei Manuv. Ayla omhelsde hem en vervolgens Tronie en Tornec. Frebec hield Bectie op de arm terwijl Ayla afscheid nam van Fralie en de twee jongens. Toen sloeg ze haar armen om Crozie heen. Ze pro-beerde zich eerst groot te houden, hoewel Ayla voelde dat ze beefde. De oude vrouw omhelsde haar en er blonk een traan in haar oog.

'Vergeet niet hoe je wit leer moet maken,' zei ze op gebiedende toon.

'Nee, en ik heb de tuniek bij me,' zei Ayla en ze voegde er met een plagerig glimlachje aan toe: 'Maar vergeet niet, Crozie, dat je nooit meer moet bikkelen met een lid van de Mammoetvuurplaats.'

Crozie keek haar verbaasd aan en toen schaterde ze van het lachen, terwijl Ayla zich tot Frebec wendde. Wolf had zich bij hen gevoegd en Frebec krauwde hem achter zijn oren.

'Ik zal dat dier missen,' zei hij.

'En dit dier zal jou missen!' zei Ayla terwijl ze hem omhelsde.

'Ik zal jou ook missen, Ayla,' zei hij.

Ayla zag zich omringd door een drom mensen van de Oerosvuur-plaats, met al de kinderen en Barzec. Tarneg was er ook met zijn vrouw. Deegie stond met Branag te wachten en toen vlogen de twee jonge vrouwen elkaar om de hals. Ze konden zich niet meer goedhou-den.

'In zeker opzicht is het moeilijker om van jou afscheid te nemen dan van de anderen, Deegie,' zei Ayla. 'Ik heb nooit een vriendin gehad als jij, van mijn eigen leeftijd, die me zo goed begreep.'

'Dat weet ik, Ayla. Ik kan niet geloven dat je weggaat. Hoe zullen we nu weten wie het eerst een baby heeft?'

Ayla ging iets achteruit en bekeek Deegie kritisch. Toen glimlachte ze. 'Jij. Je bent al in verwachting.'

'Ik twijfelde al. Geloof je echt dat het zo is?'

'Ja. Ik weet het zeker.'

Ayla zag Vincavec naast Tulie staan. Ze streek vluchtig langs zijn geta-toeëerde wang.

'Het was een verrassing voor me,' zei hij. 'Ik wist niet dat hij het zou worden. Maar ja, iedereen heeft zijn zwakheden.' Hij wierp Tulie een veelbetekenende blik toe.

Vincavec was geïrriteerd omdat hij de situatie zo verkeerd had inge-schat. Hij had de grote blonde man volkomen buiten beschouwing gelaten en hij was een beetje nijdig op Tulie, omdat ze zijn bij elkaar passende stukken barnsteen had aangenomen terwijl ze wist dat hij er waarschijnlijk niet voor zou krijgen wat hij verwachtte, ondanks het feit dat hij ze haar had opgedrongen. Hij had scherpe opmerkin-gen gemaakt en hij suggereerde dat ze zijn barnsteen had aangeno-men omdat ze er een zwak voor had en dat ze er niets tegenover stel-de. Omdat het zogenaamd een geschenk was geweest, kon ze ze niet teruggeven en hij zocht genoegdoening in zijn snedige opmerkin-gen.

Voor Tulie naar Ayla liep, wierp ze een blik op Vincavec, om er zeker van te zijn dat hij keek. Met een hartelijke, welgemeende omhelzing zei ze tegen de jonge vrouw: 'Ik heb iets voor je. Ik weet zeker dat ie-dereen het ermee eens is; ze zijn echt voor jou.' Toen liet ze twee prachtige bij elkaar passende stukjes barnsteen in Ayla's hand vallen. 'Ze zullen goed passen bij je tuniek voor je Verbintenisceremonie. Misschien kun je ze aan je oren dragen.'

'O, Tulie,' zei Ayla. 'Dat is te veel. Ze zijn prachtig.'

'Het is niet te veel, Ayla. Ze waren voor jou bedoeld,' zei Tulie terwijl ze triomfantelijk naar Vincavec keek.

Ayla zag dat Barzec ook stond te glimlachen en Nezzie knikte instem-mend.

Het was voor Jondalar ook moeilijk om het Leeuwenkamp te verla-ten. Ze hadden hem gastvrij ontvangen en hij was van hen gaan hou-den. Hij kon zich bij het afscheid van velen niet goedhouden. De laatste met wie hij sprak was Mamut. Ze omhelsden elkaar en wreven de wangen tegen elkaar. Toen kwam Ayla bij hen staan. 'Ik wil je be-danken,' zei Jondalar. 'Ik denk dat je van het begin af aan hebt gewe-ten dat ik een zware proef moest doorstaan.' De oude medicijnman knikte. 'Maar ik heb veel van jou en de Mamutiërs geleerd. Ik heb ge-leerd wat belangrijk is en wat niet, en ik weet nu hoe groot mijn liefde voor Ayla is. Ik heb geen bedenkingen meer. Ik zal naast haar staan, tegenover mijn grootste vijanden en mijn beste vrienden.'

'Ik wil je nog iets zeggen dat je moet weten, Jondalar,' zei Mamut. 'Ik wist vanaf het begin dat ze voor jou bestemd was en toen de vulkaan uitbarstte, wist ik dat ze spoedig met jou zou weggaan. Maar onthoud dit: Ayla's bestemming gaat veel verder dan wie dan ook beseft. De Moeder heeft haar gekozen en haar leven zal veel uitdagingen kennen, evenals het jouwe. Ze zal je bescherming nodig hebben en je liefde, die zoveel sterker is geworden. Daarom moest je die proef doorstaan.

Het is nooit gemakkelijk als je bent gekozen, maar het heeft altijd grote voordelen. Zorg goed voor haar, Jondalar. Je weet het: als ze zich zorgen maakt over anderen, vergeet ze voor zichzelf te zorgen.'

Jondalar knikte. Toen omhelsde Ayla de oude man en ze glimlachte door haar tranen heen.

'Ik wou dat Rydag hier was. Ik mis hem zo. Ik heb ook veel geleerd. Ik wou terug naar mijn zoon, maar Rydag heeft me geleerd dat ik Durc zijn eigen leven moet laten leiden. Hoe kan ik je voor alles bedanken, Mamut?'

'Je hoeft me niet te bedanken, Ayla. Onze wegen moesten elkaar kruisen. Ik heb op je gewacht zonder dat ik het wist en je hebt me veel vreugde geschonken, mijn dochter. Jouw bestemming is nooit geweest om naar Durc terug te gaan. Hij was jouw geschenk aan de Stam. Kinderen brengen altijd vreugde, maar ook verdriet. En ze moeten allemaal hun eigen leven leiden. Ook Mut zal Haar kinderen eens hun eigen weg laten gaan, maar ik vrees voor ons het ergste wanneer we Haar ooit negeren. Als we vergeten onze Grote Aardmoeder te respecteren, zal Ze ons Haar zegeningen onthouden en geen rekening meer met ons houden.'

Ayla en Jondalar bestegen de paarden en wuifden als laatste groet. Bijna het hele kamp was gekomen om hun een goede Tocht toe te wensen. Toen ze wegreden, zocht Ayla nog iemand. Maar Ranec had al afscheid genomen en hij kon het niet nog een keer, met de anderen erbij.

Eindelijk zag Ayla hem toen ze het pad af zouden rijden. Hij stond helemaal alleen. Ze stopte met een bezwaard gemoed en wuifde naar hem.

Ranec wuifde terug, maar met zijn andere hand klemde hij een stuk ivoor tegen de borst, dat de vorm had van een vogelvrouw. In iedere groef en elke lijn had hij vol liefde de hoop van zijn esthetische, gevoelige ziel gekerfd. Hij had het beeldje voor Ayla gemaakt in de hoop dat het haar zou verleiden naar zijn vuurplaats te komen, zoals hij had gehoopt dat hij haar hart zou winnen met zijn lachende ogen en zijn sprankelende geest. Maar toen de vrolijke, bekoorlijke, talentvolle kunstenaar de vrouw die hij liefhad zag wegrijden, kwam er geen glimlach op zijn gezicht en stonden zijn vrolijke, zwarte ogen vol tranen.

De hierna volgende bladzijden vormen het begin van
Het dal der beloften,
het vervolg op *De mammoetjagers*
en het vierde deel van de romanserie *De Aardkinderen.*

1

De vrouw zag een flits van beweging door het stoffige waas vóór haar, en vroeg zich af of het de wolf was die ze daarstraks voor zich uit had zien snellen.

Met een bezorgde frons op haar gezicht keek ze even naar haar metgezel en speurde toen weer door het opwaaiende stof ingespannen naar de wolf.

'Jondalar! Kijk!' zei ze, voor zich uit wijzend.

Links voor hen uit waren in de droge, gruizige wind net de vage omtrekken van verscheidene kegelvormige tenten te zien.

De wolf was enkele tweebenige wezens aan het besluipen die uit de nevel van stof opdoemden, gewapend met speren die recht op hen gericht waren.

'Ik geloof dat we bij de rivier zijn, maar zo te zien zijn we niet de enigen die daar een kamp willen opslaan, Ayla,' zei de man en hij trok aan zijn leidsel om zijn paard tot staan te brengen. De vrouw beduidde haar paard te blijven staan door een dijspier aan te spannen, waardoor ze een lichte druk uitoefende, die zo reflexmatig was dat ze het niet eens beschouwde als een manier om het dier te sturen.

Ayla hoorde diep uit de keel van de wolf een dreigend gegrom opstijgen en zag dat zijn verdedigende houding plotseling was veranderd in een agressieve. Hij was klaar om aan te vallen! Ze floot, een scherp, helder geluid dat leek op de roep van een vogel, zij het niet van een vogel die iemand ooit eerder had gehoord. De wolf brak zijn heimelijke achtervolging af en rende met grote sprongen naar de schrijlings op het paard zittende vrouw.

'Wolf, hier blijven!' zei ze, tegelijkertijd een gebaar met haar hand makend. De wolf draafde naast de donkergele merrie mee terwijl de vrouw en de man te paard langzaam op de mensen die tussen hen en de tenten stonden toe gingen. Hevige windvlagen, die de fijne lössdeeltjes geen kans gaven om op de grond neer te dalen, wervelden om hen heen en belemmerden het zicht op de speerdragers.

Ayla tilde haar been over de rug van het paard en liet zich omlaagglijden. Ze knielde naast de wolf neer en sloeg de ene arm over zijn rug en de andere over zijn borst om hem te kalmeren en zo nodig tegen te houden. Ze kon de grom in zijn keel voelen trillen, en de gretige spanning in zijn tot springen bereide spieren. Ze keek op naar Jondalar. Een fijne laag poederachtig stof bedekte de schouders en de lange vlasblonde lokken van de grote man en verleende de vacht van zijn donkerbruine ros bijna de meer gebruikelijke gelige kleur van het forsgebouwde ras. Zij en Whinney zagen er hetzelfde uit. Hoewel het nog vroeg in de zomer was, droogde de krachtige wind die vanaf de reusachtige gletsjer in het noorden kwam de steppen ten zuiden van het ijs al over een brede strook uit.

Het bevreemdde haar dat Wolf zo agressief was gestemd, want wolven bedreigden zelden mensen. Maar toen herinnerde ze zich dat ze dergelijk gedrag al eens eerder had gezien en ze meende te begrijpen wat er aan de hand was. In de tijd dat ze zichzelf leerde jagen, had Ayla dikwijls wolven gadegeslagen, en ze wist dat ze aanhankelijk en trouw waren – aan hun eigen roedel. Maar vreemden verjoegen ze snel uit hun territorium, en het was voorgekomen dat ze andere wolven doodden om te beschermen wat ze als hun eigendom beschouwden.

Voor het piepkleine wolvenjong dat ze had gevonden en naar de halfonderaardse woning van de Mamutiërs had meegenomen, was het Leeuwenkamp zijn roedel geweest; andere mensen zouden hem net zo voorkomen als onbekende wolven. Toen hij nog maar nauwelijks halfvolgroeid was, had hij al tegen onbekende bezoekers gegromd. Nu, op onbekend territorium, misschien het territorium van een andere roedel, was het alleen maar natuurlijk dat hij zich bij de eerste confrontatie met vreemden, vooral vijandige vreemden met speren, in de verdediging gedrongen voelde.

Ze voelde de wolf verstarren en opdringen tegen haar arm, en zag toen een nieuwe gestalte vanachter de speerdragers naar voren stappen, die gekleed was zoals Mamut zich voor een belangrijke ceremonie had kunnen kleden, met een met oeroshorens getooid masker voor het gezicht en in kleren die met raadselachtige symbolen beschilderd en opgesierd waren.

De mamut zwaaide krachtig met een staf in hun richting en schreeuwde: 'Ga heen, boze geesten! Ga weg van hier!'

Ayla meende dat het een vrouwenstem was die vanachter het masker opklonk, maar zeker was ze er niet van; de woorden werden hun echter wel in het Mamutisch toegeschreeuwd. De mamut sprong opnieuw wild met de staf zwaaiend op hen toe, terwijl Ayla de wolf in bedwang hield. Daarop begon de vreemd geklede gestalte te zingen en te dansen, waarbij ze snel op en neer bewoog en met snelle, hoge stappen nu eens op hen toe kwam en dan weer achteruitsprong, alsof ze probeerde hun angst aan te jagen of op de vlucht te drijven, waarbij ze er in ieder geval in slaagde de paarden aan het schrikken te maken. Waarom hadden de mensen van dit Kamp hun speren getrokken?

Ayla meende iets bekends in het gezang te ontdekken; ineens wist ze wat het was. De woorden behoorden tot de heilige archaïsche taal die alleen de mamuti verstonden. Ayla verstond ze ook niet allemaal, want Mamut was nog maar net begonnen haar de taal te leren toen ze vertrok. Maar zij begreep dat de betekenis van het luide, gescandeerde gezang in grote trekken dezelfde was als van de eerder geschreeuwde woorden, ofschoon in vleiender termen vervat. Het was een aansporing voor de vreemde wolf en de paardmensgeesten om weg te gaan en hen met rust te laten, om terug te keren naar de wereld van geesten waar ze thuishoorden.

In het Zelandonisch, zodat de mensen van het Kamp haar niet konden verstaan, vertelde Ayla Jondalar wat de mamut hun toezong.

'Denken ze dat we geesten zijn? Natuurlijk!' zei hij. 'Ik had het kunnen weten. Ze zijn bang voor ons. Daarom bedreigen ze ons met die speren. Ayla, we kunnen dit probleem iedere keer krijgen als we onderweg iemand tegenkomen. Wij zijn nu aan de dieren gewend, maar de meeste mensen hebben paarden of wolven nooit anders gezien dan als voedsel of pelzen.'

'De Mamutiërs die op de Zomerbijeenkomst waren, waren in het begin ook van hun stuk gebracht. Ze moesten even aan het idee wennen de paarden en Wolf in de buurt te hebben, maar uiteindelijk is dat toch gelukt,' zei Ayla.

'Toen ik voor het eerst mijn ogen opendeed in de grot in jouw vallei en jou Whinney zag helpen met de bevalling van Renner, dacht ik ook dat de leeuw me had gedood en dat ik in de geestenwereld wakker was geworden,' zei Jondalar. 'Misschien moest ik maar eens afstijgen en hun laten zien dat ik een mens ben en niet aan Renner vastzit als een of andere geest in de vorm van een paardmens.'

Jondalar steeg af, maar bleef het leidsel aan het door hemzelf gemaakte hoofdstel vasthouden. Renner stond heftig met zijn hoofd te schudden en probeerde achterwaarts uit de buurt te komen van de opdringende mamut, die nog steeds met de staf zwaaiend luidkeels haar bezwerende gezang voortzette. Whinney bevond zich achter de op haar knieën liggende Ayla, met haar hoofd omlaag en haar neus licht tegen haar aan gedrukt. Ayla had geen touwen of toom nodig om haar paard te leiden. Ze stuurde het dier volledig met de druk van haar benen en de bewegingen van haar lichaam.

Toen de sjamaan enkele klanken van de vreemde taal opving die de geesten spraken en Jondalar zag afstijgen, begon ze nog luider te zingen en bad de geesten weg te gaan, beloofde hun ceremoniën te zullen houden en trachtte hen gunstig te stemmen door geschenken in het vooruitzicht te stellen.

'Ik vind dat je hun maar eens moest vertellen wie we zijn,' zei Ayla. 'Die mamut begint flink over haar toeren te raken.'

Jondalar hield het leidsel vlak onder het hoofd van de hengst in een stevige greep. Renner was heel angstig en probeerde te steigeren, en de mamut met haar gezang en geschreeuw verbeterde de situatie niet bepaald. Zelfs Whinney leek elk moment op te kunnen gaan spelen, hoewel ze gewoonlijk veel gelijkmoediger was dan haar nerveuze telg.

'Wij zijn geen geesten,' riep Jondalar toen de mamut een ogenblik zweeg om op adem te komen. 'Ik ben een bezoeker, een reiziger op zijn Tocht, en zij' – met een gebaar naar Ayla – 'is een Mamutische, van de Mammoetvuurplaats.'

De mensen wierpen elkaar vragende blikken toe en de mamut hield op met schreeuwen en dansen, maar liet terwijl ze hen stond te bekijken nog af en toe de staf door de lucht zwaaien. Misschien waren het geesten die hun een poets probeerden te bakken, maar in ieder geval waren ze ertoe gebracht iets te zeggen in een taal die iedereen kon verstaan. Uiteindelijk zei de mamut iets.

'Waarom zouden we je geloven? Hoe weten we dat je niet probeert ons te bedotten? Je zegt dat zij van de Mammoetvuurplaats is, maar waar is dan het teken? Ze heeft geen tatoeage op haar gezicht.'

Nu verhief Ayla haar stem. 'Hij heeft niet gezegd dat ik een mamut was. Hij heeft gezegd dat ik van de Mammoetvuurplaats was. De oude Mamut van het Leeuwenkamp heeft me enig onderricht gegeven voordat ik vertrok, maar ik ben niet volledig opgeleid.'

De mamut overlegde met een man en een vrouw en wendde zich toen weer naar hen toe. 'Deze,' zei ze met een knikje naar Jondalar, 'is wat hij zegt: een bezoeker. Ofschoon hij zich goed kan uitdrukken, hebben zijn woorden toch de klank van een vreemde taal. Hij zegt dat je een Mamutische bent, maar toch is er aan je manier van spreken iets dat niet Mamutisch is.'

Jondalar hield zijn adem in en wachtte. Ayla's spraak had inderdaad iets ongewoons. Er waren bepaalde klanken die zij niet helemaal kon vormen en de manier waarop ze die uitsprak, bezat iets wonderlijk unieks. Het was volstrekt duidelijk wat ze bedoelde en haar accent klonk niet onaangenaam – hij vond het nogal charmant – maar het viel wel op. Het was niet geheel hetzelfde als een accent van een andere taal; het was meer dan dat, en anders. En toch was dat het: een accent, maar dan van een taal die de meeste mensen nooit hadden gehoord en niet eens als spraak zouden herkennen. Ayla sprak met het accent van de lastige, kelige, klinkerarme taal van de mensen die het meisje als jonge wees hadden opgenomen en grootgebracht.

'Ik ben niet bij de Mamutiërs geboren,' zei Ayla, die nog steeds Wolf in bedwang moest houden, ofschoon zijn gegrom was opgehouden. 'Ik ben door de Mammoetvuurplaats geadopteerd, door Mamut zelf.'

Er volgde enig druk gepraat onder de anderen en daarna een tweede onderhoud tussen de mamut en de vrouw en de man.

'Als jullie niet tot de geestenwereld behoren, hoe kunnen jullie dan zeggenschap over die wolf hebben en paarden ertoe brengen dat ze jullie op hun rug dulden?' vroeg de mamut, die had besloten de vraag nu maar rechtstreeks te stellen.

'Dat is niet moeilijk, als je ze maar vindt wanneer ze nog jong zijn,' zei Ayla.

'Je laat het wel heel eenvoudig lijken. Er zal toch wel meer voor nodig zijn?' De vrouw kon een mamut die eveneens van de Mammoetvuurplaats kwam niet voor het lapje houden.

'Ik was erbij toen ze de kleine wolf naar de woning bracht,' probeerde Jondalar uit te leggen. 'Het jong was zo klein dat het nog bij de moeder dronk en ik was ervan overtuigd dat het dood zou gaan. Maar ze gaf het fijngesneden vlees en bouillon en stond er midden in de nacht voor op, zoals je ook met een zuigeling doet. Toen hij in leven bleef en begon te groeien, stond iedereen verbaasd, maar dat was slechts het begin. Met veel geduld heeft ze hem geleerd wat zij wilde – zijn behoefte niet in de woning te doen en niet naar de kinderen te happen, ook al deden ze hem pijn. Als ik er niet bij was geweest, had ik nooit geloofd dat je een wolf zoveel kon leren, of dat hij zoveel zou begrijpen. Het is waar: er komt meer bij kijken dan ze te vinden wanneer ze nog klein zijn. Ze heeft hem als een kind verzorgd. Voor dat dier is ze als zijn moeder, daarom doet hij wat ze wil.'

'En de paarden dan?' vroeg de man die naast de sjamaan stond. Hij had de temperamentvolle hengst en de man die het dier in bedwang hield steels staan bekijken.

'Met paarden is het net zo. Je kunt ze van alles leren, als je ze maar als jong veulen onder je hoede neemt. Er is tijd en geduld voor nodig, maar uiteindelijk lukt het.'

De anderen, die met hun wapens hadden gedreigd, lieten hun speren zakken en stonden met grote belangstelling mee te luisteren. Geesten spraken voorzover men wist niet in gewone mensentaal, hoewel al dat gepraat over het bemoederen van dieren het soort rare praat was waar geesten om bekendstonden – woorden die niet helemaal betekenden wat ze leken te betekenen.

Toen sprak de vrouw van het kamp: 'Ik weet niets van moedertje spelen over dieren, maar wel dat de Mammoetvuurplaats geen vreemden adopteert en tot Mamutiërs maakt. Het is geen gewone vuurplaats. Hij is gewijd aan Hen Die de Moeder Dienen. Mensen kiezen voor die Mammoetvuurplaats, of worden ervoor gekozen. Ik heb verwanten in het Leeuwenkamp. Mamut is heel oud, misschien de oudste mens onder de levenden. Waarom zou hij iemand willen adopteren? En ik denk niet dat Lutie het zou hebben toegestaan. Het is allemaal heel moeilijk te geloven wat je zegt.'

Ayla ontwaarde iets tweeslachtigs in de wijze waarop de vrouw sprak, of liever in de subtiele, kleine bijzonderheden in haar houding terwijl ze sprak: de stijfheid van haar rug, de spanning in haar schouders, de nerveuze frons. Ze scheen iets onaangenaams te voorzien. Toen besefte Ayla dat het niet zomaar een verspreking was geweest; de vrouw had opzettelijk een leugen in haar bewering verweven, een valstrik in haar vraag verwerkt. Maar door haar unieke achtergrond doorzag Ayla die opzet zonneklaar.

De mensen die Ayla hadden grootgebracht en die als 'platkoppen' werden aangeduid, maar zichzelf 'de Stam' noemden, communiceerden met grote precisie en diepgang, zij het niet in de eerste plaats via woorden. Slechts weinigen begrepen dat zij een taal bezaten. Hun vermogen tot articuleren was beperkt en ze werden dikwijls beschimpt als niet helemaal menselijke wezens, als dieren die niet konden spreken. Zij hanteerden een taal van gebaren en tekens, maar die was daarom niet minder ingewikkeld.

De betrekkelijk weinige woorden die de Stamleden gebruikten – en die Jondalar nauwelijks na kon zeggen, net zoals Ayla bepaalde klanken in het Zelandonisch of het Mamutisch niet helemaal kon uitspreken – werden gevormd door een eigenaardig soort vocalisatie en werden gewoonlijk gebruikt om iets te beklemtonen, of voor namen van mensen en dingen. Nuances en fijnere differentiaties in betekenis werden aangegeven door bepaalde aspecten van beweging, houding en lichaamsuitdrukking, die de taal diepgang en rijkdom verleenden, zoals bij de gesproken taal toon en stembuiging. Maar met dergelijke uitgesproken communicatiemiddelen was het vrijwel onmogelijk een onwaarheid te vertellen zonder dat duidelijk uit te dragen; ze konden niet liegen.

Ayla had de subtiele signalen in de bewegingen van het lichaam en de uitdrukkingen van het gelaat leren opvangen en interpreteren toen ze met tekens leerde spreken; dat was noodzakelijk voor een volledig begrip van het meegedeelde. Toen ze later van Jondalar opnieuw in woorden leerde spreken en het Mamutisch vloeiend leerde beheersen, ontdekte Ayla dat ze ook signalen opving die zelfs bij mensen die met woorden spraken via kleine veranderingen in gelaatsuitdrukking of lichaamshouding werden overgebracht, hoewel dergelijke tekens niet waren bedoeld om deel uit te maken van hun taal.

Ze ontdekte dat ze meer verstond dan er werd gezegd, al wekte dat bij haar aanvankelijk enige verwarring en grote verontrusting, omdat de woorden die ze te horen kreeg niet altijd strookten met de signalen die ze waarnam en omdat ze niet wist dat mensen ook konden liegen. Kon of wilde zijzelf de waarheid niet spreken, dan hield zij haar mond.

Uiteindelijk was ze gaan begrijpen dat bepaalde leugentjes dikwijls als hoffelijkheid waren bedoeld. Maar pas toen ze inzicht kreeg in het wezen van de humor – men zei het ene, maar bedoelde het andere – begreep ze plotseling het wezen van de gesproken taal en de mensen die deze gebruikten. Daarbij verleende haar vermogen om onbewuste signalen te interpreteren een extra dimensie aan haar groeiende taalvaardigheid: een bijna griezelig inzicht in wat mensen in feite bedoelen, los van wat ze zeggen. Dat verschafte haar een ongewone voorsprong op anderen. Ofschoon ze zelf niet kon liegen anders dan door iets niet te zeggen, wist ze het gewoonlijk wanneer iemand niet de waarheid sprak.

'Er was niemand die Lutie heette toen ik in het Leeuwenkamp was.' Ayla besloot tot een directe benadering over te gaan. 'Tulie is de hoofdvrouw en haar broer Talut de hoofdman.'

De vrouw gaf een onmerkbaar knikje terwijl Ayla verder sprak.

'Ik weet dat iemand gewoonlijk aan de Mammoetvuurplaats wordt gewijd en niet geadopteerd. Talut en Nezzie hebben me gevraagd te blijven. Talut heeft de woning zelfs vergroot om een speciaal winteronderdak voor de paarden te maken. De oude Mamut heeft toen iedereen verrast. Hij heeft me tijdens de ceremonie geadopteerd. Hij zei dat ik bij de Mammoetvuurplaats hoorde op grond van mijn geboorte.'

'Als je met die paarden bij het Leeuwenkamp bent komen aanzetten, kan ik begrijpen hoe die oude Mamut dat heeft kunnen zeggen,' zei de man.

De vrouw keek hem met een geërgerde blik aan en beet hem binnensmonds iets toe. Toen overlegden ze gedrieën nog eens. De man was tot de conclusie gekomen dat de vreemdelingen waarschijnlijk mensen waren en geen geesten die hun een poets kwamen bakken – in ieder geval geen boosaardige geesten – maar hij geloofde niet dat zij werkelijk degenen waren die ze beweerden te zijn. De verklaring die de lange man voor het vreemde gedrag van de dieren had gegeven was te eenvoudig, maar had zijn belangstelling gewekt. De paarden en de wolf intrigeerden hem. De vrouw vond dat ze te makkelijk praatten, met te veel informatie kwamen, al te openhartig waren, terwijl ze er ook van overtuigd was dat er nog veel was wat ze niet hadden verteld. Ze vertrouwde hen niet en wilde niets met hen te maken hebben.

De mamut wilde pas accepteren dat zij mensen waren toen er een gedachte bij haar was opgekomen die voor iemand met inzicht in dergelijke zaken een veel geloofwaardiger verklaring voor het buitengewone gedrag van de dieren zou zijn. Ze was er zeker van dat de blonde vrouw een machtige Roepster was en de oude Mamut moest hebben geweten dat zij met een griezelig vermogen om dieren naar haar hand te zetten was geboren. Misschien de man ook wel. Later, wanneer hun kamp bij de Zomerbijeenkomst arriveerde, zou het interessant zijn eens een praatje met het Leeuwenkamp te maken, want de mamuti zouden beslist zo hun gedachten over deze twee hebben. Het was gemakkelijker om in toverij te geloven dan in het belachelijke idee dat je dieren kon temmen.

Tijdens hun overleg ontstond verschil van mening. De vrouw voelde zich niet op haar gemak, de vreemdelingen brachten haar uit haar evenwicht. Als ze erover had nagedacht, had ze misschien toegegeven dat ze bang was. Ze maakte niet graag zo'n overduidelijke demonstratie van occulte vermogens van dichtbij mee, maar de anderen schoven haar bezwaren terzijde. De man nam het woord.

'Deze plek, waar de rivieren bijeenkomen, is een goede plaats voor een kamp. We hebben een goede jacht gehad en er komt een kudde reuzenherten deze kant op. Ze zouden hier over een paar dagen moeten zijn. We hebben er geen bezwaar tegen als jullie zouden besluiten in de buurt jullie kamp op te slaan en met ons mee op jacht te gaan.'

'We stellen je aanbod op prijs,' zei Jondalar. 'We zullen vermoedelijk ergens in de buurt ons kamp voor de nacht opslaan, maar we moeten morgenochtend verder.'

Het was een behoedzaam aanbod, niet helemaal het welkom dat hij en zijn broer tijdens hun gezamenlijke voetreis dikwijls van vreemden hadden ontvangen. De formele begroeting, die in de naam van de Moeder werd gegeven, behelsde meer dan een aanbod van gastvrijheid. Deze werd beschouwd als een uitnodiging zich bij de anderen te voegen, bij hen te blijven en enige tijd onder hen te wonen. Uit de meer beperkte uitnodiging die de man had gedaan bleek hun onzekerheid, maar in ieder geval dreigden ze niet meer met hun speren.

'Deel dan in de naam van Mut ten minste mee in ons avondmaal en eet ook morgenochtend bij ons.' Deze gastvrijheid kon het stamhoofd bieden en Jondalar had het gevoel dat hij graag nog meer had geboden.

'In de naam van de Grote Aardmoeder zullen we met genoegen vanavond bij jullie eten wanneer we ons kamp hebben opgezet,' stemde Jondalar toe, 'maar we moeten vroeg vertrekken.'

'Waar gaan jullie met zoveel haast naartoe?'

De directheid die typerend voor de Mamutiërs was, overviel Jondalar nog steeds enigszins – zelfs na al de tijd die hij bij hen had doorgebracht – en vooral wanneer hij een onbekende voor zich had. De vraag van het stamhoofd zou onder Jondalars volk wat onbeleefd zijn gevonden; geen ernstige indiscretie, alleen een blijk van onvolwassenheid of te weinig gevoel voor het meer subtiele en indirecte spraakgebruik van volwassenen die wisten hoe het hoorde.

Maar zoals Jondalar had geleerd, werden onder de Mamutiërs openhartigheid en directheid als een gepaste levenshouding beschouwd en was gebrek daaraan als verdacht, hoewel zij in hun manier van doen ook niet zo open waren als wel leek. Ook in hun taal bestonden subtiele nuances. Het was een kwestie van verwoorden, hoe de ander reageerde en wat niet werd gezegd. Maar de onomwonden nieuwsgierigheid van de leider van dit Kamp was onder de Mamutiërs geheel gepast.

'Ik ben op weg naar huis,' zei Jondalar, 'en ik neem deze vrouw mee terug.'

'Waarom zouden enkele dagen dan verschil maken?'

'Mijn thuis ligt ver naar het westen. Ik ben nu...' Jondalar dacht even na, 'vier jaar weg en het zal ons nog een jaar kosten om thuis te komen, als we geluk hebben. Onderweg moeten we enkele malen een gevaarlijke oversteek maken over rivieren en ijs, en ik wil niet in het verkeerde seizoen bij de oversteekplaatsen aankomen.'

'In het westen? Het lijkt er anders op dat jullie naar het zuiden gaan.'

'Ja. We zijn nu op weg naar de Beran Zee en de Grote Moederrivier. Die willen we stroomopwaarts volgen.'

'Mijn neef is enkele jaren geleden voor handelsdoeleinden naar het westen gereisd. Hij vertelde dat daar mensen woonden bij een rivier die ze ook de Grote Moeder noemden,' zei de man. 'Hij meende dat het dezelfde rivier was. Ze zijn toen van hier naar het westen gereisd. Het hangt ervan af hoe ver stroomopwaarts jullie willen gaan, maar er is een doorgang ten zuiden van het Grote IJs, maar ten noorden van de bergen in het westen. Jullie zouden jullie Tocht sterk kunnen bekorten door daarlangs te gaan.'

'Talut heeft me van de noordelijke route verteld, maar niemand schijnt er zeker van te zijn dat het dezelfde rivier is. Zo niet, dan zou het ons meer tijd kunnen kosten als we de juiste moeten zoeken. Ik ben langs de zuidelijke route hierheen gekomen; die ken ik. Bovendien heb ik verwanten onder de Riviermensen. Mijn broer is een Verbintenis aangegaan met een Sharamudische vrouw en ik heb bij hen gewoond. Ik zou hen graag nog eens willen zien. Het is niet waarschijnlijk dat ik daartoe ooit nog de kans zal krijgen.'

'Wij drijven handel met de Riviermensen... Het komt me voor dat ik een jaar of twee geleden inderdaad iets over twee vreemdelingen heb gehoord die bij die groep woonden waarbij een Mamutische zich had aangesloten. Het waren twee broers, nu ik erover nadenk. De Sharamudiërs hebben andere verbintenisgewoonten, maar zoals ik het me herinner, zouden zij en haar metgezel zich samen met een ander paar verbinden – een soort adoptie, veronderstel ik. Ze stuurden bericht rond dat alle Mamutische verwanten die wilden komen zich als uitgenodigd konden beschouwen. Verscheidenen zijn er toen heen gegaan en nog later zijn er een of twee teruggekeerd.'

'Dat was mijn broer, Thonolan,' zei Jondalar, blij dat dit relaas in grote trekken zijn verhaal bevestigde, hoewel hij nog steeds zijn broers naam niet zonder smart kon uitspreken. 'Dat was zijn Verbintenisceremonie. Hij werd de metgezel van Jetamio en Markeno en Tholie werden hun medemetgezellen. Tholie heeft mij Mamutisch geleerd.'

'Tholie is een verre nicht van mij en ben jij de broer van een van haar metgezellen?' De man keerde zich naar zijn zuster om. 'Thurie, deze man is een verwant van ons. Ik denk dat we hem welkom moeten heten.' Zonder een antwoord af te wachten zei hij: 'Ik ben Rutan, leider van het Valkenkamp. In de naam van Mut, de Grote Moeder, heet ik jullie welkom.'

De vrouw had geen keus. Ze wilde haar broer niet in verlegenheid brengen door te weigeren zich bij zijn welkomstwoorden aan te sluiten, hoewel ze enkele welgekozen woorden bedacht om hem onder vier ogen toe te voegen: 'Ik ben Thurie, de leidster van het Valkekamp. In de naam van de Moeder, welkom hier. In de zomer zijn we het Pluimgraskamp.'

Het was niet het warmste welkom dat hem ooit ten deel was gevallen.

Jondalar bespeurde een uitgesproken reserve. Ze heette hen 'hier' welkom, uitdrukkelijk op deze plek die een tijdelijke verblijfplaats was. Hij wist dat elk zomers jachtverblijf als Pluimgraskamp werd aangeduid. De Mamutiërs verbleven in de winter op een vaste plek en, net als de andere zou ook deze groep een permanent onderdak of een leefgemeenschap van een of twee grote of ettelijke kleinere halfonderaardse woningen hebben, die zij het Valkenkamp noemden. Daar had ze hen niet welkom geheten.

'Ik ben Jondalar van de Zelandoniërs. Ik begroet jullie in de naam van de Grote Aardmoeder, die wij Doni noemen.'

'Wij hebben extra slaapplaatsen in de tent van de mamut,' vervolgde Thurie, 'maar ik weet niet hoe dat met de... dieren moet.'

'Als jullie het niet erg vinden,' zei Jondalar alleen om hoffelijk te zijn, 'zou het makkelijker voor ons zijn om dicht in de buurt ons eigen kamp op te slaan dan in dat van jullie te verblijven. We waarderen jullie gastvrijheid, maar de paarden moeten kunnen grazen, ze kennen onze tent en zullen daarnaar terugkeren. Ze zouden misschien te nerveus zijn om in jullie kamp te komen.'

'Uiteraard,' zei Thurie opgelucht. Ze zouden ook haar nerveus maken.

Ayla besefte dat ook zij welkomstwoorden moest uitwisselen. Wolf leek minder defensief en Ayla ontspande enigszins voorzichtig haar greep op hem. Ik kan Wolf hier niet voortdurend blijven vasthouden, dacht ze. Toen ze opstond, sprong hij tegen haar op, maar ze beduidde hem te gaan zitten.

Zonder haar zijn handen toe te steken of aanstalten te maken dichterbij te komen, heette Rutan haar welkom in zijn Kamp. Ze beantwoordde de begroeting op gelijke wijze: 'Ik ben Ayla van de Mamutiërs', en voegde eraan toe: 'van de Mammoetvuurplaats. Ik begroet jullie in de naam van Mut.'

Vervolgens sprak Thurie haar welkomstgroet aan Ayla uit, zodanig dat die alleen tot deze plek beperkt bleef, zoals ze bij Jondalar had gedaan. Ayla reageerde op formele wijze. Ze wenste dat er meer hartelijkheid aan den dag was gelegd, maar meende het de anderen ook eigenlijk niet kwalijk te kunnen nemen. Het idee dat dieren uit eigen vrije wil met mensen mee konden reizen kon voor anderen inderdaad iets griezeligs hebben. Niet iedereen kon, zoals Talut, bereid zijn die nieuwigheid te accepteren, besefte Ayla en ze voelde even een steek van verdriet om het verlies van de mensen die ze bij het Leeuwenkamp had liefgehad.

Ayla wendde zich tot Jondalar. 'Wolf heeft nu niet meer zulke sterke beschermingsneigingen. Ik denk dat hij naar me zal luisteren, maar ik moet toch iets hebben waarmee ik hem in bedwang kan houden zolang hij in de buurt van dit kamp is, en ook voor later, als we nog andere mensen tegenkomen,' zei ze in het Zelandonisch, aangezien ze het gevoel had bij dit Mamutiërskamp niet vrijelijk te kunnen spreken, hoewel ze dat wel wenste. 'Misschien zoiets als dat leidsel van touw dat jij voor Renner hebt gemaakt, Jondalar. Onder in een van mijn bagagemanden liggen een heleboel extra touwen en riemen. Ik zal hem moeten afleren zo op vreemden af te stormen; hij zal moeten leren dat hij blijft zitten waar ik hem dat zeg.'

Wolf moet begrepen hebben dat het heffen van hun speren een dreigend gebaar was, dacht ze. Ze kon het hem nauwelijks kwalijk nemen dat hij de mensen en paarden die zijn wonderlijke roedel vormden wilde verdedigen. Vanuit zijn standpunt gezien was het volkomen te begrijpen, maar dat wilde nog niet zeggen dat het door de beugel kon. Hij kon niet alle mensen die ze op hun Tocht misschien zouden tegenkomen blijven benaderen alsof het onbekende wolven waren. Ze zou hem moeten leren zijn gedrag bij te stellen, om vreemde mensen met wat meer zelfbeheersing tegemoet te treden. Op hetzelfde moment dat die gedachte bij haar opkwam, vroeg ze zich af of er andere mensen zouden zijn die begrepen dat een wolf gehoor kon geven aan de wensen van een vrouw, of dat een paard een mens op zijn rug kon laten rijden.

'Blijf jij maar hier bij hem. Ik pak het touw wel,' zei Jondalar. Nog steeds Renners leidsel vasthoudend, hoewel de jonge hengst wat was gekalmeerd, zocht hij in de bagagemanden op Whinneys rug naar het touw. De vijandigheid van de mensen van het kamp was iets afgenomen, ze schenen nu nauwelijks meer op hun hoede dan ze tegenover elke willekeurige vreemdeling zouden zijn. Te beoordelen aan de manier waarop ze toekeken, leek hun angst plaats te hebben gemaakt voor nieuwsgierigheid.

Whinney was eveneens tot rust gekomen. Jondalar krauwde en aaide haar en sprak haar vriendelijk toe terwijl hij in de manden rommelde. Hij was zeer gesteld op de stevige merrie en ofschoon hij genoot van Renners temperament bewonderde hij Whinney om haar kalmte en geduld. Ze had een kalmerend effect op de jonge hengst. Hij bond Renners leidseltouw vast aan de riem die de bagagemanden aan weerszijden van zijn moeders rug op hun plaats hield. Jondalar wenste dikwijls dat hij Renner net zo in de hand kon houden als Ayla Whinney onder controle hield, zonder toom of leidsel. Naarmate hij het dier vaker bereed begon hij al de verbluffende gevoeligheid van een paardenhuid te ontdekken, een goede zit te ontwikkelen en Renner aanwijzingen te geven door de druk van zijn benen en de houding van zijn lichaam.

Ayla kwam met Wolf aan de andere kant van de merrie staan. Toen Jondalar haar het touw aanreikte, sprak hij zachtjes tegen haar: 'We hoeven hier niet te blijven, Ayla. Het is nog vroeg. We kunnen nog een andere plek vinden aan deze of een andere rivier.'

'Het lijkt mij een goed idee om Wolf aan andere mensen te laten wennen, vooral vreemden. En ook al zijn ze niet al te toeschietelijk, ik zou het wel leuk vinden bij hen op bezoek te gaan. Het zijn Mamutiërs, Jondalar – mijn volk. Dit zijn misschien de laatste Mamutiërs die ik ooit te zien krijg. Ik vraag me af of ze naar de Zomerbijeenkomst gaan. Misschien kunnen we hun een boodschap voor het Leeuwenkamp meegeven.'

Het voorafgaande fragment vormt het begin van
Het dal der beloften,
het vervolg op *De mammoetjagers*
en het vierde deel van de romanserie *De Aardkinderen*.